MANUEL BANDEIRA

Poesia completa e prosa seleta

Biblioteca
Luso-brasileira
Série brasileira

Manuel Bandeira
Poesia completa e
prosa seleta em
dois volumes

VOLUME 1
Homenagens poéticas
Crônicas biográficas e depoimentos
Fortuna crítica da poesia
Poesia completa
Teatro poético traduzido

VOLUME 2
Fortuna crítica da prosa
Prosa seleta

Manuel Bandeira em sua escrivaninha, Rio, década de 1940.

Arquivo-Museu de Literatura Brasileira / Fundação Casa de Rui Barbosa

Manuel Bandeira

Poesia completa e prosa seleta

VOLUME 1
Homenagens poéticas
Crônicas biográficas e depoimentos
Fortuna crítica da poesia
Poesia completa
Teatro poético traduzido

Organização
André Seffrin

Editora
Nova
Aguilar

SUMÁRIO

12 Nota editorial

14 Itinerário de um poeta

19 Cronologia

27 Homenagens poéticas

CRÔNICAS BIOGRÁFICAS E DEPOIMENTOS

32 Milagre de uma vida
FRANCISCO DE ASSIS BARBOSA

74 Da modesta grandeza
MÁRIO DE ANDRADE

75 Itinerário para a rua da Aurora
PEDRO NAVA

77 Desses amigos para sempre...
ÁLVARO MOREYRA

78 Manuel Bandeira
JOEL SILVEIRA

79 Meu professor Bandeira
RUBEM BRAGA

80 Carta a Manuel Bandeira
CLEONICE BERARDINELLI

Manuel Bandeira: nossos encontros
ANTONIO CARLOS VILLAÇA

embranças de um encontro
BERTO DA COSTA E SILVA

FORTUNA CRÍTICA DA POESIA

92 A cinza das horas
JOÃO RIBEIRO

96 Libertinagem
MÁRIO DE ANDRADE

99 Marginália à poética de Manuel Bandeira
ONESTALDO DE PENNAFORT

112 De menino doente a rei de Pasárgada
RIBEIRO COUTO

125 Estudo sobre Manuel Bandeira
OCTAVIO DE FARIA

134 Belo belo
SÉRGIO MILLIET

137 Introdução
GILDA E ANTONIO CANDIDO DE MELLO E SOUZA

151 Poeta contemporâneo
WILSON MARTINS

155 Manuel Bandeira
JOSÉ GUILHERME MERQUIOR

160 Consciência poética
IVAN JUNQUEIRA

166 Estrela da vida inteira
LÊDO IVO

171 P. Breughel, a propósito de Manuel Bandeira
LOURIVAL HOLANDA

173 Lições de partir
IVAN MARQUES

176 O Bandeira o que é? É poeta ou não é?
ROSANA KOHL BINES

quietório do *Mafuá*". Seguindo todavia o exemplo de Alfonso Reyes e Mallarmé, mais tarde aceitou incorporar às poesias reunidas os seus exercícios lúdicos de poeta das famílias e dos amigos. E o que para muitos soou aí como diluição ganhou clara contraprova nas vigorosas asceses de *Estrela da tarde*, seus poemas derradeiros, a exemplo da extraordinária série "Preparação para a morte", a que não falta um belíssimo soneto, "O crucifixo", nítido desenho de raiz clássica, emblemático em seu percurso poético.

Suas tantas lições sobre tradução de poesia são igualmente importantes para o estudo de seus processos de composição:

> Sempre que você quiser traduzir um poema, faça um estudo preliminar no sentido de apurar o que é essencial nele e o que foi introduzido por exigência técnica, sobretudo de rima e métrica. Isto feito, se aparecerem dificuldades que digam respeito ao último elemento (o que não é essencial e pode ser alijado), resolva-as alijando o supérfluo, mesmo que seja bonito."
> (Também em carta a Alphonsus de Guimaraens Filho)

Observação semelhante reaparece no *Itinerário*, no seu costume de deixar o poema "flutuar por algum tempo dentro" do espírito "à espera de alguns pontos de fixação". Ideia complementada logo adiante: "Aliás só traduzo bem os poemas que gostaria de ter feito, isto é, os que exprimem coisas que já estavam em mim, mas informuladas". O mesmo raciocínio vale para os poemas que lhe aconteciam durante o sono, em grande parte perdidos. Conseguiu fixar apenas dois, "Palinódia" e "O lutador", este último oriundo da profunda impressão que lhe causou a palavra *transverberado*, ouvida durante o dia e transubstanciada em soneto à noite, enquanto dormia. Outro poema, "Oração do Saco de Mangaratiba", resultou de uma "espécie de subdelírio da extrema fadiga" depois de atravessar de barco as águas de Mangaratiba numa madrugada de fortes ventos. Seria o mais longo de sua vida, do qual só restaram seis versos, "única estrofe regular do poema, que era no mais em verso livre". A emoção ritmada em redondilhas de "A última canção do beco" aconteceu durante uma viagem de bonde, e para sua surpresa o poema veio composto "em sete estrofes de sete versos de sete sílabas". Sem esquecer o seu poema de mais longa gestação, "Vou-me embora pra Pasárgada", perseguido durante décadas, de repente escrito "sem esforço como se já estivesse pronto dentro de mim". Ou seja, em sonho, em subdelírio, como quer que fosse, muitas de suas composições afloravam medidas antes mesmo de alcançar o filtro da consciência formal.

Sim, este que foi talvez o mais culto de nossos grandes poetas foi também o mais avesso à eloquência: "Não faço poesia quando quero e sim quando ela, poesia, quer". Qualificado analista da poesia alheia, nos falou de poetas e de poesia sempre como quem convive com amigos, os amigos da poesia, buscando elucidar as mais altas abstrações com clareza e envolvimento de alma. E não resta dúvida de que, ao escrever seus poemas à sombra nostálgica de uma "vida inteira que podia ter sido e que não foi", e cada poema como se fosse o último, cultivou temas e métodos de composição absolutamente inéditos entre os seus contemporâneos e mesmo em relação aos que se firmaram depois:

Assim eu quereria o meu último poema

Que fosse terno dizendo as coisas mais simples e menos intencionais
Que fosse ardente como um soluço sem lágrimas
Que tivesse a beleza das flores quase sem perfume
A pureza da chama em que se consomem os diamantes mais límpidos
A paixão dos suicidas que se matam sem explicação.

Nesta aparente simplicidade reside o grande diferencial de seu legado, característica que o próprio Bandeira julgou comum (em seus apontamentos sobre a poesia de Mário de Andrade) nos poetas ingleses, quer dizer, "essa ardência que não consome, esse afeto que não mela nunca, essa transubstanciação de sentimentos em pensamento". Esta "pura lágrima" de quem só teve de seu na vida meio pulmão e a perdida alegria. E assim o temos de volta, para as incansáveis e infinitas releituras, em suas mais profundas e misteriosas ressonâncias, nas perspectivas daquela sua "eterna meditação sobre o grande tema único", isto é, o segredo da poesia, ou do seu itinerário em poesia.

CRONOLOGIA

1886   Manuel Carneiro de Sousa Bandeira Filho, nasce no Recife, a 19 de abril, na rua da Ventura (atual Joaquim Nabuco), filho de Manuel Carneiro de Souza Bandeira, engenheiro, e de Francelina Ribeiro de Souza Bandeira.

1890   A família deixa o Recife e vai para o Rio de Janeiro, depois em Santos, São Paulo e novamente no Rio. Em Petrópolis, onde passa dois verões, fixam-se as primeiras impressões conscientes, de que o poeta se recordará mais tarde. Leitura que lhe fazem de livros de que jamais se esqueceu, entre eles, *João Felpudo, Simplício olha pro ar, Viagem à roda do mundo numa casquinha de noz.*

1892   Volta com a família para Pernambuco. Frequenta o colégio das irmãs Barros Barreto na rua da Soledade e depois, como semi-interno, o de Virgínio Marques Carneiro Leão, na rua da Matriz. A esses quatro anos, o poeta chama a fase de armação de sua mitologia, em que entram personagens reais como Totônio Rodrigues, d. Aninha Viegas, a preta Tomásia, a rua da União, as ruas da Aurora, do Sol, da Saudade e Princesa Isabel. Leitura de *Cuore* de De Amicis, adotado em classe, na tradução de João Ribeiro. Escreve o poeta sobre esse período de sua infância: "Quando comparo esses quatro anos de minha meninice a quaisquer outros de minha vida de adulto, fico espantado do vazio destes últimos em cotejo com a densidade daquela quadra distante." (*Itinerário de Pasárgada*)

1896/1902   A família novamente muda-se do Recife para o Rio de Janeiro, indo desta vez residir na travessa Piauí, depois na rua Senador Furtado e mais tarde em Laranjeiras, onde reside seis anos. Não brinca com os moleques da rua mas toma contato com esta e com a gente humilde como uma espécie de intermediário entre sua mãe e os fornecedores, vendeiros, açougueiros, quitandeiros e padeiros. O futuro filólogo Sousa da Silveira, vizinho de Machado de Assis, é seu companheiro de conversas sobre literatura.

Durante esse período cursa o externato do Ginásio Nacional (atual Pedro II). Do contato com Silva Ramos, seu professor, e com o colega Sousa da Silveira, nasce-lhe o gosto pelos clássicos portugueses: decora os episódios de *Os Lusíadas*. Viajando em um bonde na companhia de Machado de Assis, conversam os dois sobre Camões, e o jovem colegial tem o orgulho de recitar para Machado uma oitava de *Os Lusíadas* de que este queria lembrar-se e cujas palavras exatas haviam se apagado em sua memória.

No ginásio tem ainda como colegas Antenor Nascentes e Lucilo Bueno. As leituras nascem da troca de idéias com os colegas que amam a literatura. Lê François Coppée, Leconte de Lisle, Baudelaire, Heredia, Antônio Nobre...

Aluno de literatura de Carlos França, ganha do professor, por um trabalho sobre madame Sevigné, o livro *La Fontaine et ses fables*, de Taine.

Aluno de geografia de José Veríssimo. ("Ótimo professor, diga-se de passagem, pois sempre nos ensinava em cima do mapa e de vara em punho.")

O professor que mais o impressiona, e com quem os alunos conversam sobre literatura depois das aulas de História Universal e do Brasil, é João Ribeiro. ("Esse, abriu-me os olhos para muitas coisas.")

Publica seu primeiro poema, um soneto em alexandrinos que sai na primeira página do *Correio da Manhã*.

1903/1908 Parte para São Paulo, onde se matricula na Escola Politécnica. Preparava-se para ser arquiteto, profissão a que tomou gosto por influência do pai. Emprega-se nos escritórios técnicos da Estrada de Ferro Sorocabana, da qual seu pai era funcionário, e toma aulas de desenho de ornato, à noite, no Liceu de Artes e Ofícios, com o arquiteto Domenico Rossi. Adoece do pulmão no fim do ano letivo (1904) e abandona os estudos.

Volta ao Rio e inicia uma longa peregrinação em busca de melhores climas para a saúde. Passa por várias cidades: Campanha, Teresópolis, Maranguape, Uruquê, Quixeramobim.

1910 Entra em um concurso promovido por Medeiros e Albuquerque na Academia Brasileira de Letras: quinhentos mil-réis para o melhor poema em versos livres. A comissão julgadora, no entanto, não confere o prêmio.

Leitura de Charles de Guérin, conhecimento das rimas toantes que seriam empregadas em *Carnaval*.

1912 Escreve seus primeiros versos livres, sob a influência de Guillaume Apollinaire, Charles Cros, Mac-Fionna Leod.

1913 Embarca em junho para a Europa a fim de se tratar no sanatório de Clavadel, perto de Davos-Platz, na Suíça (lugar indicado por João Luso). Reaprende o alemão, que estudara no ginásio. No sanatório, faz amizade com Paul Eugène Grindel (famoso mais tarde com o pseudônimo de Paul Éluard) e com Gala, futura mulher de Éluard e mais tarde de Salvador Dali. Éluard lhe empresta livros de Vildrac, Fontainas e Claudel. Torna-se amigo também de outro poeta e companheiro de sanatório, o húngaro Charles Picker, que não resistiu à doença.

Quis imprimir em Coimbra o seu primeiro livro de poesia, mas não recebeu resposta de Eugênio de Castro, a quem escreveu sobre isso. O título, *Poemetos melancólicos*, reunia poemas em parte extraviados no sanatório quando o poeta retornou ao Brasil.

1914 Volta ao Brasil em outubro, logo após a eclosão da Primeira Grande Guerra. Lê Goethe, Lenau e Heine. Anos de meditação sobre a técnica do verso.

No Rio, reside na então rua (hoje avenida) N. Senhora de Copacabana e depois na rua Goulart, no Leme.

1916 Morte de Francelina Ribeiro de Souza Bandeira, mãe do poeta.

1917 Publica seu primeiro livro — *A cinza das horas* — impresso nas oficinas do *Jornal do Commercio*, edição de duzentos exemplares custeada pelo autor (trezentos mil-réis).

João Ribeiro lhe faz um grande elogio em seu artigo de crítica no *Imparcial*. *A cinza das horas* tinha, então, uma epígrafe de Maeterlinck, retirada das edições posteriores:

Mon âme en est triste à la fin,
Elle est triste enfin d'être lasse,
Elle est lasse enfin d'être en vain.

1918 Morte de Maria Cândida de Sousa Bandeira, irmã do poeta, a qual fora sua enfermeira desde 1904.

1919	Publica *Carnaval*, também impresso nas oficinas do *Jornal do Commercio*, em edição custeada pelo pai. A *Revista do Brasil*, dirigida então por Monteiro Lobato, disseca o livro em poucas palavras. João Ribeiro torna a ter para com o poeta expressões de entusiasmo. *Carnaval* entusiasma igualmente a geração modernista de São Paulo.
1920	Morte de Manuel Carneiro de Souza Bandeira, pai do poeta. Da rua do Triunfo, em Paula Matos, muda-se para a rua do Curvelo, n. 53 (hoje Dias de Barros), vizinho de seu grande amigo Ribeiro Couto. A nova habitação dá-lhe o "elemento de humilde cotidiano". Diz ainda o poeta: "Não sei se exagero dizendo que foi na rua do Curvelo que reaprendi os caminhos da infância." Na rua do Curvelo, onde residiu treze anos, escreveu três livros, *O ritmo dissoluto*, *Libertinagem*, *Crônicas da Província do Brasil* e muitos poemas de *Estrela da manhã*.
1921	Em reunião na casa de Ronald de Carvalho, em Copacabana, conhece Mário de Andrade, com quem passa a se corresponder em 1922.
1922	Ronald de Carvalho lê o poema "Os sapos", de *Carnaval*, na Semana de Arte Moderna, em São Paulo, da qual o poeta não quis participar. Mas nesse mesmo ano viaja a São Paulo e conhece Paulo Prado, Couto de Barros, Tácito de Almeida, Menotti del Picchia, Luís Aranha, Rubens Borba de Morais e Yan de Almeida Prado. Data também dessa época a sua amizade, de contato então quase diário, com Jayme Ovalle, Rodrigo M. F. de Andrade, Dante Milano, Osvaldo Costa, Sérgio Buarque de Holanda, Prudente de Morais, neto. Com os amigos, costuma jantar no restaurante Reis, onde come (bem baratinho) o bife à moda da casa. Morte de Antônio Ribeiro de Souza Bandeira, irmão do poeta.
1924	Publica o volume *Poesias*, que reúne *A cinza das horas*, *Carnaval* e uma nova coletânea de poemas, *O ritmo dissoluto*, pela *Revista de Língua Portuguesa*, dirigida por Laudelino Freire, e por interferência de Goulart de Andrade.
1925	Colabora com artigos para o "Mês Modernista", página dos modernistas no jornal *A Noite*. Só o fez depois da insistência epistolar de Mário de Andrade. Ganha, assim, o seu primeiro dinheiro com literatura: cinquenta mil-réis por semana. Faz crítica musical para as revistas *A Ideia Ilustrada* e *Ariel*.
1926	Viaja a Pouso Alto, Minas Gerais, onde por intermédio de Ribeiro Couto conhece Carlos Drummond de Andrade. Viaja a trabalho de uma empresa jornalística: Salvador, Recife, Paraíba (atual João Pessoa), Fortaleza, São Luís e Belém.
1928/1929	Viaja a Minas Gerais e São Paulo. Como fiscal de bancas examinadoras de preparatórios, vai a Recife. Escreve crônicas semanais para o *Diário Nacional*, de São Paulo, e para *A Província*, do Recife. Colabora com a *Revista de Antropofagia*.
1930	Publica *Libertinagem* (poemas de 1924 a 1930), edição de quinhentos exemplares, custeada pelo autor.

1933	Muda-se da rua do Curvelo (casa em que depois moraria Rachel de Queiroz) para a rua Morais e Vale, na Lapa. A mudança lhe inspira o poema "O amor, a poesia, as viagens", incluído em *Estrela da manhã*.
1935	Nomeado inspetor de ensino secundário pelo ministro Gustavo Capanema.
1936	Em homenagem ao seu cinquentenário, os amigos publicam *Homenagem a Manuel Bandeira*, tiragem de 201 exemplares com poemas, estudos críticos e comentários sobre sua vida e obra.
	Com o papel presenteado por Luís Camilo de Oliveira Neto, publica *Estrela da manhã*, apenas 50 exemplares para subscritores, impressos na Biblioteca Nacional, pois o papel não deu para os 57 anunciados no livro.
1937	Publica *Crônicas da Província do Brasil*, pela Civilização Brasileira, crônicas inicialmente escritas para *A Província*, do Recife, *Diário Nacional*, de São Paulo, e *O Jornal*, do Rio de Janeiro.
	Selecionadas pelo poeta, que também ouviu conselhos de Mário de Andrade, aparecem as *Poesias escolhidas*, igualmente pela Civilização Brasileira.
	Publica, pelo Ministério da Educação e Saúde/Imprensa Nacional, a *Antologia dos poetas brasileiros da fase romântica*.
	Pela primeira vez, tem lucro material com a poesia, ao ser premiado pela Sociedade Felipe d'Oliveira (cinco contos de réis).
	Escreveu mais tarde: "Parece incrível, mas é verdade: aos 51 anos, nunca eu vira até aquela data tanto dinheiro em minha mão."
1938	Nomeado pelo ministro Gustavo Capanema professor de literatura do Colégio Pedro II e membro do Conselho Consultivo do Departamento do Patrimônio Histórico e Artístico Nacional.
	Publica *Antologia dos poetas brasileiros da fase parnasiana* e *Guia de Ouro Preto*, ambos pelo Ministério da Educação e Saúde/Imprensa Nacional.
1940	Com o falecimento de Luís Guimarães Filho, recebe a visita de Ribeiro Couto, Múcio Leão e Cassiano Ricardo, que o convencem a candidatar-se à vaga da Academia Brasileira de Letras. Eleito em agosto, no primeiro escrutínio, com 21 votos, toma posse da cadeira em 30 de novembro, sendo saudado por Ribeiro Couto.
	Pormenor: seu compêndio *Noções de história das literaturas*, onde só catorze acadêmicos eram citados, havia sido lançado nesse mesmo ano, em maio.
	Com o selo da Civilização Brasileira mas custeada pelo autor, publica *Poesias completas*, com acréscimo de uma parte de novos poemas, *Lira dos cinquent'anos*, que ampliou nos anos seguintes.
	Além de *Noções de história das literaturas*, pela Cia. Editora Nacional, publica, em separata da *Revista do Brasil*, o ensaio *A autoria das "Cartas chilenas"*.
1941	Começa a fazer crítica de artes plásticas em *A Manhã*, do Rio de Janeiro.
1942	Eleito membro da Sociedade Felipe d'Oliveira. Muda-se para o edifício Maximus, na praia do Flamengo.
	Organiza os *Sonetos completos e poemas escolhidos* de Antero de Quental, para a Editora Livros de Portugal.
1943	Deixa o Pedro II e é nomeado professor de literatura hispano-americana na Faculdade Nacional de Filosofia.

1944	Muda-se para o edifício São Miguel, na avenida Beira-Mar, 406, ap. 409. Organiza as *Obras poéticas de Gonçalves* Dias, edição crítica e comentada, para Cia. Editora Nacional. Nova edição aumentada das *Poesias completas*, pela Americ-Edit.
1945	Publica, com ilustrações de Guignard, *Poemas traduzidos*, edição da Revista Acadêmica (R.A.), de Murilo Miranda. Escreve para a Editora Fondo de Cultura Económica, do México, *Panorama de la poesía brasileña*, publicado em espanhol em 1946, com segunda edição em 1951.
1946	Recebe o Prêmio de Poesia do IBEC (cinquenta mil cruzeiros). Publica *Apresentação da poesia brasileira*, pela Casa do Estudante do Brasil, e *Antologia dos poetas brasileiros bissextos contemporâneos*, pela editora Zélio Valverde. Saúda na Academia Brasileira de Letras o novo acadêmico Peregrino Júnior.
1948	Publica *Poesias completas* com acréscimo do livro *Belo belo*, pela Casa do Estudante do Brasil, e *Poesias escolhidas*, pela editora dos Irmãos Pongetti. Em tiragem de 110 exemplares, publica *Mafuá do malungo: jogos onomásticos e outros versos de circunstância*, por O Livro Inconsútil (prensa manual de João Cabral de Melo Neto, em Barcelona). Publica a 2. edição aumentada de *Poemas traduzidos*, pela Editora Globo, de Porto Alegre. Organiza, para os Irmãos Pongetti, uma edição crítica das *Rimas* de José Albano.
1949	Publica *Literatura hispano-americana*, por Irmãos Pongetti. Traduz o *Auto sacramental do divino narciso*, de Soror Juana Inés de la Cruz.
1951	A convite de amigos, compõe chapa como candidato a deputado pelo Partido Socialista Brasileiro, consciente de que não tem chance de eleger-se, como acontece. Nova edição aumentada das *Poesias completas*, pela Casa do Estudante do Brasil.
1952	Publica a biografia de *Gonçalves Dias*, pelos Irmãos Pongetti. Em tiragem de 110 exemplares, publica *Opus 10*, pelas edições Hipocampo, de Thiago de Mello e Geir Campos. É operado de cálculos no ureter.
1953	Muda-se para o apartamento 806 do mesmo edifício São Miguel, da Avenida Beira-Mar.
1954	Publica *Itinerário de Pasárgada*, pelo *Jornal de Letras* (projeto de capa de Carlos Drummond de Andrade), e *De poetas e de poesia*, pelo Serviço de Documentação do Ministério da Educação. Faz conferência sobre Mário de Andrade no Teatro Municipal do Rio de Janeiro.
1955	Publica *50 poemas escolhidos pelo autor*, pelo Serviço de Documentação do Ministério da Educação. Traduz o drama *Maria Stuart*, de Schiller, representado no mesmo ano em São Paulo e no Rio, publicado no mesmo ano pela Civilização Brasileira. Publica ainda duas edições do volume *Poesias*, com acréscimo de *Opus 10*, pela Livraria José Olympio Editora, a primeira datada de dezembro de 1954 no colofão. Inicia a sua colaboração de cronista no *Jornal do Brasil*, do Rio de Janeiro, e *Folha da Manhã*, de São Paulo. Faz conferência sobre Francisco Mignone no Teatro Municipal do Rio de Janeiro.

1956   Escreve para a Enciclopédia Delta Larousse um estudo sobre "Versificação em língua portuguesa".
Nova edição de *Poemas traduzidos*, pela Livraria José Olympio Editora.
Traduz *Macbeth*, de Shakespeare, e *A máquina infernal*, de Jean Cocteau. A tradução de *Macbeth* foi representada em Lisboa (com edição pela Editorial Presença), posteriormente publicada no Brasil pela Livraria José Olympio Editora. Publica ainda *Obras poéticas*, pela Editorial Minerva, de Lisboa.
Aposentado compulsoriamente como professor de Literatura Hispano-Americana da Faculdade Nacional de Filosofia.

1957   Traduz as peças *Juno e o pavão*, de Sean O'Casey, publicada em 1965 pela Brasiliense, e *O fazedor de chuva*, de N. Richard Nash, representada a primeira em São Paulo, a segunda no Rio.
Publica *Flauta de papel*, reunião de crônicas pela Alvorada Livros de Arte, e faz edição conjunta de *Itinerário de Pasárgada* e *De poetas e de poesia*, pela Livraria São José.
Embarca no mês de julho para a Europa, em visita a algumas cidades da Holanda e depois Londres e Paris. Regressa ao Rio de Janeiro em novembro. Escreve crônicas bissemanais para o *Jornal do Brasil*, do Rio, e *Folha de S. Paulo* (até 1961).

1958   Publica *Gonçalves Dias*, para a coleção Nossos Clássicos da Editora Agir. Nova edição das *Noções de história das literaturas*, pela Cia. Editora Nacional
Publica, pela editora José Aguilar, *Poesia e prosa*, obras completas em dois volumes, compreendendo a lírica, os versos de circunstância, traduções de poemas estrangeiros e das peças teatrais *Auto Sacramental do divino narciso*, de Soror Juana Inés de la Cruz, *Macbeth*, de Shakespeare, *Maria Stuart*, de Schiller, crônicas, críticas, ensaios, o *Itinerário de Pasárgada*, o *Guia de Ouro Preto* e epistolário. Nesse mesmo ano traduz ainda a peça em verso *Colóquio-Sinfonieta*, de Jean Tardieu, representada no Rio de Janeiro.
Publica em Washington *Brief history of brazilian literature*, em tradução de Ralph Edward Dimmick, pela Pan American Union, livro reeditado em Nova York (por Charles Frank) em 1964.

1959   Traduz a peça *A casamenteira*, de Thornton Wilder.

1960   Publica pela Sociedade dos Cem Bibliófilos do Brasil a antologia *Pasárgada*, com ilustrações de Aldemir Martins. Em edição artesanal, publica *Estrela da tarde* e uma seleção de poemas de amor, *Alumbramentos*, ambas pela Dinamene, de Salvador.
Publica em Paris *Poèmes*, por Pierre Seghers, com poemas traduzidos por Luís Annibal Falcão, F. H. Blank-Simon e pelo autor. Reedita *Literatura hispano-americana* pelo Fundo de Cultura. Traduz o drama *D. João Tenório*, de José Zorrilla, representado no Rio pelo Teatro Nacional de Comédia e publicado pela Revista dos Tribunais.

1961   Publica *Antologia poética*, pela Editora do Autor. Traduz o poema *Mireia*, de Frédéric Mistral, publicado no ano seguinte na coleção Prêmios Nobel da editora Delta. Escreve crônicas semanais para o programa "Quadrante", da Rádio Ministério da Educação (até 1963), algumas publicadas depois nos volumes *Quadrante* e *Quadrante 2*, da Editora do Autor.

1962	Traduz o poema *Prometeu e Epimeteu*, de Carl Spitteler, publicado no ano seguinte na coleção Prêmios Nobel da editora Delta.

Publica *Poesia e vida de Gonçalves Dias*, pela Editora das Américas.

1963   Escreve para a Editora El Ateneo biografias de Gonçalves Dias, Álvares de Azevedo, Casimiro de Abreu, Junqueira Freire e Castro Alves. Traduz para o Teatro Nacional de Comédia a peça *O círculo de giz caucasiano*, de Bertolt Brecht. Publica *Estrela da tarde*, com acréscimos de poemas inéditos e da tradução de *Auto sacramental do divino narciso*, de Soror Juana Inés de la Cruz, pela Livraria José Olympio Editora. Publica *Poetas do Brasil*, antologia organizada em coautoria com José Guilherme Merquior, para a Editora do Autor. Escreve para o programa "Vozes da cidade", da Rádio Roquette Pinto, crônicas bissemanais, umas para esse programa, outras para o programa por ele próprio lido sob o título de "Grandes poetas do Brasil" (até 1964). Algumas dessas crônicas foram incluídas no livro *Vozes da cidade*, publicado em 1965 pela Distribuidora Record.

1964   Publica em Paris, por Pierre Seghers, o livro *Manuel Bandeira*, em tradução e organização de Michel Simon para a coleção Poètes d'Aujourd'hui. Traduz a peça *O advogado do diabo*, de Morris West, para a Editora Vozes.

Traduz a peça *Pena ela ser o que é*, de John Ford, representada no Rio de Janeiro.

1965   Publica as traduções das peças *Os verdes campos do Éden*, de Antônio Gala, *A fogueira feliz*, de J. N. Descalzo, e *Edith Stein na câmara de gás*, de Gabriel Cacho, pela Editora Vozes.

Publica *Rio de Janeiro em prosa & verso*, antologia organizada em coautoria com Carlos Drummond de Andrade, para a Livraria José Olympio Editora.

Publica a *Antologia dos poetas brasileiros da fase simbolista* e a tradução de *Rubaiyat*, de Omar Khayyam, em versos portugueses de Manuel Bandeira e espanhóis de Homero Icaza Sánchez, pelas Edições de Ouro (Tecnoprint). A mesma editora reedita a *Apresentação da poesia brasileira* e as antologias da fase romântica e parnasiana.

Edita o álbum *A morte*, treze poemas autografados com vinhetas do autor e sete litogravuras originais de João Quaglia, em tiragem de cem exemplares em papel Petrópolis Martelado, realizados em litografia pelo processo manual por André Willième e Antonio Grosso.

1966   Recebe a Ordem do Mérito Nacional, das mãos do presidente da República, marechal Humberto de Alencar Castelo Branco.

Em homenagem aos seus 80 anos, a Livraria José Olympio Editora promove grande festa "à qual comparecem — em rara demonstração de prestígio intelectual e de bem-querer ao Poeta — mais de mil pessoas".

Publica *Os reis vagabundos e mais 50 crônicas*, organização de Rubem Braga, pela Editora do Autor, *Meus poemas preferidos*, pelas Edições de Ouro, *Estrela da vida inteira*, poesia completa, e *Andorinha, andorinha*, antologia de crônicas, esta última em organização de Carlos Drummond de Andrade, ambos pela Livraria José Olympio Editora, que também publica o ensaio *Manuel Bandeira de corpo inteiro*, de Stefan Baciu.

Por requerimento da deputada Adalgisa Nery, a Assembléia Legislativa do Estado da Guanabara lhe concede o título de Cidadão Carioca.

Conquista o Prêmio Moinho Santista. Entrevistado pelos jornalistas cariocas, o poeta faz piada: "Como amigo do Rei, protesto: para um poeta com oitenta anos de idade são conferidos apenas dois milhões de cruzeiros, enquanto dois jovens, Dori Caymmi e Chico Buarque de Hollanda, recebem, cada um, vinte milhões."

1967 Publica *Poesia completa e prosa*, em volume único, pela editora José Aguilar, e a *Antologia dos poetas brasileiros da fase moderna*, em dois volumes, organizada em coautoria com Walmir Ayala, para as Edições de Ouro. Pela mesma editora, reeditam-se as *Cartas de Mário de Andrade a Manuel Bandeira*, e as antologias da fase romântica, parnasiana e simbolista.

Com problemas de saúde, deixa seu apartamento da Avenida Beira-Mar e transfere-se para o apartamento de Maria de Lourdes Heitor de Souza, na rua Aires Saldanha, em Copacabana.

1968 Publica *Colóquio unilateralmente sentimental*, pela Distribuidora Record. A 13 de outubro, morre Manuel Bandeira no Hospital Samaritano, em Botafogo, às 12h50, na presença da sobrinha Helena Bandeira Cardoso.

É sepultado no mausoléu da Academia Brasileira de Letras, no Cemitério São João Batista.

Homenagens poéticas

Saudade de Manuel Bandeira

Vinicius de Moraes

Não foste apenas um segredo
De poesia e de emoção
Foste uma estrela em meu degredo
Poeta, pai! áspero irmão.

Não me abraçaste só no peito
Puseste a mão na minha mão
Eu, pequenino — tu, eleito
Poeta! pai, áspero irmão.

Lúcido, alto e ascético amigo
De triste e claro coração
Que sonhas tanto a sós contigo
Poeta, pai, áspero irmão?

(*Vinicius de Moraes — Poesia completa e prosa*,
org. Eucanaã Ferraz. Rio de Janeiro: Nova Aguilar, 2008, p. 339.)

Manuel em pelote domingueiro

Cecília Meireles

Para Manuel Bandeira que, no dia 1º de junho de 1956 (por ocasião do lançamento do meu disco de poesia), me apareceu com um paletó muito engraçado. (E como paródia a Anchieta.)

Dia 1º de junho
na casa do bom livreiro,
vi Manuel todo faceiro
e deixo o meu testemunho
nestes versos que desunho:
Manuel, no dia primeiro,
em pelote domingueiro.

Para que não lhe suceda
ter o pelote furtado,
aqui fica retratado:
é de lã, não é de seda,
proceda de onde proceda,
não é de nenhum moleiro
seu pelote domingueiro.

Este sim, vos asseguro,
que é pelote de poeta,
não de gente analfabeta
que se vista com apuro.
Brilha como ouro, no escuro,
cor de tigre verdadeiro,
seu pelote domingueiro.

De botões não tem um monte
nem veste mil cachopinhos,
mas vêm mirá-lo os vizinhos,
até sumir no horizonte,
e eu me faço Xenofonte,
do pano e do costureiro
do pelote domingueiro.

O pelote foi-lhe dado
para o domingo, somente.
Mas bem sabe toda gente
que é domingo e feriado
se Manuel está presente.
(Que ele já nasceu arteiro
sem pelote domingueiro.)

Se lhe roubam o pelote
(pois anda fazendo frio)
tumulto haverá no Rio,
com ou sem General Lott.
Brigamos pelo capote
que custou tanto dinheiro:
o pelote domingueiro.

Pode haver pancadaria,
falta de luz e de bondes,
prisões de duques e condes
e greves de livraria.
"Onde estás, que não respondes?"
clamará Carlos Ribeiro
ao pelote domingueiro.

"Invejosos e gatunos,
procurai outros negócios,
ide roubar os beócios,
imbecis, cretinos e hunos,
— mas não sejais importunos,
ocultando o paradeiro
do pelote domingueiro!"

Tem dono e é bem empregado
o pelote justo e certo,
cor de tigre e de deserto,

e tão bem abotoado,
que só falta ser rajado
para ninguém chegar perto
do caro Manuel, fagueiro
no pelote domingueiro!

(Cecília Meireles — Poesia completa
São Paulo: Global, 2017, v. 2, p. 737-739.)

MANUEL BANDEIRA

SOPHIA DE MELLO BREYNER ANDRESEN

Este poeta está
Do outro lado do mar
Mas reconheço a sua voz há muitos anos
E digo ao silêncio os seus versos devagar

Relembrando
O antigo jovem tempo tempo quando
Pelos sombrios corredores da casa antiga
Nas solenes penumbras do silêncio
Eu recitava
"As três mulheres do sabonete Araxá"
E minha avó se espantava

Manuel Bandeira era o maior espanto da minha avó
Quando em manhãs intactas e perdidas
No quarto já então pleno de futura
Saudade
Eu lia
A canção do "Trem de ferro"
E o "Poema do beco"

Tempo antigo lembrança demorada
Quando deixei uma tesoura esquecida nos ramos da cerejeira
Quando
Me sentava nos bancos pintados de fresco
E no Junho inquieto e transparente
As três mulheres do sabonete Araxá
Me acompanhavam
Tão visíveis
Que um eléctrico amarelo as decepava

Estes poemas caminharam comigo como a brisa
Nos passeados campos da minha juventude
Estes poemas poisaram a sua mão sobre o meu ombro
E foram parte do tempo respirado

(Sophia de Mello Breyner Andresen — Geografia.
Lisboa: Ática, 1967, p. 80-81)

CRÔNICAS

BIOGRÁFICAS
E DEPOIMENTOS

Milagre de uma vida
Francisco de Assis Barbosa

Toda a vida de Manuel Bandeira está como que refletida na sua poesia. Talvez não exista, na literatura de língua portuguesa, exemplo maior de transposição para o plano artístico de uma experiência pessoal, com a mesma constância e igual intensidade, desde o primeiro poema de *A cinza das horas* ao derradeiro verso da *Estrela da tarde*. Dir-se-ia que o problema do biógrafo se resume em decifrar o enigma da mensagem, só encerrada quando o poeta contava 82 anos, depois de ter enganado tantas vezes a morte no tempo da mocidade. Por mais extravagante que seja, foi a morte que deu a vida à poesia bandeiriana. Efetivamente, o poeta nasceu na hora em que a doença parecia ter condenado de modo inapelável ao jovem estudante de arquitetura de vocação ainda não definida. Não fosse o "mau destino", e o rapaz muito possivelmente não passaria de respeitável engenheiro, tal como o pai. E nada mais do que isso.

Os sonetos da adolescência – com as rimas bem ligadas ao assunto, na fria e seca opinião de Machado de Assis, consultado a respeito por pessoa da família – ficariam perdidos no limbo, como aventuras inconsequentes de menino-prodígio, cujos talentos por sinal não se limitavam à métrica do verso. Desenhava com a mesma presteza, o mesmo brilho. Redigia com precisão. E a todos impressionava a sua arte de improvisar, apreendendo num átimo as coisas mais difíceis e complicadas, expondo-as em seguida com extrema facilidade e até com um certo jeito que denotava queda para o teatro, pela mímica e pela inflexão de voz fora do comum. Poderia ter sido tudo que quisesse. Tudo, menos poeta.

A verdade é que, nos poemas preparatórios, nada existe, além da habilidade de versejar. Nenhum lampejo, sinal, indício, nada, nada a denunciar, mesmo de leve, o grande poeta que a doença revelaria, um pouco mais tarde, autor de poesias eróticas das mais belas que foram escritas em português. O amor, unido à morte, e aí está todo Manuel Bandeira, muito embora fosse este um capítulo defeso na biografia do poeta quando ainda vivia. E, em seu caso particular, território inviolável, conforme ele próprio observou a repórter indiscreto, abusivamente interessado na identificação da "Vulgívaga" ou da mulher do "Alumbramento", lembrando-lhe do verso de Alfred de Musset: *"Un silence profond règne dans cette histoire"*.

Simbologia e religiosidade

Mesmo deixando Vênus de lado, embora não a esquecendo nunca, a pesquisa biográfica tem que começar com o *ex-libris* de Manuel Bandeira, desenhado por Alberto Childe, segundo indicações do poeta – corpo leonino da esfinge com cabeça de carneiro, símbolo de que se tem a seguinte explicação autêntica:

Ariesphinx

A força da doçura
A força da poesia

A força da música
a força das mulheres e das crianças
A força de Jesus – o cordeiro de Deus.

Vale lembrar que justamente com o título de "Ariesphinx" Manuel Bandeira incluiu em *Estrela da tarde* (1960) o seguinte poema:

Montanha e chão. Neve e lava.
Humildade da umidade.
Quem disse que eu não te amava?
Amo-te mais que a verdade.

E de resto o que é a verdade?
E de resto o que é a poesia?
E o que é, nesta guerra fria,
Qualquer pura realidade?

Então, tão só no passado
Quero situar o meu sonho.
Faço como tu e, mudado
Em ariesphinx, sotoponho

O leão ao manso carneiro.
Doçura de olhos de corça!
Doçura, divina força
De Jesus, de Deus cordeiro.

Para os iniciados em simbologia ou em ciências ocultas, a curiosa concepção do desenho e a não menos curiosa interpretação, extraída do *Itinerário de Pasárgada*, poderão significar a abertura de muitos caminhos para os mundos inumeráveis em que vivem os poetas da altitude de um Manuel Bandeira ou de um Fernando Pessoa, para citar apenas esses dois, tocados ambos, ainda que em escala diversa, pela fascinação da mitologia e do esoterismo. Ao contrário do admirável lusíada, o brasileiro não menos admirável nunca foi na verdade um espiritualista. Sem se despojar jamais de um rico potencial de religiosidade, transmitido por ancestralidade, pode-se dizer, numa família em que, do tronco paterno como do materno, são numerosos os frades e as freiras, o certo é que Manuel Bandeira nunca foi praticante de nenhum culto religioso, pertencendo sempre à legião dos "católicos relaxados", mantendo as suas devoções, guardando com carinho crucifixos e imagens de santos, principalmente as que lhes dão prazer estético na contemplação. E que são capazes até de rezar com fervor, mas só pisam na igreja para batizados, casamentos e missas de sétimo dia...

Num caderno de notas de Manuel Bandeira, onde se acham misturados endereços, apontamentos de família, lembretes de aniversários, rascunhos de poemas, receitas de culinária, além de conselhos práticos para limpeza de casa, desde indicações para tirar o mofo e ferrugem à maneira mais eficiente de matar baratas e bichos de livro – caderno de celibatário –, encontra-se uma transcrição de Einstein, a propósito da existência de Deus:

Ma religion consiste en une humble admiration envers l'esprit supérieur et sans limites qui se révèle dans les plus minces détails que nous puissions percevoir avec nos esprits faibles et fragiles. Cette profonde conviction sentimentale de la présende d'une raison puissante et supérieure se révélant dans l'incompréhensible Univers, voilà mon idée de Dieu.

O caderno do avô

Vamos limitar a nossa pesquisa de autobiografismo na poesia de Manuel Bandeira, sem transpor as fronteiras do afetivo, senão do simplesmente familial passando de raspão por sobre o campo literário, para não repisar o que já foi dito de modo lapidar no *Itinerário de Pasárgada*. O primeiro verso do poema de abertura do livro de estreia, *A cinza das horas*, publicado em 1917, será o fio da meada. A declaração nele expressa não é apenas biográfica, mas genealógica:

Sou bem nascido...

Era a mania do avô paterno, a genealogia. Professor de matemática e filosofia do curso anexo à Faculdade de Direito do Recife – e nesta qualidade teve que examinar Castro Alves, reprovando-o em geometria –, depois de jubilado, diretor da Biblioteca da Província, o doutor Antônio Herculano de Souza Bandeira buscou nos arquivos das velhas igrejas pernambucanas as origens da família, casamento por casamento. Punha em ordem os rascunhos, passando a limpo as abundantes notas que havia recolhido, quando veio a falecer sem terminar a tarefa.

Dizia ele, em 1882, que iniciara os apontamentos em 1857, sem quaisquer veleidades de "foros de nobreza", somente para que os seus descendentes pudessem "conhecer e marcar as relações de parentesco". Pode ser que sim, pode ser que não. Partidário do filosofismo de Victor Cousin, avançado portanto nas ideias do tempo, esse quase socialista bateu-se pela eleição direta, chegando mesmo a reunir em volume opiniões e pareceres de alguns dos mais desabusados extremistas seus contemporâneos – o general Abreu e Lima e o jornalista Antônio Pedro de Figueiredo, entre outros.[1] Isto, em 1861, vinte anos antes da grande conquista liberal que foi a Lei nº 3.029, de 9 de janeiro de 1881. Talvez por isso mesmo só uma única vez conseguira eleger-se deputado geral, na legislatura de 1864-1866, juntamente com os seus antigos companheiros da Praia, Antonio Vicente do Nascimento Feitosa, Urbano Sabino Pessoa de Melo, Silvino Cavalcanti de Albuquerque, Antônio Epaminondas de Melo, Francisco Xavier Pais Barreto, José Leandro de Godói Vasconcelos.

Carta de brasão

Apesar de todo este extremado liberalismo político, tinha orgulho da sua branquidade. Segundo o testemunho do neto, lamentava os que iam mesclando

---

1 *Reforma eleitoral* [;] *Eleição direta*. Coleção de diversos artigos sobre a eleição direta, e precedida de uma introdução pelo editor bel. Antônio Herculano de Souza Bandeira. Recife, 1862.

pelo casamento a pureza das raízes familiares.[2] Nestas horas, a voz do sangue gritava mais forte. Mas se é exato que se possuía tais pruridos racistas ou quais prosápias fidalgas, não deixa de causar espécie a omissão da origem do onomástico Bandeira nas minuciosas notas genealógicas que Antônio Herculano coligiu.

Homem de inegável cultura, conhecia por certo a lenda do primeiro português deste nome, o escudeiro Gonçalo Pires Jusarte, herói da batalha de Toro, na campanha contra Castela, lá pelos idos de março de 1476. O episódio está nos manuais escolares, mas vale a pena ser rememorado. Gonçalo Pires foi o autor da façanha quase fantástica da retomada do pavilhão português, de que o inimigo se apoderara, retirando-o dos dentes do alferes Duarte de Almeida, esvaído numa poça de sangue, depois de ter as duas mãos decepadas. O príncipe Dom João II concedeu-lhe carta de brasão de armas por esse ato de bravura, ordenando que ele e seus descendentes passassem a usar o apelido de Bandeira, que juntaram ao de Jusarte.

É a carta de brasão que dá motivo a um poema, datado de 1943, descrita com todos os requisitos da heráldica:

> Escudo vermelho nele uma Bandeira
> Quadrada de ouro
> E nele um leão rompente
> Azul, armado.
> Língua, dentes e unhas de vermelho.
> E a haste da Bandeira de ouro.
> E a bandeira com um filete de prata
> Em quadra.
> Paquife de prata e azul.
> Elmo de prata cerrado
> Guarnecido de ouro.
> E a mesma bandeira por timbre.

ANTECEDENTES FAMILIARES

Sem se permitir licenças poéticas, mas sempre levando muito a sério o seu afã de linhagista, ao contrário do neto, irônico e trocista, Antônio Herculano não havia apurado com a certeza plena das afirmações, a relação de parentesco entre o herói da batalha de Toro e Manuel Gonçalves Bandeira, radicado em Pernambuco desde o século XVII, casando-se com uma das filhas de Domingos Monteiro de Oliveira, gente de prol na capitania, e cuja neta, Maria Diniz Bandeira, unida pelo matrimônio a Domingos Fernandes de Souza, cognominado "O mineiro", em 17 de julho de 1724 marcaria o início dos Souzas Bandeiras.

A rigor, o sobrenome da mulher deveria anteceder ao do marido. Bandeira de Souza e não Souza Bandeira, portanto. Teria influído na precedência o peso do

---

2 O preconceito racial, se é que existiu, não passou aos descendentes. Um dos netos de Antônio Herculano, o doutor Raimundo Bandeira Vaughan (a mãe era de origem inglesa), casado com a dona Maria José Monnerat Bandeira Vaughan (descendente de suíços), perfilhou "quatro afro-brasileiros". E deu-lhes os nomes das duas famílias de sangue europeu, a dele próprio e a da sua esposa, passando os filhos adotivos a assinarem Monnerat Bandeira Vaughan. (Vide Raimundo Bandeira Vaughan, *Livro da família Monnerat*, edição do autor, 1945, interessante documentário em torno dos primeiros emigrantes suíços que se estabeleceram na colônia de Nova Friburgo.)

nome Bandeira? Se é assim, confirma-se o valor em que era tido e havido na capitania, já que Domingos Fernandes de Souza, português de nascimento, e que no *rush* do ouro andara pelas Minas Gerais antes de se estabelecer em Pernambuco, daí a sua alcunha, era homem de cabedais vindo a possuir uma grande propriedade nos arredores de Olinda, as terras do antigo engenho do Forno da Cal.

Mas o paciente trabalho de Antônio Herculano não chegou ao fim. Perderam-se os rascunhos, e o neto – Manuel Bandeira, ele mesmo, em pessoa – não pôde completar a obra que intentara nos seus ócios de doente, abandonando-a por volta de 1907. Contudo, o caderno inacabado do avô, verdadeira relíquia da família, assegura-nos que os Souzas Bandeiras participaram da Revolução de 1817 e estiveram envolvidos na tentativa de extermínio do bárbaro governador Luís do Rego. Um Souza Bandeira figura por fim entre os "homens bons" da província, que aclamaram ao "Senhor Dom Pedro de Alcântara primeiro imperador constitucional e defensor perpétuo do Brasil". É quanto bastava para glória da família, entrelaçada, aliás, a outros ramos e galhos igualmente ilustres, como os Carneiros da Cunha e os Netos Campelos.

Casara-se tarde, beirando os quarenta. Vinte anos mais moça era a esposa, Maria Cândida Lins de Albuquerque, dona Sinhá. Dela, entretanto, não se preocupou em fazer a árvore genealógica. Fê-la o neto, o doutor Raimundo Bandeira Vaughan, primo de Manuel, remontando os seus apontamentos a Jerônimo de Albuquerque, o torto, cunhado de Duarte Coelho, casado em 1535 com a filha do morubixaba Arco Verde, uma índia tabajara chamada Muira-Ubi, que depois receberia o nome cristão de Maria do Espírito Santo. Esse sangue índio seria caldeado, no suceder das gerações, com sangue florentino (de Filipe Cavalcanti), batavo (de Henrique de Holanda, casado com Margarida Florência, irmã de Adriano VI, último papa holandês) e bávaro (de Sibbad Lintz, semente dos Lins irradiados do Nordeste a todo o Brasil). Linhagem por linhagem, dona Sinhá levaria a melhor a Antônio Herculano...

O LADO MATERNO

Não é este, porém, o "avô morto" que o poeta relembra em mais de uma passagem da "Evocação do Recife":

> Recife...
>> Rua da União...
>>> A casa de meu avô...
> Nunca pensei que ela acabasse!
> Tudo lá parecia impregnado de eternidade
>
> Recife...
>> Meu avô morto...
> Recife morto, Recife bom, Recife brasileiro como a casa de meu avô.

É este o doutor Antônio José da Costa Ribeiro, advogado e parlamentar, maçom e católico, que o poeta conheceu velhinho, ouvindo na calçada as patacoadas de Teotônio Rodrigues, também muito velho, que botava o pincenê na ponta do nariz. Fora advogado dos frades da Penha e do Carmo. O irmão, cônego João José da

Costa Ribeiro, chamado "Tio Padre", era vigário de São José e lente de latim do Ginásio do Recife. Ele próprio, católico convicto. Nada disso valeu, entretanto, contra o sagrado furor sectário de um jovem bispo, dom frei Vital Maria Gonçalves de Oliveira. Os maçons brasileiros, regra geral, não professavam intuitos anticatólicos (havia até padres filiados às lojas), donde o conflito entre a Igreja e o Império que passaria à história com o nome de questão religiosa.

No seu *Um estadista do Império*, conta Joaquim Nabuco que dom Vital se dirigiu ao vigário da paróquia de Santo Antônio, um dos bairros do Recife, em 27 de dezembro de 1872, a fim de que exortasse o doutor Costa Ribeiro a abjurar a maçonaria, sob pena de expulsão da Irmandade do Santíssimo Sacramento. Segundo a tradição da família, tudo se processou porém no maior sigilo. No trato com os seus companheiros de Irmandade percebera Costa Ribeiro qualquer coisa no ar. Por este ou qualquer outro motivo, decidiu-se a visitar o bispo, em companhia da esposa, dona Francelina. Dom Vital dispensou ao casal o mais carinhoso tratamento.

– Veja você, França, – dissera à mulher quando saíam do Palácio do Bispo – falam tanto de dom Vital. No entanto, você viu como ele nos tratou.

Àquela altura, dom Vital já havia assinado o ultimato. Indiferente aos rogos dos membros da Irmandade e do próprio vigário da paróquia de Santo Antônio, que respondia pelas virtudes cristãs do doutor Costa Ribeiro, limitara-se a dizer apenas, como exigindo a opção entre a opa e o avental maçônico:

– Escolhi a melhor ovelha para dar o exemplo.

"Meu avô – um santo"

Católico e maçom, o pivô da questão religiosa assistira perplexo à atoarda que se levantou em todo o país, culminando com a prisão dos bispos de Pernambuco e do Pará. Teria o incidente influenciado na sua eleição para deputado geral? O fato é que Costa Ribeiro participou dos trabalhos parlamentares da 17ª legislatura, período em que se discutiu a reforma constitucional, preconizada por Sinimbu e que, embora malograda, acabou na Lei Saraiva, consagradora da eleição direta. Nessa mesma legislatura, Joaquim Nabuco desencadearia na Câmara dos Deputados a campanha abolicionista. Mas Costa Ribeiro não tinha vocação para a política. Homem manso e suave, não queria saber de bulha em torno do seu nome, muito menos de briga com as autoridades eclesiásticas. Tanto assim que proibiu qualquer comentário em casa, recomendando aos filhos que jamais tocassem no assunto, mesmo depois da sua morte.[3]

"Meu avô materno – um santo"... dirá dele Manuel Bandeira, no poema "Infância". E, de fato, vivia como um pacato chefe de família que organizara na base de um matrimônio feliz. Casara-se por amor com a filha de Cláudio José dos Santos, que deixou fama de "muito bom relojoeiro", e cuja esposa, Germana do Espírito Santo, rezam as crônicas domésticas, se dizia neta de dom José, oficial do Santo Ofício. Todavia, a mais simpática tradição que se conserva do tronco materno da família é

---

3   Tudo isso, inclusive o incidente com o bispo, ouviu Manuel Bandeira de seu tio Antônio José da Costa Ribeiro (tinha o mesmo nome paterno), republicano histórico e político da corrente de Martins Júnior. Deputado federal na 8ª e 9ª legislaturas (1912 a 1917), quando da derrubada de Rosa e Silva e ascensão do general Dantas Barreto em Pernambuco.

que esse "avô morto" da "Evocação do Recife" fizera em versos a corte à sua noiva, fato que o neto havia de celebrar com ternura num dos poemas de *A cinza das horas*.

> E enquanto anoitece, vou
> Lendo, sossegado e só,
> As cartas que meu avô
> Escrevia a minha avó.
>
> Enternecido sorrio
> Do fervor desses carinhos:
> É que os conheci velhinhos,
> Quando o fogo era já frio.

AS PRIMEIRAS LEMBRANÇAS

Não são contudo da rua da União, onde o poeta viveu dos seis aos dez anos, as primeiras recordações de Manuel Bandeira. Nascido no Recife, no bairro do Capunga, na rua que hoje se chama Joaquim Nabuco (que lindo nome teria então?),[4] viajou de caçuá em lombo de burro durante todo o tempo em que o pai andou trabalhando como engenheiro da Comissão de Prolongamento da Estrada de Ferro de Pernambuco, antiga Recife a Caruaru, desbravando mato, assentando trilhos na terra árida das caatingas até o sertão bruto. A família não tinha pouso certo. E lá onde ia o chefe, iam todos: a mulher e os filhotes. Todos três – Antônio (1882), o mais velho, Maria Cândida (1884) e o caçulinha Manuel (1886) – nasceram em meio à vida itinerante do engenheiro Manuel Carneiro de Souza Bandeira.

A toada do poema "Trem de ferro":

> Café com pão
> Café com pão
> Café com pão

Ouviu-a o filho, muitas vezes, na infância, cantada pelo pai. Como também são do pai – ou de inspiração paterna – outros achados do poema de sabor tão popular e tão sacudido ritmo onomatopaico:

> Oô...
> Quando me prendero
> No canaviá
> Cada pé de cana
> Era um oficiá.

Concluídos os trabalhos da estrada de ferro, com as economias que pôde juntar, o engenheiro Souza Bandeira vai com a esposa passar uma temporada de um ano na Europa (os filhos, inclusive Manuel, então com poucos meses de idade, ficam *sob a guarda dos avós maternos*). A viagem se estende por Portugal, Espanha, Fran-

---

4 Rua da Ventura era o primitivo nome, segundo apurou recentemente o senhor Antônio de Brito Alves.

ça, Bélgica, Holanda, Alemanha, Áustria e Itália, retornando o casal à pátria pouco antes da Abolição e da República. Proclamada esta, cheio de entusiasmo pelo novo regime e principalmente pela política financeira de Rui Barbosa, então à frente do Ministério da Fazenda, Souza Bandeira emigra para o sul e funda com um amigo, Venceslau de Oliveira Belo, a Companhia Promotora de Melhoramentos. Mas o governo provisório entra em crise. Rui deixa o ministério. E a política financeira cai em solução de continuidade. Na voragem do encilhamento, o pai de Manuel Bandeira perde todo o dinheiro que conseguira acumular nos primeiros anos – os mais duros – da sua atividade profissional.

De um dos verões em Petrópolis, é a mais antiga reminiscência de Manuel Bandeira, fixada no poema escrito mais de sessenta anos depois:

> Corrida de ciclistas.
> Só me lembro de um bambual debruçado no rio.
> Três anos?
> Foi em Petrópolis.

No mesmo poema, alinha outras vagas impressões da mesma época, entre 1890 e 1892: a casa de São Paulo, a praia de Santos, a chácara da Gávea, a casa da rua Don'Ana. É que a família, em dois anos, muda-se do Recife para o Rio, depois para São Paulo e Santos, volta de novo para o Rio, retorna ao Recife. Nesse vaivém, ouve as histórias da mulata Rosa, ama-seca do poeta ("Vou-me embora pra Pasárgada"), ouve a leitura de livros que jamais se esqueceu, entre eles: *João Felpudo, Simplício olha pra o ar, Viagem à roda do mundo numa casquinha de noz*. O poema "Cabedelo" é inspirado numa das estampas e no próprio título deste último livro:

> Viagem à roda do mundo
> Numa casquinha de noz:
> Estive em Cabedelo.
> O macaco me ofereceu cocos.
>
> Ó maninha, ó maninha,
> Tu não estavas comigo!...
>
> – Estavas?...

A chácara da Gávea é recordada no poema "Velha chácara". As impressões de Santos, mais antigas ainda, aparecem também no "Poema roto", incluído n'*A cinza das horas* a partir da 4ª edição das *Poesias completas*, 1948, e que nas seguintes tomou o nome de "Ruço". Foi escrito, no entanto, em 1912. Ficou todo esse tempo na gaveta por ser, no entender do poeta, muito transparente nele a influência de Antônio Nobre.

Na rua da União

De volta ao Recife, indo morar na rua da União, na casa do avô materno, começa a construir-se a "mitologia" bandeiriana. "E digo mitologia", depõe o poeta, "porque os seus tipos, um Totônio Rodrigues, uma dona Aninha Viegas, a preta Tomásia, velha cozinheira do meu avô Costa Ribeiro, têm para mim a mesma consistência heroica das personagens dos poemas homéricos. A rua da União, com os quatro quarteirões limitados pelas ruas da Aurora, do Sol, da Saudade e Princesa Isabel, foi a minha Tróada; a casa de meu avô, a capital desse reino fabuloso. Quando comparo esses quatro anos de minha meninice a quaisquer outros quatro anos de minha vida de adulto, fico espantado do vazio destes últimos em cotejo com a densidade daquela quadra distante."

Parece que está dito tudo sobre esse período, em que o poeta brinca de chicote-queimado, ganha de presente um porquinho-da-índia (a sua primeira namorada), ouve as cantigas de roda e começa a frequentar o colégio de Virgínio Marques Carneiro Leão. Estaria dito tudo, realmente, não faltasse o pai, de todos os personagens da mitologia bandeiriana o de presença mais viva e mais atuante. Foi esse homem de singular inteligência, enamorado do folclore como da poesia erudita, quem incutiu no filho, desde o berço, o amor de tudo quanto

> Vinha da boca do povo na língua errada do povo
> Língua certa do povo
> Porque ele é que fala gostoso o português do Brasil

O engenheiro Souza Bandeira fizera o caçula decorar toda a cantata "Dido", de Garção, mas lhe ensinara também todos os versos que ouvia da gente do povo, nas "óperas" que gostava de improvisar, por brincadeira, para distrair os filhos, e que acabaram incorporadas a algumas das peças mais notáveis da moderna poesia brasileira: "Os sapos", "Mangue", "Belém do Pará", "Evocação do Recife", "Boca de Forno", "Sacha e o Poeta", "Trem de ferro", sei lá quantos mais.

No colégio Pedro II

Em 1896, contava o poeta dez anos, a família vem residir novamente no Rio. Primeiro na travessa Piauí, depois na rua Senador Furtado, nas imediações da praça da Bandeira, até que para em Laranjeiras na mesma casa durante seis anos. Souza Bandeira retomara a sua atividade de engenheiro, e no governo de Campos Sales, quando Alfredo Maia passa de diretor da Central do Brasil a ministro da Viação, é feito seu consultor técnico.

"Na casa das Laranjeiras", diz o poeta numa das suas confidências, "nunca faltava o pão mas a luta era dura". Não obstante, a casa estava sempre cheia de gente. Lá moravam ou passavam temporadas os tios maternos de Manuel: Manuel da Costa Ribeiro (futuro desembargador) e Cláudio da Costa Ribeiro (futuro engenheiro). Este gostava de fazer versos, o que lhe parecia bom em matéria de poesia passava ao sobrinho. Os namoros dos tios inspirariam os primeiros versos de circunstância do menino de pouco mais de dez anos. Outro hóspede constante da casa de Laranjeiras era o estudante do Colégio Militar José Frazão Milanês, que ingressaria depois na Marinha e chegaria ao ponto final da carreira como professor de astronomia na Escola Naval.

De 1897 a 1902 é o período dos estudos no Externato do Ginásio Nacional, nome com que os republicanos, nos ardores iniciais do regime, implantado havia pouco mais de um lustro, tentaram em vão rebatizar o Colégio Pedro II. De seus mestres – João Ribeiro, Silva Ramos, José Veríssimo, Carlos França, Ramiz Galvão, Vicente de Sousa, Paula Lopes –, o poeta enumerou todas as influências maiores e menores nas *Crônicas da Província do Brasil*, no *Itinerário de Pasárgada* ou no discurso de posse na Academia Brasileira de Letras.[5] Como dos colegas – dois filólogos: Sousa da Silveira e Antenor Nascentes; um diplomata: Lucilo Bueno; dois juristas: Castro Nunes e Lopes da Costa; um cientista: Artur Moses. Sem falar em Castro Meneses, um ano mais adiantado, que cedo conhecera a notoriedade literária, com a publicação de um volume de versos, *Mythos*, que cedo morreu e cedo foi esquecido.

Morando nas vizinhanças de Manuel, Álvaro Ferdinando de Sousa da Silveira seria o mais constante companheiro do poeta. Neto do visconde de Taíde, poderia ter constatado, na idade madura, tal como o amigo inseparável, ao relembrar episódios da infância e da adolescência, embora sem jactância, que jamais havia brincado com os moleques da rua. O mundo dos dois meninos era sobretudo intelectual. Pouco esporte. Nada de brincadeiras violentas. Nesse particular, as reminiscências de Manuel Bandeira se reduzem aos exercícios de equilíbrio na planta dos pés sobre um barril em movimento (*Itinerário de Pasárgada*), mas isso certamente no tempo das calças curtas. Logo, os arroubos juvenis se concentrariam, todos, nas declamações de trechos d'*Os Lusíadas*, de que um e outro sabiam de cor cantos inteiros, ou na feitura de sonetos parnasianos. E não é à toa que Manuel se reporta ao "espírito desportivo" com que os compunha...

"*INTERMEZZO*" MACHADIANO

E aqui surge outro personagem mitológico: Machado de Assis, o mais ilustre dos colegas de repartição do pai de Manuel Bandeira. Até então, sabendo que o grande escritor morava no mesmo bairro, num chalé da rua Cosme Velho, o rapaz não conseguira identificá-lo entre os muitos velhinhos de pincenê, segundo a descrição paterna, que viajavam no mesmo bonde a caminho da cidade. Conversar, ou simplesmente aproximar-se do criador de Bentinho e Capitu, ouvir-lhe pelo menos a voz, eis uma das mais fortes aspirações do adolescente. Afinal, chegou o dia. E o Machado de Assis que viu pela primeira vez, em carne e osso, não se parecia, mesmo de longe, com nenhum dos velhinhos passageiros do bonde de Cosme Velho.

Não foram muitos os encontros. A presença do mestre não seria banalizada. E o jovem estudante do Colégio Pedro II, por duas vezes, não deixou fugir a oportunidade de brilhar, perante o pontífice máximo das letras nacionais. Os episódios, ambos, merecem a reconstituição, ainda que imperfeita, como referência anedótica para as biografias do romancista e do poeta.

O primeiro desses episódios apresenta a curiosidade de ter acontecido, em meio a um incidente de rua, antes descrito pelo escritor, não em romance, mas numa

---

5   Vide ainda "Manuel Bandeira, estudante do Colégio Pedro II", no volume *Achados do vento*, de Francisco de Assis Barbosa, pp. 75-91. Rio de Janeiro, Instituto Nacional do Livro, 1958.

de suas poesias. Foi por ocasião da chegada do ministro Alfredo Maia, que se ausentara do Rio por alguns dias, em razão de suas altas funções oficiais. Estavam no cais Pharoux os auxiliares de gabinete, à espera do chefe. Machado de Assis, Alfredo Maia Júnior e Bandeira observavam com atenção um cachorrinho contorcendo-se de dor, quando Maia Júnior, que não possuía nenhuma pretensão literária, entendeu de dizer:

– É estranha a curiosidade com que a gente pode assistir ao sofrimento de um animal...

Mais do que depressa, atalhou o jovem Manuel Bandeira:

– O senhor Machado de Assis já disse isso em versos...

– Em versos isso? – indagou, surpreso, o filho do ministro.

Sem esperar pela resposta, Machado de Assis contra-aparteou:

– I... isso propriamente não!

Mesmo assim Manuel recitou o último terceto da poesia "Suave Mari Magno", na versão publicada pela *Revista Brasileira*, adiante transcrita na íntegra:

Lembro-me que, em certo dia,
Na rua, ao sol de verão,
Envenenado morria

Um pobre cão.

Arfava, espumava e ria,
De um riso espúrio e bufão,
Ventre e pernas sacudia

Na convulsão.

Nenhum, nenhum curioso
Passava, sem se deter,

silencioso

Junto ao cão que ia morrer.
Quem sabe? É delicioso

Ver padecer.

Rememorando o episódio, Manuel Bandeira chama a atenção para a emenda feita posteriormente do segundo verso do último terceto, que assim aparece na primeira edição das *Ocidentais*:

Como se lhe desse gozo.

A versão primitiva deixava entrever, com demasiada indiscrição, a nota sádica, peculiar ao grande artista da prosa e da poesia.

AINDA MACHADO DE ASSIS

Foi no bonde de Cosme Velho o segundo encontro, relembrado aliás no discurso de recepção a Peregrino Júnior, na Academia Brasileira. Machado de Assis vinha entretido na leitura d'*A Notícia*. Ao deparar com o filho do engenheiro Souza Bandeira, que tomava assento ao seu lado, dobrou o jornal e dispôs-se a conversar. Começou a descrever um passeio que fizera pela Baía de Guanabara, em companhia de Olavo Bilac e outros amigos. Era um dia maravilhoso. Encontrava-se, no grupo, um certo Marques de Holanda, farmacêutico muito conhecido, pela propaganda que fazia de seus produtos, dos quais o mais popularizado se denominava "Salsaparrilha miraculosa". Simpático, vistoso, com um cavanhaque bem cuidado e perfumado, era um espécie de João Condé da época, só que não guardava os originais dos autores em "arquivos implacáveis", mas de memória, recitando-os com uma bela voz de barítono, sem se fazer de rogado, bastando ser solicitado para isso.

> – Ó Marques, declame a "Via Láctea".
> E o Marques de Holanda não esperava que insistissem:

> Ora (direis) ouvir estrelas! Certo...

Nesse dia do passeio na Baía de Guanabara, contava Machado de Assis ao seu jovem companheiro de bonde, o Marques de Holanda recitara trechos d'*Os Lusíadas*. E o presidente da Academia de Letras procurava lembrar-se dos versos em que Vênus intercede junto a Júpiter a favor dos portugueses...

Mas os versos não acudiam à memória do velho Machado.

Manuel Bandeira lembrou:

> C'um delgado sendal as partes cobre
> De quem vergonha é natural reparo...

Mas não era essa estrofe desejada. E Machado de Assis, apertando os olhos, por detrás das lentes do pincenê, pedia meio aflito:

> – A... anterior, a anterior...

E não houve meio de Manuel Bandeira se lembrar da estrofe 36 – é muito azar não é? –, a bela estrofe que começa assim:

> Os crespos fios de ouro se esparziam
> Pelo colo que a neve escurecia...

ESTUDANTE EM SÃO PAULO

A conclusão dos estudos de humanidades no Externato do Colégio Pedro II – não importa que então se chamasse Ginásio Nacional – coincide com o término do período presidencial de Campos Sales. Fora do governo, Alfredo Maia retorna ao seu estado, trocando o Ministério da Viação pela diretoria da Estrada de Ferro Sorocabana. Acompanha-o o engenheiro Souza Bandeira e a família do poeta vai morar pela segunda vez em São Paulo, onde Manuel inicia seus estudos na Escola Politécnica, instalada então no palacete da avenida da Luz que pertencera primeiro ao comendador Prates e depois ao marquês de Três Rios.

Para arquiteto, e não para poeta, é que se preparava. Sutilmente, o pai lhe incutira o gosto pelo desenho, dando-lhe a ler os livros de Viollet-le-Duc *(L'art du dessin, Comment on construit une maison)*, mostrando reproduções das obras-primas da arquitetura universal, criticando com zombaria os aleijões dos mestres de obras do Rio de Janeiro, tal como disse no *Itinerário de Pasárgada* e no poema "Testamento".

> Criou-me, desde eu menino,
> Para arquiteto meu pai.

Trabalhando e estudando sem descanso, já não havia mais tempo de pensar em sonetos – sarampo da adolescência de que parecia definitivamente curado. O tempo era escasso para se dedicar à arquitetura – esta, sim, se lhe afigurava, desde então a verdadeira razão de sua existência. Além das aulas na Escola Politécnica, que frequentou com aproveitamento e assiduidade exemplares, estudou desenho e pintura no curso noturno do arquiteto Domenico Rossi, no Liceu de Artes e Ofícios. De dia, passou a praticar nos escritórios da Sorocabana, sob as vistas do pai.

Assim transcorreriam todo o ano de 1903 e parte do de 1904, entre o estudo e o trabalho, com breve interrupção, motivada por doença que parecia não ter maior gravidade: uma pleuris seca, consequência talvez da traiçoeira garoa do planalto de Piratininga. Aproveitando as férias de Natal, de 15 de dezembro a 15 de janeiro, o estudante foi convalescer num clima de montanha, na cidade de Botucatu, à margem da Estrada de Ferro Sorocabana, que continuava a estender os seus trilhos na direção do Oeste Paulista. Acolheu-o um colega e amigo do pai, o engenheiro Pedroso.

Voltou aparentemente curado, para retomar com o mesmo entusiasmo a severa disciplina dos estudos até o fim do ano letivo, ou seja, em meados de 1904, de acordo com o sistema europeu, então vigorante na Escola Politécnica de São Paulo. Nos exames finais, prestados em junho, classifica-se em segundo lugar, obtendo distinção em todas as matérias: revisão de matemática elementar, álgebra superior, física experimental, geometria descritiva, contabilidade mercantil e desenho.

O primeiro lugar, com uma diferença de fração de ponto, coubera a Francisco T. da Silva Teles, que o conservaria sempre, no curso geral e no de engenheiros civis, conquistando por fim o Prêmio de Viagem à Europa, em detrimento de outro distinto estudante que se assinava Roberto Cochrane Simonsen. Na classe de engenheiros arquitetos, a que Manuel se destinava, o aluno laureado seria Alberto Monteiro de Carvalho e Silva.

A REVELAÇÃO DA DOENÇA

Durante as férias maiores, dos últimos exames de junho até fins de agosto de 1904, foi que se deu o estouro, destruindo por completo os sonhos do segundanista da Escola Politécnica de São Paulo: formar-se em arquitetura, se possível com o Prêmio de Viagem à Europa. Mas a vida parou de repente e a doença fez saltar pelos ares todos os castelos do estudante.

Viera passar as férias em Itaipava, na Fazenda Santo Antônio, propriedade do engenheiro Antônio Fialho, amigo de Souza Bandeira. Nada prenunciava o desastre tão próximo, nem mesmo uma tossezinha impertinente, herança incômoda da pleuris, que os médicos insistiam em diagnosticar como simples bronquite, facilmente debelada após uma temporada em clima seco.

E foi assim que em plena euforia dos seus dezoito anos atirou-se Manuel Bandeira às delícias da vida campestre. De um passeio a cavalo, que se prolongou por algumas horas, voltou porém cansado e abatido. Era o sinal todavia impressentido da derrocada. À noite, em meio do sono inquieto, despertou com hemoptises. Readormeceria inconsciente e na manhã seguinte ainda tentaria recompor por um instante o sonho terrível mas as manchas de sangue estavam ali, bem diante dos olhos, para desfazer qualquer ilusão. Não fora pesadelo. Era a realidade.

Desceu no mesmo dia para o Rio de Janeiro. Uma carroça trouxe-o à estação de Itaipava, e daí prosseguiu de trem até Mauá, ponto terminal da estrada de ferro, no fim da Baía de Guanabara, onde os veranistas faziam a baldeação para a barca. Na boca da noite chegou à Prainha, indo pernoitar numa casa de cômodos da rua Carvalho de Sá (atual Gago Coutinho), na "república" dos estudantes João Cândido Fernandes de Barros e Génesio de Sá Sotto-Mayor.

No dia seguinte, submetido a exame médico pelo doutor Antônio de Siqueira Carneiro da Cunha, assistido pelo tio e padrinho doutor Raimundo Bandeira, foi internado no Hospital dos Estrangeiros. O estudante de arquitetura estava condenado à morte.

Tudo aconteceu como no poema:

> Febre, hemoptise, dispneia e suores noturnos.
> A vida inteira que podia ter sido e que não foi.
> Tosse, tosse, tosse.

Um mês depois, transferindo-se a família para o Rio, pela terceira vez, o doente deixou o hospital e foi para casa, então na rua Bambina, assistido pela mãe e pela irmã, Maria Cândida, que seria até a morte a enfermeira do poeta. A doença avançava. Não retornaria à Escola Politécnica:

> Foi-se-me um dia a saúde...
> Fiz-me arquiteto? Não pude!

No fim do ano de 1904, começo de 1905, passou os meses fortes do verão em Jacarepaguá, onde foi acometido da mais violenta (a segunda) de todas as crises de hemoptise: quinze dias cuspindo sangue. Há um momento em que tudo parece perdido. Subitamente, porém, o doente começa a experimentar alguma melhora. E o pai agarra o fio da esperança, levando o filho para Campanha, no sul de Minas:

– Tem a mesma altitude de São Paulo – dizia-lhe o arquiteto Ramos de Azevedo. – Se o rapaz se der bem em Campanha, poderá continuar os estudos na Politécnica.

Quem não tinha mais nenhuma esperança era o próprio Manuel. E perguntava-se a si próprio, em carta ao engenheiro Abel Ferreira de Matos:

> Que vim fazer em Campanha?
> Campanha... cidade morta...

Ao que este[6] retrucou noutra carta em versos, como procurando injetar soro fisiológico no doente desenganado:

> Que foi fazer em Campanha?
> Saúde e força ganhar!
> Como pode perguntar
> Que foi fazer em Campanha?
> Etc.

A REVELAÇÃO DA POESIA

Campanha era feia e triste, mas lá ficou Manuel Bandeira cerca de um ano. A mãe e a irmã são as suas companheiras constantes. O irmão mais velho, estudante de direito, fica em São Paulo e o pai, então à frente do serviço hidrográfico das obras do porto, iniciadas no governo de Rodrigues Alves, vai pelo menos duas vezes por mês matar as saudades da família.

As ausências paternas eram reclamadas pelo filho doente em versos de circunstância. Recomeçara a fazer essas brincadeiras para encher o tempo terrivelmente longo. Recorda-se de algumas das quadrinhas, feitas em Campanha, todas com o mesmo *leitmotiv*:

> Cai a chuva tristemente
> Nalma a tristeza me cai
> Feliz, feliz quem não sente
> Saudade de seu papai.

> Fica piando no ninho
> Sabiá quando o pai sai
> Quem me dera está pertinho
> De papai.

Ou para a irmã, numa ausência dela:

> Ela ia para distante
> Eu pus-lhe um beijo na face
> Só não chorei nesse instante
> Com medo que ela chorasse.

São piegas, sentimentalonas, essas quadrinhas, não há dúvida. Mas a verdade é que dos versos de circunstância parte Manuel Bandeira para a grande aventura

---

6   "Abel Ferreira de Matos foi o homem mais engraçado que conheci" – conta Manuel Bandeira. Opinião parecida, senão idêntica, tinha Machado de Assis, conforme insinua no conto "Um incêndio", ao encarecer "o pico, a alma própria que este Abel põe a tudo o que exprime, seja uma ideia dele, seja, como no caso, história de outro". Na resposta ao discurso de recepção a Peregrino Júnior, na Academia Brasileira de Letras, lembra Manuel Bandeira as alegres conversas do pai com Abel Ferreira de Matos. "Os dois engenheiros, quando se juntavam, eram como duas crianças: falavam em língua de preto velho ou com sotaque de português ou de italiano, faziam toda a sorte de jogos verbais improvisados, praticavam uma espécie de surrealismos *avant la lettre*, nem se vexavam da presença do romancista a quem tanto admiravam e respeitavam". O romancista em questão era o próprio Machado de Assis, colega de Souza Bandeira no Ministério da Viação, Indústria e Comércio.

da poesia. O mistério não tarda a revelar-se como no poema "Renúncia", escrito em Teresópolis em 1906, em semidelírio, sob febre de 40 graus.[7]

A CRISÁLIDA CRIA ASAS

Terá sido "Renúncia" o primeiro poema escrito em estado de transe? Impossível determinar com certeza. A verdade é que, nesta primeira permanência em Teresópolis, de abril de 1906 a maio de 1907, a crisálida começa a criar asas. "Voz de fora" e "À beira d'água" são datados de 1906. "A aranha", "D. Juan" e "Mancha", de 1907. Sonetos de estrutura parnasiana a que se podem aplicar as próprias palavras do poeta: "fabricados *en toute lucidité*", incorporados entretanto de modo definitivo à sua mensagem. Ainda "procurava" a poesia. Mas, de qualquer forma, nessa época já a "recebia", vinda do subconsciente "numa espécie de transe ou alumbramento", aliviando-o de suas angústias (*Itinerário de Pasárgada*).

Muito havia estudado, lera muita coisa na vida de recluso em todo o ano passado na Campanha. Em Teresópolis atreve-se a um ou outro pequeno passeio, sem quebrar a disciplina que se impusera. Naquele tempo, na falta dos antibióticos de hoje, e sem os recursos do pneumotórax ou da toracoplastia, a tuberculose exigia humildade para a cura. Desde o primeiro impacto, conformara-se com a moléstia, para ir dominando-a paciente e lentamente através dos anos. Havia sempre de encontrar um meio de vencer a indolência ou de superar a sensação de inutilidade. Ler muito. Fazer versos, mesmo que fossem "versos de desalento... de desencanto"... ..."versos como quem morre", até encontrar o "acre sabor" da poesia. Tudo fez para distrair o ócio de doente. Estudaria música. Aprenderia violão onde chegaria a tocar uma *bourrée de* Bach.

Esse bom comportamento, próximo do estoicismo, será a mais poderosa defesa de Manuel Bandeira contra a doença que o ameaçava aniquilar. Durante cinco anos, na fase mais dura e mais cruel, levou vida de inválido: da cama para a *chaise-longue*, da *chaise-longue* para a cama. Assim foi na Campanha (1905-1906), em Teresópolis (1906-1907) ou no Ceará (1907-1908).

Em fins de 1907, o engenheiro Souza Bandeira aceitara a chefia da Comissão de Estudos dos Portos de Fortaleza, Camocim e Itaqui com a decisão de resolver um problema que se vinha arrastando desde o Império. Com o 15 de Novembro abandonaram os republicanos o projeto do engenheiro inglês *sir* John Hawkshaw, contratado por Dom Pedro II. O trabalho tornara-se obsoleto. Concluído em 1910, o projeto Souza Bandeira teria o mesmo destino em consequência da nossa incorrigível descontinuidade em matéria de administração pública. Anulada a primeira concorrência, no agitado período presidencial de Nilo Pessanha, a questão do porto de Fortaleza morreria sem solução no governo do marechal Hermes da Fonseca.

---

7 Anos mais tarde, em carta a Mário de Andrade, Manuel Bandeira alude a esses estados de transe, citando entre outros casos que chamou de físico-patológicos de sua arte o soneto "Renúncia" — "feito com 40°, vômitos, suores frios, escarros de sangue". Mário estranhou que uma pessoa em tais condições fosse se lembrar de escrever um poema, "fazer arte que tem catorze versos, rimas em lugares certos, sílabas pra cada verso". E Manuel Bandeira observa, em nota à correspondência: "Tive que explicar a Mário que 'não me lembrei' de escrever o soneto, não quis escrever coisa nenhuma: o soneto é que se organizou em mim na excitação do subdelírio. O fato de ser um poema 'que tem catorze versos, rimas em lugares certos, tantas sílabas pra cada verso' não tem, pelo menos para mim, a mínima importância: *believe or not*, o meu soneto 'O lutador' foi feito, fez-se em mim, durante o sono". (Carta de 29-12-1924)

Durante todo o tempo dos trabalhos da Comissão presidida pelo pai, Manuel Bandeira andou por localidades no interior do Ceará: Maranguape, Uruquê, Quixeramobim. Em Uruquê (três ou quatro casas de pau a pique junto à estaçãozinha da estrada de ferro) surpreendeu-o outra crise de hemoptise (a última realmente séria). Chamado por telegrama, o pai despencou de Fortaleza e tratou de remover o filho para Quixeramobim, onde experimentou sensível melhora, a ponto de o engenheiro Souza Bandeira desejar que ele lá ficasse até a consolidação da cura.

Manuel é que não quis, retornando ao Rio em meados de 1908, indo morar na rua do Aqueduto (atual Almirante Alexandrino), terceiro andar de uma dessas residências típicas de Santa Teresa – casa de prateleira – encarapitadas nas faldas do morro. No segundo pavimento morava o proprietário – um negociante português, antigo hoteleiro, seu "Gomes", entusiasta da aviação, figura pitoresca que resolvera denominar o edifício um tanto exótico de Palacete dos Amores. Havia ainda um outro andar, montanha abaixo. Nas vizinhanças viviam os Blank. A senhora Frédy Blank tornara-se logo amiga de Maria Cândida e depois de toda a família. Na mesma rua, além do Curvelo, morava o casal de escritores Filinto e Júlia Lopes de Almeida, cujo filho Afonso se tornaria dos grandes amigos de Manuel Bandeira. No Palacete dos Amores residiu o engenheiro Souza Bandeira de 1908 a 1912.

Frédy Blank, que o poeta tratava carinhosamente de Moussy, foi a grande afeição de Manuel Bandeira, pode-se mesmo dizer o seu grande amor. Embora nunca tenham vivido sob o mesmo teto, a relação durou 56 anos. Mas o que representou para o poeta essa ligação de mais de meio século está refletido num poema dos últimos anos:

A Moussy

> De John o agrado mais terno,
> De Tontje o olhar mais risonho
> Tomo e com eles componho
> Alguma coisa de eterno,
> De fino, de leve – um sonho,
> Um pensamento, um perfume,
> A carícia mais querida,
> – Um beijo, em que se resume
> Toda a afeição de uma vida.

Ao voltar do Ceará, em princípios de 1908, e depois de passar o resto do verão em Mendes, Manuel segue direto para Teresópolis: o clima ideal para o doente. É pelo menos a impressão de quem já se habituara a acompanhar *pari passu* a moléstia implacável. Numa carta a tio Raimundo, datada de janeiro de 1910, escreveu: "Não tenho mais dúvida que o lugar que melhor me convém é este. Outros poderá haver mais secos, de temperatura mais constante – como Campanha e Ceará – mas são feios, tristes, deprimentes e todos disputam a honra de se terem neles perdido as botas de Judas, que provavelmente não usava botas... Teresópolis tem a paz de um clima ameno, esta incomparável natureza, que é um consolo para quem se criou no amor dela".

TIO RAIMUNDO

Tio Raimundo era o segundo filho de Antônio Herculano de Souza Bandeira. O primogênito, com o mesmo sobrenome paterno, morrera aos 36 anos de idade, vítima de tuberculose, em meio de vitoriosa carreira como advogado, educador, lente de economia política, presidente de duas províncias (Sacramento Blake dedica-lhe mais de uma página no seu *Dicionário bibliográfico brasileiro*, vol. I, pp. 188-189). Raimundo Carneiro de Souza Bandeira, um ano mais moço, formara-se em medicina no Rio de Janeiro. E após um estágio de aperfeiçoamento em hospitais europeus, clinicou e politicou em Pernambuco. Veio para o Rio de Janeiro, e ficou de vez, quando eleito deputado ao Congresso Constituinte em 1890.[8] Abandonaria porém a política para se dedicar exclusivamente à medicina. O terceiro tio, o mais moço de todos, era João Carneiro de Souza Bandeira, professor de direito, homem de bom gosto literário, e que breve ingressaria na Academia. Quando Manuel ainda estava na Campanha levaria a Rodrigo Otávio para publicar na revista *Renascença* a tradução de um soneto de José María de Heredia, "A concha", ao mesmo tempo que oferecia ao sobrinho o *Tratado de versificação*, de Olavo Bilac e Guimarães Passos, com a seguinte dedicatória: "A meu sobrinho, para que recorde apenas a técnica do verso, porque quanto à essência o melhor é pedir inspiração à sua própria alma".

Na verdade, Manuel não se havia compenetrado da sua condição de poeta. Era apenas um rapaz doente que compunha sonetos. Os tios, os pais e os irmãos formavam o seu pequeno mundo de leitores. E foi o tio Raimundo que tomou a iniciativa de confiar a Jorge Schmidt, dono da *Careta*, as poesias do sobrinho. A primeira publicada seria "Rondó", a 29 de agosto de 1908, pouco depois do regresso do Ceará, passando o novo poeta M. Bandeira Filho a aparecer com certa frequência nas páginas da revista que tinha a caricatura como centro de interesse do leitor: "Balada" (3 de outubro), "Aracné" (5 de dezembro), "Paráfrase"(de P. Ronsard) (26 de dezembro), "D. Juan" (9 de janeiro de 1909), "Mancha" (20 de fevereiro), "Ouro!..." (20 de março).

Nas cartas trocadas entre o tio e o sobrinho, o tema oscila da poesia à doença. É que Raimundo Bandeira era, além de médico, tuberculoso crônico.

Conhecia todas as manhas da moléstia.[9] Dera a Manuel o *Tratado de tuberculose*, de Sabourin, que havia de ser lido e relido de ponta a ponta. Em matéria de literatura, o tio discordava de certas liberdades ensaiadas pelo sobrinho na manipulação de alexandrinos sem a cesura mediana e de octossílabos omitindo a indefectível pausa na quarta sílaba.

Num gesto mais afoito, capaz de escandalizar tio Raimundo, tentaria o aprendiz de poeta, nesta altura, a primeira experiência com o verso livre, que julgara entrever nos poemas polimétricos de Verhaeren. Entra em um concurso promovido por Medeiros e Albuquerque na Academia Brasileira de Letras destinado a premiar com 500 mil-réis o melhor poema em versos livres. O certame acabaria sem vencedores nem vencidos, embora figurassem entre os cinco concorrentes um Alberto

---

8   O doutor Raimundo Bandeira Vaughan seria o parlamentar da terceira geração da família, quando eleito deputado federal pelo estado do Rio de Janeiro em 1935, na legislatura que foi interrompida pelo golpe de Estado de 10 de novembro de 1937.

9   O doutor Raimundo Carneiro de Souza Bandeira faleceu em 1929, aos 74 anos. Segundo ouvi da senhora Helena Bandeira de Carvalho, sua filha, costumava gracejar com a doença nas comemorações do seu aniversário principalmente quando na presença dos parentes da esposa, que tinham sido contra o casamento: "Sim sinhô! quem havia de dizer que o doutor Bandeira ainda havia de chegar aos cinquenta anos"... "aos sessenta"... "aos setenta"...

Ramos, um Hermes Fontes, um José Oiticica, os dois últimos partidários do movimento sem maior expressão da chamada "poesia nova", ao qual se integraria, meio à força, pouco mais tarde, Augusto dos Anjos, com o *Eu*, aparecido em 1912, com repercussão muito aquém do mérito do grande poeta.[10]

Do concurso da Academia, desde as condições do certame e comissão julgadora à polêmica que provocou, dá conta pormenorizada o poeta no *Itinerário de Pasárgada*. O que é indubitável é que nem ele nem qualquer dos outros concorrentes tinha a exata noção do verso livre. No caso particular de Manuel Bandeira, só viria a dominá-lo dois anos depois, sob a influência da leitura de poemas de Guillaume Apollinaire, Guy Charles Cross, Mac-Fionna Leod. "Carinho triste" é de 1912. Já então a convivência literária se havia extravasado do círculo familiar, com a companhia de Afonso Lopes de Almeida, que seria o seu primeiro amigo literato militante, muito embora o contato inicial tivesse motivo extraliterário. E um outro amigo, o professor João Lopes Chaves, no de Eugênio de Castro, através da leitura de *Sagramor*.

RETRATO DO PAI

Neste mesmo ano de 1912, em que Manuel Bandeira se inicia no verso livre e aprofunda seus conhecimentos musicais, o pai empreende uma viagem de seis meses aos Estados Unidos e à Europa. No ano anterior percorrera o litoral brasileiro do Rio de Janeiro até Manaus e planejara as obras de melhoramentos do porto da Bahia. Vai agora observar as condições técnicas dos portos marítimos e fluviais no estrangeiro, a ver como países mais velhos e mais adiantados resolveram esses problemas de tão grande importância para uma nação de dimensões continentais como o Brasil.

Depois de participar do XII Congresso de Navegação, reunido em Filadélfia, o engenheiro Souza Bandeira sai em excursão pelo interior dos Estados Unidos, interessado principalmente no problema da navegabilidade dos rios. Ruma em seguida para o Canadá, demorando-se em Toronto, Montreal e Quebec, para observar a utilização do Rio São Lourenço e o funcionamento do porto de Montreal, especialmente o serviço de dragagem. Em Quebec, embarca no *Mauritânia* para a Europa. Visita os portos ingleses e os do norte da França. Entra pela Suíça adentro, descendo o Reno até Dusseldorf. Esteve também em Hamburgo. Percorreu ainda os portos da Holanda e da Bélgica, regressando por fim ao Brasil. O relatório que apresentou ao ministro das Relações Exteriores dessa viagem de estudos tem mais de oitenta páginas datilografadas. É um modelo de concisão, tal a massa de informações técnicas que contém.

Assim era este homem aos 54 anos: cheio de entusiasmo pela vida, exato, minucioso, dotado de uma extraordinária capacidade de trabalho. Grande profissional. Grande natureza humana. Por volta dos 45 anos, tomado de uma crise religiosa,

---

10   O signo da nova poesia seria, no dizer de um de seus epígonos, a "integralização do homem no universo". Escrevendo sobre o *Eu*, no artigo intitulado precisamente "A poesia dos novos", observava José Oiticica que Augusto dos Anjos possuía "a qualidade essencial ao poeta novo; àqueles que entraram no rumo da *arte universal*, afastados do racionalismo de fancaria e ainda mais do indianismo tacanho de Gonçalves Dias; àqueles que fazem da forma não o fim da arte, mas o meio de revigorar e colorir a ideia". In: *A Época*, Rio de Janeiro, 6-10-1912. Condenava entretanto a indisciplina da forma, as incorreções de linguagem, as rimas pobres, o vocabulário por vezes rebarbativo. Recusava-se enfim a aceitar o barbarismo, que era afinal a nota marcante do grande paraibano. Manuel Bandeira só veio a conhecer a poesia de Augusto do Anjos bem mais tarde. Dos poetas brasileiros, era familiar de Olavo Bilac, Raimundo Correia e Alberto de Oliveira, a tríade parnasiana. Depois de doente, leu Vicente de Carvalho e logo passou a admirar a sua poesia. Dos portugueses, suas preferências se concentravam em Antônio Nobre e Eugênio de Castro.

começou a ler Swedenborg. E tornou-se novijerusalemita. Pelo conhecimento que demonstra possuir da doutrina, foi logo ordenado no segundo grau do sacerdócio da Nova Igreja. De fato, tudo sabia sobre Emanuel Swedenborg. Mandara encadernar em pergaminho todas as obras do filósofo sueco. Esses volumes, que jamais saíam da sua escrivaninha, provocavam engulhos ao irmão mais velho, o doutor Raimundo Bandeira, livre-pensador na mocidade, transformado depois em católicão intransigente, com três filhas freiras, uma das quais se tornaria famosa pela inteligência na sua comunidade, a Mère Bandeira do Colégio Sacré-Coeur de Jésus.

– "Isso é coisa do diabo"! – resmungava tio Raimundo diante dos livros de Swedenborg.

De nada valeu o proselitismo do engenheiro, pelo menos entre os seus. Antônio e Maria Cândida continuaram cada vez mais católicos. Dona Santinha, mãe de Manuel, então nem se fala. Nunca deixou de acreditar no seu Deus católico e bem brasileiro, apelando sempre para Ele nos momentos de aflição: "Meu Deus valeme", que era o "certo modo" de dizer: "Meu Deus valei-me", repetido pelo poeta mais de uma vez na sua obra ("Contrição" e "Nomes"). Quanto a Manuel, não conseguiu o pai tirá-lo da relativa indiferença com que encarava o problema da religião, desde a juventude, imbuída do racionalismo positivista que aprendera no Colégio Pedro II nas aulas do professor Paula Lopes, catedrático de história natural e substituto por alguns meses de João Ribeiro na cadeira de história universal.

Pai e filho, entretanto, eram como se fossem uma só pessoa. Viviam em permanente diálogo; reciprocamente interessados nos problemas que lhes eram comuns: engenharia e poesia. Manuel revia os relatórios do pai. E este transformava sempre o quarto do doente com a sua alegria e a sua vivacidade, representando com o filho, ao vivo, para ninguém, em grandes pagodeiras matinais, entre outros poemas, o "La poterne du Louvre", do *Gaspard de la nuit*, de Louis Bertrand (*Itinerário de Pasárgada*).

Até então Manuel Bandeira não se considerava um poeta, pelo menos no amplo e rigoroso sentido da palavra. Mesmo nas conversas sobre literatura evitava tocar nas suas poesias, exercitadas como terapêutica, quando não eram feitas como libertação das suas angústias, em estado de transe.

Nem de uma nem de outra coisa teria coragem de falar a Tomás Lopes, diplomata e escritor, simpático, bem falante, que veio a conhecer num verão de repouso, passado no Hotel Bessa, em Teresópolis. Este sim, era um literato convicto e convencido, com mais de um livro publicado e todos com vastos elogios dos críticos de jornal. Apesar da camaradagem espontaneamente nascida na convivência no mesmo hotel, durante todo um verão, Manuel Bandeira não lhe mostraria nenhum dos seus poemas. Meses depois, retornando o romancista ao seu posto de secretário de Legação, na Bélgica, de lá enviava o primeiro aplauso que havia de despertar se não a vaidade a própria consciência adormecida do poeta. Publicara na *Careta* o soneto "Epígrafe" (8.10.1900), inspirado num epigrama da *Antologia grega* lido numa crônica de Medeiros e Albuquerque. Mais tarde, o nome seria trocado para "Inscrição". E da Europa, Tomás Lopes extravasava num cartão de poucas palavras todo o seu entusiasmo: "Li a 'Epígrafe'. São versos de um verdadeiro poeta!".

Verdadeiramente poeta, não há dúvida que o era de há muito. Se o soneto que tanto havia impressionado a Tomás Lopes não trazia a marca da originalidade, sendo mesmo muito pouco bandeiriano, embora bonito, a verdade é que é da mesma época, entre muitos outros, o "Um sorriso", vivido e escrito na rua do Aqueduto, em Santa Teresa, na contemplação de um pôr do sol no doce esvaecer das tardes cariocas.

EM CLAVADEL

A ideia de tratar-se na Suíça nasceu da presença paterna na Europa, em 1912. Maria Cândida havia acompanhado o pai. E Manuel chegou mesmo a pensar em ir ao encontro de ambos, valendo-se para isso de uma joia de família que dona Santinha concordara em colocar no "prego" para o custeio da viagem. O dinheiro não dava. Com a chegada do pai, o projeto voltou à baila e ganhou consistência. Certo dia, em casa de Filinto de Almeida, João Luso falou pela primeira vez em Clavadel e no seu sanatório. Pesadas e repesadas as despesas, partiu Manuel Bandeira pelo *Cap. Vilano*, seguindo no mesmo navio a senhora Blank e as filhas. O doente suportou bem a travessia marítima até Boulogne. Em Paris, Afonso Lopes de Almeida e Emile Simon, violoncelista, irmão da senhora Blank, aguardavam os viajantes. Uma gripe reteria Manuel em seu quarto na rua Balzac, permitindo que saísse apenas uma ou duas vezes para um rápido passeio de automóvel.

Foram decisivos os quinze meses que viveu – melhor diria em que aprendeu a não morrer – em Clavadel, de julho de 1913 a outubro de 1914. Além da lembrança de Antônio Nobre, que lá estivera antes de construído o hospital, encontraria dois poetas de carne e osso, doentes como ele: Charles Picker e Paul Éluard. O húngaro Picker, de olhos doces e maliciosos, que enfrentava a doença com bravura e bom humor, morreu antes de completar trinta anos. Caso houvesse resistido à tuberculose, afirma Manuel Bandeira, teria se tornado sem a menor dúvida um grande nome na literatura universal. Este foi, de resto, o destino de Éluard. Mas Éluard, àquela altura, era simplesmente Paul Eugène Grindel, filho de um agente imobiliário de Paris, pensionista de um sanatório suíço, adolescente de pulmões dilacerados, que, não tendo ainda certeza da sua vocação de poeta, pensava fazer-se editor. Mal havia completado dezoito anos. Manuel, quase dez anos mais velho, tinha maior acervo de leitura. A marca da camaradagem entre os dois foi reconhecida pelo próprio autor de *La rose publique* em dedicatória autógrafa de um de seus livros: *à Manuel Bandeira, qui me révéla littéralement mon amour de la poésie et ses possibilités, Paul Éluard.* Não é possível ser mais explícito.

De qualquer modo, o período do sanatório, com ou sem Éluard, com ou sem Picker, valeu para completar o nosso poeta a maior experiência humana da sua vida: o conhecimento por assim dizer absoluto da própria natureza, assenhoreando-se ao mesmo tempo de todos os elementos ponderáveis ou imponderáveis de autodefesa contra a moléstia. Os poemas escritos em Clavadel dão imagem da revitalização que se vai operando insensivelmente, devolvendo ao moço que desde os dezoito havia parado de viver

… o divino apetite da vida!

Não em ordem cronológica (seria impossível refazê-la), os versos de Clavadel constituem na obra de Manuel Bandeira uma unidade da maior importância: "Soneto a Camões", "Crepúsculo de outono", " A canção de Maria" (este, inspirado numa carta de Maria Cândida), "Plenitude", "Ao crepúsculo", "Cantilena", "Delírio", "Natal", "Alumbramento". Nesta série de confissões de um homem que renasce está a chave de abrir muitos dos mundos do poeta.

O certo é que foi em Clavadel que Manuel Bandeira começou a preocupar-se em publicar um livro reunindo as suas produções poéticas. *Poemetos melancólicos* foi o título escolhido. Separou três poemas – a "Epígrafe" (aquela d'*A cinza das horas*), "Soneto a Camões" e "Paisagem noturna" – e escreveu a Eugênio de Castro que conhecia apenas de leitura e era dentre os portugueses um dos poetas da sua predileção, despachando a carta para Lisboa aos cuidados dos editores França Amado & Cia. e ficou ingenuamente (expressão dele próprio) esperando pela resposta. Esta não veio, é verdade, mas a ingenuidade, no caso, bem que mostra um comportamento diferente em criatura tão policiada nas atitudes, um homem amargo e desconfiado, tornado um ser inútil, à espera da morte.

A Primeira Grande Guerra obrigou Manuel Bandeira a deixar o sanatório, no momento em que se preparava para a operação de toracoplastia, na mão do próprio inventor desse processo cirúrgico, o doutor Sauerbruck. O franco suíço dobrara de valor, e o engenheiro Souza Bandeira já não podia mais enfrentar a nova situação cambial. Acostumado ao "mau gênio da vida", conformou-se o doente à realidade. Apenas quis saber, ao despedir-se do médico-chefe, o doutor Bodmer, quanto tempo ainda lhe restaria de vida. Eis a resposta, numa síntese tão fiel quanto possível:

– O senhor tem lesões teoricamente incompatíveis com a vida. Mas os sintomas não correspondem a essas lesões tão extensas. Come bem, dorme bem. E está sem bacilos. Há casos, aqui mesmo no sanatório, de lesões muito menores em doentes que apresentam, no entanto, sintomas alarmantes.[11] O senhor pode viver uns cinco, dez, quinze anos... Quem poderá dizer?

O INÍCIO DA CONVALESCENÇA

Regressando ao Brasil pelo *Principessa Mafalda*, que foi tomar em Gênova, antes do bloqueio marítimo pelos submarinos alemães, Manuel Bandeira vai viver no Leme, em pleno contato com o mar. Primeiro, na avenida Copacabana. Depois, na rua Goulart, o "perau profundo", onde passou a soluçar o sapo-cururu

> ... fugindo ao mundo,
> Sem glória, sem fé.

O contato com o mar está impresso nos poemas que passa a compor nessa quadra.[12] Poemas despojados de sentimentalismo. Alguns até agressivos. Poemas viris. Ao contrário da mata e da montanha, o mar como que impelia o poeta à luta. Voltara outro homem da Suíça. Livre dos bacilos, dos suores noturnos, das febres

---

11 Após os primeiros exames, em Clavadel, diagnosticara o mesmo doutor Bodmer: "O senhor tem uma escavação no pulmão esquerdo e o pulmão direito infiltrado", frase reproduzida integralmente no poema "Pneumotórax".

12 O poema "Mar bravo" é de 1913, escrito pouco antes da partida do poeta para o sanatório de Clavadel.

intermitentes, mas com a plena consciência de que estava longe de se considerar clinicamente curado. Iniciava a fase da convalescença com o mesmo espírito de humildade com que havia recebido a moléstia, afeito à disciplina do repouso, aperfeiçoada agora com o que havia aprendido no sanatório: nada de excessos.

Não pôde recompor os *Poemetos melancólicos* – parte dos originais perdeu-se no sanatório – mas o desejo de ter um livro publicado crescia no íntimo. Era o que podia fazer para afirmar a sua personalidade. O amigo de maiores afinidades cada vez mais próximo, depois do retorno de Manuel Bandeira do sanatório suíço, chamava-se Honório Bicalho, filho do grande engenheiro Francisco Bicalho, o construtor de Belo Horizonte e do porto do Rio de Janeiro. Amizade nascida à sombra da amizade dos pais, fora se consolidando pouco a pouco, desde o verão passado em Mendes, em 1908, logo após a estada do poeta no Ceará. Estranho ser humano, esse Honório Bicalho. Numa queda, que pareceu a todos sem maiores consequências, antes de haver completado dois anos de idade, partira-se-lhe a espinha dorsal. Cresceu apenas no tronco, ficando com as perninhas de menino. Em casa, movia-se numa cadeira de rodas, que manobrava com incrível perícia. Na rua, saía nos braços de um português tal como se fosse criança de colo. Aprendera o ofício de marceneiro. Fizera todos os preparatórios. Conseguira por fim ingressar na faculdade de direito. E como um indivíduo normal tirou todo o curso, frequentou aulas, prestou exames e recebeu o diploma de bacharel. Mais tarde, precisamente na época em que Manuel regressava da Europa, Honório Bicalho passou a residir em Juiz de Fora, onde exerceu durante muitos anos as funções de contador e partidor do foro. Explicam-se assim as constantes incursões do poeta na cidade, descrita com tanta ternura no poema "Declaração de amor", além daquele verso aparentemente estapafúrdio, ao fim do "Mangue":

Linda como Juiz de Fora.

É um grito do subconsciente. Manuel não podia esquecer a antiga "namorada", a cidade em que, de fato, teve início a sua carreira literária. Honório Bicalho o atraía para lá. Vivia a pedir coisas para os jornais da terra: poesias, crônicas. Apesar de paralítico, o amigo sempre fizera a vida literária dos cafés e das livrarias. No rio, foi redator de *A Época*. Em Juiz de Fora, mantinha uma seção "Notas à toa", na primeira página do *Correio de Minas*, fundado por Estevão de Oliveira. E o jornalzinho de quatro páginas apenas passou também a estampar poesias e crônicas assinadas por Manuel Bandeira.

A CINZA DAS HORAS

O trágico e belo exemplo do Honório Bicalho, a vontade de ferro, a decisão de superar de qualquer modo a paralisia, era forte demais para não incidir sobre o ânimo de quem, igualmente marcado pelo infortúnio, lutava para vencer a ociosidade que a doença impunha como preço demasiado caro de sobrevivência. Com as poesias, que andou selecionando durante os anos de 1915 e 1916, cerca de cinquenta, recompôs o que chamou *A cinza das horas*. Cuidou de tudo. Entendeu-se com o homem da tipografia, acompanhou a composição e depois a revisão. A plaquetazinha de 68 páginas demorou a ser impressa. E o livro só veio a ser publicado depois da morte de dona Santinha, razão por que ainda teve tempo de incluir a "Elegia para minha mãe", retrato em versos, depois ratificado pelo retrato em prosa, na resposta de uma enquete de jornal, comemorativa do Dia das Mães:

> Sempre me acharam muito parecido com minha mãe. Só no nariz diferíamos. A semelhança estava sobretudo nos olhos e na boca. Saí míope como ela, dentuço como ela. Há dentuços simpáticos e dentuços antipáticos. Minha mãe era dos simpáticos. Muito tenho meditado sobre esse problema da antipatia de certos dentuços. Creio ter aprendido com minha mãe que o dentuço deve ser rasgado para não se tornar antipático. O dentuço que não ri, para esconder a dentuça, está perdido. Aliás, de um modo geral, a boca amável é a boca em que se vê claro. Era o caso de minha mãe. Moralmente, julgo ser muito diferente dela, mas fisicamente sinto-me cem por cento dela, que digo? Sinto-a dentro de mim, atrás dos meus dentes e dos meus olhos. Moralmente sou mais de meu pai, e alguma coisa de meu avô, pai de minha mãe. Sinto meu avô materno nos meus cabelos, sinto-o em certos movimentos de cordura. Naturalmente essas coisas me vieram através de minha mãe. Minha mãe transmitiu-me traços de meu avô que, no entanto, não estavam nela. Que grande mistério que é a vida! Minha mãe era espontânea, sabia o que queria, não era tímida: ótimas qualidades que não herdei. Notou Mário de Andrade como em minha poesia a ternura se traía quase sempre pelos diminutivos: creio que isso (em que eu não tinha reparado antes da observação de Mário) me veio dos diminutivos que minha mãe, depois que eu adoeci, punha em tudo que era meu ou para mim: "o leitinho de Nenem", "a camisinha de Nenem". Porque ela me tratava assim, mesmo depois de eu marmanjo. Enquanto vivia, foi o nome que tive em casa, que ela não podia acostumar-se com outro. Só depois que ela morreu é que passei a exigir que me chamassem – duramente – Manuel.

O aparecimento de *A cinza das horas* coincide com a polêmica travada nas colunas do *Correio de Minas* e do *Jornal do Comércio*, ambos de Juiz de Fora, entre o poeta e o professor Machado Sobrinho, em torno de um hiato de Mário Mendes Campos, pai de Paulo Mendes Campos, ainda muito moço, mas com dois livros já publicados: *Flâmulas*, 1914, e *Stalactites*, 1916. Numa nota sobre este último, Machado Sobrinho repudiara o verso:

> Na cambiante irial das nuvens vão...

O tema era do gosto de Manuel Bandeira. Na crônica "À margem dos poetas" alude ao carrancismo gramatical, embora sem citar o nome do santo, dando o quinau em quem se mostrava tão exigente em questões de sinérese e da medida do verso. Foi quanto bastou para provocar a contraofensiva do inesperado adversário, em dois artigos violentos, típicos de panfletário provinciano. A tréplica de Manuel, "Por amor de um verso", ocupa quase toda a primeira página da edição do *Correio de Minas* do dia 15 de julho de 1917. É toda vazada no estilo lépido e seco, que caracteriza a arte do prosador, em pé de igualdade quase sempre com o poeta. A argumentação, os exemplos que a acompanham, a par da limpidez da forma, em todo o artigo, enfim surge o homem já amadurecido, o escritor consciente, senhor de todos os recursos do *métier*. O ruído da polêmica provocaria de Maria Cândida o comentário de que o irmão estaria pretendendo entrar na literatura brasileira via Juiz de Fora.

Poucos foram os artigos em torno de *A cinza das horas*, embora um só, o de João Ribeiro, bastasse como ponto de referência na futura consagração do autor: "... pequenino volume é neste momento um grande livro". Castro Meneses, o Castrúcio, tão admirado nos tempos do Colégio Pedro II, saudou o antigo companheiro em estiradas colunas cheias de palavras amáveis. Fez mais. Sabendo-o doente, semi-inválido, procurou Manuel Bandeira e ofereceu-lhe papel para editar um novo livro. Só assim pensaria na composição do *Carnaval* por entre duas ou três temporadas em Juiz de Fora.

Preocupado sempre em encher o vazio do tempo, o próprio poeta tratou de toda a distribuição de *A cinza das horas*. As dificuldades surgidas nas prestações de contas levaram-no a uma nova empreitada, desta vez como editor. Quem sabe, aparecendo como editor, e não simplesmente poeta, os livreiros se tornariam mais humanos. O trabalho começou na preparação dos originais da novela *Na vida*, que Honório Bicalho decidira publicar com o pseudônimo de Rufino Fialho.[13] Emendou, corrigiu, acertou a ortografia e mandou-a para o prelo. Encarregou-se também da revisão mas o resultado não seria, ao fim de tudo, animador, desistindo do tentame. Sem organização comercial, nem havia clima para isso no Rio de Janeiro da época, impressor ou editor dava no mesmo: o livreiro ficaria sempre com o melhor quinhão das vendas, muito pouco, na verdade, quando se tratava de obras de autores desconhecidos.

Carnaval

Desta feita, é Maria Cândida quem não vê o livro impresso. A irmã querida, "anjo moreno, violento e bom", morre um ano antes de publicado o *Carnaval*, a segunda coletânea de poemas de Manuel Bandeira, edição, como a da primeira, custeada pelo autor. Restam-lhe agora o pai e o irmão, já casado e que de há muito não morava sob o mesmo teto. Sem Maria Cândida, a casa da rua Goulart – o "perau profundo" – tornou-se enorme e triste para os dois homens e como ambos sentiam saudades de Santa Teresa, com o seu ar de cidadezinha do interior por sobre o bulício da cidade maior, decidiram por alugar uma pequena casa na rua do Triunfo, bem no alto da montanha.

Aos sessenta anos, o engenheiro Souza Bandeira não diminuíra a sua atividade profissional. Em 1917 empreendera uma viagem a Montevidéu e Buenos Aires: foi por terra e voltou por mar, a fim de inspecionar todos os portos do sul. Do ano seguinte é o seu importante projeto de proteção da praia de Copacabana pelo sistema de *groiners*, para a formação de dunas, objetivando o alargamento da avenida Atlântica com um avanço de trinta metros sobre o mar. Infelizmente não foi executado. Era um desperdício de dinheiro que não se justificava (diziam) em bairro ainda despovoado: um vasto areal com poucas e modestas residências. Na verdade, apenas o Leme estava urbanizado. Nem de longe poder-se-ia imaginar o vertiginoso e indisciplinado crescimento do conglomerado de arranha-céus de hoje, que registra um dos maiores índices de densidade demográfica em todo o mundo. No estudo das marés, o poeta havia de emprestar a sua colaboração ao pai engenheiro, deitado na praia de lápis em punho, a marcar o ritmo das ondas.

Após a morte de Maria Cândida e a mudança para Santa Teresa, Souza Bandeira faz a sua derradeira viagem à Europa, como representante do Brasil junto à Comissão Comercial e Industrial Inglesa. No seu regresso, saiu o *Carnaval*. Quase nada conhecia

---

13 Além desta novela, de caráter autobiográfico, Honório Bicalho (1886-1930) escreveu contos, um dos quais daria motivo ao poema "O major", de Manuel Bandeira.

do livro, além de um ou outro soneto de laivo parnasiano da primitiva fase: "A ceia", "Menipo", "A morte de Pã". Do que havia de novo, e até de surpreendente, nos versos em que Mário de Andrade sentiu vibrar, mesmo antes do movimento modernista, o "clarim da era nova", talvez só conhecesse mesmo a sátira "Os sapos", cujo estribilho fora tirado de uma das incontáveis "óperas" paternas. O fato é que o engenheiro leu de uma só assentada o volume. E depois da leitura limitou-se a dizer:

– Sim senhor.

Historicamente, o *Carnaval* representa uma antecipação ao movimento de renovação que vai iniciar dois anos mais tarde. A vaia aos "sapos" pós-parnasianos encantou os jovens escritores de São Paulo, Guilherme de Almeida e Mário de Andrade principalmente. Era uma reação puramente estética, não há dúvida, sem a preocupação de "escrever brasileiro" ou de "sentir brasileiro". Por outro lado, o autor cortava todas – ou quase todas – as amarras do convencionalismo. "Hoje sou ironicamente, sarcasticamente tísico" – escreveria pouco mais tarde, sobre o *Carnaval*, a Mário de Andrade. A doença havia revelado o poeta, e agora o levava para um novo caminho dentro do país da poesia.

Depois da morte de Maria Cândida, pleiteou Souza Bandeira a transferência do montepio, facultada pela lei, ao filho maior inválido. A aparência do poeta era a de um homem em plena força da saúde. Puro engano! Bem ilustrativo é o episódio do exame médico, a que se submeteu no edifício do Supremo Tribunal. Compunha-se a junta dos doutores Franklin de Faria e Rodolfo Vaccani, como representantes da Fazenda Pública e da parte interessada, respectivamente. Ao defrontar-se com o paciente, o primeiro não pôde deixar de externar a sua surpresa:

– É este o doente?

O ponto de vista do doutor Vaccani era de que, embora clinicamente curado, apresentava o poeta lesões de tal ordem que o impediam de exercer qualquer atividade normal. Se não acreditou de início, bastou ao doutor Franklin de Faria auscultar o paciente para não discordar do colega, aceitando *in totum* o parecer.

Essa condição oficial de inválido, reconhecido tão solenemente pelo Estado, selaria um compromisso tácito; o de jamais recusar a atender a quem quer que o procurasse. Julgava ter assumido uma dívida com toda a coletividade. Tinha que resgatá-la, de qualquer modo, como lhe fosse possível, corrigindo provas, emendando sonetos, dando aulas e explicações. Foi assim que preparou para o exame vestibular da escola Politécnica o estudante Ítalo França. E, coisa ainda mais edificante, encarregou-se da educação de uma das filhas da senhora Blank, Joanita Blank, que desde os oito anos não teria outro professor senão Manuel Bandeira. Professor de primeiras letras e depois de humanidades. E tão completo que, ao ministrar princípios de anatomia, dissecou juntamente com a discípula o cérebro de um cadáver, que um estudante de medicina, hoje o médico Luís Castelliano, lhe trouxera da Santa Casa.

Na verdade Joanita jamais frequentou uma escola, colégio ou faculdade. Manuel encarregou-se de toda a sua educação. E conserva até hoje as lições de história do Brasil, que depois das aulas passava para um caderno de notas. É sem dúvida uma preciosidade esse livro inédito do grande poeta.

O HOMEM SÓ

Manuel Bandeira é um homem só, desde a morte do pai. Morreu o engenheiro Souza Bandeira a 14 de maio de 1920, em paz com Deus e os homens. Com o seu deus do mundo swendenborgiano e todos os homens que encontrou neste mundo (o nosso): amigos, colegas, subalternos, simples conhecidos, pois era daqueles que não sabiam fazer inimigos. Na última crise, nas vésperas da agonia, apelara num grito de dor para Jesus Cristo, tal como está no poema "Conto cruel":

> Meu Jesus-Cristinho!

Só. Assim ficou o poeta com a morte do pai. Definitivamente só, como diria no *Itinerário de Pasárgada*. "Quando meu pai era vivo, a morte ou o que quer que me pudesse acontecer não me preocupava, porque eu sabia que pondo a minha mão na sua, nada haveria que eu não tivesse a coragem de enfrentar". Só, teria que enfrentar a pobreza e a morte. O dinheiro era pouco. Quinhentos mil-réis de montepio. Ora, trezentos mil-réis custava-lhe a casa da rua do Curvelo, aluguel reduzido a cem na realidade, pois conseguira sublocar um quarto por duzentos. Este, o orçamento do poeta durante muitos anos, melhorado em parte com uma ou outra colaboração na imprensa ou pelo pró-labore na revista *Vida Doméstica*, bastante exíguo porém seguro, de cinco mil-réis por página impressa.

O poeta está só, e é ele muitas vezes quem faz a sua própria comida. E mais completa se torna a solidão quando morre o irmão, Antônio Ribeiro de Souza Bandeira (1922):

> Sim, já perdi pai, mãe, irmãos.

No entanto é na rua do Curvelo que se inicia a reintegração do poeta ao mundo dos sãos. Para isso, muito vai contribuir um rapaz de São Paulo, de nome Ribeiro Couto, que surgira havia tempos na sua casa, quando ainda morava na rua Goulart, pela mão de Afonso Lopes de Almeida, e que agora vivia na pensão de dona Sara, nas vizinhanças do poeta. Para Ribeiro Couto, a casa de Manuel Bandeira afigurava-se "uma residência de príncipe solitário, com seus belos móveis de jacarandá, suas estantes bem arrumadas, seus objetos de arte, inclusive certo Cristo de marfim à cabeceira". Tudo isso disposto de um modo muito peculiar, muito Manuel Bandeira, e que afinal não difere nada da atual disposição no apartamento de um oitavo andar da avenida Beira-Mar. Da rua do Curvelo para a Lapa. Da Lapa para a praia do Flamengo. Da praia do Flamengo para a avenida Beira-Mar. É sempre o mesmo quarto:

> Vão demolir esta casa.
> Mas meu quarto vai ficar,
> Não como forma imperfeita
> Neste mundo de aparências:
> Vai ficar na eternidade,
> Com seus livros, com seus quadros,
> Intacto, suspenso no ar!

Ou mais explicitamente, como disse no poema "O martelo":

O meu quarto resume o passado em todas as casas que habitei.

Ribeiro Couto, que já conhecia meio mundo no Rio e em São Paulo, foi empurrando, empurrando, e acabou conseguindo tirar o "sapo-cururu" da sua toca. Por intermédio dele é que Manuel Bandeira conheceu Raul de Leoni e Rodrigo Melo Franco de Andrade,[14] Di Cavalcanti e Mário de Andrade, Álvaro Moreyra e Ronald de Carvalho. Foi na casa deste último que Mário de Andrade leu o seu *Pauliceia desvairada*, cumprida a recomendação de que Manuel Bandeira tinha de estar presente à reunião. É que o principal objetivo da presença de Mário no Rio era conhecer o homem que havia escrito o *Carnaval*.

Com os versos escritos na rua do Curvelo, cristaliza-se a personalidade poética, atingindo Manuel Bandeira a plenitude da sua arte, a que não faltará daqui por diante o toque do "humilde cotidiano". Concorreu em grande parte para isso o contato com a rua, além da pregação de Mário de Andrade, através de uma correspondência constante que, iniciada em 1921, só terminaria com a morte do grande animador do momento modernista.[15] Os dois amigos eram implacáveis na crítica que faziam reciprocamente da obra de cada um. Mário insistia na tecla de "abrasileirar o brasileiro", de "patrializar a pátria ainda tão despatriada", atacando de rijo a influência lusitana, tão pronunciada em Manuel Bandeira. Mas essa catequese seria insuficiente não fosse a descoberta do outro lado da vida no convívio da roda boêmia do Bar Nacional, com novos amigos que não eram propriamente literatos, como Jayme Ovalle e Geraldo Barroso do Amaral. Dante Milano, que fazia parte do grupo e que se afirmaria mais tarde como um autêntico poeta tirou esse flagrante de Manuel Bandeira entre os leões noturnos:

A nossa roda de amigos no Bar Nacional não tinha nada de literária, e era bem interessante ver-se a figura recatada do poeta em meio às risadas e impropérios daquela reunião de bebedores, libertinos, estudantes, jornalistas, músicos, artistas, e um e outro *boxeur* estapafúrdio que de repente virava as mesas do bar.

Discreto, não indo além do segundo chope, o poeta retirava-se impreterivelmente antes da meia-noite, à hora em que começavam a escassear os bondes para Santa Teresa, na estação por sinal muito próxima do Bar Nacional. Não deixará jamais de seguir metodicamente o sistema de repouso, observado desde o início da doença, trabalhando em casa, sempre que possível deitado. Dera apenas para sair com maior frequência, à noite, o que lhe fazia bem. Diz o poeta com razão da turma do Bar Nacional: "Se não tivesse convivido com eles, de certo modo não teria escrito, apesar de todo o modernismo, versos como os do 'Mangue', 'Na boca', 'Macumba do Pai Zusé', 'Noturno da Rua da Lapa', etc.".

---

14   Ao contrário de Manuel Bandeira, Raul de Leoni não aceitou a tuberculose com humildade. Continuou a praticar esportes e a fazer vida noturna, vindo a falecer em 1926 com apenas 31 anos. Em Petrópolis, certa vez, ao despedirem-se do autor de *Luz mediterrânea*, todo envolto em pulôveres e cachenês, mas falando muito das suas proezas como ciclista, Manuel Bandeira fez esse comentário a Rodrigo M. F. de Andrade: "O Raul é muito inteligente como poeta, mas como doente é burríssimo". Rodrigo, que se tornaria o maior amigo de Manuel Bandeira, ficou durante muito tempo chocado com o comentário. Ainda a propósito dos três: coube a Manuel Bandeira rever e coordenar as notas escritas por Rodrigo M. F. de Andrade e que constituem o belo estudo de introdução à edição póstuma dos poemas de Raul de Leoni.

15   Desnecessário encarecer a importância da correspondência trocada entre os dois escritores. A mútua crítica que faziam é indispensável ao historiador literário e mesmo ao biógrafo para a compreensão da obra de um e de outro.

A EDIÇÃO DAS POESIAS

É singular a posição de Manuel Bandeira no movimento modernista. No *Itinerário de Pasárgada*, deixa bem clara a sua atitude (que é também a de Ribeiro Couto): "Nunca atacamos os mestres parnasianos e simbolistas, nunca repudiamos o soneto nem, de um modo geral, os versos metrificados e rimados". A sátira de "Os sapos" é contra os exageros pós-parnasianos e se dirige principalmente a Goulart de Andrade e Hermes Fontes. Na "Poética", que é posterior, na fase mais agudamente polêmica do movimento, diria ele agressivamente, na primeira versão, publicada numa revista:

Abaixo a *Revista de Língua Portuguesa*

e não como está em *Libertinagem*:

Abaixo os puristas

O diretor da *Revista de Língua Portuguesa* era precisamente o doutor Laudelino Freire, eleito havia pouco para substituir Rui Barbosa na Academia Brasileira de Letras. Pois seria ele o editor das *Poesias*, em 1924, reunindo num só volume: *A cinza das horas, Carnaval* e *O ritmo dissoluto*. E o principal responsável, o padrinho da edição: Goulart de Andrade, o "sapo" que debaixo de certos poemas do seu livro *Névoas* escreveu: "Obrigado à consoante de apoio". Contudo, portou-se com grande superioridade desde quando Ribeiro Couto mostrou-lhe os versos desabusados. Leu-o e fez esse comentário:

– Mas estes versos são também parnasianos!

Conhecia Manuel Bandeira. E assim não teve dúvida de abordá-lo, numa livraria:

– Então, quando teremos novo livro?

Respondeu-lhe o poeta que não tinha editor nem dinheiro. E Goulart de Andrade despediu-se, prometendo que havia de arranjar editor. Evidentemente, Manuel Bandeira não acreditou na conversa. Estava escabriado com o insucesso das gestões anteriores. Por intermédio de Ribeiro Couto, Monteiro Lobato se havia comprometido a editar o livro. O autor de *Urupês* estivera no Rio, assentara tudo com o poeta. Escrevera depois uma carta, e tudo pareceu ter ficado preto no branco. Ocorrendo porém a falência da editora, os sucessores de Lobato não honraram o compromisso. Mas a verdade é que Goulart de Andrade, dias depois, num segundo encontro, fortuito como o primeiro, comunicava ao escabriado e esquivo confrade:

– Falei com o Laudelino. O seu livro vai ser editado pela *Revista de Língua Portuguesa*.

– Não é possível?

– É, sim. O Laudelino entrou para a Academia com o meu voto. Eu sabia que ele não se recusaria editá-lo.

E foi assim que Manuel Bandeira levou um dia os seus originais à redação da *Revista de Língua Portuguesa*, e foi cordialmente recebido pelo seu diretor. Em meio à composição, aconteceu um ruidoso almoço modernista. Repórteres pediam opiniões aos chefes e subchefes do movimento. Todos disseram as piores coisas possíveis da Academia, dos puristas, inclusive do pobre Laudelino. Menos Manuel:

– Nada posso dizer. Vou ser editado pela *Revista de Língua Portuguesa*.

Laudelino interpelou-o:

– O senhor fique à vontade. Não quero constrangê-lo a publicar o seu livro com o sinete da *Revista*.

Manuel deu explicações. Desfeito o mal-entendido, tudo chegaria a bom termo. O *fair play* de Laudelino Freire foi completo. Ao fim, ficou apenas com os volumes que davam para pagar as despesas, entregando o restante ao autor (cerca de trezentos).

O ANÁRQUICO MODERNISMO

Celebrando o vigésimo aniversário do modernismo, disse Mário de Andrade na sua conferência do Itamarati que a Semana de Arte Moderna foi o "brado coletivo do movimento". Pois bem, Manuel Bandeira não compareceu à festa do Teatro Municipal, de São Paulo, como também se recusaria a colaborar no número de *Klaxon*, dedicado a Graça Aranha. Em represália, Graça Aranha não citaria o nome do poeta no discurso de rompimento com a Academia Brasileira de Letras.

Quando o modernismo completou trinta anos, Mário de Andrade estava morto. Procuraram Manuel Bandeira para uma entrevista. Ele não queria falar.

> Acho perfeitamente dispensável comemorar esse trigésimo aniversário. Se em 2022 ainda se lembrarem disso, então sim.

Apesar de concedida de mau humor, possui essa entrevista uma grande importância. É sem dúvida o mais sincero depoimento sobre a participação que teve no movimento. Do modernismo vivera apenas o clima que lhe propiciaria mais uma experiência essencialmente individualista. Nada mais. Vejamos o que ele diz na entrevista:

> O modernismo foi anárquico, não teve chefes. Quando Graça Aranha aderiu ao movimento, a sua idade, o seu prestígio, a sua ação lhe atribuíram, na opinião geral, aquela categoria. E ele quis realmente ser um chefe, quis unir o movimento à filosofia da *Estética da vida*. Mas nenhum de nós foi nisso. Eu ainda menos que qualquer outro.

E esclarecendo:

> Recusei minha colaboração ao número da revista *Klaxon* dedicado ao grande escritor. Ele soube disso e magoou-se. Só assim se explica que não tenha mencionado o meu nome no famoso discurso da Academia.

E respondendo a uma pergunta:

> Estive sim, naquela sessão da Academia. E acabada a sessão fui abraçá-lo. Senti que o meu gesto o comoveu. Quando o discurso foi publicado, lá vinha o meu nome.

A respeito ainda dessa sessão – prosseguiu:

> Convém saber-se que os modernistas de maiores responsabilidades – o grupo paulista (lembro-me muito bem da atitude de Mário) – se portaram com a maior discrição: não gritaram durante a sessão nem foram carregar o Graça Aranha à saída. Não assisti a essa charola, mas disseram-me que entre os carregadores entusiastas estavam o Alceu (Amoroso Lima), o (Agrippino) Grieco e o (Augusto Frederico) Schmidt.

A singularidade da atitude do poeta se patenteia na sua absoluta indiferença pelas escolas, colocando em meio aos poemas do *Carnaval* sonetos como "A ceia", "Menipo" e "A morte de Pã", que considerou, desde então, meros pastiches parnasianos; fazendo de *O ritmo dissoluto* uma coletânea de ritmos inumeráveis; e prestigiando mais do que nunca o soneto, em *Libertinagem*, com as admiráveis traduções dos "Três sonetos de Elizabeth Barrett Browning".

De qualquer forma, querendo ou não querendo, seria o grande poeta do movimento modernista. Na Semana de Arte Moderna, em São Paulo, "Os sapos" marcariam a festa. No "Mês Modernista" promovido pelo jornal *A Noite*, no Rio de Janeiro, a sua poesia é que daria o tom, e mais do que isso o que provocava raiva quando não despertava escândalo. Tio Raimundo formava entre os que lamentavam a "degradação" artística do sobrinho, chegando mesmo a dizer-lhe:

– Sinto a mesma sensação de tristeza que teria se soubesse que você tinha dado para bêbado ou pederasta...

A DESCOBERTA DO BRASIL

"Pouco me deve o movimento; o que eu devo a ele é enorme" – afirmou o individualista Manuel Bandeira. E com razão. O certo é que foi com o modernismo que se profissionalizou, que se tornou um escritor público e ampliou a sua influência pelos quatro cantos do Brasil. Foi com o modernismo que passou a sentir o Brasil, até então ausente de toda a sua obra: as cidades, Ouro Preto e o Aleijadinho, Recife e a casa do avô, a rua do Curvelo e o "humilde cotidiano". O poema "Evocação do Recife" nasceu de uma troca de cartas com Gilberto Freyre, que então iniciava um movimento paralelo com o dos escritores paulistas, marcado depois por antagonismos inconciliáveis no choque entre duas grandes personalidades: Gilberto e Mário. É evidente que Manuel já havia sido tocado por Mário de Andrade na sua tenaz e continuada campanha de "abrasileiramento". Veio o poema, que é de 1924, antes da visita à terra natal, em 1928, apenas com a evocação da infância. E por isso mesmo falta ao poema, como assinalou Gilberto Freyre, o ritmo do maracatu, que só descobriu na segunda viagem, em 1929.[16] O poema "Boca de forno" é inspirado no maracatu a que ele assistiu no Recife por essa ocasião.

À procura de um clima propício à saúde irremediavelmente comprometida, ou fugindo do verão carioca, Manuel Bandeira vivera e amara muitas cidades: Campanha, Teresópolis, Quixeramobim, Petrópolis, São Lourenço. A amizade com Honó-

---

16   A segunda viagem ao Recife, de 1929, deveu-a Manuel Bandeira à designação para fiscal de bancas examinadoras, graças aos bons ofícios de Gilberto Freyre e seus amigos. Antes, em Juiz de Fora, por influência de Honório Bicalho, Manuel Bandeira participara de uma das bancas, não como fiscal, e sim como examinador de inglês.

rio Bicalho fizera-lhe a revelação de Juiz de Fora. Ribeiro Couto atrai-o a Campos do Jordão e Pouso Alto. Mas isso não bastava à sua iniciação nativista. Fê-la, em grande parte sob a influência de Mário de Andrade que já em 1925 saíra em excursão pelo interior do país. Em 1926-1927, o poeta aceita a missão da Agência Brasileira para a viagem ao Norte, a fim de escolher os representantes estaduais da empresa jornalística que se fundava sob a orientação de J. S. Maciel Filho e Américo Facó. Revezando sempre de navio, vai tocando em portos de importância ou sem importância alguma: Salvador, Cabedelo, Recife, Natal, Fortaleza, São Luís, Belém do Pará. Faz um diário em versos dessa viagem. Duas dessas poesias, "Cabedelo" e "Belém", foram depois incorporadas aos seus livros. O poema dedicado a Natal, demasiado sintético, acabou sendo repudiado, por sugestão de Ribeiro Couto. Dizia apenas o seguinte:

> Foi de noite.

Mas não é só na poesia que Manuel Bandeira se integra no espírito nativista. Também na prosa, através dos artigos e crônicas, que passa a escrever regularmente para o *Diário Nacional*, de São Paulo, e *A Província*, do Recife, órgãos oficiosos de grupos da vanguarda modernista, o primeiro ligado aos políticos que faziam oposição ao PRP, haviam fundado o Partido Democrático e pregavam a Revolução de 1930; o segundo, ligado ao PRP, ostensivamente solidário com o governador do estado, Estácio Coimbra, de quem Gilberto Freyre era oficial de gabinete, defendia o governo do presidente Washington Luís e consequentemente a chamada República Velha. Dessa colaboração regular em dois grandes jornais nasceram as *Crônicas da Província do Brasil* (1937). O *Diário Nacional* paga-lhe cinquenta mil-réis por artigo. *A Província* garante-lhe um salário de trezentos mil-réis por mês.

O FERREIRO E O POETA

Incapaz de qualquer esforço continuado, a sua vida profissional tinha que se ajustar ao repouso imposto pela condição de doente. Escrevia deitado, com a máquina de escrever colocada sobre uma prancha móvel. E assim foi cronista de cinema e crítico de música, crítico literário e de artes plásticas. Por essa época, descera de Santa Teresa para morar na Lapa:

> Atirei um céu aberto
> Na janela de meu bem:
> Caí na Lapa – um deserto...
> – Pará, capital Belém!...

O batido das teclas da sua máquina de escrever se confundia, muitas vezes, com o martelo do ferreiro ecoando do fundo do beco e que o acordava todas as manhãs:

> Sei que amanhã quando acordar
> Ouvirei o martelo do ferreiro
> Bater corajoso o seu cântico de certezas.

Durante algum tempo trabalhou à noite como suplente de tradutor de telegramas na United Press, juntamente com Sérgio Buarque de Holanda e Afonso Várzea. A remuneração não era das piores: setecentos mil-réis chegou a fazer, acumulando plantões noturnos de um mês. De noite, o trabalho não representava nenhum sacrifício. Mas de dia era diferente. De uma das vezes que aceitou a tarefa, enfrentando o sol e o calor, teve uma crise. Tinha que se conformar a trabalhar em casa, deitado, batucando na máquina de escrever. E como trabalhava! Depois que traduziu limpa e rapidamente um tratado sobre doenças hepáticas, por indicação de Ribeiro Couto, a editora Civilização Brasileira passou a confiar novos trabalhos ao poeta: nada menos de quinze volumes, entre livros de aventuras, viagens, biografias e vulgarização científica. Além disso, aceitou como encomenda especial, a ser concluída dentro de seis meses, a organização do *Pequeno dicionário da língua portuguesa*, revendo, emendado e acrescentando o material previamente elaborado por Hildebrando de Lima (verbetes retirados de um dicionário editado em Portugal) e Gustavo Barroso (brasileirismos). Desta vez, considerou-se regiamente remunerado ao receber um conto de réis por mês.

Milagre consumado

Estava por fim consumado o milagre: o doente de Clavadel, que podia viver mais uns cinco, dez, quinze anos, continuava blefando a morte. Carregando as mesmas lesões "teoricamente incompatíveis com a vida", publicara nada menos de quatro coletâneas de poesias, traduzira dezesseis livros, organizara a edição de um dicionário, dera aulas particulares, fora tradutor de telegramas, colaborara assiduamente na imprensa do Rio e dos estados, escrevendo artigos e crônicas, fazendo crítica literária, musical, de artes plásticas e de cinema. Tudo isso, dos 31 anos (quando publicou *A cinza das horas*) até os 49 anos. Mas daqui por diante, a atividade de Manuel Bandeira é ainda mais extraordinária. Sua vida inicia uma nova fase, a exigir na verdade o vigor de um homem de pelo menos trinta anos.

O marco inicial desta nova fase pode ser fixado com a nomeação do poeta, em 1935, por iniciativa do então ministro da Educação, Gustavo Capanema, para inspetor do ensino secundário, funções perfeitamente compatíveis com a sua saúde, uma vez que a fiscalização de um colégio o obrigaria a uma ou duas visitas semanais. Só na época dos exames sentia-se fatigado com o serviço. Servidor do Estado, em pleno exercício de funções públicas, tratou de regularizar a sua situação no tesouro, deixando de receber o montepio paterno, na qualidade de "filho maior inválido". Na idade em que a maioria dos homens começa a sonhar com a aposentadoria, o poeta rompe as amarras da marginalidade para começar tudo de novo.

Três anos depois (1938), troca as funções de inspetor pela de professor de literatura do Colégio Pedro II. Foi com alegria e com entusiasmo que se preparou para exercer a cadeira. O espírito estava longe de envelhecer. O homem maduro conservava intacto o menino do Colégio Pedro II:

O menino que não quer morrer.

Consultou Antenor Nascentes a respeito da duração das aulas. Sessenta minutos de dissertação pareciam-lhe quase a eternidade. Devia falar depressa? Devagar? Nascentes tranquilizou-o, dando-lhe conselhos. Relembrou o estilo dos velhos mestres e recapitulou todos os truques do *métier*.

Não satisfeito, uma noite, após o jantar, na casa de seu primo, José Cláudio da Costa Ribeiro, e em companhia de Vinicius de Moraes, fez um ensaio de aula, que não saiu de todo ruim. Depõe o poeta:

> A primeira aula foi muito superior ao ensaio. Quando menino, pediam que eu recitasse. Se não tinha uma grande plateia, perdia o interesse e matava o recitativo. Diante de uma porção de moças e rapazes, com os olhos cheios de curiosidade, como que para avaliar a força do novo professor, senti-me outro no dia da aula. Acho que me saí muito bem. Pelo menos, tudo aconteceu naturalmente, como se eu tivesse prática de lecionar há muitos anos.

Nesse período, publica duas antologias da poesia brasileira, a da fase romântica e a da fase parnasiana, obras modelares do gênero, escreve o *Guia de Ouro Preto* e o ensaio em torno da autoria das *Cartas Chilenas*, organiza as edições das poesias de Alphonsus de Guimaraens e dos *Sonetos completos e poesias escolhidas* de Antero de Quental e reúne a súmula das suas aulas no Colégio Pedro II no volume *Noções de história das literaturas* (a primeira edição, de 1940, conta 375 páginas; a quarta de 1954, em dois volumes, com a parte relativa à América Espanhola bem mais desenvolvida, 227 + 353 páginas).

Feito depois professor universitário (1943), ao assumir a cadeira de literaturas hispano-americanas, na Faculdade Nacional de Filosofia, continua na mesma intensa atividade. E não são apenas as novas edições das suas obras já esgotadas, a que o poeta sempre acrescenta alguma coisa. São novos livros, em prosa e verso, a *Apresentação da poesia brasileira* (1946), o *Gonçalves Dias* (1952), o *Itinerário de Pasárgada* (1954), as edições das *Obras poéticas* de Gonçalves Dias (1944) e das *Rimas* de José Albano (1948), além da experiência como tradutor de peças teatrais, já beirando os setenta anos, com o drama de Schiller, *Maria Stuart* (1955), representado no mesmo ano no Rio e São Paulo pelo Teatro Brasileiro de Comédia, com Cacilda Becker no papel-título. E mesmo depois dos setenta: *Macbeth*, de Shakespeare, *La machine infernale*, de Jean Cocteau, e vários outros.

A CONSAGRAÇÃO DO POETA

Ao completar cinquenta recebe o poeta uma homenagem até então inédita no Brasil. Trinta amigos brasileiros, escritores e poetas, além de um diplomata também escritor e poeta, Alfonso Reyes, e um político também intelectual, Gustavo Capanema, reúnem-se num mesmo livro para louvar o homem e o poeta. É o volume *Homenagem a Manuel Bandeira* que inaugurou entre nós a série de comemorações aos que atingiram a grande meta da vida. Mas a consagração do poeta não termina aí. Seguem-se os prêmios: o da Sociedade Filippe de Oliveira, um ano depois, de cinco mil cruzeiros, importância que lhe pareceu fabulosa;[17] o do Instituto Brasileiro de Educação, Ciência e Cultura, dez anos mais tarde, de cinquenta mil cruzeiros. Sem falar, é claro, na eleição para a Academia Brasileira de Letras (1940).

Quase ao lado uma da outra, a Academia e a Faculdade de Filosofia, decidiu o poeta a morar próximo do local do trabalho. E foi assim que transferiu sua residência do Flamengo para a Esplanada do Castelo, indo viver no edifício São Miguel, primeiro num pequeno apartamento que dava vista para um pátio celebrado em mais de um poema, depois num outro pouco maior onde o poeta divisa o aeroporto, pode observar a chegada e a partida dos aviões e, o que é mais importante, recebe a brisa do mar, mesmo nos dias mais quentes de verão. Brisa benfazeja que não mais obriga a andorinha a emigrar para Petrópolis, todo fim de ano, todo começo de ano. Pode batucar na máquina de escrever o dia todo, cumprindo, mesmo depois da aposentadoria, os seus compromissos de membro efetivo da Academia Brasileira de Letras e colaborador do *Jornal do Brasil* e da *Folha da Manhã* (dois artigos por semana). E mais: escrevendo novos livros e revendo as provas das novas edições dos antigos.

Não procura poesia. Ela vem quando quer, mesmo em horas impossíveis, no meio da rua ou no meio do sono, como no caso do soneto "A ninfa", variante do tema "O preto no branco", dignificando em ambos o sexo feminino. Surgiu, formou-se no seu subconsciente. E arrebentou, de noite, como um alumbramento. Só pôde conciliar o sono depois de terminado o último verso do soneto – um dos mais estranhos e dos mais belos de toda a sua obra.[18] O poema "A última canção do beco" nasceu na hora em que o poeta se preparava para um jantar que não era de cerimônia, segundo o seu próprio testemunho:

> Na véspera de me mudar da rua Morais e Vale, às seis e tanto da tarde, tinha eu acabado de arrumar os meus troços e caíra exausto na cama. Exausto da arrumação e um pouco também da emoção de deixar aquele ambiente, onde vivera nove anos. De repente a emoção se ritmou em redondilhas, escrevi a primeira estrofe, mas era hora de vestir-me para sair, vesti-me com os versos surdindo na cabeça, desci à rua, no Beco das Carmelitas me lembrei de Raul de Leoni, e os versos vindo sempre, e eu com medo de esquecê-los, tomei um bonde, saquei do bolso um pedaço de papel e um lápis, fui tomando as minhas notas numa estenografia improvisada, senão quando lá se quebrou a ponta do lápis, os versos não paravam... Chegado ao meu destino, pedi um lápis e escrevi o que ainda guardava de cor... De volta a casa, bati os versos na máquina e fiquei espantadíssimo ao verificar que o poema se compusera, à minha revelia, *em sete estrofes de sete versos de sete sílabas*.

A APOSENTADORIA

Pelas circunstâncias especiais que a envolveram, a aposentadoria de Manuel Bandeira deixa de ser um ato de rotina burocrática para se transformar num episódio que atesta mais uma vez a dimensão alcançada pelo poeta. Por um decreto de 1º de junho de 1943, assinado por Getúlio Vargas e pelo ministro Gustavo Capanema, Manuel Bandeira fora nomeado para ocupar interinamente o cargo de catedrático

---

17   Disse o poeta numa das suas confidências: "Parece incrível, mas é verdade: aos 51 anos, nunca eu vira até aquela data tanto dinheiro em minha mão".

18   Na conferência pronunciada na Casa do Estudante, "Poesia e verso", e no *Itinerário de Pasárgada*, Manuel Bandeira se reporta à composição dos poemas "Palinódia" e "O lutador", feitos durante o sono.

de literatura hispano-americana da Faculdade Nacional de Filosofia da Universidade do Brasil, cargo para o qual fora convidado por San Thiago Dantas, então diretor da Faculdade. E como interino ficou em sua função de professor enquanto os anos se passavam. Quando estava próxima a data em que completaria setenta anos, surgiu um delicado problema: teria que ser compulsoriamente aposentado por ter atingido a idade-limite. No entanto, como era interino, ou seja, nunca havia feito concurso de títulos e provas, não tinha, por lei, direito à aposentadoria, devendo então ser simplesmente demitido. A situação era no mínimo desconcertante, em se tratando de quem se tratava.

Carlos Lacerda, à época deputado federal, apresentou então à Câmara um projeto de lei para que fosse concedida aposentadoria a Manuel Bandeira. O projeto foi encaminhado à Comissão de Serviço Público e à Comissão de Finanças. A primeira então o passou para a Comissão de Constituição e Justiça, para que fosse examinada sua constitucionalidade. No parecer da Comissão de Constituição e Justiça, assinado por Milton Campos, podiam ler-se trechos como este: "Nunca a poesia teve, entre nós, voz mais alta e timbre mais nobre, provindo daí a incomparável contribuição que sua obra e seu nome trouxeram à inteligência brasileira". O parecer, reconhecendo que o projeto era inconstitucional, sugeriu à Comissão de Serviço Público um substitutivo que, para afastar a "eiva de inconstitucionalidade", dissesse no Artigo 1º: "É o Poder Executivo autorizado a conferir ao professor Manuel Carneiro de Souza Bandeira Filho, como recompensa à sua contribuição para a cultura brasileira, o prêmio que consistirá nos proventos e vantagens de professor catedrático da Universidade do Brasil". Com essa redação foi sancionada por Juscelino Kubitschek a Lei 2.861 de 4 de setembro de 1956.

Estava sanada uma situação de fato constrangedora para a cultura brasileira. No entanto, graças a entraves burocráticos, o decreto de aposentadoria só veio a sair em 23 de abril de 1957, de modo que o poeta continuou a lecionar até essa data, quando já contava 71 anos.

VIAGEM À EUROPA

Em julho de 1957, Manuel Bandeira se permitiu interromper todas as suas atividades. Fazia essa interrupção a fim de viajar à Europa. Tinha 71 anos de idade e era a primeira vez que ia à Europa desde o distante ano de 1913, quando, doente, viajou para a Suíça em busca de cura. Desta vez, passados 44 anos, partia para um período de merecido lazer, bem diferente dos aflitivos meses que passara no sanatório suíço tentando vencer a ameaça da morte.

A propósito dessa viagem, Carlos Drummond de Andrade escreveu, na época, um poema cujas duas últimas estrofes dizem:

Leve-o, navio, em leve travessia
a essa Europa que o viu enfermo e velho,
e ora jovem e são, rico de vida,
irá vê-lo, milagre de evangelho

> Pois milagre é poesia, Aldabi: leme,
> angra, remédio, púrpura bandeira,
> Zele e traga de volta, pontualmente,
> o nosso grande e bom Manuel Bandeira.

No dia 19 de julho, Manuel Bandeira embarcou no *Aldabi*, um pequeno vapor holandês. Em 7 de agosto, como o navio se deteve em Antuérpia, aproveitou o tempo disponível e aceitou o convite de Otto Lara Resende, então adido cultural na Bélgica, para visitar Bruxelas. No dia 10, por fim, o poeta desembarcou em Rotterdam, seguindo no mesmo dia para Haia. Embora tenha permanecido a maior parte do tempo na Holanda, Manuel Bandeira foi também a Londres e a Paris. Sua estada europeia durou até novembro, quando retornou ao Brasil, retomando então suas atividades habituais. Tanto na ida como na volta, o poeta viajou acompanhado de Mme. Blank.

O cronista Manuel Bandeira não deixou passar em branco essa viagem à Europa. Escreveu uma série de crônicas em que registrou suas emoções e suas impressões durante esse período. Algumas crônicas tratam da viagem de ida propriamente dita, tendo sido agrupadas sob o título "Diário de bordo". Outras tratam de vários aspectos de seu percurso por algumas cidades europeias. Essas crônicas constituem, sem dúvida alguma, um dos momentos exemplares da atividade de Manuel Bandeira como cronista.

A OBRA COMPLETA

O ano seguinte ao da viagem, 1958, foi de intensa continuidade do incansável trabalho do poeta. Em primeiro lugar, houve uma reedição, a das *Noções de história das literaturas*. Mas houve também trabalhos novos. Para a coleção "Nossos clássicos", da editora Agir, Manuel Bandeira preparou o volume *Gonçalves Dias*. No campo da tradução, incumbiu-se de verter para o português, em versos, a peça *Colóquio-Sinfonieta*, de Jean Tardieu, representada no Rio de Janeiro. Verdadeiramente inestimável para os estudos literários brasileiros foi a publicação por Manuel Bandeira de parte das cartas de Mário de Andrade a ele dirigidas. Foram publicadas cartas que vão do início da troca de correspondência, no começo da década de 1920, até cartas que datam de 1935. Nelas se discutem desde pequenos assuntos do cotidiano dos dois amigos, passando pela sua atividade literária, até as grandes questões da cultura brasileira. Com a edição dessas cartas, Manuel Bandeira revelou a importância do enorme epistolário marioandradino, dando início ao trabalho de sua recuperação, que até hoje se desenvolve pelas mãos de vários estudiosos.

Todavia, o principal acontecimento desse ano, no que se refere à bibliografia de Manuel Bandeira, foi a publicação de sua obra em edição Aguilar. Com o título de *Poesia e prosa*, foram publicados, em dois alentados e bem cuidados volumes, a lírica, os versos de circunstância, as traduções de poemas e de peças teatrais, crônicas, críticas, ensaios e epistolário. Os volumes se completavam com farta informação sobre o poeta e sua obra: textos críticos, bibliografia e biografia, além de considerável material iconográfico. Pela primeira vez se tinha uma visão de conjunto de toda a vasta e diversificada produção literária de Manuel Bandeira. Aos 72 anos, o poeta tinha sua obra entregue ao público leitor de forma condigna, de forma à altura do significado dessa obra.

Os anos se passam e Manuel Bandeira não se furtava a novas experiências. Em 1963, acrescentou outra dimensão à sua faina de cronista. Passou a escrever crônicas que eram por ele mesmo lidas em um programa da rádio Roquette-Pinto, intitulado *Grandes poetas do Brasil*. Além de leitores, o poeta contava então também com ouvintes.

Tempo dos cardos

1964. Foi um ano terrível, talvez o mais penoso de uma velhice que de repente se fez atribulada. A saúde de Frédy Blank se agravava. Já não era mais possível viver sozinha no apartamento da rua das Laranjeiras. "É chegado o tempo dos cardos", confidenciou num poema, e continuava a lamentação:

> As saudades não me consolam.
> Antes ferem-me como dardos.
> As companhias me desolam,
> E os versos que me vêm, vêm tardos.
>
> [...] o velho bardo
> Está agora, entre mil perigos,
> Comendo, em vez de rosas, cardo.

Iniciara-se o declive. Não era mais o mesmo. Não tinha forças para resistir às pressões. Teve que aceitar a decisão implacável: afastar-se para sempre de Frédy, o que significava, para ele, o primeiro passo para a morte. Daí a série dos poemas "Preparação para a morte".

Joanita, que de há muito residia na Europa, decidiu levar sua mãe, Mme. Blank, para a Holanda, sua pátria de origem, onde lhe dariam maior assistência. Veio ao Brasil para esse fim.

Manuel Bandeira não teve ânimo de comparecer ao aeroporto para as despedidas da velha amiga – "toda a afeição de uma vida", como escreveu num poema. Apenas três amigos estiveram presentes ao embarque: Maria Augusta Costa Ribeiro, Homero Icaza Sanchez e Pedro Nava. Amigo da família, Nava era o médico particular de Madame Blank.

Ainda em 1964, Manuel Bandeira escreveu um poema que expressa seus sentimentos diante da situação:

Natal 64
A Moussy

> Ao deitar-me para a dormida,
> Desejara maior repouso
> Do que adormecer, e não ouso
> Desejar o jazer sem vida.

Vida é possibilidade
De sofrimento; quando menos,
Do sofrimento da saudade,
Com os seus vãos apelos e acenos.

Mas a não haver outra vida,
Aos que morrem pode a saudade
Dar-lhes, senão a eternidade,
Um prolongamento de vida.

Então por que neste momento
Me sinto tão amargo assim?
E a saudade me é um tal tormento,
Se estás viva dentro de mim?

Os oitenta anos

Em 1966, foi lançada uma edição da obra completa, incluindo as traduções de poemas. Era o volume *Estrela da vida inteira*, título extremamente significativo, pois resumia a carga poética contida em dois outros títulos de coletâneas poéticas de Manuel Bandeira: *Estrela da manhã* e *Estrela da tarde*.

O livro apresentava ainda um longo e importante ensaio sobre a obra poética de Manuel Bandeira escrito por Gilda de Mello e Souza e Antonio Candido, além de depoimentos e poemas, entre outros, de Otto Maria Carpeaux, Gilberto Freyre, Guilherme de Almeida, Cassiano Ricardo. Paralelamente, surgiu o volume *Andorinha, andorinha*, organizado por Carlos Drummond de Andrade; tratava-se de uma seleção da extensa produção em prosa de Manuel Bandeira.

Esses dois livros, publicados pela editora José Olympio, faziam parte das muitas homenagens que no ano de 1966 foram prestadas a Manuel Bandeira. Afinal de contas, o poeta completava oitenta anos. E não se tratava da comemoração de um simples aniversário. Tratava-se da comemoração do longo percurso de uma vida que sobrepujara a morte e dera à literatura uma de suas obras mais importantes.

Além dos dois livros, a editora José Olympio ainda prestou uma grande homenagem a Manuel Bandeira. Realizou em sua sede uma festa digna do homenageado. Só o número de pessoas que compareceram à festa já é suficiente para dar uma ideia da importância da ocasião: mais de mil pessoas, amigos e admiradores do poeta, estiveram presentes, prestando seu tributo ao criador de uma obra irrestritamente admirada.

Vários outros acontecimentos marcaram o transcurso dos oitenta anos. Até no Congresso Nacional, a data mereceu atenção. Diversos parlamentares fizeram discursos em que lembravam o aniversário e a importância do poeta. Em Recife, terra natal de Manuel Bandeira, seria erguido um busto do poeta – homenagem de peculiar significação afetiva para quem tinha tanto apreço pela cidade, da qual sempre guardava fundas lembranças, reveladas em muitos versos.

O busto, na verdade, não foi inaugurado na época do aniversário de Manuel Bandeira, mas somente no dia 19 de novembro. Embora já estivesse pronto há muito tempo, vinha sendo motivo de polêmica. Em 1955, o poeta pacientemente se dispusera a posar durante cerca de cinco meses para o escultor Celso Antônio. Pronto o trabalho em bronze, seu destino era um logradouro público de Recife. Mas um historiador pernambucano, Mário Melo, opôs-se à homenagem, baseando-se em um artigo da Constituição estadual. O impasse levou mais de dez anos para ser solucionado, o que ocorreu quando Mário Melo já havia morrido. Manuel Bandeira não foi a Recife para assistir à inauguração do busto. Todavia, fez-se representar por Elysio Condé, que leu uma mensagem do poeta ao povo pernambucano. Transcrevemos na íntegra as palavras do poeta, pois elas são o melhor relato de toda a situação.

> Meus amigos,
> Foi para mim uma grande decepção não poder estar presente a esta cerimônia, que representa o auge das homenagens que recebi por motivo de meu octogésimo aniversário. Homenagens que me parecem ultrapassar de muito o valor que possa ter a minha obra. Certa vez escreveu Mallarmé que em poesia "trata-se, antes de tudo, de fazer música com sua dor". Foi só o que fiz toda a vida. Verifiquei, porém, com surpresa, que, isto fazendo, levei à angústia de muitos, perto e longe de mim, na minha pequena pátria – Pernambuco, e na minha grande pátria – o Brasil, uma palavra de solidariedade e conforto. Foi a minha maior, a minha melhor recompensa, de que ficará para sempre como símbolo esta bela escultura em bronze, obra do maior escultor vivo do Brasil – Celso Antônio.
> Quando se levantou contra esta homenagem a campanha de um grupo de pernambucanos, o qual alegava que ela iria violar um artigo da Constituição do meu estado, tratei logo de consultar no Rio os meus amigos juristas, a começar pelo insigne Levi Carneiro, meu colega da Academia Brasileira de Letras. O artigo invocado pelos impugnadores da homenagem impede que se dê nome de pessoa viva a logradouro público. É uma lei proibitiva. Aprendi então com Levi Carneiro o que não sabia, e é que não se pode tirar ilações de uma lei proibitiva. Não se poderá dizer, como fez Mário Melo, que se a lei proíbe dar nome de pessoa viva a logradouro público, ainda proibirá prestar a pessoa viva homenagem mais importante, qual seja a ereção de uma estátua em logradouro público. Estava errado o saudoso confrade: a lei que proíbe uma coisa, proíbe só essa coisa e nenhuma outra. Eu me sentiria um mau pernambucano se aceitasse uma homenagem que implicasse violação da Constituição do meu querido estado.
> Assim instruído e tranquilizado por Levi Carneiro e outros luminares da ciência do Direito, senti-me à vontade para aceitar a honrosíssima homenagem.
> Talvez a demora desta cerimônia tenha resultado em benefícios para mim, porque na gestão final do caso pelo governador Paulo Guerra se chegou à localização que reputo ideal para o bronze de Celso Antônio: a confluência da rua da União com a rua Riachuelo. Realmente aqui está o coração da minha infância. O centro de quatro quarteirões onde vivi dos seis anos aos dez e de onde saí, como disse no poema, maduro para o sofrimento e para a poesia.
> Meu coração transborda de desvanecimento e gratidão à minha terra natal e sua nobre e sempre heroica gente. De gratidão a todos os amigos que concorreram para esta insuperável homenagem: o que a ideou e encomendou a cabeça a Celso Antônio, pagando-a do seu bolso – Odilon Ribeiro Coutinho; ao mesmo Celso Antônio, que a modelou com tanto carinho; a Nilo Pereira, autor do projeto apresentado à Assembleia de Pernambuco; aos que enfrentaram os opositores, e quero destacar os nomes de Aníbal Fernandes e Olívio Montenegro, inesquecíveis mortos; de Gilberto Freyre, Mauro Mota e tantos outros vivos ilustres, de prefeitos que se interessaram pelo caso sem o ter podido resolver e, finalmente, os do governador Paulo Guerra e do chefe da Casa Civil – Marcos Vilaça, que me deram a honra de visitar-me no Rio.
> Posso repetir agora que quando a indesejada das gentes vier buscar-me, encontrará cada coisa em seu lugar na minha vida, – inclusive esta cabeça, que está e ficará, como disse atrás, no coração da minha infância, no coração da rua da União.

Há ainda um fato digno de nota relacionado com os oitenta anos do poeta. Foi mais ou menos nessa época que Manuel Bandeira pela primeira vez se tornou proprietário. Tendo em toda a sua vida, de homem sozinho e de poucos recursos, morado em pequenos apartamentos alugados, o poeta, na velhice, conseguiu comprar uma casa de veraneio em Teresópolis, na rua Coronel Santiago, nº 240. Era uma ampla casa, em que se comprazia em passar temporadas, quando com boa disposição cuidava com carinho de um pequeno jardim.

A INILUDÍVEL

Em 1968, a saúde de Manuel Bandeira sofreu declínio considerável. Começava a sucumbir quem iludira a morte tão longos anos. Seus últimos meses, Manuel Bandeira passou-os no apartamento de Copacabana de Maria de Lourdes Heitor de Souza, companheira do poeta na fase final da vida deste.

Por fim, teve que ser internado em um hospital. Morreu no dia 13 de outubro, no Hospital Samaritano, em Botafogo. Foi enterrado no Mausoléu da Academia Brasileira de Letras, no Cemitério de São João Batista.

A "indesejada das gentes", sobre a qual o poeta tecera conjeturas no poema "Consoada", tinha afinal se apresentado e ele talvez tenha repetido o verso "– Alô, iniludível!".

Além do legado de sua obra fundamental, legado este aberto a todos que se dispuseram a folhear seus livros, o poeta deixou um testamento lavrado em cartório. Aberto o testamento, nenhuma surpresa se revelava. Sempre se soube que a dedicação à poesia não enriquecera o poeta. A biblioteca ficou para a Academia Brasileira de Letras. A casa de Teresópolis e os direitos autorais ficaram para Maria de Lourdes Heitor de Souza. Estes eram seus bens de maior valor. Mas não era só deles que o testamento cuidava. O poeta destinou a diversas pessoas que lhe eram caras afetivamente alguns bens de valor igualmente e sobretudo afetivo, como abotoaduras, tinteiros, uma imagem de Santa Rita, um oratório e assim por diante. O que mais se poderia esperar de um poeta? Até em seu testamento deixou a marca de sua indelével poesia.

Poeta nacional, Manuel Bandeira, ao morrer era o escritor mais entrevistado, mais fotografado, mais televisionado do país. Também o mais musicado, se me permitem a expressão, para recordar que a sua poesia inspirou Villa-Lobos, Camargo Guarnieri, Lorenzo Fernandez, Francisco Mignone, Jayme Ovalle etc. O mais "pintado", outra liberdade, para lembrar os quatro retratos de Candido Portinari, dois óleos, um carvão e uma monotipia; os óleos de Zina Aita, Frederico Maron e Joanita Blank; os desenhos de Manoel Bandeira, Luís Jardim e Cícero Dias. O mais "esculpido": quatro cabeças de Celso Antônio e uma de Dante Milano. O mais "caricaturado": Fujita, Di Cavalcanti, Cícero Dias, Alvarus, Antonius, Nássara, Augusto Rodrigues etc. O poeta que possuía maior número de peças traduzidas para outro idioma: italiano (Ungaretti, Luigi Fiorentino, Raffaele Spinelli, Tolentino Miraglia, Luce Ciancio, Giovanna Aita), francês (Jean Désy, C. A. Tavares Bastos, Luís Aníbal Falcão), espanhol (Alfonso Reyes, Nicolás Guillén, Enrique Bustamante y Ballivián, Tamayo Vargas, González Tuñón, Raúl Navarro, C. S. Vitureira, Juan Felipe Terruño, Mercedes La Valle, Gastón Figuera), húngaro (Paulo Rónai), inglês (Dudley Poore, R. A. D. Ford, W. J. Griffin, D. Lee Hamilton, B. Blackstone, Earl C. Tanner, C. Malcolm Batchelor, Leonard S. Downes), alemão (Stefan Baciu, Else Hoppe Tomas), afrikanns (Uys Krige), sérvio (Ante Cattineo).

Sobre a sua obra já se escreveram centenas de artigos, crônicas e estudos, que digo? cerca de um milheiro, como os de Onestaldo de Pennafort e Ribeiro Couto no volume *Homenagem a Manuel Bandeira*; o de Sérgio Buarque de Holanda, "Trajetória de uma poesia"; o *Manuel Bandeira*, de Adolfo Casais Monteiro; o *Preto no branco*, de Lêdo Ivo, sendo este a análise anátomo-psico-literária de um único poema – um dos poemas-chaves da obra bandeiriana; o *Manuel Bandeira pré-modernista*, de Joaquim Francisco Coelho; o "Bandeira, o desconstelizador", de Haroldo de Campos, incluído no volume *Metalinguagem*; e, de David Arriguci Jr., "O humilde cotidiano de Manuel Bandeira", publicado na obra coletiva *Os pobres na literatura brasileira*. É sem dúvida um dos mais estudados de nossos poetas modernos. Um dos mais louvados, poderia acrescentar. O homem e a obra motivaram a Carlos Drummond de Andrade a inesquecível "Ode no cinquentenário do poeta brasileiro", em que exaltou:

> O poeta acima das guerras e do ódio entre os homens –, o poeta ainda capaz de amar Esmeralda embora a alma anoiteça, o poeta laborioso, lacônico, eficiente, o poeta melhor do que nós todos, o poeta mais forte...

Assim foi Manuel Bandeira, até a velhice. O homem que venceu a doença. O homem cuja vida foi uma lição de tenacidade, ternura, paciência, compreensão. O homem que sobreviveu ao impacto da morte, conservando no coração o amor pelas crianças. O homem que tinha na doçura a sua grande força. O homem que entrou na velhice sem nunca deixar de ser, um só momento, menino. "Gosto de ser musicado, de ser traduzido e... de ser fotografado – diz o poeta. Criancice? Deus me conserve as minhas criancices."

Sim, o menino coexistia com o homem encanecido, e era esta a razão da permanente juventude de Manuel Bandeira:

Espelho, amigo verdadeiro,
Tu refletes as minhas rugas,
Os meus cabelos brancos,
Os meus olhos míopes e cansados.
Espelho, amigo verdadeiro,
Mestre do realismo exato e minucioso,
Obrigado, obrigado!

Mas se fosses mágico,
Penetrarias até ao fundo desse homem triste,
Descobririas o menino que sustenta esse homem,
O menino que não quer morrer,
Que não morrerá senão comigo,
O menino que todos os anos na véspera do Natal
Pensa ainda em pôr seus chinelinhos atrás da porta.

A infância que nunca deixou de brilhar nos olhos do poeta, o menino que sempre existiu no adolescente, no doente melancólico, no homem maduro, que coexistiu até no septuagenário, no octogenário – eis aí resumido o milagre de uma vida em todo o longo itinerário da rua da Ventura ao Reino de Pasárgada.

Manuel Bandeira, 100 anos de poesia:
síntese da vida e obra do poeta maior do Modernismo. Recife: Pool, 1988.

Da modesta grandeza
MÁRIO DE ANDRADE

Uma das principais grandezas de Manuel Bandeira, talvez a mais recôndita e a que menos tem sido salientada, é que ele é realmente tanto na vida como na obra, um poeta modesto. Será talvez também a causa principal do seu estranho prestígio sobre os homens. Ele tem a modéstia de seu cantinho e a pratica com sinceridade, uma discrição, uma elegância espiritual, uma segurança extraordinária.

Se observa por exemplo qualquer um de nós outros, Cassiano Ricardo, Augusto Frederico Schmidt, Ronald de Carvalho, Olegário Marianno, Guilherme de Almeida, Menotti del Picchia, eu. Nós somos todos mais ou menos poetas imodestos, não só pelas ambições de nossas vidas, mas em principal e essencialmente pela ambição dos nossos versos. Não digo isto como censura, pois que essa ambição é natural, é quase uma obrigação, e em grande parte derivada das circunstâncias históricas do momento social do Brasil e do mundo. Mas nossa poesia declara francamente que pretende criar os versos mais perfeitos, criar a Beleza imortal e mais francamente ainda se atira a assuntos d'uma grandeza formidável que, força é confessar, estão um bocado bastante além das nossas possibilidades. Nós todos nos pusemos a versejar o Brasil porém não tenho uma certeza muito fácil de que haja um Camões em nossa roda. E o assunto grande demais, foi reduzido a metáforas, a tiradas e processos de versejar. Daí uma imodéstia, que embora perfeitamente legítima e indiscutivelmente honesta, não deixa de nos desprestigiar singularmente na roda dos poucos apaixonáveis. Nossas diversas ou mesmas demagogias nos deram muitos admiradores entre os nacionalistas, os católicos, as moças, porém Manuel Bandeira goza dum outro prestígio muito mais circunscrito, mas duma segurança e dum devotamento muito mais perfeitos. Muito mais sério.

O caso de seu poema "Recife", em que muitos estarão pensando naturalmente, é ainda uma prova da extrema modéstia de Manuel Bandeira. A gente poderá, não tem dúvida, lendo o título e o início do poema, imaginar que o poeta vai cantar as grandezas e belezas de sua terra natal, mas logo se desilude porém. O poeta logo converte o seu assunto ao poeta, não às características exteriores e adquiridas do poeta, não ao seu processo de versejar, ao seu estilo, a tiradas nem metáforas, mas à sua naturalidade mais intrínseca, mais incontestável, suas recordações de sua vida vivida, saudades de infância. Modestamente, Recife é a vida que o poeta viveu menino em um vilejo qualquer, um engenho, uma fazenda. Não é mais um assunto nacional, é um assunto do poeta vivendo no seu cantinho. Se compara essa maneira modesta de diminuição do Recife com a maneira imodesta de engrandecimento de [...] em Ribeiro Couto, e se terá toda a medida desta característica essencial de Manuel Bandeira.

E por isso talvez, ou pelo menos em grande parte por isso, ele me parece o maior dentre nós, porque o mais idêntico a si mesmo.

Manuel Bandeira: verso e reverso.
Org. Telê Porto Ancona Lopez. São Paulo: T. A. Queiroz, 1987.

Itinerário para a rua da Aurora
PEDRO NAVA

É de Nabuco a grande verdade psicológica de que todos os homens através da vida se agitam dentro de um continente emocional criado por quatro ou cinco impressões da infância. Impressões essenciais de surpresa, descoberta e compreensão, – de síntese e análise do mundo –, com que a imaginação fundamentalmente livre e direta da criança reúne e compara os fatos que se destinam à criação do material elementar que vai condicionar todas as reações afetivas do homem maduro.

Estendendo um pouco esse conceito, parece que podemos afirmar que toda a substância poética de que dispomos, – esses com parcimônia, aqueles com abundância –, não resulta senão de quatro ou cinco deslumbramentos que nos atingiram nessas épocas obscuras e miraculosas da existência que vão da descoberta da natureza à invenção do sexo. De todo esse tormento vago e indecifrável que nos cria a adolescência, esmagados pelo mundo exterior a um tempo propiciatório e terrível, luminoso e hostil – e desgovernados pelas vidas simultâneas em que nos desdobramos, surpreendendo-nos hoje diferentes do que nos adivinháramos ontem e amanhã, desconhecidos do momento físico e do clima moral de hoje, – resulta essa sucessão de fulgurações e de sombras, de riso e de choro, de pasmo e de dúvida, cujo tumulto contraditório nos despenha naqueles estados poéticos, – que urgem como a fome, que são imperiosos como o instinto e inadiáveis como o vício.

Levanta-se para nossa tortura um universo inexplicado e bárbaro e estacamos temerosos diante desses mundos que é impossível interpretar pela inteligência atordoada ou pela razão imatura e que só o milagre divinatório da poesia é capaz de surpreender.

Mas dentro desse caos inefável e excessivo nos abandonamos incapazes de qualquer disciplina, no mais completo desperdício da matéria lírica que à inteligência não aproveita porque os sentidos desbaratam.

Para esse estado de espírito a poesia alheia, principalmente quando é a de um grande poeta, assume uma importância dobrada, pois além do seu contingente emocional imanente, – ela é capaz de todas as dilatações, das mais distantes amplitudes. E nos arrebata largamente nesses êxtases solares e profundos que realizam pelos passos alheios o nosso próprio caminho. Corporificando os nossos anseios mais obscuros. Alcançando as formas mais finas e vagas que entrevíramos. Tudo que de emplasmado, fora por nós apenas mal sonhado.

Não há quem não tenha tido essa paridade com um grande poeta e Manuel Bandeira nesse sentido foi para mim o grande explicador da poesia.

Nascerá talvez daí a minha incapacidade de compreendê-lo sob qualquer outro ponto de vista que não seja o de uma identificação integral com seus transes líricos, a minha impossibilidade de interpretar o seu sentimento poético em separado do contingente de emoção pessoal que se desencadeou em mim em contato com a sua poesia. Mormente porque a sua mágica me leva sempre para trás numa evocação quase objetiva pela força com que me ajudou a gravar os anseios vívidos de uma adolescência tímida e dolorosa, de que só a poesia pôde ser exaltação, alegria, iluminação e posse.

Essa extraordinária importância que a poesia de Manuel Bandeira teve para mim, parece que posso afirmar sem medo de erro, – foi a mesma para quase todos os de minha geração –, ao menos para aquele grupo que por volta de 1923 ou 1924 começou a adivinhar o seu problema pelo lirismo, antes de passar a interpretá-lo pelo raciocínio.

Creio que para todos nós, – rapazes de há doze anos atrás, – foi decisiva a influência dessa poesia a um tempo límpida e profunda, luxuosa e correta. Mas em vez de influência, o que sugere imediatamente a ideia subalterna e servil da imitação, melhor será falar na sugestão e no encantamento inevitáveis dessa maneira poética de Manuel Bandeira, – que invade e domina por aquela beleza que a caracteriza, útil e simples, da expressão exata, por aquela precisão linear e aquela pureza implacável da forma, que são o seu apanágio. Fuga minuciosa a toda vulgaridade eloquente ou inutilidade brilhante, onde deve habitar o segredo da facilidade com que os mais profundos momentos poéticos de Manuel Bandeira se tornam acessíveis, deslumbrando pela realização milagrosa desses estados nebulosos de angústia, esperança, exaltação e renúncia, – de que nossa sensibilidade mais adivinha os antagonismos que propriamente a inteligência desarmada de força poética poderia revestir de forma viva. O grande poeta deve ser esse que nos revela os sentimentos obscuros que ainda não exprimimos, e essa coincidência, essa analogia, esse instante de compreensão é o que nos eleva até a sua grandeza.

Manuel Bandeira teve para mim essa importância capital, – foi o poeta em cujos versos eu mais me conheci e em cuja poesia eu achei o complemento da minha sensibilidade.

Quando foi de nossa aproximação eu já lhe levava uma amizade antiga, tanto a intimidade com o poeta me dava a impressão de um convívio velho com o homem. Inevitavelmente a sua poesia nos leva a essa condição, tal a participação a que ela nos obriga dos ambientes cotidianos de sua vida, das sombras doces e maternais ou ásperas e graves que passaram na sua infância ou perturbaram a sua adolescência. Confidências que escapam dos seus versos muito mais que do seu convívio amável, orgulhoso e discreto.

Toda a sua existência atormentada e solitária, confinada pela doença, mas ampla e vasta pela riqueza interior, tem as suas etapas marcadas pelas estrofes de "angústia rouca" com que o poeta transformou em beleza e clarão, seus desalentos, seus desencantos. Ao longo de seu caminho, seguimos com ele numa admiração que cresce mas também cede ao interesse e ao respeito que nascem dessa tristeza viril e dessa altitude resignada com que Manuel Bandeira suportou o "mau gênio da vida", que nele "turbou, partiu, abateu" e "queimou sem razão nem dó".

E mais admirável que o poeta, só o homem que, depois de arder assim, continua incapaz de se retrair no confinamento de uma dor estéril e egoísta e ainda pode se enternecer com piedade franciscana e virgindade de coração, diante das mães mortas de fadiga cantando para os meninos doentes, diante das águas que murmuravam com a voz de sua ama ("Pobre mulher, sombria filha da desgraça!"), diante da "pequenina, ingênua miséria dos carvoeiros" ou dos balões que se alçam miraculosamente para só cair "nas águas puras do mar alto", porque os dilata o sopro penoso dos tísicos.

É como quem profana e tolhido por um sentimento vago de pudor que se pode falar na vida triste de Manuel Bandeira, tanto isso parece sugerir um sentimento menos másculo por esse que nunca pediu piedade e nunca se queixou senão pela sua poesia, – grande, orgulhosa e pura como ele.

Na realidade, nessa dor que é o jardim fechado do poeta, só tocará sem magoar quem com ela quiser realçar o homem que ela elevou, engrandeceu e transfigurou. Mesmo assim que o seja de modo discreto e pela mão de muito poucos. Daqueles que o acompanharam pela vida toda, – que foram com ele a Pasárgada, que quiseram como ele a Estrela da Manhã. Aqueles que moraram com ele na Lapa áspera, colorida e devassa, de janelas abertas para "o vento dos lupanares". Aqueles que foram com ele, – "foi há muito tempo", para ver Tereza ou mais longe ainda para conhecer Totônio Rodrigues, Tomásia, Rosa, para se descuidar na rua da Saudade ("onde se ia fumar escondido") e queimar os pés no cais ensolarado da rua da Aurora.

Homenagem a Manuel Bandeira.
Rio de Janeiro: Tipografia do *Jornal do Commercio*, 1936.

Desses amigos para sempre...
ÁLVARO MOREYRA

Jayme Ovalle fez o retrato dele em música. Dá uns ares. Portinari tinha-o feito em pintura. Mesmo sem o nome por baixo, a gente conhecia. Antes, Ribeiro Couto andou prometendo um Manuel Bandeira em poesia. Talvez fosse o melhor, naquele tempo. Outros deveres urgentes atrapalharam a realização da promessa.

O modelo é difícil.

Manuel Bandeira vive sozinho. Apenas, de imaginação, conhece o dia; é uma ideia que a janela lhe traz. Para Manuel Bandeira, a rua é de tarde ou é de noite.

Quando o vi, pela primeira vez, há muitos anos, na casa de Tobias Moscoso, pensei que era "sombra".

De uma criatura cismarenta, alheada, tristonha, na minha terra se diz que é "sombra". Gosto dessa palavra com essa significação. Não há outra na língua do Brasil e de Portugal que defina tão sugestivamente quem vai por entre os demais, sem reflexo, sem comunicação, perto mas longe. Não é "distante", como traduzia Joaquim Nabuco. Não é "songamonga", como escrevem os puristas. Nem "macambúzio" nem "tonto" nem "aluado". "Sombra". Não fala. Não se mete. Aparece menos nos pequenos lugares do que nas grandes cidades. Some-se tal qual surgiu, em silêncio. Ninguém fica sabendo o que sentiu, o que meditou. Sombra da vida...

Depois, nos acostumamos a ser amigos, desses amigos para sempre.

Descobri que o pensamento inicial devia mudar um pouco. Manuel Bandeira, "sombra", está cheio de claridades. Não pôs máscara. A dor cresceu. O sarcasmo aumentou. Mas também a ternura atingiu o ponto mais alto, e uma bondade imensa envolveu coisas e entes.

Aconteceu com Manuel Bandeira que, apesar de tudo, guardou intacta a sua vocação. Se o instinto, de quando em quando, quis se indignar, a inteligência o persuadiu de que não vale a pena.

Igual a Jules Laforgue, o autor da "Balada das três mulheres do sabonete Araxá" chegou à certeza igual:

> M'est avis qu'il est l'heure
> De renaître moqueur.

É preciso pressa para louvar um homem que é um poeta e que confunde com tanta pureza os dois. Creio que somos a última geração em que isso é possível. Estamos representando os pontos finais.

Homenagem a Manuel Bandeira.
Rio de Janeiro: Tipografia do *Jornal do Commercio*, 1936.

Manuel Bandeira
JOEL SILVEIRA

Houve um tempo, em 1938 e 1939, em que eu visitava Manuel Bandeira pelo menos uma vez por semana, procurando-o no modesto quarto, pejado de livros, na rua Morais e Vale, na Lapa. Fazia-o sempre pela manhã, bem cedo, porque assim ele pedia. São daquela época os primeiros livros que dele recebi (*Crônicas da Província do Brasil*, edição da Civilização Brasileira, as *Poesias*, editadas pela *Revista de Língua Portuguesa*, e as *Poesias escolhidas*, também lançadas pela Civilização), nos quais ele escrevia, na sua letra tão peculiar, dedicatórias breves: "Ao Joel, com um abraço do Manuel".

A partir de 1946, nossos encontros foram rareando, sem qualquer razão a não ser a motivada pelos descaminhos, mas o grande poeta continuou a me ofertar regularmente seus novos livros. E os tenho todos aqui, devidamente vestidos nas encadernações que merecem.

A última vez que vi Manuel Bandeira foi na tarde de 13 de março de 1966, em Teresópolis, pouco antes dos seus oitenta anos, o que se daria no dia 19 de abril daquele mesmo ano. Quem me levou até ele, na serra, foi Rubem Braga, que cuidava, para a então sua Editora do Autor, de uma antologia de Bandeira, a ser lançada precisamente para comemorar o 80º aniversário do poeta.

Deixamos lá embaixo o calor do Rio, encontramos, lá em cima, um friozinho de outono europeu, molhado por uma chuva rala, gelada, persistente. Bandeira nos recebeu na pequena casa onde repousava, e a primeira surpresa, entre as tantas daquela tarde, foi ele próprio que, indiferente ao frio úmido, nos recebeu de pijama, paletó aberto, como se estivesse no seu apartamento carioca, em pleno verão.

A conversa que seria rápida estendeu-se por mais de uma hora. E Bandeira falou de tudo. Com a sua prodigiosa memória, a sua espantosa lucidez e agilidade mental, rememorou para nós fatos e episódios velhos de cinquenta, sessenta anos. E o fazia como se estivesse a contar coisas acontecidas na véspera, sem perder um detalhe, sem confundir uma data ou um nome.

No jardinzinho da frente, uma vaca solitária, de sonoro chocalho, impôs sua insólita presença, entrando pelo portão que ficara aberto – e, bovinamente serena e descuidada, pôs-se a comer as dálias e as rosas. O imprevisto encheu Bandeira da mais pura e desinibida alegria – alegria de menino cúmplice de uma travessura. E da janela, aonde fora atraído pelo chocalhar do bicho, nos chamou, os fortes e grandes dentes desnudados num largo sorriso:

– Venham ver. A vaca está comendo as flores do Rodriguinho. (A casa onde se hospedava era de Rodrigo Melo Franco.) Não vai sobrar uma. Que beleza!

Naquele instante, o poeta era o próprio alumbramento. E novamente alumbrado ficou quando, ao despedir-se de nós, viu os dois cavalos brancos que, na rua serrana e deserta, trotavam tranquilos. Sua reação foi um hino, uma verdadeira festa:

– Cavalo passeando na rua... Há muito tempo que eu não via uma coisa assim. Que beleza!

E, ao apertar nossa mão, recomendou um restaurante, no centro de Teresópolis, onde poderíamos provar "a melhor bomba de chocolate do mundo".

No domingo, à tarde, o rádio me trouxe a notícia da morte do poeta (terrível e injusta a ceifa que a Hedionda vem fazendo nestes últimos meses entre os bons), e logo me lembrei que ninguém mais preparado para a morte do que Manuel Bandeira, essa morte que o vinha rondando, à espreita, desde sua adolescência. Essa morte da qual, por senti-la sempre ao seu lado, ele não tinha mais medo ("Bendita a morte, que é o fim de todos os milagres"):

> Bem que filho do Norte,
> Não sou bravo nem forte.
> Mas, como a vida amei
> Quero te amar, ó morte,

Mas todos nós sabemos, sabia-o a própria morte, que ele, como todo poeta autêntico, dos maiores, era um bravo e um forte. A monumental e imperecível obra que nos deixa renovada através de mais de sessenta anos de um artesanato quase diário, prova isso. Versos e prosa que a morte nunca matará.

Vinte horas de abril.
Rio de Janeiro: Saga, 1969.

Meu professor Bandeira
RUBEM BRAGA

Pela volta dos quinze anos, o poeta de quem eu mais gostava era mesmo Olavo Bilac. Lembro-me de ler seus versos sozinho no Campo de São Bento, em Niterói. Eu tivera de deixar o ginásio lá de Cachoeiro, no meio do 5º ano, devido a um incidente com um professor. Vim terminá-lo no Salesiano de Santa Rosa, e morava na rua Lopes Trovão, em Icaraí, na casa de uma família aparentada à minha, os Paraíso.

Não tinha amigos de minha idade: apenas companheiros de escola e outros de praia; com estes nadei muitas vezes de Icaraí até o fim da Praia das Flechas, passando por fora da Itapuca. Tinha até um sujeito que queria me levar para sócio atlético do Clube Icaraí; naquele tempo havia a prova de travessia da Guanabara a nado, e ele fazia fé em mim; mas foi aí que veio uma sinusite gravíssima e me atrapalhou a vida.

Bem, mas não estou escrevendo para contar vantagem de nadador; falava de Bilac. Seu livro era como um amigo íntimo que me fazia confissões e ouvia as minhas. Até hoje guardo uma terna lembrança de seus versos, e sempre me dói ouvir falar dele com pouco caso, como faz o Paulo Mendes Campos; acho um desaforo...

Pois logo depois de Bilac, o poeta que me empolgou foi Manuel Bandeira. Não sei como me caiu nas mãos *Libertinagem*; acho que foi meu irmão Newton quem me deu, em 1930 ou 1931. Logo depois arranjei *Poesias*, que reunia os três livros anteriores do poeta. Minha adesão a Bandeira foi imediata e completa. Ele me ajudou não apenas a namorar minhas namoradas e me conformar com o desprezo de outras, como a suportar rudes golpes afetivos que sofri, com a morte de pessoas queridas. Os versos de Bandeira passaram a fazer parte de minha vida íntima, ficaram ligados a momentos, pessoas, emoções; até hoje.

Lembro-me da surpresa e vaidade que senti, quando, um pouco mais tarde, fazia crônicas para um jornal de Belo Horizonte, e me contaram que várias pessoas pensavam que Rubem Braga era pseudônimo de Manuel Bandeira. É que na verdade sofri uma grande influência de Manuel; não de suas crônicas, pois estas eu não conhecia então, mas de seus poemas. A linguagem limpa e ao mesmo tempo familiar, às vezes popular, de muitos de seus poemas, influíram em minha modesta prosa. E da melhor maneira: no sentido da clareza, da simplicidade, e de uma espécie de franqueza tranquila de quem não se enfeita nem faz pose para aparecer diante do público. Acho que nenhum prosador teve influência maior em minha escrita do que o poeta Manuel.

Sim, muita coisa ele me ensinou. Só não me ensinou o milagre de sua condensação lírica e musical, o pulo de gato da poesia; mas também um escrevedor de jornal e revista não precisava saber tanto...

Diário de Notícias,
Rio de Janeiro, 23 set. 1967.

Carta a Manuel Bandeira[19]
CLEONICE BERARDINELLI

Meu querido Manuel:

Esta não é a primeira nem será a última carta que lhe escrevo, porque me faz bem falar-lhe, dizer-lhe o meu carinho e a minha admiração. As três últimas que lhe mandei levavam o meu abraço pelo dia de seu aniversário, expressavam a minha alegria por tê-lo tido mais um ano entre nós, preso como nós às contingências de tempo e espaço que constituem nossa vida de "aquém-túmulo". Agora, Manuel,

---

19 Palavras proferidas em dezembro de 1968, na homenagem ao Poeta, promovida pelos seus colegas da Faculdade de Letras da UFRJ.

você se libertou de espaço e tempo, de dia e noite, de ontem, hoje e amanhã. Agora, você entrou realmente na eternidade – bem diversa da precária imortalidade que lhe deram na terra – e nós, invejosos talvez, lamentamos a separação. Você continua conosco, Manuel, em cada palavra que escreveu, em cada poema que criou, mas nós sentimos falta de sua presença em gente, da simpatia acolhedora de seu sorriso, da sua voz que soava breve e ressoava longamente em nós, até mesmo do pigarrinho que o assaltava quando ficava emocionado.

Escrevo-lhe e olho para um seu retrato, tirado aos oitenta anos, no alto da José Olímpio. Sua roupa escura se destaca do muro branco próximo e da paisagem da baía ao fundo: o mar, o céu e o Pão de Açúcar. Você tem no olhar a expressão garota com que disse à fotógrafa amadora: "O poeta e o Pão de Açúcar: duas coisas importantes da cidade". Era verdade, você o sabia, mas a sua consciência do próprio valor não afastava, não agredia, não o fechava em torre de marfim. Você estimulava os que, hesitantes, davam os primeiros passos, louvava os que já seguiam a reta segura, via e aconselhava a prosseguir os que ainda se perdiam por sendas e atalhos.

Eu mesma tive experiência disso. Você ainda se lembra? Foi há tantos anos... quinze talvez. Eu traduzira para o português moderno algumas cantigas de trovadores medievais, de que tanto gostamos, e lhe pedira que me desse uma opinião sincera. Você gostou delas, tenho certeza disso, porque me chamou numa dedicatória "Cleonice poeta" e porque começou a perguntar-me pelos *meus* versos. E não queria acreditar que eu não os fizesse. Sua afetuosa insistência despertou em mim, afinal, uma vaidadezinha e decidi mostrar-lhe meia dúzia de poemas que jaziam abandonados na gaveta e que eu, na verdade, não considerava "poesia". Mas, se eu lhe dissesse que eram meus, você os veria com olhos de amigo e não teria coragem de me dizer toda a verdade sobre eles. Dei-lhos, pois, dizendo que eram de uma nossa aluna comum que não queria identificar-se. Com sua habitual correção, poucos dias depois você mos devolveu. Pouco restava deles: você os despojara de tudo que era supérfluo – e era muito; perguntei-lhe o que eu deveria transmitir à autora. E você: "Que continue, se sente necessidade de os fazer". Assim, pois, você os julgava válidos apenas como catarse. E eu sorri, sem amargura, pois também não os achava bons. Meu sorriso intrigou-o, e eu lhe expliquei que lhe pregara uma peça. Você zangou-se – um pouquinho só – mas compreendeu-me e eu continuei a ser muito sua amiga e muito pouco poeta.

Foi essa a única vez em que lhe fiz uma maldade, mas com orgulho lhe lembro que, por duas vezes, fiz seus olhos se umedecerem ao ouvir-me falar. A primeira foi quando nos conhecemos. Você estava na primeira fila do nosso antigo salão nobre, entre aqueles que marcam inesquecivelmente a origem da nossa Faculdade: Gustavo Capanema, San Tiago Dantas, Sousa da Silveira, Ernesto de Faria, Thiers Martins Moreira, Jorge de Lima, Alceu Amoroso Lima, Roberto Alvim Corrêa (tantos já se foram...); no palco hieraticamente desnudo, uma Alma, frágil e insegura, hesitava na caminhada da Vida, entre o apelo severo do Bem e o chamamento aliciante do Mal. O Anjo Custódio que eu representava dizia os primeiros versos do mais puro e incontaminado dos autos vicentinos:

> Alma humana, formada
> de nenhūa coisa feita,
> mui preciosa,

de corrupção separada
e esmaltada
naquela frágoa perfeita,
gloriosa.

e você confessou, por escrito, em sua crônica para *A Manhã*: "Tenho lido e meditado muitas vezes o *Auto da alma*: nunca senti embotada a ponta delicada da estética emoção que a cada verso me vai direita ao coração, todas as vezes que o leio. Pois, apesar disso, fiquei surpreendido, deliciosamente surpreendido, quando senti os olhos umedecidos ao ouvir as primeiras palavras do Anjo Custódio".

(Querido Mestre Gil: devo-lhe o ter ingressado no magistério das Letras e na amizade de Manuel Bandeira!)

A segunda vez foi quando você fez setenta anos; falei-lhe, em nome dos seus colegas, dirigindo-me ao menino que permanecera vivo em sua poesia. E terminei dizendo-lhe:

"Ponha, como outrora, 'os chinelinhos atrás da porta', e nós os encheremos de tudo que você teve e perdeu, de tudo que você quis e não pôde ter... Amanhã você verá que a fada voltou, mais uma vez, para lhe trazer balõezinhos de todas as cores, lindos livros de histórias, pedras de todos os tamanhos para quebrar vidraças, e – você não vai acreditar! – um porquinho-da-índia, aquele mesmo que foi sua primeira namorada; e tanta coisa, tanta..."

> – Mais que as estrelas no céu,
> Mais que as folhas na floresta,
> Mais que as areias no mar!

E você terá outra vez o seu sorriso alegre e nos dirá feliz:

> Belo belo belo,
> Tenho tudo quanto quero.

Mas espere, Manuel: "Olhe de novo para o chinelinho e veja se encontra alguma coisa mais. Procure bem: é pequeno e sem brilho, mas o trouxemos para você porque é o que temos de melhor. Achou? E gosta dele? pois então guarde com você, e para sempre, o nosso coração..."

Você se emocionou outra vez Manuel, e, abraçando-me, disse que eu lhe fizera um poema. Não era verdade, mas gostei de ouvi-lo, e para os seus 79 anos, tomei coragem e fiz-lhe uma louvação, a você, que tão belas fez, tentando imitá-lo em minha pobreza:

> Louvo o Padre, louvo o Filho,
> louvo o Espírito também.
> Louvo o Amigo querido
> como em tal dia convém.
> Louvo o que louva os amigos
> – Ovale, Carlos, Raquel –
> e merece ser louvado
> por toda a gente: Manuel.
> Louvo o Padre, louvo o Filho,

o Espírito Santo eu louvo.
Louvo o que passa os sessenta
e os setenta, sempre novo.
Em prosa o tenho louvado,
em verso o venho louvar;
no ano de sessenta e seis
seus oitenta hei de cantar.

Da sua *Cinza das horas*
– Esta pouca cinza fria –
fez brotar a chama clara
e quente da poesia.
É chama que não se apaga
e com o mesmo brilho arde
na *Estrela da manhã*
ou na *Estrela da tarde*.

Louvo o Padre, o Filho, o Espírito,
a Trindade verdadeira;
louvo o Amigo querido,
o poeta Manuel Bandeira.

A louvação continha uma promessa para o ano seguinte e eu a cumpri, fazendo-lhe desta feita uma *Loaçon en maneira de proençal*, em língua e metro medieval, numa experiência que também o tentara uma vez:

Par Deos, amigas, ey pesar
de non saber, como querria,
dizer, de pran, en meu loar,
o ben que dizer deveria
    do trobador.

Sempre cantou, en seu trobar,
a gran coyta que lh'amor deu
– coyta tan grave d'endurar...
Por ela lum'e sen perdeu
    o trobador.

Cantou des i a morte e a vida,
dizendo à vida: "Mya senhor!"
dizendo à morte: "Mia amiga!"
De vida e morte á gran sabor
    o trobador.

E poys que sol pude fazer
aquesta pobre loaçon
que oje lhe vêo trazer,
rogu'eu a Deos que mi perdon
    o trobador.

Seus gloriosos oitenta anos foram saudados em toda parte, por toda a gente. Entrava-se em fila para abraçar o poeta.

Um ano depois fui vê-lo, emagrecido e pálido, num quarto de hospital. Levava-lhe um pequeno rádio, para que você pudesse ouvir, na sua quase solidão, a palavra assídua da amiga que, da Rádio Ministério, lhe enviaria mais uma mensagem de afetuosa admiração. E você me ouviu falar, Manuel, ouviu-me relembrar a primeira vez que me dirigira a você em público, a pedido de nossos alunos de Letras, em 1955. Você não voltaria no ano seguinte e eles lhe prestaram uma homenagem muito íntima a que pediram que eu me associasse. Eu não poderia e nem quereria recusar-me, mas, tomada de improviso, hesitei. Que diria ao Poeta? Tomei o volume de suas poesias e nelas busquei a sugestão. Logo no princípio, num soneto a Antônio Nobre, escrito na adolescência, e em que você se compara ao poeta português que tanto o influenciou nessa fase, encontrei este verso: "Eu, não terei a Glória... nem fui bom". Pronto. Estava ali, a provocar-me, a dupla afirmação mentirosa do poeta: se o desmentisse, e provasse o desmentido? Foi o que fiz. Não me lembro de tudo quanto disse, mas sei que, dentro da sua própria poesia, descobri as provas de que você mentira em relação ao passado – "não fui bom" – e previra mal o seu futuro – "não terei a glória". E é curiosa a utilização de um tempo pretérito em quem tinha vinte anos: "não fui bom", mas explica-se, pois que você se supunha à beira da morte e, julgando-se no breve passado, julgava-se em sua vida total. A glória, essa poderia vir depois, mas você negava que viesse... E eu lhe provei, Manuel, que você tinha sido, era e seria sempre bom. Convenci-o, não através do nosso julgamento – nosso, de alunos, colegas e amigos – mas através de sua própria obra, onde você se retrata quase sem disfarce. Bom para com os seus – e lá estava o carinho com que lembrava os avós, os pais, os irmãos: relendo enternecido as cartas que seu avô escrevia a sua avó; lembrando a doce figura de sua mãe, tão sofrida na moléstia que a levou; fazendo de sua irmã o seu anjo da guarda – "um anjo moreno, violento e bom – brasileiro"; revivendo os amigos de outrora no Recife; saudando os amigos de agora, brasileiros ou não, irmanados em seus versos. Lá estava também sua ternura pelos humildes: o filho da lavadeira que fez um balãozinho de papel e o viu subir alto, muito alto; os carvoeirinhos sujos de carvão, com seu pregão cantando: "Eh! carvoero!", porque são humildes e sofrem, com a sua estatuazinha de gesso, partida por mão inábil, que você colou pedaço a pedaço e cujas cicatrizes a revelaram tocante e viva.

Falei-lhe de tudo isto, e de muito mais, e acho que por fim o convenci: você é bom mesmo, Manuel.

Mais fácil foi provar-lhe que a Glória lhe chegara, plena e merecida. E, se há doze anos eu já podia afirmá-lo tranquila, que diria hoje, depois da consagração dos seus setenta e da outra, ainda maior, dos seus oitenta anos? Foi, pois, discordando de você que o saudei em 1955. E se você permitir, ainda hoje, passado tanto tempo, vou discordar mais um pouquinho.

Você um dia escreveu: "Aquele corvo, o voo torvo,/ O meu destino aquele corvo!", e não é verdade. Não é verdade que seu destino tenha sido o corvo como você viu e retratou, na sombria insistência da assonância: *corvo, torvo, corvo*. Desse voo o seu destino teve – isso, sim! – o pairar sereno acima da terrena mediocridade. "Mas – dirá você – essa é a sua interpretação. O destino a que me refiro é o meu destino de homem, não o de poeta. E tenho direito de vê-lo assim." Mas você consegue separá-los dentro de si? Sabe, com certeza, onde fica o limite entre os dois *eus* que coexistem em você? O destino de um completa ou compensa o do outro e no conjunto o que predomina aos olhos de quem observa é a curva graciosidade do voo, a altura luminosa que atinge, tão alto e tão brilhante, que nem se pensa no negror das penas.

E há ainda outro poema – pequenina joia, quatro versos apenas – cuja mensagem quero discutir:

Andorinha

Andorinha lá fora está dizendo:
– "Passei o dia à toa, à toa!"

Andorinha, andorinha, minha cantiga é mais triste!
Passei a vida à toa, à toa...

Num momento "de desalento, de desencanto", você achou sua vida sem sentido, sem proveito, mas posso afirmar que você nunca passou um dia, uma hora à toa. Ocupou com o trabalho persistente, metódico, gerador de livros didáticos, de agudos estudos críticos, de aulas universitárias, os intervalos que lhe deixava o processo de criação, exigente e intransferível. Com alto senso de responsabilidade, pontual, exato, você cumpriu e cumpre o seu destino plenamente, exemplarmente. Estou certa de que os que me leem concordam comigo. E você, Manuel, concorda com a minha discordância? Se ainda não o convenci, trago-lhe agora a prova máxima, dois poemas seus: o primeiro é:

Tema e voltas

Mas para quê
Tanto sofrimento,
Se nos céus há o lento
Deslizar da noite?

Mas para quê
Tanto sofrimento,
Se lá fora o vento
É um canto na noite?

Mas para quê
Tanto sofrimento,
Se agora, ao relento,
Cheira a flor da noite?

Mas para quê
Tanto sofrimento,
Se o meu pensamento
É livre na noite?

o segundo é

O rio

Ser como o rio que deflui
Silencioso dentro da noite.
Não temer as trevas da noite.
Se há estrelas no céu, refleti-las.
E se os céus se pejam de nuvens,
Como o rio as nuvens são água,
Refleti-las também sem mágoa
Nas profundidades tranquilas.

No primeiro você supera o sofrimento pela fruição da serenidade emanada da noite – o lento deslizar, o cantar do vento, o cheiro da flor – e da liberdade que nela tem seu pensamento. No segundo você exprime um ideal de vida de aceitação total. Neles não há como encontrar "aquele corvo, o voo torvo" ou a constatação dolorosa: "passei a vida à toa, à toa...".

Tudo isso, meu amigo, não é mais que o pretexto para falar a você de você; para dizer-lhe mais uma vez da admiração e carinho com que leio e releio seus versos. Seria simplificá-lo e esquematizá-lo em fórmulas o esperar que houvesse perfeita coerência entre poemas tão numerosos escritos ao longo de uma longa vida. Essa incoerência, nascida da complexidade do homem e do poeta em suas múltiplas vivências, é que gera a grande poesia. Desalentado aqui, esperançoso além, quase anjo e quase demônio, aceitando a morte e amando a vida, resignado e rebelde, medieval e moderno, preso nas malhas do metro e da rima ou liberto de tudo nas sendas do concretismo, assim é você, Manuel Bandeira.

O quarto de hospital passou a ser uma constante em sua vida. Fui vê-lo, há menos de dois meses, ainda mais emagrecido e pálido, pequenino em um grande leito branco de sofrimento. Tomei-lhe a mão e arranquei-lhe um gemido: só então vi que estava enegrecida por um hematoma. Beijei-a suavemente e você me sorriu. Depois tornei a vê-lo, sem sofrimento e sem sorriso, num leito apertado e escuro, coberto de flores, quase todas brancas. Era branca também a rosa que pus entre suas mãos geladas, imóveis. Mas sua mão direita conservava, em seu repouso final, os dedos ligeiramente afastados com que parecia sustentar a pena. Mantinha na morte a posição que tivera a vida inteira.

Escrevi, quase inconscientemente, a palavra terrível, aquela que me chegou, num domingo de primavera, a anunciar que você tinha partido. E, num alongar de versos seus, disse-me, dolorida: "A dama branca levou Manuel". Mas não é verdade. Ninguém, nada pode levá-lo de nós. Você permanece e permanecerá enquanto houver quem ame a Poesia "profundamente".

Manuel Bandeira: 1896-1986.
Org. Elódia F. Xavier. Rio de Janeiro: UFRJ/Antares, 1986.

Manuel Bandeira: nossos encontros
ANTONIO CARLOS VILLAÇA

Conheci Manuel Bandeira em outubro de 1946. Estava ele na glória dos seus lépidos sessent'anos. Alberto da Costa e Silva, hoje nosso embaixador em Lisboa, poeta, filho de poeta, me disse um dia: "– Vamos visitar Manuel Bandeira...". Da Costa telefonou ao bardo. E lá fomos nós, rapazinhos, alunos de colégio. Recebeu-nos Bandeira como se fôssemos universitários. Ou até como se fôssemos da sua idade.

Entreteve-nos por uma hora ou mais. Morava no Edifício São Miguel, Esplanada do Castelo, esquina de Antônio Carlos com Beira-Mar, ainda no quarto andar, o pequeno apartamento de saleta, sala, quarto, um tanto escuro, que dava para o famoso pátio, que o poeta pediu ao prefeito que calçasse – e o prefeito calçou. Mudar-

-se-ia depois – 1955 – para o oitavo, com vista para a baía, o aeroporto, o Pão de Açúcar, as lições de partir... Ficara onze anos no quarto andar.

Foi de uma paciência perfeita conosco. Manuel era paciente. Eu costumo dizer que Manuel Bandeira foi o ser mais humilde que conheci até hoje na minha vida. E até acrescento que foi o melhor ser humano que conheci. Superou-se, por causa da doença. Era de uma encantadora modéstia. Nada de gabolices. Nada de exibições. Discreto ao extremo. Copiou para nós a nosso pedido poemas de sua autoria. Deu-nos atenção. E nos tratava de igual para igual, com naturalidade.

Vestia roupão. E seus olhinhos buliçosos eram úmidos. Parecia um rapaz. Mas havia tanta maturidade nele, tanta experiência de tudo, dos limites do humano. Longa batalha vencida. Tinha um grande interesse pela realidade, participava de tudo. Já estava então na plenitude do destino, o planalto central, Academia desde 1940, professor de Faculdade desde 1943, membro do Conselho do Patrimônio desde 1938, vida cheia.

Muitas vezes voltei ao apartamento de Manuel, Manu, como dizia Mário de Andrade, entre 1948 e 1960. Nos anos finais, 1960-1968, procurei-o muito menos, porque estava surdo e a conversa era difícil. Conheci os dois apartamentos. E falei de tudo isso, no *Nariz do morto*, ao traçar o perfil de Manuel. Não repetirei as palavras em que esboço o retrato do grande poeta e recordo a minha experiência com ele, nestes anos que foram para mim de iniciação literária.

Manuel não conhecia o Mosteiro de São Bento. Ouvira muitas alusões ao Mosteiro através de dona Lourdes Heitor de Sousa, prima do filósofo José Vicente de Sousa, que fora do Mosteiro no início da década de 1940. Aceitou logo o meu convite para ir almoçar no Mosteiro, fim de 1948. Apanhei-o no Edifício São Miguel, onze horas da manhã. E fomos de táxi. O carro quase bateu noutro automóvel, ali na altura da praça Quinze. Apresentei Manuel a dom Marcos, dom Timóteo e dom Basílio, que o acolheram.

Fomos juntos percorrer o imenso Mosteiro, que Manuel ainda não visitara. Parava de vez em quando, para descansar um pouco, para sentar num banco ou cadeira. Apresentei-o a dom Clemente de Gouveia Isnard, hoje bispo de Nova Friburgo e sobrinho de Raul de Leoni. E a dom Martinho Michler, abade, que logo recordou a prima-irmã do poeta, religiosa carmelita descalça, enclausurada no Convento de Santa Teresa desde 1931.

Manuel gostava muito, muitíssimo, dessa prima, superiormente inteligente, culta, botânica, que dirigira automóvel em Paris, esquiara na Suíça, fora amiga de Edith Stein, a assistente de Husserl, a autora da *Ciência da cruz*. Tinha mais duas primas religiosas, estas do Sacré Coeur de Jesus, do Alto da Boa Vista. Também muito inteligentes, me dizia ele. E Manuel se ligou a uma freira célebre – a filha de Capistrano de Abreu, Honorina, que em religião se chamou madre Maria José de Jesus e foi por nove vezes priora do Convento de Santa Teresa. Era poetisa. E, quando ela morreu, em março de 1959, Manuel escreveu um belo artigo no *Jornal do Brasil*. E Drummond escreveu outro, no *Correio da Manhã*. As monjas carmelitas publicaram em vários volumes a produção poética da madre, que viveu no claustro quarenta e oito anos e lá está enterrada. O prefácio é de Manuel Bandeira.

A monja carmelita com quem escreveu as *Alegrias de Nossa Senhora* é a filha de Capistrano. Várias vezes Manuel conversou com ela no austero parlatório do Convento de Santa Teresa. E, logo que saiu a edição Aguilar das obras completas, ele se apressou em emprestar o livro à prima, para que o visse e pudesse ler a introdução de Francisco de Assis Barbosa, que fala da família. "Manuel está célebre mesmo", comentou ela comigo, depois.

Quero relembrar um episódio entre mim e Bandeira, que ocorreu na chuvosa noite de 25 de agosto de 1947.

Fez ele uma conferência no salão de atos do Colégio Santo Inácio sobre a sua própria poesia – texto que incorporou a *De poetas e de poesia*. Estavam lá nessa noite Drummond, José Lins do Rego, Alceu Amoroso Lima, Rodrigo Otávio Filho, João Condé, dom Aquino Correia, também da Academia, arcebispo de Cuiabá, António Botto, o atormentado poeta português. E Margarida Lopes de Almeida.

Talvez porque falasse numa casa religiosa, resolveu acrescentar ao texto, improvisadamente, um soneto em que falava de Deus, o belíssimo soneto "Renúncia", com que encerra *A cinza das horas*, 1917, soneto escrito em Teresópolis, 1906, aos vinte anos. Manuel estava com sessenta e um. Mas de repente se esqueceu de um verso. E ficou atônito. Houve um estranho silêncio. Eu disse o verso baixinho para Álvaro Americano, sentando junto a mim. "A vida é vã como a sombra que passa...". Álvaro reagiu – "Diga alto". Eu disse. "Obrigado, amigo", respondeu Manuel. E assim pôde continuar o soneto até o fim.

Foi um rápido momento de emoção. Por causa desse fugidio episódio, ficamos amigos, verdadeiramente. Ele às vezes recordava o fato com alegria leve. "A vida é vã como a sombra que passa..." A vida e a obra de Manuel contestam o pessimismo do jovem de vinte anos. Não, a vida não é vã como a sombra que passa. Nem tudo passa sobre a terra (Machado de Assis corrigiu com essas palavras a funda melancolia de Alencar).

Homenagem a Manuel Bandeira: 1986-1988.
Org. Maximiano de Carvalho e Silva. Niterói: UFF/
Sociedade Souza da Silveira; Rio de Janeiro:
Monteiro Aranha/ Presença, 1989.

Lembranças de um encontro
ALBERTO DA COSTA E SILVA

"O menino (na fotografia, ao lado de Manuel Bandeira) ainda existe". Sou eu. Estava nos meus catorze ou quinze anos. Pareço, porém, ainda mais novo, porque era franzino e frágil. E puro. Sabia de cor a metade dos versos de Bandeira, que tinha então sessenta anos, mas parecia também mais jovem – um quarentão, conservado pelos cuidados que lhe impusera a tuberculose, desde a adolescência.

Era em fins de 1945 ou 1946. No Rio de Janeiro. Fomos, Antonio Carlos Villaça, o fotógrafo Aldir Vieira e eu, entrevistar o poeta para um jornalzinho de estudantes. A visita fora marcada pelo telefone, e a voz que me chegara pelo aparelho era amável e alegre. O poeta abriu a porta com um sorriso largo, que não terminava, o sorriso de quem "engoliu um dia um piano, mas o teclado ficou de fora". E entramos em seu apartamento da avenida Beira-Mar, cheio de livros, quadros, um bronze de Bandeira, feito, se não me engano, pelo Dante Milano, dois retratos – eram dois, ou estou equivocado? – pintados por Portinari.

Bandeira acolheu-nos de pijama e chinelos, magro, moreno e encurvado, e de pijama e chinelos deixou-se fotografar. Levantara havia pouco da sesta e foi fazer-nos ele próprio um cafezinho. Conversamos longamente, ele, no íntimo, a achar imensa graça naqueles três meninotes. Levou, contudo, a entrevista a sério. Declarou-nos as cousas de costume: que sua maior aspiração era viver em paz; que Mário de Andrade fora a calva mais inteligente de sua geração; que a poesia devia descer até o povo; que começara a escrever aos doze anos de idade (o que fazia a gente se sentir como colegas); e que Carlos Drummond de Andrade, Murilo Mendes, Ribeiro Couto, Raul Bopp, Augusto Frederico Schmidt, Pedro Dantas, Dante Milano, Jorge de Lima e Cecília Meireles eram os autores brasileiros contemporâneos de sua predileção. Disse-nos considerar o equatoriano Jorge Carrera Andrade superior a Pablo Neruda, havendo o nome deste surgido na conversa por causa de duas bandeiras, a do Chile e a do Brasil, que o chileno havia desenhado numa das paredes do apartamento. Mais tarde, entristecido com Neruda, por haver este lhe faltado com a amizade, mandou cobrir de tinta o desenho.

Bandeira copiou-nos alguns de seus poemas. Guardo, desse dia, o autógrafo de "Desencanto" e, sempre que o leio, volta-me a voz pausada, quase rouca, de Bandeira, a dizer-nos com indisfarçável emoção: – "Eu faço versos como quem morre..."

Voltei, algumas poucas vezes, a ver o poeta. Ele emprestou-me, certo dia, o seu exemplar com dedicatória de *O empalhador de passarinho*, de Mário de Andrade, livro que lhe devolvi religiosamente, no prazo certo, para sua grande surpresa. E não me arrependo de ter sido um dos poucos eleitores – creio que menos de uma centena – que votaram para deputado federal – não me lembro bem em que ano – num certo Manuel Carneiro de Souza Bandeira Filho, professor – como constava de um cartaz eleitoral. O pequeno partido que o convencera, por coerência, a candidatar-se não podia imaginar que, discretíssimo, o grande poeta – porque já era então o Grande Poeta – nem sequer revelaria aos seus alunos de literatura hispano-americana, na Faculdade de Letras, que era candidato, e ainda se esconderia atrás de seu longo nome civil e da profissão de professor. Lembra-me o encontro que tive, logo após as eleições, com ele e Osório Borba, na rua México, e a graça enorme com que o poeta voluntariamente derrotado contava como fizera a campanha eleitoral em silêncio, trancado no seu quarto, a ler na cama os seus livrinhos. O Bandeira, porém, que frequenta a minha memória é o daquela tarde dos meus quinze anos, na avenida Beira-Mar, desengonçado dentro de um pijama largo, paciente, a resvalar de vez em quando do contentamento para a melancolia.

Penso que foi em 1954 que conversei com o poeta pela última vez. Fui levar-lhe um livro. Bandeira já se mudara para outro apartamento no mesmo edifício da avenida Beira-Mar. E, se conservava o grande sorriso com que me recebera nove anos antes, desta vez não me falou de poesia, mas da morte, "a indesejada das gentes", que, contudo, esperara desde a mocidade e continuaria a esperar até 1968, "lavrado o campo, a casa limpa, a mesa posta, com cada coisa em seu lugar". Esta a impressão que sempre me deu: a de serenidade, coerência, ordem e limpeza, qualidades que nele se casavam com a bondade, a paciência e o enternecido bom humor.

Foi, talvez sem o desejar, o mestre de todos nós. E ninguém como ele, no Brasil, neste século, soube tão bem escrever poesia.

Lisboa, 1986.
O pardal na janela. Rio de Janeiro: ABL, 2002.

FORTUNA

João Ribeiro

Mário de Andrade

Onestaldo de Pennafort

Ribeiro Couto

Octavio de Faria

Sérgio Milliet

Gilda e Antonio Candido de Mello e Souza

CRÍTICA DA POESIA

Wilson Martins

José Guilherme Merquior

Ivan Junqueira

Lêdo Ivo

Lourival Holanda

Ivan Marques

Rosana Kohl Bines

José Paulo Paes

Paulo Henriques Britto

A cinza das horas
João Ribeiro

Eis aqui um excelente e verdadeiro poeta. Por que verdadeiro e excelente? Eis também uma questão de resposta difícil.

A crítica não poderá dizer nunca o que é a boa poesia, em seu sentido técnico. Escapa a todos os processos de análise, como a própria vida, sempre misteriosa e incompreensível.

A poesia mediana ou medíocre, é fácil desconjuntá-la, descobrir-lhe ossos e músculos, a carpintaria e as articulações, por mais engenhosas e embaraçadas que sejam. De ordinário, tais obras técnicas só reclamam paciência de mãos para algebristas e demolidores de alguma habilidade.

A certas luzes, não há maior imperfeição da alma que a perfeição técnica. A hábil ciência das máscaras pode só iludir a desprevenidos ou a papalvos e simplórios.

A emoção, a alma, é, em si mesma, musical e perfeita; está na sua própria expressão imediata e ingênua.

Tal é o caso de *A cinza das horas* que, segundo o seu próprio título tão admiravelmente escolhido, arranca das horas que se foram o perfume, que é, como agora, sombra rediviva e alongada das coisas que passam.

De que modo? Eis o que a crítica não pode dizer.

Carlyle sentia essa impossibilidade quando confessava o inefável da verdadeira poesia. Como dizê-lo sem expressão humana?

> Os críticos alemães [continuava Carlyle] dizem que o poeta em si tem uma *infinitude*, comunica uma como *Unendlichkeit* a tudo quanto compõe. Não é este um pensamento preciso, mas em matéria tão vaga vale a pena memorá-lo; e meditando-se bem, descobre-se gradualmente o sentido que encerra.

Carlyle acha que aquele *infinito* é talvez uma música imanente a toda a paixão. Todas as coisas profundamente íntimas são melodiosas, diz ele. "*All inmost things are melodious.*"

A poesia dessa espécie, já se entende, não pode ser obtida por formulários, tabelas, e por precauções antecipadas de rimas e vocábulos.

Rimas e vocábulos? Até ideias, de antemão enfileiradas, servem aos maus poetas. Fazem esses versos aos meses, um por um; aos planetas e às pedras preciosas, verdes, amarelas, azuis; e às partes do corpo humano, como nas charadas.

Esses astrólogos, joalheiros e charadistas, sejamos justos, dizem coisas razoáveis, e por vezes suas *chinoiseries*. Não lhes nego o título de admiráveis, tanto melhor quanto lhes reconheço que foram vítimas do seu tempo, que foi um tempo de Árcades.

Confesso, porém, com absoluta sinceridade, que é difícil encontrarem-me na plateia que os aplaude. E, aliás, não se lhes dá coisa alguma da minha indiferença.

Arranjem-se por lá com a sua freguesia, que é naturalmente a maior e mais conspícua.

A cinza das horas, pequenino volume, é, neste momento, um grande livro.

De tal arte nós havíamos estragado o gosto, com o abuso das convenções, dos artifícios e das nigromancias mais esdrúxulas, que esta volta à simplicidade e ao natural é uma consolação reparadora e saudável.

Saindo daquele atordoamento de luzes multicores de lanternas nipônicas, reentramos, como o poeta, no frescor ameno das sombras.

> As grandes mãos da sombra evangélicas pensam
> As feridas que a vida abriu em cada peito.

Os versos de Manuel são realmente poucos para a saciedade mais comedida, ainda mesmo quando se lhes acrescente a colaboração que aos indiferentes concede o poeta, e nem ele sabe se essa ampliação será de tristeza ou de alegria. Pouco lhe importa já, pois que

> Quem os ouviu não os amou.

São três pequeninas estâncias que não posso deixar de transcrever nesta desalinhada notícia:

> Os poucos versos que aí vão,
> Em lugar de outros é que os ponho.
> Tu que me lês, deixo ao teu sonho
> Imaginar como serão.

> Neles porás tua tristeza
> Ou bem teu júbilo, e, talvez,
> Lhes acharás, tu que me lês,
> Alguma sombra de beleza...

> Quem os ouviu não os amou.

Não sei ainda como escolher nesta seara, loura e esplêndida, toda ela de pão alimentar e sadio.

Cada um desses versos admiravelmente ingênuos,

> Cai, gota a gota, do coração.

Com *A cinza das horas*, Manuel Bandeira criou um nome que, dentro em pouco, será popular na sua pátria, se tem algum valor o meu fácil vaticínio.

Não é, aliás, difícil entender a beleza, que é de si mesma fulminante, e por isso ajuntamos aqui duas das suas composições mais espontâneas e bonitas:

CARTAS DE MEU AVÔ

> A tarde cai, por demais
> Erma, úmida e silente...
> A chuva, em gotas glaciais,
> Chora monotonamente.

E enquanto anoitece, vou
Lendo, sossegado e só,
As cartas que meu avô
Escrevia a minha vó.

Enternecido sorrio
Do fervor desses carinhos:
É que os conheci velhinhos,
Quando o fogo era já frio.

Cartas de antes do noivado...
Cartas de amor que começa,
Inquieto, maravilhado,
E sem saber o que peça.

Temendo a cada momento
Ofendê-la, desgostá-la,
Quer ler em seu pensamento
E balbucia, não fala...

A mão pálida tremia
Contando o seu grande bem.
Mas, como o dele, batia
Dela o coração também.

A paixão, medrosa dantes,
Cresceu, dominou-o todo.
E as confissões hesitantes
Mudaram logo de modo.

Depois o espinho do ciúme...
A dor... a visão da morte...
Mas, calmado o vento, o lume
Brilhou, mais puro e mais forte.

E eu bendigo, envegonhado,
Esse amor, avô do meu...
Do meu, – fruto sem cuidado
Que inda verde apodreceu.

O meu semblante está enxuto.
Mas a alma, em gotas mansas,
Chora, abismada no luto
Das minhas desesperanças...

E a noite vem, por demais
Erma, úmida e silente...
A chuva em pingos glaciais,
Cai melancolicamente.

E enquanto anoitece, vou
Lendo, sossegado e só,
As cartas que meu avô
Escrevia a minha vó.

Ajunto a essas quadras outra poesia, "A canção de Maria", que me soa aos ouvidos como se fossem voltas e redondilhas camonianas.

Têm a mesma suavidade e frescor, que ainda conservam as do extraordinário lírico português:

CANÇÃO DE MARIA

Que é de ti, melancolia?...
Onde estais, cuidados meus?...
Sabei que a minha alegria
É toda vinda de Deus...
Deitei-me triste e sombria,
E amanheci como estou...
Tão contente! Todavia
Minha vida não mudou.
Acaso enquanto dormia
Esquecida de meus ais,
Um sonho bom me envolvia?
Se foi, não me lembro mais...
Mas se foi sonho, devia
Ser bom demais para mim...
Senão, não me sentiria
Tão maravilhada assim.

Ó minha linda alegria,
Trégua dos cuidados meus,
Por que não vens todo dia,
Se és toda vinda de Deus?

E é assim sempre esse poeta. "Dentro da noite", "Chama e fumo", "Solau", "Poemeto erótico"... e quantas?

Em *A cinza das horas* há ainda uma ou outra rara poesia, que parece um funesto tributo às manias reinantes. É, todavia, exceção rara, sendo quase tudo de uma arte primorosa, daquela *melodia ingênita* que Carlyle atribuía a todas as coisas do coração.

Os elementos de sua arte são simples como as coisas eternas; céu, água e uma voz errante bastam aos seus quadros:

Ès como um lírio alvo e franzino,
Nascido ao pôr do sol, à beira d'água,
Numa paisagem erma onde cantava um sino

Os gregos, que detestavam os arabescos e as superfetações do estilo asiático, falavam assim, com a alma e o coração nas mãos.

Seguramente, não é possível por muito tempo enganar com aquela parlenda arcádica, de que tanto havemos abusado.

A verdadeira arte não comporta compendiosas retóricas, e a verdadeira poesia não tem arte poética.

Poetas nascidos são, em todo o tempo, raríssimos, como este, que é um exemplar precioso.

Se os contamos, como é fato, numerosíssimos, é que eles são feitos por atacado e não passam de obras de carregação.

A Manuel Bandeira de quem fui, vão alguns anos já, um triste e enfadonho mestre, eu não ofereço o dissabor da inútil crítica. Não é isso o que ele merece; mas o que lhe devo são os meus parabéns, honestos, convencidos e alegres parabéns.

In: *Obras de João Ribeiro. Crítica. Os modernos.*
Org. Múcio Leão. Rio de Janeiro, Academia Brasileira de Letras, 1952.

Libertinagem
MÁRIO DE ANDRADE

Libertinagem é um livro de cristalização. Não da poesia de Manuel Bandeira, pois que esse livro confirma a grandeza dum dos nossos maiores poetas, mas da psicologia dele. É o livro mais indivíduo Manuel Bandeira de quantos o poeta já publicou. Aliás, também nunca ele atingiu com tanta nitidez os seus ideais estéticos, como na confissão ("Poética", p. 188) de agora:

> Estou farto do lirismo comedido
> Do lirismo bem-comportado
>
> [...]
>
> – Não quero mais saber do lirismo que não é libertação.

Entendamo-nos: libertação pessoal.

Essa cristalização de Manuel Bandeira se nota muito particularmente pela rítmica e escolha dos detalhes ocasionadores do estado lírico. Manuel Bandeira lembra esses amantes bem casados que, depois de tanta convivência, acabam se parecendo fisicamente um com o outro. Assim a rítmica dele acabou se parecendo com o físico de Manuel Bandeira. Raro uma doçura franca de movimento. Ritmo todo de ângulos, incisivo, em versos espetados, entradas bruscas, sentimento em lascas, gestos quebrados, nenhuma ondulação. A famosa cadência oratória da frase desapareceu. Nesse sentido, Manuel Bandeira é o poeta *mais civilizado* do Brasil: não só pelo abandono total do enfeite gostoso, como por ser o mais... tipográfico de quantos, bons, possuímos. Quero dizer: se a gente contar na Poesia a maneira dela se realizar, desde o grito inicial à poesia cantada, à manuscrita que se decora, à recitada com acompanhamento, à declamada, à poesia enfim concebida exclusivamente pra leitura de olhos mudos: Manuel Bandeira é dentre os poetas vivos nossos o que prescinde mais do som. A poesia dele, na infinita maioria atual, é poesia pra leitura. Se observe a aspereza rítmica dum dos poemas mais suaves do livro, como os versos são *intratáveis*, incapazes de se encaixar uns nos outros pra criar a entrosagem dum qualquer embalanço:

> Quando eu tinha seis anos
> Ganhei um porquinho-da-índia.
> Que dor de coração me dava
> Porque o bichinho só queria estar debaixo do fogão!
>
> [...]
>
> – O meu porquinho-da-índia foi a minha primeira namorada.

A inutilidade do som organizado em movimento é evidente. E citei o verso longo final pra mostrar toda a áspera rítmica do poeta. Aspereza tanto mais característica que, se estudarmos esse verso pelas suas pausas cadenciais, a gente se acha diante dos versos mais suaves da língua: a redondilha e o decassílabo:

> O meu porquinho-da-índia (sete sílabas)
> Foi a minha primeira namorada (dez sílabas)

Numa poesia emocionante pela simplicidade de expressão, acolhendo mil símbolos fiéis, "O cacto", o último verso diz bem o ritmo atual de Manuel Bandeira: "Era belo, áspero, intratável".

Aliás se dá mesmo uma luta permanente entre essa essência "intratável" do indivíduo Manuel Bandeira e o lírico que tem nele. Vem disso o dualismo curioso que a gente percebe nas obras dele, passando de jogos com valor absolutamente pessoal, duma detalhação por vezes pueril (no sentido etimológico da palavra), difícil de compreender ou de sentir com intensidade pra quem não privou com o homem, a concepções profundas, duma beleza extremada e interesse geral. Interesse em que não entra mais o conhecimento pessoal do poeta, ou coincidência psicológica com ele. As melhores obras do poeta, "Andorinha", "O anjo da guarda", "A Virgem Maria", "Evocação do Recife", "Teresa", "Noturno da Rua da Lapa", pra citar apenas o *Libertinagem*, são as poesias em que por mais pessoal que sejam assuntos e detalhes, mais o poeta se despersonaliza, mais é toda a gente e menos é caracteristicamente ritmado. A própria "Evocação do Recife", que atinge o recesso da família chamada nominalmente (Totônio Rodrigues, D. Aninha Viegas), é bem a maneira por que toda a gente ama o lugarinho natal. Em duas poesias, que agora cito: "Poemas de finados" e "Vou-me embora pra Pasárgada", o poeta se generaliza tanto que volta aos ritmos menos individualistas da metrificação, como já fizera nas cantigas dos "Sinos" e do "Berimbau", em *O ritmo dissoluto*.[1]

Muito curioso de observar é o "Vou-me embora pra Pasárgada", com que Manuel Bandeira deu afinal a obra-prima poética dum estado de espírito bastante comum nos

---

1 Esse poder socializante do ritmo medido tem uma prova crítica bem evidente dele e de Manuel Bandeira, quando esse, na "Evocação do Recife", ao constatar, caçoísta, a nossa escravização ao português gramaticado em Lisboa, principia dançando de repente e organiza, no meio dos versos livres, um verdadeiro refrão coreográfico e coral:

Porque ele é que fala gostoso o português do Brasil
    Ao passo que nós
    O que fazemos
    É macaquear
    A sintaxe lusíada
A vida com uma porção de coisas que eu não entendia bem

Sobre a força socializadora da métrica, ainda se notará a preferência pelos ritmos ímpares de marcha, em Augusto Frederico Schmidt, que é um católico de feição francamente proselitista.

poetas brasileiros de hoje. Já o início desse título-refrão que percorre a poesia é duma unanimidade brasileira muito grande. Nos poetas românticos o tema do exílio e do desejo de voltar é frequente. Com o neorromantismo dos nossos parnasianos, o tema das barcas, das velas que partem e "não voltam mais" foi substituindo a ave que voltava ou queria voltar ao ninho antigo. No... neorromantismo dos contemporâneos, o desprendimento voluptuosamente machucador, a libertação da vida presente, que se resume na noção de partir, agarrou frequentando com insistência significativa a poesia nova. Isso se nota não tanto nas poesias de viagem, comuníssimas em qualquer dos nossos versolivristas, como pela declinação clara do desejo de partir. Em Augusto Frederico Schmidt esse desejo de partir (ou antes: o de abandonar aquilo em que se está) é uma obsessão constante. Ora, em Manuel Bandeira, o fenômeno se particulariza mais pelo emprego da própria frase "vou-me embora". Se pelo menos em mais dois poetas contemporâneos, de que me lembro no momento, a frase foi empregada com sistematização, consciente e não como valor episódico, o "vou-me embora" é ainda uma obsessão da quadra popular nacional. Me retrucarão que será mais certo dizer da quadra portuguesa. Posso aceitar que, como lugar-comum poético, a frase nos tenha vindo de Portugal. Aparece, aliás, em todo o folclore de origem ibérica. Porém o "vou-me embora" frequenta muito mais a quadra brasileira que a portuguesa, onde, como pretendo demonstrar num estudo futuro, o tema da partida, as mais das vezes, é traduzido por *adeus* – o que parece indicar que a noção de partir é muito mais saudosista em Portugal, onde mais frequentemente se converte num sentimento de despedida, ao passo que entre nós será mais egoística e desamorosa (o que concorda com o já tão reconhecido individualismo nosso), convertida no sentimento de abandonar aquilo em que se está. Se servindo pois dessa constância nacional, Manuel Bandeira fez ela coincidir com um estado de espírito bem dos nossos poetas contemporâneos, incontestavelmente menos filosofantes que os das duas gerações espirituais anteriores (Bilac, Raimundo Correia, Amadeu Amaral, Rosalina Coelho Lisboa, Ronald de Carvalho, Hermes Fontes), porém mais em contato com a vida cotidiana e mais desejosa de resolvê-la numa prática de felicidade. Incapazes de achar a solução, surgiu neles essa vontade amarga de dar de ombros, de não se amolar, de *partir* pra uma farra de libertações morais e físicas de toda espécie. Vontade transitória, episódica, não tem dúvida, mas importante, porque esse não-me-amolismo meio gozado deu alguns momentos significativos da poesia ou da evolução espiritual de certos poetas contemporâneos brasileiros. Em última análise, o tema do "Vou-me embora pra Pasárgada" é o mesmo que está cantado nas *Danças*, de Mário de Andrade, e em especial é o que dita o diapasão básico dos *Poemas de Bilu*, de Augusto Meyer. Se percebe o eco dele em alguns poemas de Sérgio Milliet e de Carlos Drummond de Andrade, pra enfim se transformar de estado de espírito em constância psicológica, já independente da consciência, em toda a obra de Murilo Mendes. Fiz esta digressão pra mostrar quanto Manuel Bandeira perdeu de si mesmo pra dar a um tema useiro dos nossos poetas de agora a sua cristalização mais perfeita. Será, talvez, a ironia da sorte contra esse grande lírico tão intratavelmente individualista, isso dele ser tanto maior poeta quanto menos Manuel Bandeira...

In: *Aspectos da literatura brasileira*.
Rio de Janeiro: Martins, s.d.

Marginália à poética de Manuel Bandeira
ONESTALDO DE PENNAFORT

De duas inspirações distantes entre si procede a poesia de Manuel Bandeira: o quinhentismo português e o simbolismo francês. Das reações provocadas por esses dois elementos externos, propriamente de cultura, na sensibilidade, ou melhor, na humanidade atual do poeta, nascem as qualidades excepcionais da sua poesia, a sua originalidade sensível, que é um dos puros prazeres da literatura brasileira.

Pois não teriam de ser mesmo curiosíssimas as reações que aqueles dois movimentos poéticos, reunidos, provocassem num homem moderno, no homem múltiplo de hoje, trabalhado por tantas experiências, alimentado de tantas noções, impregnado de tantas evoluções?

Tais são, em linhas mais que sumárias, as fontes da poesia de Manuel Bandeira. Declaro desde já a minha incompetência para estudar os fatores não literários, de natureza filosófica ou social, que entraram na formação dessa personalidade poética ou que a animam e dirigem.

De resto, nada me desagrada tanto como as pesquisas que visem a uma explicação científica do fenômeno poético ocorrente neste ou naquele poeta. A poesia é um exercício da inteligência, é claro; mas é preciso não esquecer que é um exercício particular da inteligência.

O que dá valor e eloquência à poesia, o que determina e motiva a sua beleza, as suas qualidades específicas, entre as quais a sua gratuidade, é um elemento por demais íntimo, profundo, especial, para ser pesquisado e analisado à luz de um racionalismo científico. Quem diz ciência evoca logo o contrário de poesia, atividade desinteressada de toda especulação da verdade.

Se temos, pois, de estabelecer logo de início uma distinção fundamental entre as duas experiências, – a poética e a científica – e, não só isso, como também entre os seus respectivos instrumentos – a linguagem concreta e a linguagem abstrata – por que tratar da arte de um poeta como um campo para infinitas divagações científicas?

O que deve principalmente interessar saber de um poeta em relação à sua arte é o seu processo pessoal de composição, o seu *modus operandi*, à medida que ele sabe, por meio do seu instrumento de expressão, transfigurar as suas experiências em poesia, recriando a realidade (sem nenhuma finalidade outra que a de recriá-la... para nada).

Justamente porque ela se serve da mesma matéria-prima, isto é, a palavra, empregada pelo expositor de ideias, que é o prosador, é que a poesia deve distanciar-se das representações puramente intelectuais. Poesia é linguagem concreta e se dirige, não à inteligência, nem ao coração, nem mesmo à imaginação, como queriam os estetas de outrora, mas a uma faculdade especial, que poderíamos chamar um sexto sentido: a consciência mística. Parafraseando a célebre frase de Pater, poderíamos dizer, de resto, que em verdade todas as artes, de um modo geral, aspiram, não à música, mas à mística.

Mas, concretamente, a poesia é a arte de escrever, não para exprimir ideias ou transmitir emoções – função da prosa – mas para criar outras realidades necessárias, estabelecendo relações sempre novas entre as coisas e o nosso contato com elas, entre o seu mistério e o nosso sentimento, entre a sua realidade e os nossos sentidos.

Para alcançar esse desiderato, dentro da estética poética tradicional, o poeta praticamente se serve, de resto auxiliado pela medida, elemento de segurança, e pela rima, elemento de surpresa do verso, de alguns tropos, de algumas figuras. E nisso está tudo (incluindo-se nesse *tudo* também a imagem, mas tendo-se sempre em vista que esse *tudo* não é um fim em si, mas um meio para atingir o inefável).

Ele cria um simbolismo verbal em que as palavras não só se desviam do seu sentido normal e lógico, como deixam de ser simples termos de conceitos abstratos, para adquirir uma significação especial, uma qualidade específica, tornando-se como que um elemento ao mesmo tempo de percepção e expressão, o que é possível por ser desinteressada, como se disse, a função da poesia, a qual não tem por objeto a verdade, como a prosa, mas o mistério aparente das cousas.

No cenário da poesia brasileira, poucos poetas encarnam com tanta propriedade, como Manuel Bandeira, o conceito que hoje formamos do poeta, do poeta em estado puro, do poeta à margem de tudo, moral, política, filosofia, religião, do poeta, como do próprio Manuel Bandeira disse tão bem Ribeiro Couto (na revista marselhesa *Cahiers du Sud*): "*qui travaille sans autre souci que la poésie elle-même, le poète pour qui l'expression lyrique est un but*".

Nenhuma obra poética no Brasil é mais isenta de didatismo do que a deste poeta singular. Este ponto é importante num país cujos poetas muitas vezes nada mais fazem que metrificar prosa e cujo público erigiu à altura de uma obra-prima o desastrado "Mal secreto", o soneto mais didático do mundo, em que pese a minha religiosa admiração por Raimundo Correia.

Pois a poesia de Manuel Bandeira se distancia tanto da prosa quanto a prosa metrificada de alguns poetas oficiais se distancia da poesia. De tal arte, que ela poderia servir de ponto de referência para uma crítica austera da poesia brasileira pelo processo de eliminação do antipoético, isto é, da poesia-razão, da poesia didática. Não há na poesia de Manuel Bandeira sombras sequer de conceitos lógicos, de imagens puramente intelectuais, de enumerações, de definições, sentenças, efeitos oratórios. O verso-sentença, o grande inimigo da poesia, não tem lugar aqui.

Apenas estes raros exemplos, que citarei do grosso volume das *Poesias*, poderiam à primeira vista passar por conceitos, por definições metrificadas.

Na poesia "À sombra das Araucárias" (a fixar este título que já é poesia, com o seu jogo antitético de vogais claras e neutras), o terceiro verso desta quadra:

> Não aprofundes o teu tédio.
> Não te entregues à mágoa vã.
> O próprio tempo é *o* bom remédio:
> Bebe a delícia da manhã.

Mas o prosaísmo desse verso desaparece por completo graças a uma simples palavra, a uma simples letra, o artigo *O*, que determinando o remédio, indetermina o sentido da frase, isto é, torna-a de prosaica poética, estabelece uma pausa de sugestão entre a ideia prosaica a que a noção de remédio corresponde em nosso espírito e não sei que alusão misteriosa a um misterioso filtro magnético. Sentencioso, sim, puramente lógico, o que vale dizer, perdido para a poesia, seria o verso com a exclusão do artigo:

O próprio tempo é bom remédio:

Note-se, sobre todos os versos da quadra citada, que só um poeta verdadeiro poderia resistir a esta prova: um *quarteto* de *quatro* frases, uma *quadra* de *quatro* proposições distintas, de quatro sentenças! Como se salvou o poeta do prosaísmo? Simplesmente pelo imprevisto e flagrante ilogismo da última frase, cuja catacrese forma um contraste artístico com a linguagem direta dos outros versos.

Outro exemplo de que o poeta pode correr impunemente todos os riscos de um aparente prosaísmo é o verso que termina a poesia "Desesperança":

Como é *duro* viver quando *falta* a esperança![2]

O que salva este verso da banalidade, dando-lhe até uma certa beleza de realismo cru, são o adjetivo *duro* e o verbo *faltar*. Quem não verá imediatamente que um poeta vulgar, por passividade ao mais corriqueiro mecanismo de associação de ideias, escreveria logo:

Como é *triste* viver quando *morre* a esperança!

Para citar um exemplo concreto, aproximemos daquele verso este de Raimundo Correia, dolorosamente prosaico, a começar pelo claudicante *pois*, uma das mais horríveis muletas do discurso, em poesia:

Pois deixar de iludir-se é deixar de viver!

Não há entre eles um abismo, o mesmo que separa o parnasianismo do simbolismo?

O primeiro verso do segundo quarteto do soneto "Renúncia" é também uma sentença e agravada com um dos *tics* oratórios de Bilac, o derrame de conjunções, ou polissíndeto:

Só a dor enobrece e é grande e é pura.
Aprende a amá-la que a amarás um dia.
Então ela será tua alegria,
E será, ela só, tua ventura...

Mas, lidos os outros versos da estrofe, logo se percebe, pela figura de repetição usada em toda a quadra, um efeito intencional, um certo tom carinhoso, íntimo e convincente, de acalanto, de consolo.

---

2 Onestaldo de Pennafort baseou-se em *Poesias* de Manuel Bandeira (Revista de Língua Portuguesa, 1924), única entre as principais edições da poesia de Bandeira que mantém o verso "como é *duro* viver quando falta a esperança!". (Nota do organizador)

Do verso sentencioso apenas esses raros exemplos se encontram no grosso volume das *Poesias* – reunião de todos os trabalhos do poeta até o presente – e, ainda assim, como mostrei, têm eles certas atenuantes estéticas que os enobrecem e, além disso, fazem parte de *A cinza das horas*, livro de estreia de Manuel Bandeira.

A partir de *Carnaval*, seu segundo livro, encontramos o poeta em estado puro, mais concentrado e filtrado quanto à expressão, mais livre, quer dizer, mais criador e transfigurador quanto à inspiração.

Daí por diante, apuradas todas as suas inconfundíveis qualidades, todo verso seu como essência é uma perpétua e ousada transposição estética, como expressão um jogo contínuo de harmonias músico-verbais, de variações melódicas, uma silva de figuras felizes, uma constante transfiguração da matéria poética, que é para o poeta a linguagem concreta.

Atente-se, por exemplo, nesta lindíssima metáfora, atrevida metonímia em que o poeta, com um golpe de mestre, fundindo os dois termos de comparação, de modo a se interpenetrarem no absoluto, estabelece paradoxalmente uma relação nova, sutil, imprevista, absurda, de efeito a causa, de agente a paciente, entre o objeto e a sensação do objeto:

> Como uma adaga partida
> Punge o golpe voluptuoso...

É surpreendente e rico o efeito desse impressionismo de linguagem. Conheço uma bela similar dessa esplêndida figura no verso de Baudelaire:

> *Parfois on trouve un vieux flacon qui se souvient...*

O *pungir voluptuoso*, como a *doce ferida*, *leitmotiv* da mesma poesia citada, não são menos outras *trouvailles*.

Os mais belos recursos expressionais se multiplicam neste artista agudo, neste perfeito versejador cônscio da sua técnica segura, – como a inversão:

> Um Pierrot de vestes de seda
> Negra, ele próprio toca e canta.

Da aliteração e da consonância, tira efeitos surpreendentes, sem sacrificar no altar das chamadas harmonias imitativas, delírio dos simples versejadores. "Os sapos", uma sátira ferina ao falso academismo, que termina com uma nota aguda de desalento, na mais perfeita imagem da solidão do artista superior em meio à altissonante confraria das mediocridades, começa por uma série de estupendas aliterações, e o próprio ritmo curto, *saccadé*, dos versos de cinco sílabas (forma em que só dificilmente um poeta de língua portuguesa, ainda que de boa técnica, se move com desembaraço) já se diria uma onomatopeia:

> Enfunando os *p*apos,
> Saem da *p*enumbra,
> Aos *p*ulos, os sapos.

A esses versos, a cuja aliteração do *p*, imitativa da marcha saltada dos sapos, a assonância da vogal clara acrescenta uma tonalidade oratória e enfática condizente com o assunto da primeira parte do poema (isto é, o debate agressivo dos sapos), segue-se, em artística antítese, o quarto verso da estrofe:

> A luz os deslumbra.

no qual encontra expressão magnífica a ambiência noturna e, pois, batraquial da poesia, mercê talvez da assonância da quinta vogal e quem sabe também da encantação operada pela sugestão latinizante *lux – umbra* das suas duas palavras tônicas, em curiosa antilogia. Esse quarto verso do poema, unido ao seu contexto, com o qual contrasta artisticamente, no sentido como nos seus veículos expressionais, produz uma admirável impressão de contemplativo alumbramento noturno:

> Enfunando os papos,
> Saem da penumbra,
> Aos pulos, os sapos.
> A luz os deslumbra.

Assim, desde a sua quadra inicial, esta poesia estava já destinada a ser a maravilha que é.

Outro exemplo de aliteração feliz é este verso da poesia "Vulgívaga":

> O fio fino das navalhas...

que não é apenas uma harmonia imitativa, se não também uma delícia musical, além de formar uma impressiva imagem de pavor, produzida pela transposição forçosa que se opera em nosso espírito da impressão para a sensação. É um belo efeito artístico de refração. A transcrição de toda a quadra, que contém uma riquíssima variedade de tônicas, ilustrará a afirmativa:

> E o cio atroz se me não leva
> A valhacoutos de canalhas,
> É porque temo pela treva
> O fio fino das navalhas...

Resolvido, para usar um termo técnico, pelo mesmo processo de refração pictórico-poética, é aquele sombrio quadro, sinistro carvão, em que uma gigantesca sombra refletida na parede de uma sala mal iluminada, é todo o motivo de emoção e muito mais eloquente torna o quadro do que se a imagem nos fosse mostrada diretamente:

A SILHUETA

> Na sala obscura, onde branqueja
> A mancha ebúrnea do teclado,
> Morre e revive, expira, arqueja
> O estribilho desesperado.

Um Pierrot de vestes de seda
Negra, ele próprio toca e canta.
O timbre múrmuro segreda
Uma dor que sobe à garganta.

E uma tristeza de tal sorte
Vem nessa pobre voz humana,
Que se pensa em fugir na morte
À miséria cotidiana.

Como a voz, também a mão geme.
E na parede se debruça
A sombra pálida, que treme,
De uma garganta que soluça...

Toda a poesia, como se vê, é de refrações, de claro-escuro, de antíteses, de anti-logias. Uma sala *obscura* onde *branqueja* uma *mancha ebúrnea* e onde *morre*, *revive* e *arqueja* um estribilho *desesperado* que é *múrmuro* e *segreda*. Há uma indisfarçá-vel afinidade, entre o estado de espírito que esse quadro cria, a sua atmosfera an-gustiante, e a falta de lógica dos seus termos. É bem isso a lógica da impropriedade, formidável elogio que a incompreensão de um famoso crítico traçou da poesia de Baudelaire, julgando anatematizá-la.

Quanto ao ritmo, que riqueza, que arte, que técnica, a de Manuel Bandeira! O seu verso é ágil, movimentado, gracioso, vivo, ou lento, caricioso, envolvente, espas-módico às vezes, tocando por todos os matizes, capaz de exprimir as mais inefáveis sensações, de reproduzir os mais sinuosos movimentos das cousas, de captar e fi-xar qualquer instante fugitivo do numeroso e variado ritmo da natureza. Por outro lado, longe de ser uma peia para este poeta, a medida é antes uma libertação, porque é um contraste, um ponto de partida para infinitas variações plásticas e rítmicas.

No *Carnaval* a pirotecnia do seu verso, lembrando a suma ciência de um Ban-ville, ou melhor, de um Verlaine, é assombrosa, às vezes.

Há, por exemplo, um louco movimento, um vertiginoso redemoinhar, um rodopio desenfreado e, ao mesmo tempo, como um segundo plano, uma intenção de iluminação profusa, nesta poesia inicial, que justifica o título do livro e que evoca uma sala de carnavalada báquica e em cuja primeira quadra a aliteração do *L* e do *M* produz um efeito estupendo de velocidade:

I

A sala em espelhos brilha
Com lustros de dez mil velas.
Miríades de rodelas
Multicores – maravilha! –

Torvelinham no ar que alaga
O cloretilo e se toma
Daquele mesclado aroma
De carnes e de bisnaga.

E rodam mais que confete,
Em farândolas quebradas,
Cabeças desassisadas
Por Colombina ou Pierrette.

II

Pierrot entra em salto súbito.
Upa! Que força o levanta?
E enquanto a turba se espanta,
Ei-lo se roja em decúbito.

A tez, antes melancólica,
Brilha. A cara careteia.
Canta. Toca. E com tal veia,
Com tanta paixão diabólica,

Tanta, que se lhe ensanguentam
Os dedos. Fibra por fibra,
Toda a sua essência vibra
Nas cordas que se arrebentam.

É impossível ler estes versos, que justamente pintam a mímica, os esgares, o desenfreado carnavalesco, em suma, de outra maneira que não vertiginosamente. E, de passagem, que maravilhoso achado, esse segundo adjetivo *tanta* do *enjambement* da penúltima para a última quadra, que, com a pausa obrigatória da sua vírgula, na leitura oral nos arranca uma tonalidade de voz aguda, aflitiva, como a de um grito de corda que se arrebenta!

Já em outros passos, variando de tom, como a diversidade dos motivos e das emoções requer, o seu verso tem carícias de intimidades amorosas, é um embalo preguiçoso, como o das cantigas de ninar, como o serpentear múrmuro de águas pequenas:

Ingênuo enleio de surpresa,
Sutil afago em meus sentidos,
Foi para mim tua beleza,
A tua voz nos meus ouvidos.

Murmúrio d'água, és tão suave aos meus ouvidos...
Faz tanto bem à minha dor teu refrigério!
Nem sei passar sem teu murmúrio a meus ouvidos,
Sem teu suave, teu afável refrigério.

Ou bem tem o tom espetacular das grandes revelações proféticas, como na poesia "Alumbramento", que é um dos momentos mais felizes do poeta.

Sabe imitar com graça o meneio flexuoso de um bambual, em versos que humanizam a natureza exterior:

A mata agita-se, revoluteia, contorce-se toda e sacode-se!
A mata está hoje como uma multidão em delírio coletivo.

Só uma touça de bambus, à parte,
Balouça levemente... levemente... levemente...
E parece sorrir do delírio geral.

Na poesia "Hiato",[3] fixa, numa pincelada limpa, em deliciosa marinha, a analogia das velas e das garças:

– Um poema luminoso como o mar,
Aberto em sorrisos de espuma, onde as velas
Fogem como garças longínquas no ar...

Ou ainda por vezes o ritmo do seu verso tem pausas longas, é largo, solene e cadenciado, como as pulsações trágicas da treva, como o movimento espalmado da onda no mar largo, tal como no verso oceanográfico com que abre uma das suas mais estranhas e mais belas poesias:

A SEREIA DE LENAU

Quando na grave solidão do Atlântico
Olhavas da amurada do navio
O mar já luminoso e já sombrio,
Lenau! teu grande espírito romântico

Suspirava por ver dentro das ondas
Até o álveo profundo das areias,
A enxergar alvas formas de sereias
De braços nus e nádegas redondas.[4]

---

3 Curioso de todas as experiências poéticas e métricas, Bandeira nessa poesia, que desde o título trai precisamente o seu propósito, quis por diversão artística praticar intencionalmente o *hiato*, o qual, sistemática e, pois, erroneamente usado na poética portuguesa e, por influência desta, no nosso romantismo, foi abolido da nossa metrificação pelos parnasianos, que, incidindo também em erro, impuseram sistemática e indiscriminadamente a *elisão*. Se o hiato torna fracos muitíssimos versos da lírica portuguesa, a elisão torna duros certos versos do nosso parnasianismo. Do uso apropriado de uma e de outra prática tiram-se efeitos estupendos de expressividade e harmonia e cabe ao bom poeta escolher o momento exato e o lugar para o emprego do hiato como da elisão.

4 É impossível precisar o que determina a beleza irradiante deste verso, se é o sensualismo puro da imagem evocada tão cruamente, e com tanto sabor primitivista que faz apelo às reminiscências clássicas, se é a variedade eufônica das suas sílabas. A notar, entretanto, que é incrível como o poeta pôde causar neste verso a mais viva surpresa, tanto de ordem acústica como intelectual, a despeito de usar uma rima quase obrigatória, como é *redonda* para *onda*. Será pela propriedade com que a empregou nessa quadra toda em plurais, toda sibilada com a sua consoante linguodental, para dar a impressão do espumejar da água, nesse verso que é a rítmica, melódica e plasticamente bojudo, curvo, côncavo, como as imagens da onda e das nádegas que ele evoca? Seja, porém, como for, releva acentuar que esse verso frisa sobremaneira a diferença entre a estética parnasiana e a moderna estética da poesia. Já Racine, a propósito de Homero, que não recuava ante a enumeração em verso de cousas tidas como antipoéticas ou prosaicas, se revoltava contra o falso preconceito da "linguagem nobre" que dominava a poesia do seu tempo. Essa superstição da palavra nobre, que cegou os nossos clássicos, como os nossos românticos, se estendeu aos parnasianos. Destes, o único que jamais receou descer às particularidades e antes soube às vezes achar poesia no próximo, no imediato, foi Alberto de Oliveira, que apesar de todo o seu sabor clássico (o que para mim é qualidade) tem uma linguagem mais contemporânea nossa do que a dos seus companheiros de Parnaso. Bilac, por exemplo, que quando nomeava cousas outras que não a Acrópole e o Areópago usava de metáforas banais, sem nenhuma invenção, o mais que ousou em matéria de linguagem direta foi um "ventre polido", umas "coxas de ônix". Sente-se mesmo aí, não obstante, o pudor com que ele, apóstolo da poesia de salão, fugia à representação direta, à linguagem real, à imagem realista e impressiva, torneando sempre o que dizia, num absurdo fetichismo pelo anacrônico princípio da nobreza do termo. Daí a grande limitação da sua poesia, a despeito da importância que ela tem. O contraste entre as duas estéticas, a bilacquiana e a atual, ressalta da comparação desta citada poesia de Bandeira (e mais particularmente do verso destacado) com o soneto de Bilac "As ondas", – que não obstante meramente descritivo tem um certo movimento e colorido – e tanto mais que há entre os dois poemas indisfarçáveis similitudes (ambiente, acessórios e rimas):

Entre as trêmulas, mornas ardentias,
a noite no alto-mar anima as ondas.
Sobem das fundas, úmidas Golcondas,
pérolas vivas, as nereides frias.
Entrelaçam-se, correm fugidias,
voltam, cruzando-se; e, em lascivas rondas,
vestem as formas alvas e redondas

Ilusão! que sem cauda aqueles seres,
Deixando o ermo monótono das águas,
Andam em terra suscitando mágoas,
Misturadas às filhas das mulheres.

Nikolaus Lenau, poeta da amargura!
Uma te amou, chamava-se Sofia.
E te levou pela melancolia
Ao oceano sem fundo da loucura.

É um admirável observador e fixador da beleza das atitudes, dos gestos, cuja graça e movimento reproduz a cada passo com indizível sutileza. É o poeta da dança, da mímica, dos gestos de amor:

Aqui, sob esta pedra, onde o orvalho roreja,
Repousa, embalsamado em óleos vegetais,
O alvo corpo de quem, como uma ave que adeja,
Dançava descuidosa, e hoje não dança mais.
....
Três gregas de alvos pés, pubescentes e esguias,
[...]
Dançam meneando véus, flexíveis como enguias.
....
"Oréades gentis que a flauta do Egipã
"Congraçava na relva em rondas e coreias,
....
Estendo longamente a mão pelo teu dorso...
....
O teu ombro no meu, ávido, se insinua.

Uma das invenções felizes, porém, deste poeta, é o que chamarei o ritmo em espiral descendente, maravilhosa *trouvaille* com que termina a sua mais célebre poesia, "Os sapos":

Longe dessa grita,
Lá onde mais densa
A noite infinita
Verte a sombra imensa;

Lá, fugido ao mundo,
Sem glória, sem fé,
No perau profundo
E solitário, é

---

de algas roxas e glaucas pedrarias.
Coxas de vago ônix, ventres polidos
de alabastro, quadris de argêntea espuma,
seios de dúbia opala, ardem na treva.
E bocas verdes, cheias de gemidos,
que o fósforo incendeia e o âmbar perfuma,
soluçam beijos vãos que o vento leva.

Que soluças tu,
Transido de frio,
Sapo-cururu
Da beira do rio...

A rima, elemento de surpresa e variedade do verso e que é propriamente, dentro da estética tradicional, o agente do verdadeiro êxtase poético, porque é ela que nos produz essa "espécie de revelação súbita, essa iluminação interior" que na verdade são os fatores constitutivos da qualidade específica da poesia das idades modernas, – a rima neste poeta-artista não é apenas a fonte de prazer de ordem acústica, mas reúne a essa as qualidades de ordem intelectual que a tornam, como a medida, um elemento também de percepção e expressão.

A sua arte requintada explorou sabiamente toda a gama das rimas com inaudita felicidade. Há em toda a obra deste agudíssimo artífice do verso as mais variadas espécies de rima. Desde a milionária, passando pela rima rica, até as chamadas rimas paupérrimas, que ele, com perícia consumada, transfigura a ponto de com elas tirar efeitos magníficos, como nesta quadra em que rima, e parelhamente, dois adjetivos, sem deixar, entretanto, de causar a mais viva surpresa:

E rodam mais que *confete*,
Em farândolas *quebradas*,
Cabeças desassisadas
Por Colombina ou *Pierrette*.

É que a catacrese de *quebradas* dignifica tudo, como se vê.

Até as rimas chamadas normandas para os franceses e portuguesas para nós, os infinitivos em *er* (sofrer, doer etc.) rimando com *mulher, qualquer* etc., por exemplo, ele as usa com certa graça. Ninguém faz melhor emprego, tão bem moderado, das toantes em alternativas com rimas regulares:

O SILÊNCIO[5]

Na sombra cúmplice do *quarto*,
Ao contato das minhas mãos *lentas*,
A substância da tua *carne*
Era a mesma que a do *silêncio*.

Do silêncio musical, cheio
De sentido místico e grave,
Ferindo a alma de um enleio
Mortalmente agudo e suave.

---

5   O nexo espiritualizante do clímax deste poema – como que uma *berceuse* do silêncio, em que esta última palavra, além de intitular a poesia, aparece em todas as suas quatro estrofes – é corroborado na expressão formal do último quarteto por um veículo expressional adequado ao caso, ou seja, a toante, que oferecendo apenas uma sonoridade surda – e não o som batido da rima consoante – permite a perfeita transmissão do sentido intelectual dos termos dos versos. Era preciso que as rimas aí não pesassem demasiadamente (e daí as toantes) chamando por demais a atenção para a estrutura formal dos versos e perturbando, em consequência, a mensagem intelectual do poema (a transubstanciação da carne em essência espiritual e do silêncio – conduto do supremo êxtase – em matéria sensível, para uma ideal posse total do espírito e dos sentidos), mensagem que, enunciada tematicamente no primeiro quarteto e desenvolvida nos dois seguintes, tem a sua plena eclosão e seu clímax no último. As necessárias variações melódicas do tema ficaram a cargo das rimas regulares das duas quadras intermediárias, aliás rimas todas graves e abafadas, como convinha à ambiência do poema. Não será demais acentuar, *en passant*, a infalível riqueza do poeta no jogo imagístico de palavras e expressões antológicas de muita propriedade: *ferir* de um *enleio* mortalmente *agudo* e *suave*.

Ah, tão suave e tão agudo!
Parecia que a morte vinha...
Era o silêncio que diz tudo
O que a intuição mal adivinha.

É o silêncio da tua carne.
Da tua carne de âmbar, nua,
Quase a espiritualizar-se
Na aspiração de mais ternura.

E que arte nas rimas esdrúxulas, no esdrúxulo que é a terceira rima, a terceira dimensão desconhecida do verso francês e de que Bandeira se serve com tanta propriedade, não pela preocupação inferior de causar um efeito meramente formal, mas sim para se exprimir com maior justeza, pois que os seus esdrúxulos são sempre uma pintura verbal de emoções e sentimentos esdrúxulos, tal como ocorre em diversas poesias, de que extraio ao acaso os seguintes trechos:

Insensato aquele que busca
O amor na fúria dionisíaca!
Por mim desamo a posse brusca:
A volúpia é cisma elegíaca...

[...]

Minh'alma lírica de amante
Despedaçada de soluços,
Minh'alma ingênua, extravagante,
Aspira a desoras de bruços

Não às alegrias impuras,
Mas àquelas rosas simbólicas
De vossas ardentes ternuras,
Grandes místicas melancólicas!...

Corro à floresta: entre miríades
De vaga-lumes, junto aos troncos,
Gênios caprípedes e broncos
Estupram virgens hamadríades.

Sem preocupação inferior, como disse, de malabarismos poéticos, é contudo o mais astucioso criador de rimas fantasistas:

Seu alaúde de *plátano*
Milagre é que não se quebre.
E a sua fronte arde em febre,
Ai dele! e os cuidados *matam-no*.

[...]

E encontrando-o *Colombina*,
Se lhe dá, lesta, à socapa,
Em vez do beijo uma tapa,
O pobre rosto *ilumina-se-lhe*!...

....

Não posso crer que se *conceba*
Do amor senão o gozo físico!
O meu amante morreu *bêbado*,
E o meu marido morreu tísico!

Mas, em matéria de rima, a sua contribuição pessoal para a poética brasileira e portuguesa, a sua inovação na língua, é a rima de agudos com esdrúxulos, que nunca vi em poeta algum de idiomas neolatinos. Note-se, de passagem, como o metro ímpar de nove sílabas se casa bem com tal espécie de rima:

Era desejo? – Credo! De tísicos?
Por histeria... quem sabe lá?...
A Dama tinha caprichos físicos:
Era uma estranha vulgívaga.

[...]

Ao pobre amante que lhe queria,
Se lhe furtava sarcástica.
Com uns perjura, com outros fria,
Com outros má,

Mas, vejo, sinto que neste apressado alinhavar de notas marginais, – simples preito da minha admiração – nada disse do que há de substancial na substanciosa poesia de Manuel Bandeira, – o seu elemento profundo, a atmosfera espiritual do drama lírico de que os seus versos são a mera comunicação, a exteriorização formal, maravilhosa exteriorização, diga-se mais uma vez, pois que se constrói e se reveste de todos os requintes, de todas as sutilezas, de toda a força de que a suprema arte de escrever, através de miríades de aperfeiçoamentos, em tantos séculos de cultura e experiência, pode revestir-se.

Nestas notas, simples *aperçus*, à margem da técnica desse original poeta, sinto que nada disse de essencial sobre a sua poesia. Vejo que me faltou dizer tudo, depois de tanto dizer; que pararei naquele ponto em que param todos os estetas da poesia, – naquela "graça inefável", naquele sentido "profundo e misterioso" cuja explicação e cujo encantamento estão para além do verso em si, dos vocábulos e até da significação destes. Numa palavra, sinto que parei à porta do templo, nos umbrais do tabernáculo, no instante de *"l'acte même des Muses"*. Como devassar o imponderável, que pela sua natureza mesma é inexprimível?

É esse elemento imponderável, é o inefável, que forma acima de tudo a superioridade e a importância da poesia de Manuel Bandeira e que fora mister definir, se não se tratasse do indefinível.

Mas um ponto há, ao menos, e de suma significação, que poderemos fixar, ao traçar a posição de Bandeira na poesia brasileira.

Falando de Baudelaire, um crítico francês insistiu recentemente em salientar a sua contribuição capital e pessoal no domínio da poesia francesa: a implantação do mistério como elemento estético.

Pois, guardadas as devidas proporções, poderemos dizer que papel parecido desempenhou entre nós Manuel Bandeira.

Bem que nos pudéssemos já orgulhar das criações, com determinado espírito moderno, em outros sentidos, de alguns poetas da geração literariamente anterior à sua, como Mário Pederneiras, Olegário Marianno, Álvaro Moreyra, Marcelo Gama, para só citar estes, a ele devemos, todavia, a estética desses versos condensados, prenhes de significações e de sugestões, desses versos de rigorosa precisão de forma, quase arquitetônicos alguns, mas de sentido ambíguo, misterioso, e que devassam analogias estranhas, imprevistas para a lógica das associações comuns de termos. Antes de Bandeira, julgo que não serão muito encontradiços, na nossa lírica, versos do tipo destes:

> – Ave solta no céu matinal da montanha.
>
> ....
>
> O espasmo é como um êxtase religioso...
> E o teu amor tem o sabor das tuas lágrimas...
>
> ....
>
> Molha em teu pranto de aurora as minhas mãos pálidas.
>
> ....
>
> Em tuas mãos de morte, ó minha Noite escura!

Para terminar, não me furtarei a uma confissão: o prazer perverso que, incidentemente, experimentei ao falar dos rigores técnicos, do requintado formalismo poético daquele que primeiro entre nós desarticulou o verso regular e primeiro gritou o lirismo absoluto, que visa mais ou menos a integrar o poeta naquele estado de vidência prognosticado por Rimbaud.

Meditem alguns modernistas na estranha e maravilhosa aventura de Manuel Bandeira. Como todo mestre, ele sentiu um dia a necessidade de se evadir da ordem estabelecida para uma ordem especial, de desmanchar tudo para começar de novo.

Toda evasão supõe o cansaço daquilo a que se deseja fugir. Sua obra resumia, estratificado e condensado, todo o acervo dos princípios estéticos que permitiram e inspiraram em todas as línguas e em tantos séculos de literatura a criação de tantas obras-primas; numa palavra, sua obra era um *raccourci* de toda a arte poética que desde os latinos regeu a pena dos poetas e cujas regras ele, com suma ciência, embora tendo-as apenas como um *meio*, observava com maior rigor até e maestria que muitos dos próprios poetas formalistas da nossa literatura que tinham tais regras como um *fim* em si mesmas.

Foi a essa ordem secular, quando lhe pareceu que, malbaratada, ficara sediça, que, à semelhança de outros em outras literaturas, ele quis fugir, animado por um espírito renovador e construtivo a todos os títulos respeitável.

Foi a saturação daqueles mesmos princípios milenares que ele com invulgar perícia havia praticado e sublimado nas suas primeiras obras, mas que ao cabo se lhe afiguraram inoperantes, que lhe inspirou a revolta.

Mas quantos por aí quererão fugir... a quê? Quantos estarão saturados... de quê?

In: *Homenagem a Manuel Bandeira*.
Rio de Janeiro: Tipografia do *Jornal do Commercio*, 1936.

De menino doente a rei de Pasárgada
RIBEIRO COUTO

> *Au bois il y a un oiseau, son chant vous*
> *arrête et vous fait rougir.*
> Arthur Rimbaud

As razões por que até esta data não publiquei o meu *Manuel Bandeira* anunciado desde 1922 na capa do *Crime do Estudante Batista*? Respeito por essa vida, respeito por essa poesia; escrúpulo de querer dar o máximo de mim, e na melhor ocasião, sobre um tema que eu penso conhecer, mas para o qual nunca encontrei expressão que me satisfizesse. Assunto a que eu quero bem, que revolvo constantemente diante dos olhos, a cada passo lhe descobrindo, com surpresa e delícia, novos rasgões de claridades, novos prolongamentos que exigem digressões novas.

Folclore, filologia, história do movimento moderno, lirismo, poesia pura, técnica dos poemas de forma fixa, técnica dos poemas de forma livre, influência da música, influência primitiva da poesia portuguesa, suprarrealismo, realismo, angústia filosófica e arreligiosa – quantos aspectos!

Na obra de Manuel Bandeira a matéria se apresenta com as mais diversas variações prismáticas. Ela condensa as principais fases da poesia brasileira nestes últimos trinta anos. Se por ali seguimos, antes de tudo, a evolução de uma personalidade que foi pouco a pouco identificando seu ser profundo com a poesia, seguimos também, por tabela, a evolução da poesia nacional nesse largo período: poesia que viveu a aventura dos *valores formais* exclusivos, oportunamente substituídos pelos *valores essenciais*; poesia que passou da simples *composição* para a *criação total*.

A viagem através Manuel Bandeira e em torno de Manuel Bandeira não é, pois, uma excursão domingueira, com bilhete de ida e volta. Por duas vezes a empreendi e verifiquei que ficara a meio caminho; que não dissera quase nada; e em todo caso se alguma coisa dissera, esse pouco não era senão de superfície. Faltava o subsolo; faltava o fundo do mar; faltavam as atmosferas. Nunca reli um poema de Manuel Bandeira sem que lhe descobrisse uma perfeição, um segredo, uma voluptuosidade nova.

> (Eram três horas.
> Todas as agências postais estavam fechadas.
> Dentro da noite a voz do coronel continuava
>
> > [gritando: – *Je vois des anges!*
> > [*Je vois des anges!*)

Vizinhos na biografia (Manuel Bandeira, o Poeta Tísico), sucedeu que nossas existências, a partir de uma certa data, correram paralelas, de mãos dadas na amizade. Vi-o perder pai, irmão, como pouco antes perdera mãe e irmã. Vi-o sair da sua casca de enfermo céptico e ressabiado para o rumor da rua, a agitação cá de fora. Fui o primeiro leitor de quase todos os poemas escritos depois do *Carnaval* (1919). Antes quando residíamos na mesma cidade, depois a distância (que a correspondência constante e as alegres visitas anulavam), durante dez anos, pelo menos, não se passou semana sem que trocássemos essas impressões risonhas ou tristes, sempre leais e completas, em que o coração se purifica. Em horas graves para a minha saúde, ele foi a minha poderosa fonte de ânimo, o reativo da confiança. Amizade, pois, sem esquivanças nem reservas, qualquer coisa que escapa aos limites do próprio amor fraterno, ao qual é alheio o elemento fundamental da eleição, voluntariamente feita pelo instinto das afinidades.

E o que parece facilitar a tarefa, não foi para mim, até hoje, senão obstáculo. Desse vasto material de impressões e de reminiscências, que escolher? E em que tom falar?

De Manuel Bandeira eu conhecia só, ao chegar ao Rio, em abril de 1918, a pequenina maravilha que é a poesia "Cartas de meu avô". O poeta seria velho ou moço? Do Sul? Do Norte? Vexava-me não ter informação a respeito, pois trouxera da minha província o amor de toda a geografia literária do país, saudosa época em que eu tinha a necessidade urgente de saber se o autor de tal ou tal soneto era funcionário da alfândega do Amazonas ou diretor de uma biblioteca pública do Paraná. A leitura, depois, de *A cinza das horas*, publicada aliás no ano anterior, em duzentos exemplares, tornou mais ardente o desejo de ver o poeta.

O isolamento de Manuel Bandeira no Rio dificultava o seu conhecimento pessoal. Por natureza, ele era de "poucos amigos". A meia-doença, meia-saúde em que vivia, agravava a dificuldade. Entre abril e dezembro daquele ano, ninguém (minhas relações, aliás, não eram naturalmente numerosas), ninguém entre os meus companheiros de curso jurídico ou de reportagem de jornal pôde dizer-me quem era esse senhor Manuel Bandeira que desde São Paulo me encantara com a narração dos amores antigos:

> E enquanto anoitece, vou
> Lendo, sossegado e só,
> As cartas que meu avô
> Escrevia a minha avó.

Mas a novela *Na vida*, de Rufino Fialho, que encontrei um dia na Livraria Leite Ribeiro, trazia esta simples e surpreendente indicação: Manuel Bandeira, Editor. Assim, naquele ano da graça de 1918, houve na cidade um poeta de vinte anos, desembarcado de fresco da sua província, com um fraque, um livro de versos e outras ilusões, que acreditava na existência do editor Manuel Bandeira, o editor ideal que não o despediria do balcão sem folhear o manuscrito precioso.

O secretário da redação de *A Época*, onde eu trabalhava, era Afonso Lopes de Almeida. Logo que ficamos amigos e lhe mostrei os meus versos (de que aliás ele não gostou muito), Afonso Lopes de Almeida disse-me que "ia fazer-me um presente". Esse presente era levar-me à casa de um poeta enfermo chamado Manuel Bandeira.

Oh! o destino trabalhava finalmente por mim. Era o meu poeta e seria talvez o meu editor. Mas, que editor? Não se tratava de editor nenhum. Bandeira não se ocupava de negócios. Editor! O Bandeira!

O Bandeira, com efeito, não era editor senão do seu único livro, *A cinza das horas*. O caso da novela *Na vida* fora uma brincadeira que só o próprio Bandeira, divertidíssimo, nos explicaria: ocupara-se da publicação e distribuição do livro de Honório Bicalho (Rufino Fialho), seu amigo, e haviam combinado aquela farsa inocente. Aquela farsa que foi levar, quem sabe, a muitos outros obscuros poetas, a esperança da celebridade.

Primeira visita a Manuel Bandeira, no Leme, na rua Goulart, em dezembro de 1918! Ainda sinto o alvoroço secreto com que me vi diante daquele rapaz anguloso e o espanto que me causaram os seus acessos de riso jovial, entremeados de acessos de tosse! A seu lado, o velho engenheiro Manuel Carneiro de Sousa Bandeira, de quem o poeta não herdou apenas a inteligência e o caráter, mas ainda a graça de convívio, tinha para com o filho atenções delicadas, ternuras de enfermeira, com um olhar claro que seduzia pela bondade.

"Inquieta, maravilhada", assim nasceu nessa noite minha amizade por Manuel Bandeira. Ele passaria logo para a rua do Triunfo, em Paula Matos. Nessa última, em 1920, receberia o golpe maior, a perda do pai. Veio então para perto de mim, três casas adiante, na rua do Curvelo. Nossa convivência tornou-se cotidiana.

O morro do Curvelo entrava, sem saber, na tradição literária. Um grande poeta ali morava: ali tomaria contato com a vida popular, observando, morro abaixo, os quintais efervescentes da rua Cassiano; ali permaneceria os melhores anos e os mais fecundos, de sua criação poética.

Não foi senão em Montaigne que eu teria a perfeita definição do fenômeno moral que fez de Manuel Bandeira o centro do meu culto pela amizade, confundiu em mim a admiração sem reservas pelo seu espírito e pela sua vida. Ele passou a encarnar o que de mais belo pode dar a sociedade humana, no conceito do moralista sem par: o amigo. *"Au demeurant, ce que nous appelons ordinairement amis et amitiez, ce ne sont qu'accointances et familiaritez nouées par quelque occasion ou commodité, par le moyen de laquelle nos ames s'entretiennent. En l'amitié de quoy je parle, elles se meslent et confondent l'une en l'autre d'un meslange si universel, qu'elles effacent et ne retrouvent plus la cousture qui les a joinctes."* Por isso, quando apareceu, em começos de 1922, meu primeiro livrinho de contos, *A casa do gato cinzento*, a alegria de ver em letra de forma umas páginas de adolescência não foi maior que a outra, de no pórtico inscrever: "A Manuel Bandeira, meu amigo". Data de então, igualmente, a "Canção de Manuel Bandeira", incluída nos *Poemetos de ternura e melancolia*, já prontos em abril de 1922, mas que só seriam publicados em 1924.

Foi também no começo desse ano de 1922 – que para a primeira semana de maio me reservava o compulsório abandono da cidade tão amada – que escrevi o ensaio "Manuel Bandeira, o Poeta Tísico". A meu turno, tive de "ir para melhores climas", renunciando a tudo que fora o pequenino mundo das minhas ambições de rapaz, inclusive a Europa: porque a ironia da sorte me reservou para ler em viagem, a caminho de Campos do Jordão, a notícia do decreto que me nomeava auxiliar do consulado em Marselha (o mesmo pelo qual, teimoso, eu recomeçaria em 1928 a carreira perdida).

A vida literária tem as suas leis, o seu sistema, as suas exigências. Uma delas é a presença pessoal. Convém passar de vez em quando à porta das livrarias onde estão reunidos uns senhores que falam, que discutem, assinar a lista de certo banquete e tomar parte noutras manifestações públicas. Tudo isso é melodia muito diversa daquela que escuta um enfermo num lugarejo escondido entre serras. Nem jornais, nem livros: nada que possa provocar ansiedade, perturbar a vida vegetativa dos pulmões.

Quando, em janeiro de 1924, Manuel Bandeira foi visitar-me em Campos do Jordão (já então eu iniciava na cidade vizinha de São Bento do Sapucaí uma atividade precária de bacharel), quis saber o que eu fizera do trabalho escrito pouco antes de sair do Rio, quase dois anos antes. Trabalho que eu nunca quisera mostrar-lhe, talvez por pudor. Em Vila Abernéssia, na rua do Sapo (onde Bandeira iria conhecer a velha preta Balbina, minha cozinheira, que lhe ensinou a expressão *Cussarũi*, sinônimo do diabo, por ele empregado no poema "Berimbau", Bandeira passou um mês, um mês quase todo de chuvas torrenciais. Tristíssima era a Vila Abernéssia ("Nos meus olhos às vezes há tantas lágrimas!") debaixo de chuva, sobretudo no chalezinho da rua do Sapo, entre choças de lavadeiras e soldados do destacamento! Tristíssima, com as pobres ruas lamacentas povoadas de telhados vermelhos ou de folha de zinco, as pobres ruas que, de suas cadeiras de lona, na sala de jantar das pequenas pensões, os doentes olham com inveja, quando veem passar os saudáveis caboclos do Baú, que trazem à vila o mantimento e a lenha. Nessa atmosfera de inocentes e humildes realidades, tão diferentes das realidades brilhantes da batalha literária, é que o poeta foi conhecer o que eu escrevera sobre ele, e já perdera a oportunidade.

Perdera-a, por muitas razões. A principal era que entre 1922 e 1924 a agitação do movimento moderno pusera em foco a personalidade extraordinária do poeta do *Carnaval*, que antes de 1922 eu era dos raros a conhecer bem e a admirar em todo o seu justo valor, sendo além disso o seu mais íntimo amigo. Justificar-se-ia então uma certa maneira de falar dele: como quem fala das paisagens de um país fabuloso, que quase ninguém percorreu. Acresce que, entre 1922 e 1924, Bandeira escrevera a maior parte das peças que reuniria depois no volume *Poesias*, sob o título de *O ritmo dissoluto* (poemas de que eu continuara a ser o primeiro leitor, porque ele mos mandava). Meu ensaio, pois, não indo além de 1921, não abrangia a parte tão importante que se lhe seguiu. Tudo isso tornara o meu trabalho insuficiente e anacrônico. Do projeto, porém, eu não desistira, tanto mais que possuía toda a documentação biográfica e o arquivo pessoal do poeta.

A publicação das *Poesias*, que desde 1922 estava prometida por Monteiro Lobato & Cia., não se fez senão em junho de 1924, graças a Laudelino Freire e à *Revista de Língua Portuguesa*. Foi só, porém, em 1927, aproveitando umas férias, que pude refundir o ensaio, desenvolvê-lo, acrescentar-lhe novos capítulos. Ainda assim, ele não me satisfez. Eu continuava isolado, não mais por enfermidade, mas agora por outras circunstâncias de vida. A promotoria pública de Pouso Alto, em Minas, não era uma sinecura. Faltava-me, além do tempo, o ambiente. Entre o Rio e Pouso Alto a distância não é só de dez horas ferroviárias; é a distância entre a literatura e a indústria pastoril. Não valeria a pena esperar por dias futuros?

Manuel conheceu o ribeirão Pouso Alto, cujos lambaris é tão grato pescar no cair das tardes. Por duas vezes, no verão, ali foi ver-me, e não sem certo espanto pelo real promotor que nunca pensara pudesse existir em mim. (Balbina tivera razão de dizer: "Seu doutor tem outro dentro!") A vida continuava a afastar-me do campo literário, de que tantas vezes os escritores se queixam, mas que afinal é o único meio onde encontramos excitação e estímulo para a produção de uma obra.

O meu ensaio, mesmo refundido, devia continuar na gaveta. Era uma coisa de nada em face da riqueza do tema. Não se tratando mais, e apenas, como em princípios de 1922, de contribuir para a divulgação de um grande poeta que o público até aquele ano ignorava, não me inquietei. A situação era outra para o "sapo cururu". Ele abandonara a vida reclusa de convalescente cauteloso; era de todas as polêmicas, de todos os inquéritos literários, ia aos bailes de terça-feira gorda, misturava-se à turba outrora "grosseira e fútil"; fazia viagens ao Norte do país não para cuspir sangue em Quixeramobim, mas para deliciar-se no Pará com o Cais de Ver-o-Peso e fartar-se de casco de muçuã; escrevia a sibilina epopeia do "Mangue"; "turbara, partira, abatera" o meu modelo, a personagem do meu livro, o meu enredo, a minha história; complicara a sua biografia e a sua obra com outros temas. Passara de alusões à feitiçaria ("Macumba de Pai Zusé") a episódios misteriosos ("Noturno da Parada Amorim", "Noturno da Rua da Lapa"), poemas que insinuam mal-estar, pavor, como vozes estranhas murmurando queixas e sarcasmos numa gruta escura. Difícil era acompanhá-lo em tudo isso quando o biógrafo, isolado numa promotoria do interior montanhês, se substituíra ao biografado e fora a seu turno "sem glória, sem fé", para a beira do perau profundo.

Os anos passaram. Não me arrependo de não ter publicado o livro que anunciei e por duas vezes escrevi. A terceira versão, que um dia será escrita, deverá aproveitar toda a volumosa correspondência que tenho de Manuel Bandeira. Cada carta (e são centenas) é toda uma tentação: a tentação das reminiscências, nas quais o espírito se compraz em viver de novo o que parecia morto.

O que aqui faço, entretanto, não é antecipar esse livro. Aqui, venho apenas contribuir com algumas linhas para a homenagem que os amigos do grande poeta lhe prestam. Não serei indiscreto dizendo que a ideia da homenagem veio a propósito dos cinquenta anos que Manuel Bandeira completou em abril passado? O "menino doente" também envelhece... Força é reconhecer que os seus anjos da guarda são tidos em boa conta no Paraíso, a começar talvez por aquele a quem ele dedicou este poema:

> Quando minha irmã morreu,
> (Devia ter sido assim)
> Um anjo moreno, violento e bom,
> – brasileiro

> Veio ficar ao pé de mim.
> O meu anjo da guarda sorriu
> E voltou para junto do Senhor.

Ao fazer, em 1924, a crítica do livro *Poesias* (no qual Manuel Bandeira condensou toda a sua obra poética desde a adolescência até aquela data), Agrippino Grieco escreveu em *O Jornal*: "Tanto quanto versátil de sentimentos, aparece-nos o senhor Manuel Bandeira versátil de temas e processos poéticos", acrescentando: "O senhor Bandeira faz de tudo, um pouco por diletantismo, um pouco por desdém de tudo". A não ser aquela nota do "desdém de tudo", que se ajusta a um certo ceticismo de Manuel Bandeira (principalmente o ceticismo da criação literária), o comentário de Agrippino Grieco é o inverso da verdade humana e poética do autor do "Murmúrio d'água".

Não haveria, aliás, nas observações de Agrippino Grieco nenhum perigo se elas não insinuassem a *nonchalance*, a ausência de paixão de quem faz obra "para distrair-se" (único sentido em que diletantismo pode ser pejorativo; pois de resto todo artista será um *diletante*, uma vez que se deleita com o trabalho de criação).

Mas o caso de Manuel Bandeira era exatamente o inverso de um amador, como estava implicitamente provado na primeira parte do próprio comentário, a parte que diz respeito à variedade de "temas e processos poéticos". Grieco aludia aos "rondós, baladilhas, rimancetes, madrigais", que se veem em *A cinza das horas* e *Carnaval*, manifestação, dizia ainda o crítico, de "arcadismo literário", ao lado de poemas de essência moderna, uns de perversa ironia, outros de amarga tristeza, outros de saboroso lirismo cotidiano, poemas que atingiriam o máximo de expressão e de força na terceira parte das *Poesias, O ritmo dissoluto*. Ora, quem era capaz dessa "versatilidade" possuía uma técnica poderosa e dominava todos os instrumentos da construção lírica. Entretanto, apesar dos seus recursos formais, Bandeira apresentava, em 1924, um balanço de 109 poesias apenas, produto de quase vinte anos de trabalho. O que isso significava, portanto, era uma profunda consciência de artista. Era o contrário de um diletante, que não deixaria de utilizar a sua *facilidade*, o seu domínio da técnica, numa obra infinitamente mais abundante. Os diletantes não são sempre os que escrevem pouco.

A evolução da obra de Manuel Bandeira parece acompanhar a sua biografia; a variedade de temas, processos e expressões poéticas correspondia, de certa maneira, à instabilidade da sua existência. Entre a manifestação da sua doença (1904) e a publicação, em 1917, de *A cinza das horas* (de que *Carnaval*, em 1919, é em boa parte contemporâneo), medeiam quase quinze anos de crises, melhoras, recaídas, mudanças constantes de clima e até de país. Teresópolis, Campanha, Petrópolis, Maranguape, Devoz-Platz – quantas transplantações, quanta incomodidade! Era preciso adaptar-se a cada meio; criar um centro de interesse na nova solidão; refazer os hábitos; e esperar, sempre! que o clima trouxesse o bem esquivo de um pouco de saúde. Era praticamente a invalidez, a que só a viagem à Suíça (1913) daria conserto. Com efeito, só depois da permanência no sanatório de Clavadel é que Bandeira, aos trinta anos, passou a convalescer. Nesse largo período de tempo, por que é que tão pouco escrevia quem era capaz de fazer obras-primas de graça e lirismo como o "Poemeto erótico", a "Inscrição", as "Cartas de meu avô"? A explicação está não só na moléstia como no seu absoluto desinteresse pelo valor mundano da produção literária, a sua nenhuma ambição de renome, o seu *voto de pobreza* na poesia. Não havia, pois, diletantismo, senão fervor. Na Suíça é que ele pensou, pela primeira vez, em publicar um livrinho, organizando então os "Poemetos melancólicos", cujos originais ficaram esquecidos numa gaveta de armário, quando do seu regresso ao Brasil (meados de 1914). Como tivesse de memória grande parte desses poemetos, aproveitou a matéria para *A cinza das horas*, três anos depois.

Parece-me extraordinário que, tendo sempre trabalhado muito pouco, Manuel Bandeira houvesse chegado, já nesse livro, à pureza de técnica e de expressão que testemunham tantos dos seus poemas. Entretanto, foi lenta a condensação da sua melhor riqueza poética. Destinando-se à arquitetura, nunca supôs que a vocação literária, manifestada no Colégio Pedro II, correspondesse a uma voz profunda.

Essa condensação não se fez sem os naturais estágios na influência deste ou daquele poeta, do Brasil ou de Portugal, a ponto de ele próprio, Manuel Bandeira, haver pensado durante um tempo em dar o nome de *Pastiches* a uma pequena parte das *Poesias*, parte que seria a introdução e na qual incluiria as peças, a seu ver secundárias, e aliás poucas, a que é estranho o seu lirismo. A rigor, não seriam senão os sonetos "A aranha", "D. Juan", "Mancha", "Paráfrase de Ronsard", "O súcubo", "A ceia", "Menipo" e "A morte de Pã", todos feitos à maneira castigada e enfática dos parnasianos.

Fácil seria provar quanto a tuberculose explica a poesia de Manuel Bandeira; mas não apenas a tuberculose como enfermidade e sim como conjunto de condições de vida a que ela o obrigou. As suas variações de tema e de processos, que puderam servir de base a um libelo acusatório, representam, como referi acima, as forçosas variações de saúde e de atmosfera psicológica. São a *carte routière* das suas peregrinações físicas e morais. Pela sensibilidade, no corpo prisioneiro, o poeta tomava parte no espetáculo proibido. Os jogos de arte, aparentemente diletantes, eram a medida de relação entre o seu drama pessoal e a impossível existência ativa. O célebre verso "Eu faço versos como quem morre" não era literatura. Durante muitos anos cada dia foi para ele a véspera do último. Cada poema era uma despedida. Território parnasiano, simbolista, clássico, romântico etc., que importavam as etiquetas? As fronteiras entre os diversos territórios temáticos e processuais não o interessavam: ele viajava perto das nuvens. O importante, aliás, para todo aquele que vive a aventura da viagem artística, é chegar um dia a regiões desconhecidas e poder dar o seu nome a um território próprio.

Ele chegou a esse território: descobriu a ilha de Pasárgada.

As complexidades da poesia de Manuel Bandeira, tão marcadas em *Carnaval*, não cessaram de se acusar. Até então (1919) ele era, de um modo geral, um poeta "da amargura". Essa amargura confessava-se com pudor, mas confessava-se, mesmo no título dos seus poemas: "Desencanto", "Desalento", "Desesperança", "Renúncia", "A fina, a doce ferida...", "Carinho triste", "Quando perderes o gosto humilde da tristeza", "Madrigal melancólico" etc. Confessava-se diretamente, na primeira pessoa. Era um apelo à piedade:

> Fecha o meu livro, se por agora
> Não tens motivo nenhum de pranto.

Mas, tendo atingido o máximo de angústia pessoal com a enfermidade, a perda iterativa dos entes mais caros e talvez outros dramas, sua desesperança assumiu uma forma violenta de falso cinismo, desenvolvendo assim o sarcasmo que já era patente em muitos dos seus versos. A partir desse tempo (que se pode fixar mais ou menos entre 1920 e 1922), ele realizará uma espécie de integração no natural. Sua poesia se enche do cotidiano, o cotidiano que às vezes é comovente, às vezes é ridículo. É quando nos falará da sua "humanidade irônica de tísico". Todas as confissões de amargura passarão para a ordem indireta: ele as fará através das coisas, o córrego que chora como "a voz da noite", o balão que cai "nas águas puras do mar alto", a

mata "como uma multidão em delírio coletivo", a aranhazinha que ele "tem vontade de beijar" na sua solidão, o murmúrio d'água anunciando "que a mocidade vai
acabar". Essa incorporação à vida cósmica que o cercava era um esforço para a libertação daquela queixa, daquele "tormento obscuro e impressentido", seu *leitmotiv*. A
mocidade ia acabar; os sinos de Belém batiam bem-bem-bem; quantos momentos
felizes poderiam cair do céu estrelado! Todo *O ritmo dissoluto* revela essa hesitação
entre a alegria da matéria cotidiana então descoberta, e a grave obsessão antiga, do
velho tormento interior.

Os poemas escritos depois dessa época, reunidos no livro *Libertinagem*
(1930), representam a vitória, a predominância dessa descoberta. Seu sarcasmo, então, assumirá formas agressivas. Aquele que outrora murmurava

– Vem, noite mansa...

fará declarações subversivas em altos gritos:

Eu já tomei tristeza, hoje tomo alegria.
[...]
Abaixo Amiel!

[...]
Sim, já perdi pai, mãe, irmãos.
[...]
É por isso que sinto como ninguém o ritmo do jazz-band.

Não quereria mais compor um "carnaval sem nenhuma alegria", conforme
contara em 1919:

Eu quis um dia, como Schumann, compor
Um Carnaval todo subjetivo:
Um Carnaval em que o só motivo
Fosse o meu próprio ser interior...

Quando acabei, – a diferença que havia!
O de Schumann é um poema cheio de amor,
E de frescura, e de mocidade...
E o meu tinha a morta morta-cor
Da senilidade e da amargura...
– O meu Carnaval sem nenhuma alegria!...

Dantes, uma terça-feira gorda (*Carnaval*) fazia-o andar de dominó negro, de
máscara negra, "por entre a turba, com solenidade", de mãos entrelaçadas com alguém cuja presença lhe dava "um lento, suave júbilo"

Que nos penetrava... Que nos penetrava como uma espada de fogo...
Como a espada de fogo que apunhalava as santas extáticas!

Após, não poderia mais dizer que

Nem a alegria estava ali, fora de nós.
A alegria estava em nós.
Era dentro de nós que estava a alegria,
– A profunda, a silenciosa alegria...

(*Carnaval*)

Não, a alegria estava fora, sim, mas para ser absorvida como um prazer vicioso:

Uns tomam éter, outros cocaína.
Eu tomo alegria!
Eis aí por que vim assistir a este baile de terça-feira gorda.
[...]

A sereia sibila e o ganzá do jazz-band batuca.
Eu tomo alegria!

Mas por que, nessa terça-feira gorda, gritar "Abaixo Amiel!"? Seu apetite de vida se enquadrava no que o suíço escreveu a 2 de dezembro de 1851 no famoso diário: "*Vivre, c'est donc triompher sans cesse, c'est s'affirmer contre la destruction, contre la maladie, contre l'annulation et la dispersion de notre être physique et moral. Vivre, c'est donc vouloir sans relâche ou restaurer quotidiennement sa volonté*". Apesar de todos os seus desesperos, Amiel deixou nessas linhas a essência de um dinamismo heroico, lição de vontade afirmadora. Aliás, aquele que "toma alegria" não estará confessando uma adesão da sua natureza a uma forma de ser que lhe é estranha? Não estará revelando a presença da irremediável angústia?

Menino "belo, áspero, intratável", como o seu "Cacto", deixou o quarto de doente e fez as mais surpreendentes viagens através do cotidiano. Enriqueceu-se de contatos, de experiências. Viagens em torno de si mesmo, mais longas que as de outrora, quando atravessava províncias inteiras para procurar um clima (Minas Gerais, Ceará), ou o próprio oceano, em demanda da Suíça. E da janela do seu quarto do morro do Curvelo, músicas houve que lhe foram mais caras que Debussy ou Schumann de antigamente, porque the trouxeram, com a respiração da cidade, "o sussurro sinfônico da vida civil". O silvo de um saguim comprado "pela sua vizinha de baixo" resumia-lhe a saborosa vida popular, a vida popular em que ele não cessaria de fazer novas incursões com Irene, João Gostoso ou a cunhatã que chamava o ventilador de "a coisa que roda".

A obsessão de tomar alegria era uma forma do seu desespero. Era uma forma da sua irremediável solidão. Bastava parar um momento, entrar um instante em casa para que, da parede, a folha do calendário lhe lembrasse uma data: uma dessas datas que outrora ele festejava em família e agora só podia comemorar indo ao cemitério levar umas flores.

Amanhã que é dia dos mortos
Vai ao cemitério. Vai
E procura entre as sepulturas
A sepultura de meu pai.

Leva três rosas bem bonitas.
Ajoelha e reza uma oração.
Não pelo pai, mas pelo filho:
O filho tem mais precisão.

O que resta de mim na vida
É a amargura do que sofri.
Pois nada quero, nada espero.
E em verdade estou morto ali.

Por isso também dirá, na derradeira página de *Libertinagem*, como desejaria o seu último poema:

Que fosse ardente como um soluço sem lágrimas
Que tivesse a beleza das flores quase sem perfume
A pureza da chama em que se consomem os diamantes mais límpidos
A paixão dos suicidas que se matam sem explicação.

A ilha de Pasárgada é um mundo maravilhoso, mas o céu é o mesmo da terra natal em noite de estrelas, quando as sombras da infância passam entre as nebulosas: Rosa que contava histórias, Totônio Rodrigues, Tomásia; o céu da rua da União onde ele brincava de chicote-queimado.

Agora brinca também, mas de coisas proibidas:

E como farei ginástica
Andarei de bicicleta
Montarei em burro brabo
Subirei no pau de sebo
Tomarei banhos de mar!

De coisas proibidas, mas entendamo-nos: sempre inocentes. Nesse título, *Libertinagem*, com que Manuel Bandeira publicou os poemas escritos entre 1924 e 1930, estava a resposta a Agrippino Grieco. Pois não se tratava, nunca se tratou de versatilidade, nem de diletantismo, mas de libertinagem: a libertinagem poética. Quando, como e com o que quisesse. O solitário tem direito a todos os vícios.

Se não fosse pouco o espaço, eu gostaria de me referir mais longamente aqui a um vício que foi dos seus primeiros anos: o vício do lirismo português. A influência de Eugênio de Castro (mais do que a de Antônio Nobre, quase nula, e na qual insistiram os críticos) foi manifesta em versos de *A cinza das horas* e do *Carnaval*. (Com Manuel Bandeira, pode-se falar abertamente de influências. Ele não tem as susceptibilidades vaidosas de certos autores que procuram esconder as influências recebidas, e que, para despistar, referem-se com desdém aos mestres que ajudaram a formá-los.) Exemplo também da sua útil convivência de outrora com a poesia portuguesa é o soneto que dedicou a Camões, em quem

[...] brilhou sem jaça
O amor da grande pátria portuguesa.

A sólida cultura filológica de Manuel Bandeira, com uma extensa leitura dos clássicos, levou-o a tomar posição, com autoridade e experiência, na questão da língua portuguesa no Brasil. Seria com certo exagero, porém, que ele escreveria:

> [...] língua errada do povo
> Língua certa do povo
> Porque ele é que fala gostoso o português do Brasil

O poeta que com tanta paixão defende a "língua errada do povo" (que ele não escreve senão de raro em raro, e por *libertinagem*), ainda há poucos anos, em *A cinza das horas*, compunha o delicioso "Solau do desamado":

> Donzela, deixa tua aia,
> Tem pena do meu penar.
> Já das assomadas raia
> O clarão dilucular,
> O meu olhar se desmaia
> Transido de te buscar.
> Sai desse ninho de alfaia,
> – Céu puro de teu sonhar,
> Veste o quimão de cambraia,
> Mostra-te ao fulgor lunar.

Se aqui cito esses versos (todo o "Solau" é uma *réussite* admirável) é para mostrar com que naturalidade Bandeira se entregou sempre a todas as libertinagens.

Que pequenina obra, e que abundância de aspectos, de paixão, de vida, de movimentos, de sensibilidade!

A crítica tem nessa obra um material enorme para o estudo de muitas questões literárias. O fenômeno da *expressão*, por exemplo. A expressão poética de Manuel Bandeira consiste, às vezes, na simples transposição linear da imagem; outras, na narração num só plano; outras ainda, na condensação de um mistério, que independe, mesmo, da forma poemática para provocar o prazer de uma presença lírica indefinível. Basta abrir-se qualquer dos seus livros. Em que consiste, por exemplo, a poesia da "Balada de Santa Maria Egipcíaca". Não passa de um episódio de história religiosa, mas que deixa, ao final, a sensação daquela presença. A poesia está na estrutura do próprio episódio. Em certos casos ("Berimbau"), está no agrupamento natural de sons *incantatórios*, que formam uma atmosfera. Nem por isso se tem a impressão de que houve um trabalho de construção; como que as palavras se ajuntaram espontaneamente ali. Noutros casos ("Macumba de Pai Zusé"), o poema é uma anotação apenas; não tem desenvolvimento temático. Ainda noutros, anotando o ponto de partida do real e acrescentando-lhe a imagem, sem mais nada, Bandeira consegue infinitas ressonâncias de sentido, ressonâncias do mundo exterior e ressonâncias subjetivas:

> Andorinha lá fora está dizendo:
> – "Passei o dia à toa, à toa!"

> Andorinha, andorinha, minha cantiga é mais triste!
> Passei a vida à toa, à toa...

Não é o milagre da poesia? Mas é, acima de tudo, o milagre da poesia de Manuel Bandeira.

Milagre que se repete a cada passo na sua obra, tanto na parte anterior a 1919 como na ulterior, que podemos colocar sob o signo do *ritmo dissoluto*. (A expressão *ritmo dissoluto*, empregada por Manuel Bandeira no volume *Poesias*, para classificar a sua produção poética depois de 1919, anuncia já o título *Libertinagem*. Dissolução de regras, de fórmulas; libertinagem de matéria. Total: liberdade. A liberdade que é a primeira condição para a libertinagem.)

Milagre de transformar em poesia uma simples notícia de jornal! Será preciso crer que com o manipular das palavras e nada mais um poeta é capaz de emprestar magia ao *fait divers*?

Foi o que aconteceu com a narração do drama de João Gostoso, carregador de feira livre etc. etc., que uma noite:

> [...] chegou no bar Vinte de Novembro
> Bebeu
> Cantou
> Dançou
> Depois se atirou na Lagoa Rodrigo de Freitas e morreu afogado.

Onde está a poesia? Numa relação confidencial, relação entre a notícia e o próprio poeta que, conforme sabemos, não quer mais o "lirismo namorador" e sim

> O lirismo dos bêbedos
> O lirismo difícil e pungente dos bêbedos
> O lirismo dos clowns de Shakespeare

enfim o poeta que já nos falou da

> [...] paixão dos suicidas que se matam sem explicação.

A poesia de Manuel Bandeira é da raça desses suicidas: sem explicação. Compraz-se no registro hermético dos seus pudores, dos seus recalques pasargadianos, que ficarão para sempre envolvidos no mistério:

> Quem te chamara prima
> Arruinaria em mim o conceito
> De teogonias velhíssimas
> Todavia viscerais
>
> Naquele inverno
> Tomaste banhos de mar
> Visitaste as igrejas
> (Como se temesses morrer sem conhecê-las todas)
> Tiraste retratos enormes
> Telefonavas telefonavas...
>
> Hoje em verdade te digo
> Que não és prima só

> Senão prima de prima
> Prima-dona de prima
> – Primeva.

Os trocadilhos são sinistros. Ela vem do fundo das eras, essa que não era prima, porém era primeva e punha em perigo, telefonando, telefonando, o conceito que o solitário tinha ainda, que resistência! de teogonias viscerais na sua natureza teimosa. E ah! com que delícia acompanhamos o voo secreto de um olhar cúpido que segue Teresa ao entrar no banho (pois deve tratar-se de Teresa)! "Tomaste banhos de mar", e ei-la nua. Mas já o poeta não exclamará, como no "Alumbramento", outrora:

> Eu vi os céus! Eu vi os céus!
> Oh, essa angélica brancura
> Sem tristes pejos e sem véus!
>
> [...]
> – Eu vi-a nua... toda nua!

Nada dirá que recorde a sua atitude antiga, de menino doente que vinha surpreso ao mundo exterior. Agora, está em pleno banho de alegria, em plena voluptuosidade da matéria cotidiana. Não usará mais de linguagem exclamativa para contar uma excursão comovente e rara. Pelo contrário, tratará de esconder a sua descoberta sagrada, cobrindo-a de equívocos risonhos. Ao território da escapada chamará Pasárgada, e não será mais escapada, mas residência habitual: residência habitual no êxtase. Como Bentinho Jararaca, levará a arma à cara e matará alguma coisa, mas será o prosaico. Tudo será poesia. E como há no fundo do seu ser um impenitente apelo ao amor, é em vão que procurará rir-se de Teresa, dizendo que ela "tinha pernas estúpidas", ou que os olhos dela "eram muito mais velhos do que o resto do corpo". Pois da terceira vez em que ele vir Teresa, será a catástrofe:

> Da terceira vez não vi mais nada
> Os céus se misturaram com a terra
> E o espírito de Deus voltou a se mover sobre a face das águas.

Irá então pedir paciência a Nossa Senhora, mas bem longe, no saco de Marambaia:

> Nossa Senhora me dê paciência
> Para estes mares para esta vida!
> Me dê paciência pra que eu não caia
> Pra que eu não pare nesta existência
> Tão mal cumprida tão mais comprida
> Do que a restinga de Marambaia!...

E a Teresinha do Menino Jesus (santinha de doentes) pedirá outra vez alegria (que ele parecia já ter tomado tanto):

> Me dá alegria! Me dá alegria,
> Santa Teresa!...
> Santa Teresa não, Teresinha...
> Teresinha do Menino Jesus.

Paciência ou alegria? Paciência não será alegria? Ah! para que foi ele gritar "Abaixo Amiel!"? É do suíço ainda esta nota: *Le bonheur, c'est d'être consolé; le courage, c'est d'être résigné*.

Na solidão da ilha de Pasárgada, que bom aceitar tudo que a vida oferece! É lá que os camelôs são abençoados. É lá que todas as coisas, por serem poéticas,

> [...] dão aos homens que passam preocupados ou tristes uma lição de infância.

Nessa ilha (Manuel Bandeira Land), território por ele descoberto, por ele incorporado ao *"piteux lustucru d'une enfant pauvre"*, ele é que é o rei. Por isso, ali faz de tudo – tudo, inclusive o que no Sanatório de Clavadel os médicos lhe proibiram para sempre, ginástica, banho de mar. Em Pasárgada, somente em Pasárgada, ele iria encontrar a felicidade, satisfazendo aspirações violentamente recalcadas:

> Em Pasárgada tem tudo,
> É outra civilização

Mundo maravilhoso no qual haviam de ficar esquecidos os jogos poéticos de antigamente, quando as horas eram longas e a melancolia vinha de manso insinuar a febre.

Agora, na sua carne e no seu espírito, a poesia *é uma coisa só*. Poderá, desde então, dizer todas as palavras. Tudo que toquem as suas "mãos dissolutas" será poesia. O rei proclamou a tirania: do mistério poético.

Haia, 10 de agosto de 1936.
136, van der Aastraat.
In: *Homenagem a Manuel Bandeira*. Rio de Janeiro:
Tipografia do *Jornal do Commercio*, 1936.

Estudo sobre Manuel Bandeira
Octavio de Faria

Não são muitos entre nós os que dão a Manuel Bandeira toda a importância que ele realmente tem para a nossa poesia. Mesmo entre os que não escondem a sua admiração, não é raro encontrar uma visão bastante acanhada e mesquinha da figura do poeta, como, por exemplo, essa imagem debilitada e truncada que o reduz ao conhecido "poeta modernista" autor de *Libertinagem* e a nada mais além disso.

Sem dúvida Manuel Bandeira já seria muito de admirar simplesmente pela sua obra do período que conhecemos em geral pelo nome de "modernismo brasileiro". Mas, todos aqueles que conhecem a obra do poeta – que vem de muito antes do modernismo e de que *Libertinagem* não foi certamente o último momento – esses, por certo, se recusarão a aceitar um modo de encarar o poeta que o reduz e empobrece, prendendo-o sem razão de ser a um movimento literário já passado, e que, sobretudo, destrói o que realmente parece ter de maior: toda uma evolução poética, toda uma unidade que condiciona as diversas fases pelas quais veio passando.

Impõe-se portanto a obrigação de ter de Manuel Bandeira uma visão mais completa. Como bem poucos dentre os nossos verdadeiros poetas, ele apresenta essa coisa muito rara: uma evolução, e uma evolução que já hoje se pode seguir através dos seus livros, pois, se, naturalmente ainda não há ponto de chegada, não faltam nem um marco inicial bem firme nem várias escalas no decorrer do percurso. Tentar reduzi-lo, portanto, ao "poeta modernista" das chapas que correm mundo, é não só negar o poeta inicial, como desconhecer o poeta pós-modernista. É se recusar a ver toda a evolução de um autêntico poeta – essa coisa tão rara entre nós – e de um poeta cujas qualidades de pureza e de sinceridade fazem, de tal modo são excepcionais, com que se o coloque logo entre os nossos melhores poetas. Sob esse ponto de vista creio que nada fica a dever a outros poetas que, na sua figura geral, me parecem superiores a ele, como Vinicius de Moraes, Augusto Frederico Schmidt ou Murilo Mendes.

Estamos aqui na mais autêntica região da poesia e o poeta tem direito a todas as honras do título. Não esconderei que o vejo também com as responsabilidades que tão grande investidura traz consigo...

Ao contrário de Augusto Frederico Schmidt e de Vinicius de Moraes, cuja evolução se deu ou se está dando sem que os poetas abandonem uma espécie de zona central, nuclear em relação a todos os seus problemas (todos os seus movimentos sendo, de um modo geral, concêntricos), Manuel Bandeira, do mesmo modo que Murilo Mendes, tem a sua evolução marcada pela sucessão de portos diferentes, de escalas que distam léguas umas das outras. Enquanto os primeiros surgem à procura de caminhos novos, sempre numa mesma zona, à volta de uma mesma cidade, esses últimos são essencialmente pessoas que mudam de uma cidade para outra, bem distante, em nada semelhante à de onde vieram. De força centrípeta nas suas existências poéticas, nem a mais leve sombra. Para eles não há pântanos no mundo e os caminhos têm sempre um fim. Levam sempre à alguma parte, aqui ou ali, à glória do reino de Deus ou à aparente liberdade de Pasárgada, mas não se perdem nunca no vago, na bruma ou na distância, – na negação, na revolta. Por isso mesmo nas suas obras não há preocupação com a descoberta de caminhos ou com a impossibilidade de segui-los, mas com os próprios lugares onde estão.

São poetas, digamos assim, para quem a memória parece não pesar, o passado não prender com seus invencíveis grilhões. São poetas que para poder viver e se desenvolver precisam esquecer, precisam atirar para longe o dia de ontem de que já conseguiram se libertar. E, enquanto o drama poético de um Augusto Frederico Schmidt e de um Vinicius de Moraes consiste, fundamentalmente, na impossibilidade de esquecer, seja mesmo de esquecer a menor das coisas que fizeram, poetas da natureza de Manuel Bandeira e de Murilo Mendes deixam para trás o passado fracassado e vão continuar adiante o seu canto eterno. O "alvo de Caramuru" não seria nunca um obstáculo para a irrupção do "Credo" de Murilo Mendes. E é o mesmo Manuel Bandeira para quem:

> Só a dor enobrece e é grande e é pura.

que irrompe, anos depois, no grito de alegria incontida e de libertação de qualquer sofrimento que é o ideal de Pasárgada contido em *Libertinagem*.

É portanto sob o signo da transformação – e de uma completa transformação – que a obra de Manuel Bandeira se apresenta diante de nós. De *A cinza das horas* às últimas poesias publicadas, as modificações são tão grandes e tão violentos os contrastes, o tom se alterou de tal modo e o poeta se mostra hoje tão diferente do que era no início, que se é insensivelmente levado a indagar por que pontos intermediários passou ele, vindo de um extremo para o outro, enfim, qual o itinerário que condiciona oposições tão marcadas...

Os críticos, em geral, assinalam determinadas fases muito nítidas, mas não é difícil verificar que a evolução a que estão se referindo é, simplesmente, a da "forma" das poesias, quase sempre ficando mais ou menos intocado o problema da evolução de "fundo" da obra. É assim o movimento total visto apenas pelo seu aspecto mais exterior. E daí nasce, provavelmente, a afirmação um pouco simplista de que muitos não se cansam: o poeta parnasiano transformou-se no poeta modernista...

Uma maior aproximação da obra de Manuel Bandeira permite compreender logo que existe toda uma evolução de "fundo", ao lado da evolução de "forma". E esclarece mesmo que, em termos gerais, há correspondência entre elas. Coloca-se assim, por si mesmo, o problema de saber se as pequenas discordâncias cronológicas assináveis são desprezíveis diante da consideração de um movimento único, fundindo-se nele os dois movimentos evolutivos de forma e de fundo. E nesse caso: se a transformação de forma não foi apenas um reflexo da transformação de fundo, se uma não é a simples tradução da outra em termos de poética.

De um lado temos, quanto à forma: da sujeição a toda uma série de regras literárias (de que o parnasianismo de *A cinza das horas*, em 1917, é o inequívoco representante), o poeta, através de uma série de evoluções, chegou à ruidosa libertação das regras literárias estabelecidas (que foi, como se sabe, uma das características do movimento modernista e que *Libertinagem*, em 1930, concretizou de um modo decisivo). Ainda mais, que, vencendo certas imposições efêmeras da "estética" modernista, o poeta, (pelo menos tanto quanto se pode julgar pelo simples conhecimento de algumas poesias isoladas) libertou-se definitivamente de toda e qualquer obsessão com as regras literárias "convencionais", limitando-se a como que depositar nas suas poesias o que sente, simplesmente, sem dar mais atenção à forma – divindade não só derrubada, como já agora mais ou menos esquecida...

De outro lado temos, quanto ao fundo: de uma concepção fundamentalmente trágica da vida, que via no sofrimento o grande purificador e o queria como constante companheiro (todo o clima de *A cinza das horas*...), o poeta, depois de algumas hesitações e modificações, irrompe um dia (*Libertinagem*) num grito de libertação de qualquer sofrimento, de fuga para uma região onde tudo seja fácil e alegre – para esse reino ideal da felicidade completa que Pasárgada representa gritantemente. E mesmo em outros pequenos sonhos posteriores, o que se faz ouvir ainda é o mesmo canto de liberto, por mais atenuado e velado que seja –, canto de um verdadeiro liberto que encontra a liberdade tão ardentemente procurada vivendo a vida simples e boa que as horas levam e as horas trazem calmamente sempre que não há, contrariando, algum obstáculo mais sério, alguma força menos favorável...

Num caso como noutro, na revolução que forma e fundo sofreram, há um grande movimento de libertação, de rompimento de dentro para fora, digamos mesmo: de extravasamento de uma "natureza" contida, represada por toda uma série de coações que a vida parece ter feito desaparecer dando livre expansão ao verdadeiro modo de ser do poeta. Num como noutro caso a revolução se dá por libertação de cadeias. E se o poeta parece um momento querer se prender com novas correntes, em tudo opostas às antigas, é para abandoná-las mais ou menos assim que percebe as novas prisões construídas (... tanto quanto é possível afirmar, tendo tão poucos dados para servir de base).

Forma e fundo têm assim curvas tão semelhantes nas suas linhas gerais que a tentação imediata é de assimilar os dois movimentos e proclamar, sem mais, o absoluto sincronismo da evolução de forma e fundo na obra do poeta. Surgiriam no entanto logo, a atrapalhar-nos bastante, alguns problemas de ordem cronológica. Convém, pois, antes de estabelecermos a concordância e partirmos dela para outros aspectos da obra de Manuel Bandeira, nos determos um momento num exame mais detalhado, ainda que muito rápido pela força das circunstâncias, primeiro da evolução da forma depois da transformação do fundo de sua poesia.

Creio que será difícil encontrar melhor imagem para sintetizar o inegável "progresso" de forma que se nota na poesia de Manuel Bandeira do que essa com que o senhor Tristão de Athayde marcou, numa de suas grandes críticas, a ascensão na qualidade poética dos seus livros: *A cinza das horas*, escreve ele, foi a despedida aos ritmos e símbolos herdados; o *Carnaval* foi a primeira quebra das amarras e a inquietação da viagem; *O ritmo dissoluto* foi assim como aqueles "vira-buchos" que Cabral enxergava como primeiros sinais da terra nova; *Libertinagem* é a primeira missa no ilhote da Coroa Vermelha... Terra firme de novo, depois da viagem acidentada (*Estudos*, 5ª série).

De um extremo a outro da obra, de *A cinza das horas* a *Libertinagem* e às poesias mais recentes, existe "progresso", um inegável progresso. E não é só a conquista de quem atinge terra firme, mas terra própria, terra onde não é necessário fazer nada para se ser poeta.

Nos primeiros livros, especialmente em *A cinza das horas*, tenho para mim que as exigências de uma forma ainda por demais rígida para as tendências mais íntimas do poeta impediam a plena expansão das suas qualidades. Impossível reconhecer nesses versos mais ou menos cinzentos toda a sua verdadeira originalidade, a força real do seu talento. Mesmo em *Carnaval* – onde já se encontra esse admirável "Sonho de uma terça-feira gorda" que, como inspiração poética, talvez o poeta ainda não tenha superado – o peso da forma me parece esmagar a "originalidade" do poeta, se assim se pode dizer... Seguramente ainda é difícil prever por ele a qualidade das poesias que vão constituir, anos depois, *O ritmo dissoluto*.

Mesmo correndo o risco de escandalizar muito os que veem precisamente no autor de *Libertinagem* o nosso maior poeta, não deixarei de dizer que, de todos os livros de Manuel Bandeira é *O ritmo dissoluto* o que mais me satisfaz. Naturalmente admiro muito o poeta que, chegando ao seu pleno desenvolvimento, nos deu em *Libertinagem* os versos esplêndidos de "O impossível carinho", "Evocação do Recife", "O cacto" e tantos outros. Mas acho que, livro por livro, melhores poesias por melhores poesias, prefiro *O ritmo dissoluto*.

É o momento em que o poeta, vencendo as últimas barreiras da sujeição a regras que o tolhem demais, atinge a sua forma mais agradável. E é sobretudo o momento em que me parece prometer mais – quando o vejo mais perto, por exemplo, dessa admirável "Estrela da manhã" (publicada há uns dois anos atrás, numa de nossas revistas) e que muito provavelmente valerá na sua obra como um novo marco. Direi mesmo que, lido logo em seguida a *O ritmo dissoluto*, *Libertinagem* decepciona um pouco. Depois de poesias como "Quando perderes o gosto humilde da tristeza", "Sob o céu todo estrelado", "Carinho triste" (todas de *O ritmo dissoluto*), mesmo "Evocação do Recife", "Noturno da Rua da Lapa", ou "O impossível carinho" (todas de *Libertinagem*) não deixam de dar uma impressão qualquer de tenuidade, de diminuição de forças, de menor capacidade criadora.

Temos portanto, do ponto de vista da evolução da forma, que o poeta, depois de ter lutado contra o peso de regras opressoras nos seus dois primeiros livros, sem conseguir uma vitória inequívoca, triunfa enfim em *O ritmo dissoluto*, não sem se ressentir da luta, no entanto. Em *Libertinagem* porém, apesar de já estar senhor de todos os meios, não consegue se dar na medida do seu valor total. Vencendo em seguida novos obstáculos, surgidos, creio eu, dos próprios elementos da vitória anterior ("exigências" da estética modernista...), parte nas suas novas poesias para regiões onde parece capaz de uma liberdade e de uma pureza ainda mais completas, como *Estrela da manhã* indica tão acoroçoadoramente.

Se a curva que marca a evolução da forma, separa os dois primeiros livros dos dois últimos, a curva de evolução do fundo coloca nitidamente a separação entre *O ritmo dissoluto* e *Libertinagem*, isolando assim o último livro de Manuel Bandeira dos outros três. *O ritmo dissoluto* não tem de modo algum a mesma posição nos dois gráficos. Enquanto num já é plena ascensão, quase apogeu, noutro ainda é fase de hesitação e meios-tons. Pois, já as suas poesias são quase inteiramente "revolucionárias", e no entanto ainda persiste o "elogio da dor", que, como sabemos, pode mais ou menos caracterizar a primeira fase da poesia de Manuel Bandeira.

Com *A cinza das horas* o poeta surge em plena apologia do sofrimento como ideal de vida, como caminho para a grandeza e para a elevação da alma. É um poeta inegavelmente triste que não compreende bem a razão de ser da vida e faz versos prevenindo desde logo:

> Eu faço versos como quem chora
> De desalento... de desencanto...
> Fecha o meu livro, se por agora
> Não tens motivo nenhum de pranto.

Trata-se de um melancólico que ama a solidão, o lamento, as confissões. Trata-se de um triste para quem o amor:

> Paixão puríssima ou devassa,
> Triste ou feliz, pena ou prazer,
> Amor – chama, e, depois, fumaça...

e que, se acaso chega a ouvir a voz da alegria, é sempre como uma "voz de fora", que vem até ele e acorda muitas notas adormecidas mas que não o consegue empolgar e dominar por muito tempo. Trata-se enfim do poeta que fala em renunciar e se sepultar numa tristeza silenciosa, proclamando serenamente:

> Só a dor enobrece e é grande e é pura.
> Aprende a amá-la que a amarás um dia.
> Então ela será tua alegria,
> E será, ela só, tua ventura...

pedindo a Deus que faça da "tristeza inteira" que encerrou em si, a sua "doce e constante companheira".

Evidentemente o "alegro" com que, dois anos depois, o poeta de *Carnaval* nos surpreende logo às primeiras linhas de seu livro:

> Quero beber! cantar asneiras
> No esto brutal das bebedeiras

não pode ser considerado de modo algum como uma continuação desse movimento soturno e lento. E a verdade me parece ser que *Carnaval* não passa de um parênteses na obra iniciada do poeta, ou talvez o primeiro passo de um novo movimento que só vai tomar corpo mais tarde. Seja como for, alguns anos depois, em *O ritmo dissoluto* voltamos a encontrar muitas das antigas notas de *A cinza das horas* – talvez até o mesmo tom constantemente grave, muitas vezes ainda cheio de tragédia.

Sem dúvida o poeta já fala agora em aceitar a vida, em gozá-la enquanto a dor não vem, em perder a tristeza porque não só a mocidade não dura como a vida acaba. Mas, é sempre cheio de melancolia e da saudade – da invencível tristeza de quem sabe e não consegue esquecer que "a beleza é triste" e:

> Que a vida passa! que a vida passa!
> E que a mocidade vai acabar.

Aliás, se já não faz declaradamente a apologia da dor, não hesita em confessar:

> Que só é verdadeiramente vivo o que já sofreu.

Inteiramente diferente, radicalmente oposto ao tom inicial e bem diverso desse último clima tão propício a fazer:

> Sorrir em meio dos pesares e chorar em meio das alegrias,

é o grito que irrompe em *Libertinagem*. Logo no primeiro poema do livro, como que resumindo toda a sua evolução anterior, o poeta declara:

> Eu já tomei tristeza, hoje tomo alegria.

e confessa pouco adiante:

> – Não quero mais saber do lirismo que não é libertação.

Libertação. As notas descontroladas de *Carnaval*, os tons isolados de *O ritmo dissoluto*, reaparecem agora num "alegro" constante e inequívoco. Em *Libertinagem* tudo fala num mesmo sentido e esse sentido, uma palavra o sintetiza: libertação. O poeta põe resolutamente de lado o sofrimento, decide ser feliz, livre, inconsequente. E anuncia aos que ainda se preocupam com as obrigações e responsabilidades da vida que existe um estranho reino onde tudo é fácil e a existência uma aventura "inconsequente" – o reino de Pasárgada, para onde ele vai partir abandonando a tristeza, o sofrimento e suas inúteis complicações.

Trata-se de um estranho país, de cujo rei ele é amigo, e onde há de tudo, pois:

> Em Pasárgada tem tudo
> É outra civilização
> Tem um processo seguro
> De impedir a concepção
> Tem telefone automático
> Tem alcaloide à vontade
> Tem prostitutas bonitas
> Para a gente namorar

Inútil portanto pensar em sofrer quando existe um país em que tudo é tão fácil e a vida pode se tornar tão amena e simples, desde que se esteja disposto a ser feliz e a aceitar sem mais o que vem ter a nós – um país privilegiado onde enfim o poeta pode dizer:

> Terei a mulher que eu quero
> Na cama que escolherei

Seguramente estamos aqui a uma grande distância do poeta que vimos enaltecendo as virtudes do sofrimento, do que dizia, é verdade que ainda quase de olhos fechados diante da vida:

> A vida é vã como a sombra que passa...

O parnasiano dos sonetos a Camões e a Antônio Nobre transformou-se inteiramente. O poeta é outro, novo para o mundo para onde se transportou.

Nele, forma e fundo mudaram por completo. E, se nem sempre o paralelismo foi rigoroso, ora um se adiantando, ora outro, em linhas gerais e nos momentos principais tudo se deu exatamente como se um não fosse senão o reflexo, a forma exterior do outro. Mas não nos deixemos abismar por problemas de relações entre forma e fundo que levam sempre muito longe e que nos deixariam a mil léguas do nosso assunto.

O poeta é outro. No entanto, quando se presta um pouco mais de atenção a certas reticências e a certos meios-tons de *Libertinagem*, e sobretudo quando se procura colocar umas ao lado das outras as diversas poesias publicadas posteriormente, logo as perguntas se amontoam: – De todos os antigos grilhões, nada restará? Libertou-se, sem dúvida, de muitos, mas a que porto chegou? Evoluiu muito, mas aonde se deixou levar? E terá se libertado realmente – o poeta terá mesmo perdido o "gosto" da tristeza e conseguido se manter dentro das ilusões de Pasárgada, a meu ver tão perigosas para a sustentação da investidura poética recebida?...

Fortuna crítica da poesia *Octavio de Faria*

Tentando continuar, procurando responder a essa série de perguntas que se impõem, sinto logo o terreno fugir diante de mim. Das novas direções que o poeta tomou ou parece estar tomando, como falar com segurança, se é apenas com a base de algumas poesias esparsas? O impreciso, o reticente e os meios-tons não só se recomendam como imperativos de honestidade crítica mínima, como é necessário mesmo partir da certeza de que é mais ou menos no vago e no provável que se está caminhando, os resultados seguros tomando agora a pálida forma das conjecturas mais ou menos felizes...

Algumas poesias apenas. O bastante no entanto para que se veja que o poeta já não é o mesmo de *Libertinagem*. Algumas poesias apenas – mas já se percebe perfeitamente que forma e fundo evoluíram (ainda que seja muito difícil dizer com precisão como e até que ponto mudaram). Transformações, novas inquietações no horizonte, abandonos de amarras, direções marcadas em sentidos diferentes dos anteriores – provas evidentes de que, com *Libertinagem* e seus pequenos hinos em surdina, o poeta não parou e não esqueceu a antiga angústia e o antigo perseguir de um ideal poético.

Tentando sintetizar toda essa nova orientação que julgo perceber nas poesias mais recentes de Manuel Bandeira, direi que vejo o poeta num caminho que, usando de uma forma esquemática, se pode chamar: o da busca da simplicidade absoluta – dessa simplicidade que os poetas do "prosaico" do nosso modernismo proclamaram como um dos ideais supremos do poeta, para quem já não convinha mais o clima do "sublime", dos sentimentos complexos e graves.

Dessa simplicidade espontânea (ou "verdadeira", como muitos preferirão chamá-la), não é possível negar que já não exista uma grande dose em *Libertinagem*. Mas o poeta então ainda se sente preso nos seus movimentos, ainda não ousa inteiramente renunciar à preocupação da forma. E a poesia do "cotidiano", em que se lançou em reação à poesia do sublime e do excepcional, abre caminhos, leva a consequências sobre que está como que baixada uma cortina que, naturalmente, não tenta levantar nesses momentos difíceis em que é preciso lutar contra o inimigo comum e assegurar a vitória da poesia nova sobre a antiga.

Passada a crise, reconhecidos mais ou menos oficialmente os direitos dos novos imperativos poéticos, assegurados os limites da nova zona conquistada, tenho a impressão de que o horizonte se perturbou um pouco na sua pureza e novas exigências vieram acordar o poeta, desvendar caminhos necessários ainda não explorados. Ou qualquer coisa de próximo a isso. Seja como for, o indiscutível é que o clima das novas poesias que temos diante dos olhos é bem diferente do antigo. O poeta recomeçou a caminhar e trouxe consigo para a estrada tudo ou quase tudo do que já parecia ser a sua mobília, a sua casa e o seu jardim.

O clima, seguramente, é outro. Sobretudo nessas poesias que o autor declara, logo no título, terem sido tiradas "de uma notícia de jornal", como que para indicar a redução ao mínimo da parte que se poderá chamar de "criada", ficando apenas com a poesia pura que o fato encerrava em si. Vê-se assim como a estética modernista começou a ser ultrapassada e vencida pela ideia de uma poesia mais independente de referências a ideais poéticos determinados (sejam eles de uma poesia do sublime ou de uma poesia do prosaico), ficando aberto diante de nós, o caminho de uma poesia em essência "pobre", despida de tudo, especialmente de regras estéticas...

Renunciando a qualquer complicação, seja de forma poética, seja de sentimentos, de "motivos poéticos", limitando-se a contar os fatos tal qual acontecem na sua poesia própria – tal qual, por exemplo, os jornais muitas vezes os resumem na sua linguagem crua, "nativa" ainda – o poeta parece ter chegado a um ideal de extrema simplicidade: o poema em que aparecem os fatos apenas, com a abstenção de qualquer preocupação de técnica poética. A poesia não reside em determinados sentimentos sublimes ou violentos de criaturas especiais (como afirmava o pensamento oficial) – mas também não está na singeleza de uma forma dada, escolhida de modo a não deturpar a espontaneidade com que a vida, em pianíssimo, vai atravessando os dias medíocres e tranquilos de homens, tão semelhantes uns aos outros que parecem todos iguais. A poesia reside, agora, apenas nos fatos narrados, num modo de ser todo particular dos sentimentos humanos e da distribuição das coisas pela superfície da terra. E o próprio poeta como que desaparece do cenário poético, pelo menos enquanto "natureza", enquanto criador. Ele é, apenas, aquele que escolhe, entre os fatos da vida cotidiana, os que contêm poesia...

Transformado, desse modo, por uma estranha redução do seu privilégio, num mero discernidor de onde se acha "poesia" na vida, como que expulso da gênese das suas obras (mesmo contra a vontade) pela espontaneidade poética de certos fatos da vida que vieram dispensá-lo da sua posição central de criação poética, (sua suprema tarefa no mundo, no entanto, creio eu...), que resta ao poeta? Que fica dele, esmagado debaixo de uma negação tão radical da sua função suprema? E a sua grande responsabilidade diante dos homens, como se acomoda ela com um ideal que equivale a proclamar: a poesia está nas coisas e não no poeta?...

Trazendo o problema para os termos da obra do poeta de que nos ocupamos, lembrarei que ao longo de toda ela é impossível deixar de ver um mesmo movimento constante que tende a impulsioná-la para longe e para fora daquilo que, muito sinceramente, não esconderei ser o que me parece mais essencial na qualificação de um poeta: a sua existência à parte e marcada para o sofrimento, a sua eleição entre todos os homens para uma missão particular a que não pode se furtar, nem pela fuga ao sofrimento, nem pela confusão com os outros homens.

É na simultaneidade que decorre da persistência dos seus dons de verdadeiro poeta e de um invencível movimento de renegação do que nele é mais profundo e mais forte, que vejo, do ângulo em que me coloco, o problema insolúvel ou o paradoxo da obra de Manuel Bandeira. É quando o poeta se nega e procura desaparecer, cedendo o lugar a recordações e historietas, anedotas e notícias de jornal, que se percebe verdadeiramente quanto ele é realmente e profundamente: um poeta. Não é no "bom caminho" de *A cinza das horas* que pode ser avaliado na sua verdadeira natureza e significação, mas nos momentos de negação de *Libertinagem* e de certos poemas recentes. E é quando está empenhado, ao que imagino, em provar que a espontaneidade poética de certos fatos é capaz de substituir a natureza criadora do poeta, que escreve, como que enganando todas as vigilâncias próprias, um poema como "Estrela da manhã", onde o poeta irrompe a todos os momentos e por todas as palavras numa felicidade e numa beleza que talvez ainda não tivesse conseguido antes em nenhuma outra de suas poesias...

Para o meu modo de ver as coisas, coloca-se portanto o problema de saber até que ponto Manuel Bandeira conseguirá manter isso que se pode chamar o paradoxo de sua obra. Problema evidentemente aberto, a que só o tempo poderá dar solução e que, aqui, só interessou formular para poder mais facilmente mostrar como o que na sua obra me parece efêmero ou condenável, provém, essencialmente, de uma divergência de pontos de vista básicos na consideração do poeta e da poesia. Fora do ângulo de que as vejo, é evidente que todas as barreiras e dúvidas colocadas perdem logo o seu sentido.

Aliás, é desse mesmo ângulo que se deve reconhecer que o poeta que renega por demonismo a sua natureza e o seu privilégio, e procura em vão se destruir enquanto criatura de exceção, não é em nada inferior ao poeta que se conforma com o seu destino e o sofre – se não nos resultados parciais, pelo menos na figura geral, na sua significação. Ao lado dos nossos melhores poetas a figura poética de Manuel Bandeira nos dá, qualquer que seja o ângulo de que se esteja vendo, um grande exemplo de "poesia", da altura a que a sinceridade e a espontaneidade poéticas podem elevar um homem.

In: *Homenagem a Manuel Bandeira*.
Rio de Janeiro: Tipografia do *Jornal do Commercio*, 1936.

Belo belo
SÉRGIO MILLIET

A cada vez que por dever de ofício sou obrigado a falar de certas obras especialmente queridas e que já comentei várias vezes, sinto-me constrangido. É uma espécie de pudor, ou melhor, receio de aborrecer leitores e autores com a necessária repetição do que já disse. Por isso deixei passar em branca nuvem o volume *Poesia até agora* de Carlos Drummond de Andrade e assim teria deixado igualmente o de Manuel Bandeira *Poesias completas* (Rio de Janeiro, Edições CEB, 1948), se não me tentasse dizer alguma coisa da última parte, inédita, a que o poeta deu o título de *Belo belo*.

Em *Lira dos cinquent'anos*, Manuel Bandeira deu-nos o espetáculo de uma inspiração admiravelmente livre, tão livre que ousava voltar ao soneto e ao verso metrificado e rimado, sem preconceitos modernistas, mas tampouco sem abandono de suas conquistas anteriores. Uma tranquila serenidade, um amadurecimento cheio de seiva, tudo isso que torna a poesia do quinquagenário tão densa e recatada, não impedia, entretanto, o jogo da invenção. Agora, nos poemas mais recentes, essas qualidades se confirmam e o fundo humano que revelam se faz mais transparente e atraente. Com a idade, a amargura de Manuel Bandeira esmaeceu, foi sumindo, descorando, o branco puro de sua bela alma docemente sentimental foi aparecendo, dominando. Do ponto de vista formal, a mesma liberdade de antes. Ora o preocupam os ritmos, ora a beleza mais plástica do verso medido, ora a melodia requintada, e de vez em quando a grande orquestração.

O poeta que acorda o dia ainda indeciso, bebe seu café, acende um cigarro e deita-se de novo

– Humildemente pensando na vida e nas mulheres que amei.

não é apenas um homem que *recorda* porque já não vive. Não é um ancião a ruminar prazeres idos, é um homem que *saboreia* a vida. Sua poesia de hoje, mais que a dos cinquenta anos, tem esse gosto consciencioso das coisas e das gentes. Sente-se no autor uma penetração muito segura e, principalmente, uma compreensão fraternal do mundo, não isenta de melancólica ironia, mas já sem revolta e em verdade de pura simpatia. De comunhão mesmo, daí o afastamento da dor pela participação no Cosmo, última etapa de um *ioguismo* para o qual aos poucos se vinha orientando:

> Mas para quê
> Tanto sofrimento,
> Se nos céus há o lento
> Deslizar da noite?
>
> Mas para quê
> Tanto sofrimento,
> Se lá fora o vento
> É um canto na noite?
>
> Mas para quê
> Tanto sofrimento,
> Se agora, ao relento,
> Cheira a flor da noite?
>
> Mas para quê
> Tanto sofrimento,
> Se o meu pensamento
> É livre na noite?

Ioguismo no sentido de misticismo. Mas afinal misticismo cristão, que a beleza suave da lenda de Jesus lhe inspira tão doce canção:

> Nasceu sobre as palhas
> O nosso menino.
> Mas a mãe sabia
> Que ele era divino.
>
> [...]
>
> Por nós ele aceita
> O humano destino:
> Louvemos a glória
> De Jesus menino.

A glória e o exemplo. O calmo exemplo não apenas de resignação, mas de descoberta de beleza e de razão de ser na superação. Comparo esse tom de Manuel Bandeira ao tom de Mário de Andrade em *Lira paulistana*. Não diferem muito, apesar dos temperamentos diversos. Em ambos essa mesma depuração, essa mesma nudez sem exibicionismo, essa mesma procura de uma forma de extremada simplicidade e vigor expressivo. Só que em Mário de Andrade ainda se observam certas impaciências, irritações, gestos de mau humor. E Bandeira é a própria cordura. Quando muito aquela melancólica ironia que não sabe ferir, que é inocente simplesmente, quase voluptuosa no se sentir bem com o prazer da invenção pela invenção:

> Beijo pouco, falo menos ainda.
> Mas invento palavras
> Que traduzem a ternura mais funda
> E mais cotidiana.
> Inventei, por exemplo, o verbo teadorar.
> Intransitivo:
> Teadoro, Teodora.

E depois essa invenção entre sorrisos e amuos é uma maneira de esconder a ternura:

> – Meu bem, minha ternura é um fato, mas não gosta de se mostrar:

No início de sua vida poética, Manuel Bandeira escrevia:

> Eu faço versos como quem chora
> [...]

> – Eu faço versos como quem morre.

Agora poderia escrever, já não digo "como quem canta", o que seria de um péssimo romantismo, mas "como quem fala", sem nenhuma afetação, com a total naturalidade de alguém que é milionário e não precisa sequer *fazer burradas* para que o saibam rico. Aquele *lirismo-libertação* foi encontrado. E lembro-me de repente de um poema da *Lira dos cinquent'anos*, "Mozart no céu".

Um paralelo natural entre o puro músico e o puro poeta explicaria essa lembrança, mas com ela me vem outra à memória, a de "Irene no céu" em *Libertinagem*:

> Imagino Irene entrando no céu:
> – Licença, meu branco!
> E São Pedro bonachão:
> – Entra, Irene. Você não precisa pedir licença.

Ambos os poemas exprimem bem essa inspiração à pureza, à inocência, à humildade que, assim como levam ao céu, conduzem à verdadeira poesia, a qual não é habilidade nem política, nem brilho raro de retórica, porém expressão e comunicação através da sensibilidade mais que da inteligência. Despojar-se dessa e impedi-la de desempenhar o papel da sensibilidade na criação é talvez o maior sacrifício que o poeta exige de si próprio, e o mais difícil de alcançar. Porque não se trata de exterminá-la, mas tão somente de afastá-la, de proibir-lhe o assalto ao poder, de mantê-la no seu lugar de crítica severa. Ela deve contribuir para a obra de arte, com seus conselhos e suas censuras. Mas depois, como conselheira, e não durante, como *fabricante*. A esse respeito, Mário de Andrade, em carta a Carlos Lacerda, publicada pela *Revista Acadêmica* do Rio, analisa lucidamente o papel do consciente e do subconsciente na criação poética e mostra a que ponto a colaboração é dolorosa. Manuel Bandeira chegou a essa perfeição de um trabalho de *equipe* profícuo. E o resultado aí está nesse volume de *Poesias completas*. Um volume só. Como Baudelaire. Como Rimbaud.

(1948)
In: *Diário crítico*. São Paulo: Dep. de Cultura, 1950, v. 6.

Introdução
GILDA E ANTONIO CANDIDO DE MELLO E SOUZA

I

Há vários modos de ler os poemas deste livro, que representa mais de meio século duma atividade sem declínio. Um dos modos, seria pensá-los com referência aos dois polos da Arte, isto é, o que adere estritamente ao real e o que procura subvertê-lo por meio de uma deformação voluntária. Ambos são legítimos, e tanto num quanto noutro Manuel Bandeira denota a maestria que faz aceitá-los como expressões válidas da sua personalidade literária. A mão que traça o caminho dos pequenos carvoeiros na poeira da tarde, ou registra as mudanças do pobre Misael pelos bairros do Rio, é a mesma que descreve as piruetas do cavalo branco de Mozart entrando no céu, ou evapora a carne das mulheres em flores e estrelas de um ambiente mágico, embora saturado das paixões da terra. É que entre os dois modos poéticos, ou os dois polos da criação, corre como unificador um Eu que se revela incessantemente quando mostra a vida e o mundo, fundindo os opostos como manifestações da sua integridade fundamental.

A nossa atenção é despertada inicialmente pela voz lírica deste Eu, que, ao construir os poemas, nos acompanha a cada passo, dando a cada verso o seu timbre e a sua vida. Ela é o produto de componentes que nunca poderemos enumerar, e de que apenas vislumbramos uma ou outra, segundo o ângulo em que nos situamos. Uma delas é, por exemplo, certo tipo de materialismo que o faz aderir à realidade terrena, limitada, dos seres e das coisas, sem precisar explicá-los para além da sua fronteira; mas denotando um tal fervor, que bane qualquer vulgaridade e chega, paradoxalmente, a criar uma espécie de transcendência, uma ressonância misteriosa que alarga o âmbito normal do poema. O enterro que passa ante os homens indiferentes, conduzindo a matéria "liberta para sempre da alma extinta" ("Momento num café"), tem uma gravidade religiosa frequente nesse poeta sem Deus, que sabe não obstante falar tão bem de Deus e das coisas sagradas, como entidades que povoam a imaginação e ajudam a dar nome ao incognoscível.

Esta posição, confirmada na maturidade do poeta, é um dos traços que unificam os antagonismos de método, há pouco referidos, e em nenhum outro terreno é tão fecunda quanto na visão todo-poderosa do amor. O seu lirismo amoroso engloba o jogo erótico mais direto e, simultaneamente, as fugas mais intelectualizadas da louvação. E o leitor percebe que a fervorosa transcendência nasce precisamente do fato de abordar a ternura do corpo com tão grande franqueza. Trata-se, como no caso de "Momento num café", de um avesso da atitude espiritualista, que ocorre inconscientemente mesmo nos que se julgam ateus e que, em tais matérias, escrevem sempre como se a vida física se justificasse por uma razão superior. O nosso poeta, ao contrário, recomenda à amada que esqueça a alma, porque ela "estraga o amor":

> Deixa o teu corpo entender-se com outro corpo.
>
> Porque os corpos se entendem, mas as almas não.
>
> ("Arte de amar")

E é graças a esta confiança na sabedoria do instinto que se forma o sentimento da transcendência, manifestada (sem jogo de palavras) como imanente aos gestos naturais. No poema "Unidade", que completa o anterior, a alma se revela como consequência de tais gestos, parecendo nascer deles. E o leitor, ao mesmo tempo que se vê mergulhado nos aspectos fenomênicos, sente-se arrebatado para as mais altas abstrações. Só Manuel Bandeira é capaz de descrever traços fisiológicos aparentemente os mais alheios à Poesia, como em "Água-forte", onde junta uma peça inesperada aos *"blasons du corps féminin"*. E o "pássaro espalmado" poderá ser, noutros contextos, estrela ou flor, com a mesma pertinência com que se abre aqui "num céu quase branco". Daí a terminologia e os hábitos mentais ligados ao espiritualismo caberem normalmente nesta visão – de um materialismo amplamente universal no seu desdobramento. Talvez isto se deva, em parte, ao fato de ela ancorar, de um lado, na matéria e na carne como realidade suficiente; mas, de outro, ter como segundo ponto de referência a destruição de ambas, isto é, a morte – demônio familiar desses versos em que entra a cada passo, como mediação e limite. Vida e morte se opõem para se unirem numa unidade dinâmica, por entre o céu e o inferno da existência de todo dia.

É ainda a adesão fervorosa à realidade material do mundo que parece explicar a espontânea naturalidade da sua poesia, que tem a simplicidade do requinte. O amor encarado a partir da experiência do corpo; o espetáculo do mundo visto pela descrição dos seus aspectos imediatos –, determinam uma familiaridade que o poeta manifesta em tons menores, quebrando a grandiloquência, remetendo o peso do drama para os bastidores. O amor e a morte são trazidos ao nível da experiência diária, colorindo-se de uma ternura cálida, dando força comunicativa a um verso que nem sempre é fácil, mas que tranquiliza o leitor pela humanidade fraterna com que organiza a desordem e o tumulto das paixões, conferindo-lhes uma generalidade que transcende a condição biográfica.

Está visto que isto só é possível graças às virtudes da forma, que, baseando-se na capacidade de síntese e, mesmo, de elipse, condensam a expressão e a reduzem ao essencial, domando o sentimentalismo que comprometia os primeiros livros e, às vezes, ronda os outros, ao modo de ameaça distante. E assim, Manuel Bandeira se torna o grande clássico da nossa poesia contemporânea.

Como os clássicos, possui a virtude de descrever diretamente os atos e os fatos sem os tornar prosaicos. O caráter acolhedor do seu verso importa em atrair o leitor para essa despojada comunhão lírica no cotidiano e, depois de adquirida a sua confiança, em arrastá-lo para o mundo das mensagens oníricas. Poucos poetas terão sabido, como ele, aproximar-se do leitor, fornecendo-lhe um acervo tão amplo de informes pessoais desataviados, que entretanto não parecem bisbilhotice, mas fatos poeticamente expressivos. O seu feitiço consiste, sob este ponto de vista, em legitimar a sua matéria –, que são as casas onde morou, o seu quarto, os seus pais, os seus avós, a sua ama, a conversa com os amigos, o café que prepara, os namorados na esquina, o infeliz que passa na rua, a convivência com a morte, o jogo ondulante do amor.

Pode ser que o segredo dessa poesia condensada e fraterna esteja na capacidade de redução ao essencial –, tanto no plano dos temas quanto no das palavras. Essenciais, são a emoção direta da carne e a espontaneidade da ternura, sob as elaborações do sentimento amoroso; é a descrição direta dos gestos na selva intrincada do cotidiano; é o encontro do termo saliente, único, na difusão geral do discurso. De tal maneira, que ao deixar o universo da experiência comum para correr os espaços irreais de Pasárgada, ou procurar a estrela da manhã nos quatro cantos da imaginação, transporta a secura formal, adquirida pela maneira despojada com que aprendeu a ver o mundo concreto; e põe o leitor à vontade nos espaços insólitos. Quando Vésper cai cheia de pudor na sua cama e os botões de rosa murcham ("A estrela e o anjo"), a naturalidade e a síntese expressiva com que o diz equivalem aos que usa para narrar a comovedora prosa noturna dos namorados ("Namorados").

Essa concentração em torno dos dados essenciais foi aprendida lentamente, a partir da atmosfera algo difusa dos primeiros livros, onde a imprecisão dissolvia as formas e os sentimentos na bruma do pós-simbolismo. Neles já se desenha, todavia, um golpe de vista certeiro, que descarna a exuberância das coisas vistas e sentidas, para isolar o traço expressivo. A busca da simplicidade quase popular, em *O ritmo dissoluto*, ajudaria este pendor, que domina a partir de *Libertinagem*, apurado e completado pela capacidade de pôr fora o acessório. O poeta que então se confirma não apenas discerne o nervo da realidade, mas sabe despi-lo dos adornos coloridos e melodiosos que, nos primeiros livros, dispersavam o impacto sobre o leitor. A essa altura, amadurece nele o que se poderia chamar de senso do momento poético –, o tato infalível para discernir o que há de poesia virtual na cena e no instante, bem como o poder de comunicar esta iluminação.

Na história da sua obra, nota-se a princípio um sentido algo convencional da cena expressiva ou da hora que foge, e que o poeta tenta prolongar, esfumando-a numa certa elegância impressionista. Mais tarde, aprendeu a superar essa atmosfera de cromo e confidência e a dissecar o elemento decisivo, para fazer (usemos uma expressão dele) poesia "desentranhada", no sentido em que o minerador lava o minério para isolar o metal fino. O poema extraído da notícia de jornal, o homem remexendo como um animal a lata de lixo à busca de comida, o toque de silêncio no enterro do major, o beco sobreposto à baía – são exemplos quase puros desse senso do momento poético, que aparece modulado na estrutura de outros poemas menos condensados.

De posse deste método, pôde aplicá-lo tanto na descrição da vida quanto na sua mais remota transposição simbólica. O resultado, em ambos os casos, é um universo cujos elementos têm expressividade máxima, porque indicam realidades poeticamente essenciais, dispostas numa estrutura convincente.

No plano das coisas vistas, esta maneira tende à natureza morta, isto é, à organização arbitrária de objetos tirados dos seus contextos naturais para formarem um contexto novo – como a fruta no quarto de hotel, entre o garfo e a faca ("Maçã"). O mesmo senso da palavra relevante, que se dispõe de modo expressivo a partir da mera denominação, aparece em poemas mais abstratos, como "Carta de brasão", e pode ir caminhando para analogias raras, como "Água-forte", até entrar no universo do sonho e da fantasia, como "Canção das duas Índias". E quando fala da sua experiência pessoal, o poeta recorre com frequência à mesma técnica, que permite, no plano psicológico, a organização dos atos e dos sentimentos numa estrutura de quadro, a partir de materiais cuja simplicidade aparente mal encobre a forte carga expressiva. Assim, pode criar, no domínio do ser, momentos poéticos "desentranhados" do fluxo neutro das aparências, como o traço linear do "Poema só para Jayme Ovalle", cuja insinuante poesia não se percebe de onde brota.

E assim é que o seu universo abrange o registro direto dos objetos e dos sentimentos e, também, a sua trituração simbólica, unidos na mesma familiaridade com que passa do verso livre às harmonias tradicionais, da métrica erudita à síncopa dos coloquialismos mais singelos.

Se procurarmos definir as leis obscuras deste universo, arriscaremos, como sempre em tais casos, ser "despachados de mãos vazias". Mas não custa fazer hipóteses; dizer, por exemplo, que uma das maneiras de entender a sua obra é encará-la como reorganização progressiva dos espaços poéticos, a partir de uma concepção tradicional, até chegar a uma concepção nova, segundo a qual os objetos perdem o caráter óbvio que tinham inicialmente. Este critério se justifica ante a evidente fixação do poeta com os espaços vividos e imaginados: o quarto, a sala, a casa, o jardim, a cidade, a rua; depois, os ambientes de sonho, as paragens remotas, as vastidões da fantasia. Mesmo a dimensão temporal da memória pode, nele, configurar-se espacialmente, como o quarto demolido que, na "Última canção do beco", fica "intacto, suspenso no ar".

Em *A cinza das horas* e *Carnaval*, e mesmo em grande parte de *O ritmo dissoluto*, os ambientes e as coisas correspondem mais ou menos ao que deles espera a sensibilidade média, alimentada de poesia tradicional. Em lugares adequados à tonalidade confidencial e plangente da moda crepuscular, o poeta confunde de certo modo as coisas com os sentimentos, unificando-os por um fluido intercomunicável que suprime as fronteiras e, ao mesmo tempo, descaracteriza os objetos. As influências modernistas do prosaísmo, do folclore e do nivelamento dos temas facultaram, a partir de *O ritmo dissoluto*, a maneira nova, que se define em *Libertinagem*, consistindo (do ângulo que nos interessa agora) em recaracterizar os objetos perdidos na fluidez crepuscular, definir os sentimentos por um contorno nítido e ordenar uns e outros em espaços inventados ou observados com arbítrio muito mais poderoso.

Esta evolução permitiu duas consequências aparentemente contraditórias: de um lado, a adesão mais firme ao real, reforçando a naturalidade ameaçada, pela deliquescência pós-simbolista; de outro lado, a criação de contextos insólitos, libérrimos, parecidos com os mundos imaginados, mas rigorosos, da arte moderna.

E assim veremos, na sua poesia madura, o cotidiano tratado com um relevo que sublinha a sua verdade simbólica e, inversamente, o mistério tratado com uma familiaridade minuciosa e objetiva que o aproxima da sensibilidade cotidiana –, porque o poeta conquistou a posição-chave que lhe permite compor o espaço poético de maneira a exprimir a realidade do mundo e as suas mais desvairadas projeções.

Estas notas são vagas e esquemáticas; no entanto, a obra que constitui este livro é precisa, diversa, renovada em cada poema. Convém, portanto, convidar o leitor para uma segunda etapa na compreensão da poesia de Manuel Bandeira. Menos para aplicar os princípios sugeridos acima, do que para mostrar como é amplo o hiato entre a visão abstrata do conjunto e a experiência concreta das diferentes partes.

Interessados em profundar, tomemos um poema do polo onírico, onde as obsessões são mais nítidas e o trabalho criador aparece nos seus automatismos fundamentais. A partir dele, ficarão talvez mais claros diversos ingredientes da obra de Manuel Bandeira, e alguns dos temas que, nela, vinculam a euforia material dos sentidos à obsessão constante da morte e da destruição. "Canção das duas Índias", elaborado em torno do desejo e do seu obstáculo, parece corresponder a este requisito. Não se trata de afirmar que o estro do poeta repousa apenas nestes temas; ao contrário do que pensam alguns críticos modernos, é impossível desvendar o núcleo motivador de toda uma obra, se é que ele existe; o que podemos é descobrir uma pluralidade de focos, dos quais ela irradia.

Ao efetuar esta tentativa, não se desejou fazer uma análise psicológica do poeta – problema que não interessa aqui. E se foram utilizados elementos da sua psicologia individual (por ele próprio indicados em escritos autobiográficos), foi apenas como motivos da sua personalidade literária, isto é, da voz que institui os poemas, neles traçando o contorno de um personagem. Tais motivos valem para o crítico na medida em que são componentes da estrutura do poema, e não na medida em que correspondem ao homem de carne e osso. Na análise abaixo, o elemento emocional manifestado no poema é tomado como matéria de artesanato –, pois a camada subterrânea, irracional e onírica, se organiza numa construção poeticamente lógica. Esta lógica da criação é que se procura estudar por meio de um exemplo representativo. Ele obrigará, conforme o bom método, a circular incessantemente entre a parte e o todo, a fim de que a função de cada traço seja iluminada visão global do poeta. Deste modo, o conhecimento adequado de um poema ajuda a compreender o sistema geral da obra.

II

A simples leitura da "Canção das duas Índias" basta para envolver o leitor num estranho sortilégio:

> Entre estas Índias de leste
> E as Índias ocidentais
> Meu Deus que distância enorme
> Quantos Oceanos Pacíficos
> Quantos bancos de corais
> Quantas frias latitudes!
> Ilhas que a tormenta arrasa
> Que os terremotos subvertem

Desoladas Marambaias
Sirtes sereias Medeias
Púbis a não poder mais
Altos como a estrela-d'alva
Longínquos como Oceanias
– Brancas, sobrenaturais –
Oh inacessíveis praias!...

Opondo-se a outros momentos mais conhecidos da obra de Manuel Bandeira, em que a linguagem propositadamente discursiva e a confissão quase direta criam, por um choque paradoxal, o clima poético, este parece à primeira vista dispensar um núcleo racional e cristalizar-se inteiramente à volta das imagens. Não estamos mais no universo lúcido e de escolha dirigida, na tranquila zona de luz em que o poeta, movendo-se com inigualável segurança, criou alguns dos mais altos poemas de nossa língua. Mas na zona de sombra, no universo onírico e sobretudo plástico, onde as imagens são descoordenadas e as associações inquietantes. É como se, abandonando a vigília, penetrássemos na franja noturna dos delírios e das alucinações do doente, quando os elementos do poema não são escolhidos com liberdade, mas impõem-se como inevitáveis. Aliás, o próprio Manuel Bandeira, analisando os seus processos criadores, tem-se referido mais de uma vez à constância com que, num certo período de sua vida, acontecia compor em transe, provocado quer pela febre, quer pelo cansaço ou pelo sonho. E é preciso não esquecer ainda a atração que sempre exerceram sobre o seu temperamento seco e racional, primeiro os *nonsenses* com que seu pai procurava amenizar-lhe a prostração de tuberculoso, mais tarde a exploração e valorização artística dos aspectos ilógicos do pensamento, que aprendeu provavelmente ao contato das teorias surrealistas de André Breton.

Aceitemos pois inicialmente que a "Canção das duas Índias" se assemelha a um sonho – ou melhor, a um pesadelo. Se assim for, cada imagem pode ter um significado autônomo, ser a cristalização de um desejo, de um anseio ou de uma derrota. E da ligação entre elas é possível que surja aquela constelação restrita de sinais com que o poeta – à maneira do inconsciente no sonho – tenta confusamente se revelar. Como esses sinais obsessivos, justamente por exprimirem o Eu profundo, explodem a cada momento, nus ou camuflados, acabando por contaminar toda a obra, talvez sejamos obrigados a abandonar o poema a cada passo para ir buscando no restante da obra certas conexões ou variantes de imagens – da mesma forma que, para analisarmos um sonho, não podemos deixar de relacionar os seus vários elementos com todo o conjunto da vida afetiva.

Mas antes de começarmos a análise, verifiquemos se não seria possível reduzir o poema a uma estrutura racional. De fato – existe um núcleo lógico escondido que, como uma espinha dorsal, sustenta a floração fantástica das imagens. É um núcleo tão simples e esquemático, que ao descobri-lo nos sentimos um pouco logrados, como se tivéssemos sido vítimas de uma artimanha maliciosa. A "Canção das duas Índias", deste prisma, é apenas uma asserção que poderíamos formular da seguinte maneira: "Entre as Índias de leste e as Índias ocidentais a distância é muito grande e as inúmeras dificuldades tornam o percurso intransponível".

De fato, nos três primeiros versos Manuel Bandeira faz apenas uma constatação:

Entre estas Índias de leste
E as Índias ocidentais
Meu Deus que distância enorme

do quarto ao 13º verso, limita-se a uma enumeração exaustiva e angustiada dos elementos que se interpõem entre os dois pontos geográficos: oceanos, bancos de corais, ilhas, tormentas, terremotos, Marambaias, sirtes, sereias, Medeias, púbis – elementos que ora parecem significar obstáculos e dificuldades, ora objetos fugidos e inatingíveis; e nos dois últimos versos conclui que o alvo desejado é mesmo inacessível:

Oh inacessíveis praias!...

Mas ignoremos este sentido lógico e aparente da poesia para atentarmos justamente ao desenrolar das imagens: organizando-se diante dos nossos olhos com poderosa força plástica, elas formam um amplo panorama marítimo. Esta "marinha" *sui generis*, contudo, não é uma transposição fiel da natureza, um quadro "realista"; não é ainda, uma realidade transfigurada pela emoção, um seu correlativo exterior – como são as paisagens de Van Gogh, por exemplo. A sua dramaticidade típica, o seu caráter insólito, derivam da invenção de um espaço irreal e arbitrário, onde se avizinham, colocados na mesma perspectiva, os objetos mais díspares: lugares geográficos, acidentes meteorológicos, seres da mitologia e partes do corpo feminino. O resultado final é a visão onírica já apontada, não muito rara em Manuel Bandeira e que, se aflora em vários de seus poemas, alcançando em alguns expressão muito pura, como n'"A Virgem Maria" e em "Noturno da Parada Amorim", atinge aqui a mais perfeita expressão plástica. Esta é a grande tela surrealista do poeta, a sua marinha à De Chirico ou, antes, à Max Ernst.

Sabemos que Manuel Bandeira é um auditivo e que talvez possua o ouvido mais afinado de toda a moderna poesia brasileira. Ouvido para a musicalidade de um ritmo ou de um verso, para a escolha exata da sonoridade de uma palavra, para a transposição no plano verbal de uma atmosfera que parecia tipicamente musical, como no poema "Debussy". Vindo da musicalidade obsessiva do Simbolismo, a sua evolução poética se processou no sentido do abandono gradativo do universo melódico por um novo espaço mais vizinho da música contemporânea, isto é, não mais fluido e sim anguloso e fragmentado, às vezes baseado no contraponto, jogando usualmente com as dissonâncias. Em *Itinerário de Pasárgada* expõe como utilizou um desses processos emprestados à música, quando, na "Evocação do Recife", abemolou a palavra *Capiberibe* para conseguir uma variante de meio-tom ("Capiberibe, Capibaribe"). E se percorrermos rapidamente os títulos dos seus poemas, observaremos a mesma mania musical: acalanto, canção (inúmeras), balada, cantiga, cantilena, comentário musical, desafio, improviso, madrigal, rondó, noturno, tema e variações, tema e voltas, berimbau, macumba etc.

No entanto, numa obra assim marcadamente musical, a "Canção das duas Índias" não é a pausa plástica, não representa a única transposição para a palavra dos processos característicos da pintura. Seria fácil descobrir noutros poemas uma série de reminiscências pictóricas, de que apenas algumas nos interessarão aqui. No retrato feminino de "Peregrinação", por exemplo, é de Picasso ou de Braque que imediatamente nos lembramos, vendo o poeta apreender a realidade exterior fracionada, duma pluralidade de ângulos:

> Quando olhada de face, era um abril.
> Quando olhada de lado, era um agosto.
> Duas mulheres numa: tinha o rosto
> Gordo de frente, magro de perfil.

É como se a nitidez cortante da percepção cubista satisfizesse àquela parte do seu temperamento que, oposta à face fantástica e ilógica, ansiava pela ordem e pela clareza visual. "Maçã", "Água-forte", "Carta de brasão" são poesias construídas segundo a mesma técnica de oposição marcante de cores ou de superfícies, de espaços plenos e espaços vazios alternando-se secamente, sem o recurso tradicional das "passagens":

> O preto no branco,
> O pente na pele:

ou

> Escudo vermelho nele uma Bandeira
> Quadrada de ouro
> E nele um leão rompente
> Azul, armado.

Mas é na "Balada das três mulheres do sabonete Araxá" que a transposição se torna mais sutil. Sabemos – ainda através do próprio testemunho de Manuel Bandeira – que esta poesia foi toda elaborada com a justaposição de versos inteiros ou pedaços de versos de poetas heterogêneos e de valor desigual como Bilac, Oscar Wilde, Castro Alves, Shakespeare e Luís Delfino... Os trechos escolhidos eram propositadamente cediços, aqueles que à força de serem repetidos e decorados haviam perdido a carga emotiva; enfim, tinham sido reduzidos a chavões ou frases feitas, a puros objetos, sem qualquer significação. Ora, escolhendo justamente essas frases degradadas e juntando-lhes o anúncio vulgar de um sabonete barato, para com estes elementos compor o espaço poético, Manuel Bandeira repetia no plano da palavra a experiência dos cubistas e surrealistas nas colagens (*papiers collés*). Erguia-as do entulho estético a que o gosto médio as havia reduzido para de novo insuflar-lhes o sopro da Poesia, da mesma forma que os pintores retiravam dentre os detritos da cesta de papel os pregos, rolhas, caixas de fósforos vazias, pedaços de barbante e de estopa com que iriam trabalhar a superfície da tela. Num caso como no outro, a emoção artística surgia dessa *promoção do objeto*, que, colocado num contexto novo, irradiava magicamente à sua volta um novo espaço artístico, onde ao fluente encadeamento lógico se substituía uma organização de choque. O brusco encontro de um prego com um pedaço roído de madeira e um fragmento de jornal era, no plano plástico o que era, na poesia, a combinação de versos gastos e desemparceirados, com trechos de prosa vulgar:

> A mais nua é doirada borboleta.
> Se a segunda casasse, eu ficava safado da vida, dava para beber e nunca
> [mais telefonava.
> Mas se a terceira morresse... Oh, então, nunca mais a minha vida outrora
> [teria sido um festim!

Mas voltando ao nosso poema, já vimos que o confronto inicial entre as Índias de leste e as Índias ocidentais é o eixo lógico da poesia; é possível, portanto, que também seja a metáfora que nos irá dar a sua chave. Se deixarmos a palavra nas suas duas variações ressoar em nossa imaginação, desencadeando as associações mais fáceis, veremos que ela nos evoca a infância, a lembrança dos primeiros conhecimentos de História, quando os descobridores, tendo-se posto ao mar em busca de novas terras e à procura de um paraíso sonhado (as Índias ocidentais), vieram, depois de vicissitudes (por engano ou por acaso), dar às costas de uma terra desconhecida (a América, as Índias de leste). A metáfora simboliza, portanto, uma frustração, o contraste existente entre aquilo que o poeta se propõe alcançar e aquilo que de fato acaba alcançando, a distância que vai da aspiração à realidade. Referindo-se às Índias, ele, na verdade, está aludindo de maneira metafórica e desesperada ao equívoco de sua vida, que em outros poemas é exposto, ora de maneira explícita e tranquila, como em "Testamento":

> Criou-me, desde eu menino,
> Para arquiteto meu pai.
> Foi-se-me um dia a saúde...
> Fiz-me arquiteto? Não pude!
> Sou poeta menor, perdoai!

ora através do humor negro de "Pneumotórax":

> Febre, hemoptise, dispneia e suores noturnos.
> A vida inteira que podia ter sido e que não foi.

O pungente sentimento de frustração é, aliás, um de seus temas obsessivos, podendo afetar as formas mais diversas e dar origem inclusive ao tema da evasão, de que "Vou-me embora pra Pasárgada" é o exemplo clássico. Neste mito poético – um dos mais populares de toda a moderna poesia brasileira – é comovente ver o poeta realizar, no mundo imaginário onde se refugiou de suas derrotas, justamente aquelas ações insignificantes que compõem a rotina de um menino sadio:[6]

> E como farei ginástica
> Andarei de bicicleta
> Montarei em burro brabo
> Subirei no pau de sebo
> Tomarei banhos de mar!

Mas essa sensação de felicidade conseguida através da fantasia é sempre provisória. A oposição entre uma natureza apaixonada que aspirava à plenitude, e o

---

6   A observação é de Sérgio Buarque de Holanda.

exílio em que a doença o obrigará a viver, marcarão profundamente a sua sensibilidade, traduzindo-se, no plano estrutural, pelo gosto das antíteses, dos paradoxos, dos contrastes violentos; no plano emocional, por um movimento polar, uma oscilação constante que, no decorrer da obra, vai alternar a atitude de serenidade melancólica e o sentimento de revolta impotente. Revolta e desespero que já vinham explodindo esporadicamente desde a mocidade e que em *O ritmo dissoluto* encontraram expressão patética em "Mar bravo":

> Mar que arremetes, mas que não cansas,
> Mar de blasfêmias e de vinganças,
> Como te invejo! Dentro em meu peito
> Eu trago um pântano insatisfeito
> De corrompidas desesperanças!...

Mas tomemos um exemplo que parece extremamente claro. Manuel Bandeira tem dois poemas com o mesmo nome: "Belo belo". O primeiro está na *Lira dos cinquent'anos*, o segundo na coletânea *Belo belo*. Ora, a identidade dos títulos esconde, numa intenção irônica, posições diametralmente opostas em face da mesma situação. No primeiro, fazendo seus os versinhos eufóricos da canção popular –

> Belo belo belo,
> Tenho tudo quanto quero.

proclama que, para ele, a felicidade não consiste em poder realizar as ações mais terrenas:

> Não quero amar,
> Não quero ser amado.
> Não quero combater,
> Não quero ser soldado,

nem reside nos momentos exaltados de exceção:

> Não quero o êxtase nem os tormentos.
> Não quero o que a terra só dá com trabalho.

mas sim na

> [...] delícia de poder sentir as coisas mais simples.

O segundo poema é, no entanto, o oposto simétrico do primeiro e substitui a atitude construída de sereno conformismo pelo seu avesso amargo e secreto:

> Belo belo minha bela
> Tenho tudo que não quero
> Não tenho nada que quero

Agora, o que confessa desejar intensamente não são as coisas com que a vida o brindou, acidentais e dispensáveis:

> Não quero óculos nem tosse
> Nem obrigação de voto

mas as coisas essenciais, que por isso mesmo estão, sem remédio, fora de seu alcance:

> Quero quero
> Quero a solidão dos píncaros
> A água da fonte escondida
> A rosa que floresceu
> Sobre a escarpa inacessível

Podíamos prosseguir nessa análise, mostrando que grande parte da obra de Manuel Bandeira se reduz a esse interminável contraponto. Mas o exemplo citado basta para afirmarmos que o movimento dialético expresso de maneira organizada e racional nos dois poemas chamados "Belo belo" é o mesmo que, na "Canção das duas Índias", está sintetizado de maneira breve e metafórica nos três primeiros versos. Em vez de queixar-se com lucidez o poeta passa a mover-se na atmosfera de presságios e adversidades, que encontra eco n"O lutador", por exemplo:

> Buscou no amor o bálsamo da vida,
> Não encontrou senão veneno e morte.
> Levantou no deserto a roca-forte
> Do egoísmo, e a roca em mar foi submergida!

Como neste poema, com que tanto se assemelha, tudo na "Canção das duas Índias" são obstáculos que se interpõem entre o poeta e o seu intento. E mesmo as ilhas, que surgem povoando a solidão tumultuosa das águas, longe de serem pousos provisórios onde as forças possam refazer-se antes de prosseguir caminho, são, como a distância, os oceanos, as frias latitudes, os bancos de corais, novas armadilhas do destino – terras incertas, prestes a submergir:

> Ilhas que a tormenta arrasa
> Que os terremotos subvertem

Ou, como as "desoladas Marambaias", são estranhas extensões de terra onde, como num falso continente, o náufrago poderá se demorar para sempre.

Aliás, a restinga de Marambaia evocada é um elemento muito importante, no qual nos devemos deter um momento. Surge pela primeira vez na "Oração do Saco de Mangaratiba", e para entendermos o símbolo em toda a sua significação, temos de nos reportar não só a este pequeno poema, como à sua gênese, tal como vem descrita em *Itinerário de Pasárgada* e na crônica "História de um poema", do livro *Flauta de papel*. Nestes dois trechos, Manuel Bandeira conta de que maneira, voltando certa vez de canoa de um sítio em Mangaratiba, encontrou um inesperado vento noroeste que, empurrando teimosamente a embarcação para longe de seu destino, quase deu com ele na restinga de Marambaia. O episódio impressionou-o vivamente, e assim que se viu em terra, ainda no subdelírio do cansaço, compôs um poema muito longo que posteriormente não soube reproduzir, dele restando apenas o resíduo que intitulou "Oração no Saco de Mangaratiba".

> Nossa Senhora me dê paciência
> Para estes mares para esta vida!
> Me dê paciência pra que eu não caia
> Pra que eu não pare nesta existência
> Tão mal cumprida tão mais comprida
> Do que a restinga de Marambaia!...

Ora, tanto aqui como na "Canção das duas Índias", a restinga –, limitada por uma língua de terra, ao modo de uma ilha curiosíssima, estreita e alongada – surge não só como símbolo da vida estéril mas, sobretudo, de terra a que se chega por engano e não por deliberação. É portanto um reforço do tema da frustração que, no início do poema, já fora expresso na metáfora das duas Índias.

Esta frustração, no entanto, não parece ser genérica –, de "a vida inteira que podia ter sido e que não foi"–, e a partir do décimo verso as imagens nos autorizam a pensar que o poeta está se referindo aos desencontros no amor, pois as imagens do 11º e do 12º versos encontram inúmeras ressonâncias em sua temática amorosa. Nesta, ocorrem dois símbolos que o perseguem de modo obsessivo: a *rosa* e a *estrela*. O primeiro, herança provável do romantismo, é, ora o corpo da mulher amada:

> Teu corpo é tudo o que cheira...
> Rosa... flor de laranjeira...

ora a virgindade:

> Não sei entre que astutos dedos
> Deixei a rosa da inocência.

> O que me darás, donzela,
> Por preço de meu amor?
> – Minha rosa e minha vida...

ora o próprio sexo:

> Em meio do pente,
> A concha bivalve
> Num mar de escarlata.
> Concha, rosa ou tâmara?

Talvez queira designar, com a palavra *rosa*, o aspecto mais acessível do amor, pois com exceção do "Soneto italiano", onde se refere à "rosa mais alta do mais alto galho", ela está na maioria das vezes mais ao alcance da mão –

> Tão pura e modesta,
> Tão perto do chão,

do que a estrela, que, do céu onde se encontra, envia ao poeta apenas o reflexo de seu brilho:

> Vi uma estrela tão alta,
> Vi uma estrela tão fria!
> Vi uma estrela luzindo
> Na minha vida vazia.

A *estrela*, ao contrário, parece na maioria das vezes representar o ângulo atormentado do amor, e a fugidia estrela da manhã, em cuja busca o poeta invoca o auxílio dos amigos e dos inimigos, assume deste modo um valor de paradigma:

> Eu quero a estrela da manhã
> Onde está a estrela da manhã?
> Meus amigos meus inimigos
> Procurem a estrela da manhã

Assim a estrela também simboliza o amor, e no poema "Belo belo" (da *Lira dos cinquent'anos*) é do seu exemplo que lança mão quando deseja exprimir a hierarquia entre os vários amores que teve: uns profundos, que permanecem intactos em sua lembrança, apesar do correr dos anos, e continuam a iluminar-lhe a existência da mesma forma que as constelações há muito extintas continuam a brilhar no firmamento; outros breves e de passagem, que atravessaram a sua vida com a rapidez das estrelas cadentes riscando o céu:

> Tenho o fogo de constelações extintas há milênios.
> E o risco brevíssimo – que foi? passou! de tantas estrelas cadentes.

Existindo autônomos e exprimindo talvez aspectos diversos, mas complementares do amor, os dois termos podem, entretanto, surgir no *mesmo* contexto:

> Quero a solidão dos píncaros
> A água da fonte escondida
> A rosa que floresceu
> Sobre a escarpa inacessível
> A luz da primeira estrela
> Piscando no lusco-fusco

Neste caso particular, a conjugação rosa-estrela (rosa inacessível, estrela distante), a que se vem juntar o reforço "água da fonte escondida" e "solidão dos píncaros", é utilizada para traduzir os múltiplos aspectos do desejo insatisfeito. Mas numa outra poesia, "Sob o céu todo estrelado", a aproximação das duas palavras seguidas de seus atributos característicos – estrela distante e rosa ao alcance da mão – equivale a um esforço de harmonia, a um equilíbrio de contrários, e a impressão provocada no leitor não é mais de derrota e sim de calma e doçura:

> As *estrelas*, no céu muito límpido, brilhavam, divinamente *distantes*.
> Vinha da caniçada o aroma amolecente dos jasmins.
> E havia também, num canteiro *perto*, *rosas* que cheiravam a jambo.

Poder-se-ia objetar que aqui não estamos diante de uma poesia amorosa, mas de uma poesia puramente descritiva, na linha das de Ribeiro Couto, por exemplo. Mas em outro momento de nítida feição amorosa, "A estrela e o anjo", a conexão "rosa-estrela" (neste caso na variante Vésper) não deixa mais dúvidas quanto ao seu significado profundo e simboliza a plenitude carnal, numa das mais belas metáforas do êxtase amoroso:

Vésper caiu cheia de pudor na minha cama
Vésper em cuja ardência não havia a menor parcela de sensualidade

Enquanto eu gritava o seu nome três vezes
Dois grandes botões de rosa murcharam

E o meu anjo da guarda quedou-se de mãos postas no desejo insatisfeito de Deus.

Em "Canção das duas Índias", ao contrário, a conexão "rosa-estrela" aparece na variante mais crua "púbis – estrela-d'alva" e, como já dissemos, numa atmosfera de pesadelo. Os símbolos que a acompanham são também de uma precisão crescente e de uma crueldade progressiva:

Púbis a não poder mais
Altos como a estrela-d'alva
Longínquos como Oceanias
– Brancas, sobrenaturais –
Oh inacessíveis praias!...

Aliás, a impressão de delírio encontra-se sublinhada pelo próprio ritmo da poesia que, construída em setissílabos, se abre num balanceado de onda, para alcançar largueza e amplidão nas repetições iniciais do quarto, quinto e sexto versos. Daí em diante penetramos no clima alucinatório, quando as palavras se tornam ásperas, as imagens se atropelam aparentemente sem ligação umas com as outras e o nosso olhar as segue à flor da água, num voo rasante de câmara fotográfica:

Sirtes sereias Medeias

Quase as ouvimos estalar, secas e rápidas como relâmpagos, invocando-nos com o apelo encantatório das vogais. Mas logo o ritmo novamente se alarga e o nosso olhar sobe primeiro ao céu para, depois, descer até o horizonte distante, onde se perde no cansaço e na desistência:

Oh inacessíveis praias!...

Paris, setembro de 1965.

In: BANDEIRA, Manuel. *Estrela da vida inteira*.
Rio de Janeiro: José Olympio, 1966.

Poeta contemporâneo
WILSON MARTINS

Pode-se ler, através do último livro de Manuel Bandeira (*Estrela da vida inteira*), que circula juntamente com *Andorinha, andorinha*, seleta de textos em prosa pela primeira vez reunidos em volume e com a biografia poética de Stefan Baciu, *Manuel Bandeira de corpo inteiro* (todos na editora José Olympio, 1966) toda a história da poesia brasileira nos últimos sessenta anos. Ele será, sem dúvida, "o grande clássico da nossa poesia contemporânea", como desejam, na admirável introdução, Gilda e Antonio Candido de Mello e Souza – mas o seu classicismo é feito contraditoriamente dos diversos estados transitórios que se sucedem. Ele se faz, por um lado, com a permanência do seu fundo romântico de inspiração, com a observação realista e a experimentação técnica, isto é, em perspectivas de *natureza*, o contrário mesmo do Classicismo. Por outro lado, e estabelecendo a antítese direta com o sentido em que a palavra foi empregada, tal classicismo é também feito de uma sucessão ininterrupta de passagens; é feito de instabilidades e flexibilidade formal, de adesão ao transitório e às linhas de força de cada momento, ou seja, mais uma vez, o contrário do Classicismo.

Onde estaria, pois, o inegável *classicismo* de Manuel Bandeira? Creio já ter observado que ele é o "consolidador" das diversas revoluções ou escolas literárias, grandes e pequenas, que se sucederam desde 1906 (data de publicação dos seus primeiros versos). Consolidador, não no sentido de que as estabelece solidamente e definitivamente na literatura brasileira, mas, ao contrário, porque soube extrair de cada uma o elemento de permanência que possuía – e que se encontrava dissolvido ou emaranhado na confusão das suas táticas de combate ou nos erros inevitáveis da sua falta de perspectiva. Assim, em 1917, quando já se preparava subterraneamente o modernismo, ele ainda se inscrevia entre os "impressionistas" com os quais se desfaziam todas as nossas malogradas veleidades simbolistas: mesmo n'*O ritmo dissoluto* (que é um pouco a reação contra o automatismo parnasiano em que a poesia brasileira por aquela altura se petrificara), um poema como "Bélgica" serviria para assinalar o tipo de anacronismo a que me refiro (anacronismo, bem-entendido, com relação às vanguardas do momento, não como forma de inspiração em si mesma). Em 1924, o volume de *Poesias* marcava a sua adesão ao modernismo quando o movimento já começava a se diferenciar ou, em todo caso, quando já não era mais uma barricada da literatura. Claro, a passagem do "impressionismo" para o "modernismo" era mais fácil e natural do que a passagem do parnasianismo para as concepções revolucionárias – e era, mesmo, a única passagem possível. Em 1949, a "Nova poética" parecia levá-lo para a "poesia comprometida" tão em moda, assim como nos anos 50 ele não rejeitou a experiência concretista, depois repudiada.

Vê-se que o classicismo de Bandeira nada tem de acadêmico e, por isso mesmo, mais uma vez, seria pouco "clássico"; mas, na verdade, aqui se encontra dissimulado o elemento sutil que nos fornece a chave do enigma. É que o seu academismo se traduziu não por um "código" literário, fixado por antecipação e de uma vez por todas, mas pela "academização" sucessiva das poéticas que se substituíam e afrontavam; e, para melhor marcar quase materialmente essa contraditória e sincera simpatia pelo novo e pelo eterno, ele sempre conservou nos seus livros de cada "fase" numerosos poemas da "fase" anterior. Assim, em geral, os últimos poemas de cada volume anunciam e prenunciam os primeiros do volume seguinte, ou seja, de uma nova "poética"; contudo, localizam-se estrategicamente, na parte central de cada coletânea, os versos característicos do momento anterior.

Ainda por esse lado, os seus livros propõem uma imagem da poesia brasileira em sessenta anos, insistindo delicadamente no que a sua evolução teve de coerente e harmônico mais do que nos aspectos fragmentários e truncados das suas "revoluções" periódicas. Bandeira tem sido, assim, o "clássico de cada momento", o que lhe permitiu ser o clássico da poesia contemporânea sem deixar de ser, em todos eles, um poeta de vanguarda. Ele rejeitou sistematicamente os lugares-comuns da poesia de combate, mas aceitou o grande lugar-comum da poesia brasileira, quero dizer, da forma brasileira de escrever e sentir poesia.

Acresce que a sua aguda curiosidade técnica agiu criadoramente em dois sentidos opostos: por um lado, abriu-o para todas as experiências (ele confessa, em algum lugar, que sempre gostou de "trabalhar" as formas poéticas, em particular as estruturas fixas); por outro lado, jamais perdeu de vista que a poesia é uma *forma* (ao contrário de tantos modernistas, para os quais a "reação contra o parnasianismo" foi interpretada e vivida como licença absoluta para o poema desossado). Assim se explica que a primeira crítica expressa contra a mecanização poética proposta pelos parnasianos de segunda decocção tenha vindo em 1918, com o famoso poema de "Os sapos"; mas, não esqueçamos que o "sapo-cururu" nada tem ainda de modernista e remeteria antes ao passado dos últimos simbolistas do que ao futuro dos primeiros "desvairistas". Da mesma forma, o penúltimo poema de *O ritmo dissoluto* ("Berimbau") propõe a "poesia modernista" que viria com *Libertinagem* ("Não sei dançar" ou "Poética"). Ora, *O ritmo dissoluto* é de 1924 e *Libertinagem*, o primeiro livro realmente "modernista" de Bandeira, é de 1930. Exemplos semelhantes podem se multiplicar ao longo de toda a sua carreira e permitem-nos perceber o que as simplificações cômodas dos juízos críticos e as exterioridades da cronologia vinham até agora confundindo: é que Manuel Bandeira que, por muitos aspectos, sempre foi (quero dizer, foi em cada momento) o "maior poeta brasileiro contemporâneo", jamais esteve, na verdade, no centro das revoluções literárias, nem mesmo nas suas linhas de força predominantes. Ele sempre foi um poeta "paralelo" e, em termos de pura apreciação estética, eliminando tanto quanto possível do nosso espírito as considerações, mesmo inconscientes, de história literária, pode-se pensar que uma das suas singularidades foi a condição necessária da outra: ele pôde ser sucessivamente "o maior poeta brasileiro contemporâneo" na medida mesmo em que não era o "poeta mais típico" ou mais representativo de cada momento.

Da mesma forma, a noção de "contemporâneo" é, nele, extremamente elástica: nenhum outro poeta de 1906 pode pretender à condição de poeta "contemporâneo" em 1966. Além disso, a forma polêmica que em geral toma, nos espíritos apaixonados, a história literária – e, em particular, a história que se faz aos nossos olhos – tem impedido a verificação de outras pequenas verdades elementares. Uma delas, e apenas a título exemplificativo, é que o poeta de "Berimbau" não estava, afinal de contas, muito longe de Coelho Neto no que se refere ao nacionalismo linguístico ou aos jogos de sonoridades:

> Os aguapés dos aguaçais
> Nos igapós dos Japurás
> Bolem, bolem, bolem.
> Chama o saci: – Si si si si!
> – Ui ui ui ui ui! uiva a iara
> Nos aguaçais dos igapós
> Dos Japurás e dos Purus.

É preciso lembrar que Coelho Neto está no centro de um expressionismo linguístico que iria frutificar e sistematizar-se com o modernismo, precisamente; e, em perspectivas mais modestas de vida literária e artística, foi Coelho Neto quem apresentou Villa-Lobos num dos seus primeiros concertos no Rio de Janeiro. A ideia de ver em Coelho Neto não um dos precursores, mas um dos elos necessários da evolução que conduziria ao modernismo, tem do que escandalizar mais de um espírito convencional; ela será, contudo, menos surpreendente do que poderia parecer à primeira vista e mais rica de sentido do que permitiriam supor os maniqueísmos dos historiadores literários.

Libertinagem conteria, afinal, a primeira poética positivamente modernista de Manuel Bandeira, assim como "Os sapos" tinham sido a sua poética antiparnasiana. É preciso acentuar com toda a força que uma coisa não implica necessariamente a outra, quando se trata de um espírito singular como o de Manuel Bandeira: em Mário de Andrade e, melhor ainda, nesse incoercível simplificador que foi Oswald de Andrade (e, atrás dele, todos os outros), o "poeta futurista" era, por definição, antiparnasiano; em Bandeira, pelo menos no Bandeira de 1918, era possível ser antiparnasiano sem ser modernista, era possível ser antiparnasiano para permanecer nas sugestões musicais e no impressionismo fim de século. A arte "bandeiriana" de lançar pontes espirituais sobre as idades literárias, ignorando os antagonismos efêmeros das escolas e das modas, aparece de forma nítida na "recuperação do passado" que é a famosa "Evocação do Recife" (1925). "A vida não me chegava pelos jornais nem pelos livros", escreve ele:

> Vinha da boca do povo na língua errada do povo
> Língua certa do povo
> Porque ele é que fala gostoso o português do Brasil

Embora não se tenha a data de composição de "Poética", há motivos para pensar que a "Evocação do Recife" é anterior: assim, Manuel Bandeira sistematizaria na teoria do "lirismo libertação" o que já havia praticado como "poeta modernista". Isso, porém, não é o mais importante: o mais importante é que esse trecho da "Evocação" contradiz implicitamente toda a sua obra anterior – e, o que é curioso, uma boa parte da obra posterior. Com efeito, logo depois da "Poética" lemos "Chambre vide" ou "Bonheur lyrique", poemas de 1922 que são como que a sobrevivência de *A cinza das horas*; de resto, no momento mesmo em que publica *Libertinagem*, Manuel Bandeira, sensível, mais uma vez, ao que há de permanente no transitório, já se preparava para a *Estrela da manhã*, isto é, para a superação do modernismo escolástico a que aderiu passageiramente entre 1924 e 1930. Nesse particular, seria preciso estudar o sentido que têm as várias edições coletivas dos seus poemas: assim, a de 1924 encerraria a fase impressionista ou pós-simbolista, a de 1943 marcaria a entrada na "poesia comprometida", e assim por diante – com a condição de conservarmos no espírito que a criação poética é nele um processo fluido, mais que a forma de aceitação de fórmulas abstratas.

O último poema de *Estrela da tarde* é a extraordinária "Antologia" que reúne os seus versos mais "bandeirianos":

> A vida
> Não vale a pena e a dor de ser vivida.
> Os corpos se entendem mas as almas não.
> A única coisa a fazer é tocar um tango argentino.

etc. etc. Esse é o seu "testamento poético", o que nos ensina a ler toda a sua obra. Nele reencontramos, como é natural, os seus temas prediletos, o amor e a morte; mas o que importa é que poucos poetas poderiam escrever um novo poema com os versos esparsos de toda uma obra de sessenta anos. Essa unidade reflete-se ainda uma vez no título, que tudo indica definitivo, *Estrela da vida inteira*; e é melhor expresso pela quadra em que o poeta a resume e interpreta:

> Estrela da vida inteira
> Da vida que poderia
> Ter sido e não foi. Poesia
> Minha vida verdadeira.

As interpretações parciais permitiriam identificar de outra maneira a "estrela da manhã" ou a "estrela da tarde": assim como as escolas literárias que se sucedem, do simbolismo deliquescente ao concretismo agressivo, as mulheres amadas foram episódios em que o transitório e o permanente se conjugavam – mas de que o poeta conservou apenas o que não se extingue:

> Quero descansar
> Humildemente pensando na vida e nas mulheres que amei...

Em perspectivas de eternidade, porém, as mulheres que passam são um pouco como as escolas literárias que se sucedem: provocação para o exercício poético que sabe ver, para além das escolas e das mulheres, a poesia e o amor. A terceira dimensão, nesse quadro de fundos surrealistas (refiro-me à sensação de mistério que já se encontra no segundo plano das pinturas de Da Vinci, por exemplo), é proposta pelo sentimento da morte que, paradoxalmente, não é, em Manuel Bandeira, a sensação do que passa, mas a sensação do que fica. "Tísico profissional", a morte não foi para ele o acidente anormal e inesperado da vida, mas a maneira mesmo pela qual a vida se desenvolve; por isso,

> Quando a Indesejada das gentes chegar
> [...]
> Encontrará lavrado o campo, a casa limpa,
> A mesa posta,
> Com cada coisa em seu lugar.

Assim, retrospectivamente, a vida do poeta lhe aparece como uma forma, a forma que se veio constituindo através dos anos, numa obra poética que aceitou as revoluções formais para melhor e mais profundamente ignorá-las. Isso, afinal, é o que se chama Classicismo, ou é isso o resultado supremo a que todo Classicismo aspira. Manuel Bandeira ou a futilidade das escolas literárias.

5 de novembro de 1966
In: *Pontos de vista*: 1966-1967. São Paulo: T.A. Queiroz, 1994.

Manuel Bandeira
JOSÉ GUILHERME MERQUIOR

A obra poética de Mário de Andrade foi a primeira programaticamente modernista, e amadurecida como tal. A posição de Manuel Bandeira (1886-1968) é diferente. Seu inconformismo com os cânones parnasianos fez dele, por volta de 1920, o "São João Batista do modernismo", o profeta da revolução literária, sem, não obstante, ser o seu messias. "Todos nós catecúmenos/ Bebemos no teu Canto", dirá, quarenta anos depois, o surrealista Murilo Mendes. Seu poema "Os sapos", fina sátira antiparnasiana declamada na Semana de 22 entre vaias e apupos, era um grito de guerra dos "novos". No entanto, em mais de um aspecto, Bandeira seria mais companheiro de viagem da vanguarda do que militante: mais moderno, afinal, que modernista. Nascido no Recife de velha estirpe pernambucana, educado, no Rio *Belle Époque*, no colégio Pedro II, então no seu fastígio intelectual, o poeta foi, nas suas próprias palavras, um "tísico profissional". A tuberculose não o impediu de atingir a casa dos oitenta; mas lhe barrou, quando nada por condená-lo ao nomadismo em busca de climas secos, a vida ativa. Arquiteto e músico *manqué*, só conseguiu exercer seu primeiro emprego, de inspetor escolar, quando já em plena meia-idade. Ensinou por algum tempo literaturas hispano-americanas, e assinou colunas de crítica de música e artes plásticas. Devem-se a ele, além de uma dúzia de coletâneas poéticas, a melhor história sintética da poesia brasileira (*Apresentação da poesia brasileira*, 1946), várias criteriosas antologias e inúmeras excelentes traduções de poesia, inclusive de Schiller, Heine, Lenau e Rilke.

Um ano antes do fatal verão de 1914, Bandeira se internou no sanatório suíço de Clavadel, onde conviveu com Paul Eluard. O futuro surrealista revelou ao jovem brasileiro, já conhecedor de Apollinaire, outros nomes, maiores e menores, da poesia nova (Claudel, Vildrac, Fontainas). O estalar do conflito europeu o traz de volta ao Rio, onde residiria (com intervalos serranos em Petrópolis e Teresópolis) por meio século. Em 1921, conhece pessoalmente Mário de Andrade com quem já se correspondia. 1922 converterá Bandeira em líder tácito do modernismo carioca, espécie de irmão mais velho de um brilhante grupo de poetas (Jayme Ovalle, Dante Milano e Prudente de Morais Neto) e prosadores (Rodrigo M. F. de Andrade e Sérgio Buarque de Holanda). O estrepitoso futurismo proclamado no Rio, em 24, pelo acadêmico dissidente Graça Aranha (1868-1931) o movimento "dinamista", secundado pelo poeta Ronald de Carvalho (1893-1935) – não conseguirá deslocar a hegemonia vanguardista de Bandeira e seus amigos. Estes constituirão, ao longo dos anos 20, uma "sucursal" moderada do vanguardismo paulista, porém tão afastada das inflexões ideológicas direitistas deste último (o grupo de Menotti del Picchia e Plínio Salgado, reunido nas revistas *Verdamarelo*, 1925 e *Anta*, 1927) quanto do *renouveau* espiritualista com base no Rio (o grupo da revista *Festa*). Em 1940, o ingresso de Bandeira na Academia Brasileira de Letras assinalaria a normalização das relações do modernismo com o *establishment* literário.

Em seu primeiro livro, *A cinza das horas* (1917), Bandeira coligiu por assim dizer a sua fase picassianamente azul: numa atmosfera dominada pelo neorromantismo simbolista, próxima da melancolia do português Antônio Nobre, uma plangente musicalidade intimista, entretecida de imagens lânguidas e fúnebres. No entanto, no penumbrismo bandeiriano – ao contrário, por exemplo, do que sucede no de seu amigo Ribeiro Couto (1898-1963) já se insinuava um elemento humorístico e autoirônico: ao lado do modelo Maeterlinck, deixa-se entrever a sombra de Laforgue, num presságio de que será mais tarde um dos mais sutis empregos do humor de todo o modernismo brasileiro. Em *Carnaval* (1919), livro cuja recepção foi uma das etapas preparatórias da rebelião poética modernista, a paisagem pseudossaturnal, povoada por arlequins, pierrôs e colombinas, projeta uma vontade de superação orgiástica do dolorismo anterior. O elemento humorístico se acentua, o sentimentalismo à Antônio Nobre cede o passo ao realismo satírico de Cesário Verde, outro poeta português tardo-oitocentista da devoção de Bandeira. Mas no "carnaval sem nenhuma alegria" de Bandeira, o gozo buscado como narcótico mal disfarçava uma amargura fundamental. Os poemas estão cheios de arlequins, porém absolutamente não partilham daquele impulso "arlequinal" com que Mário de Andrade batizaria o ânimo eufórico dos modernos.

Já vimos como Sérgio Buarque de Holanda caracterizou a poesia de inspiração genuinamente moderna contrastando o espírito de Rimbaud com o de Laforgue. *Carnaval* fora o comentário poético da tentativa de um laforguiano de se fazer dionisíaco. É que em Bandeira a nostalgia – a consciência da felicidade longínqua – é uma verdadeira estrutura psíquica, transportada dos seus começos decadentistas para a sua modernidade pessoal. Talvez nenhum outro poeta brasileiro possua em grau tão elevado a subjetividade romântica no sentido novalisiano (Novalis: "tudo é romântico, desde que transportado para longe"). Impossibilitado de gozar normalmente o corpo e a vida pela sua longa moléstia "romântica", Bandeira sempre cantou os prazeres mais simples como quimera fugidia; e sempre viveu a renúncia e o recolhimento como dolorosos estados naturais. Por isso, sua poesia mais típica brota do *pathos* da solidão como angústia originária cujo efeito – eminentemente teuto-romântico – é, nas palavras de Sérgio Buarque, a "transfiguração dos acidentes do mundo visível nas imagens da vida íntima e pessoal", e, pela mesma razão, seus assomos hedonistas e *libertinos* se veem banhados da mais pungente intensidade. O pulso da lírica bandeiriana oscila sistematicamente entre a aceitação da perda e o acicate do desejo, a resignação à dor e a imaginação do prazer. Como dirá o poeta num dos seus versos da maturidade:

– Quero a delícia de poder sentir as coisas mais simples.

Dadas essas constantes, era inevitável que a efetiva ultrapassagem do seu sentimentalismo crepuscular inicial tomasse uma forma bem diversa do dionisismo de fachada de *Carnaval*; e o certo é que seu terceiro livro – o primeiro "moderno" – *O ritmo dissoluto* (1924) representou, do ponto de vista psicológico, um retorno ao patetismo d'*A cinza das horas*. Mas agora o verso livre investe, de maneira inequivocamente moderna, a matéria prosaica do cotidiano, enquanto o ritmo – nesse poeta tão à vontade no melodismo tradicional – se nega deliberadamente ao embalo encantatório, esposando a anfractuosidade da linha modernista. "... só é verdadeiramente vivo o que já sofreu": essa moral de "Gesso", uma das peças mais bem-realizadas do livro, encerra também a sua justificativa estilística. Emoção contida, expressão lacônica, que só farão ressaltar velhos motivos bandeirianos, como o tema da grande noite balsâmica – da noite à Novalis, que o poeta vislumbra nos contextos menos "poéticos" *a priori*. A partir de então, esse estilo duro e depurado vai tomar duas direções: a "adesão do real", i. e., a poetização sem idealização da vida real, e a "criação de contextos insólitos", de cenas oníricas, ambos esses caminhos simbolizando aquela já mencionada busca de gratificação efetiva e sensual.

Libertinagem (1930) inaugura o apogeu expressivo de Bandeira pela plenitude do coloquial-prosaísmo. A "Evocação do Recife", pequeno mural da infância do poeta, é uma das maiores elegias do regionalismo modernista. O mesmo sentimento elegíaco atingirá sua mais despojada transparência no estribilho em verso livre de "Profundamente". Outros poemas curtos são perfeitas vinhetas lírico-irônicas. O verso livre já não é bem um "ritmo dissoluto" – é antes uma sábia melodia interior, tanto mais tocante quanto mais singela:

Assim eu quereria o meu último poema

Que fosse terno dizendo as coisas mais simples e menos
[intencionais
Que fosse ardente como um soluço sem lágrimas
Que tivesse a beleza das flores quase sem perfume
A pureza da chama em que se consomem os diamantes
[mais límpidos
A paixão dos suicidas que se matam sem explicação.

O ideal ético-estético simbolizado em "O cacto" – o paradigma de uma beleza "áspera, intratável" – terá sido, no máximo, uma ascese instrumental, não um resultado artístico. O resultado seria sempre um melodismo de suavidade quase "liederística", fazendo de Bandeira um dos melhores ouvidos do verso em português. E porque o verso moderno já lhe serve de conquista, em vez de programa, Bandeira pode voltar ocasionalmente, com serena convicção, à estrofe regular da cantiga. Em "Poema de finados", o octossílabo emoldura uma virtude caracteristicamente bandeiriana: a sua consumada arte da *repetição*:

Amanhã que é dia dos mortos
Vai ao cemitério. Vai
E procura entre as sepulturas
A sepultura de meu pai.

Libertinagem hospeda ainda o emblemático "Pasárgada":

> Vou-me embora pra Pasárgada
> Lá sou amigo do rei
> Lá tenho a mulher que eu quero
> Na cama que escolherei
> Vou-me embora pra Pasárgada

"Aqui eu não sou feliz", explica o poeta – e daí seu sonhar com outro mundo, a Pasárgada de Ciro, logo anacronizada por várias referências à vida moderna. Mário de Andrade, comentando *Libertinagem* em seu clássico ensaio "A poesia em 1930", considerou o evasionismo desse poema-chave uma propensão geral do espírito da moderna literatura brasileira. No entanto, a fuga de Pasárgada é, paradoxalmente, uma evasão *para* o mundo. Sérgio Buarque de Holanda (op. cit.) detectou nesses versos uma utopia muito diversa da Bizâncio de Yeats, já que afinal o eldorado libertino de Bandeira é apenas a própria vida cotidiana "normal" idealizada pela força do desejo. De fato é preciso ler o poema na perspectiva do *leitmotiv* bandeiriano – também inscrito em *Libertinagem* – da perene frustração:

> A vida inteira que podia ter sido e que não foi.

Estrela da manhã (1936) entroniza o símbolo estelar do tema fundamental da inacessibilidade: o anelo da vida, pura ou impura, nobre ou ignóbil. Se a estrela matutina é para o poeta a vida traiçoeira, Vésper, a estrela da tarde, arde cheia de pudor na flama do seu querer ("A estrela e o anjo"). O pequeno livro também desenvolve com especial felicidade a erótica utópica e fortemente metaforizada de Bandeira ("Canção das duas Índias", "A filha do rei"):

> Sirtes sereias Medeias
> Púbis a não poder mais
> Altos como a estrela-d'alva
> [...]
> Oh inacessíveis praias!...

e a técnica da "poesia desentranhada", isto é, do lirismo extraído do *fait divers* ou até da publicidade ("Balada das três mulheres do sabonete Araxá", ou a prosa de "Tragédia brasileira"). "Momento num café" expressa o agnosticismo do poeta. Um só dos circunstantes saúda com atenção um féretro, porque só este

> [...] sabia que a vida é uma agitação feroz e sem finalidade
> Que a vida é traição
> E saudava a matéria que passava
> Liberta para sempre da alma extinta.

Com a *Lira dos cinquent'anos* (1940) tem início um discreto ciclo de retorno parcial porém constante à metrificação, prolongado em *Belo belo* (1948), o curto *Opus 10* (1952) e *Estrela da tarde* (1960). Redondilhas e decassílabos rimados, inclusive em alguns sonetos castiços, se tornam bastante frequentes. Em oito sílabas flui o obscuro, obsessivo simbolismo de "Boi morto"; em redondilha maior, o motivo mui bandeiriano da morte benfazeja ("O homem e a morte"); em redondilha menor, a surdina beatífica de "Tema e voltas". Às vezes a métrica é homogênea, como nas anáforas de "A estrela" –

> Vi uma estrela tão alta,
> Vi uma estrela tão fria!
> Vi uma estrela luzindo
> Na minha vida vazia.

Ou no refinado minimalismo léxico de "Canção":

> Mandaste a sombra de um beijo
> Na brancura de um papel:
> Tremi de susto e desejo,
> Beijei chorando o papel.
>
> [...]
>
> Da sombra daquele beijo
> Que farei, se a tua boca
> É dessas que sem desejo
> Podem beijar outra boca?

Outras vezes conjuga vários tipos de verso, todos, porém, regulares:

> O vento varria as folhas,
> O vento varria os frutos,
> O vento varria as flores...
>   E a minha vida ficava
>   Cada vez mais cheia
>   De frutos, de flores, de folhas.

A *Lira dos cinquent'anos* contém ainda uma verdadeira joia musical, a breve "Balada do rei das sereias", onde o jogo magistral de ritmos iâmbicos, anapésticos e trocaicos e, ainda uma vez, a estilística da repetição verbal elevam a matéria mítica – uma pequena lenda da crueldade punida – ao plano da mais pura magia poética.

A linfa lírica de Bandeira representa um notável desmentido à tese de que o verso da tradição moderna realizou uma "desegoização" (*Entichung*) da expressão poética. É verdade que o experimentalismo restrito e funcional da arte bandeiriana – o modernismo menos efeitista que se possa imaginar – o colocava na posição de precursor e moderador da vanguarda literária brasileira; mas não é menos certo que a musa da confidência não visitou só a ele, mas igualmente a outras vozes centrais do verso modernista, a começar pelas de Mário de Andrade e Carlos Drummond de Andrade. Seja como for, esse poeta decidido a desliterarizar a poesia, a enfrentar a estética do sórdido por meio de uma poesia em que houvesse "a marca suja da vida" ("Nova poética"), foi também um dos maiores artífices do verso na sua língua. Se, na sua franca e reveladora autobiografia intelectual, o *Itinerário de Pasárgada* (1954), ele se recusou a todo construtivismo, refutando o panegírico valéryano da *composição*, na realidade, era um inveterado revisor dos próprios poemas – e um grande exemplo daquela consciência técnica tão prezada por seu amigo Mário de Andrade. Isso é que fez dele o mestre do verso livre vertebrado, do poema solto sem ser frouxo. Assim como outrora seu querido Gonçalves Dias dera medida e contenção à poesia romântica, Bandeira converteu a polirritmia dos modernos numa tersa liberdade – e com ela deu nova força aos *topoi* da emoção lírica: o *sic transit*, o *carpe diem*, o *ubi sunt* – redescobertos no próprio coração material da existência contemporânea.

Manuel Bandeira se julgava, sem falsa modéstia, "poeta menor". Liberal não desprovido de consciência social, extremamente sensível à penúria e ao sofrimento das massas e sobretudo da infância, não teve nenhuma ideologia política definida e era o primeiro a contrastar sua temática geralmente intimista com o alcance mais amplo da poesia pública, tal como afirmada, por volta de 1940, na obra de Drummond. Entretanto, do ângulo da qualidade, sua poesia "de câmera" positivamente nada tem de menor. No crepúsculo de sua longa vida, em seu modesto apartamento da Beira-Mar, a figura magra do velho poeta solteirão encarnava com justiça o melhor *ethos* modernista: coragem intelectual e autenticidade pessoal.

In: *Crítica*: 1964-1989. Rio de Janeiro: Nova Fronteira, 1990.

Consciência poética[7]
IVAN JUNQUEIRA

Mas ao mesmo tempo compreendi, ainda antes de conhecer a lição de Mallarmé, que em literatura a poesia está nas palavras, se faz com palavras e não com ideias e sentimentos...
(Itinerário de Pasárgada)

Cotejos como esses me foram ensinando a conhecer os valores plásticos e musicais dos fonemas; me foram ensinando que a poesia é feita de pequeninos nadas e que, por exemplo, uma dental em vez de uma labial pode estragar um verso.
(Idem)

Devo dizer que aprendi muito com os maus poetas. Neles, mais do que nos bons, se acusa o que devemos evitar.
(Idem)

---

7 Capítulo do livro *Testamento de Pasárgada/Antologia Poética* (Rio de Janeiro, Nova Fronteira, 1980), com pequenas adaptações para esta coletânea. (Introdução à leitura dos poemas "Chama e fumo", "Solau do desamado", "A canção das lágrimas de Pierrot", "Arlequinada", "Rondó de Colombina", "Poema de uma quarta-feira de cinzas", "Tragédia brasileira", "Cantar de amor", "Soneto inglês nº 1", "Gazal em louvor de Hafiz", "A realidade e a imagem" e "Mal sem mudança", de Manuel Bandeira).

Há poemas perfeitos, não há poetas perfeitos.
(Idem)

Não faço poesia quando quero e sim quando ela, poesia, quer.
(Idem)

No primeiro dos vinte esboços [delineados em *Testamento de Pasárgada*] na tentativa de recompor o perfil de Manuel Bandeira havíamos dito que fora ele o "poeta poeticamente mais culto e senhor de seus recursos" de toda a literatura brasileira. Dissemos também, fazendo nossas as opiniões críticas de Sérgio Buarque de Holanda e Onestaldo de Pennafort, que Bandeira somente conquistara a condição de autor moderno a partir do momento em que, esgotadas todas as possibilidades normativas que lhe ofereciam as diversas formas poéticas e recursos técnicos conhecidos na literatura ocidental, deles se cansara o poeta, o que implicava o julgamento de uma consciência crítica que sabia, talvez mais lucidamente do que qualquer outra, "do que" e "por que" se cansara. Dissemos mais: que em Bandeira, como em nenhum outro poeta brasileiro do passado ou do presente, se cristalizara, como argumentou Abgar Renault, aquele conceito eliotiano de que a poesia deve ser entendida, basicamente, como um "fenômeno de cultura". E dissemos, enfim, que fora ele, mercê de sua sólida formação filológica, um consumado mestre da língua, o que, desde logo, o inscreve numa tradição de classicismo literário e de sábia fidelidade às origens e aos limites instrumentais impostos pelo sistema linguístico. Pois foram tais exigências e opções que, afinal, deram a Bandeira uma lúcida e intransigente consciência do fenômeno poético.

Quem se der o esforço (ou o deleite) de rastrear-lhe o *Itinerário de Pasárgada* haverá de perceber, num relance, que a poesia e a arte poética não encerravam quaisquer segredos ou enigmas que Bandeira já não houvesse descoberto ou decifrado. Seu domínio sobre as minúcias e complexidades técnico-artesanais do verso e do poema era, no mínimo, absoluto. Surpreende assim que as maiores virtudes de sua poesia sejam a simplicidade, a secura de estilo, a franciscana economia de meios, o horror às *tournures* fraseológicas e aos *feux d'artifice* verbais – numa palavra, a euclidiana e ascética linha reta. E mais surpreendem ainda a humildade e a franqueza com que o poeta nos confessa, numa das passagens do *Itinerário de Pasárgada*, o desconhecimento que, aos 52 anos de idade, tinha ainda da canção paralelística e do *link sonnet* derivado por Wyatt e Surrey do modelo petrarquiano. Creio que já se afirmou ao cansaço que a maior virtude do sábio é a simplicidade, posto que, para ele, o mundo e a vida já não guardam tantos segredos e mistérios. Talvez seja este, leitor, o único parâmetro capaz de conter e decifrar o absoluto despojamento da *gestalt* poética bandeiriana, despojamento este que, segundo cremos, advém de uma observação feita pelo próprio poeta em sua "biografia literária", quando, ao refletir sobre o que dissera João Ribeiro acerca de um dos poemas de *A cinza das horas*, pondera: "Meditei na lição e até hoje em toda a poesia que escrevo me lembro dela e procuro só pronunciar as palavras essenciais".

Os exemplos [dos poemas mencionados a seguir] ilustram apenas algumas das formas e procedimentos técnicos a que recorreu Bandeira... Restava-nos, todavia, escolher algo ao acaso, tal a multiplicidade instrumental e a polivalência gestáltica que os agenciam. Do "ritmo semântico" que lhe aponta Sérgio Buarque de Holanda à "lógica da impropriedade" ou à "pirotecnia do verso" que lhe denuncia Onestaldo de Pennafort, da "analogia estrutural" entre classicismo e modernismo que lhe descobre Pedro Dantas à "libertinagem poética" que lhe imputa Ribeiro Couto, do "senso crítico implacável" que lhe atribui Rodrigo Melo Franco de Andrade ao "domínio total da massa poética" que lhe delega Abgar Renault, da "musicalidade subentendida" que lhe assinala Andrade Muricy à "equação do silêncio" que lhe credita Franklin de Oliveira, do "ritmo todo de ângulos" ou da cadência sem "nenhuma ondulação" que lhe detecta Mário de Andrade à "enumeração caótica" que lhe reconhece Emanuel de Moraes, do "lirismo elegíaco" que lhe acusa Aníbal Machado à "graça triste" que lhe encontra Carlos Drummond de Andrade, a poesia de Bandeira se resolve e se resume numa desconcertante sequência de *trouvailles* e *coups d'éclat*. Que sirva isso de prova irrefutável àquela conhecida mas sempre desprezada verdade de que o simples não é tão simples assim quanto se possa supor, pois que, para sê-lo, se lhe exige que absorva e resolva em si todos as graus da complexidade. Bandeira só pôde ser simples por haver assimilado e vencido todos os desafios que enfrentaram ou se impuseram seus antecessores, assim como só pôde ser moderno a partir do instante em que a lição dos antigos já nada mais lhe acrescentava à arte do verso e ao conhecimento da poesia.

No primeiro exemplo... "Chama e fumo", de *A cinza das horas*, Bandeira recorre à *villanelle*, tipo de poema cujas origens remontam a fins do século XVI e que, como adverte Emanuel de Moraes,[8] não deve ser confundido com as formas arcaicas do vilancete e do vilancico, traduções imprecisas que lhe dão os dicionários, exceto os de Laudelino Freire e de Caldas Aulete, que já registram o termo "vilanela", definindo-o como "canto pastoril" e fazendo-o derivar do italiano "*villanella*", étimo do qual se origina, por sua vez, o francês "*villanelle*". A forma paralelística mais próxima, informa ainda Emanuel de Moraes, seria o "*virelai*", de berço francês e que lhe é anterior, datando provavelmente do século XIV. Em "Chama e fumo", Bandeira adota o modelo da *villanelle* de Jean Passerat, poeta francês do século XVI, alterando-lhe apenas o número de estrofes de seis para oito. O segundo exemplo, "Solau do desamado", ainda de *A cinza das horas*, mobiliza também uma forma arcaica, ou seja, a do "Cantar à maneira de solau", de Bernardim Ribeiro, embora o próprio poeta nos dê como fonte a *Chanson du mal-aimé*, de Apollinaire. Como ocorre no caso anterior, aqui o poeta também se restringe ao âmbito operacional da pura artesania, da forma consagrada, embora lhe introduza um elemento novo, o do humor, visível sobretudo nas duas últimas estrofes. Composto em redondilhas e recorrendo à repetição ora regular, ora alternada de apenas duas rimas, o "Solau do desamado", como observa acertadamente Emanuel de Moraes, parece inspirar-se antes no romance velho de Portugal do que no poema francês citado pelo autor como sua fonte, o que confirmaria a forte influência recebida por Bandeira do quinhentismo português e dos trovadores populares da península.

Embora não seja dos mais importantes poemas de Bandeira, "A canção das lágrimas de Pierrot", do *Carnaval*, nos comprova à saciedade de quanto era capaz o autor no manuseio da rima e do ritmo. Referindo-se ao poema, salienta Onestaldo de

---

8 MORAES, Emanuel de. *Manuel Bandeira*: análise e interpretação literária. Rio de Janeiro: José Olympio, 1962.

Pennafort que há nele, "por exemplo, um louco movimento, um vertiginoso rede-moinhar, um rodopio desenfreado e ao mesmo tempo uma intenção de iluminação profusa, como um segundo plano, logo nesta poesia inicial que evoca uma sala de carnavalada báquica e em cuja primeira quadra a aliteração do *m* e do *l* produz um efeito estupendo de velocidade".[9] Observa o ensaísta que, em "A canção das lágrimas de Pierrot", Bandeira se revela "o mais astucioso criador de rimas fantasistas".[10] *Et pour cause*! Que o ateste o leitor a partir apenas destas três acrobáticas estrofes:

> Seu alaúde de *plátano*
> Milagre é que não se quebre.
> E a sua fronte arde em febre,
> Ai dele! e os cuidados *matam-no*.
>
> (...)
>
> "Minha paz, minha alegria,
> "Minha coragem, *roubaste-mas*...
> "E hoje a minh'alma sombria
> "É como um poço de *lástimas*..."
>
> [...]
>
> E encontrando-o *Colombina*,
> Se *lhe* dá, lesta, à socapa,
> Em vez do beijo uma tapa,
> O pobre rosto *ilumina-se-lhe*!...

[Os grifos são nossos.] E há também neste poema, assim como em alguns outros do *Carnaval* ("Vulgívaga", "Pierrot místico", "Pierrette", "O descante de Arlequim", "Toante", "A Dama Branca", "Poema de uma quarta-feira de cinzas"), um profuso e habílimo emprego das rimas esdrúxulas e toantes, o que atende não apenas às exigências do binômio forma-fundo neste lúbrico, feérico e turbulento "ciclo de Pierrot", como também a algumas outras formuladas pelo poeta no *Itinerário de Pasárgada*, como a de que rima "é igualdade de som" ou a de que "a aliteração nada mais é do que uma rima de fonemas iniciais". Todas essas considerações, aliás, não fazem senão justificar aquela sábia observação feita por Onestaldo de Pennafort de que "a rima neste poeta admirável, neste lírico absoluto, não é apenas a fonte de um prazer de ordem acústica, mas reúne a essa as qualidades de ordem intelectual que a tornam, como a medida, um elemento também de percepção e expressão".[11]

O exemplo que se segue, "Arlequinada", também do *Carnaval*, mas cuja ação interior transcorre para além dos limites do "ciclo de Pierrot", reafirma o tributo pago por Bandeira às formas líricas do quinhentismo português, visíveis aqui até mesmo a nível esquemático-estrutural, pois o poema, como os que se escreviam em Portugal durante o século XV, distribui as redondilhas em quadras, utilizando as rimas cruza-

---

9   PENNAFORT, Onestaldo de. "Marginália à poética de Manuel Bandeira". In: *Homenagem a Manuel Bandeira*, Rio de Janeiro, 1936.
10   Id., ibid.
11   Id., ibid.

das nas estrofes pares e as abraçadas nas ímpares. E esse tributo é confesso, como se vê na estrofe final, onde o poeta pede que Colombina o perdoe porque lhe

> [...] deu na telha
> Cantar em medida velha
> Teus encantos de menina...

admitindo assim, como sublinha Emanuel de Moraes, "a circunstância de *cantar em medida velha*".[12] Como ocorre em outros poemas do *Carnaval*, Bandeira agencia aqui o processo paralelístico, expresso na primeira e na última estrofes, valendo-se das redondilhas para sustentar o ritmo sempre leve e ingênuo, como o requeria, aliás, o próprio tema.

No "Rondó de Colombina", também do *Carnaval*, Bandeira recorre a uma das formas poéticas de que mais se valeu sua polivalente mestria artesanal, o rondó. Neste caso particular, o poeta segue o modelo do *rondeau* francês, obedecendo à rígida estrutura esquemática proposta por Vincent Voiture na primeira metade do século XVII. Embora o rondó de Bandeira acrescente mais um verso ao do autor francês, é este um dos poemas em que mais submisso ele se revela com relação à matriz original adotada, como já ocorrera, aliás, em "A volta", de *A cinza das horas*, que conserva também quase inalterado o esquema rímico do modelo francês. Não é isso, porém, o que se vê em outros exemplos congêneres, como o "Rondó dos cavalinhos", o "Rondó do Palace Hotel" ou o "Rondó do capitão", nos quais Bandeira se utiliza livremente da versão popular dessa forma poética, ou seja, o *rondel* ou *triolet*, que, segundo Grammont, Raynaud e outros autores, é anterior ao *rondeau*.

O outro poema aqui citado do *Carnaval*, "Poema de uma Quarta-feira de cinzas", além de suas óbvias implicações paralelísticas de analogia musical com a estrutura de forma *lied*, como nos confessa o autor no *Itinerário de Pasárgada*, envolve ainda duas considerações de suma importância: primeiro, trata-se não apenas de um dos poemas mais bem-realizados do livro, mas também aquele em que, como salienta Emanuel de Moraes, "dá-se o encontro completo do poeta e do Pierrot",[13] sendo que este último já se mostra aqui descaracterizado como tal, pois a dor e o desencanto são antes os do poeta do que propriamente aqueles de que nos fala o conceito tradicional desta figura da mascarada; segundo, o poema constitui um dos mais típicos e melhores exemplos dessa primeira fase de produção em que o autor utiliza amiúde o metro octossilábico, como já o fizera, aliás, em diversas outras composições anteriores, entre as quais "Chama e fumo" e "Três idades", ambas de *A cinza das horas*, o que lhe evidencia a influência recebida do Simbolismo francês, cujos principais representantes muitíssimo se valeram do octossílabo.

A "Tragédia brasileira", pertencente à *Estrela da manhã*, figura entre os exemplos paradigmáticos, ao lado do "Noturno da Rua da Lapa" e de "O desmemoriado de Vigário Geral", do que foi capaz o talento de Bandeira no cultivo do poema em prosa. A primeira impressão causada ao leitor pela "Tragédia brasileira" o levará decerto a considerá-la como prosa ou, na melhor das hipóteses, como prosa poética ou ensaio poemático. Não obstante, é poesia. E é poesia porque a informam processos rítmicos

---

12 MORAES, Emanuel de. Op. cit.
13 Id., ibid.

e associações vocabulares que jamais se encontram na prosa. Se atentarmos bem para a construção sintático-fraseológica do poema, iremos comprovar a ocorrência de uma série de rupturas e pausas que descaracterizam por completo a estrutura linear e a preocupação lógico-discursiva da prosa. E é desses elementos de surpresa e de "impropriedade lógica" que se nutre o substrato mágico (e, necessariamente, metalógico) da poesia. A "Tragédia brasileira" ilustra também, e de maneira admirável, aquela desconfiança alimentada pelo *New Criticism* anglo-americano de que, independentemente do verso, subsistem na poesia elementos rítmicos, fônicos e sintáticos capazes de configurá-la enquanto tal até mesmo naquela terra de ninguém situada entre as tíbias fronteiras que separam, apenas ilusoriamente, a *poetry* da *fiction*.

O exemplo seguinte, "Cantar de amor", da *Lira dos cinquent'anos*, nos diz bem da intensidade das relações que sempre manteve Bandeira com a lírica portuguesa. Aqui, entretanto, o poeta se situa para aquém do quinhentismo, retrocedendo aos cancioneiros do século XIV e imitando-os no que se refere não apenas à forma e à grafia dos versos, mas também à emoção poética, objetivo este que, segundo Sousa da Silveira, foi alcançado apenas parcialmente pelo poeta, que teria sido aqui anacrônico no sentimento por haver tentado sê-lo *a priori* – e sem êxito – na linguagem. Conforme escreve Bandeira no *Itinerário de Pasárgada*, o texto foi "fruto de meses de leitura dos cancioneiros". Diz ele que escreveu "o 'Cantar de amor' no vão propósito de fazer um poema cem por cento trecentista". O que, sem dúvida, foi apenas ingenuidade de sua parte, como ele próprio o reconheceria depois, ao admitir, sem rodeio ou ambiguidade, que somos "duplamente prisioneiros: de nós mesmos e do tempo em que vivemos".

O "Soneto inglês nº 1" é das maiores realizações sonetísticas de que temos notícia em toda a poesia de língua portuguesa, assim como também o é o "Soneto inglês nº 2", ambos incluídos na *Lira dos cinquent'anos*. Na qualidade de herdeiro fiel e confesso da lírica camoniana, Bandeira escreveu não poucos sonetos magistrais em cujos versos afloram o milagre do pensamento emocionado e o sestro antitético que informam o estilo de Camões. Mas o exemplo acima citado não segue este modelo, e sim o do *link sonnet*, que, como aqui já se disse, Wyatt e Surrey derivam da matriz petrarquiana e que Shakespeare levaria à suprema perfeição. Ao analisar a disposição estrófica e o esquema rímico do soneto inglês, distribuído em três quartetos (*abab cdcd / efef*) e um dístico (*gg*), observa Bandeira, ainda no *Itinerário de Pasárgada*, que esta forma lírica, "aparentemente menos dificultosa, é na realidade bem mais incômoda de manejar por causa da passagem da quadra para o dístico", ou seja, "o mesmo buraco da oitava rima", sempre virtuosisticamente superado por Camões, o que nos leva a imaginar, assim como Bandeira, os prodígios de que teria sido ele capaz – ele, contemporâneo de Shakespeare! – caso houvesse conhecido a combinação estrófica do *link sonnet*. Camoniano até às entranhas é o último dos sonetos escritos por Bandeira, "Mal sem mudança", da *Estrela da tarde*... Não é apenas um dos mais belos poemas de Bandeira, mas também aquele em que, já aos 71 anos de idade, nos dá o autor a medida de sua fidelidade e de sua dívida para com as fontes literárias que mais o subsidiaram ao longo do processo cultural e poético que lhe inerva a vidência e o êxtase líricos.

Bandeira não conheceu apenas tudo ou quase tudo que se refere aos recursos técnicos e instrumentais da poesia ocidental. Estudou e conheceu muitíssimo, também, algumas das artimanhas de que se serviram os poetas orientais, cultivando à perfeição formas poéticas como as do gazal e do haicai. Os dois exemplos a que aqui recorremos – o "Gazal de Hafiz", da *Lira dos cinquent'anos*, e "A realidade e a imagem", de *Belo belo* –, não nos deixam mentir. Constituem ambos realizações estupendas da estupenda técnica de Bandeira, em particular o segundo, no qual o poeta adota uma solução lírica muito próxima à do haicai. Trata-se de uma composição quase geométrica e cuja limpeza de fatura só pode ser comparada ao surpreendente impacto lírico provocado pelo verso final. É que a placidez horizontal das "quatro pombas" que nele "passeiam" colide frontalmente com a gótica verticalidade de ascensão e queda do arranha-céu que "sobe no ar puro lavado pela chuva" e "desce refletido na poça de lama do pátio". É nossa suposição que, aqui, a imperturbável placidez e a carga lírica daquelas "quatro pombas" simbolizem o próprio conceito bandeiriano de poesia, esse puro e irredutível mistério que se move

Entre a realidade e a imagem, no chão seco que as separa,

In: *Homenagem a Manuel Bandeira*: 1986-1988.
Org. Maximiano de Carvalho e Silva. Niterói: UFF/Sociedade
Souza da Silveira; Rio de Janeiro: Monteiro Aranha/Presença, 1989.

Estrela da vida inteira[14]
LÊDO IVO

A poesia de Manuel Bandeira tem a frescura das fontes e das flores úmidas de orvalho e o calor dos ninhos e leitos amorosos. Nela, vida e arte poética se fundem e se transfundem, num enlace entranhado e duradouro. Armada de uma proteção estética e de uma aura humana capazes de evitar ou minimizar o processo danificador da posteridade, essa poesia apurada e madura ostenta, na mesa do leitor, a sua matéria nutriente como um pão.

Por um desabafo confessional se inicia a sua obra poética. A afirmação magoada do primeiro verso de *A cinza das horas* (1917) ("*Sou bem-nascido. Menino,*") libera um horizonte de pequenas mágoas, dores e desapontamentos: as mortes familiares, a tuberculose que lhe sonegou a carreira de arquiteto, o breve exílio num sanatório suíço que foi também uma branca escola de aprendizagem poética, o sentimento forte da solidão e adversidade. Se a doença o tivesse ceifado após a publicação de *A cinza das horas*, estaria hoje presente, em nossa cena poética, um autor de livro único dotado de todos os títulos para se impor formosamente ao lado do *Eu* do também tuberculoso Augusto dos Anjos (a quem, aliás, Bandeira considerava um poeta limitado, chegando mesmo a entender que a posteridade o supervalorizara). Mas o destino, no qual acreditava com todo o fervor magnânimo dos ateus que

---

14 Publicado no suplemento "Cultura" de *O Estado de S. Paulo*, 13/4/1986.

creem em Deus e no sobrenatural, não quis que ele entrasse para a poesia brasileira pela porta estreita da revelação formidável. E, assim, a sua aventura individual se prolongou, sem que ele perdesse, todavia, o emblema inaugural. Embora a sua evolução tenha conduzido a sua lira melancólica para o conforto das paisagens claras do modernismo, a intenção primordial se mantém, sincera e envolvente.

Vivendo numa época em que os poetas se afervoram em apregoar a sua ambiguidade e a sublinhar o prestígio das máscaras, e até da abolição da própria personalidade – como se a presença inequívoca do autor na obra não passasse de um superado capricho romântico –, Manuel Bandeira timbra em transmitir ao amador de poemas uma admirável receita de sinceridade. A sua longa e taciturna confissão haverá de acompanhá-lo para sempre, como uma estrela da vida inteira: uma estrela da manhã que é também a esplêndida estrela da tarde. Assim, ao contrário dos seus pares, ciosos dos poderes da mitografia e da proliferação de perfis poéticos, mesmo espetaculares, que sejam partos e invenções da própria obra, ou dissimulações afortunadas, Manuel Bandeira jamais abrirá mão de si mesmo.

Em seu lirismo profusa e profundamente pronominal, e no qual o reiterado eu poético aspira sempre a ser a expressão artística do eu civil e existencial, o autor de *Estrela da manhã* procurará virtuosamente fixar a sua verdade. Deste modo, a sua sinceridade artística dorme no mesmo leito da sinceridade humana e vital; e esse apego à confissão permite ao leitor deter-se em sua obra como se ela fosse uma biografia lírica, apta para registrar os passos e peripécias do poeta através dos anos e da vida, tanto os de natureza amorosa e sentimental como os de teor literário e estético. Nas estrelas mais claras de sua constelação biográfica fulge o claror de uma informação relativa à sua trajetória humana. Assim, pelos seus versos, sabemos dos anos juvenis de solidão, do farejar da morte que o foi reduzindo a um pensionista ou habitante de quartos convertidos em prolongadas notícias poéticas e sítios de peregrinações comovidas, o convívio com os amigos (e principalmente com as amigas...), as duas viagens atribuladas a uma Europa que não aquiesceu em revelar-se nem ao jovem tísico nem ao septuagenário glorioso. Dir-se-ia, pois, que o destino se afervorou em compor-lhe a imagem, impondo-lhe o celibato que, se de um lado o insulou em si mesmo, obrigando-o até a fazer diariamente o café matinal, por outro fez dessa solidão o porto qualificado para as participações mais várias e as evasões maravilhosas.

Nessa solidão propícia às interrogações e perplexidades, nessa horizontalidade de um mundo imóvel, Manuel Bandeira viveu, mais do que qualquer outro dos seus pares, a experiência da transição estética, e sua obra guarda os sinais fortes do conflito entre a tradição e a ruptura. Não há como desconhecer que, mesmo no tom dorido e nevoento de sua obra inicial – e que pelo apuro vocabular, riqueza rimática e dançante variedade métrica, está longe de ser considerada uma obra imatura –, já fervilhava uma inquietação formalística antecipadora da modernidade que o modernismo teria de assegurar-lhe. Como o comprova o seu denso *A cinza das horas*, Manuel Bandeira foi decerto o maior e o melhor poeta da transição em que o Parnasianismo e o Simbolismo se fundiram e se confundiram, proporcionando, nos primeiros decênios deste século, uma florida produção poética que, se por um lado se distingue pela sua marmoriedade, por outro escorre em deliquescências e difusos estados de alma.

Esse dúbio caráter de feitura lírica já está presente em *A cinza das horas*, livro em que se revezam poemas duros e marmóreos – não obstante essa dureza ser muitas vezes amolecida pela doçura de um hiato – e peças cinzentas e rodeadas de fumos e névoas. Se não faltava a Manuel Bandeira a arte de hiatizar e dulcificar os versos duros, também o cumulava a de endurecer, com as sinalefas, os versos aéreos ou voláteis, com esse arrocho métrico impedidos de derreter-se ou voar do poema embalador. (Seja-me permitido dizer, no friso talvez censurável de uma referência pessoal, que até a medida do meu nome foi beneficiada pela jurisprudência métrica de Manuel Bandeira, o qual assim estatuiu, num de seus poeminhas de circunstâncias: "Pronuncie-se, não no exato/ Padrão parnasiano Lêdo Ivo,/ Mas Lêdo Ivo, com o hiato/ Docemente nuncupativo". E para os que se esqueceram de aprender latim ou têm preguiça de ir ao dicionário, cabe esclarecer que "nuncupativo" significa "em voz alta").

Fiel a essa predisposição estilística da mocidade, Manuel Bandeira haverá de ser, sempre e simultaneamente, um poeta duro e nítido e um poeta de contornos indecisos, cinzelando majestosamente o soneto impecável dentro das lições de Gautier e Heredia ou semiescondendo-se nas sebes do mais acolhedor penumbrismo quando solicitado a exprimir os frêmitos e meios-tons de sua lira melancólica. Outro aspecto singular, na madura obra imatura de Manuel Bandeira, é a sua trajetória paisagística. Nela se sucedem as paisagens idealizadas e não situadas das inspirações livrescas – belgamente livrescas, tendo em vista o seu tributo a Verhaeren e Maeterlinck – com as vinhetas bucólicas e os panoramas crepusculares e noturnos já marcados pela sensação veemente de tempo e lugar. Antes de ser o poeta claro e ensolarado do Recife e do Rio de Janeiro, Manuel Bandeira foi o celebrante lírico das crepuscularidades e lunaridades de Teresópolis e Petrópolis. Mas, nessa atmosfera difusa, já começam a emergir os emissários de sua modernidade. Os sapos convocados para a sua excelsa sátira ao Parnasianismo ficam à espreita, num poema de 1902 – "Os tanoeiros do brejo/ – Os vigias da noite silenciosa,/ Malham nos aguaçais". Não estará longe o dia em que o poeta, aderido à realidade, ouvirá o martelo do ferreiro e o "sussurro sinfônico da vida civil".

Essa noção do lugar nítido se amplia e desenvolve até atingir os domínios exatos de "Meninos carvoeiros", "Camelôs", e dos poemas sobre a Lapa; e mesmo quando versa um sítio utópico – como é o caso de Pasárgada – o poeta o limita pelo povoamento de figuras e objetos da vida real. E de tal modo que o "Vou-me embora pra Pasárgada" alcançaria uma leitura empobrecedora se fosse lido apenas como um poema de evasão, já que é também um poema de participação e integração na realidade da vida.

Outra linha evolutiva que esteia o processo de captação da realidade ambiente pela lira curiosa de Manuel Bandeira é a que induz esse poeta habitualmente melodioso e delicado, e sensível ao encanto da linguagem, a render-se a uma estética da fealdade que ele terá aprendido não só na leitura de Baudelaire, Verlaine, Laforgue, Corbière e Rimbaud, mas ainda no hoje esquecido Charles Cros. Os que cotejarem as primeiras produções de Bandeira com as peças do simbolista de *Le coffret de santal* e *Le collier de griffes* notarão entre ambos certo ar de família, de primos: uma afinidade presente nos medidos versos doídos que almejam a criar asas e libertar-se; na alusão reiterada aos seres e coisas que habitam a vida cotidiana; na notação humorística ou zombeteira; no realismo fincado no pormenor insólito e todavia iluminador; na coloquialidade irônica ou comovida; no uso de palavras pobres e chãs que um parnasiano cioso de sua bilacquianidade estampilharia horrorizadamente de indignas e "antipoéticas".

Os versos iniciais de dois poemas de Manuel Bandeira – o "Belo belo" de *Lira dos cinquent'anos* (1944) e o também "Belo belo" de *Belo belo* (1948) – ostentam inconfundível reminiscência de Charles Cros, o qual não deve ser, contudo, confundido com o seu filho Guy-Charles Cros, autor do poema "Paroles aux jeunes gens" que Bandeira leu em 1912, no *Mercure de France*, e muito o estimulou na pesquisa do verso livre.

"Belo belo belo" canta Bandeira na sua lira cinquentenária; e "Belo belo minha bela" na sua coleção de velhice – e esses versos gêmeos se enraízam decerto no poema "Paroles d'un miroir a une belle dame" (*Le collier de griffes*) que começa assim: *"Belle, belle, belle, belle!/ Que voulez-vous que je dise/ A votre frimousse exquise?/ Riez, rose sans cervelle".*

Note-se que o virtuosismo parodístico integra a constelação das habilidades de Bandeira, notável tradutor, adaptador e até desentranhador de poemas ocultos na prosa. E uma de suas realizações mais pessoais, o "Profundamente", é na realidade uma transplantação comovente e magnífica de certos poemas do *Spoon River Anthology*, do poeta norte-americano Edgar Lee Masters, especialmente "The hill" como já demonstrei em *Teoria e celebração* (Livraria Duas Cidades, São Paulo, 1976).

Autor de muitos dos mais encantadores versos de nossa língua – assegurando-se a este adjetivo a evidência irrefutável de ser a poesia um "charme" ou "carmo" da linguagem – Manuel Bandeira atrelou o seu esforço de superação ao recurso às palavras que são como as menininhas feias e maltratadas por ele mais de uma vez celebradas. Assim, no poema, "O inútil luar", de *A cinza das horas*, ele nos brinda com alguns versos que seria injustiça não incluir entre os mais feios da nossa poesia: "– Mamãe não avisou se vinha./ Se ela vier, mando matar/ Uma galinha." Cabe acreditar que o uso de tal ave de pena não atende apenas a uma imposição de coloquialidade ou a uma precisão rimática. Nesses versos já vibra o propósito do poeta de fugir às paragens etéreas e intemporais e firmar pé na realidade cotidiana, desvencilhar-se dos olhos livrescos que o impediam de mirar a verdade diária e, armado de olhos novos, e novos ouvidos, aprender a ver e a escutar. E só assim, por um lento e atento processo de libertação não só formal, mas também moral e psicológica, lhe foi possível ver um dia o bicho-homem que catava detritos no pátio de seu edifício, na Esplanada do Castelo; e principalmente ver, com os olhos de si mesmo e não dos outros, "a rosa sozinha no galho".

Com a sua nascente experiência lírica já sulcando o mar grosso das pesquisas formais que marcaram os nossos primeiros decênios, e nos quais as sólidas conquistas parnasianas de Bilac e Alberto de Oliveira conflituavam com as licenças e rupturas amparadas no Simbolismo e nos apelos e seduções da polimetria e do verso-librismo europeu, Manuel Bandeira estava fadado, pelo bom destino estético engastado no seu aliás discutível mau destino individual, a ser, senão o introdutor do verso livre no Brasil, pelo menos um de seus introdutores de primeira hora. Em sua produção inicial já avultam as rupturas, avarias e acumulações rítmicas que antecipam o que se convencionou chamar de verso livre. Talvez o autor de *Carnaval*, frequentador de Goethe e Shakespeare, Verlaine e Rubén Dario, estivesse fadado a um outro modernismo, inexistente no Brasil que, diante do rico repertório dos vários modernismos ocidentais, propendeu para o Futurismo italiano. Esse desajustamento o diferencia, até pela sua delicadeza e finura psicológica, dos seus pares pouco ciosos do passado e de fervilhante transição; e sustenta o caráter esteticamente dúbio ou híbrido de sua obra, ao mesmo tempo clássica – isto é, voltada para o passado e as tradições acumuladas – e moderna, centrada no presente e espreitadora de futuros.

O título do terceiro livro de Manuel Bandeira, *O ritmo dissoluto* (publicado em 1924, em *Poesias*) consolida, e para sempre, seu virtuosismo formal. Contudo, cabe sublinhar que, sendo o poema uma estrutura verbal fundamentada no ritmo – isto é, na repetição encantatória – não ocorre nenhuma dissolução rítmica. Muito pelo contrário, o acervo melódico do poeta se acrescenta e enriquece. A não ser que, dentro de uma perspectiva polissêmica, se interprete esse belo título como alusivo a uma festiva devassidão formal.

Integrado na aventura linguística e poética do modernismo, Manuel Bandeira irá atrelar-se, e para sempre, a uma alternância que será tanto lírica e estilística como psicológica. A melancolia e a alegria se irão revezando no coração e na lira do poeta que tantas riquezas sabe extrair de sua plangência embaladora. Os estados de tristeza e desapontamento o encaminham de preferência para as formas medidas e severas como os sonetos e baladas, enquanto os instantes festivos e irônicos e o registro das realidades miúdas o remetem para o verso livre, embora esse movimento binário se preste a numerosas transgressões. Dir-se-ia que Manuel Bandeira, cultor exímio das formas fixas e conhecedor profundo dos mais negaceantes segredos da metrificação e versificação, não levava o modernismo muito a sério vendo nele uma brincadeira, um divertimento, o escoadouro lúdico no qual se aliviava de suas mágoas e melancolias, num processo criador em que a circunstância carregada de emoção costuma gerar o poema.

"– Não quero mais saber do lirismo que não é libertação." Os exegetas predatórios e os fominhas alvejados pelo congelamento das vanguardas têm conferido a este verso de Manuel Bandeira (de "Poética", que é um microtratado de Retórica) uma interpretação defeituosa e limitadora, como se fosse intenção do poeta condenar o passado e as tradições amontoadas, e só ter olhos e ouvidos para o presente estrepitoso. Outro verso do mesmo poema – "Todos os ritmos, sobretudo os inumeráveis" – confirma e completa a postulação totalizadora e não excludente da teoria poética de Manuel Bandeira e que, em sua nítida e alegre abrangência, tanto estimula a experimentação formal mais desvairada como prestigia as retóricas ilustres e as incursões aos arsenais caluniados.

Para os poetas e artistas, a libertação é uma conquista cultural, um resultado estético. Em sua lição poética, Manuel Bandeira se liberta até... do modernismo. Em busca de uma afirmação pessoal que paira acima dos movimentos ao mesmo tempo libertadores e enjauladores, e que tanto mais escravizam quanto mais libertam, ele desejou escrever um último poema que tivesse "A pureza da chama em que se consomem os diamantes mais límpidos/ A paixão dos suicidas que se matam sem explicação". E claro que o conseguiu. "*In my beginning is my end*" adverte T.S. Eliot. O poema derradeiro de Manuel Bandeira é o seu primeiro poema e, na rotação extraordinária em que se sucedem dias e noites, e a infância se torna juventude e velhice, e volta a ser infância na promessa do eterno retorno, a esplêndida estrela da tarde é a nova aparição da estrela da manhã.

In: *Homenagem a Manuel Bandeira:* 1986-1988.
Org. Maximiano de Carvalho e Silva.
Niterói: UFF/Sociedade Souza da Silveira;
Rio de Janeiro: Monteiro Aranha/Presença, 1989.

P. Breughel, a propósito de Manuel Bandeira
LOURIVAL HOLANDA

A oportunidade de escrever sobre Bandeira vem se juntar à resistência natural de quem é pouco afeito às falas de homenagem, aos escritos circunstanciais. Como, sendo o poeta uma voz permanente, reduzir a celebração a uma data? Vivo, o poeta precisa do carinho e o cuidado de uma caixa de força; morto, merece um luto colorido. Manuel Bandeira, porque "encantou-se" não nos encanta menos. Bibliômanos, que nos livros se defendem e avaliam as agressões do mundo moderno, festejamos poeta e poesia, sempre: como um presente absoluto. No verso, em ato de resistência contra a morte *senso latu* – e sobremaneira, a rotineira, que ameaça submergir tudo.

Menos vão que pretender uma análise semiológica que rediga os valores de Bandeira talvez seja dar expressão à razão por que o amamos. Ambas, empresas óbvias.

Por que o lirismo de Bandeira perdura, atual? Por que sua voz é ainda a nossa? Talvez porque sua poesia se resolve em duas querências: a do resgate da vida comum, cotidiana; e a da convocação à resistência que a impessoalidade do mundo hoje nos exige. A poesia de Bandeira "resgata" os objetos que a pressa não nos permite perceber – e, aos temas "nobres" parnasianos, prefere os anódinos: um pierrot triste, uma estatueta de gesso, a maçã. Essa recuperação do que esta aí, mas sem estar, porque incompreendido, talvez melhor se diga no "Poema tirado de uma notícia de jornal", onde João Gostoso só existe socialmente quando já não existe mais.

O lirismo de Bandeira, longe de ser descompromissado, deseja estar na vida, e de fato está diretamente ligado ao seu tempo. Sempre ensaia salvar e promover a interioridade numa época em que o indivíduo sofre a euforia entusiasta das promessas do progresso coletivo. Tempo de dispersão, portanto. À palavra parnasiana, "bem-comportada", de circulação restrita, beletrista, Bandeira prefere a palavra particular, lírica, livre até de escolas – como soube ser Verlaine. E troca, essa poesia, pela sua singeleza (que alguns logo incompreendem e imitam mal, tomando por "simples" seu artifício, sua elaboração). Singeleza e surpresa que sempre aprazem: como a declaração tonta de amor, em "Namorados", onde a definição é inesperada e exata: a lagarta listada, essa beleza natural e fantástica como o amor.

Bandeira desautomatiza assim a linguagem poética, dá foro lírico ao verbo popular. E, como se sabe ser a linguagem o que tanto condiciona nossa percepção, alarga-se, em consequência, nossa visão. No sentido do *voyant* rimbaldiano – a poesia como antídoto da rotina. Rotina que o homem se construiu e onde se aprisionou, numa relação falsa e estreita com a realidade. A vera poesia tenta abrir o risco esplêndido da vida – que reside no absurdo, na graça e na ironia do mundo.

Também surpreende em Bandeira a consciência de emancipação da língua brasileira. Cuidado compartido pelos Modernos de 22, Mário de Andrade à frente. Em conferência no Instituto de Estudos Brasileiros, de 28 de julho a 1º de agosto de 1986, o professor Antonio Dimas chamava a atenção sobre esse ponto. Bandeira consciente da ditadura da "convenção", da norma que não permite nossa nuance, brasileira. E recusa, na "Poética", o "lirismo que capitula ao que quer que seja fora de si mesmo", os padrões/patrões. O poema é um jogo (de cintura?) entre o sistema e o sintagma – é aqui que se inscreve o lado lúdico da linguagem: a escritura de Bandeira, o *langage éveillant* que nos mantém atentos, em guarda, abertos aos *possíveis* permitidos pela e na linguagem.

Bandeira se situa em relação (e numa relação contrária) aos epígonos do Parnasianismo: não se trata mais de apresentar, sob forma agradável, enfática ou graciosa, o que vemos habitualmente, mas – é aqui o essencial da questão – de descobrir o que nosso olhar, que a rotina fez míope, não enxerga.

É ainda a questão da relação linguagem e sociedade. Adorno, em "Lírica e sociedade", aborda o tema: a poesia da vida imediata, que se serve do sujeito para melhor desvendar os mecanismos da mesmice social – porquanto a poesia não é só o discurso de nossas ausências (sonhos e esperanças), mas é também a celebração do mundo presente, das nossas minudências. "Quero a delícia de poder sentir as coisas mais simples."

A questão – inevitável – da historicidade deixa ver, clara, a posição do poeta entre a participação e a independência. De uma geração acuada a dizer sua palavra social, Bandeira não se omite. Nem tampouco permite arroubo que falseie sua consciência artística. Sua poesia, enquanto reflete a realidade, incita, assim, o leitor que reflete sobre a realidade. Mas, sem a retórica política. O problema de toda militância: se a teoria, quando clara e coerente, fascina intelectualmente, cedo se impõe a questão da linguagem: o militante dispõe de um verbo doutrinal, que sempre toca a estereotipia – que atenta contra a criação artística. Questão delicada, a que aqui se põe ao escritor crente. "Pasárgada" não é fuga senão no sentido musical de duas vozes que se alternam. Como bem via o outro Holanda, Sérgio Buarque, em Pasárgada "a própria vida cotidiana e corrente é idealizada de longe". Denegação do presente que é uma exigência, já, de que ele seja outro. A poesia, de modo geral, sempre se inscreveu nessa margem dos possíveis, na imprevisibilidade, até, da História – onde se insinua a esperança.

Peculiar, na poesia bandeiriana, é também o tom sereno, de secreta ironia, até quando a ternura o atordoa. Mesmo a fatalidade da doença, nunca o fez comprazer-se no desespero, romantizando seu mal. Não: Bandeira exaure maior liberdade do fado aceito, assumido – como quem, indo ao fundo da desilusão, dele volta mais livre, mais lúcido, mais próximo dos outros e de si.

Há sempre uma parte de nós, ignota, que a dor ilumina. Tendo tido cedo a presença da morte a rondá-lo, sua alegria sempre sabe a amargura; sua felicidade, sempre pontilhada de decepção. Bandeira, se por um lado refuta a literatura satisfeita de si, parnasiana, por outro, não cede ao "ressentimento", ao travor amargo dos que se recusam à comunhão.

Penso na *Queda de Ícaro*, de P. Breughel: rica de detalhes, a tela expõe elementos que parecem alheios ao tema: um lavrador, supremamente indiferente, prossegue sua labuta; um pastor continua a guardar seus rebanhos. E, num lugar bem discreto que é preciso um esforço para identificá-las, duas pernas se agitam, à direita, no mar. Um pouco de espuma, e do corpo, na queda, as pernas apenas, se deixam ver. A vida – em todas as suas contradições, desde a alegria mais rabelaisiana, até as tragédias a que só resta "cantar um tango argentino". A poesia de Bandeira tudo abarca e chama, discreta, a atenção para o trágico particular, lançando luz sobre nossas evidências escondidas; – expondo as nuances do rosto multiforme do mundo.

Festejemos o poeta, agora e sempre – pelo que sua poesia permite, na rede de laços que tece, antepor à nossa fragilidade e angústia, a resistência da palavra poética: a "solidão solidária". Por isso, e mais, Bandeira é permanente.

In: Travessia – Publicação do Programa de Pós-graduação
em Literatura da UFSC, v. 5, n. 13, Florianópolis, 1986.

Lições de partir
IVAN MARQUES

Opus 10, apesar de "magrinho" – trata-se do menor entre todos os livros de Manuel Bandeira, com apenas 21 poemas –, impressiona pela variedade, pela densidade e por conter algumas das realizações mais brilhantes de sua trajetória. O título redondo sugere ainda intuitos de comemoração e balanço. Publicado em 1952, este foi o décimo volume da lírica bandeiriana – incluídos na lista seus poemas traduzidos e os versos de circunstância da coletânea *Mafuá do malungo*, impressa quatro anos antes em Barcelona por João Cabral de Melo Neto. *Opus 10* veio a lume em edição igualmente artesanal, por iniciativa de dois outros poetas pertencentes à chamada Geração de 1945. À imitação de João Cabral, os donos da editora Hipocampo, Geir Campos e Thiago de Mello, estavam empenhados em produzir bonitas edições de poesia e, depois de publicar *A mesa*, de Carlos Drummond de Andrade, convenceram Bandeira a integrar sua coleção.

Curiosamente, àquela altura, o autor de *Libertinagem* andava às turras com os jovens poetas, que o julgavam velho e ultrapassado tal como o Modernismo de 1922, cujas "piadas" e ousadias linguísticas pretendiam substituir por uma poesia elevada e de maior apuro formal. Na mesma época, o Brasil vivia com atraso a voga da arte abstrata, que também se opunha ao realismo pictórico da tradição modernista, considerado inatual. Os ataques vinham, portanto, de todos os lados. Nesse contexto, a resposta de Manuel Bandeira à encomenda dos editores da Hipocampo soa como uma provocação. O que lhes ofereceu o poeta? Mais Modernismo, isto é, mais um conjunto de versos "frívolos", extraídos da vivência diária, assumidamente "de circunstância", que os poetas de 1945 não hesitariam em chamar de "pseudopoemas".[15] É como se Bandeira desejasse marcar sua oposição à eloquência e ao formalismo da nova geração. Inimigo não só da ênfase, mas também das grandes abstrações, o autodenominado "poeta menor" aproveitava o livro para reiterar o seu amor às coisas pequenas e às palavras simples, a contaminação do seu lirismo pela matéria impura do mundo e a obstinada rejeição ao sublime, traços que aproximam essa poética dos valores apontados por Baudelaire em sua célebre definição da modernidade: "o transitório, o fugaz, o contingente".

Desde cedo, como afirma em suas memórias, Bandeira adquiriu a convicção de que "a poesia está em tudo – tanto nos amores como nos chinelos, tanto nas coisas lógicas como nas disparatadas".[16] Ao poeta caberia essencialmente uma atitude de "apaixonada escuta", por meio da qual seria possível desentranhar a poesia escondida no cotidiano. Se no seu livro de estreia, *A cinza das horas* (1917), o autor ainda se mostrava preso à sua experiência pessoal de doente desenganado, apresentando versos crepusculares e de feitio tradicional, a partir de *Carnaval* (1919) e, sobretudo, de *Libertinagem* (1930), ele afirmaria cada vez mais a sua adesão ao real e a sua capacidade de extrair poemas das coisas mais banais, como notícias de jornal, anúncios publicitários ou conversas ouvidas no bonde. Tal procedimento, largamente praticado também por Oswald de Andrade, é típico das vanguardas, fazendo lembrar a montagem dos cubistas ou o *ready-made* dadaísta, fórmulas de ataque ao esteticismo e à visão tradicional da arte como algo apartado da vida coletiva. Conforme observou a crítica, mesmo em poemas fantasiosos e à primeira vista escapistas, como o famoso "Vou-me embora pra Pasárgada", o que se afirma, paradoxalmente, é o apego ao "humilde cotidiano", uma espécie de "evasão para o mundo".[17]

A simplicidade, como sabemos, é mera aparência. A despeito da impressão de naturalidade, da destruição dos assuntos poéticos e do impulso antiliterário que se manifesta em grande parte de sua obra, Manuel Bandeira conhecia como ninguém os segredos do verso e nunca abandonou o cultivo da tradição. Na última fase de sua produção poética, que se estende da *Lira dos cinquent'anos* (1940) até *Estrela da tarde* (1960), houve mesmo um discreto retorno às formas fixas, dividindo espaço com as liberdades modernistas, a que o poeta se manteve fiel, e certos experimentos na linha do concretismo.

É nesse período de plena maturidade – momento de alto prestígio em que Bandeira era visto como "glória nacional" – que se insere a publicação de *Opus 10*. Sobre o livro, o crítico Fernando Góis observou de imediato que, mais do que em qualquer outro, o autor ali se colocava "sob o signo da simplicidade", oferecendo aos poetas herméticos e "profundos" da nova geração a lição de que a poesia "está é na vida" e não só na técnica ou na construção habilidosa do verso.[18] Com efeito, a predominância do anedótico e do circunstancial, marcas fortes desse volume, parece

---

15 O convite para a publicação de *Opus 10* e os conflitos com a Geração de 1945 foram comentados por Manuel Bandeira em suas cartas a João Cabral de Melo Neto. Cf. SÜSSEKIND, Flora (Org.). *Correspondência de Cabral com Bandeira e Drummond*. Rio de Janeiro: Nova Fronteira/Fundação Casa de Rui Barbosa, 2001, p. 131-144.

16 BANDEIRA, Manuel. *Itinerário de Pasárgada*. São Paulo: Global, 2012, p. 27.

17 HOLANDA, Sérgio Buarque de. Trajetória de uma poesia. In: BANDEIRA, Manuel. *Poesia completa e prosa*. Rio de Janeiro: Nova Aguilar, 1993, p. 19-20.

18 GÓIS, Fernando. Nota preliminar. In: BANDEIRA, Manuel, op. cit., p. 293-296.

trazer de volta o protesto contra a seriedade excessiva dos formalistas e a conversão da forma em "fôrma" criticada no poema "Os sapos", de *Carnaval*. A escolha do título *Opus 10* teria alguma relação com o famoso *Opus 9*, de Schumann, uma das músicas preferidas de Bandeira, que serviu de inspiração ao livro de 1919, marco inaugural do nosso modernismo? Em ambas as coletâneas, exprime-se, por meio das brincadeiras, da diversão e da alegria, ainda que triste, do poeta, um forte desejo de libertação.

Quanto ao valor da circunstância na obra de Manuel Bandeira, convém observar que ela não se faz presente apenas nos poemas reivindicatórios ou imediatos, dedicados a pessoas, acontecimentos ou causas, que compõem o grosso da matéria de *Opus 10* e de *Mafuá do malungo*. Para ele, praticamente todos os seus poemas estavam ligados às circunstâncias: os lugares onde residiu, as paisagens que tinha diante dos olhos, os casos ouvidos dos amigos, os fatos corriqueiros que despertavam a sua inspiração e cujos vestígios não raro transpareciam nas composições, como se o autor fizesse questão de registrar a sua dependência do acaso, o caráter inesperado, contingente e incontrolável de sua criação poética.

"Fiz algumas tentativas de escrever poesia sem apoio nas circunstâncias. Todas malogradas. Sou poeta de circunstâncias e desabafos" – afirma Bandeira no *Itinerário de Pasárgada*. Desnecessário lembrar que a poesia é a "arte de transfigurar as circunstâncias", conforme exprimiu Drummond. Mesmo quando se diverte ou fala de coisas banais, o poeta pernambucano, segundo o autor de *A rosa do povo*, mantém "as qualidades essenciais do seu lirismo a sério: ternura, graça triste, ironia".[19] Da relação com as circunstâncias é que se originam os poemas. É o que se pode ver, por exemplo, em "Lua nova", um dos mais admirados de *Opus 10*, no qual o poeta comenta a vista que lhe proporciona seu novo apartamento na avenida Beira-Mar. Depois dos becos, a visão da aurora: "Todas as manhãs o aeroporto em frente me dá lições de partir".

Aprender "A partir de uma vez/ – Sem medo,/ Sem remorso,/ Sem saudade."[20] – é um dos motivos recorrentes do lirismo final de Manuel Bandeira. Sobre o tema da "preparação para a morte", há em *Opus 10* outros dois trabalhos antológicos, que figuram entre as melhores criações do autor: "Boi morto" e "Consoada". O primeiro é o poema de abertura do livro e se tornou objeto de escândalo, a ponto de ser comparado por Bandeira e outros leitores ao polêmico "No meio do caminho", de Drummond. Com efeito, ambos giram em torno de uma ideia fixa, repetida com insistência, como se quisessem enfatizar a atmosfera de pesadelo e a ausência de saídas: "Boi morto, boi morto, boi morto". A poderosa imagem do animal arrastado pela enchente já havia aparecido em "Evocação do Recife", de *Libertinagem* – segundo Bandeira, o emperramento da agulha durante a audição de um disco em que ele próprio lia o poema é que lhe teria inspirado a nova composição. Há uma íntima ligação entre o "boi morto" e o sujeito lírico "dividido, subdividido", que se percebe "entre destroços do presente" e se deixa também arrastar pelas águas. Em contraste com a "atônita alma", refugiada nas margens, o corpo não se espanta nem hesita, "esse vai com o boi morto".[21]

---

19 ANDRADE, Carlos Drummond de. Manuel Bandeira. In: _____. *Passeios na ilha*. São Paulo: Cosac Naify, 2011, p. 143-144.

20 BANDEIRA, Manuel. Lua Nova. In: _____. *Opus 10*. São Paulo: Global, 2015, p. 59.

21 Idem. Boi morto. Ibidem, p. 21.

O mesmo reconhecimento da morte como força natural – sem que por isso ela deixe de ser estranha e sinistra – ocorre em "Consoada", poema-síntese do apaziguamento a que chegou o poeta depois de sua longa intimidade com a "indesejada das gentes". Não se trata de indiferença ou conformismo, mas da serenidade obtida pelo indivíduo que se abandonou ao ritmo da existência e se integrou aos ciclos da natureza, aprendendo, como Mário de Andrade, que "a própria dor é uma felicidade". Em artigo sobre o livro *Remate de males*, do seu amigo paulista, Bandeira define a felicidade como "conformidade com o seu destino", de que resulta "um tom de repousante calma".[22] É o que contemplamos no quadro bucólico de "Consoada". A naturalidade com que os versos aludem à espera da morte, inevitável como a chegada da noite ao findar-se o dia, corresponde ao principal traço estilístico bandeiriano, o que a torna simultaneamente "resposta existencial e solução formal",[23] como observou Davi Arrigucci Jr.

Mas o espanto do menino em face do morto descomunal na cheia do Capibaribe aqui não desaparece de todo. A despeito do prosaísmo em que culminam os versos, a morte, tão terrível que nem chega a ser diretamente nomeada, mantém assim como a noite "os seus sortilégios". Aparentemente distintos no tratamento que dão ao tema, "Boi morto" e "Consoada" são poemas convergentes. Por meio da aceitação da morte, ambos revelam sobretudo o desengano e o realismo desse poeta tão modernamente entregue à vida, ao real e a todas as suas circunstâncias (ao contrário da alma elevada e estática, que permanece à margem da correnteza). Por essa razão é que figuram, ao lado de outras grandes composições de Bandeira, como autênticas lições de partir ou, se quisermos, de viver.

In: BANDEIRA, Manuel.
Opus 10. São Paulo: Global, 2015.

O Bandeira o que é? É poeta ou não é?
ROSANA KOHL BINES

Mafuá do malungo era uma raridade em 1948, ano de sua primeira edição. Apenas 110 exemplares foram impressos para distribuição exclusiva entre amigos. Nenhum livro sequer à venda. Logo os volumes acabaram, provocando "cobiças desenfreadas da parte dos fãs", conforme reporta Manuel Bandeira, envaidecido. E ainda arremata: "Pedem o livro descaradamente".[24] Tudo começou com uma carta enviada a Bandeira por João Cabral de Melo Neto, que atuava então como vice-cônsul do Brasil na Espanha. Por recomendação médica, o poeta-diplomata havia sido orientado a se dedicar

---

22   Idem. Mário de Andrade. In: _____. *Crônicas da província do Brasil*. São Paulo: Cosac Naify, 2006, p. 135-136.

23   ARRIGUCCI JR., Davi. *Humildade, paixão e morte*: a poesia de Manuel Bandeira. São Paulo: Companhia das Letras, 1992, p. 261.

24   Os comentários de Bandeira sobre o sucesso de *Mafuá do malungo* encontram-se em carta a João Cabral de Melo Neto, datada de 4 de agosto de 1948. In: *Correspondência de Cabral com Bandeira e Drummond*. Organização, apresentação e notas de Flora Sussekind. Rio de Janeiro: Nova Fronteira, Fundação Casa de Rui Barbosa, 2001, p. 95.

a atividades físicas e resolveu se aventurar na tipografia. Comprou todo o material necessário à impressão manual de livros e escreveu ao seu primo distante, Manuel Bandeira, pedindo que lhe cedesse para publicação "aqueles poemas onomásticos". De fato, desde jovem, Bandeira vinha acumulando versos inspirados em nomes de amigos, a quem homenageava em inspiradas zombarias sonoras:

> O sentimento do mundo
> É amargo, ó meu poeta irmão!
> Se eu me chamasse Raimundo!...
> Não, não era solução.
> Para dizer a verdade,
> O nome que invejo a fundo
> É Carlos Drummond de Andrade.[25]

Esses versos ocasionais, ofertados em aniversários, nascimentos, batizados, bodas ou em dedicatórias de livros, compunham um material leve e despretensioso, que Bandeira hesitava em divulgar amplamente, com a justificativa de que não transcendiam a mera circunstância em que foram produzidos. Debochado, chegou a chamar esse conjunto de poemas de "versalhada". Essa encenação galhofeira de desprezo pela própria obra é parte fundamental na construção da figura do "poeta menor", voltado para o cotidiano desimportante das coisas miúdas, convicto de que "a poesia está em tudo – tanto nos amores como nos chinelos, tanto nas coisas lógicas como nas disparatadas".[26] E aos críticos que insistiam em filiar essa poética despojada ao programa modernista, Bandeira retrucava ainda em tom menor: "muita coisa que ali parece modernismo, não era senão o espírito do grupo alegre de meus companheiros diários naquele tempo [...]. Se não tivesse convivido com eles, decerto não teria escrito, apesar de todo o modernismo, versos como os de 'Mangue', 'Na boca', 'Macumba de Pai Zusé', 'Noturno da Rua da Lapa' etc.".[27] Há um empenho evidente em pensar e viver a poesia em escala diminuta, no circuito dos afetos, distante das panorâmicas. Na mesma medida, Bandeira refuta qualquer intenção modernista no sentimento do humilde cotidiano que se fez sentir desde cedo em sua poesia, creditando a paisagem das ruas, tão visível em seus versos, "muito simplesmente" ao ambiente do morro do Curvelo, onde morou entre 1920 e 1933, anos que, em verdade, foram decisivos para a poesia modernista. Seria tudo obra de contingência, como nos quer fazer crer o poeta?

Sua fala despretensiosa pede certa desconfiança. Como bem observou Flora Sussekind, no texto de apresentação à *Correspondência de Cabral com Bandeira e Drummond*,[28] o elogio da simplicidade contrasta estrategicamente com o crescente sucesso que o poeta experimenta em várias frentes, notadamente nas décadas de 1930 e 1940. No campo literário, publica-se o livro *Homenagem a Manuel Bandeira*, reunindo poemas e estudos críticos de importantes escritores brasileiros por ocasião do cinquentenário do poeta em 1936. No ano seguinte, Bandeira recebe o prêmio da Sociedade Filippe d'Oliveira pelo conjunto de sua obra. É eleito para a Academia

---

25 BANDEIRA, Manuel. Carlos Drummond de Andrade. In: _____. *Mafuá do malungo*. São Paulo: Global, 2015, p. 41.

26 Idem. *Itinerário de Pasárgada*. São Paulo: Global, 2012, p. 27.

27 Idem. Ibidem. p. 109.

28 Op. cit., 2001, p. 7-17.

Brasileira de Letras em 1940 e nomeado professor de literatura hispano-americana da Faculdade de Filosofia em 1943. Não há dúvida de que o poeta é levado a sério. É nesse cenário de ampla consagração que se pode perceber melhor a oportuna publicação, em 1948, dos descompromissados versos de *Mafuá do malungo*, que por tanto tempo Bandeira resguardara para consumo estritamente familiar. A decisão de divulgar esse material "menor" em momento de grande reconhecimento público ajuda a criar um contraponto irônico à imagem do poeta laureado, como expressam gostosamente os versos:

> André, André, André,
> O Bandeira o que é?
> É poeta ou não é?[29]

É possível estender um pouco mais o alcance da provocação bandeiriana, como sugere ainda Flora Sussekind, se pensarmos que os versos de circunstância não só brincam com a reputação do ilustre poeta, mas também confrontam, em seu tom divertido e circense, o esteticismo mais elevado da chamada Geração de 45. Nesse sentido, pode-se dimensionar melhor a força dos poemas que um dia Bandeira pretendeu minimizar, enquanto neles projetava uma afirmação contundente de sua poética em ponto pequeno, em franco contraste com novas dicções literárias no cenário brasileiro.

De fato, em *Mafuá do malungo* estão concentradas em grau máximo duas qualidades decisivas da lírica bandeiriana, anunciadas nas duas palavras que compõem o título do volume. Como nos esclarece o próprio poeta, "'Mafuá' toda a gente sabe que é o nome por que são conhecidas as feiras populares de divertimentos; 'malungo', africanismo, significa 'companheiro, camarada'".[30] Tem-se assim um livro que conjuga gracejo e amizade, distribuindo afetos sem afetação. Em cada poema, uma piscadela de olho, como na saudação à recém-nascida:

> Para a filha (Feliciana?
> Joana? Bibiana? Aureliana?
> Ana? Mariana? Fabiana?
> Herculana? Emerenciana?
> Caetana? Diana? Damiana?
> Justiniana? Sebastiana?
> Valeriana? Taprobana?),
> Para a filha de Liliana
> E para a própria Liliana
> Mando um beijo de pestana.[31]

Nesses jogos onomásticos que abrem o volume, há um sem-número de rimas repetitivas, tão previsíveis quanto engraçadas, na medida que encenam um versejar de poucos recursos, acentuando traiçoeiramente a impressão de inabilidade. Não à toa, Bandeira valoriza na tipografia artesanal de João Cabral justamente esse aspecto amador, tão sintonizado com certo ar de improviso que corre nas páginas de *Mafuá*. Quando recebe as primeiras provas do livro, que havia servido de cobaia

---

29 BANDEIRA, Manuel. André. In: _____. *Mafuá do malungo*. São Paulo: Global, 2015, p. 112.

30 Idem. *Itinerário de Pasárgada*, São Paulo: Global, 2015, p. 151.

31 Idem. Liliana. In: _____. *Mafuá do malungo*. São Paulo: Global, 2015, p. 47.

ao editor iniciante, Bandeira enaltece suas "pequeninas imperfeições", destacando "aquele calor da mão humana, não sei que estremecimento de emoção."[32] Falhar é botar sentimento nas coisas, diz o poeta. Essa cumplicidade entre erro e afeto permeia também o autorretrato do

> Arquiteto falhado, músico
> Falhado (engoliu um dia
> Um piano, mas o teclado
> Ficou de fora) [...][33]

Dentuço, Bandeira ri de si mesmo com a boca escancarada, numa expansão afetiva que se partilha, em pequenas doses, com cada um dos "malungos" homenageados no livro. Tal corrente de troça e afeto se propaga em todas as seções do volume. Seguem-se aos "Jogos onomásticos", "Lira do brigadeiro", "Outros poemas" e "À maneira de...". O ambiente caseiro e fraternal que impregna as dedicatórias cede espaço a novas paisagens. Variam os assuntos e as rimas. Mas a mesma piscadela maliciosa é dirigida à careca do "Excelentíssimo Prefeito", na tentativa de "Mover-se-lhe o sensível peito" diante de "Um pântano que é de amargar!". De sua janela, o poeta avista um pátio infectado de sujeira e cobra providências do poder público. Exige, em linguagem sarcasticamente empolada, que se ponha o pátio

> Limpo como o olhar da inocência,
> Limpo como – feita a ressalva
> Da muita atenção e respeito
> Devidos a Vossa Excelência –
> Sua excelentíssima calva![34]

Carlos Drummond de Andrade foi certeiro ao afirmar que *Mafuá* é uma demonstração de poder que o poeta utiliza nas situações mais cotidianas. Poder de "tirar do atoleiro" palavras capazes de reclamar "essa limpeza essencial"[35] que a poesia reivindica para a vida. Nada mais atual. Criar, com as palavras, demandas de vida límpida, para si, para os amigos e também para os passantes da via pública. Tudo escrito sem dós de peito, em breves gargalhadas.

In: BANDEIRA, Manuel.
Mafuá do malungo. São Paulo: Global, 2015.

---

32 Op. cit., 2001, p. 63.

33 BANDEIRA, Manuel. Autorretrato. In: _____. *Mafuá do malungo*. São Paulo: Global, 2015, p. 131.

34 Idem. Petição ao prefeito. Ibidem, p. 165.

35 Expressões de Carlos Drummond de Andrade em resenha crítica a *Mafuá do malungo*, publicada sob o título de "O poeta se diverte", no *Correio da Manhã*, Rio de Janeiro, 3 de julho de 1948. Transcrito in: *Manuel Bandeira: poesia completa e prosa*. Rio de Janeiro: Nova Aguilar, 1983, p. 359-362.

Bandeira tradutor ou o esquizofrênico incompleto
José Paulo Paes

Um aprendiz de línguas

Não sei se, durante as desenxabidas comemorações do primeiro centenário de nascimento de Manuel Bandeira, em 1986, alguém se lembrou de destacar a sua atividade de tradutor, exercida a princípio por necessidade econômica, depois pelo gosto e/ou prestígio do ofício, desde a década de 30 até o fim da sua vida. Da importância que essa atividade teve no conjunto da sua produção intelectual dão notícia algumas passagens do *Itinerário de Pasárgada*. Como se sabe, o *Itinerário* é uma biografia literária meio na linha da de Coleridge, pelo que fornece valiosos subsídios para o entendimento das concepções do autobiógrafo, inclusive da sua teoria da tradução. Nas *Cartas de Mário de Andrade a Manuel Bandeira* há também referências à troca de ideias entre os missivistas acerca de questões de tradução poética. Pena que, por não terem sido publicadas até hoje as cartas de Bandeira a Mário[36], só conheçamos as opiniões deste e não as daquele. De qualquer modo, é com dados colhidos quase todos nessas duas fontes que se vai recordar-lhe aqui a figura de tradutor, menos importante que a de poeta – o *miglior fabbro* e o São João Batista da poesia modernista –, mas, por complementar dela, igualmente digna de interesse.

A biografia do Bandeira tradutor começa evidentemente pelo seu aprendizado de línguas estrangeiras. A respeito, o *Itinerário* nos fala apenas da sua aversão ao professor de grego, em cuja classe do Pedro II estudara, aos quinze anos de idade, a *Ciropedia* de Xenofonte, de onde tiraria o nome e a inspiração do mais popular dos seus poemas, "Pasárgada". Porém, ao que se saiba, nunca traduziu nada do grego. Em compensação, traduziu bastante do francês, do inglês, do alemão e do espanhol, idiomas que deve ter aprendido também nos bancos de escola. Da sua proficiência no primeiro deles dão prova os poemas que escreveu diretamente em francês, "Chambre vide" e "Bonheur lyrique", de *Libertinagem* (1930), e "Chanson des petits esclaves", de *Estrela da manhã* (1936). Como se trata de incursões ocasionais num idioma estrangeiro, é-se tentado a capitulá-las como traduções ou, melhor dizendo, autotraduções de um poeta de língua portuguesa. Desse equívoco nos salva o próprio poeta quando observa, a respeito dos dois poemas:

> "Certa vez em que eu estava preparando uma edição das *Poesias completas*, quis acabar com isso de versos em francês, que poderia parecer pretensão de minha parte, e esforcei-me por traduzi-los. Pois fracassei completamente, eu que tenho traduzido tantos versos alheios. Outra experiência minha: mandaram-me um dia uma tradução para o francês de poema meu, pedindo-me não só que sobre ela desse a minha opinião, como emendasse, mudasse à vontade. Pus mãos à obra e vi que para ser fiel ao meu sentimento teria de suprimir certas coisas e acrescentar outras. No fim não deu também nada que prestasse. Tudo isso me confirmou na ideia de que poesia é mesmo coisa intraduzível".

---

36 Na época da publicação deste ensaio, ainda não havia sido publicada a correspondência pela Editora da Universidade de São Paulo. *Correspondência*: Mário de Andrade & Manuel Bandeira. Org. Marcos Antonio de Moraes. São Paulo: Edusp, 2000. (N. E.)

Mais adiante, ao tratar da curiosa ambivalência da teoria da tradução de Bandeira, discutiremos o seu conceito de intraduzibilidade da poesia. Por enquanto, e de passagem, vale a pena lembrar que, dos nossos modernistas, não foi ele o único a ter a "pretensão" de escrever em francês. Antecipou-o Sérgio Milliet, cujos quatro primeiros livros de poemas, publicados entre 1917 e 1923 na Europa, foram escritos diretamente nessa língua. Também Oswald de Andrade e Guilherme de Almeida compuseram de parceria, em 1916, peças de teatro em francês, confirmando com isso um afrancesamento da *intelligentsia* brasileira que durou pelo menos dos primórdios do romantismo até o fim da Segunda Guerra. Mas voltando ao aprendizado bandeiriano de línguas estrangeiras: durante o período em que se tratou de tuberculose num sanatório da Suíça, Clavadel, por volta de 1913, teve ele ocasião não só de aperfeiçoar o seu francês como de reaprender o alemão: "Essa estada de pouco mais de um ano em Clavadel quase nenhuma influência exerceu sobre mim literariamente, senão que me fez reaprender o alemão, que eu aprendera no Pedro II, mas tinha esquecido (de volta ao Brasil li quase todo o Goethe, Heine e Lenau)". *Carnaval* (1919) traz marcas dessa leitura, leitura ainda recente já que seu autor havia voltado para o Brasil em 1917: há ali uma peça intitulada "A sereia de Lenau" onde é celebrado o romântico "poeta da amargura" a quem o amor de uma sereia terrestre acabaria por levar "ao oceano sem fundo da loucura". Muitos anos depois, nos *Poemas traduzidos*, cuja primeira edição é de 1945, sendo a segunda, aumentada, de 1948, aparece vertido o "Anelo" de Goethe e um poema de Heine, se bem a principal incursão tradutória de Bandeira no domínio da poesia alemã fossem os nove poemas de Hölderlin que verteu a pedido de Otto Maria Carpeaux e que considerou "uma das maiores batalhas que pelejei na minha vida de poeta". Outra momentosa incursão sua, essa no domínio do teatro em versos, seria *Maria Stuart*, de Schiller, que ele traduziu por encomenda em 1955 para ser encenada no mesmo ano, em São Paulo e no Rio, pela companhia de Cacilda Becker.

Em Clavadel, Bandeira conviveu com Charles Picker, poeta húngaro de quem transcreve, no *Itinerário de Pasárgada*, várias composições alemãs, vertendo-as a seguir em verso não rimado, conquanto os do original ostentassem rimas. Trata-se de um caso raro na folha corrida de um tradutor de poesia que timbrava em respeitar escrupulosamente as peculiaridades formais dos textos trazidos por ele ao português. Mas o seu encontro mais importante em Clavadel foi com um jovem francês de nome Paul-Eugène Grindel, ali também internado para tratamento dos pulmões e que posteriormente se iria tornar célebre sob o pseudônimo literário de Paul Éluard. Curioso que, tendo influenciado, nos seus primórdios, a carreira poética de Éluard, Bandeira o tivesse traduzido tão pouco: apenas dois poemas, "Palmeiras" e "Em seu lugar", que constam nos *Poemas traduzidos*.

Se do francês se pode dizer ter sido a segunda língua de Bandeira, com o inglês, de que também traduziu abundantemente, o mesmo não acontecia. Quando, num artigo acerca das traduções poéticas dele, Abgar Renault louvou a habilidade com que ele fizera justiça às "sutilezas, '*shades of meaning*', '*idioms*' e outras dificuldades de natureza puramente gramatical ou linguística" dos *Sonnets from the Portuguese*, de Elizabeth Barret Browning, atribuindo-a não apenas à "simples intuição poética" mas sobretudo "a uma longa, íntima familiaridade com os fatos e coisas da língua inglesa", Bandeira não se pejou de ter de contradizê-lo:

Gostaria que fosse verdade o louvor tão lisonjeiro de meu querido amigo Abgar. Mas devo confessar que sou bastante fundo no inglês. Fundo no sentido que a palavra tem na gíria. Todas aquelas soluções julgadas tão felizes pelo crítico, por mais cavadas ou sutis que pareçam, devem se ter processado no subconsciente, porque as traduções me saíram quase ao correr do lápis. Antes houve, sim, o que costumo fazer sempre quando traduzo: deixar o poema como que flutuar por algum tempo dentro do meu espírito, à espera de certos pontos de fixação. Aliás, só traduzo bem os poemas que gostaria de ter feito, isto é, os que exprimem coisas que já estavam em mim, mas informuladas. Os meus "achados", em traduções como em originais, resultam sempre de intuições.

Esta confissão, tão cândida e tão reveladora, vem em apoio de uma observação de Paulo Rónai lastreada por outros precedentes tão numerosos quanto ilustres:

Em diversos países há ótimas versões de Shakespeare devidas a poetas que não falavam uma palavra sequer de inglês e executaram a tarefa com sangue, suor e lágrimas, e consulta constante aos dicionários e léxicos, alcançando resultados notáveis; existem, em compensação, outras, feitas por professores de inglês, que, apesar de bons, não sabem a língua materna, e compilaram apenas trabalhos escolares, insulsos, ilegíveis.[37]

Dá-nos a confissão de Bandeira, outrossim, um vislumbre da sua oficina de tradutor de poesia, a qual não diferia substancialmente da sua oficina de poeta; numa e noutra, era a intuição criadora, a máquina secreta da subconsciência quem fornecia a matéria-prima para as elaborações da lucidez artesanal. Tanto assim que confessava só ser capaz de traduzir bem "os poemas que gostaria de ter feito", de poetas afins do seu temperamento. Como aqueles que, numa ou noutra época de sua vida, sucessivamente o influenciaram e entre os quais ele próprio arrola, dos alemães, Lenau e Heine, dos franceses e belgas, Villon, Musset, Guérin, Sully Prudhomme e Verhaeren, dos italianos, Palazzeschi, Soffici, Govoni e Ungaretti, muito embora, desses poetas congeniais, ele só tenha traduzido Heine.

TRADUÇÕES COMERCIAIS

Mas não foi recriando "os poemas que gostaria de ter feito" que Bandeira começou sua carreira tradutória. Começou-a de maneira bem mais prosaica como suplente de tradutor de telegramas de uma agência de notícias, United Press, onde teve como colegas de trabalho Sérgio Buarque de Holanda e Virgílio Várzea. Conseguia fazer até setecentos mil-réis por mês sujeitando-se a plantões noturnos. Isso por volta de 1933, numa altura em que passou a residir na Lapa, *locus* inspirador de alguns dos seus melhores poemas. Pouco depois, por recomendação de seu amigo Ribeiro Couto, foi ele convidado a traduzir, para a Editora Civilização Brasileira, nada mais nada menos do que um tratado de moléstias hepáticas. Apesar de jejuno no assunto, cumpriu a tarefa "limpa e rapidamente",[38] pelo que lhe foram confiadas a seguir outras tarefas semelhantes. Para a Civilização Brasileira, verteu ao todo quinze volumes de assuntos variados, desde romances de aventura, passando por narrativas de viagem e biografias, até

---

37 Paulo Rónai, *A tradução vivida*, Rio de Janeiro, Educom, 1976, p. 10. Bandeira traduziu o *Macbeth*.

38 Sérgio Buarque de Holanda e Francisco de Assis Barbosa, "Introdução geral" a PP, XCI, I.

obras de divulgação científica. Livros sem maior importância, de autores secundários, que só mesmo a necessidade de suplementar os seus parcos rendimentos – Bandeira sempre levou vida modesta – justificaria ele ter aceito traduzir. Traduziu-os não obstante com cuidado, em português de lei, conforme tive ocasião de verificar ainda há pouco, quando, durante pesquisas para um ensaio sobre o romance de aventuras, tive de reler *O tesouro de Tarzan*, de Edgar Rice Burroughs, e *Aventuras do Capitão Corcoran*, de A. Assolant, que estão entre as traduções que fez para a Civilização Brasileira. Entre elas figura também uma bela versão de *A vida de Shelley*, de André Maurois.

Se as traduções comerciais assinalam um momento de trabalho enfadonho, sem maior encanto intelectual, na vida de Bandeira, as "traduções para o moderno" nela representaram sem dúvida um prelúdio de gratuidade brincalhona. Transferindo para o plano da autoparódia a técnica e o espírito do poema-piada que, como se sabe, foi a pedra de toque do modernismo irreverente e iconoclasta de 22, essas traduções valiam como uma espécie de denúncia maliciosa de "certas maneiras de dizer, certas disposições tipográficas que já se tinham tornado clichês modernistas", para citar palavras com que o próprio Bandeira intentou defini-las. Um exemplo bem característico é "Teresa", poema que se propunha a pôr em "moderno" o romantismo piegas de Joaquim Manuel de Macedo tal como dele dava mostra o seu "Adeus de Teresa":

> Mulher, irmã, escuta-me: não ames;
> Quando a teus pés um homem terno e curvo
> Jurar amor, chorar pranto de sangue,
> Não creias, não, mulher: ele te engana!
> As lágrimas são galas da mentira
> E o juramento manto da perfídia.

Eis como, brincando de falar "cafajeste" ou "caçanje", Bandeira modernizou o descabelamento de Macedo:

> Teresa, se algum sujeito bancar o sentimental em cima de você
> E te jurar uma paixão do tamanho de um bonde
> Se ele chorar
> Se ele se ajoelhar
> Se ele se rasgar todo
> Não acredita não Teresa
> É lágrima de cinema
> É tapeação
> Mentira
> CAI FORA

As "traduções para o moderno" haviam sido publicadas em 1925 na seção "Mês Modernista" do jornal carioca *A Noite*, onde "Teresa" era dada pelo parodista como uma tradução "tão afastada do original que a espíritos menos avisados pareceria criação".[39] Já nas versões de poesia a que se iria dedicar com regularidade a partir da

---

39   Essas "traduções para o moderno" têm particular interesse para o estudo da *performance* de Bandeira tanto como poeta como tradutor. Exemplificam, quando mais não fosse, a sua labilidade no campo da expressão, em que se movimentava com o maior desembaraço entre os dois polos do formalismo da língua literária tradicional e da desafetação vivaz da fala popular. Da sua intimidade com os clássicos da língua há reflexos confessos na sua versão de quatro sonetos de Elizabeth Barret Browning, de que diz: "O português dessas traduções contrasta singularmente com o dos poemas originais. É que na ginástica de tradução fui aprendendo que para traduzir poesia não se pode abrir mão do tesouro que são a sintaxe e o vocabulário dos clássicos por-

década de 40, Bandeira não se permitiria mais afastar-se, lúdico-parodicamente, do original. Isso não obstante achar, no caso de textos a seu ver intraduzíveis, como certos poemas de Rimbaud, Mallarmé e Valéry, que "quando algum grande poeta se sai bem da tarefa é porque fez um pouco outra coisa: as belezas formais da tradução não são as do original, são outras". Estas palavras foram escritas a propósito da versão, por Lêdo Ivo, de *As iluminações* e *Uma temporada no inferno*, para Bandeira "o Rimbaud mais difícil", intraduzível mesmo. Apesar do seu ceticismo quanto à possibilidade de uma empreitada que tal ser levada a cabo, não se furta ele a reconhecer que Lêdo Ivo achou "em português os sucedâneos dos sortilégios verbais do Vidente" e "lavrou um tento, aproximando-se bastante do original sem mentir à poesia do original".

A REFRAÇÃO TRADUTÓRIA

À primeira vista, existe uma contradição patente entre postular a intraduzibilidade do Rimbaud de *As iluminações* e de *Uma temporada no inferno* e reconhecer que uma tradução desses dois poemas foi bem-lograda. Se se atentar, porém, para as modulações de que é acompanhado tal reconhecimento, modulações do tipo de "um pouco outra coisa", "belezas formais... outras" que não as do original, "sucedâneos" e "aproximando-se bastante", percebe-se que a noção de intraduzibilidade tem de ser também modalizada, tomada *cum grano salis*. Na passagem do *Itinerário de Pasárgada* mais atrás citada, em que Bandeira faz reparos autocríticos a um artigo de Abgar Renault, explica ele o seu conceito de "equivalência", a qual "consiste não na tradução exata das palavras, mas na expressão do mesmo sentimento, e até das mesmas imagens, sob forma diferente", e fala de uma "poesia intraduzível por sua própria natureza, como a de Mallarmé ou de Valéry, em que a emoção poética está rigorosamente condicionada às palavras".

Se bem entendo, com equivalência – "essa equivalência que sempre procurei nas minhas traduções" – Bandeira quer dizer a criação de um símile do poema original capaz de produzir, nos leitores da língua-alvo, efeitos semelhantes aos produzidos pelo dito poema nos leitores da língua-fonte. Como tais efeitos dependem não apenas do significado conceitual mas também do significado formal do texto, cumpre ao tradutor tentar preservar no seu símile, tanto quanto possível, as "mesmas imagens" do original, já que, em poesia, são as responsáveis pela especificidade dos efeitos. E por imagem se deve entender, atrevo-me a acrescentar, não só a metáfora *lato sensu* como também as "figuras de gramática" tão bem-destacadas por Jakobson, para quem "toda reiteração perceptível do mesmo conceito gramatical torna-se um procedimento poético efetivo".[40]

Os efeitos produzidos pelo original e pelo símile tradutório são, conforme se acaba de dizer, não iguais, mas semelhantes. Como se tivessem sofrido um desvio ou refração ao ingressar num meio de diferente densidade linguística: o raio luminoso (o "sentimento" ou "emoção poética" no dizer de Bandeira, ou os efeitos semântico-

---

tugueses. Especialmente quando se trata de tradução do inglês ou do alemão. A sintaxe dos clássicos, mais próxima da latina, é muito rica, mais ágil, mais matizada que a moderna, sobretudo a moderna do Brasil [PP 78 II]. Em sentido oposto, do voluntário afastamento da dicção poética tradicional, é esta sua outra confissão: "o hábito do ritmo metrificado, da construção redonda, foi-se corrigindo lentamente à força de estranhos dessensibilizantes: traduções em prosa (as de Poe por Mallarmé)" [PP 33 II].

40 Roman Jakobson, *Linguística, poética, cinema*, org. de B. Schnaiderman e H. de Campos, São Paulo, Perspectiva, 1970, p. 72.

-formais no nosso) continua sendo o mesmo, só a sua direção e a sua intensidade é que mudam. A diferença de densidade entre a língua-fonte e a língua-alvo não só explica como justifica a refração tradutória, ao mesmo tempo que modaliza ou gradua a antítese traduzível/intraduzível. Postular utopicamente a tradução como igualdade de efeitos entre o texto-fonte e o texto-alvo é o mesmo que abolir as leis da refração. Concebê-la como uma técnica de equivalência ou aproximação[41] é modalizar pragmaticamente a antítese traduzível/intraduzível. Se bem os dicionários da língua não tenham dado ainda acolhida ao verbo "modalizar", de há muito registram o adjetivo "modal", quer na sua acepção geral de "relativo ao modo particular de execução de algo", quer na acepção filosófica de relativo à "proposição em que a afirmação ou negação é modificada por um dos quatro modos: possível, contingente, impossível e necessário".

Se dispusermos num leque gradual esses quatro modos, a começar do necessário, passando sucessivamente pelo possível e pelo contingente, até chegar ao impossível, teremos um mapeamento de todo o campo teórico da tradução, particularmente de poesia. Para não nos afastarmos da terra firme das definições filosóficas, lembremos que dentro dela se entende necessário como "o que se põe por si mesmo e imediatamente, quer no domínio do pensamento, quer no domínio do ser";[42] ora, em que pese a má vontade dos humboldtianos, a noção da necessidade da tradução é das que se impõem por si mesmas e imediatamente, tanto no domínio da prática quanto no da teoria. Já em relação a "possível", a sua acepção corrente de "o que pode ser, acontecer ou praticar-se" é mais do que satisfatória para dar conta do traduzir como um ato que, filosoficamente considerado, "não implica contradição [...] com nenhum fato ou lei empiricamente estabelecido", pelo que "satisfaz as leis gerais da experiência". Quanto ao caráter contingente do ato tradutório, nada lhe descreve melhor o estatuto que a acepção de "contingente" em lógica, onde tal adjetivo é aplicado à "proposição cuja verdade ou falsidade só pode ser conhecida pela experiência e não pela razão", a razão humboldtiana que nega a possibilidade última da tradução, a experiência tradutória de milênios que a confirma pragmaticamente. Por fim, a conceituação filosófica de "impossível" como "o que implica contradição" ou "ou que é, de fato, irrealizável", se aplicaria, na teoria bandeiriana da tradução, àqueles textos "em que a emoção poética está rigorosamente condicionada à palavra". Um desses casos seria o de *As iluminações* e de *Uma temporada no inferno*, no entanto traduzidos por Lêdo Ivo com êxito, no entender do próprio Bandeira. Este pormenoriza inclusive, como exemplo feliz de transposição dos "sortilégios verbais do Vidente", o de *"grandes juments bleues et noires"* por "grandes éguas azuis e negras", considerando-a como um caso de tradução literal, muito embora observe a seguir que "'égua' é mais belo que *'juments'"*. Literal certamente porque, não sendo a rigor palavras sinônimas, "éguas" e "jumentas" pertencem ambas ao mesmo campo semântico, no que se confirma a noção jakobsoniana de "equivalência na diferença".[43] Numa carta a

---

41   Acho o conceito de "aproximação" mais fecundo que o de "equivalência". Equivalência supõe igualdade ou correspondência de valores de um para outro sistema, a língua-fonte e a língua-alvo, o que é muito discutível, precisamente por tratar-se de dois sistemas diferentes. Aproximação é um conceito menos ambicioso e por isso mesmo mais abrangente, particularmente no terreno da tradução poética, em que, mais do que em outro terreno qualquer, o traduzido não equivale ao original mas é um "caminho" até ele, para usar a feliz expressão de Ortega y Gasset em "Miséria y esplendor de la traducción", *Misión del bibliotecário*, Madri, Revista de Occidente, 1967, p. 130.

42   Esta e as definições a seguir são do *Novo dicionário da língua portuguesa*, de Aurélio B. de Holanda, Rio de Janeiro, Nova Fronteira, s. d., 1ª ed.

43   Roman Jakobson, "Aspectos linguísticos da tradução", *Linguística e comunicação*, trad. de I. Blikstein e J. P. Paes, São Paulo, Cultrix, 1969, p. 65.

Alphonsus de Guimaraens Filho em torno de dificuldades de tradução de poemas de Emily Dickinson e Edna St. Vincent Millay, aconselha-o Bandeira:

> Mas aqui peço licença para lhe dar uma lição: sempre que você quiser traduzir um poema, faça um estudo preliminar no sentido de apurar o que é essencial nele e o que foi introduzido por exigência técnica, sobretudo, de rima e métrica. Isto feito, se aparecerem dificuldades que digam respeito ao último elemento (o que não é essencial e pode ser alijado), resolva-se alijando o supérfluo, mesmo que seja bonito. [...] As rosas podem ser substituídas por lírios. Não importa que seja esta ou aquela flor, e era preciso uma flor de nome masculino por causa da rima.

Como se vê, estamos aqui nos antípodas da "poesia intraduzível por sua própria natureza"; estamos na intimidade da oficina do tradutor, onde o possível pragmático põe a escanteio o impossível teórico.

Um paradoxo bandeiriano

Todavia, por mais que se procure modalizar ou matizar, com atenuações de vária ordem, a concepção bandeiriana de intraduzibilidade da poesia, nem por isso se consegue reduzir-lhe de todo o caráter paradoxal. Tanto mais paradoxal quanto vinha de alguém que fez da tradução poética uma atividade regular e que, na esteira dos nossos românticos e parnasianos, não trepidou em pôr em pé de igualdade a atividade criativa e a tradutória, incluindo entre os seus próprios versos três sonetos de Elizabeth Barret Browning em *Libertinagem* e dois poemas de Cristina Rossetti em *Estrela da manhã*, para citar exemplos notórios. De alguém que, em vez de deixar as suas versões poéticas esquecidas nas páginas dos jornais ou revistas onde foram originariamente publicadas, preocupou-se em lhes dar destino menos efêmero reunindo-as em livro. O que faria supor, se não o gosto da tradução, ao menos a consciência do seu valor e do seu prestígio. Mas até nisto Bandeira se revela contraditório. Conquanto houvesse afirmado que só traduzia "bem os poemas que gostaria de ter feito", as versões coligidas no volume *Poemas traduzidos* estão longe de haver sido realizadas espontaneamente, por iniciativa própria. Não são poemas a que ele se tivesse particularmente afeiçoado, com os quais tivesse convivido longo tempo, como os dos poetas que, numa ou noutra época, exerceram influência sobre ele. Desses, como já se viu, não verteu nenhum, salvo Goethe.

Examinando-se o índice dos *Poemas traduzidos*, verifica-se que a maior parte dos autores ali listados são de língua espanhola e, preponderantemente, da América Latina. A preponderância se explica pela circunstância de Bandeira ter sido docente de literatura hispano-americana e colaborador de um suplemento dos anos 40-50 dedicado à divulgação dessa literatura. Daí a advertência por ele anteposta à primeira edição dos *Poemas traduzidos*: "a maioria das traduções apresentadas, não as fizera eu 'em virtude de nenhuma necessidade de expressão própria', mas tão somente por dever de ofício, como colaborador do *Pensamento da América*, suplemento mensal d'*A Manhã*, ou para atender à solicitação de um amigo". Na época, censurou-lhe Sérgio Milliet o uso da frase "sem necessidade de expressão própria", na qual vislumbrava sinais de "um orgulho agressivo e uma indisfarçável vaidade". Aquele pelo "menosprezo às produções alheias, por *dever de ofício* traduzidas", este "pela afirmação de segurança técnica que o trabalho artesanal exprime". Bandeira procurou defender-se das duas acusações no *Itinerário de Pasárgada*. Sua defesa, porém, não é das mais convincentes:

> Dizer que, "sem necessidade de expressão própria" traduzi um poema, não implica que o tenha em menosprezo. Há tantos grandes poemas que admiro de todo o coração e que traduziria "sem necessidade de expressão própria". *As Soledades* de Góngora, por exemplo. Mas é-se levado a pensar que o fato de traduzir inculca certa preferência. Era meu direito, sem sombra de orgulho, dar a entender que no meu caso não a havia.

Se cotejarmos este arrazoado de defesa com a afirmativa anterior, "só traduzo bem os poemas que gostaria de ter feito, isto é, os que exprimem coisas que já estavam em mim, mas informuladas", a contradição salta à vista. Tendo vertido poesia – e prosa – antes por encomenda que por preferência, Bandeira não o fez, pois, levado por qualquer "necessidade de expressão própria" ou, o que dá no mesmo, porque nela houvesse "coisas que já estavam [nele] mas informuladas". E, no entanto, as suas versões poéticas são reconhecidamente bem-logradas, com o que se desmente a sua tese de que só poderia traduzir bem os poemas que gostaria de haver feito. Como explicar todas estas contradições?

A explicação talvez esteja naquela passagem, já aqui transcrita, em que ele confessa não ter sido capaz de pôr em português os versos que escrevera originalmente em francês, assim como, noutra ocasião, quando tentou emendar uma versão francesa, feita por outrem, de um poema seu, tampouco conseguira "nada que prestasse". Isso porque, "para ser fiel ao [seu] sentimento, teria de suprimir certas coisas e acrescentar outras", malogro que o teria convencido em definitivo de que "poesia é coisa intraduzível".

Criador X artesão

Percebe-se sem dificuldade que o que está em jogo no caso é um descompasso entre o poeta criador e o artesão tradutor. Este trabalha pragmaticamente no domínio do relativo; aquele parece mover-se utopicamente nas fronteiras do absoluto. Um contenta-se em fazer o melhor possível; o outro vive atormentado pela ânsia do perfeito. Ora, o ato tradutório, ainda que nele possa ter papel de relevo a mesma intuição responsável pelas fulgurações criativas, é na maior parte do tempo um ato de artesania. Donde ser a tradução, disse-o Ortega y Gasset, o mais humilde dos ofícios,[44] em contraposição à *poiesis* propriamente dita, tida por Sócrates como uma espécie de poder divino, *theía dúnamis*.[45] Semelhantemente ao *Des esseintes*, de Huysmans, o *poietes* persegue a nomeação absoluta: "as palavras escolhidas seriam de tal modo impermutáveis que supririam todas as outras; o adjetivo se aplicaria de maneira tão engenhosa e definitiva que não poderia ser legitimamente destituído do seu lugar, abriria perspectivas tais que o leitor ficaria a sonhar semanas

---

44 Ortega y Gasset, "Miséria y esplendor", p. 106.

45 A expressão aparece no *ton* de Platão. Cf. W. K. Wimsatt, Jr. e Cleanth Brooks, *Literary criticism*, a short story, Londres, Routledge & Kegan Paul, 1957, p. 6.

inteiras com o seu sentido, a um só tempo preciso e múltiplo".[46] Já o tradutor, por trabalhar menos no plano da ortonímia impermutável que no da permutabilidade sinonímica, tem de contentar-se com a nomeação aproximativa. E, no limite, um re-criador, com um estatuto necessariamente de inferioridade em relação ao criador.

Por ter sido um e outro simultaneamente, pôde Bandeira comparar os dois estatutos. Tradutor de poesia alheia, aceitava como inevitável, "para ser fiel ao [...] sentimento" nela expresso, "suprimir certas coisas e acrescentar outras", tendo por ponto pacífico que "rosas podem ser substituídas por lírios". Malogrado tradutor de sua própria poesia, via nessa substituição uma *capitis diminutio*, e, mandando às favas a coerência, proclamava a intraduzibilidade da poesia.

Ao menos do ponto de vista de uma teoria coerente da tradução, Bandeira não levou a sua esquizofrenia profissional, ou seja, a duplicidade tradutor-criador, a um completo desenvolvimento. Que seria esquecer inteiramente o lado de lá do poema, a sua face oculta voltada para o autor, a fim de concentrar-se no lado de cá, a face visível mostrada ao leitor. Esta é, também, a única acessível ao tradutor, o qual, por não ter participado da criação do poema, está isento do compromisso com a nomeação absoluta. Pois, uma vez criado, o poema entra inevitavelmente no cir-cuito social das palavras da tribo, onde o absoluto se relativiza na permutabilidade das interpretações, de que a tradução é uma espécie privilegiada. E é a esse circuito que pertencem, *hélas*, as melhores versões de Bandeira, como as dos sonetos de Eli-zabeth Barret Browning, sem-cerimoniosamente chamada de Belinha Barreto por Mário de Andrade, o mesmo Mário que, sabedor das engrenagens da tradução, não se coibiu de temperar o seu louvor das versões do amigo com uma pitada de sadio bom senso crítico: "belíssimas traduções, belíssimos sonetos em que até algumas rimas forçadas aparecem quando sinão quando, coisa mais ou menos fatal e que não acho propriamente defeito, veja bem. Nós sabedores das engrenagens é que fatalmente percebemos que tal membro de frase apareceu porque carecia rimar etc."[47]

In: *Armazém literário*: ensaios. São Paulo:
Cia das Letras, 2008. Org. Vilma Arêas.

Manuel Bandeira, tradutor de poesia
PAULO HENRIQUES BRITTO

No decorrer de sua vida, Manuel Bandeira (1886-1968) exerceu diversas atividades profissionais – foi cronista, crítico de música e de artes plásticas, fiscal de bancas exa-minadoras de preparatórios e, ainda, professor, primeiro do Colégio Pedro II, depois da Faculdade Nacional de Filosofia (posteriormente incorporada à atual Universidade Federal do Rio de Janeiro) –, já que a carreira de poeta não lhe podia garantir a sobre-vivência. Ao mesmo tempo, Bandeira assumia outras tarefas de caráter mais pontual:

---

46 J.-K. Huysmans, *A rebours*, Paris, Gallimard, 1977, p. 331.

47 *Cartas de Mário de Andrade a Manuel Bandeira*, pref. e org. de M. Bandeira, Rio de Janeiro, Simões, 1958, carta de 1/6/1929.

redigir um verbete sobre versificação para uma enciclopédia, organizar antologias de poesia, escrever vários ensaios por encomenda sobre literatura e arte, traduzir.

Sua produção como tradutor pode ser dividida em três categorias. A primeira delas é constituída pelas dezoito obras de prosa, entre ficção e não ficção, que ele traduziu para várias editoras, entre as quais se destaca *A prisioneira*, de Marcel Proust (em colaboração com Lourdes Sousa de Alencar). A segunda categoria é a de tradução de peças teatrais. Aqui, mais ainda do que na relação anterior, salta à vista a qualidade literária das obras escolhidas: *Macbeth*, de William Shakespeare; *Maria Stuart*, de Friedrich Schiller; *Auto do divino Narciso*, de Juana Inés de la Cruz; *O círculo de giz caucasiano*, de Brecht, entre outras. Por fim, temos as traduções de poesia lírica, que o próprio Bandeira reuniu em livro (nele incluindo também trechos do auto de Inés de la Cruz), que estão presentes neste volume. Em relação a estas, o próprio Bandeira escreve: "só traduzo bem os poemas que gostaria de ter feito, isto é, os que exprimem coisas que já estavam em mim, mas informuladas".[48] Stefan Baciu relatou que mais de uma vez Bandeira desistiu de traduzir poemas por sentir que suas tentativas não eram satisfatórias.[49]

A edição original de *Poemas traduzidos* saiu pela *Revista Acadêmica Editora*, no Rio de Janeiro, em 1945, num formato de luxo de 350 exemplares, com ilustrações de Alberto da Veiga Guignard. Três anos depois, uma versão aumentada foi publicada pela editora Globo, em Porto Alegre, com "36 novas traduções, muitas das quais inéditas", conforme se lê na orelha não assinada. Em 1956, uma nova edição, publicada pela José Olympio, incluía mais poemas, de Rainer Maria Rilke e Elizabeth Bishop. As traduções poéticas de Bandeira foram incluídas na edição da obra completa em dois volumes, lançada pela Aguilar, em 1958, agora com o acréscimo do poema de Baudelaire, e também em *Estrela da vida inteira: poesia reunida*, publicada pela José Olympio, em 1966, e reeditada muitas vezes até 2009. Em 1967, a Nova Aguilar editou a obra de Bandeira num formato de volume único que excluía as traduções de peças teatrais e poemas, mas, a partir da década de 1970, os poemas voltaram a ser incluídos. Há que registrar também as sucessivas tiragens dos *Poemas traduzidos* realizadas principalmente pela Ediouro a partir dos anos 1960, e o volume *Alguns poemas traduzidos*, publicação da José Olympio com prefácio de Leonardo Fróes, que saiu em 2007.[50]

A datação das traduções de Bandeira ainda não foi estabelecida por completo, mas já é possível fazer algumas afirmações com segurança. O poema "Beleza e verdade", de Emily Dickinson, foi publicado no jornal *Paratodos*, em 1928. Dois dos sonetos de Elizabeth Barrett Browning apareceram n'*A Província*, jornal recifense, em 1929. Sabemos que essas traduções foram feitas em 1928-1929, em Recife, quando Bandeira se hospedou na casa de Gilberto Freyre, a quem as mostrou em primeira mão.[51] Duas delas são mencionadas em carta a Mário de Andrade, datada de 6 de maio de 1929,[52] e outras duas foram transcritas numa carta de 17 de junho ao mesmo destinatário.[53] Na primeira edição dos *Poemas traduzidos*, uma nota do autor informa que muitas das traduções saíram no *Pensamento da América*, suplemento do jornal *A Manhã*, dirigido por Ribeiro Couto, que circulou na década de 1940. Em outro su-

---

48   BANDEIRA, Manuel. *Itinerário de Pasárgada*. São Paulo: Global, 2012. p. 93.

49   BACIU, Stefan. O tradutor. In: _____. *Manuel Bandeira de corpo inteiro*. Rio de Janeiro: José Olympio, 1966. p. 89-90.

50   Devo as informações deste parágrafo – e de vários outros trechos deste artigo – a André Seffrin, sem cuja leitura atenta e generosa este texto teria ficado eivado de omissões e incorreções.

51   FREYRE, Gilberto. Prefácio. In: COELHO, Joaquim-Francisco. *Manuel Bandeira pré-modernista*. Rio de Janeiro/Brasília: José Olympio/INL, 1982.

52   MORAES, Marcos Antonio de (Org.). *Correspondência*: Mário de Andrade & Manuel Bandeira. São Paulo: EDUSP/IEB, 2000. p. 415.

53   Ibidem. p. 422-23.

plemento do mesmo jornal, *Autores e Livros,* saiu o poema de Paul Éluard, vertido em colaboração com Carlos Drummond de Andrade. As traduções dos poemas escritos em inglês por Jayme Ovalle provavelmente foram feitas não muito depois de 1937, ano em que Ovalle voltou ao Brasil após um período em Londres. E a tradução de Elizabeth Bishop certamente terá sido elaborada não muito antes de sua publicação em 1956, pois foi só no final de 1951 que a poeta norte-americana veio morar no Brasil.[54]

Quando o leitor de *Poemas traduzidos* corre os olhos pelo sumário do livro, duas coisas chamam sua atenção de saída. Uma é a extrema heterogeneidade da seleção. Encontramos lado a lado peças de autores canônicos, como Heine, Baudelaire, García Lorca e Emily Dickinson, e obras de poetas francamente obscuros, como K. H. Josselin de Jong, Fredy Blank e Araldo Sassone. A outra é a grande variedade de idiomas dos quais Bandeira traduzia. A poesia em língua espanhola é a mais bem representada na coletânea, o que é compreensível quando se leva em conta que, tanto no Pedro II quanto na Faculdade Nacional de Filosofia, o poeta atuava na cadeira de literaturas hispano-americanas. A intimidade com o francês também é de se esperar, pois Bandeira pertence a uma geração que se formou na virada do século, quando o francês ainda gozava de hegemonia como idioma internacional e língua de cultura; a literatura francesa ocupava então, já há dois séculos, ao menos, uma posição central no Ocidente. Seu conhecimento do alemão, idioma que havia aprendido ainda nos tempos do ensino médio, se aperfeiçoa quando, em 1913, passa um período no sanatório de Clavadel, na Suíça, para se tratar da tuberculose que lhe parecia então uma sentença de morte precoce, como de fato foi para tantos, antes da descoberta dos antibióticos. Podemos inferir que o domínio de três línguas latinas lhe permitia ler sem grandes dificuldades o italiano. Quanto a seu inglês, teria sido adquirido por meio de leituras, mas o próprio Bandeira escreveu que era "fundo no inglês. Fundo no sentido que a palavra tem na gíria"[55] – ou seja, ignorante. Seu conhecimento precário do inglês, porém, não o impediu de realizar algumas ótimas traduções do idioma, como veremos mais adiante.

Como tantos antes e depois dele, Bandeira afirma a impossibilidade de traduzir poesia ao mesmo tempo em que se entrega a essa tarefa supostamente inviável. A contradição não está apenas entre a teoria e a prática: aparece até mesmo nos comentários do poeta sobre o tema. Relatando uma tentativa frustrada de revisar a versão em francês de um poema seu que lhe haviam encaminhado, Bandeira lamenta: "Tudo isso me confirmou na ideia de que poesia é mesmo coisa intraduzível."[56] Algumas páginas adiante, no mesmo texto, porém, falando sobre a dificuldade de recriar certos versos, diz: "Não se trata de poesia intraduzível por sua própria natureza, como a de Mallarmé ou a de Valéry"[57] – uma afirmação da qual se segue que, ao lado da poesia intraduzível, existiria uma outra que se pode traduzir, o que vai contra o sentido do lamento citado anteriormente. Analisando essa contradição no discurso de Bandeira, José Paulo Paes propõe que a chave do problema seria "um descompasso entre o poeta criador e o artesão tradutor". Como artesão tradutor, Bandeira "trabalha pragmaticamente no domínio do relativo"; como poeta criador, "parece mover-se utopicamente nas fronteiras do absoluto."[58] Assim, enquanto seu lado tradutor encontra soluções

---

54 Algumas das informações contidas neste parágrafo foram fornecidas por Júlio Castañon Guimarães e Heloisa Jahn, a quem também agradeço.

55 BANDEIRA, Manuel. *Itinerário de Pasárgada.* São Paulo: Global, 2012. p. 140-141.

56 Ibidem. p. 113.

57 Ibidem. p. 141.

58 PAES, José Paulo. Bandeira tradutor ou o esquizofrênico incompleto. In: _____. *Armazém literário*: ensaios. São Paulo: Companhia das Letras, 2008. p. 195.

boas o bastante para satisfazê-lo, seu lado poeta, sempre aspirando à perfeição, não se contenta com os resultados obtidos, que jamais poderão corresponder ao original sob todos os aspectos, e insiste em taxar de impossível o trabalho que realiza.

Porém, parece haver uma outra espécie de contradição – ou melhor, incoerência – na produção de Bandeira como tradutor. A análise de algumas das traduções poéticas de Bandeira pode, ao menos à primeira vista, levar à conclusão de que não há por trás delas uma visão uniforme do empreendimento tradutório. Vejamos duas das cinco traduções de Emily Dickinson incluídas em *Poemas traduzidos*, acompanhadas dos textos originais.

I died for Beauty – but was scarce Adjusted in the Tomb When One who died for Truth, was lain In an adjoining Room –	Morri pela beleza, mas apenas estava Acomodada em meu túmulo, Alguém que morrera pela verdade Era depositado no carneiro contíguo.
He questioned softly "Why I failed"? "For beauty," I replied – "And I – for Truth – Themself are One – We Brethren, are," He said –	Perguntou-me baixinho o que me matara: – A beleza, respondi. – A mim, a verdade – é a mesma coisa, Somos irmãos.
And so, as Kinsmen, met a Night – We talked between the Rooms – Until the Moss had reached our lips – And covered up – our names –	E assim, como parentes que uma noite se encontram, Conversamos de jazigo a jazigo, Até que o musgo alcançou os nossos lábios E cobriu os nossos nomes.
This quiet Dust was Gentlemen and Ladies And Lads and Girls – Was laughter and ability and Sighing, And Frocks and Curls.	Este pó foram damas, cavalheiros, Rapazes e meninas; Foi riso, foi espírito e suspiro, Vestidos, tranças finas.
This Passive Place a Summer's nimble mansion, Where Bloom and Bees Exists an Oriental Circuit Then cease, like these –	Este lugar foram jardins que abelhas E flores alegraram. Findo o verão, findava o seu destino... E como estes, passaram.

Deixemos de lado a questão da pontuação, idiossincrática no original e padronizada nas traduções – Bandeira teve acesso somente às edições "corrigidas" da poesia de Dickinson, as únicas existentes em sua época – e contrastemos as abordagens tradutórias exemplificadas pelos dois poemas. No primeiro, "I died for Beauty", que recebeu de Bandeira o título "Beleza e verdade" (Dickinson não dava títulos a seus poemas, que costumam ser identificados pelas palavras iniciais), a única preocupação do tradutor é com o plano do significado. O original tem uma forma tradicional, o chamado *common meter*: em cada estrofe, os versos de número ímpar contêm três acentos principais, e os de número par apenas dois; e apenas os versos de número par rimam entre si. Assim, na primeira estrofe, as sílabas acentuadas no verso 1 são *died*, *Beau-*, *but* e *scarce*; no verso 2, *-just-*, *in* e *Tomb*; e a rima se dá entre *Tomb* e *room* (as palavras pronunciam-se, aproximadamente, "tum" e "rum"). Mas na tradução não encontramos nenhuma espécie de regularidade métrica – na primeira estrofe, os versos têm treze, sete, dez e treze sílabas métricas – e não há rima entre o segundo e o quarto versos, situação que se repete nas duas outras estrofes. A preocupação com o significado exato das palavras é confirmado pelo fato de que, na edição de 1948 dos *Poemas traduzidos*, a última palavra da primeira estrofe era "próximo", mas, a partir da edição de 1956, o adjetivo foi substituído por "contíguo", termo de sentido mais próximo ao de *adjoining*. Ou seja, Bandeira se deu ao trabalho de rever essa tradução, mas não se preocupou em reproduzir seus elementos formais.

Certamente não por incompetência: Bandeira, como observam Antonio Candido e Gilda de Mello e Souza, "talvez possua o ouvido mais afinado de toda a moderna poesia brasileira. Ouvido para a musicalidade de um ritmo ou de um verso, para a escolha exata da sonoridade de uma palavra."[59] E mesmo se não conhecêssemos a obra original do "poeta criador", bastaria o exemplo da segunda tradução transcrita para concluirmos que o "tradutor artesão" sabia perfeitamente o que estava fazendo. Pois na sua versão de "This quiet Dust", por ele intitulada "Cemitério", Bandeira faz no plano semântico os cortes necessários para que seu poema atinja um acabamento formal e uma concisão epigramática à altura das qualidades do original. Assim, na segunda estrofe, em vez de traduzir literalmente o primeiro verso, cujo sentido literal é algo como "Este lugar passivo [era] a ágil mansão de um verão", o tradutor concentra-se nas imagens de abelhas e flores, que correspondem aos pares damas/cavalheiros e rapazes/meninas da estrofe anterior. Para verter o esplêndido verso 3 da primeira estrofe, em que a inesperada palavra *ability* ("capacidade") aparece entre as óbvias *laughter* ("risos") e *sighing* ("suspiros"), Bandeira separa "riso" de "suspiro" com a palavra "espírito", que evoca ao mesmo tempo os sentidos de "parte imaterial do ser humano, alma" e "comicidade, humor, qualidade de espirituoso". Além disso, ele concentra três ocorrências tônicas da vogal "i" no mesmo verso, um som que vai ecoar em "vestidos", no verso seguinte, e em "destino", no verso 3 da segunda estrofe; ao mesmo tempo, o tradutor reproduz o esquema de rimas do original, em que rimam os versos de número par de cada estrofe ("meninas"–"finas" e "alegraram"–"passaram"). Observe-se também que, no original, Dickinson toma liberdades com o *common meter*: ao contrário da regularidade estrita do poema anterior, aqui o número de acentos principais nos versos ímpares varia de quatro (primeira estrofe, verso 1) a cinco (segunda estrofe, verso 1), enquanto os versos pares têm sempre dois acentos. Quanto a esse aspecto, a versão de Bandeira é mais regular que o original: no seu poema, os versos ímpares têm sempre dez sílabas, e os pares têm seis – a tradicional combinação entre decassílabos e hexassílabos.

Como explicar a presença de duas concepções de tradução poética tão discrepantes na produção de um mesmo tradutor? A resposta nos é fornecida pela comparação entre as duas primeiras edições de *Poemas traduzidos*. Na primeira só aparecem dois poemas de Emily Dickinson: "À porta de Deus" e o primeiro dos dois anteriormente transcritos, "Beleza e verdade". Esses poemas foram traduzidos sem qualquer esforço no sentido de recuperar, em português, as características formais dos originais. Como já foi dito, "Beleza e verdade" foi publicado pela primeira vez em 1928; tudo indica que "À porta de Deus" seja da mesma época. As três outras versões de Dickinson, porém, em que Bandeira se esmera para recriar a forma dos originais – além de "Cemitério", "Nunca vi um campo de urzes" e "Minha vida acabou duas vezes" – terão sido redigidas depois de 1945 e antes de 1948, período em que Bandeira já desenvolvera uma visão bem mais sofisticada do empreendimento tradutório. Embora retocasse sua tradução original de "Beleza e verdade", tornando-a semanticamente mais fiel, não tentou refazê-la à luz de sua nova concepção de tradução poética, visível nos três poemas de Dickinson acrescentados à segunda edição.

---

59 CANDIDO Antonio; MELLO E SOUZA, Gilda de. Introdução. In: BANDEIRA, Manuel. *Estrela da vida inteira*. Rio de Janeiro: José Olympio, 1966. p. lx.

A hipótese de que Bandeira, à medida que se amadurecia como artista, dava cada vez mais importância aos elementos formais é fortalecida quando examinamos a tradução do poema "Acalanto" de Elizabeth Bishop, datada do início dos anos 1950. Nela, o tradutor faz modificações nos sentidos de versos específicos e em alguns momentos altera o esquema de rimas, mas sempre no intuito de manter-se próximo ao ritmo e até mesmo à mancha gráfica do original.

Lullaby.	Nana nana.
Adult and child	Nana, dorme o adulto
sink to their rest.	E a criança dorme.
At sea the big ship sinks and dies,	Ao largo, ferido de morte, naufraga
lead in its breast.	O navio enorme.
Lullaby.	Nana nana.
Let nations rage,	Batalhem os povos
let nations fall.	E morram: não faz diferença.
The shadow of the crib makes an enormous cage	A sombra do berço desenha uma imensa
upon the wall.	Gaiola no muro.
Lullaby.	Nana nana.
Sleep on and on,	Breve a guerra acaba.
war's over soon.	Solta esse brinquedo
Drop the silly, harmless toy,	Bobo, e apanha a lua,
pick up the moon.	Que é melhor brinquedo.
Lullaby.	Nana nana.
If they should say	Se acaso disserem
you have no sense,	Que não tens juízo,
don't you mind them; it won't make	Não dês importância:
much difference.	Sorri o teu sorriso.
Lullaby.	Nana nana.
Adult and child	Nana, dorme o adulto
sink to their rest.	E a criança dorme.
At sea the big ship sinks and dies,	Ao largo ferido de morte, naufraga
lead in its breast.	O navio enorme.

Podemos, por fim, chamar a atenção para outra diferença entre o Bandeira poeta e o Bandeira tradutor, além da mencionada por José Paulo Paes. Quando lemos a obra original do poeta do primeiro ao último livro, constatamos que desde o início seu domínio dos recursos poéticos do português é completo. A mudança mais clara que ocorre em sua poesia a partir do contato com Mário de Andrade é a introdução do verso livre; mais uma vez, porém, Bandeira parece dominar a nova forma quase desde o primeiro instante. Já a comparação entre diferentes edições de *Poemas traduzidos* indica que na trajetória do tradutor houve, sim, uma evolução perceptível. Se num primeiro momento parecia se contentar – ao menos quando traduzia do inglês – com a transposição do significado dos versos, gradualmente Bandeira foi se dando conta de que era desejável recriar no seu idioma algo da riqueza sonora do original. E, quando decidiu fazê-lo, obteve resultados da maior qualidade.

In: BANDEIRA, Manuel.
Poemas traduzidos. São Paulo: Global, 2016.

POESIA

COMPLETA

Estrêla da vida inteira.
Da vida que poderia
Ter sido e não foi. Poesia,
Minha vida verdadeira.

A CINZA
DAS HORAS

EPÍGRAFE

Sou bem-nascido. Menino,
Fui, como os demais, feliz.
Depois, veio o mau destino
E fez de mim o que quis.

Veio o mau gênio da vida,
Rompeu em meu coração,
Levou tudo de vencida,
Rugiu como um furacão,

Turbou, partiu, abateu,
Queimou sem razão nem dó —
Ah, que dor!
                    Magoado e só,
— Só! — meu coração ardeu:

Ardeu em gritos dementes
Na sua paixão sombria...
E dessas horas ardentes
Ficou esta cinza fria.

— Esta pouca cinza fria...

1917

DESENCANTO

Eu faço versos como quem chora
De desalento... de desencanto...
Fecha o meu livro, se por agora
Não tens motivo nenhum de pranto.

Meu verso é sangue. Volúpia ardente...
Tristeza esparsa... remorso vão...
Dói-me nas veias. Amargo e quente,
Cai, gota a gota, do coração.

E nestes versos de angústia rouca
Assim dos lábios a vida corre,
Deixando um acre sabor na boca.

— Eu faço versos como quem morre.

TERESÓPOLIS, 1912

A Camões

Quando n'alma pesar de tua raça
A névoa da apagada e vil tristeza,
Busque ela sempre a glória que não passa,
Em teu poema de heroísmo e de beleza.

Gênio purificado na desgraça,
Tu resumiste em ti toda a grandeza:
Poeta e soldado... Em ti brilhou sem jaça
O amor da grande pátria portuguesa.

E enquanto o fero canto ecoar na mente
Da estirpe que em perigos sublimados
Plantou a cruz em cada continente,

Não morrerá sem poetas nem soldados
A língua em que cantaste rudemente
As armas e os barões assinalados.

A Antônio Nobre

Tu que penaste tanto e em cujo canto
Há a ingenuidade santa do menino;
Que amaste os choupos, o dobrar do sino,
E cujo pranto faz correr o pranto:

Com que magoado olhar, magoado espanto
Revejo em teu destino o meu destino!
Essa dor de tossir bebendo o ar fino,
A esmorecer e desejando tanto...

Mas tu dormiste em paz como as crianças.
Sorriu a Glória às tuas esperanças
E beijou-te na boca... O lindo som!

Quem me dará o beijo que cobiço?
Foste conde aos vinte anos... Eu, nem isso...
Eu, não terei a Glória... nem fui bom.

PETRÓPOLIS, 3-2-1916

PAISAGEM NOTURNA

A sombra imensa, a noite infinita enche o vale...
E lá do fundo vem a voz
Humilde e lamentosa
Dos pássaros da treva. Em nós,
— Em noss'alma criminosa,
O pavor se insinua...
Um carneiro bale.
Ouvem-se pios funerais.
Um como grande e doloroso arquejo
Corta a amplidão que a amplidão continua...
E cadentes, metálicos, pontuais,
Os tanoeiros do brejo,
— Os vigias da noite silenciosa,
Malham nos aguaçais.

Pouco a pouco, porém, a muralha de treva
Vai perdendo a espessura, e em breve se adelgaça
Como um diáfano crepe, atrás do qual se eleva
A sombria massa
Das serranias.

O plenilúnio vai romper... Já da penumbra
Lentamente reslumbra
A paisagem de grandes árvores dormentes
E cambiantes sutis, tonalidades fugidias,
Tintas deliquescentes
Mancham para o levante as nuvens langorosas.

Enfim, cheia, serena, pura,
Como uma hóstia de luz erguida no horizonte,
Fazendo levantar a fronte
Dos poetas e das almas amorosas,
Dissipando o temor nas consciências medrosas
E frustrando a emboscada a espiar na noite escura,
— A Lua
Assoma à crista da montanha.
Em sua luz se banha
A solidão cheia de vozes que segredam...

Em voluptuoso espreguiçar de forma nua
As névoas enveredam
No vale. São como alvas, longas charpas
Suspensas no ar ao longo das escarpas.

Lembram os rebanhos de carneiros
Quando,
Fugindo ao sol a pino,
Buscam oitões, adros hospitaleiros
E lá quedam tranquilos ruminando...
Assim a névoa azul paira sonhando...
As estrelas sorriem de escutar
As baladas atrozes
Dos sapos.

E o luar úmido... fino...
Amávico... tutelar...
Anima e transfigura a solidão cheia de vozes...

TERESÓPOLIS, 1912

RUÇO

Muda e sem trégua
Galopa a névoa, galopa a névoa.

Minha janela desmantelada
Dá para o vale do desalento.
Sombrio vale! Não vejo nada
Senão a névoa que toca o vento.

Lá vão os dias de minha infância
— Imagens rotas que se desmancham:

O vento do largo na praia,
O meu vestidinho de saia,

Aquele corvo, o voo torvo,
O meu destino aquele corvo!

O que eu cuidava do mundo mau!
Os ladrões com cara de pau!

As histórias que faziam sonhar;
E os livros: *Simplício olha pra o ar*,

João Felpudo, Viagem à roda do mundo
Numa casquinha de noz.

A nossa infância, ó minha irmã, tão longe de nós!

Versos escritos n'água

Os poucos versos que aí vão,
Em lugar de outros é que os ponho.
Tu que me lês, deixo ao teu sonho
Imaginar como serão.

Neles porás tua tristeza
Ou bem teu júbilo, e, talvez,
Lhes acharás, tu que me lês,
Alguma sombra de beleza...

Quem os ouviu não os amou.
Meus pobres versos comovidos!
Por isso fiquem esquecidos
Onde o mau vento os atirou.

Inscrição

Aqui, sob esta pedra, onde o orvalho roreja,
Repousa, embalsamado em óleos vegetais,
O alvo corpo de quem, como uma ave que adeja,
Dançava descuidosa, e hoje não dança mais...

Quem não a viu é bem provável que não veja
Outro conjunto igual de partes naturais.
Os véus tinham-lhe ciúme. Outras, tinham-lhe inveja.
E ao fitá-la os varões tinham pasmos sensuais.

A morte a surpreendeu um dia que sonhava.
Ao pôr do sol, desceu entre sombras fiéis
À terra, sobre a qual tão de leve pesava...

Eram as suas mãos mais lindas sem anéis...
Tinha os olhos azuis... Era loura e dançava...
Seu destino foi curto e bom...

           – Não a choreis.

Chama e fumo

Amor — chama, e, depois, fumaça...
Medita no que vais fazer:
O fumo vem, a chama passa...

Gozo cruel, ventura escassa,
Dono do meu e do teu ser,
Amor — chama, e, depois, fumaça...

Tanto ele queima! e, por desgraça,
Queimado o que melhor houver,
O fumo vem, a chama passa...

Paixão puríssima ou devassa,
Triste ou feliz, pena ou prazer,
Amor — chama, e, depois, fumaça...

A cada par que a aurora enlaça,
Como é pungente o entardecer!
O fumo vem, a chama passa...

Antes, todo ele é gosto e graça.
Amor, fogueira linda a arder!
Amor — chama, e, depois, fumaça...

Porquanto, mal se satisfaça,
(Como te poderei dizer?...)
O fumo vem, a chama passa...

A chama queima. O fumo embaça.
Tão triste que é! Mas... tem de ser...
Amor?... — chama, e, depois, fumaça:
O fumo vem, a chama passa...

Teresópolis, 1911

Confissão

Se não a vejo e o espírito a afigura,
Cresce este meu desejo de hora em hora...
Cuido dizer-lhe o amor que me tortura,
O amor que a exalta e a pede e a chama e a implora.

Cuido contar-lhe o mal, pedir-lhe a cura...
Abrir-lhe o incerto coração que chora,
Mostrar-lhe o fundo intacto de ternura,
Agora embravecida e mansa agora...

E é num arroubo em que a alma desfalece
De sonhá-la prendada e casta e clara,
Que eu, em minha miséria, absorto a aguardo...

Mas ela chega, e toda me parece
Tão acima de mim... tão linda e rara...
Que hesito, balbucio e me acobardo.

CREPÚSCULO DE OUTONO

O crepúsculo cai, manso como uma bênção.
Dir-se-á que o rio chora a prisão de seu leito...
As grandes mãos da sombra evangélicas pensam
As feridas que a vida abriu em cada peito.

O outono amarelece e despoja os lariços.
Um corvo passa e grasna, e deixa esparso no ar
O terror augural de encantos e feitiços.
As flores morrem. Toda a relva entra a murchar.

Os pinheiros porém viçam, e serão breve
Todo o verde que a vista espairecendo vejas,
Mais negros sobre a alvura inânime da neve,
Altos e espirituais como flechas de igrejas.

Um sino plange. A sua voz ritma o murmúrio
Do rio, e isso parece a voz da solidão.
E essa voz enche o vale... o horizonte purpúreo...
Consoladora como um divino perdão.

O sol fundiu a neve. A folhagem vermelha
Reponta. Apenas há, nos barrancos retortos,
Flocos, que a luz do poente extática semelha
A um rebanho infeliz de cordeirinhos mortos.

A sombra casa os sons numa grave harmonia.
E tamanha esperança e uma tão grande paz
Avultam do clarão que cinge a serrania,
Como se houvesse aurora e o mar cantando atrás.

CLAVADEL, 1913

A canção de Maria

Que é de ti, melancolia?...
Onde estais, cuidados meus?...
Sabei que a minha alegria
É toda vinda de Deus...
Deitei-me triste e sombria,
E amanheci como estou...
Tão contente! Todavia
Minha vida não mudou.
Acaso enquanto dormia
Esquecida de meus ais,
Um sonho bom me envolvia?
Se foi, não me lembro mais...
Mas se foi sonho, devia
Ser bom demais para mim...
Senão, não me sentiria
Tão maravilhada assim.

Ó minha linda alegria,
Trégua dos cuidados meus,
Por que não vens todo dia,
Se és toda vinda de Deus?

CLAVADEL, 1913

A aranha

Não te afastes de mim, temendo a minha sanha
E o meu veneno... Escuta a minha triste história:
Aracne foi meu nome e na trama ilusória
Das rendas florescia a minha graça estranha.

Um dia desafiei Minerva. De tamanha
Ousadia hoje expio a incomparável glória...
Venci a deusa. Então, ciumenta da vitória,
Ela não ma perdoou: vingou-se e fez-me aranha!

Eu que era branca e linda, eis-me medonha e escura.
Inspiro horror... Ó tu que espias a urdidura
Da minha teia, atenta ao que o meu palpo fia:

Pensa que fui mulher e tive dedos ágeis,
Sob os quais incessante e vária a fantasia
Criava a pala sutil para os teus ombros frágeis...

1907

D. Juan

Ser de eleição em cujo olhar a natureza
Acendeu a fagulha altiva que fascina,
Tu trazias aquela aspiração divina
De realizar na vida a perfeita beleza.

Creste achá-la no amor, na indizível surpresa
Da posse — o sonho mau que desvaira e ilumina.
Vencido, escarneceste a virtude mofina...
Tua moral não foi a da massa burguesa.

Morreste incontentado, e cada seduzida
Foi um ludíbrio à tua essência. Em tais amores
Não encontraste nunca o sentido da vida.

Tua alma era do céu e perdeu-se no inferno...
Para os poetas e para os graves pensadores
Da imortal ânsia humana és o símbolo eterno.

1907

Mancha

Para reproduzir o donaire sem-par
Desse alvo rosto e desse irônico sorriso
Que desconcerta e prende e atrai, fora preciso
A mestria de Helleu, de Boldini ou Besnard.

Luz faiscante malícia ao fundo desse olhar,
E há mais do inferno ali do que do paraíso...
O amor é tão somente um pretexto de riso
Para esse coração flutuante e singular.

Flor de perfume raro e de esquisito encanto,
Ela zomba dos que (pobres deles!) sem cor
Vão-lhe aos pés ajoelhar ingenuamente... Enquanto

Alguém não lhe magoar a boca de veludo...
E não a fizer ver, por si, que isso de amor
No fundo é amargo e triste e dói mais do que tudo.

1907

CARTAS DE MEU AVÔ

A tarde cai, por demais
Erma, úmida e silente...
A chuva, em gotas glaciais,
Chora monotonamente.

E enquanto anoitece, vou
Lendo, sossegado e só,
As cartas que meu avô
Escrevia a minha avó.

Enternecido sorrio
Do fervor desses carinhos:
É que os conheci velhinhos,
Quando o fogo era já frio.

Cartas de antes do noivado...
Cartas de amor que começa,
Inquieto, maravilhado,
E sem saber o que peça.

Temendo a cada momento
Ofendê-la, desgostá-la,
Quer ler em seu pensamento
E balbucia, não fala...

A mão pálida tremia
Contando o seu grande bem.
Mas, como o dele, batia
Dela o coração também.

A paixão, medrosa dantes,
Cresceu, dominou-o todo.
E as confissões hesitantes
Mudaram logo de modo.

Depois o espinho do ciúme...
A dor... a visão da morte...
Mas, calmado o vento, o lume
Brilhou, mais puro e mais forte.

E eu bendigo, envergonhado,
Esse amor, avô do meu...
Do meu, — fruto sem cuidado
Que inda verde apodreceu.

O meu semblante está enxuto.
Mas a alma, em gotas mansas,
Chora, abismada no luto
Das minhas desesperanças...

E a noite vem, por demais
Erma, úmida e silente...
A chuva em pingos glaciais,
Cai melancolicamente.

E enquanto anoitece, vou
Lendo, sossegado e só,
As cartas que meu avô
Escrevia a minha avó.

À SOMBRA DAS ARAUCÁRIAS

Não aprofundes o teu tédio.
Não te entregues à mágoa vã.
O próprio tempo é o bom remédio:
Bebe a delícia da manhã.

A névoa errante se enovela
Na folhagem das araucárias.
Há um suave encanto nela
Que enleia as almas solitárias...

As cousas têm aspectos mansos.
Um após outro, a bambolear,
Passam, caminho d'água, os gansos.
Vão atentos, como a cismar...

No verde, à beira das estradas,
Maliciosas em tentação,
Riem amoras orvalhadas.
Colhe-as: basta estender a mão.

Ah! fosse tudo assim na vida!
Sus, não cedas à vã fraqueza.
Que adianta a queixa repetida?
Goza o painel da natureza.

Cria, e terás com que exaltar-te
No mais nobre e maior prazer.
A afeiçoar teu sonho de arte,
Sentir-te-ás convalescer.

A arte é uma fada que transmuta
E transfigura o mau destino.
Prova. Olha. Toca. Cheira. Escuta.
Cada sentido é um dom divino.

Volta

Enfim te vejo. Enfim no teu
Repousa o meu olhar cansado.
Quanto o turvou e escureceu
O pranto amargo que correu
Sem apagar teu vulto amado!

Porém já tudo se perdeu
No olvido imenso do passado:
Pois que és feliz, feliz sou eu.
       Enfim te vejo!

Embora morra incontentado,
Bendigo o amor que Deus me deu.
Bendigo-o como um dom sagrado.
Como o só bem que há confortado
Um coração que a dor venceu!
       Enfim te vejo!

A VIDA ASSIM NOS AFEIÇOA

Se fosse dor tudo na vida,
Seria a morte o sumo bem.
Libertadora apetecida,
A alma dir-lhe-ia, ansiosa: – "Vem!

"Quer para a bem-aventurança
"Leves de um mundo espiritual
"A minha essência, onde a esperança
"Pôs o seu hálito vital;

"Quer, no mistério que te esconde,
"Tu sejas, tão somente, o fim:
"– Olvido imperturbável, onde
"Não restará nada de mim!"

Mas horas há que marcam fundo...
Feitas, em cada um de nós,
De eternidades de segundo,
Cuja saudade extingue a voz.

Ao nosso ouvido, embaladora,
A ama de todos os mortais,
A esperança prometedora,
Segreda coisas irreais.

E a vida vai tecendo laços
Quase impossíveis de romper:
Tudo o que amamos são pedaços
Vivos do nosso próprio ser.

A vida assim nos afeiçoa,
Prende. Antes fosse toda fel!
Que ao se mostrar às vezes boa,
Ela requinta em ser cruel...

IMAGEM

És como um lírio alvo e franzino,
Nascido ao pôr do sol, à beira d'água,
Numa paisagem erma onde cantava um sino
A de nascer inconsolável mágoa...

A vida é amarga. O amor, um pobre gozo...
Hás de amar e sofrer incompreendido,
Triste lírio franzino, inquieto, ansioso,
Frágil e dolorido...

VOZ DE FORA

Como da copa verde uma folha caída
Treme e deriva à flor do arroio fugidio,
Deixa-te assim também derivar pela vida,
Que é como um largo, ondeante e misterioso rio...

Até que te surpreenda a carne dolorida
Aquela sensação final de eterno frio,
Abre-te à luz do sol que à alegria convida,
E enche-te de canções, ó coração vazio!

A asa do vento esflora as camélias e as rosas.
Toda a paisagem canta. E das moitas cheirosas
O aroma dos mirtais sobe nos céus escampos.

Vai beber o pleno ar... E enquanto lá repousas,
Esquece as mágoas vãs na poesia dos campos
E deixa transfundir-te, alma, na alma das cousas...

TERESÓPOLIS, 1906

À BEIRA D'ÁGUA

D'água o fluido lençol, onde em áscuas cintila
O sol, que no cristal argênteo se refrata,
Crepitando na pedra, a cuja borda oscila,
Cai, gemendo e cantando, ao fundo da cascata.

Parece a grave queixa, atroando em torno a mata,
Contar não sei que mágoa inconsolada, e a ouvi-la
A alma se nos escapa e vai perder-se abstrata
Na avassalante paz da solidão tranquila...

Às vezes, a tremer na fraga faiscante,
Passa uma folha verde, e sobre a veia ondeante
Abandona-se toda, ansiosa pelo mar...

E vendo-a mergulhar na espuma que a sacode,
Não sei que íntimo e vago anseio ali me acode
De cair como a folha e deixar-me levar...

TERESÓPOLIS, 1906

POEMETO IRÔNICO

O que tu chamas tua paixão,
É tão somente curiosidade.
E os teus desejos ferventes vão
Batendo as asas na irrealidade...

Curiosidade sentimental
Do seu aroma, da sua pele.
Sonhas um ventre de alvura tal,
Que escuro o linho fique ao pé dele.

Dentre os perfumes sutis que vêm
Das suas charpas, dos seus vestidos,
Isolar tentas o odor que tem
A trama rara dos seus tecidos.

Encanto a encanto, toda a prevês.
Afagos longos, carinhos sábios,
Carícias lentas, de uma maciez
Que se diriam feitas por lábios...

Tu te perguntas, curioso, quais
Serão seus gestos, balbuciamento,
Quando descerdes nas espirais
Deslumbradoras do esquecimento...

E acima disso, buscas saber
Os seus instintos, suas tendências...
Espiar-lhe na alma por conhecer
O que há sincero nas aparências.

E os teus desejos ferventes vão
Batendo as asas na irrealidade...
O que tu chamas tua paixão,
É tão somente curiosidade.

DENTRO DA NOITE

Dentro da noite a vida canta
E esgarça névoas ao luar...
Fosco minguante o vale encanta.
Morreu pecando alguma santa...
    A água não para de chorar.

Há um amavio esparso no ar...
Donde virá ternura tanta?...
Paira um sossego singular
    Dentro da noite...

Sinto no meu violão vibrar
A alma penada de uma infanta
Que definhou do mal de amar...
Ouve... Dir-se-ia uma garganta
Súplice, triste, a soluçar
    Dentro da noite...

O INÚTIL LUAR

É noite. A Lua, ardente e terna,
Verte na solidão sombria
A sua imensa, a sua eterna
    Melancolia...

Dormem as sombras na alameda
Ao longo do ermo Piabanha.
E dele um ruído vem de seda
    Que se amarfanha...

No largo, sob os jambolanos,
Procuro a sombra embalsamada.
(Noite, consolo dos humanos!
    Sombra sagrada!)

Um velho senta-se a meu lado.
Medita. Há no seu rosto uma ânsia...
Talvez se lembre aqui, coitado!
    De sua infância.

Ei-lo que saca de um papel...
Dobra-o direito, ajusta as pontas,
E pensativo, a olhar o anel,
    Faz umas contas...

Com outro moço que se cala,
Fala um de compleição raquítica.
Presto atenção ao que ele fala:
    — É de política.

Adiante uma senhora magra,
Em ampla charpa que a modela,
Lembra uma estátua de Tanagra.
    E, junto dela,

Outra a entretém, a conversar:
— "Mamãe não avisou se vinha.
Se ela vier, mando matar
    Uma galinha."

E embalde a Lua, ardente e terna,
Verte na solidão sombria
A sua imensa, a sua eterna
    Melancolia...

Solau do desamado

Donzela, deixa tua aia,
Tem pena de meu penar.
Já das assomadas raia
O clarão dilucular,
E o meu olhar se desmaia
Transido de te buscar.
Sai desse ninho de alfaia,
— Céu puro de teu sonhar,
Veste o quimão de cambraia,
Mostra-te ao fulgor lunar.
Dá que uma só vez descaia
Do ermo balcão do solar
Como uma ardente azagaia
O teu fuzilante olhar.

Donzela, deixa tua aia,
Tem pena de meu penar...

Sou mancebo de alta laia:
Não trabalho e sei justar.
Relincham em minha baia
Hacaneias de invejar.
Tenho lacaio e lacaia.
Como um boi ao meu jantar!
Castelã donosa e gaia,
Acode ao meu suspirar
Antes que a luz se me esvaia...
Tem pena de meu penar.

Vou-me ao golfo de Biscaia
Como um bastardo afogar.
Minh'alma blasfema e guaia,
Minh'alma que vais danar,
Dona Olaia, dona Olaia!

— Meu alaúde de faia,
Soluça mais devagar...

Poemeto erótico

Teu corpo claro e perfeito,
— Teu corpo de maravilha,
Quero possuí-lo no leito
Estreito da redondilha...

Teu corpo é tudo o que cheira...
Rosa... flor de laranjeira...

Teu corpo, branco e macio,
É como um véu de noivado...

Teu corpo é pomo doirado...

Rosal queimado do estio,
Desfalecido em perfume...

Teu corpo é a brasa do lume...

Teu corpo é chama e flameja
Como à tarde os horizontes...

É puro como nas fontes
A água clara que serpeja,
Que em cantigas se derrama...

Volúpia da água e da chama...

A todo o momento o vejo...
Teu corpo... a única ilha
No oceano do meu desejo...

Teu corpo é tudo o que brilha,
Teu corpo é tudo o que cheira...
Rosa, flor de laranjeira...

Paráfrase de Ronsard

Foi para vós que ontem colhi, senhora,
Este ramo de flores que ora envio.
Não no houvesse colhido e o vento e o frio
Tê-las-iam crestado antes da aurora.

Meditai nesse exemplo, que se agora
Não sei mais do que o vosso outro macio
Rosto nem boca de melhor feitio,
A tudo a idade afeia sem demora.

Senhora, o tempo foge... o tempo foge...
Com pouco morreremos e amanhã
Já não seremos o que somos hoje...

Por que é que o vosso coração hesita?
O tempo foge... A vida é breve e é vã...
Por isso, amai-me... enquanto sois bonita.

Plenitude

Vai alto o dia. O sol a pino ofusca e vibra.
O ar é como de forja. A força nova e pura
Da vida embriaga e exalta. E eu sinto, fibra a fibra,
Avassalar-me o ser a vontade da cura.

A energia vital que no ventre profundo
Da Terra estuante ofega e penetra as raízes,
Sobe no caule, faz todo galho fecundo
E estala na amplidão das ramadas felizes,

Entra-me como um vinho acre pelas narinas...
Arde-me na garganta... E nas artérias sinto
O bálsamo aromado e quente das resinas
Que vem na exalação de cada terebinto.

O furor de criação dionisíaco estua
No fundo das rechãs, no flanco das montanhas,
E eu absorvo-o nos sons, na glória da luz crua
E ouço-o ardente bater dentro em minhas entranhas.

Tenho êxtases de santo... Ânsias para a virtude...
Canta em minh'alma absorta um mundo de harmonias.
Vêm-me audácias de herói... Sonho o que jamais pude
– Belo como Davi, forte como Golias...

E neste curto instante em que todo me exalto
De tudo o que não sou, gozo tudo o que invejo,
E nunca o sonho humano assim subiu tão alto
Nem flamejou mais bela a chama do desejo.

E tudo isso me vem de vós, Mãe Natureza!
Vós que cicatrizais minha velha ferida...
Vós que me dais o grande exemplo de beleza
E me dais o divino apetite da vida!

CLAVADEL, 1914

TRÊS IDADES

A vez primeira que te vi,
Era eu menino e tu menina.
Sorrias tanto... Havia em ti
Graça de instinto, airosa e fina.
Eras pequena, eras franzina...

Ao ver-te, a rir numa gavota,
Meu coração entristeceu.
Por quê? Relembro, nota a nota,
Essa ária como enterneceu
O meu olhar cheio do teu.

Quando te vi segunda vez,
Já eras moça, e com que encanto
A adolescência em ti se fez!
Flor e botão... Sorrias tanto...
E o teu sorriso foi meu pranto...

Já eras moça... Eu, um menino...
Como contar-te o que passei?
Seguiste alegre o teu destino...
Em pobres versos te chorei.
Teu caro nome abençoei.

Vejo-te agora. Oito anos faz,
Oito anos faz que não te via...
Quanta mudança o tempo traz
Em sua atroz monotonia!
Que é do teu riso de alegria?

Foi bem cruel o teu desgosto.
Essa tristeza é que mo diz...
Ele marcou sobre o teu rosto
A imperecível cicatriz:
És triste até quando sorris...

Porém teu vulto conservou
A mesma graça ingênua e fina...
A desventura te afeiçoou
À tua imagem de menina.
E estás delgada, estás franzina...

A MINHA IRMÃ

Depois que a dor, depois que a desventura
Caiu sobre o meu peito angustiado,
Sempre te vi, solícita, a meu lado,
Cheia de amor e cheia de ternura.

É que em teu coração inda perdura,
Entre doces lembranças conservado,
Aquele afeto simples e sagrado
De nossa infância, ó meiga criatura.

Por isso aqui minh'alma te abençoa:
Tu foste a voz compadecida e boa
Que no meu desalento me susteve.

Por isso eu te amo, e, na miséria minha,
Suplico aos céus que a mão de Deus te leve
E te faça feliz, minha irmãzinha...

CLAVADEL, 1913

ELEGIA PARA MINHA MÃE

Nesta quebrada de montanha, donde o mar
Parece manso como em recôncavo de angra,
Tudo o que há de infantil dentro em minh'alma sangra
Na dor de te ter visto, ó Mãe, agonizar!

Entregue à sugestão evocadora do ermo,
Em pranto rememoro o teu lento martírio
Até quando exalaste, à ardente luz de um círio,
A alma que se transia atada ao corpo enfermo.

Relembro o rosto magro, onde a morte deixou
Uma expressão como que atônita de espanto.
(Que imagem de tão grave e prestigioso encanto
Em teus olhos já meio inânimes passou?)

Revejo os teus pequenos pés... A mão franzina...
Tão musical... A fronte baixa... A boca exangue...
A duas gerações passara já teu sangue
— Eras avó —, e morta eras uma menina.

No silêncio daquela noite funeral
Ouço a voz de meu pai chamando por teu nome.
Mas não posso pensar em ti sem que me tome
Todo a recordação medonha de teu mal!

Tu, cujo coração era cheio de medos
— temias os trovões, o telegrama, o escuro —,
Ah, pobrezinha! um fim terrível, o mais duro,
É que te sufocou com implacáveis dedos.

Agora se me despedaça o coração
A cada pormenor, e o revivo cem vezes,
E choro neste instante o pranto de três meses
(Durante os quais sorri para tua ilusão!),

Enquanto que a buscar as solitárias ânsias,
As mágoas sem consolo, as vontades quebradas,
Voa, diluindo-se no longe das distâncias,
A prece vesperal em fundas badaladas!

Oceano

Olho a praia. A treva é densa.
Ulula o mar, que não vejo,
Naquela voz sem consolo,
Naquela tristeza imensa
Que há na voz do meu desejo.

E nesse tom sem consolo
Ouço a voz do meu destino:
Má sina que desconheço,
Vem vindo desde eu menino,
Cresce quanto em anos cresço.

— Voz de oceano que não vejo
Da praia do meu desejo...

Ingênuo enleio

Ingênuo enleio de surpresa,
Sutil afago em meus sentidos,
Foi para mim tua beleza,
A tua voz nos meus ouvidos.

Ao pé de ti, do mal antigo
Meu triste ser convalesceu.
Então me fiz teu grande amigo,
E teu afeto se me deu.

Mas o teu corpo tinha a graça
Das aves... Musical adejo...
Vela no mar que freme e passa...
E assim nasceu o meu desejo.

Depois, momento por momento,
Eu conheci teu coração.
E se mudou meu sentimento
Em doce e grave adoração.

ENQUANTO MORREM AS ROSAS...

Morre a tarde. Erra no ar a divina fragrância.
Fora, a mortiça luz dos crepúsculos arde.
Nas árvores, no oceano e no azul da distância
        Morre a tarde...

Morrem as rosas. Minhas pálpebras se molham
No pranto das desesperanças dolorosas.
Sobre a mesa, pétala a pétala, se esfolham,
        Morrem as rosas...

Morre o teu sonho?... Neste instante o pensamento
Acabrunha o meu ser como um pesar medonho.
Ah, por que temo assim? Dize: neste momento
        Morre o teu sonho?...

TERNURA

Enquanto nesta atroz demora,
Que me tortura, que me abrasa,
Espero a cobiçada hora
Em que irei ver-te à tua casa;

Por enganar o meu desejo
De inteira e descuidada posse,
Ai de nós! que não antevejo
Uma só vez que ao menos fosse;

Sentindo em minha carne langue
Toda a volúpia do teu sonho,
Toda a ternura do teu sangue,
Minh'alma nestes versos ponho;

Por que os escondas de teu seio
No doce e pequenino vale,
— Por que os envolva o teu enleio,
Por que o teu hálito os embale;

E o meu desejo, que assim foge
Ao pé de ti e te acarinha,
Possa sentir que és minha hoje,
E és para todo o sempre minha...

BODA ESPIRITUAL

Tu não estás comigo em momentos escassos:
No pensamento meu, amor, tu vives nua
— Toda nua, pudica e bela, nos meus braços.

O teu ombro no meu, ávido, se insinua.
Pende a tua cabeça. Eu amacio-a... Afago-a...
Ah, como a minha mão treme... Como ela é tua...

Põe no teu rosto o gozo uma expressão de mágoa.
O teu corpo crispado alucina. De escorço
O vejo estremecer como uma sombra n'água.

Gemes quase a chorar. Suplicas com esforço.
E para amortecer teu ardente desejo
Estendo longamente a mão pelo teu dorso...

Tua boca sem voz implora em um arquejo.
Eu te estreito cada vez mais, e espio absorto
A maravilha astral dessa nudez sem pejo...

E te amo como se ama um passarinho morto.

ENQUANTO A CHUVA CAI...

A chuva cai. O ar fica mole...
Indistinto... ambarino... gris...
E no monótono matiz
Da névoa enovelada bole
A folhagem como a bailar.

Torvelinhai, torrentes do ar!

Cantai, ó bátega chorosa,
As velhas árias funerais.
Minh'alma sofre e sonha e goza
À cantilena dos beirais.

Meu coração está sedento
De tão ardido pelo pranto.
Dai um brando acompanhamento
À canção do meu desencanto.

Volúpia dos abandonados...
Dos sós... — ouvir a água escorrer,
Lavando o tédio dos telhados
Que se sentem envelhecer...

Ó caro ruído embalador,
Terno como a canção das amas!
Canta as baladas que mais amas,
Para embalar a minha dor!

A chuva cai. A chuva aumenta.
Cai, benfazeja, a bom cair!
Contenta as árvores! Contenta
As sementes que vão abrir!

Eu te bendigo, água que inundas!
Ó água amiga das raízes,
Que na mudez das terras fundas
Às vezes são tão infelizes!

E eu te amo! Quer quando fustigas
Ao sopro mau dos vendavais
As grandes árvores antigas,
Quer quando mansamente cais.

É que na tua voz selvagem,
Voz de cortante, álgida mágoa,
Aprendi na cidade a ouvir
Como um eco que vem na aragem
A estrugir, rugir e mugir,
O lamento das quedas-d'água!

Ao crepúsculo

O crepúsculo cai, tão manso e benfazejo
Que me adoça o pesar de estar em terra estranha.
E enquanto o ângelus abençoa o lugarejo,
Eu penso em ti, apaziguado e sem desejo,
Fitando no horizonte a linha da montanha.

A montanha é tranquila e forte, e grande e boa.
Ela afaga o meu sonho. E alegra-me pensar
(Tanto a saudade a um tempo acalenta e magoa!)
Que tu, na doce paz da tarde que se escoa,
Teces o mesmo sonho, ouvindo e vendo o mar.

Embalada na voz do grande solitário,
Tu mortificarás teu casto coração
Na dor de revocar o noivado precário.
(Ah, por que te confiei o meu desejo vário?
Por que me desvendaste a tua sedução?)

Se nos aparta o espaço, o tempo — esse nos liga.
A lembrança é no amor a cadeia mais pura.
Tu tens o grande Amigo e eu tenho a grande Amiga:
O mar segredará tudo quanto eu te diga,
E a montanha dir-me-á tua imensa ternura.

TU QUE ME DESTE O TEU CUIDADO...

Tu que me deste o teu carinho
E que me deste o teu cuidado,
Acolhe ao peito, como o ninho
Acolhe o pássaro cansado,
O meu desejo incontentado.

Há longos anos ele arqueja
Em aflitiva escuridão.
Sê compassiva e benfazeja.
Dá-lhe o melhor que ele deseja:
— Teu grave e meigo coração.

Sê compassiva. Se algum dia
Te vier do pobre agravo e mágoa,
Atende à sua dor sombria:
Perdoa o mau que desvaria
E traz os olhos rasos de água.

Não te retires ofendida.
Pensa que nesse grito vem
O mal de toda a minha vida:
Ternura inquieta e malferida
Que, antes, não dei nunca a ninguém.

E foi melhor nunca a ter dado:
Em te pungindo algum espinho,
Cinge-a ao teu seio angustiado.
E sentirás o meu carinho.
E sentirás o meu cuidado.

Madrugada

As estrelas tremem no ar frio, no céu frio...
E no ar frio pinga, levíssima, a orvalhada.
Nem mais um ruído corta o silêncio da estrada,
Senão na ribanceira um vago murmúrio.

Tudo dorme. Eu, no entanto, olho o espaço sombrio,
Pensando em ti, ó doce imagem adorada!...
As estrelas tremem no ar frio, no céu frio,
E no ar frio pingam as gotas da orvalhada...

E enquanto penso em ti, no meu sonho erradio,
Sentindo a dor atroz desta ânsia incontentada,
— Fora, aos beijos glaciais e cruéis da geada,
Tremem as flores, treme e foge, ondeando, o rio,

E as estrelas tremem no ar frio, no céu frio...

Cantilena

O solitude! O pauvreté!
Musset

O céu parece de algodão.
O dia morre. Choveu tanto!
As minhas pálpebras estão
Como embrumadas pelo pranto.

Sinto-o descer devagarinho,
Cheio de mágoa e mansidão.
A minha testa quer carinho,
E pede afago a minha mão.

Debalde o rio docemente
Canta a monótona canção:
Minh'alma é um menino doente
Que a ama acalenta mas em vão.

A névoa baixa. A obscuridade
Cresce. Também no coração
Pesada névoa de saudade
Cai. Ó pobreza! Ó solidão!

CLAVADEL, 1913

DELÍRIO

Que será que desperta em mim neste momento
Uma inquietação que é quase uma agonia?
Há um soluço lá fora... É o soluço do vento,
E parece sair de minh'alma sombria.

Por que, na solidão desta tarde que morre,
Sinto o pulso bater em pancadas de medo?
Por que de instante a instante uma lembrança ocorre,
A que estremeço como a um terrível segredo?

Por que pensei em minha mãe agonizante?
Por que me acode a voz daquele amigo morto?
Será a sombra da morte aquela névoa errante,
E morrerei desamparado e sem conforto?...

Como a casa é deserta! E como a tarde é fria!
Plange cada vez mais o soluço do vento,
E parece sair de minh'alma sombria.
Desânimo... Desesperança... Desalento...

Mãos femininas... Mãos ou de amante ou de esposa,
Quem me dera sentir em minha árida fronte
O aroma que impregnais, tocando, em cada cousa...
A carícia da brisa... A frescura da fonte...

Mas nenhuma virá, no instante em que me morro,
Dar-me a consolação deste longo martírio.
Nenhuma escutará o grito de socorro
Do meu penoso, do meu trágico delírio.

Que me importa o passado? À minha natureza
Repugna essa volúpia enorme da saudade.
Ó meu passado, ruinaria sem beleza!
Eu abomino a tua escura soledade.

O tempo... Horas de horror e tédio da memória...
Ah, quem mo reduzira ao minuto que passa,
— Fosse ele de paixão inerte e merencória,
Na solitude, no silêncio e na desgraça!

CLAVADEL, 1914

O SUAVE MILAGRE

Quando cheguei, a tua casa sossegada,
Tua casa colonial de telhas côncavas,
Tinha o aspecto infeliz de casa abandonada.

Tinha o ar de sofrer, numa funda saudade,
A dor fina e sem remissão da tua ausência,
Da tua adolescente e clara mocidade.

Não havia uma flor nas roseiras desertas,
E esse riso estival dos púrpuros gerânios
Na treva interior das janelas abertas.

A casa, hoje toda alegria hospitaleira,
Era uma capelinha a que uma mão sacrílega
Houvesse arrebatado a santa padroeira.

Mas a santa voltou na graça do milagre.
E por influição de seu gesto silente
Abriram rosas, e na graça do milagre
O jardim refloriu miraculosamente...

DESALENTO

Uma pesada, rude canseira
Toma-me todo. Por mal de mim,
Ela me é cara... De tal maneira,
Que às vezes gosto que seja assim...

É bem verdade que me tortura
Mais do que as dores que já conheço.
E em tais momentos se me afigura
Que estou morrendo... que desfaleço...

Lembrança amarga do meu passado...
Como ela punge! Como ela dói!
Porque hoje o vejo mais desolado,
Mais desgraçado do que ele foi...

Tédios e penas cuja memória
Me era mais leve que a cinza leve,
Pesam-me agora... contam-me a história
Do que a minh'alma quis e não teve...

O ermo infinito do meu desejo
Alonga, amplia cada pesar...
Pesar doentio... Tudo o que vejo
Tem uma tinta crepuscular...

Faço em segredo canções mais tristes
E mais ingênuas que as de Fortúnio:
Canções ingênuas que nunca ouvistes,
Volúpia obscura deste infortúnio...

Às vezes volvo, por esquecê-la,
A vista súplice em derredor.
Mas tenho medo de que sem ela
A desventura seja maior...

Sem pensamentos e sem cuidados,
Minh'alma tímida e pervertida,
Queda-se de olhos desencantados
Para o sagrado labor da vida...

Teresópolis, 1912

Um sorriso

Vinha caindo a tarde. Era um poente de agosto.
A sombra já enoitava as moitas. A umidade
Aveludava o musgo. E tanta suavidade
Havia, de fazer chorar nesse sol-posto.

A viração do oceano acariciava o rosto
Como incorpóreas mãos. Fosse mágoa ou saudade,
Tu olhavas, sem ver, os vales e a cidade.

— Foi então que senti sorrir o meu desgosto...

Ao fundo o mar batia a crista dos escolhos...
Depois o céu... e mar e céus azuis: dir-se-ia
Prolongarem a cor ingênua de teus olhos...

A paisagem ficou espiritualizada.
Tinha adquirido uma alma. E uma nova poesia
Desceu do céu, subiu do mar, cantou na estrada...

Natal

Penso em Natal. No teu Natal. Para a bondade
A minh'alma se volta. Uma grande saudade
Cresce em todo o meu ser magoado pela ausência.
Tudo é saudade... A voz dos sinos... A cadência
Do rio... E esta saudade é boa como um sonho!
E esta saudade é um sonho... Evoco-te... Componho
O ambiente cuja luz os teus cabelos douram.
Figuro os olhos teus, tristes como eles foram
No momento final de nossa despedida...
O teu busto pendeu como um lírio sem vida,
E tu sonhas, na paz divina do Natal...

Ó minha amiga, aceita a carícia filial
De minh'alma a teus pés humilhada de rastos.
Seca o pranto feliz sobre os meus olhos castos...
Ampara a minha fronte, e que a minha ternura
Se torne insexual, mais do que humana, — pura
Como aquela fervente e benfazeja luz
Que Madalena viu nos olhos de Jesus...

Clavadel, 1913

O anel de vidro

Aquele pequenino anel que tu me deste,
— Ai de mim — era vidro e logo se quebrou...
Assim também o eterno amor que prometeste,
— Eterno! era bem pouco e cedo se acabou.

Frágil penhor que foi do amor que me tiveste,
Símbolo da afeição que o tempo aniquilou —
Aquele pequenino anel que tu me deste,
— Ai de mim — era vidro e logo se quebrou...

Não me turbou, porém, o despeito que investe
Gritando maldições contra aquilo que amou.
De ti conservo na alma a saudade celeste...
Como também guardei o pó que me ficou
Daquele pequenino anel que tu me deste...

Desesperança

Esta manhã tem a tristeza de um crepúsculo.
Como dói um pesar em cada pensamento!
Ah, que penosa lassidão em cada músculo...

O silêncio é tão largo, é tão longo, é tão lento
Que dá medo... O ar, parado, incomoda, angustia...
Dir-se-ia que anda no ar um mau pressentimento.

Assim deverá ser a natureza um dia,
Quando a vida acabar e, astro apagado, a Terra
Rodar sobre si mesma estéril e vazia.

O demônio sutil das nevroses enterra
A sua agulha de aço em meu crânio doído.
Ouço a morte chamar-me e esse apelo me aterra...

Minha respiração se faz como um gemido.
Já não entendo a vida, e se mais a aprofundo,
Mais a descompreendo e não lhe acho sentido.

Por onde alongue o meu olhar de moribundo,
Tudo a meus olhos toma um doloroso aspeto:
E erro assim repelido e estrangeiro no mundo.

Vejo nele a feição fria de um desafeto.
Temo a monotonia e apreendo a mudança.
Sinto que a minha vida é sem fim, sem objeto...

— Ah, como dói viver quando falta a esperança!

Teresópolis, 1912

RENÚNCIA

Chora de manso e no íntimo... Procura
Curtir sem queixa o mal que te crucia:
O mundo é sem piedade e até riria
Da tua inconsolável amargura.

Só a dor enobrece e é grande e é pura.
Aprende a amá-la que a amarás um dia.
Então ela será tua alegria,
E será, ela só, tua ventura...

A vida é vã como a sombra que passa...
Sofre sereno e de alma sobranceira,
Sem um grito sequer, tua desgraça.

Encerra em ti tua tristeza inteira.
E pede humildemente a Deus que a faça
Tua doce e constante companheira...

TERESÓPOLIS, 1906

CARNAVAL

EPÍGRAFE

Ela entrou com embaraço, tentou sorrir, e perguntou tristemente — se eu a reconhecia?
O aspecto carnavalesco lhe vinha menos do frangalho de fantasia que do seu ar de extrema penúria. Fez por parecer alegre. Mas o sorriso se lhe transmudou em ricto amargo. E os olhos ficaram baços, como duas poças de água suja...
Então, para cortar o soluço que adivinhei subindo de sua garganta, puxei-a para ao pé de mim e, com doçura:
— Tu és a minha esperança de felicidade e cada dia que passa eu te quero mais, com perdida volúpia, com desesperação e angústia...

BACANAL

Quero beber! cantar asneiras
No esto brutal das bebedeiras
Que tudo emborca e faz em caco...
   Evoé Baco!

Lá se me parte a alma levada
No torvelim da mascarada,
A gargalhar em doudo assomo...
   Evoé Momo!

Lacem-na toda, multicores,
As serpentinas dos amores,
Cobras de lívidos venenos...
   Evoé Vênus!

Se perguntarem: Que mais queres,
Além de versos e mulheres?...
— Vinhos!... o vinho que é o meu fraco!...
   Evoé Baco!

O alfange rútilo da lua,
Por degolar a nuca nua
Que me alucina e que eu não domo!...
   Evoé Momo!

A Lira etérea, a grande Lira!...
Por que eu extático desfira
Em seu louvor versos obscenos,
   Evoé Vênus!

1918

Os sapos

Enfunando os papos,
Saem da penumbra,
Aos pulos, os sapos.
A luz os deslumbra.

Em ronco que aterra,
Berra o sapo-boi:
— "Meu pai foi à guerra!"
— "Não foi!" — "Foi!" — "Não foi!"

O sapo-tanoeiro,
Parnasiano aguado,
Diz: — "Meu cancioneiro
É bem martelado.

Vede como primo
Em comer os hiatos!
Que arte! E nunca rimo
Os termos cognatos.

O meu verso é bom
Frumento sem joio.
Faço rimas com
Consoantes de apoio.

Vai por cinquenta anos
Que lhes dei a norma:
Reduzi sem danos
A fôrmas a forma.

Clame a saparia
Em críticas céticas:
Não há mais poesia,
Mas há artes poéticas..."

Urra o sapo-boi:
— "Meu pai foi rei" — "Foi!"
— "Não foi!" — "Foi!" — "Não foi!"

Brada em um assomo
O sapo-tanoeiro:
— "A grande arte é como
Lavor de joalheiro.

Ou bem de estatuário.
Tudo quanto é belo,
Tudo quanto é vário,
Canta no martelo."

Outros, sapos-pipas
(Um mal em si cabe),
Falam pelas tripas:
— "Sei!" — "Não sabe!" — "Sabe!"

Longe dessa grita,
Lá onde mais densa
A noite infinita
Verte a sombra imensa;

Lá, fugido ao mundo,
Sem glória, sem fé,
No perau profundo
E solitário, é

Que soluças tu,
Transido de frio,
Sapo-cururu
Da beira do rio...

1918

A canção das lágrimas de Pierrot

I

A sala em espelhos brilha
Com lustros de dez mil velas.
Miríades de rodelas
Multicores — maravilha! —

Torvelinham no ar que alaga
O cloretilo e se toma
Daquele mesclado aroma
De carnes e de bisnaga.

E rodam mais que confete,
Em farândolas quebradas,
Cabeças desassisadas
Por Colombina ou Pierrette.

II

Pierrot entra em salto súbito.
Upa! Que força o levanta?
E enquanto a turba se espanta,
Ei-lo se roja em decúbito.

A tez, antes melancólica,
Brilha. A cara careteia.
Canta. Toca. E com tal veia,
Com tanta paixão diabólica,

Tanta, que se lhe ensanguentam
Os dedos. Fibra por fibra,
Toda a sua essência vibra
Nas cordas que se arrebentam.

III

Seu alaúde de plátano
Milagre é que não se quebre.
E a sua fronte arde em febre,
Ai dele! e os cuidados matam-no.

Ai dele! que essa alegria,
Aquelas canções, aquele
Surto não é mais, ai dele!
Do que uma imensa ironia.

Fazendo à cantiga louca
Dolorido contracanto,
Por dentro borbulha o pranto
Como outra voz de outra boca:

IV

— "Negaste a pele macia
"À minha linda paixão!
"E irás entregá-la um dia
"Aos feios vermes do chão...

"Fiz por ver se te podia
"Amolecer, — e não pude!
"Em vão pela noite fria
"Devasto o meu alaúde...

"Minha paz, minha alegria,
"Minha coragem, roubaste-mas...
"E hoje a minh'alma sombria
"É como um poço de lástimas..."

V

Corre após a amada esquiva.
Procura o precário ensejo
De matar o seu desejo
Numa carícia furtiva.

E encontrando-o Colombina,
Se lhe dá, lesta, à socapa,
Em vez do beijo uma tapa,
O pobre rosto ilumina-se-lhe!...

Ele que estava de rastros,
Pula, e tão alto se eleva,
Como se fosse na treva
Romper a esfera dos astros!...

VULGÍVAGA

Não posso crer que se conceba
Do amor senão o gozo físico!
O meu amante morreu bêbado,
E meu marido morreu tísico!

Não sei entre que astutos dedos
Deixei a rosa da inocência.
Antes da minha pubescência
Sabia todos os segredos...

Fui de um... Fui de outro... Este era médico...
Um, poeta... Outro, nem sei mais!
Tive em meu leito enciclopédico
Todas as artes liberais.

Aos velhos dou o meu engulho.
Aos férvidos, o que os esfrie.
A artistas, a *coquetterie*
Que inspira... E aos tímidos, — o orgulho.

Estes, caçoo-os e depeno-os:
A canga fez-se para o boi...
Meu claro ventre nunca foi
De sonhadores e de ingênuos!

E todavia se o primeiro
Que encontro, fere toda a lira,
Amanso. Tudo se me tira.
Dou tudo. E mesmo... dou dinheiro...

Se bate, então como o estremeço!
Oh, a volúpia da pancada!
Dar-me entre lágrimas, quebrada
Do seu colérico arremesso...

E o cio atroz se me não leva
A valhacoutos de canalhas,
É porque temo pela treva
O fio fino das navalhas...

Não posso crer que se conceba
Do amor senão o gozo físico!
O meu amante morreu bêbado,
E meu marido morreu tísico!

Verdes mares

Clama uma voz amiga: — "Aí tem o Ceará."
E eu, que nas ondas punha a vista deslumbrada,
Olho a cidade. Ao sol chispa a areia doirada.
A bordo a faina avulta e toda a gente já

Desce. Uma moça ri, quebrando o panamá.
"— Perdi a mala!" um diz de cara acabrunhada.
Sobre as águas, arfando, uma breve jangada
Passa. Tão frágil! Deus a leve, onde ela vá.

Esmalta ao fundo a costa a verdura de um parque,
E enquanto a grita aumenta em berros e assobios
Rudes, na confusão brutal do desembarque:

Fitando a vastidão magnífica do mar,
Que ressalta e reluz: — "Verdes mares bravios..."
Cita um sujeito que jamais leu Alencar.

1908

A ROSA

A vista incerta,
Os ombros langues,
Pierrot aperta
As mãos exangues
De encontro ao peito.

Alguma cousa
O punge ali
Que ele não ousa
Lançar de si,
O pobre doido!

Uma sombria
Rosa escarlata
Em agonia
Faz que lhe bata
O coração...

Sangrenta rosa
Que evoca a louca,
A voluptuosa
Volúvel boca
De sua amada...

Ah, com que mágoa,
Com que desgosto
Dois fios de água
Lavam-lhe o rosto
De faces lívidas!

Da veste branca
À larga túnica
Por fim arranca
A rosa púnica
Em um soluço.

E parecia,
Jogando ao chão
A flor sombria,
Que o coração
Ele arrancara!...

A SEREIA DE LENAU

Quando na grave solidão do Atlântico
Olhavas da amurada do navio
O mar já luminoso e já sombrio,
Lenau! teu grande espírito romântico

Suspirava por ver dentro das ondas
Até o álveo profundo das areias,
A enxergar alvas formas de sereias
De braços nus e nádegas redondas.

Ilusão! que sem cauda aqueles seres,
Deixando o ermo monótono das águas,
Andam em terra suscitando mágoas,
Misturadas às filhas das mulheres.

Nikolaus Lenau, poeta da amargura!
Uma te amou, chamava-se Sofia.
E te levou pela melancolia
Ao oceano sem fundo da loucura.

PIERROT BRANCO

Atrás de minha fronte esquálida,
Que em insônias se mortifica,
Brilha uma como chama pálida
De pálida, pálida mica...

Não a acendeu a ardente febre,
Ai de mim, da consumpção hética
Que esgalga até que um dia quebre
A minha carcaça caquética!

Nem a alumiou a fantasia
Por velar de rúbido pejo
Aquela agitação sombria
Que em pancadas de mau desejo

Tortura o coração aflito,
Sugere requintes de gozo,
Por concriar — sonho infinito —
O andrógino miraculoso!

A chama que em suave lampejo
A esquálida tez me ilumina,
Não a ateou febre nem desejo,
— Mas um beijo de Colombina.

A FINA, A DOCE FERIDA...

A fina, a doce ferida
Que foi a dor do meu gozo
Deixou quebranto amoroso
Na cicatriz dolorida.

Pois que ardor pecaminoso
Ateou a esta alma perdida
A fina, a doce ferida
Que foi a dor do meu gozo.

Como uma adaga partida
Punge o golpe voluptuoso...
Que no peito sem repouso
Me arderá por toda a vida
A fina, a doce ferida...

A SILHUETA

Na sala obscura, onde branqueja
A mancha ebúrnea do teclado,
Morre e revive, expira, arqueja
O estribilho desesperado.

Um Pierrot de vestes de seda
Negra, ele próprio toca e canta.
O timbre múrmuro segreda
Uma dor que sobe à garganta.

E uma tristeza de tal sorte
Vem nessa pobre voz humana,
Que se pensa em fugir na morte
À miséria cotidiana.

Como a voz, também a mão geme.
E na parede se debruça
A sombra pálida, que treme,
De uma garganta que soluça...

ARLEQUINADA

Que idade tens, Colombina?
Será a idade que pareces?...
Tivesses a que tivesses!
Tu para mim és menina.

Que exíguo o teu talhe! E penso:
Cambraia pouca precisa:
Pode ser toda num lenço
Cortada a tua camisa...

Teus seios têm treze anos.
Dão os dois uma mancheia...
E essa inocência incendeia,
Faz cinza de desenganos...

O teu pequenino queixo
— Símbolo do teu capricho —
É dele que mais me queixo,
Que por ele assim me espicho!

Tua cabeleira rara
Também ela é de criança:
Dará uma escassa trança,
Onde eu mal me estrangulara!

E que direi do franzino,
Do breve pé de menina?...
Seria o mais pequenino
No jogo da pampolina...

Infantil é o teu sorriso.
A cabeça, essa é de vento:
Não sabe o que é pensamento
E jamais terá juízo...

Crês tu que os recém-nascidos
São achados entre as couves?...
Mas vejo que os teus ouvidos
Ardem... Finges que não ouves...

Perdão, perdão, Colombina!
Perdão, que me deu na telha
Cantar em medida velha
Teus encantos de menina...

JUIZ DE FORA, 1918

DO QUE DISSESTES...

Do que dissestes, alma fria,
Já nada vos acode mais?...
Éramos sós... Fora chovia...
Quanta ternura em mim havia!
(Em vós também... Por que o negais?)

Hoje, contudo, nem me olhais...
Pobre de mim! Por que seria?
Acaso arrependida estais
      Do que dissestes?

É bem possível que o estejais...
O amor é coisa fugidia...
Eu, no entretanto, que em tal dia
Gozei momentos sem iguais,
Eu não me esquecerei jamais
      Do que dissestes.

PIERROT MÍSTICO

Torna a meu leito, Colombina!
Não procures em outros braços
Os requintes em que se afina
A volúpia dos meus abraços.

Os atletas poderão dar-te
O amor próximo das sevícias...
Só eu possuo a ingênua arte
Das indefiníveis carícias...

Meus magros dedos dissolutos
Conhecem todos os afagos
Para os teus olhos sempre enxutos
Mudar em dois brumosos lagos...

Quando em êxtase os olhos viro,
Ah se pudesses, fútil presa,
Sentir na dor do meu suspiro
A minha infinita tristeza!...

Insensato aquele que busca
O amor na fúria dionisíaca!
Por mim desamo a posse brusca:
A volúpia é cisma elegíaca...

A volúpia é bruma que esconde
Abismos de melancolia...
Flor de tristes pântanos onde
Mais que a morte a vida é sombria...

Minh'alma lírica de amante
Despedaçada de soluços,
Minh'alma ingênua, extravagante,
Aspira a desoras de bruços

Não às alegrias impuras,
Mas àquelas rosas simbólicas
De vossas ardentes ternuras,
Grandes místicas melancólicas!...

Debussy

Para cá, para lá...
Para cá, para lá...
Um novelozinho de linha...
Para cá, para lá...
Para cá, para lá...
Oscila no ar pela mão de uma criança
(Vem e vai...)

Que delicadamente e quase a adormecer o balança
— Psiu... —
Para cá, para lá...
Para cá e...
— O novelozinho caiu.

Pierrette

O relento hiperestesia
O ritmo tardo de meu sangue.
Sinto correr-me a espinha langue
Um calefrio de histeria...

Gemem ondinas nos repuxos
Das fontes. Faunos aparecem.
E salamandras desfalecem
Nas sarças, nos braços dos bruxos.

Corro à floresta: entre miríades
De vaga-lumes, junto aos troncos,
Gênios caprípedes e broncos
Estupram virgens hamadríades.

Ergo olhos súplices: e vejo,
Ante as minhas pupilas tontas,
No sete-estrelo as sete pontas
De sete espadas de desejo.

O sexo obsidente alucina
A minha índole surpresa:
As imagens da natureza
São um delírio de morfina.

A minha carne complicada
Espreita, em voluptuoso ardil,
Alguém que tenha a alma sutil,
Decadente, degenerada!

E a lua verte como uma âmbula
O filtro erótico que assombra...
Vem, meu Pierrot, ó minha sombra
Cocainômana e noctâmbula!...

O SÚCUBO

Quando em silêncio a casa adormecia e vinha
Ao meu quarto a aromada emanação dos matos,
Deslizáveis astuta, amorosa e daninha,
Propinando na treva o absinto dos contatos.

Como se enlaça ao tronco a ondulação da vinha,
Um por um despojando os fictícios recatos,
Estreitáveis-me cauta e essa pupila tinha
Fosforescências como a pupila dos gatos.

Tudo em vós flamejava em instintiva fúria.
A garganta cruel arfava com luxúria.
O ventre era um covil de serpentes em cio...

Sem paixão, sem pudor, sem escrúpulos — éreis
Tão bela! e as vossas mãos, fontes de calefrio,
Abrasavam no ardor das volúpias estéreis...

TERESÓPOLIS, 1912

RONDÓ DE COLOMBINA

De Colombina o infantil borzeguim
Pierrot aperta a chorar de saudade.
O sonho passou. Traz magoado o rim,
Magoada a cabeça exposta à umidade.

Lavou o orvalho a alvaiade e o carmim.
A alva desponta. Dói-lhe a claridade
Nos olhos tristes. Que é dela?... Arlequim
Levou-a! e dobra o desejo à maldade
    De Colombina.

O seu desencanto não tem um fim.
Pobre Pierrot! Não lhe queiras assim.
Que são teus amores?... — Ingenuidade
E o gosto de buscar a própria dor.
Ela é de dois?... Pois aceita a metade!
Que essa metade é talvez todo o amor
    De Colombina...

1913

O descante de Arlequim

A lua ainda não nasceu.
A escuridão propícia aos furtos,
Propícia aos furtos, como o meu,
De amores frívolos e curtos,

Estende o manto alcoviteiro
À cuja sombra, se quiseres,
A mais ardente das mulheres
Terá o seu único parceiro.

Ei-lo. Sem glória e sem vintém,
Amando os vinhos e os baralhos,
Eu, nesta veste de retalhos,
Sou tudo quanto te convém.

Não se me dá do teu recato.
Antes, polido pelo vício,
Sou fácil, acomodatício,
Agora beijo, agora bato,

Que importa? Ao menos o teu ser
Ao meu anélito corruto
Esquecerá por um minuto
O pesadelo de viver.

E eu, vagabundo sem idade,
Contra a moral e contra os códigos,
Dar-te-ei entre os meus braços pródigos
Um momento de eternidade...

A Dama Branca

A Dama Branca que eu encontrei,
Faz tantos anos,
Na minha vida sem lei nem rei,
Sorriu-me em todos os desenganos.

Era sorriso de compaixão?
Era sorriso de zombaria?
Não era mofa nem dó. Senão,
Só nas tristezas me sorriria.

E a Dama Branca sorriu também
A cada júbilo interior.
Sorria como querendo bem.
E todavia não era amor.

Era desejo? — Credo! De tísicos?
Por histeria... quem sabe lá?...
A Dama tinha caprichos físicos:
Era uma estranha vulgívaga.

Ela era o gênio da corrupção.
Tábua de vícios adulterinos.
Tivera amantes: uma porção.
Até mulheres. Até meninos.

Ao pobre amante que lhe queria,
Se lhe furtava sarcástica.
Com uns perjura, com outros fria,
Com outros má,

— A Dama Branca que eu encontrei,
Há tantos anos,
Na minha vida sem lei nem rei,
Sorriu-me em todos os desenganos.

Essa constância de anos a fio,
Sutil, captara-me. E imaginai!
Por uma noite de muito frio,
A Dama Branca levou meu pai.

A CEIA

Junto à púrpura os tons mais ricos esmaecem.
Chispa ardente lascívia em cada rosto glabro.
Luzem anéis. À luz crua do candelabro
Finda a ceia. O perfume e os vinhos entontecem.

César medita e trama o desígnio macabro.
Quando em volúpia aos mais os olhos enlanguescem,
Os seus, frios, fitando o irmão, lançá-lo tecem,
Horas depois, do Tibre ao fundo volutabro.

Três gregas de alvos pés, pubescentes e esguias,
Torcendo os corpos nus donde acre aroma escapa,
Dançam meneando véus, flexíveis como enguias.

Enquanto, a acompanhar os lascivos trejeitos,
Entre os seios liriais de uma matrona, o Papa
Deixa cair, rindo, um punhado de confeitos.

1907

MENIPO

Menipo, o zombeteiro, o Cínico vadio,
Ia fazer, enfim, a última viagem.
Mas ia sem temor, calmo, atento à paisagem
Que se desenrolava à beira do atro rio.

E chasqueava a sorrir sobre o Estige sombrio.
Nem cuidara em trazer o óbolo da passagem!
Em face de Caronte, a pavorosa imagem
Do barqueiro da Morte olhava em desafio.

Outros erguiam no ar suplicemente as palmas.
Ele, avesso ao terror daquelas pobres almas,
Antes afigurava um deus sereno e forte.

Em seu lábio cansado um sorriso luzia.
E era o sorriso eterno e sutil da ironia
Que triunfara da vida e triunfava da morte.

1907

A MORTE DE PÃ

Quando aquele que o beijo infiel traíra no Horto,
Desfaleceu na cruz, das montanhas ao mar
Gemeu, com grande pranto e feio soluçar,
Uma voz que dizia: — "O grande Pã é morto!..."

"Aquele deleitoso, almo viver absorto
"No amor da natureza augusta e familiar,
"O ledo rito antigo, outrem veio mudar
"Em doutrina de amargo e rudo desconforto.

"Faunos, morrei! Morrei, Dríades e Napeias!
"Oréades gentis que a flauta do Egipã
"Congraçava na relva em rondas e coreias,

"Morrei! Apague o vento os tenuíssimos laivos
"Dos ágeis pés sutis... Bosques, desencantai-vos...
"Fontes do ermo, chorai que é morto o grande Pã!..."

BALADILHA ARCAICA

Na velha torre quadrangular
Vivia a Virgem dos Devaneios...
Tão alvos braços... Tão lindos seios...
Tão alvos seios por afagar...

A sua vista não ia além
Dos quatro muros que a enclausuravam
E ninguém via — ninguém, ninguém —
Os meigos olhos que suspiravam.

Entanto fora, se algum zagal,
Por noites brancas de lua cheia,
Ali passava, vindo do val,
Em si dizia: — Que torre feia!

Um dia a Virgem desconhecida
Da velha torre quadrangular
Morreu inane, desfalecida,
Desfalecida de suspirar...

RIMANCETE

À dona de seu encanto,
À bem-amada pudica,
Por quem se desvela tanto,
Por quem tanto se dedica,
Olhos lavados em pranto,
O seu amante suplica:

O que me darás, donzela,
Por preço de meu amor?
— Dou-te os meus olhos (disse ela),
Os meus olhos sem senhor...
— Ai não me fales assim!
Que uma esperança tão bela
Nunca será para mim!
O que me darás, donzela,
Por preço de meu amor?
— Dou-te os meus lábios (disse ela),
Os meus lábios sem senhor...
— Ai não me enganes assim,
Sonho meu! Coisa tão bela
Nunca será para mim!
O que me darás, donzela,
Por preço de meu amor?
— Dou-te as minhas mãos (disse ela),
As minhas mãos sem senhor...
— Não me escarneças assim!
Bem sei que prenda tão bela
Nunca será para mim!
O que me darás, donzela,
Por preço de meu amor?
— Dou-te os meus peitos (disse ela),
Os meus peitos sem senhor...
— Não me tortures assim!
Mentes! Dádiva tão bela
Nunca será para mim!
O que me darás, donzela,
Por preço de meu amor?
— Minha rosa e minha vida...
Que por perdê-la perdida,
Me desfaleço de dor...
— Não me enlouqueças assim,
Vida minha! Flor tão bela
Nunca será para mim!
O que me darás, donzela?...
— Deixas-me triste e sombria.
Cismo... Não atino o quê...
Dava-te quanto podia...
Que queres mais que te dê?

Responde o moço destarte:
— Teu pensamento quero eu!
— Isso não... não posso dar-te...
Que há muito tempo ele é teu...

MADRIGAL

A luz do sol bate na lua...
Bate na lua, cai no mar...
Do mar ascende à face tua,
Vem reluzir em teu olhar...

E olhas nos olhos solitários,
Nos olhos que são teus... É assim
Que eu sinto em êxtases lunários
A luz do sol cantar em mim...

CONFIDÊNCIA

Tudo o que existe em mim de grave e carinhoso
Te digo aqui como se fosse ao teu ouvido...
Só tu mesma ouvirás o que aos outros não ouso
Contar do meu tormento obscuro e impressentido.

Em tuas mãos de morte, ó minha Noite escura!
Aperta as minhas mãos geladas. E em repouso
Eu te direi no ouvido a minha desventura
E tudo o que em mim há de grave e carinhoso.

1913

HIATO

És na minha vida como um luminoso
Poema que se lê comovidamente
Entre sorrisos e lágrimas de gozo...

A cada imagem, outra alma, outro ente
Parece entrar em nós e manso enlaçar
A velha alma arruinada e doente...

— Um poema luminoso como o mar,
Aberto em sorrisos de espuma, onde as velas
Fogem como garças longínquas no ar...

TOANTE

> *... wie ein stilles Nachtgebet.*
> Lenau

Molha em teu pranto de aurora as minhas mãos pálidas.
Molha-as. Assim eu as quero levar à boca,
Em espírito de humildade, como um cálice
De penitência em que a minh'alma se faz boa...

Foi assim que Teresa de Jesus amou...
Molha em teu pranto de aurora as minhas mãos pálidas.
O espasmo é como um êxtase religioso...
E o teu amor tem o sabor das tuas lágrimas...

ALUMBRAMENTO

Eu vi os céus! Eu vi os céus!
Oh, essa angélica brancura
Sem tristes pejos e sem véus!

Nem uma nuvem de amargura
Vem a alma desassossegar.
E sinto-a bela... e sinto-a pura...

Eu vi nevar! Eu vi nevar!
Oh, cristalizações da bruma
A amortalhar, a cintilar!

Eu vi o mar! Lírios de espuma
Vinham desabrochar à flor
Da água que o vento desapruma...

Eu vi a estrela do pastor...
Vi a licorne alvinitente!...
Vi... vi o rastro do Senhor!...

E vi a Via Láctea ardente...
Vi comunhões... capelas... véus...
Súbito... alucinadamente...

Vi carros triunfais... troféus...
Pérolas grandes como a lua...
Eu vi os céus! Eu vi os céus!

— Eu vi-a nua... toda nua!

CLAVADEL, 1913

SONHO DE UMA TERÇA-FEIRA GORDA

Eu estava contigo. Os nossos dominós eram negros, e negras eram as
[nossas máscaras.
Íamos, por entre a turba, com solenidade,
Bem conscientes do nosso ar lúgubre
Tão contrastado pelo sentimento de felicidade
Que nos penetrava. Um lento, suave júbilo
Que nos penetrava... Que nos penetrava como uma espada de fogo...
Como a espada de fogo que apunhalava as santas extáticas!

E a impressão em meu sonho era que se estávamos
Assim de negro, assim por fora inteiramente de negro,
— Dentro de nós, ao contrário, era tudo claro e luminoso!

Era terça-feira gorda. A multidão inumerável
Burburinhava. Entre clangores de fanfarra
Passavam préstitos apoteóticos.
Eram alegorias ingênuas, ao gosto popular, em cores cruas.
Iam em cima, empoleiradas, mulheres de má vida,
De peitos enormes — Vênus para caixeiros.
Figuravam deusas, — deusa disto, deusa daquilo, já tontas e seminuas.
A turba, ávida de promiscuidade,
Acotovelava-se com algazarra,
Aclamava-as com alarido.
E, aqui e ali, virgens atiravam-lhes flores.

Nós caminhávamos de mãos dadas, com solenidade,
O ar lúgubre, negros, negros...
Mas dentro em nós era tudo claro e luminoso!
Nem a alegria estava ali, fora de nós.
A alegria estava em nós.
Era dentro de nós que estava a alegria,
— A profunda, a silenciosa alegria...

Poema de uma quarta-feira de cinzas

Entre a turba grosseira e fútil
Um Pierrot doloroso passa.
Veste-o uma túnica inconsútil
Feita de sonho e de desgraça...

O seu delírio manso agrupa
Atrás dele os maus e os basbaques.
Este o indigita, este outro o apupa...
Indiferente a tais ataques,

Nublada a vista em pranto inútil,
Dolorosamente ele passa.
Veste-o uma túnica inconsútil,
Feita de sonho e de desgraça...

Epílogo

Eu quis um dia, como Schumann, compor
Um Carnaval todo subjetivo:
Um Carnaval em que o só motivo
Fosse o meu próprio ser interior...

Quando o acabei, — a diferença que havia!
O de Schumann é um poema cheio de amor,
E de frescura, e de mocidade...
E o meu tinha a morta morta-cor
Da senilidade e da amargura...
— O meu Carnaval sem nenhuma alegria!...

1919

O RITMO DISSOLUTO

O SILÊNCIO

Na sombra cúmplice do quarto,
Ao contacto das minhas mãos lentas,
A substância da tua carne
Era a mesma que a do silêncio.

Do silêncio musical, cheio
De sentido místico e grave,
Ferindo a alma de um enleio
Mortalmente agudo e suave.

Ah, tão suave e tão agudo!
Parecia que a morte vinha...
Era o silêncio que diz tudo
O que a intuição mal adivinha.

É o silêncio da tua carne.
Da tua carne de âmbar, nua,
Quase a espiritualizar-se
Na aspiração de mais ternura.

O MENINO DOENTE

O menino dorme.

Para que o menino
Durma sossegado,
Sentada a seu lado
A mãezinha canta:

— "Dodói, vai-te embora!
"Deixa o meu filhinho.
"Dorme... dorme... meu..."

Morta de fadiga,
Ela adormeceu.

Então, no ombro dela,
Um vulto de santa,
Na mesma cantiga,
Na mesma voz dela,
Se debruça e canta:

— "Dorme, meu amor.
"Dorme, meu benzinho..."

E o menino dorme.

BALADA DE SANTA MARIA EGIPCÍACA

Santa Maria Egipcíaca seguia
Em peregrinação à terra do Senhor.

Caía o crepúsculo, e era como um triste sorriso de mártir.

Santa Maria Egipcíaca chegou
À beira de um grande rio.
Era tão longe a outra margem!
E estava junto à ribanceira,
Num barco,
Um homem de olhar duro.

Santa Maria Egipcíaca rogou:
— Leva-me ao outro lado.
Não tenho dinheiro. O Senhor te abençoe.

O homem duro fitou-a sem dó.

Caía o crepúsculo, e era como um triste sorriso de mártir.

— Não tenho dinheiro. O Senhor te abençoe.
Leva-me ao outro lado.

O homem duro escarneceu: — Não tens dinheiro,
Mulher, mas tens teu corpo. Dá-me o teu corpo, e vou levar-te.

E fez um gesto. E a santa sorriu,
Na graça divina, ao gesto que ele fez.

Santa Maria Egipcíaca despiu
O manto, e entregou ao barqueiro
A santidade da sua nudez.

O espelho

Ardo em desejo na tarde que arde!
Oh, como é belo dentro de mim
Teu corpo de ouro no fim da tarde:
Teu corpo que arde dentro de mim
Que ardo contigo no fim da tarde!

Num espelho sobrenatural,
No infinito (e esse espelho é o infinito?...)
Vejo-te nua, como num rito,
À luz também sobrenatural,
Dentro de mim, nua no infinito!

De novo em posse da virgindade,
— Virgem, mas sabendo toda a vida —
No ambiente da minha soledade,
De pé, toda nua, na virgindade
Da revelação primeira da vida!

Na solidão das noites úmidas

Como tenho pensado em ti na solidão das noites úmidas,
De névoa úmida,
Na areia úmida!
Eu te sabia assim também, assim olhando a mesma cousa
No ermo da noite que repousa.
E era como se a vida,
Mansa, pousasse as mãos sobre a minha ferida...

Mas, ah! como eu sentia
A falta de teu ser de volúpia e tristeza!
O mar... Onde se via o movimento da água,
Era como se a água estremecesse em mil sorrisos.
Como uma carne de mulher sob a carícia.
O luar era um afago tão suave,
— Tão imaterial —
E ao mesmo tempo tão voluptuoso e tão grave!
O luar era a minha inefável carícia:
A água era teu corpo a estremecer-se com delícia.

Ah, em música pôr o que eu então sentia!
Unir no espasmo da harmonia
Esses dois ritmos contrastantes:
O frêmito tão perdidamente alegre de amor sob a carícia
E essa grave volúpia da luz branca.

Oh, viver contigo!
Viver contigo todos os instantes...
Vivermos juntos, como seria viver a verdadeira vida,
Harmoniosa e pura,
Sem lastimar a fuga irreparável dos anos,
Dos anos lentos e monótonos que passam,
Esperando sempre que maior ventura
Viesse um dia no beijo infinito da mesma morte...

FELICIDADE

A doce tarde morre. E tão mansa
Ela esmorece,
Tão lentamente no céu de prece,
Que assim parece, toda repouso,
Como um suspiro de extinto gozo
De uma profunda, longa esperança
Que, enfim cumprida, morre, descansa...

E enquanto a mansa tarde agoniza,
Por entre a névoa fria do mar
Toda a minh'alma foge na brisa:
Tenho vontade de me matar!

Oh, ter vontade de se matar...
Bem sei é cousa que não se diz.
Que mais a vida me pode dar?
Sou tão feliz!

— Vem, noite mansa...

MURMÚRIO D'ÁGUA

Murmúrio d'água, és tão suave a meus ouvidos...
Faz tanto bem à minha dor teu refrigério!
Nem sei passar sem teu murmúrio a meus ouvidos,
Sem teu suave, teu afável refrigério.

Água de fonte... água de oceano... água de pranto...
Água de rio...
Água de chuva, água cantante das levadas...
Têm para mim, todas, consolos de acalanto,
A que sorrio...

A que sorri a minha cínica descrença.
A que sorri o meu opróbrio de viver.
A que sorri o mais profundo desencanto
Do mais profundo e mais recôndito em meu ser!
Sorriem como aqueles cegos de nascença
Aos quais Jesus de súbito fazia ver...

A minha mãe ouvi dizer que era minh'ama
Tranquila e mansa.
Talvez ouvi, quando criança,
Cantigas tristes que cantou à minha cama.
Talvez por isso eu me comova a aquela mágoa.
Talvez por isso eu me comova tanto à mágoa
Do teu rumor, murmúrio d'água...

A meiga e triste rapariga
Punha talvez nessa cantiga
A sua dor e mais a dor de sua raça...
Pobre mulher, sombria filha da desgraça!

— Murmúrio d'água, és a cantiga de minh'ama.

Mar bravo

Mar que ouvi sempre cantar murmúrios
Na doce queixa das elegias,
Como se fosses, nas tardes frias
De tons purpúreos,
A voz das minhas melancolias:

Com que delícia neste infortúnio,
Com que selvagem, profundo gozo,
Hoje te vejo bater raivoso,
Na maré-cheia de novilúnio,
Mar rumoroso!

Com que amargura mordes a areia,
Cuspindo a baba da acre salsugem,
No torvelinho de ondas que rugem
Na maré-cheia,
Mar de sargaços e de amarugem!

As minhas cóleras homicidas,
Meus velhos ódios de iconoclasta,
Quedam-se absortos diante da vasta,

Pérfida vaga que tudo arrasta,
Mar que intimidas!

Em tuas ondas precipitadas,
Onde flamejam lampejos ruivos,
Gemem sereias despedaçadas,
Em longos uivos
Multiplicados pelas quebradas.

Mar que arremetes, mas que não cansas,
Mar de blasfêmias e de vinganças,
Como te invejo! Dentro em meu peito
Eu trago um pântano insatisfeito
De corrompidas desesperanças!...

1913

Carinho triste

A tua boca ingênua e triste
E voluptuosa, que eu saberia fazer
Sorrir em meio dos pesares e chorar em meio das alegrias,
A tua boca ingênua e triste
É dele quando ele bem quer.

Os teus seios miraculosos,
Que amamentaram sem perder
O precário frescor da pubescência,
Teus seios, que são como os seios intactos das virgens,
São dele quando ele bem quer.

O teu claro ventre,
Onde como no ventre da terra ouço bater
O mistério de novas vidas e de novos pensamentos,
Teu ventre, cujo contorno tem a pureza da linha de mar e céu ao pôr do sol,
É dele quando ele bem quer.

Só não é dele a tua tristeza.
Tristeza dos que perderam o gosto de viver.
Dos que a vida traiu impiedosamente.
Tristeza de criança que se deve afagar e acalentar.
(A minha tristeza também!...)
Só não é dele a tua tristeza, ó minha triste amiga!
Porque ele não a quer.

1913

BÉLGICA

Bélgica dos canais de labor perseverante,
Que a usura das cousas, tempo afora,
Tempo adiante,
Fez para agora e para jamais
Canais de infinita, enternecida poesia...

Bélgica dos canais, Bélgica de cujos canais
Saiu ao mar mais de uma ingênua vela branca...
Mais de uma vela nova... mais de uma vela virgem...
Bélgica das velas brancas e virgens!

Bélgica dos velhos paços municipais,
Úmidos da nostalgia
De um nobre passado irrevocável.

Bélgica dos pintores flamengos.
Bélgica onde Verlaine escreveu *Sagesse*.

Bélgica das beguines,
Das humildes beguines de mãos postas, em prece,
Sob os toucados de linho simbólicos.
Bélgica de Malines.
Bélgica de Bruges-a-morta...
Bélgica dos carrilhões católicos.

Bélgica dos poetas iniciadores.
Bélgica de Maeterlinck
(*La Mort de Tintagiles, Pelléas et Mélisande*),
Bélgica de Verhaeren e dos campos alucinados da Flandres.

Bélgica das velas ingênuas e virgens.

A VIGÍLIA DE HERO

Tu amarás outras mulheres
E tu me esquecerás!
É tão cruel, mas é a vida. E no entretanto
Alguma coisa em ti pertence-me!
Em mim alguma coisa és tu.
O lado espiritual do nosso amor
Nos marcou para sempre.
Oh, vem em pensamento nos meus braços!
Que eu te afeiçoe e acaricie...

Não sei por que te falo assim de coisas que não são.
Esta noite, de súbito, um aperto
De coração tão vivo e lancinante
Tive ao pensar numa separação!
Não sei que tenho, tão ansiosa e sem motivo.
Queria ver-te... estar ao pé de ti...
Cruel volúpia e profunda ternura dilaceram-me!

É como uma corrida, em minhas veias,
De fúrias e de santas para a ponta dos meus dedos
Que queriam tomar tua cabeça amada,
Afagar tua fronte e teus cabelos,
Prender-te a mim por que jamais tu me escapasses!

Oh, quisera não ser tão voluptuosa!
E todavia
Quanta delícia ao nosso amor traz a volúpia!
Mas faz sofrer... inquieta...
Ah, com que poderei contentá-la jamais?
Quisera calmá-la na música... Ouvir muito, ouvir muito...
Sinto-me terna... e sou cruel e melancólica!

Possui-me como sou na ampla noite pressaga!
Sente o inefável! Guarda apenas a ventura
Do meu desejo ardendo a sós
Na treva imensa... Ah, se eu ouvisse a tua voz!

Os sinos

Sino de Belém,
Sino da Paixão...

Sino de Belém,
Sino da Paixão...

Sino do Bonfim!...
Sino do Bonfim!...

*

Sino de Belém, pelos que inda vêm!
Sino de Belém bate bem-bem-bem.

Sino da Paixão, pelos que lá vão!
Sino da Paixão bate bão-bão-bão.

Sino do Bonfim, por quem chora assim?...

*

Sino de Belém, que graça ele tem!
Sino de Belém bate bem-bem-bem.

Sino da Paixão — pela minha mãe!
Sino da Paixão — pela minha irmã!

Sino do Bonfim, que vai ser de mim?...

*

Sino de Belém, como soa bem!
Sino de Belém bate bem-bem-bem.

Sino da Paixão... Por meu pai?... — Não! Não!...
Sino da Paixão bate bão-bão-bão.

Sino do Bonfim, baterás por mim?...

*

Sino de Belém,
Sino da Paixão...
Sino da Paixão, pelo meu irmão...

Sino da Paixão,
Sino do Bonfim...
Sino do Bonfim, ai de mim, por mim!

*

Sino de Belém, que graça ele tem!

Madrigal melancólico

O que eu adoro em ti,
Não é a tua beleza.
A beleza, é em nós que ela existe.

A beleza é um conceito.
E a beleza é triste.
Não é triste em si,
Mas pelo que há nela de fragilidade e de incerteza.

O que eu adoro em ti,
Não é a tua inteligência.
Não é o teu espírito sutil,
Tão ágil, tão luminoso,
— Ave solta no céu matinal da montanha.
Nem é a tua ciência
Do coração dos homens e das coisas.

O que eu adoro em ti,
Não é a tua graça musical,
Sucessiva e renovada a cada momento,
Graça aérea como o teu próprio pensamento,
Graça que perturba e que satisfaz.

O que eu adoro em ti,
Não é a mãe que já perdi.
Não é a irmã que já perdi.
E meu pai.

O que eu adoro em tua natureza,
Não é o profundo instinto maternal
Em teu flanco aberto como uma ferida.
Nem a tua pureza. Nem a tua impureza.
O que eu adoro em ti — lastima-me e consola-me!
O que eu adoro em ti, é a vida.

11 DE JULHO DE 1920

QUANDO PERDERES O GOSTO HUMILDE DA TRISTEZA...

Quando perderes o gosto humilde da tristeza,
Quando, nas horas melancólicas do dia,
Não ouvires mais os lábios da sombra
Murmurarem ao teu ouvido
As palavras de voluptuosa beleza
Ou de casta sabedoria;

Quando a tua tristeza não for mais que amargura,
Quando perderes todo estímulo e toda crença,
— A fé no bem e na virtude,

A confiança nos teus amigos e na tua amante,
Quando o próprio dia se te mudar em noite escura
De desconsolação e malquerença;

Quando, na agonia de tudo o que passa
Ante os olhos imóveis do infinito,
Na dor de ver murcharem as rosas,
E como as rosas tudo o que é belo e frágil,
Não sentires em teu ânimo aflito
Crescer a ânsia de vida como uma divina graça;

Quando tiveres inveja, quando o ciúme
Crestar os últimos lírios de tua alma desvirginada;
Quando em teus olhos áridos
Estancarem-se as fontes das suaves lágrimas
Em que se amorteceu o pecaminoso lume
De tua inquieta mocidade:

Então, sorri pela última vez, tristemente,
A tudo o que outrora
Amaste. Sorri tristemente...
Sorri mansamente... em um sorriso pálido... pálido
Como o beijo religioso que puseste
Na fronte morta de tua mãe... sobre a sua fronte morta...

A ESTRADA

Esta estrada onde moro, entre duas voltas do caminho,
Interessa mais que uma avenida urbana.
Nas cidades todas as pessoas se parecem.
Todo o mundo é igual. Todo o mundo é toda a gente.
Aqui, não: sente-se bem que cada um traz a sua alma.
Cada criatura é única.
Até os cães.
Estes cães da roça parecem homens de negócios:
Andam sempre preocupados.
E quanta gente vem e vai!
E tudo tem aquele caráter impressivo que faz meditar:
Enterro a pé ou a carrocinha de leite puxada por um bodezinho manhoso.
Nem falta o murmúrio da água, para sugerir, pela voz dos símbolos,
Que a vida passa! que a vida passa!
E que a mocidade vai acabar.

PETRÓPOLIS, 1921

Meninos carvoeiros

Os meninos carvoeiros
Passam a caminho da cidade.
— Eh, carvoero!
E vão tocando os animais com um relho enorme.

Os burros são magrinhos e velhos.
Cada um leva seis sacos de carvão de lenha.
A aniagem é toda remendada.
Os carvões caem.

(Pela boca da noite vem uma velhinha que os recolhe, dobrando-se
[com um gemido.)

— Eh, carvoero!
Só mesmo estas crianças raquíticas
Vão bem com estes burrinhos descadeirados.
A madrugada ingênua parece feita para eles...
Pequenina, ingênua miséria!
Adoráveis carvoeirinhos que trabalhais como se brincásseis!
— Eh, carvoero!

Quando voltam, vêm mordendo num pão encarvoado,
Encarapitados nas alimárias,
Apostando corrida,
Dançando, bamboleando nas cangalhas como espantalhos desamparados!

PETRÓPOLIS, 1921

Sob o céu todo estrelado

As estrelas, no céu muito límpido, brilhavam, divinamente distantes.
Vinha da caniçada o aroma amolecente dos jasmins.
E havia também, num canteiro perto, rosas que cheiravam a jambo.
Um vaga-lume abateu sobre as hortênsias e ali ficou luzindo misteriosamente.
À parte as águas de um córrego contavam a eterna história sem começo nem fim.
Havia uma paz em tudo isso...
(Era de resto o que dizia lá dentro o meigo adágio de Haydn.)
Tudo isso era tão tranquilo... tão simples...
E deverias dizer que foi o teu momento mais feliz.

PETRÓPOLIS, 1921

Noturno da Mosela

A noite... O silêncio...
Se fosse só o silêncio!
Mas esta queda-d'água que não para! que não para!
Não é de dentro de mim que ela flui sem piedade?...
A minha vida foge, foge, — e sinto que foge inutilmente!

O silêncio e a estrada ensopada, com dois reflexos intermináveis...

Fumo até quase não sentir mais que a brasa e a cinza em minha boca.
O fumo faz mal aos meus pulmões comidos pelas algas.
O fumo é amargo e abjeto. Fumo abençoado, que és amargo e abjeto!

Uma pequenina aranha urde no peitoril da janela a teiazinha levíssima.

Tenho vontade de beijar esta aranhazinha...

No entanto em cada charuto que acendo cuido encontrar o gosto que faz
[esquecer...

Os meus retratos... Os meus livros... O meu crucifixo de marfim...
E a noite...

Petrópolis, 1921

Gesso

Esta minha estatuazinha de gesso, quando nova
— O gesso muito branco, as linhas muito puras, —
Mal sugeria imagem de vida
(Embora a figura chorasse).
Há muitos anos tenho-a comigo.
O tempo envelheceu-a, carcomeu-a, manchou-a de pátina amarelo-suja.
Os meus olhos, de tanto a olharem,
Impregnaram-na da minha humanidade irônica de tísico.

Um dia mão estúpida
Inadvertidamente a derrubou e partiu.
Então ajoelhei com raiva, recolhi aqueles tristes fragmentos, recompus a
[figurinha que chorava.
E o tempo sobre as feridas escureceu ainda mais o sujo mordente da pátina...

Hoje este gessozinho comercial
É tocante e vive, e me fez agora refletir
Que só é verdadeiramente vivo o que já sofreu.

A MATA

A mata agita-se, revoluteia, contorce-se toda e sacode-se!
A mata hoje tem alguma coisa para dizer.
E ulula, e contorce-se toda, como a atriz de uma pantomima trágica.

Cada galho rebelado
Inculca a mesma perdida ânsia.
Todos eles sabem o mesmo segredo pânico.
Ou então — é que pedem desesperadamente a mesma instante coisa.

Que saberá a mata? Que pedirá a mata?
Pedirá água?
Mas a água despenhou-se há pouco, fustigando-a, escorraçando-a, saciando-a
[como aos alarves.
Pedirá o fogo para a purificação das necroses milenárias?
Ou não pede nada, e quer falar e não pode?
Terá surpreendido o segredo da terra pelos ouvidos finíssimos das suas raízes?

A mata agita-se, revoluteia, contorce-se toda e sacode-se!
A mata está hoje como uma multidão em delírio coletivo.

Só uma touça de bambus, à parte,
Balouça levemente... levemente... levemente...
E parece sorrir do delírio geral.

PETRÓPOLIS, 1921

NOITE MORTA

Noite morta.
Junto ao poste de iluminação
Os sapos engolem mosquitos.

Ninguém passa na estrada.
Nem um bêbado.

No entanto há seguramente por ela uma procissão de sombras.
Sombras de todos os que passaram.
Os que ainda vivem e os que já morreram.

O córrego chora.
A voz da noite...

(Não desta noite, mas de outra maior.)

PETRÓPOLIS, 1921

NA RUA DO SABÃO

Cai cai balão
Cai cai balão
Na Rua do Sabão!

O que custou arranjar aquele balãozinho de papel!
Quem fez foi o filho da lavadeira.
Um que trabalha na composição do jornal e tosse muito.
Comprou o papel de seda, cortou-o com amor, compôs os gomos oblongos...
Depois ajustou o morrão de pez ao bocal de arame.

Ei-lo agora que sobe, — pequena coisa tocante na escuridão do céu.

Levou tempo para criar fôlego.
Bambeava, tremia todo e mudava de cor.
A molecada da Rua do Sabão
Gritava com maldade:
Cai cai balão!

Subitamente, porém, entesou, enfunou-se e arrancou das mãos que o tenteavam.

E foi subindo...
                              para longe...
                                                    serenamente...
Como se o enchesse o soprinho tísico do José.

Cai cai balão!

A molecada salteou-o com atiradeiras
                    assobios
                    apupos
                    pedradas.

Cai cai balão!

Um senhor advertiu que os balões são proibidos pelas posturas municipais.

Ele foi subindo...

                    muito serenamente...

                                        para muito longe...

Não caiu na Rua do Sabão.
Caiu muito longe... Caiu no mar, — nas águas puras do mar alto.

BERIMBAU

Os aguapés dos aguaçais
Nos igapós dos Japurás
Bolem, bolem, bolem.
Chama o saci: — Si si si si!
— Ui ui ui ui ui! uiva a iara
Nos aguaçais dos igapós
Dos Japurás e dos Purus.

A mameluca é uma maluca.
Saiu sozinha da maloca —
O boto bate — bite bite...
Quem ofendeu a mameluca?
— Foi o boto!
O Cussaruim bota quebrantos.
Nos aguaçais os aguapés
— Cruz, canhoto! —
Bolem... Peraus dos Japurás
De assombramentos e de espantos!...

BALÕEZINHOS

Na feira livre do arrabaldezinho
Um homem loquaz apregoa balõezinhos de cor:
— "O melhor divertimento para as crianças!"
Em redor dele há um ajuntamento de menininhos pobres,
Fitando com olhos muito redondos os grandes balõezinhos muito redondos.

No entanto a feira burburinha.
Vão chegando as burguesinhas pobres,
E as criadas das burguesinhas ricas,
E mulheres do povo, e as lavadeiras da redondeza.

Nas bancas de peixe,
Nas barraquinhas de cereais,
Junto às cestas de hortaliças
O tostão é regateado com acrimônia.

Os meninos pobres não veem as ervilhas tenras,
Os tomatinhos vermelhos,
Nem as frutas,
Nem nada.

Sente-se bem que para eles ali na feira os balõezinhos de cor são a única
[mercadoria útil e verdadeiramente indispensável.

O vendedor infatigável apregoa:
— "O melhor divertimento para as crianças!"
E em torno do homem loquaz os menininhos pobres fazem um círculo
[inamovível de desejo e espanto.

LIBERTINAGEM

Não sei dançar

Uns tomam éter, outros cocaína.
Eu já tomei tristeza, hoje tomo alegria.
Tenho todos os motivos menos um de ser triste.
Mas o cálculo das probabilidades é uma pilhéria...
Abaixo Amiel!
E nunca lerei o diário de Maria Bashkirtseff.

Sim, já perdi pai, mãe, irmãos.
Perdi a saúde também.
É por isso que sinto como ninguém o ritmo do jazz-band.

Uns tomam éter, outros cocaína.
Eu tomo alegria!
Eis aí por que vim assistir a este baile de terça-feira gorda.

Mistura muito excelente de chás...
                                        Esta foi açafata...
— Não, foi arrumadeira.
E está dançando com o ex-prefeito municipal.
Tão Brasil!

De fato este salão de sangues misturados parece o Brasil...
Há até a fração incipiente amarela
Na figura de um japonês.
O japonês também dança maxixe:
Acugêlê banzai!
A filha do usineiro de Campos
Olha com repugnância
Para a crioula imoral.
No entanto o que faz a indecência da outra
É dengue nos olhos maravilhosos da moça.
E aquele cair de ombros...
Mas ela não sabe...
Tão Brasil!

Ninguém se lembra de política...
Nem dos oito mil quilômetros de costa...
O algodão do Seridó é o melhor do mundo?... Que me importa?
Não há malária nem moléstia de Chagas nem ancilóstomos.
A sereia sibila e o ganzá do jazz-band batuca.
Eu tomo alegria!

PETRÓPOLIS, 1925

O ANJO DA GUARDA

Quando minha irmã morreu,
(Devia ter sido assim)
Um anjo moreno, violento e bom,
— brasileiro

Veio ficar ao pé de mim.
O meu anjo da guarda sorriu
E voltou para junto do Senhor.

MULHERES

Como as mulheres são lindas!
Inútil pensar que é do vestido...
E depois não há só as bonitas:
Há também as simpáticas.
E as feias, certas feias em cujos olhos vejo isto:
Uma menininha que é batida e pisada e nunca sai da cozinha.

Como deve ser bom gostar de uma feia!
O meu amor porém não tem bondade alguma.
É fraco! fraco!
Meu Deus, eu amo como as criancinhas...

És linda como uma história da carochinha...
E eu preciso de ti como precisava de mamãe e papai
(No tempo em que pensava que os ladrões moravam no morro atrás de casa e
[tinham cara de pau).

PENSÃO FAMILIAR

Jardim da pensãozinha burguesa.
Gatos espapaçados ao sol.
A tiririca sitia os canteiros chatos.
O sol acaba de crestar as boninas que murcharam.
Os girassóis
                    amarelo!
                              resistem.
E as dálias, rechonchudas, plebeias, dominicais.

Um gatinho faz pipi.
Com gestos de garçom de restaurant-Palace

Encobre cuidadosamente a mijadinha.
Sai vibrando com elegância a patinha direita:
— É a única criatura fina na pensãozinha burguesa.

PETRÓPOLIS, 1925

CAMELÔS

Abençoado seja o camelô dos brinquedos de tostão:
O que vende balõezinhos de cor
O macaquinho que trepa no coqueiro
O cachorrinho que bate com o rabo
Os homenzinhos que jogam box
A pererca verde que de repente dá um pulo que engraçado
E as canetinhas-tinteiro que jamais escreverão coisa alguma
Alegria das calçadas

Uns falam pelos cotovelos:
— "O cavalheiro chega em casa e diz: Meu filho, vai buscar um pedaço de
[banana para eu acender o charuto. Naturalmente o menino pensará:
[Papai está malu..."

Outros, coitados, têm a língua atada.

Todos porém sabem mexer nos cordéis com o tino ingênuo de demiurgos de
[inutilidades.
E ensinam no tumulto das ruas os mitos heroicos da meninice...
E dão aos homens que passam preocupados ou tristes uma lição de infância.

O CACTO

Aquele cacto lembrava os gestos desesperados da estatuária:
Laocoonte constrangido pelas serpentes,
Ugolino e os filhos esfaimados.
Evocava também o seco Nordeste, carnaubais, caatingas...
Era enorme, mesmo para esta terra de feracidades excepcionais.

Um dia um tufão furibundo abateu-o pela raiz.
O cacto tombou atravessado na rua,
Quebrou os beirais do casario fronteiro,
Impediu o trânsito de bondes, automóveis, carroças,

Arrebentou os cabos elétricos e durante vinte e quatro horas privou a cidade
[de iluminação e energia:

— Era belo, áspero, intratável.

Petrópolis, 1925

Pneumotórax

Febre, hemoptise, dispneia e suores noturnos.
A vida inteira que podia ter sido e que não foi.
Tosse, tosse, tosse.

Mandou chamar o médico:
— Diga trinta e três.
— Trinta e três... trinta e três... trinta e três...
— Respire.

....

— O senhor tem uma escavação no pulmão esquerdo e o pulmão direito infiltrado.
— Então, doutor, não é possível tentar o pneumotórax?
— Não. A única coisa a fazer é tocar um tango argentino.

Comentário musical

O meu quarto de dormir a cavaleiro da entrada da barra.
Entram por ele dentro
Os ares oceânicos,
Maresias atlânticas:
São Paulo de Luanda, Figueira da Foz, praias gaélicas da Irlanda...

O comentário musical da paisagem só podia ser o sussurro sinfônico da vida civil.

No entanto o que ouço neste momento é um silvo agudo de saguim:
Minha vizinha de baixo comprou um saguim.

Poética

Estou farto do lirismo comedido
Do lirismo bem-comportado

Do lirismo funcionário público com livro de ponto expediente protocolo e
[manifestações de apreço ao sr. diretor

Estou farto do lirismo que para e vai averiguar no dicionário o cunho
[vernáculo de um vocábulo

Abaixo os puristas

Todas as palavras sobretudo os barbarismos universais
Todas as construções sobretudo as sintaxes de exceção
Todos os ritmos sobretudo os inumeráveis

Estou farto do lirismo namorador
Político
Raquítico
Sifilítico
De todo lirismo que capitula ao que quer que seja fora de si mesmo.

De resto não é lirismo
Será contabilidade tabela de cossenos secretário do amante exemplar com cem
[modelos de cartas e as diferentes maneiras de agradar às mulheres, etc.

Quero antes o lirismo dos loucos
O lirismo dos bêbedos
O lirismo difícil e pungente dos bêbedos
O lirismo dos clowns de Shakespeare

— Não quero mais saber do lirismo que não é libertação.

CHAMBRE VIDE

Petit chat blanc et gris
Reste encore dans la chambre
La nuit est si noire dehors
Et le silence pèse

Ce soir je crains la nuit
Petit chat frère du silence
Reste encore
Reste auprès de moi
Petit chat blanc et gris
Petit chat

La nuit pèse
Il n'y a pas de papillons de nuit
Où sont donc ces bêtes?
Les mouches dorment sur le fil de l'électricité
Je suis trop seul vivant dans cette chambre
Petit chat frère du silence
Reste à mes côtés
Car il faut que je sente la vie auprès de moi
Et c'est toi qui fais que la chambre n'est pas vide
Petit chat blanc et gris
Reste dans la chambre
Eveillé minutieux et lucide
Petit chat blanc et gris
Petit chat.

Petrópolis, 1922

Bonheur lyrique

Cœur de phtisique
O mon cœur lyrique
Ton bonheur ne peut pas être comme celui des autres
Il faut que tu te fabriques
Un bonheur unique
Un bonheur qui soit comme le piteux lustucru en chiffon d'une enfant pauvre
— Fait par elle-même.

Porquinho-da-índia

Quando eu tinha seis anos
Ganhei um porquinho-da-índia.
Que dor de coração me dava
Porque o bichinho só queria estar debaixo do fogão!
Levava ele pra sala
Pra os lugares mais bonitos mais limpinhos
Ele não gostava:
Queria era estar debaixo do fogão.
Não fazia caso nenhum das minhas ternurinhas...

— O meu porquinho-da-índia foi a minha primeira namorada.

Mangue

Mangue mais Veneza americana do que o Recife
Cargueiros atracados nas docas do Canal Grande
O Morro do Pinto morre de espanto
Passam estivadores de torso nu suando facas de ponta
Café baixo
Trapiches alfandegados
Catraias de abacaxis e de bananas
A Light fazendo crusvaldina com resíduos de coque
Há macumbas no piche
      Eh cagira mia pai
      Eh cagira
E o luar é uma coisa só

Houve tempo em que a Cidade Nova era mais subúrbio do que todas as
                    [Meritis da Baixada
Pátria amada idolatrada de empregadinhos de repartições públicas
Gente que vive porque é teimosa
Cartomantes da Rua Carmo Neto
Cirurgiões-dentistas com raízes gregas nas tabuletas avulsivas
O Senador Eusébio e o Visconde de Itaúna já se olhavam com rancor
(Por isso
Entre os dois
Dom João VI mandou plantar quatro renques de palmeiras-imperiais)
Casinhas tão térreas onde tantas vezes meu Deus fui funcionário público
          [casado com mulher feia e morri de tuberculose pulmonar
Muitas palmeiras se suicidaram porque não viviam num píncaro azulado.
Era aqui que choramingavam os primeiros choros dos carnavais cariocas.
Sambas da tia Ciata
Cadê mais tia Ciata
Talvez em Dona Clara meu branco
Ensaiando cheganças pra o Natal
      O menino Jesus — Quem sois tu?
      O preto — Eu sou aquele preto principá do centro do cafange do fundo
                  [do rebolo. Quem sois tu?
      O menino Jesus — Eu sou o fio da Virge Maria.
      O preto — Entonces como é fio dessa senhora, obedeço.
      O menino Jesus — Entonces cuma você obedece, reze aqui um terceto
                  [pr'esse exerço vê.

O Mangue era simplesinho

Mas as inundações dos solstícios de verão
Trouxeram para Mata-Porcos todas as uiaras da Serra da Carioca
Uiaras do Trapicheiro
Do Maracanã

Do rio Joana
E vieram também sereias de além-mar jogadas pela ressaca nos aterrados da
[Gamboa
Hoje há transatlânticos atracados nas docas do Canal Grande
O Senador e o Visconde arranjaram capangas
Hoje se fala numa porção de ruas em que dantes ninguém acreditava
E há partidas para o Mangue
Com choros de cavaquinho, pandeiro e reco-reco
     És mulher
     És mulher e nada mais

OFERTA

Mangue mais Veneza americana do que o Recife
Meriti meretriz
Mangue enfim verdadeiramente Cidade Nova
Com transatlânticos atracados nas docas do Canal Grande
Linda como Juiz de Fora!

BELÉM DO PARÁ

Bembelelém
Viva Belém!

Belém do Pará porto moderno integrado na equatorial
Beleza eterna da paisagem

Bembelelém
Viva Belém!

Cidade pomar
(Obrigou a polícia a classificar um tipo novo de delinquente:
O apedrejador de mangueiras)

Bembelelém
Viva Belém!

Belém do Pará onde as avenidas se chamam Estradas:
Estrada de São Jerônimo
Estrada de Nazaré

Onde a banal Avenida Marechal Deodoro da Fonseca de todas as cidades do
[Brasil
Se chama liricamente
Brasileiramente
Estrada do Generalíssimo Deodoro

Bembelelém
Viva Belém!
Nortista gostosa
Eu te quero bem.

Terra da castanha
Terra da borracha
Terra de biribá bacuri sapoti
Terra de fala cheia de nome indígena
Que a gente não sabe se é de fruta pé de pau ou ave de plumagem bonita.

Nortista gostosa
Eu te quero bem.

Me obrigarás a novas saudades
Nunca mais me esquecerei do teu Largo da Sé
Com a fé maciça das duas maravilhosas igrejas barrocas
E o renque ajoelhado de sobradinhos coloniais tão bonitinhos

Nunca mais me esquecerei
Das velas encarnadas
Verdes
Azuis
Da doca de Ver-o-Peso
Nunca mais

E foi pra me consolar mais tarde
Que inventei esta cantiga:

> Bembelelém
> Viva Belém!
> Nortista gostosa
> Eu te quero bem.

BELÉM, 1928

Evocação do Recife

Recife
Não a Veneza americana
Não a Mauritsstad dos armadores das Índias Ocidentais
Não o Recife dos Mascates
Nem mesmo o Recife que aprendi a amar depois —
       Recife das revoluções libertárias
Mas o Recife sem história nem literatura
Recife sem mais nada
Recife da minha infância

A Rua da União onde eu brincava de chicote-queimado e partia as vidraças
                              [da casa de dona Aninha Viegas
Totônio Rodrigues era muito velho e botava o pincenê na ponta do nariz
Depois do jantar as famílias tomavam a calçada com cadeiras, mexericos,
                                 [namoros, risadas
A gente brincava no meio da rua
Os meninos gritavam:

      Coelho sai!
      Não sai!

À distância as vozes macias das meninas politonavam:

      Roseira dá-me uma rosa
      Craveiro dá-me um botão

(Dessas rosas muita rosa
Terá morrido em botão...)

De repente
     nos longes da noite

                                     um sino

Uma pessoa grande dizia:
Fogo em Santo Antônio!
Outra contrariava: São José!
Totônio Rodrigues achava sempre que era São José.
Os homens punham o chapéu saíam fumando
E eu tinha raiva de ser menino porque não podia ir ver o fogo

Rua da União...
Como eram lindos os nomes das ruas da minha infância
Rua do Sol

(Tenho medo que hoje se chame do Dr. Fulano de Tal)
Atrás de casa ficava a Rua da Saudade...

                            ... onde se ia fumar escondido

Do lado de lá era o cais da Rua da Aurora...

                              ... onde se ia pescar escondido

Capiberibe
— Capibaribe
Lá longe o sertãozinho de Caxangá
Banheiros de palha

Um dia eu vi uma moça nuinha no banho
Fiquei parado o coração batendo
Ela se riu

                         Foi o meu primeiro alumbramento

Cheia! As cheias! Barro boi morto árvores destroços redomoinho sumiu
E nos pegões da ponte do trem de ferro os caboclos destemidos em jangadas
                                 [de bananeiras

Novenas
      Cavalhadas
Eu me deitei no colo da menina e ela começou a passar a mão nos meus cabelos
Capiberibe
— Capibaribe

Rua da União onde todas as tardes passava a preta das bananas
      Com o xale vistoso de pano da Costa
E o vendedor de roletes de cana
O de amendoim
      que se chamava midubim e não era torrado era cozido
Me lembro de todos os pregões:
      Ovos frescos e baratos
      Dez ovos por uma pataca
Foi há muito tempo...

A vida não me chegava pelos jornais nem pelos livros
Vinha da boca do povo na língua errada do povo
Língua certa do povo
Porque ele é que fala gostoso o português do Brasil
      Ao passo que nós
      O que fazemos
      É macaquear
      A sintaxe lusíada
A vida com uma porção de coisas que eu não entendia bem
Terras que não sabia onde ficavam

Recife...

Rua da União...

A casa de meu avô...

Nunca pensei que ela acabasse!
Tudo lá parecia impregnado de eternidade

Recife...
    Meu avô morto.
Recife morto. Recife bom, Recife brasileiro como a casa de meu avô.

Rio, 1925

POEMA TIRADO DE UMA NOTÍCIA DE JORNAL

João Gostoso era carregador de feira livre e morava no morro da Babilônia
[num barracão sem número
Uma noite ele chegou no bar Vinte de Novembro
Bebeu
Cantou
Dançou
Depois se atirou na Lagoa Rodrigo de Freitas e morreu afogado.

TERESA

A primeira vez que vi Teresa
Achei que ela tinha pernas estúpidas
Achei também que a cara parecia uma perna

Quando vi Teresa de novo
Achei que os olhos eram muito mais velhos que o resto do corpo
(Os olhos nasceram e ficaram dez anos esperando que o resto do corpo nascesse)

Da terceira vez não vi mais nada
Os céus se misturaram com a terra
E o espírito de Deus voltou a se mover sobre a face das águas.

LENDA BRASILEIRA

A moita buliu. Bentinho Jararaca levou a arma à cara: o que saiu do mato foi o Veado Branco! Bentinho ficou pregado no chão. Quis puxar o gatilho e não pôde.
— Deus me perdoe!

Mas o Cussaruim veio vindo, veio vindo, parou junto do caçador e começou a comer devagarinho o cano da espingarda.

A Virgem Maria

O oficial do registro civil, o coletor de impostos, o mordomo da Santa Casa e
[o administrador do cemitério de S. João Batista
Cavaram com enxadas
Com pás
Com as unhas
Com os dentes
Cavaram uma cova mais funda que o meu suspiro de renúncia
Depois me botaram lá dentro
E puseram por cima
As Tábuas da Lei

Mas de lá de dentro do fundo da treva do chão da cova
Eu ouvia a vozinha da Virgem Maria
Dizer que fazia sol lá fora
Dizer i n s i s t e n t e m e n t e
Que fazia sol lá fora.

Oração no Saco de Mangaratiba

Nossa Senhora me dê paciência
Para estes mares para esta vida!
Me dê paciência pra que eu não caia
Pra que eu não pare nesta existência
Tão mal cumprida tão mais comprida
Do que a restinga de Marambaia!...

1926

O major

O major morreu.
Reformado.
Veterano da guerra do Paraguai.
Herói da ponte do Itororó.

Não quis honras militares.
Não quis discursos.

Apenas
À hora do enterro
O corneteiro de um batalhão de linha
Deu à boca do túmulo
O toque de silêncio.

Cunhantã

Vinha do Pará.
Chamava Siquê.
Quatro anos. Escurinha. O riso gutural da raça.
Piá branca nenhuma corria mais do que ela.

Tinha uma cicatriz no meio da testa:
— Que foi isto, Siquê?
Com voz de detrás da garganta, a boquinha tuíra:
— Minha mãe (a madrasta) estava costurando
    Disse vai ver se tem fogo
    Eu soprei eu soprei eu soprei não vi fogo
    Aí ela se levantou e esfregou com minha cabeça
    na brasa

Riu, riu, riu

Uêrêquitáua.
O ventilador era a coisa que roda.
Quando se machucava, dizia: Ai Zizus!

1927

Oração a Teresinha do Menino Jesus

Perdi o jeito de sofrer.
Ora essa.
Não sinto mais aquele gosto cabotino da tristeza.
Quero alegria! Me dá alegria,
Santa Teresa!
Santa Teresa não, Teresinha...
Teresinha... Teresinha...
Teresinha do menino Jesus.

Me dá alegria!
Me dá a força de acreditar de novo
No
Pelo Sinal
Da Santa
Cruz!
Me dá alegria! Me dá alegria,
Santa Teresa!...
Santa Teresa não, Teresinha...
Teresinha do menino Jesus.

ANDORINHA

Andorinha lá fora está dizendo:
— "Passei o dia à toa, à toa!"

Andorinha, andorinha, minha cantiga é mais triste!
Passei a vida à toa, à toa...

PROFUNDAMENTE

Quando ontem adormeci
Na noite de São João
Havia alegria e rumor
Estrondos de bombas luzes de Bengala
Vozes cantigas e risos
Ao pé das fogueiras acesas.

No meio da noite despertei
Não ouvi mais vozes nem risos
Apenas balões
Passavam errantes
Silenciosamente
Apenas de vez em quando
O ruído de um bonde
Cortava o silêncio
Como um túnel.
Onde estavam os que há pouco
Dançavam
Cantavam
E riam
Ao pé das fogueiras acesas?

— Estavam todos dormindo
Estavam todos deitados
Dormindo
Profundamente

*

Quando eu tinha seis anos
Não pude ver o fim da festa de São João
Porque adormeci

Hoje não ouço mais as vozes daquele tempo
Minha avó
Meu avô
Totônio Rodrigues
Tomásia
Rosa
Onde estão todos eles?

— Estão todos dormindo
Estão todos deitados
Dormindo
Profundamente.

Madrigal tão engraçadinho

Teresa você é a coisa mais bonita que eu vi até hoje na minha vida, inclusive
[o porquinho-da-índia que me deram quando eu tinha seis anos.

Noturno da Parada Amorim

O violoncelista estava a meio do Concerto de Schumann

Subitamente o coronel ficou transportado e começou a gritar: — *Je vois des*
[*anges! Je vois des anges!* — E deixou-se escorregar sentado pela escada abaixo.

O telefone tilintou.
Alguém chamava?... Alguém pedia socorro?...

Mas do outro lado não vinha senão o rumor de um pranto desesperado!...

(Eram três horas.
Todas as agências postais estavam fechadas.
Dentro da noite a voz do coronel continuava gritando:
— *Je vois des anges! Je vois des anges!*)

NA BOCA

Sempre tristíssimas estas cantigas de carnaval
Paixão
Ciúme
Dor daquilo que não se pode dizer

Felizmente existe o álcool na vida
E nos três dias de carnaval éter de lança-perfume
Quem me dera ser como o rapaz desvairado!
O ano passado ele parava diante das mulheres bonitas
E gritava pedindo o esguicho de cloretilo:
— Na boca! Na boca!
Umas davam-lhe as costas com repugnância
Outras porém faziam-lhe a vontade.

Ainda existem mulheres bastante puras para fazer vontade aos viciados

Dorinha meu amor...

Se ela fosse bastante pura eu iria agora gritar-lhe como o outro:
— Na boca! Na boca!

MACUMBA DE PAI ZUSÉ

Na macumba do Encantado
Nego véio pai de santo fez mandinga
No palacete de Botafogo
Sangue de branca virou água
Foram vê estava morta!

NOTURNO DA RUA DA LAPA

A janela estava aberta. Para o quê, não sei, mas o que entrava era o vento dos lupanares, de mistura com o eco que se partia nas curvas cicloidais, e fragmentos do hino da bandeira.

Não posso atinar no que eu fazia: se meditava, se morria de espanto ou se vinha de muito longe.

Nesse momento (oh! por que precisamente nesse momento?...) é que penetrou no quarto o bicho que voava, o articulado implacável, implacável!

Compreendi desde logo não haver possibilidade alguma de evasão. Nascer de novo também não adiantava. — A bomba de flit! pensei comigo, é um inseto!

Quando o jacto fumigatório partiu, nada mudou em mim; os sinos da redenção continuaram em silêncio; nenhuma porta se abriu nem fechou. Mas o monstruoso animal FICOU MAIOR. Senti que ele não morreria nunca mais, nem sairia, conquanto não houvesse no aposento nenhum busto de Palas, nem na minh'alma, o que é pior, a recordação persistente de alguma extinta Lenora.

CABEDELO

Viagem à roda do mundo
Numa casquinha de noz:
Estive em Cabedelo.
O macaco me ofereceu cocos.

Ó maninha, ó maninha,
Tu não estavas comigo!...

— Estavas?...

1928

IRENE NO CÉU

Irene preta
Irene boa
Irene sempre de bom humor.

Imagino Irene entrando no céu:
— Licença, meu branco!
E São Pedro bonachão:
— Entra, Irene. Você não precisa pedir licença.

PALINÓDIA

Quem te chamara prima
Arruinaria em mim o conceito
De teogonias velhíssimas
Todavia viscerais

Naquele inverno
Tomaste banhos de mar
Visitaste as igrejas
(Como se temesses morrer sem conhecê-las todas)
Tiraste retratos enormes
Telefonavas telefonavas...

Hoje em verdade te digo
Que não és prima só
Senão prima de prima
Prima-dona de prima
— Primeva.

Namorados

O rapaz chegou-se para junto da moça e disse:
— Antônia, ainda não me acostumei com o seu corpo, com a sua cara.

A moça olhou de lado e esperou.

— Você não sabe quando a gente é criança e de repente vê uma lagarta listada?

A moça se lembrava:
— A gente fica olhando...

A meninice brincou de novo nos olhos dela.

O rapaz prosseguiu com muita doçura:

— Antônia, você parece uma lagarta listada.

A moça arregalou os olhos, fez exclamações.

O rapaz concluiu:

— Antônia, você é engraçada! Você parece louca.

Vou-me embora pra Pasárgada

Vou-me embora pra Pasárgada
Lá sou amigo do rei
Lá tenho a mulher que eu quero
Na cama que escolherei
Vou-me embora pra Pasárgada

Vou-me embora pra Pasárgada
Aqui eu não sou feliz
Lá a existência é uma aventura
De tal modo inconsequente
Que Joana a Louca de Espanha
Rainha e falsa demente
Vem a ser contraparente
Da nora que nunca tive

E como farei ginástica
Andarei de bicicleta
Montarei em burro brabo
Subirei no pau de sebo
Tomarei banhos de mar!
E quando estiver cansado
Deito na beira do rio
Mando chamar a mãe-d'água
Pra me contar as histórias
Que no tempo de eu menino
Rosa vinha me contar
Vou-me embora pra Pasárgada

Em Pasárgada tem tudo
É outra civilização
Tem um processo seguro
De impedir a concepção
Tem telefone automático
Tem alcaloide à vontade
Tem prostitutas bonitas
Para a gente namorar

E quando eu estiver mais triste
Mas triste de não ter jeito
Quando de noite me der
Vontade de me matar
— Lá sou amigo do rei —
Terei a mulher que eu quero
Na cama que escolherei
Vou-me embora pra Pasárgada.

O IMPOSSÍVEL CARINHO

Escuta, eu não quero contar-te o meu desejo
Quero apenas contar-te a minha ternura
Ah se em troca de tanta felicidade que me dás
Eu te pudesse repor
— Eu soubesse repor —
No coração despedaçado
As mais puras alegrias de tua infância!

POEMA DE FINADOS

Amanhã que é dia dos mortos
Vai ao cemitério. Vai
E procura entre as sepulturas
A sepultura de meu pai.

Leva três rosas bem bonitas.
Ajoelha e reza uma oração.
Não pelo pai, mas pelo filho:
O filho tem mais precisão.

O que resta de mim na vida
É a amargura do que sofri.
Pois nada quero, nada espero.
E em verdade estou morto ali.

O ÚLTIMO POEMA

Assim eu quereria o meu último poema

Que fosse terno dizendo as coisas mais simples e menos intencionais
Que fosse ardente como um soluço sem lágrimas
Que tivesse a beleza das flores quase sem perfume
A pureza da chama em que se consomem os diamantes mais límpidos
A paixão dos suicidas que se matam sem explicação.

ESTRELA DA MANHÃ

Estrela da manhã

Eu quero a estrela da manhã
Onde está a estrela da manhã?
Meus amigos meus inimigos
Procurem a estrela da manhã

Ela desapareceu ia nua
Desapareceu com quem?
Procurem por toda parte

Digam que sou um homem sem orgulho
Um homem que aceita tudo
Que me importa?
Eu quero a estrela da manhã

Três dias e três noites
Fui assassino e suicida
Ladrão, pulha, falsário

Virgem malsexuada
Atribuladora dos aflitos
Girafa de duas cabeças
Pecai por todos pecai com todos

Pecai com os malandros
Pecai com os sargentos
Pecai com os fuzileiros navais
Pecai de todas as maneiras
Com os gregos e com os troianos
Com o padre e com o sacristão
Com o leproso de Pouso Alto

Depois comigo

Te esperarei com mafuás novenas cavalhadas comerei terra e direi coisas de
[uma ternura tão simples

Que tu desfalecerás

Procurem por toda parte
Pura ou degradada até a última baixeza
Eu quero a estrela da manhã.

Canção das duas Índias

Entre estas Índias de leste
E as Índias ocidentais
Meu Deus que distância enorme
Quantos Oceanos Pacíficos
Quantos bancos de corais
Quantas frias latitudes!
Ilhas que a tormenta arrasa
Que os terremotos subvertem
Desoladas Marambaias
Sirtes sereias Medeias
Púbis a não poder mais
Altos como a estrela-d'alva
Longínquos como Oceanias
— Brancas, sobrenaturais —
Oh inacessíveis praias!...

1931

Poema do beco

Que importa a paisagem, a Glória, a baía, a linha do horizonte?
— O que eu vejo é o beco.

1933

Balada das três mulheres do sabonete Araxá

As três mulheres do sabonete Araxá me invocam, me bouleversam, me
[hipnotizam.
Oh, as três mulheres do sabonete Araxá às 4 horas da tarde!
O meu reino pelas três mulheres do sabonete Araxá!

Que outros, não eu, a pedra cortem
Para brutais vos adorarem,
Ó brancaranas azedas,
Mulatas cor da lua vem saindo cor de prata
Ou celestes africanas:
Que eu vivo, padeço e morro só pelas três mulheres do sabonete Araxá!

ESTRELA DA MANHÃ

São amigas, são irmãs, são amantes as três mulheres do sabonete Araxá?
São prostitutas, são declamadoras, são acrobatas?
São as três Marias?

Meu Deus, serão as três Marias?

A mais nua é doirada borboleta.
Se a segunda casasse, eu ficava safado da vida, dava pra beber e nunca mais
⠀⠀⠀⠀⠀⠀⠀⠀⠀⠀⠀⠀⠀⠀⠀⠀⠀⠀⠀⠀[telefonava.
Mas se a terceira morresse... Oh, então, nunca mais a minha vida outrora teria
⠀⠀⠀⠀⠀⠀⠀⠀⠀⠀⠀⠀⠀⠀⠀⠀⠀⠀⠀⠀[sido um festim!

Se me perguntassem: Queres ser estrela? queres ser rei? queres uma ilha no
⠀⠀⠀⠀⠀⠀⠀⠀⠀⠀⠀⠀⠀⠀[Pacífico? um bangalô em Copacabana?
Eu responderia: Não quero nada disso, tetrarca. Eu só quero as três mulheres
⠀⠀⠀⠀⠀⠀⠀⠀⠀⠀⠀⠀⠀⠀⠀⠀⠀⠀[do sabonete Araxá:
O meu reino pelas três mulheres do sabonete Araxá!

TERESÓPOLIS, 1931

O AMOR, A POESIA, AS VIAGENS

Atirei um céu aberto
Na janela do meu bem:
Caí na Lapa — um deserto...
— Pará, capital Belém!...

1933

O DESMEMORIADO DE VIGÁRIO GERAL

Lembrava-se, como se fosse ontem, isto é, há quarenta séculos, que um exército de pirâmides o contemplava. Mas não saberia precisar onde, a que luz ou em que sol de que extinta constelação. Não obstante preferia que fosse na estrela mais branca do cinturão de Órion.

É verdade: havia uma mulher que telefonava. Mas tão distante, meu Deus, que era como se lhe faltasse a ela e para todo o sempre um atributo humano indispensável.

Se lhe propunham exemplos — o xeque do pastor, o pau de amarrar égua, o mal-assombrado de Guapi, futura cidade, ele dissimulava. Era então horrível de se ver.

Afinal um dia foi encontrado morto e quando já nem tudo era possível, uma aventura banal.

A FILHA DO REI

Aquela cor de cabelos
Que eu vi na filha do rei
— Mas vi tão subitamente —
Será a mesma cor da axila,
Do maravilhoso pente?
Como agora o saberei?
Vi-a tão subitamente!
Ela passou como um raio:
Só vi a cor dos cabelos.
Mas o corpo, a luz do corpo?...
Como seria o seu corpo?...
Jamais o conhecerei!

CANTIGA

Nas ondas da praia
Nas ondas do mar
Quero ser feliz
Quero me afogar.

Nas ondas da praia
Quem vem me beijar?
Quero a estrela-d'alva
Rainha do mar.

Quero ser feliz
Nas ondas do mar
Quero esquecer tudo
Quero descansar.

MARINHEIRO TRISTE

Marinheiro triste
Que voltas para bordo
Que pensamentos são
Esses que te ocupam?
Alguma mulher
Amante de passagem
Que deixaste longe
Num porto de escala?
Ou tua amargura

Tem outras raízes
Largas fraternais
Mais nobres mais fundas?
Marinheiro triste
De um país distante
Passaste por mim
Tão alheio a tudo
Que nem pressentiste
Marinheiro triste
A onda viril
De fraterno afeto
Em que te envolvi.

Ias triste e lúcido
Antes melhor fora
Que voltasses bêbedo
Marinheiro triste!

E eu que para casa
Vou como tu vais
Para o teu navio,
Feroz casco sujo
Amarrado ao cais,
Também como tu
Marinheiro triste
Vou lúcido e triste.

Amanhã terás
Depois que partires
O vento do largo
O horizonte imenso
O sal do mar alto!
Mas eu, marinheiro?

— Antes melhor fora
Que voltasse bêbedo!

Boca de forno

Cara de cobra,
Cobra!
Olhos de louco,
Louca!

Testa insensata
Nariz Capeto
Cós do Capeta
Donzela rouca
Porta-estandarte
Joia boneca
De maracatu!

Pelo teu retrato
Pela tua cinta
Pela tua carta
Ah tôtô meu santo
Eh Abaluaê
Inhansã boneca
De maracatu!

No fundo do mar
Há tanto tesouro!
No fundo do céu
Há tanto suspiro!
No meu coração
Tanto desespero!

Ah tôtô meu pai
Quero me rasgar
Quero me perder!

Cara de cobra,
Cobra!
Olhos de louco,
Louca!
Cussaruim boneca
De maracatu!

Oração a Nossa Senhora da Boa Morte

Fiz tantos versos a Teresinha...
Versos tão tristes, nunca se viu!
Pedi-lhe coisas. O que eu pedia
Era tão pouco! Não era glória...
Nem era amores... Nem foi dinheiro...
Pedia apenas mais alegria:
Santa Teresa nunca me ouviu!

Para outras santas voltei os olhos.
Porém as santas são impassíveis
Como as mulheres que me enganaram.
Desenganei-me das outras santas
(Pedi a muitas, rezei a tantas)
Até que um dia me apresentaram
A Santa Rita dos Impossíveis.

Fui despachado de mãos vazias!
Dei volta ao mundo, tentei a sorte.
Nem alegrias mais peço agora,
Que eu sei o avesso das alegrias.
Tudo que viesse, viria tarde!
O que na vida procurei sempre,
— Meus impossíveis de Santa Rita, —
Dar-me-eis um dia, não é verdade?
Nossa Senhora da Boa Morte!

1931

MOMENTO NUM CAFÉ

Quando o enterro passou
Os homens que se achavam no café
Tiraram o chapéu maquinalmente
Saudavam o morto distraídos
Estavam todos voltados para a vida
Absortos na vida
Confiantes na vida.

Um no entanto se descobriu num gesto largo e demorado
Olhando o esquife longamente
Este sabia que a vida é uma agitação feroz e sem finalidade
Que a vida é traição
E saudava a matéria que passava
Liberta para sempre da alma extinta.

CONTRIÇÃO

Quero banhar-me nas águas límpidas
Quero banhar-me nas águas puras
Sou a mais baixa das criaturas
     Me sinto sórdido

Confiei às feras as minhas lágrimas
Rolei de borco pelas calçadas
Cobri meu rosto de bofetadas
    Meu Deus valei-me

Vozes da infância contai a história
Da vida boa que nunca veio
E eu caia ouvindo-a no calmo seio
    Da eternidade.

CHANSON DES PETITS ESCLAVES

Constellations
Maîtresses vraiment
Trop insouciantes
O petits esclaves
Secouez vos chaînes

Les cieux sont plus sombres
Que les beaux miroirs
Finis les tracas
Finie toute peine.

O petits esclaves
Black-boulez les reines

La folle journée
J'aurai vite fait
D'avoir mis d'emblée
Toutes les sirènes
Sous mes arrosoirs

Car voici demain

O petits esclaves
Secouez vos chaînes
Donnez-vous la main.

SACHA E O POETA

Quando o poeta aparece,
Sacha levanta os olhos claros,
Onde a surpresa é o sol que vai nascer.

O poeta a seguir diz coisas incríveis,
Desce ao fogo central da Terra,
Sobe na ponta mais alta das nuvens,
Faz gurugutu pif paf,
Dança de velho,
Vira Exu.
Sacha sorri como o primeiro arco-íris.

O poeta estende os braços, Sacha vem com ele.

A serenidade voltou de muito longe.
Que se passou do outro lado?
Sacha mediunizada
— Ah-pa-papapá-papá —
Transmite em Morse ao poeta
A última mensagem dos Anjos.

1931

JACQUELINE

Jacqueline morreu menina.
Jacqueline morta era mais bonita do que os anjos.
Os anjos!... Bem sei que não os há em parte alguma.
Há é mulheres extraordinariamente belas que morrem ainda meninas.

Houve tempo em que olhei para os teus retratos de menina como olho agora
[para a pequena imagem de Jacqueline morta.
Eras tão bonita!
Eras tão bonita, que merecerias ter morrido na idade de Jacqueline

— Pura como Jacqueline.

D. JANAÍNA

D. Janaína
Sereia do mar
D. Janaína
De maiô encarnado
D. Janaína
Vai se banhar.

D. Janaína
Princesa do mar
D. Janaína
Tem muitos amores
É o rei do Congo
É o rei de Aloanda
É o sultão dos matos
É S. Salavá!

Saravá saravá
D. Janaína
Rainha do mar!

D. Janaína
Princesa do mar
Dai-me licença
Pra eu também brincar
No vosso reinado.

TRUCIDARAM O RIO

Prendei o rio
Maltratai o rio
Trucidai o rio
A água não morre
A água que é feita
De gotas inermes
Que um dia serão
Maiores que o rio
Grandes como o oceano
Fortes como os gelos
Os gelos polares
Que tudo arrebentam.

1935

TREM DE FERRO

Café com pão
Café com pão
Café com pão

Virge Maria que foi isto maquinista?

Agora sim
Café com pão
Agora sim
Voa, fumaça
Corre, cerca
Ai seu foguista
Bota fogo
Na fornalha
Que eu preciso
Muita força
Muita força
Muita força

Oô...
Foge, bicho
Foge, povo
Passa ponte
Passa poste
Passa pasto
Passa boi
Passa boiada
Passa galho
De ingazeira
Debruçada
No riacho
Que vontade
De cantar!

Oô...
Quando me prendero
No canaviá
Cada pé de cana
Era um oficiá
Oô...
Menina bonita
Do vestido verde
Me dá tua boca
Pra matá minha sede
Oô...
Vou mimbora vou mimbora
Não gosto daqui
Nasci no sertão
Sou de Ouricuri
Oô...

Vou depressa
Vou correndo
Vou na toda
Que só levo
Pouca gente
Pouca gente
Pouca gente...

TRAGÉDIA BRASILEIRA

Misael, funcionário da Fazenda, com 63 anos de idade,

Conheceu Maria Elvira na Lapa — prostituída, com sífilis, dermite nos dedos, uma aliança empenhada e os dentes em petição de miséria.

Misael tirou Maria Elvira da vida, instalou-a num sobrado no Estácio, pagou médico, dentista, manicura... Dava tudo quanto ela queria.

Quando Maria Elvira se apanhou de boca bonita, arranjou logo um namorado.

Misael não queria escândalo. Podia dar uma surra, um tiro, uma facada. Não fez nada disso: mudou de casa.

Viveram três anos assim.

Toda vez que Maria Elvira arranjava namorado, Misael mudava de casa.

Os amantes moraram no Estácio, Rocha, Catete, Rua General Pedra, Olaria, Ramos, Bonsucesso, Vila Isabel, Rua Marquês de Sapucaí, Niterói, Encantado, Rua Clapp, outra vez no Estácio, Todos os Santos, Catumbi, Lavradio, Boca do Mato, Inválidos...

Por fim na Rua da Constituição, onde Misael, privado de sentidos e de inteligência, matou-a com seis tiros, e a polícia foi encontrá-la caída em decúbito dorsal, vestida de organdi azul.

1933

CONTO CRUEL

A uremia não o deixava dormir. A filha deu uma injeção de sedol.

— Papai verá que vai dormir.

O pai aquietou-se e esperou. Dez minutos... Quinze minutos... Vinte minutos... Quem disse que o sono chegava? Então, ele implorou chorando:

— Meu Jesus-Cristinho!

Mas Jesus-Cristinho nem se incomodou.

Os voluntários do Norte

"São os do Norte que vêm"
Tobias Barreto

Quando o menino de engenho
Chegou exclamando: — "Eu tenho,
Ó Sul, talento também!",
Faria, gesticulando,
Saiu à rua gritando:
— "São os do Norte que vêm!"

Era um tumulto horroroso!
— "Que foi?" indagou Cardoso
Desembarcando de um trem.
E inteirou-se. Senão quando,
Os dois saíram gritando:
— "Ê vêm os do Norte! Ê vêm!..."

Aos dois juntou-se o Vinícius
De Morais, flor dos Vinícius,
E Melo Morais também!
— "Que foi?" as gentes falavam...
E os três amigos bradavam:
— "São os do Norte que vêm!"

Nisso aparece em cabelo
O novelista Rebelo,
Que é Dias da Cruz também!
Mais uma voz para o coro!
E foi um tremendo choro:
— "Ê vêm os do Norte! Ê vêm!..."

E o clamor ia engrossando
Num retumbar formidando
Pelas cidades além...
— "Que foi?" as gentes falavam,
E eles pálidos bradavam:
— "São os do Norte que vêm!"

RONDÓ DOS CAVALINHOS

Os cavalinhos correndo,
E nós, cavalões, comendo...
Tua beleza, Esmeralda,
Acabou me enlouquecendo.

Os cavalinhos correndo,
E nós, cavalões, comendo...
O sol tão claro lá fora,
E em minh'alma — anoitecendo!

Os cavalinhos correndo,
E nós, cavalões, comendo...
Alfonso Reyes partindo,
E tanta gente ficando...

Os cavalinhos correndo,
E nós, cavalões, comendo...
A Itália falando grosso,
A Europa se avacalhando...

Os cavalinhos correndo,
E nós, cavalões, comendo...
O Brasil politicando,
Nossa! A poesia morrendo...
O sol tão claro lá fora,
O sol tão claro, Esmeralda,
E em minh'alma — anoitecendo!

NIETZSCHIANA

— Meu pai, ah que me esmaga a sensação do nada!
— Já sei, minha filha... É atavismo.
E ela reluzia com as mil cintilações do Êxito intacto.

RONDÓ DO PALACE HOTEL

No hall do Palace o pintor
Cícero Dias entre o Pão
De Açúcar e um caixão de enterro
(É um rei andrógino que enterram?)
Toca um jazz de pandeiros com a mão
Que o Blaise Cendrars perdeu na guerra.

Deus do céu, que alucinação!
Há uma criatura tão bonita
Que até os olhos parecem nus:
Nossa Senhora da Prostituição!
— "Garçom, cinco martínis!" Os
Adolescentes cheiram éter
No hall do Palace.

Aqui ninguém dá atenção aos préstitos
(Passa um clangor de clubes lá fora):
Aqui dança-se, canta-se, fala-se
E bebe-se incessantemente
Para esquecer a dor daquilo
Por alguém que não está presente
No hall do Palace.

DECLARAÇÃO DE AMOR

Juiz de Fora! Juiz de Fora!
Guardo entre as minhas recordações
Mais amoráveis, mais repousantes
Tuas manhãs!

Um fundo de chácara na Rua Direita
Coberto de trapuerabas.
Uma velha jabuticabeira cansada de doçura.
Tuas três horas da tarde...
Tuas noites de cineminha namorisqueiro...
Teu lindo parque senhorial mais segundo-reinado do que a própria Quinta
[da Boa Vista...
Teus bondes sem pressa dando voltas vadias...

Juiz de Fora! Juiz de Fora!
Tu tão de dentro deste Brasil!
Tão docemente provinciana...
Primeiro sorriso de Minas Gerais!

FLORES MURCHAS

Pálidas crianças
Mal desabrochadas
Na manhã da vida!
Tristes asiladas
Que pendeis cansadas
Como flores murchas!

Pálidas crianças
Que me recordais
Minhas esperanças!

Pálidas meninas
Sem amor de mãe,
Pálidas meninas
Uniformizadas,
Quem vos arrancara
Dessas vestes tristes
Onde a caridade
Vos amortalhou!

Pálidas meninas
Sem olhar de pai,
Ai quem vos dissera,
Ai quem vos gritara:
— Anjos, debandai!

Mas ninguém vos diz
Nem ninguém vos dá
Mais que o olhar de pena
Quando desfilais,
Açucenas murchas,
Procissão de sombras!

Ao cair da tarde
Vós me recordais
— Ó meninas tristes! —
Minhas esperanças!
Minhas esperanças
— Meninas cansadas,
Pálidas crianças
A quem ninguém diz:
— Anjos, debandai!...

A ESTRELA E O ANJO

Vésper caiu cheia de pudor na minha cama
Vésper em cuja ardência não havia a menor parcela de sensualidade

Enquanto eu gritava o seu nome três vezes
Dois grandes botões de rosa murcharam

E o meu anjo da guarda quedou-se de mãos postas no desejo insatisfeito de Deus.

LIRA DOS CINQUENT'ANOS

Ouro Preto

Ouro branco! Ouro preto! Ouro podre! De cada
Ribeirão trepidante e de cada recosto
De montanha o metal rolou na cascalhada
Para o fausto d'El-Rei, para a glória do imposto.

Que resta do esplendor de outrora? Quase nada:
Pedras... templos que são fantasmas ao sol-posto.
Esta agência postal era a Casa de Entrada...
Este escombro foi um solar... Cinza e desgosto!

O bandeirante decaiu — é funcionário.
Último sabedor da crônica estupenda,
Chico Diogo escarnece o último visionário.

E avulta apenas, quando a noite de mansinho
Vem, na pedra-sabão lavrada como renda,
— Sombra descomunal, a mão do Aleijadinho!

Poema desentranhado de uma prosa de Augusto Frederico Schmidt

A luz da tua poesia é triste mas pura.
A solidão é o grande sinal do teu destino.
O pitoresco, as cores vivas, o mistério e calor dos outros seres te interessam
[realmente
Mas tu estás apartado de tudo isso, porque vives na companhia dos teus
[desaparecidos,
Dos que brincaram e cantaram um dia à luz das fogueiras de S. João
E hoje estão para sempre dormindo profundamente.
Da poesia feita como quem ama e quem morre
Caminhaste para uma poesia de quem vive e recebe a tristeza
Naturalmente
— Como o céu escuro recebe a companhia das primeiras estrelas.

O martelo

As rodas rangem na curva dos trilhos
Inexoravelmente.
Mas eu salvei do meu naufrágio
Os elementos mais cotidianos.
O meu quarto resume o passado em todas as casas que habitei.
Dentro da noite

No cerne duro da cidade
Me sinto protegido.
Do jardim do convento
Vem o pio da coruja.
Doce como um arrulho de pomba.
Sei que amanhã quando acordar
Ouvirei o martelo do ferreiro
Bater corajoso o seu cântico de certezas.

O EXEMPLO DAS ROSAS

Uma mulher queixava-se do silêncio do amante:
— Já não gostas de mim, pois não encontras palavras para me louvar!
Então ele, apontando-lhe a rosa que lhe morria no seio:
— Não será insensato pedir a esta rosa que fale?
Não vês que ela se dá toda no seu perfume?

HAICAI TIRADO DE UMA FALSA LIRA DE GONZAGA

Quis gravar "Amor"
No tronco de um velho freixo:
"Marília" escrevi.

MAÇÃ

Por um lado te vejo como um seio murcho
Pelo outro como um ventre de cujo umbigo pende ainda o cordão placentário

És vermelha como o amor divino

Dentro de ti em pequenas pevides
Palpita a vida prodigiosa
Infinitamente

E quedas tão simples
Ao lado de um talher
Num quarto pobre de hotel.

PETRÓPOLIS, 25-2-1938

DESAFIO

Não sou barqueiro de vela,
Mas sou um bom remador:
No lago de São Lourenço
Dei prova do meu valor!
Remando contra a corrente,
Ligeiro como a favor,
Contra a neblina enganosa,
Contra o vento zumbidor!
Sou nortista destemido,
Não gaúcho roncador:
No lago de São Lourenço
Dei prova do meu valor!
Uma só coisa faltava
No meu barco remador:
Ver assentado na popa
O vulto do meu amor...
Mas isso era bom demais
— Sorriso claro dos anjos,
Graça de Nosso Senhor!

1938

CANÇÃO

Mandaste a sombra de um beijo
Na brancura de um papel:
Tremi de susto e desejo,
Beijei chorando o papel.

No entanto, deste o teu beijo
A um homem que não amavas!
Esqueceste o meu desejo
Pelo de quem não amavas!

Da sombra daquele beijo
Que farei, se a tua boca
É dessas que sem desejo
Podem beijar outra boca?

Cossante

Ondas da praia onde vos vi,
Olhos verdes sem dó de mim,
    Ai Avatlântica!

Ondas da praia onde morais,
Olhos verdes intersexuais.
    Ai Avatlântica!

Olhos verdes sem dó de mim,
Olhos verdes, de ondas sem fim,
    Ai Avatlântica!

Olhos verdes, de ondas sem dó,
Por quem me rompo, exausto e só,
    Ai Avatlântica!

Olhos verdes, de ondas sem fim,
Por quem jurei de vos possuir,
    Ai Avatlântica!

Olhos verdes sem lei nem rei
Por quem juro vos esquecer,
    Ai Avatlântica!

Cantar de amor

> *Quer'eu en maneyra de proençal*
> *Fazer agora hum cantar d'amor...*
> D. Dinis

Mha senhor, com'oje dia son,
Atan cuitad'e sen cor assi!
E par Deus non sei que farei i,
Ca non dormho á mui gran sazon.
        Mha senhor, ai meu lum'e meu ben,
        Meu coraçon non sei o que ten.

Noit'e dia no meu coraçon
Nulha ren se non a morte vi,
E pois tal coita non mereci,
Moir'eu logo, se Deus mi perdon.
     Mha senhor, ai meu lum'e meu ben,
     Meu coraçon non sei o que ten.

Des oimais o viver m'é prison:
Grave di'aquel en que naci!
Mha senhor, ai rezade por mi,
Ca perç'o sen e perç'a razon.
     Mha senhor, ai meu lum'e meu ben,
     Meu coraçon non sei o que ten.

VERSOS DE NATAL

Espelho, amigo verdadeiro,
Tu refletes as minhas rugas,
Os meus cabelos brancos,
Os meus olhos míopes e cansados.
Espelho, amigo verdadeiro,
Mestre do realismo exato e minucioso,
Obrigado, obrigado!

Mas se fosses mágico,
Penetrarias até ao fundo desse homem triste,
Descobririas o menino que sustenta esse homem,
O menino que não quer morrer,
Que não morrerá senão comigo,
O menino que todos os anos na véspera do Natal
Pensa ainda em pôr os seus chinelinhos atrás da porta.

1939

SONETO ITALIANO

Frescura das sereias e do orvalho,
Graça dos brancos pés dos pequeninos,
Voz das manhãs cantando pelos sinos,
Rosa mais alta no mais alto galho:

De quem me valerei, se não me valho
De ti, que tens a chave dos destinos
Em que arderam meus sonhos cristalinos
Feitos cinza que em pranto ao vento espalho?

Também te vi chorar... Também sofreste
A dor de ver secarem pela estrada
As fontes da esperança... E não cedeste!

Antes, pobre, despida e trespassada,
Soubeste dar à vida, em que morreste,
Tudo, — à vida, que nunca te deu nada!

28 DE JANEIRO DE 1939

SONETO INGLÊS Nº 1

Quando a morte cerrar meus olhos duros
— Duros de tantos vãos padecimentos,
Que pensarão teus peitos imaturos
Da minha dor de todos os momentos?
Vejo-te agora alheia, e tão distante:
Mais que distante — isenta. E bem prevejo,
Desde já bem prevejo o exato instante
Em que de outro será não teu desejo,
Que o não terás, porém teu abandono,
Tua nudez! Um dia hei de ir embora
Adormecer no derradeiro sono.
Um dia chorarás... Que importa? Chora.
　　　Então eu sentirei muito mais perto
　　　De mim feliz, teu coração incerto.

1940

SONETO INGLÊS Nº 2

Aceitar o castigo imerecido,
Não por fraqueza, mas por altivez.
No tormento mais fundo o teu gemido
Trocar num grito de ódio a quem o fez.
As delícias da carne e pensamento
Com que o instinto da espécie nos engana
Sobpor ao generoso sentimento

De uma afeição mais simplesmente humana.
Não tremer de esperança nem de espanto.
Nada pedir nem desejar, senão
A coragem de ser um novo santo
Sem fé num mundo além do mundo. E então
Morrer sem uma lágrima, que a vida
Não vale a pena e a dor de ser vivida.

POUSA A MÃO NA MINHA TESTA

Não te doas do meu silêncio:
Estou cansado de todas as palavras.
Não sabes que te amo?
Pousa a mão na minha testa:
Captarás numa palpitação inefável
O sentido da única palavra essencial
— Amor.

ÁGUA-FORTE

O preto no branco,
O pente na pele:
Pássaro espalmado
No céu quase branco.

Em meio do pente,
A concha bivalve
Num mar de escarlata.
Concha, rosa ou tâmara?

No escuro recesso,
As fontes da vida
A sangrar inúteis
Por duas feridas.

Tudo bem oculto
Sob as aparências
Da água-forte simples:
De face, de flanco,
O preto no branco.

A morte absoluta

Morrer.
Morrer de corpo e de alma.
Completamente.

Morrer sem deixar o triste despojo da carne,
A exangue máscara de cera,
Cercada de flores,
Que apodrecerão — felizes! — num dia,
Banhada de lágrimas
Nascidas menos da saudade do que do espanto da morte.

Morrer sem deixar porventura uma alma errante...
A caminho do céu?
Mas que céu pode satisfazer teu sonho de céu?

Morrer sem deixar um sulco, um risco, uma sombra,
A lembrança de uma sombra
Em nenhum coração, em nenhum pensamento,
Em nenhuma epiderme.

Morrer tão completamente
Que um dia ao lerem o teu nome num papel
Perguntem: "Quem foi?..."

Morrer mais completamente ainda,
— Sem deixar sequer esse nome.

A estrela

Vi uma estrela tão alta,
Vi uma estrela tão fria!
Vi uma estrela luzindo
Na minha vida vazia.

Era uma estrela tão alta!
Era uma estrela tão fria!
Era uma estrela sozinha
Luzindo no fim do dia.

Por que da sua distância
Para a minha companhia
Não baixava aquela estrela?
Por que tão alta luzia?

E ouvi-a na sombra funda
Responder que assim fazia
Para dar uma esperança
Mais triste ao fim do meu dia.

Mozart no céu

No dia 5 de dezembro de 1791 Wolfgang Amadeus Mozart entrou no céu,
   [como um artista de circo, fazendo piruetas extraordinárias sobre um
                                        [mirabolante cavalo branco.

Os anjinhos atônitos diziam: Que foi? Que não foi?
Melodias jamais ouvidas voavam nas linhas suplementares superiores da pauta.
Um momento se suspendeu a contemplação inefável.
A Virgem beijou-o na testa
E desde então Wolfgang Amadeus Mozart foi o mais moço dos anjos.

Canção da Parada do Lucas

Parada do Lucas
— O trem não parou.

Ah, se o trem parasse
Minha alma incendida
Pediria à Noite
Dois seios intactos.

Parada do Lucas
— O trem não parou.

Ah, se o trem parasse
Eu iria aos mangues
Dormir na escureza
Das águas defuntas.

Parada do Lucas
— O trem não parou.

Nada aconteceu
Senão a lembrança
Do crime espantoso
Que o tempo engoliu.

CANÇÃO DO VENTO E DA MINHA VIDA

O vento varria as folhas,
O vento varria os frutos,
O vento varria as flores...
    E a minha vida ficava
    Cada vez mais cheia
    De frutos, de flores, de folhas.

O vento varria as luzes
O vento varria as músicas,
O vento varria os aromas...
    E a minha vida ficava
    Cada vez mais cheia
    De aromas, de estrelas, de cânticos.

O vento varria os sonhos
E varria as amizades...
O vento varria as mulheres.
    E a minha vida ficava
    Cada vez mais cheia
    De afetos e de mulheres.

O vento varria os meses
E varria os teus sorrisos...
O vento varria tudo!
    E a minha vida ficava
    Cada vez mais cheia
    De tudo.

CANÇÃO DE MUITAS MARIAS

Uma, duas, três Marias,
Tira o pé da noite escura.
Se uma Maria é demais,
Duas, três, que não seria?

Uma é Maria da Graça,
Outra é Maria Adelaide:
Uma tem o pai pau-d'água,
Outra tem o pai alcaide.

A terceira é tão distante,
Que só vendo por binóculo.
Essa é Maria das Neves,
Que chora e sofre do fígado!

Há mais Marias na terra.
Tantas que é um não acabar,
— Mais que as estrelas no céu,
Mais que as folhas na floresta,
Mais que as areias no mar!

Por uma saltei de vara,
Por outra estudei tupi.
Mas a melhor das Marias
Foi aquela que eu perdi.

Essa foi a Mária Cândida
(Mária digam por favor),
Minha Maria enfermeira,
Tão forte e morreu de gripe,
Tão pura e não teve sorte,
Maria do meu amor.

E depois dessa Maria,
Que foi cândida no nome,
Cândida no coração;
Que em vida foi a das Dores,
E hoje é Maria do Céu:
Não cantarei mais nenhuma,
Que a minha lira estalou,
Que a minha lira morreu!

DEDICATÓRIA

Estou triste estou triste
Estou desinfeliz
Ó maninha Ó maninha

Ó maninha te ofereço
Com muita vergonha
Um presente de pobre
Estes versos que fiz
Ó maninha Ó maninha.

RONDÓ DO CAPITÃO

Bão balalão,
Senhor capitão,
Tirai este peso
Do meu coração.
Não é de tristeza,
Não é de aflição:
É só de esperança,
Senhor capitão!
A leve esperança,
A aérea esperança...
Aérea, pois não!
— Peso mais pesado
Não existe não.
Ah, livrai-me dele,
Senhor capitão!

8 DE OUTUBRO DE 1940

SONETO EM LOUVOR DE AUGUSTO FREDERICO SCHMIDT

Nos teus poemas de cadências bíblicas
Recolheste os sons das coisas mais efêmeras:
O vento que enternece as praias desertas,
O desfolhar das rosas cansadas de viver,

As vozes mais longínquas da infância,
Os risos emudecidos das amadas mortas:
Matilde, Esmeralda, a misteriosa Luciana,
E Josefina, complicado ser que é mulher e é também o Brasil.

A tudo que é transitório soubeste
Dar, com a tua grave melancolia,
A densidade do eterno.

Mais de uma vez fizeste aos homens advertências terríveis.
Mas tua glória maior é ser aquele
Que soube falar a Deus nos ritmos de sua palavra.

10 DE SETEMBRO DE 1940

SONETO PLAGIADO DE AUGUSTO FREDERICO SCHMIDT

E de súbito n'alma incompreendida
Esta mágoa, esta pena, esta agonia;
Nos olhos ressequidos a sombria
Fonte de pranto, quente e irreprimida.

No espírito deserto a impressentida
Misteriosa presença que não via;
A consciência do mal que não sabia,
Aparecida, desaparecida...

Até bem pouco, era uma imagem baça.
Agora, neste instante de certeza,
Surgindo claro, como nunca o vi!

E nesse olhar tocado pela graça
Do céu, não sei que angélica pureza
— Pureza que não tenho, que perdi.

ÚLTIMA CANÇÃO DO BECO

Beco que cantei num dístico
Cheio de elipses mentais,
Beco das minhas tristezas,
Das minhas perplexidades
(Mas também dos meus amores,
Dos meus beijos, dos meus sonhos),
Adeus para nunca mais!

Vão demolir esta casa.
Mas meu quarto vai ficar,
Não como forma imperfeita
Neste mundo de aparências:
Vai ficar na eternidade,
Com seus livros, com seus quadros,
Intacto, suspenso no ar!

Beco de sarças de fogo,
De paixões sem amanhãs,
Quanta luz mediterrânea
No esplendor da adolescência
Não recolheu nestas pedras
O orvalho das madrugadas,
A pureza das manhãs!

Beco das minhas tristezas.
Não me envergonhei de ti!
Foste rua de mulheres?
Todas são filhas de Deus!
Dantes foram carmelitas...
E eras só de pobres quando,
Pobre, vim morar aqui.

Lapa — Lapa do Desterro —,
Lapa que tanto pecais!
(Mas quando bate seis horas,
Na primeira voz dos sinos,
Como na voz que anunciava
A conceição de Maria,
Que graças angelicais!)

Nossa Senhora do Carmo,
De lá de cima do altar,
Pede esmolas para os pobres,
— Para mulheres tão tristes,
Para mulheres tão negras,
Que vêm nas portas do templo
De noite se agasalhar.

Beco que nasceste à sombra
De paredes conventuais,
És como a vida, que é santa
Pesar de todas as quedas.
Por isso te amei constante
E canto para dizer-te
Adeus para nunca mais!

25 DE MARÇO DE 1942

BELO BELO

Belo belo belo,
Tenho tudo quanto quero.

Tenho o fogo de constelações extintas há milênios.
E o risco brevíssimo — que foi? passou! — de tantas estrelas cadentes.

A aurora apaga-se,
E eu guardo as mais puras lágrimas da aurora.

O dia vem, e dia adentro
Continuo a possuir o segredo grande da noite.

Belo belo belo,
Tenho tudo quanto quero.

Não quero o êxtase nem os tormentos.
Não quero o que a terra só dá com trabalho.

As dádivas dos anjos são inaproveitáveis:
Os anjos não compreendem os homens.

Não quero amar,
Não quero ser amado.
Não quero combater,
Não quero ser soldado.

— Quero a delícia de poder sentir as coisas mais simples.

Acalanto de John Talbot

Dorme, meu filhinho,
Dorme sossegado.
Dorme, que a teu lado
Cantarei baixinho.
O dia não tarda...
Vai amanhecer:
Como é frio o ar!
O anjinho da guarda
Que o Senhor te deu,
Pode adormecer,
Pode descansar,
Que te guardo eu.

8 de agosto de 1942

TESTAMENTO

O que não tenho e desejo
É que melhor me enriquece.
Tive uns dinheiros — perdi-os...
Tive amores — esqueci-os.
Mas no maior desespero
Rezei: ganhei essa prece.

Vi terras da minha terra.
Por outras terras andei.
Mas o que ficou marcado
No meu olhar fatigado,
Foram terras que inventei.

Gosto muito de crianças:
Não tive um filho de meu.
Um filho!... Não foi de jeito...
Mas trago dentro do peito
Meu filho que não nasceu.

Criou-me, desde eu menino,
Para arquiteto meu pai.
Foi-se-me um dia a saúde...
Fiz-me arquiteto? Não pude!
Sou poeta menor, perdoai!

Não faço versos de guerra.
Não faço porque não sei.
Mas num torpedo-suicida
Darei de bom grado a vida
Na luta em que não lutei!

29 DE JANEIRO DE 1943

GAZAL EM LOUVOR DE HAFIZ

Escuta o gazal que fiz,
Darling, em louvor de Hafiz:

— Poeta de Chiraz, teu verso
Tuas mágoas e as minhas diz.

Pois no mistério do mundo
Também me sinto infeliz.

Falaste: "Amarei constante
Aquela que não me quis."

E as filhas de Samarcanda,
Cameleiros e sufis

Ainda repetem os cantos
Em que choras e sorris.

As bem-amadas ingratas,
São pó; tu, vives, Hafiz!

PETRÓPOLIS, 1943

UBIQUIDADE

Estás em tudo que penso,
Estás em quanto imagino:
Estás no horizonte imenso,
Estás no grão pequenino.

Estás na ovelha que pasce,
Estás no rio que corre:
Estás em tudo que nasce,
Estás em tudo que morre.

Em tudo estás, nem repousas,
Ó ser tão mesmo e diverso!
(Eras no início das cousas,
Serás no fim do universo.)

Estás na alma e nos sentidos.
Estás no espírito, estás
Na letra, e, os tempos cumpridos,
No céu, no céu estarás.

PETRÓPOLIS, 11-3-1943

PISCINA

Que silêncio enorme!
Na piscina verde
Gorgoleja trépida
A água da carranca.

Só a lua se banha
— Lua gorda e branca —
Na piscina verde.
Como a lua é branca!

Corre um arrepio
Silenciosamente
Na piscina verde:
Lua ela não quer.

Ah o que ela quer
A piscina verde
É o corpo queimado
De certa mulher
Que jamais se banha
Na espadana branca
Da água da carranca.

PETRÓPOLIS, 25-3-1943

BALADA DO REI DAS SEREIAS

O rei atirou
Seu anel ao mar
E disse às sereias:
— Ide-o lá buscar,
Que se o não trouxerdes,
Virareis espuma
Das ondas do mar!

Foram as sereias,
Não tardou, voltaram
Com o perdido anel.
Maldito o capricho
De rei tão cruel!

O rei atirou
Grãos de arroz ao mar
E disse às sereias:
— Ide-os lá buscar,
Que se os não trouxerdes,
Virareis espuma
Das ondas do mar!

Foram as sereias,
Não tardou, voltaram,
Não faltava um grão.
Maldito o capricho
Do mau coração!

O rei atirou
Sua filha ao mar
E disse às sereias:
— Ide-a lá buscar
Que se a não trouxerdes,
Virareis espuma
Das ondas do mar!

Foram as sereias...
Quem as viu voltar?...
Não voltaram nunca!
Viraram espuma
Das ondas do mar.

PETRÓPOLIS, 25-3-1943

PARDALZINHO

O pardalzinho nasceu
Livre. Quebraram-lhe a asa.
Sacha lhe deu uma casa,
Água, comida e carinhos.
Foram cuidados em vão:
A casa era uma prisão,
O pardalzinho morreu.
O corpo Sacha enterrou
No jardim; a alma, essa voou
Para o céu dos passarinhos!

PETRÓPOLIS, 10-3-1943

PEREGRINAÇÃO

O córrego é o mesmo,
Mesma, aquela árvore,
A casa, o jardim.

Meus passos a esmo
(Os passos e o espírito)
Vão pelo passado,
Ai tão devastado,
Recolhendo triste
Tudo quanto existe
Ainda ali de mim
— Mim daqueles tempos!

PETRÓPOLIS, 12-3-1943

EU VI UMA ROSA

Eu vi uma rosa
— Uma rosa branca —
Sozinha no galho.
No galho? Sozinha
No jardim, na rua.

Sozinha no mundo.

Em torno, no entanto,
Ao sol de mei-dia,
Toda a natureza
Em formas e cores
E sons esplendia.

Tudo isso era excesso.

A graça essencial,
Mistério inefável
— Sobrenatural —
Da vida e do mundo,
Estava ali na rosa
Sozinha no galho.

Sozinha no tempo.

Tão pura e modesta,
Tão perto do chão,
Tão longe na glória
Da mística altura,
Dir-se-ia que ouvisse
Do arcanjo invisível
As palavras santas
De outra Anunciação.

PETRÓPOLIS, 1943

A Alphonsus de Guimaraens Filho

Scorn not the sonnet, disse o inglês. Ouviste
O conselho do poeta e um dia, quando
Mais o espinho pungiu da ausência triste,
O primeiro soneto abriu cantando.

Musa do verso livre, hoje ela insiste
Na imortal forma, da paterna herdando.
Todos em louvor dessa que ora assiste
Em teu lar, dois destinos misturando.

No molde exíguo, onde infinita a mágoa
Humana vem caber, como o universo
A refletir-se numa gota d'água,

Disseste o mal da ausência. E ais e saudades
E vigílias e castas soledades
Choram lágrimas novas no teu verso.

PETRÓPOLIS, 5-1-1944

Velha chácara

A casa era por aqui...
Onde? Procuro-a e não acho.
Ouço uma voz que esqueci:
É a voz deste mesmo riacho.

Ah quanto tempo passou!
(Foram mais de cinquenta anos.)
Tantos que a morte levou!
(E a vida... nos desenganos...)

A usura fez tábua rasa
Da velha chácara triste:
Não existe mais a casa...

— Mas o menino ainda existe.

1944

Carta de Brasão

Escudo vermelho nele uma Bandeira
Quadrada de ouro
E nele um leão rompente
Azul, armado.
Língua, dentes e unhas de vermelho.
E a haste da Bandeira de ouro.
E a bandeira com um filete de prata
Em quadra.
Paquife de prata e azul.
Elmo de prata cerrado
Guarnecido de ouro.
E a mesma bandeira por timbre.

Esta é a minha carta de brasão.
Por isso teu nome
Não chamarei mais Rosa, Teresa ou Esmeralda:
Teu nome chamarei agora
Candelária.

22-6-1943

BELO BELO

BRISA

Vamos viver no Nordeste, Anarina.
Deixarei aqui meus amigos, meus livros, minhas riquezas, minha vergonha.
Deixarás aqui tua filha, tua avó, teu marido, teu amante.
Aqui faz muito calor.
No Nordeste faz calor também.
Mas lá tem brisa:
Vamos viver de brisa, Anarina.

POEMA SÓ PARA JAYME OVALLE

Quando hoje acordei, ainda fazia escuro
(Embora a manhã já estivesse avançada).
Chovia.
Chovia uma triste chuva de resignação
Como contraste e consolo ao calor tempestuoso da noite.
Então me levantei,
Bebi o café que eu mesmo preparei,
Depois me deitei novamente, acendi um cigarro e fiquei pensando...
— Humildemente pensando na vida e nas mulheres que amei.

ESCUSA

Eurico Alves, poeta baiano,
Salpicado de orvalho, leite cru e tenro cocô de cabrito,
Sinto muito, mas não posso ir a Feira de Sant'Ana.

Sou poeta da cidade.
Meus pulmões viraram máquinas inumanas e aprenderam a respirar
[o gás carbônico das salas de cinema.
Como o pão que o diabo amassou.
Bebo leite de lata.
Falo com A., que é ladrão.
Aperto a mão de B., que é assassino.
Há anos que não vejo romper o sol, que não lavo os olhos nas cores das
[madrugadas.

Eurico Alves, poeta baiano,
Não sou mais digno de respirar o ar puro dos currais da roça.

TEMA E VOLTAS

Mas para quê
Tanto sofrimento,
Se nos céus há o lento
Deslizar da noite?

Mas para quê
Tanto sofrimento,
Se lá fora o vento
É um canto na noite?

Mas para quê
Tanto sofrimento,
Se agora, ao relento,
Cheira a flor da noite?

Mas para quê
Tanto sofrimento,
Se o meu pensamento
É livre na noite?

CANTO DE NATAL

O nosso menino
Nasceu em Belém.
Nasceu tão somente
Para querer bem.

Nasceu sobre as palhas
O nosso menino.
Mas a mãe sabia
Que ele era divino.

Vem para sofrer
A morte na cruz,
O nosso menino.
Seu nome é Jesus.

Por nós ele aceita
O humano destino:
Louvemos a glória
De Jesus menino.

Sextilhas românticas

Paisagens da minha terra,
Onde o rouxinol não canta
— Mas que importa o rouxinol?
Frio, nevoeiros da serra
Quando a manhã se levanta
Toda banhada de sol!

Sou romântico? Concedo.
Exibo, sem evasiva,
A alma ruim que Deus me deu.
Decorei "Amor e medo",
"No lar", "Meus oito anos"... Viva
José Casimiro Abreu!

Sou assim, por vício inato.
Ainda hoje gosto de *Diva*,
Nem não posso renegar
Peri tão pouco índio, é fato,
Mas tão brasileiro... Viva,
Viva José de Alencar!

Paisagens da minha terra,
Onde o rouxinol não canta
— Pinhões para o rouxinol!
Frio, nevoeiros da serra
Quando a manhã se levanta
Toda banhada de sol!

Ai tantas lembranças boas!
Massangana de Nabuco!
Muribara de meus pais!
Lagoas das Alagoas,
Rios do meu Pernambuco,
Campos de Minas Gerais!

17 DE MARÇO DE 1945

IMPROVISO

Cecília, és libérrima e exata
Como a concha.
Mas a concha é excessiva matéria,
E a matéria mata.

Cecília, és tão forte e tão frágil
Como a onda ao termo da luta.
Mas a onda é água que afoga:
Tu, não, és enxuta.

Cecília, és, como o ar,
Diáfana, diáfana.
Mas o ar tem limites:
Tu, quem te pode limitar?

Definição:
Concha, mas de orelha;
Água, mas de lágrima;
Ar com sentimento.
— Brisa, viração
Da asa de uma abelha.

7 DE OUTUBRO DE 1945

O HOMEM E A MORTE

Romance desentranhado de
"Um retrato da morte" de Fidelino de Figueiredo.

O homem já estava deitado
Dentro da noite sem cor.
Ia adormecendo, e nisto
À porta um golpe soou.
Não era pancada forte.
Contudo, ele se assustou,
Pois nela uma qualquer coisa
De pressago adivinhou.
Levantou-se e junto à porta
— Quem bate? ele perguntou.
— Sou eu, alguém lhe responde.
— Eu quem? torna. — A Morte sou.

Um vulto que bem sabia
Pela mente lhe passou:
Esqueleto armado de foice
Que a mãe lhe um dia levou.
Guardou-se de abrir a porta,
Antes ao leito voltou,
E nele os membros gelados
Cobriu, hirto de pavor.
Mas a porta, manso, manso,
Se foi abrindo e deixou
Ver — uma mulher ou anjo?
Figura toda banhada
De suave luz interior.
A luz de quem nesta vida
Tudo viu, tudo perdoou.
Olhar inefável como
De quem ao peito o criou.
Sorriso igual ao da amada
Que amara com mais amor.
— Tu és a Morte? pergunta.
E o Anjo torna: — A Morte sou!
Venho trazer-te descanso
Do viver que te humilhou.
— Imaginava-te feia,
Pensava em ti com terror...
És mesmo a Morte? ele insiste.
— Sim, torna o Anjo, a Morte sou,
Mestra que jamais engana,
A tua amiga melhor.
E o Anjo foi-se aproximando,
A fronte do homem tocou,
Com infinita doçura
As magras mãos lhe compôs.
Depois com o maior carinho
Os dois olhos lhe cerrou...
Era o carinho inefável
De quem ao peito o criou.
Era a doçura da amada
Que amara com mais amor.

7 DE DEZEMBRO DE 1945

Letra para uma valsa romântica

A tarde agoniza
Ao santo acalanto
Da noturna brisa.
E eu, que também morro,
Morro sem consolo,
Se não vens, Elisa!

Ai nem te humaniza
O pranto que tanto
Nas faces desliza
Do amante que pede
Suplicantemente
Teu amor, Elisa!

Ri, desdenha, pisa!
Meu canto, no entanto,
Mais te diviniza,
Mulher diferente,
Tão indiferente,
Desumana Elisa!

Tempo-será

A Eternidade está longe
(Menos longe que o estirão
Que existe entre o meu desejo
E a palma de minha mão).

Um dia serei feliz?
Sim, mas não há de ser já:
A Eternidade está longe,
Brinca de tempo-será.

No vosso e em meu coração

Espanha no coração:
No coração de Neruda,
No vosso e em meu coração.
Espanha da liberdade,
Não a Espanha da opressão.
Espanha republicana:

A Espanha de Franco, não!
Velha Espanha de Pelaio,
Do Cid, do Grã-Capitão!
Espanha de honra e verdade,
Não a Espanha da traição!
Espanha de Dom Rodrigo,
Não a do Conde Julião!
Espanha republicana:
A Espanha de Franco, não!
Espanha dos grandes místicos,
Dos santos poetas, de João
Da Cruz, de Teresa de Ávila
E de Frei Luís de Leão!
Espanha da livre crença,
Jamais a da Inquisição!
Espanha de Lope e Góngora,
De Goia e Cervantes, não
A de Filipe Segundo
Nem Fernando, o balandrão!
Espanha que se batia
Contra o corso Napoleão!
Espanha da liberdade:
A Espanha de Franco, não!
Espanha republicana,
Noiva da revolução!
Espanha atual de Picasso,
De Casals, de Lorca, irmão
Assassinado em Granada!
Espanha no coração
De Pablo Neruda, Espanha
No vosso e em meu coração!

A MÁRIO DE ANDRADE AUSENTE

Anunciaram que você morreu.
Meus olhos, meus ouvidos testemunham:
A alma profunda, não.
Por isso não sinto agora a sua falta.

Sei bem que ela virá
(Pela força persuasiva do tempo).
Virá súbito um dia,
Inadvertida para os demais.
Por exemplo assim:
À mesa conversarão de uma coisa e outra,

Uma palavra lançada à toa
Baterá na franja dos lutos de sangue,
Alguém perguntará em que estou pensando,
Sorrirei sem dizer que em você
Profundamente.

Mas agora não sinto a sua falta.
(É sempre assim quando o ausente
Partiu sem se despedir:
Você não se despediu.)

Você não morreu: ausentou-se.
Direi: Faz tempo que ele não escreve.
Irei a São Paulo: você não virá ao meu hotel.
Imaginarei: Está na chacrinha de São Roque.
Saberei que não, você ausentou-se. Para outra vida?
A vida é uma só. A sua continua
Na vida que você viveu.
Por isso não sinto agora a sua falta.

O LUTADOR

Buscou no amor o bálsamo da vida,
Não encontrou senão veneno e morte.
Levantou no deserto a roca-forte
Do egoísmo, e a roca em mar foi submergida!

Depois de muita pena e muita lida,
De espantoso caçar de toda sorte,
Venceu o monstro de desmedido porte
— A ululante Quimera espavorida!

Quando morreu, línguas de sangue ardente,
Aleluias de fogo acometiam,
Tomavam todo o céu de lado a lado,

E longamente, indefinidamente,
Como um coro de ventos sacudiam
Seu grande coração transverberado!

30 DE SETEMBRO — 1º DE OUTUBRO DE 1945

Esparsa triste

Jayme Ovalle, poeta, homem triste,
Faz treze anos que tu partiste
Para Londres imensa e triste.
Ias triste: voltaste mais triste.

Ora partes de novo. Existe
Um motivo a que não resiste
Tua tristeza, poeta, homem triste?
Queira Deus não voltes mais triste...

13 DE JANEIRO DE 1946

Belo belo

Belo belo minha bela
Tenho tudo que não quero
Não tenho nada que quero
Não quero óculos nem tosse
Nem obrigação de voto
Quero quero
Quero a solidão dos píncaros
A água da fonte escondida
A rosa que floresceu
Sobre a escarpa inacessível
A luz da primeira estrela
Piscando no lusco-fusco
Quero quero
Quero dar a volta ao mundo
Só num navio de vela
Quero rever Pernambuco
Quero ver Bagdá e Cusco
Quero quero
Quero o moreno de Estela
Quero a brancura de Elisa
Quero a saliva de Bela
Quero as sardas de Adalgisa
Quero quero tanta coisa
Belo belo
Mas basta de lero-lero
Vida noves fora zero.

PETRÓPOLIS, FEVEREIRO DE 1947

Neologismo

Beijo pouco, falo menos ainda.
Mas invento palavras
Que traduzem a ternura mais funda
E mais cotidiana.
Inventei, por exemplo, o verbo teadorar.
Intransitivo:
Teadoro, Teodora.

PETRÓPOLIS, 25 DE FEVEREIRO DE 1947

A realidade e a imagem

O arranha-céu sobe no ar puro lavado pela chuva
E desce refletido na poça de lama do pátio.
Entre a realidade e a imagem, no chão seco que as separa,
Quatro pombas passeiam.

Poema para Santa Rosa

Pousa na minha a tua mão, protonotária.
O alexandrino, ainda que sem a cesura mediana, aborrece-me.
Depois, eu mesmo já escrevi: Pousa a mão na minha testa.
E Raimundo Correia: "Pousa aqui, pousa ali, etc."
É Pouso demais. Basta Pouso Alto.
Tão distante e tão presente. Como uma reminiscência da infância.
Pousa na minha a tua mão, protonotária.
Gosto de "protonotária".
Me lembra meu pai.
E pinta bem a quem eu quero.
Sei que ela vai perguntar: — O que é protonotária?
Responderei:
— Protonotário é o dignitário da Cúria Romana que expede, nas grandes
        [causas, os atos que os simples notários apostólicos expedem
                                        [nas pequenas.

E ela: — Será o Benedito?

— Meu bem, minha ternura é um fato, mas não gosta de se mostrar:
É dentuça e dissimulada.
Santa Rosa me compreende.

Pousa na minha a tua mão, protonotária.

CÉU

A criança olha
Para o céu azul.
Levanta a mãozinha,
Quer tocar o céu.

Não sente a criança
Que o céu é ilusão:
Crê que o não alcança,
Quando o tem na mão.

RESPOSTA A VINICIUS

Poeta sou; pai, pouco; irmão, mais.
Lúcido, sim; eleito, não.
E bem triste de tantos ais
Que me enchem a imaginação.

Com que sonho? Não sei bem não.
Talvez com me bastar, feliz
— Ah feliz como jamais fui! —,
Arrancando do coração
— Arrancando pela raiz —
Este anseio infinito e vão
De possuir o que me possui.

MINHA TERRA

Saí menino de minha terra.
Passei trinta anos longe dela.
De vez em quando me diziam:
Sua terra está completamente mudada,
Tem avenidas, arranha-céus...
É hoje uma bonita cidade!

Meu coração ficava pequenino.

Revi afinal o meu Recife.
Está de fato completamente mudado.
Tem avenidas, arranha-céus.
É hoje uma bonita cidade.

Diabo leve quem pôs bonita a minha terra!

O BICHO

Vi ontem um bicho
Na imundície do pátio
Catando comida entre os detritos.

Quando achava alguma coisa,
Não examinava nem cheirava:
Engolia com voracidade.

O bicho não era um cão,
Não era um gato,
Não era um rato.

O bicho, meu Deus, era um homem.

RIO, 27 DE DEZEMBRO DE 1947

VISITA NOTURNA

Bateram à minha porta,
Fui abrir, não vi ninguém.
Seria a alma da morta?

Não vi ninguém, mas alguém
Entrou no quarto deserto
E o quarto logo mudou.
Deitei-me na cama, e perto
Da cama alguém se sentou.

Seria a sombra da morta?
Que morta? A inocência? A infância?
O que concebido, abortou,
Ou o que foi e hoje é só distância?

Pois bendita a que voltou!
Três vezes bendita a morta,
Quem quer que ela seja, a morta
Que bateu à minha porta.

RIO, DEZEMBRO DE 1947

José Cláudio

Da outra vida,
Moreno,
Olha-me de face,
Com o bonito sorriso Pontual
Adoçado pela bondade do nosso avô Costa Ribeiro.
Olha-me de face,
Bem de face,
Com os olhos leais,
Moreno.

Conta-me o que tens visto,
Que músicas ouves agora.
Lembras-te ainda do cheiro dos banguês de Pernambuco?
Das tuas correrias de menino pelos descampados da Gávea?
Lembras-te ainda da ponte que construíste sobre o Paraguai?
Do pastoril de Cícero?
Lembras-te ainda das pescarias de Cabo Frio?
(Elas te deram não sei que ar salino e veleiro,
Moreno.)

O espanto que nos deixaste!
Como fizeste crescer em nós o mistério augusto da morte!

Todavia,
Não te lamento não:
A vida,
Esta vida,
Carlos já disse,
Não presta.
Mas o vazio de quem
Eras marido e filho?
— Filho único, Moreno.

O rio

Ser como o rio que deflui
Silencioso dentro da noite.
Não temer as trevas da noite.
Se há estrelas nos céus, refleti-las.
E se os céus se pejam de nuvens,
Como o rio as nuvens são água,
Refleti-las também sem mágoa
Nas profundidades tranquilas.

Petrópolis, 1948

PRESEPE

Chorava o menino.

Para a mãe, coitada,
Jesus pequenito,
De qualquer maneira
(Mães o sabem...), era
Das entranhas dela
O fruto bendito.
José, seu marido,
Ah esse aceitava,
Carpinteiro simples,
O que Deus mandava.
Conhecia o filho
A que vinha neste
Mundo tão bonito,
Tão mal-habitado?
Não que ele temesse
O humano flagício:
O fel e o vinagre,
Escárnios, açoites,
O lenho nos ombros,
A lança na ilharga,
A morte na cruz.
Mais do que tudo isso
O amedrontaria
A dor de ser homem,
O horror de ser homem,
— Esse bicho estranho
Que desarrazoa
Muito presumido
De sua razão;
— Esse bicho estranho
Que se agita em vão;
Que tudo deseja
Sabendo que tudo
É o mesmo que nada;
— Esse bicho estranho
Que tortura os que ama;
Que até mata, estúpido,
Ao seu semelhante
No ilusivo intento
De fazer o bem!
Os anjos cantavam
Que o menino viera
Para redimir

O homem — essa absurda
Imagem de Deus!
Mas o jumentinho,
Tão manso e calado
Naquele inefável,
Divino momento,
Esse bem sabia
Que inútil seria
Todo o sofrimento
No Sinédrio, no horto,
Nos cravos da cruz;
Que inútil seria
O fel e vinagre
Do bestial flagício;
Ele bem sabia
Que seria inútil
O maior milagre;
Que inútil seria
Todo sacrifício...

1949

NOVA POÉTICA

Vou lançar a teoria do poeta sórdido.
Poeta sórdido:
Aquele em cuja poesia há a marca suja da vida.
Vai um sujeito,
Sai um sujeito de casa com a roupa de brim branco muito bem engomada,
  [e na primeira esquina passa um caminhão, salpica-lhe o paletó ou a calça
                                        [de uma nódoa de lama:
É a vida.

O poema deve ser como a nódoa no brim:
Fazer o leitor satisfeito de si dar o desespero.

Sei que a poesia é também orvalho.
Mas este fica para as menininhas, as estrelas alfas, as virgens cem por cento
                            [e as amadas que envelheceram sem maldade.

19 DE MAIO DE 1949

UNIDADE

Minh'alma estava naquele instante
Fora de mim longe muito longe

Chegaste
E desde logo foi verão
O verão com as suas palmas os seus mormaços os seus ventos de sôfrega mocidade
Debalde os teus afagos insinuavam quebranto e molície
O instinto de penetração já despertado
Era como uma seta de fogo

Foi então que minh'alma veio vindo
Veio vindo de muito longe
Veio vindo
Para de súbito entrar-me violenta e sacudir-me todo
No momento fugaz da unidade.

1948

ARTE DE AMAR

Se queres sentir a felicidade de amar, esquece a tua alma.
A alma é que estraga o amor.
Só em Deus ela pode encontrar satisfação.
Não noutra alma.
Só em Deus — ou fora do mundo.

As almas são incomunicáveis.

Deixa o teu corpo entender-se com outro corpo.

Porque os corpos se entendem, mas as almas não.

AS TRÊS MARIAS

Atrás destas moitas,
Nos troncos, no chão,
Vi, traçado a sangue,
O signo-salmão!

Há larvas, há lêmures
Atrás destas moitas.
Mulas sem cabeça,
Visagens afoitas.

Atrás destas moitas
Veio a Moura-Torta
Comer as mãozinhas
Da menina morta!

Há bruxas luéticas
Atrás destas moitas,
Segredando à aragem
Amorosas coitas.

Atrás destas moitas
Vi um rio de fundas
Águas deletérias,
Paradas, imundas!

Atrás destas moitas...
— Que importa? Irei vê-las!
Regiões mais sombrias
Conheço. Sou poeta,
Dentro d'alma levo,
Levo três estrelas,
Levo as três Marias!

PETRÓPOLIS, 2 DE JANEIRO DE 1950

FLOR DE TODOS OS TEMPOS

Dantes a tua pele sem rugas,
A tua saúde
Escondiam o que era
Tu mesma.

Aquela que balbuciava
Quase inconscientemente:
"Podem entrar".

A que me apertava os dedos
Desesperadamente
Com medo de morrer.

A menina.
O anjo.
A flor de todos os tempos.
A que não morrerá nunca.

INFÂNCIA

Corrida de ciclistas.
Só me lembro de um bambual debruçado no rio.
Três anos?
Foi em Petrópolis.

Procuro mais longe em minhas reminiscências.
Quem me dera recordar a teta negra de minh'ama de leite...
...meus olhos não conseguem romper os ruços definitivos do tempo.

Ainda em Petrópolis... um pátio de hotel... brinquedos pelo chão...

Depois a casa de São Paulo.
Miguel Guimarães, alegre, míope e mefistofélico,
Tirando reloginhos de plaquê da concha de minha orelha.
O urubu pousado no muro do quintal.
Fabrico uma trombeta de papel.
Comando...
O urubu obedece.
Fujo, aterrado do meu primeiro gesto de magia.

Depois... a praia de Santos...
Corridas em círculos riscados na areia...
Outra vez Miguel Guimarães, juiz de chegada, com os seus presentinhos.

A ratazana enorme apanhada na ratoeira.
Outro bambual...
O que inspirou a meu irmão o seu único poema:

> "Eu ia por um caminho,
> Encontrei um maracatu.
> O qual vinha direitinho
> Pelas flechas de um bambu."

As marés de equinócio.
O jardim submerso...
Meu tio Cláudio erguendo do chão uma ponta de mastro destroçado.

Poesia dos naufrágios!

Depois Petrópolis novamente.
Eu, junto do tanque, de linha amarrada no incisivo de leite, sem coragem de
[puxar.

Véspera de Natal... Os chinelinhos atrás da porta...
E a manhã seguinte, na cama, deslumbrado com os brinquedos trazidos pela
[fada.

E a chácara da Gávea?
E a casa da Rua Don'Ana?

Boy, o primeiro cachorro.
Não haveria outro nome depois
(Em casa até as cadelas se chamavam Boy).

Medo de gatunos...
Para mim eram homens com cara de pau.

A volta a Pernambuco!
Descoberta dos casarões de telha-vã.
Meu avô materno — um santo...
Minha avó batalhadora.

A casa da Rua da União.
O pátio — núcleo de poesia.
O banheiro — núcleo de poesia.
O cambrone — núcleo de poesia ("*la fraîcheur des latrines!*").

A alcova de música — núcleo de mistério.
Tapetinhos de peles de animais.
Ninguém nunca ia lá... Silêncio... Obscuridade...
O piano de armário, teclas amarelecidas, cordas desafinadas.

Descoberta da rua!
Os vendedores a domicílio.
Ai mundo dos papagaios de papel, dos piões, da amarelinha!

Uma noite a menina me tirou da roda de coelho-sai, me levou, imperiosa
[e ofegante, para um desvão da casa de Dona Aninha Viegas,
[levantou a sainha e disse mete.

Depois meu avô... Descoberta da morte!

Com dez anos vim para o Rio.
Conhecia a vida em suas verdades essenciais.
Estava maduro para o sofrimento
E para a poesia.

OPUS 10

BOI MORTO

Como em turvas águas de enchente,
Me sinto a meio submergido
Entre destroços do presente
Dividido, subdividido,
Onde rola, enorme, o boi morto,

Boi morto, boi morto, boi morto.

Árvores da paisagem calma,
Convosco — altas, tão marginais! —
Fica a alma, a atônita alma,
Atônita para jamais.
Que o corpo, esse vai com o boi morto,

Boi morto, boi morto, boi morto.

Boi morto, boi descomedido,
Boi espantosamente, boi
Morto, sem forma ou sentido
Ou significado. O que foi
Ninguém sabe. Agora é boi morto,

Boi morto, boi morto, boi morto.

COTOVIA

— Alô, cotovia!
Aonde voaste,
Por onde andaste,
Que tantas saudades me deixaste?

— Andei onde deu o vento.
Onde foi meu pensamento.
Em sítios, que nunca viste,
De um país que não existe...
Voltei, te trouxe a alegria.

— Muito contas, cotovia!
E que outras terras distantes
Visitaste? Dize ao triste.

— Líbia ardente, Cítia fria,
Europa, França, Bahia...

— E esqueceste Pernambuco,
Distraída?

— Voei ao Recife, no Cais
Pousei da Rua da Aurora.

— Aurora da minha vida,
Que os anos não trazem mais!

— Os anos não, nem os dias,
Que isso cabe às cotovias.
Meu bico é bem pequenino
Para o bem que é deste mundo:
Se enche com uma gota de água.
Mas sei torcer o destino,
Sei no espaço de um segundo
Limpar o pesar mais fundo.
Voei ao Recife, e dos longes
Das distâncias, aonde alcança
Só a asa da cotovia,
— Do mais remoto e perempto
Dos teus dias de criança
Te trouxe a extinta esperança,
Trouxe a perdida alegria.

TEMA E VARIAÇÕES

Sonhei ter sonhado
Que havia sonhado.

Em sonho lembrei-me
De um sonho passado:
O de ter sonhado
Que estava sonhando.

Sonhei ter sonhado...
Ter sonhado o quê?
Que havia sonhado
Estar com você.
Estar? Ter estado,
Que é tempo passado.

Um sonho presente
Um dia sonhei.
Chorei de repente,
Pois vi, despertado,
Que tinha sonhado.

ELEGIA DE VERÃO

O sol é grande. Ó coisas
Todas vãs, todas mudaves!
(Como esse "mudaves",
Que hoje é "mudáveis"
E já não rima com "aves".)

O sol é grande. Zinem as cigarras
Em Laranjeiras.
Zinem as cigarras: zino, zino, zino...
Como se fossem as mesmas
Que eu ouvi menino.

Ó verões de antigamente!
Quando o Largo do Boticário
Ainda poderia ser tombado.
Carambolas ácidas, quentes de mormaço;
Água morna das caixas-d'água vermelhas de ferrugem;
Saibro cintilante...

O sol é grande. Mas, ó cigarras que zinis,
Não sois as mesmas que eu ouvi menino.
Sois outras, não me interessais...

Deem-me as cigarras que eu ouvi menino.

O GRILO

— Grilo, toca aí um solo de flauta.
— De flauta? Você me acha com cara de flautista?
— A flauta é um belo instrumento. Não gosta?
— *Troppo dolce!*

VOZES NA NOITE

Cloc cloc cloc...
Saparia no brejo?
Não, são os quatro cãezinhos policiais bebendo água.

POEMA ENCONTRADO POR THIAGO DE MELLO NO *ITINERÁRIO DE PASÁRGADA*

Vênus luzia sobre nós tão grande,
Tão intensa, tão bela, que chegava
A parecer escandalosa, e dava
   Vontade de morrer.

UMA FACE NA ESCURIDÃO
(POEMA DESENTRANHADO DE UMA PÁGINA EM PROSA DE DINAH SILVEIRA DE QUEIROZ.)

A vida ia tomando forma e cor, rompia...
Eu estava tão presa a ti, que não sabia
Onde acabava eu e começavas tu.
Mas ela mesma, a vida, a borbulhar selvagem
No uivo dos animais, no viço da folhagem
— Em tudo, no teu corpo e no meu corpo nu —

Ela mesma nos separou. As cordilheiras
Afundaram no oceano. As vozes derradeiras
Dos bichos que no abismo iam todos morrer,
Enchiam-me de assombro... E conheci na treva
A maior dor, a dor da força que me leva
Para longe de ti. Meu ser pelo teu ser

Clamou... Clamou debalde. Em mim subitamente
Tudo descorou, tudo envelheceu. Ao quente
Meu coração de outrora, hoje tarde reflui
Um sangue pobre em que já não palpita nada.
Como a planta sem ar, murchei. Branca e gelada,
Não sou mais do que uma lembrança do que fui.

Embora! Testemunharei eu só, aquela
Que trouxe a vida em si mais luminosa e bela
Do que nunca a sonhaste, a glória deste amor.
Terás em mim, a que foi tua, ora uma estranha,
A única face que te observa e te acompanha
Da funda escuridão cada dia maior...

Discurso em louvor da aeromoça

Aeromoças, aeromoças,
Que pisais o chão
Com donaire novo,
Não pareceis baixar de céus atuais
Mas dos antigos,
Quando na Grécia os deuses ainda vinham se misturar com os homens.

Píndaro gostaria de cantar o vosso cotidiano heroísmo, tão simples, a vossa
[graça, a vossa bondade.

No entanto, nada mais moderno do que vós, ó sorrisos bonitos de chegada e
[partida nos aeroportos.
Quem sem verdade e sem alma vos classificou de aeroviárias
A vós, autênticas aeronautas, irmãs intrépidas dos aviadores?

Em nome dos sonhos frustrados de Clícia Zorovich,
Em nome da vida frustrada de Clícia
Reivindiquemos para vós a condição de tripulantes,
Ó flores da altura,
Insensíveis à vertigem e ao medo.

Santíssima Virgem Maria, mãe de Deus e advogada nossa,
Dai,
Dai um dia do vosso mês,
Cedei o último dia do vosso mês
Para que nele cantemos, louvemos, festejemos, agradeçamos
O cotidiano heroísmo, a graça, a bondade das aeromoças.

Alô, Alô, Aerovias Brasil, Linha Aérea Transcontinental Brasileira, Linhas
[Aéreas Paulistas, Loide Aéreo Nacional, Nacional Transportes Aéreos,
[Panair do Brasil, Real Sociedade Anônima de Transportes Aéreos,
[Serviços Aéreos Cruzeiro do Sul, Varig, Vasp, Viabrás:
Melhorai a condição da aeromoça!

Poeta Vinicius de Moraes, Sunset Boulevard 6.606, Los Angeles,
Tu, que celebraste com tanto amor as arquivistas,
Vem agora celebrar comigo a aeromoça.

Poeta e futuro senador Augusto Frederico Schmidt,
Escrevei no *Correio da Manhã* sobre a aeromoça,
Mandai flores da Gávea Pequena
Para a aeromoça.

Passageiros para São Paulo, Belo Horizonte, Porto Alegre, Recife, Belém do Pará,
Pedi todos, a Deus e aos homens,
Pela aeromoça.

Saudação a Murilo Mendes

Saudemos Murilo Medina Celi Monteiro Mendes que menino invadiu o céu
[na cola do cometa de Halley.

Saudemos Murilo
Grande poeta
Conciliador de contrários
Incorporador do eterno ao contingente

Saudemos Murilo
Grande amigo da Poesia
Da poesia em Cristo
E em Lúcifer
Antes da queda

Saudemos Murilo
Grande amigo da Música
Especialmente grande amigo de Mozart
Que lhe apareceu um dia
Vestido de casaca azul

Saudemos Murilo
Grande amigo das Belas-Artes
Descobridor do falecido Cícero
(Hoje reencarnado num pintor abstracionista que vive em Paris onde o
[chamam Diás).

Saudemos Murilo
Para quem a amizade é também uma das Belas-Artes
Murilo grande amigo de seus amigos
Delicado fiel atento amigo de seus amigos

Saudemos Murilo
Grande marido dessa encantadora Maria da Saudade
Portuguesa e brasileira
Como seu nome
Invenção de dois poetas

Saudemos Murilo
Antitotalitarista antipassadista antiburocratista
Anti tudo que é pau ou que é pífio

Saudemos o grande poeta
Perenemente em pânico
E em flor.

Minha gente, salvemos Ouro Preto

As chuvas de verão ameaçaram derruir Ouro Preto.
Ouro Preto, a avozinha, vacila.
Meus amigos, meus inimigos,
Salvemos Ouro Preto.

Bem sei que os monumentos veneráveis
Não correm perigo.
Mas Ouro Preto não é só o Palácio dos Governadores,
A Casa dos Contos,
A Casa da Câmara,
Os templos,
Os chafarizes,
Os nobres sobrados da Rua Direita.

Ouro Preto são também os casebres de taipa de sopapo
Aguentando-se uns aos outros ladeira abaixo,
O casario do Vira-Saia,
Que está vira-não-vira enxurro,
E é a isso que precisamos acudir urgentemente!

Meus amigos, meus inimigos,
Salvemos Ouro Preto.

Homens ricos do Brasil
Que dais quinhentos contos por um puro-sangue de corridas,
Está certo,
Mas dai também dinheiro para Ouro Preto.

Grã-finas cariocas e paulistas
Que pagais dez contos por um modelo de Christian Dior
E meio conto por uma permanente no Baldini,
Está tudo muito certo,
Mas mandai também dez contos para consolidar umas quatro casinhas de
                                                    [Ouro Preto.
(Nossa Senhora do Carmo de Ouro Preto vos acrescentará...)

Gentes da minha terra!
Em Ouro Preto alvoreceu a nossa vontade de autonomia nos sonhos
                              [frustrados dos Inconfidentes.
Em Ouro Preto alvoreceu a nossa arte nas igrejas e esculturas do Aleijadinho.
Em Ouro Preto alvoreceu a nossa poesia nos versinhos do Desembargador.

Minha gente,
Salvemos Ouro Preto.
Meus amigos, meus inimigos,
Salvemos Ouro Preto.

NATAL SEM SINOS

No pátio a noite é sem silêncio.
E que é a noite sem o silêncio?
A noite é sem silêncio e no entanto onde os sinos
Do meu Natal sem sinos?

    Ah meninos sinos
    De quando eu menino!

Sinos da Boa Vista e de Santo Antônio.
Sinos do Poço, do Monteiro e da igrejinha de Boa Viagem.

    Outros sinos
    Sinos
    Quantos sinos

No noturno pátio
Sem silêncio, ó sinos
De quando eu menino,
Bimbalhai meninos,
Pelos sinos (sinos
Que não ouço), os sinos de
Santa Luzia.

RIO, 1952

RETRATO

O sorriso escasso,
O riso-sorriso,
A risada nunca.
(Como quem consigo
Traz o sentimento
Do madrasto mundo.)

Com os braços colados
Ao longo do corpo,
Vai pela cidade
Grande e cafajeste,
Com o mesmo ar esquivo
Que escolheu nascendo
Na esquiva Itabira.

Aprendeu com ela
Os olhos metálicos
Com que vê as coisas:
Sem ódio, sem ênfase,
Às vezes com náusea.

Ferro de Itabira,
Em cujos recessos
Um vedor, um dia,
Um vedor — o neto —
Descobriu infante
As fundas nascentes,
O veio, o remanso
Da escusa ternura.

Visita

Fui procurar-te à última morada,
Não te encontrei. Apenas encontrei
Lousas brancas e pássaros cantando...
Teu espírito, longe, onde não sei,
Da obra na eternidade assegurada,
Sorri aos amigos, que te estão chorando.

Noturno do Morro do Encanto

Este fundo de hotel é um fim de mundo!
Aqui é o silêncio que tem voz. O encanto
Que deu nome a este morro, põe no fundo
De cada coisa o seu cativo canto.

Ouço o tempo, segundo por segundo,
Urdir a lenta eternidade. Enquanto
Fátima ao pó de estrelas sitibundo
Lança a misericórdia do seu manto.

Teu nome é uma lembrança tão antiga,
Que não tem som nem cor, e eu, miserando,
Não sei mais como o ouvir, nem como o diga.

Falta a morte chegar... Ela me espia
Neste instante talvez, mal suspeitando
Que já morri quando o que eu fui morria.

PETRÓPOLIS, 21-2-1953

OS NOMES

Duas vezes se morre:
Primeiro na carne, depois no nome.
A carne desaparece, o nome persiste mas
Esvaziando-se de seu casto conteúdo
— Tantos gestos, palavras, silêncios —
Até que um dia sentimos,
Com uma pancada de espanto (ou de remorso?),
Que o nome querido já nos soa como os outros.

Santinha nunca foi para mim o diminutivo de Santa.
Nem Santa nunca foi para mim a mulher sem pecado.
Santinha eram dois olhos míopes, quatro incisivos claros à flor da boca.
Era a intuição rápida, o medo de tudo, um certo modo de dizer "Meu Deus,
                                                              [valei-me".

Adelaide não foi para mim Adelaide somente,
Mas Cabeleira de Berenice, Inominata, Cassiopeia.
Adelaide hoje apenas substantivo próprio feminino.

Os epitáfios também se apagam, bem sei.
Mais lentamente, porém, do que as reminiscências
Na carne, menos inviolável do que a pedra dos túmulos.

PETRÓPOLIS, 28-2-1953

CONSOADA

Quando a Indesejada das gentes chegar
(Não sei se dura ou caroável),
Talvez eu tenha medo.
Talvez sorria, ou diga:
                     — Alô, iniludível!
O meu dia foi bom, pode a noite descer.
(A noite com os seus sortilégios.)
Encontrará lavrado o campo, a casa limpa,
A mesa posta,
Com cada coisa em seu lugar.

LUA NOVA

Meu novo quarto
Virado para o nascente:
Meu quarto, de novo a cavaleiro da entrada da barra.

Depois de dez anos de pátio
Volto a tomar conhecimento da aurora.
Volto a banhar meus olhos no mênstruo incruento das madrugadas.

Todas as manhãs o aeroporto em frente me dá lições de partir:

Hei de aprender com ele
A partir de uma vez
— Sem medo,
Sem remorso,
Sem saudade.

Não pensem que estou aguardando a lua cheia
— Esse sol da demência
Vaga e noctâmbula.
O que eu mais quero,
O de que preciso
É de lua nova.

RIO, AGOSTO DE 1953

Cântico dos Cânticos

— Quem me busca a esta hora tardia?
— Alguém que treme de desejo.
— Sou teu vale, zéfiro, e aguardo
Teu hálito... A noite é tão fria!
— Meu hálito não, meu bafejo,
Meu calor, meu túrgido dardo.

— Quando por mais assegurada
Contra os golpes de Amor me tinha,
Eis que irrompes por mim deiscente...
— Cântico! Púrpura! Alvorada!
— Eis que me entras profundamente
Como um deus em sua morada!
— Como a espada em sua bainha.

Oração para aviadores

Santa Clara, clareai
Estes ares.
Dai-nos ventos regulares,
De feição.
Estes mares, estes ares
Clareai.

Santa Clara, dai-nos sol.
Se baixar a cerração,
Alumiai
Meus olhos na cerração.
Estes montes e horizontes
Clareai.

Santa Clara, no mau tempo
Sustentai
Nossas asas.
A salvo de árvores, casas
E penedos, nossas asas
Governai.

Santa Clara, clareai.
Afastai
Todo risco.
Por amor de S. Francisco,

Vosso mestre, nosso pai,
Santa Clara, todo risco
Dissipai.

Santa Clara, clareai.

ALEGRIAS DE NOSSA SENHORA
(TEXTO DE ORATÓRIO EXTRAÍDO DO POEMA DE UMA MONJA CARMELITA.)

I

RECITANTE

O Anjo traz a mensagem,
Prostra-se perante a Virgem e anuncia:

ANJO

O Filho de Deus quer ser teu filho, Maria;
Porque és cheia de graça e bendita entre as mulheres.

RECITANTE

A donzela, em sua humildade, torna-se grande;
Eleva-se acima da condição humana;
Atinge os confins da divindade.
Ó Virgem, que vais responder?
Maria cruza as mãos sobre o peito,
Inclina-se reverente:

MARIA

Sou a escrava do Senhor:
Faça-se em mim segundo a sua palavra.

CORO

Ó santas alegrias, castíssimas delícias
Da maternidade virginal!
Maria já é mãe de Deus.
O filho é o mesmo Verbo Divino
Eternamente gerado pelo Pai.
Feliz a Virgem Maria, cujo seio contém o próprio Deus!

II

RECITANTE

Caminha a Virgem pelas montanhas de Judá.
Tudo respira serenidade.
O cabrito montês brinca nos cimos mais altos.
Maria vai visitar Isabel.
Troca-se em paraíso a casinha branca da montanha.
Isabel, ao ouvir a saudação de Maria, exclama, cheia do Espírito Santo:

ISABEL

Bendita tu entre as mulheres
E bendito o fruto de teu ventre!

RECITANTE

O menino salta no ventre da Mãe e Maria canta:

MARIA

Minh'alma engrandece ao Senhor.
Meu espírito se alegra em Deus meu Salvador
Porque atentou na baixeza de sua serva.
Desde agora todas as gerações me chamarão bem-aventurada.
Grandes coisas me fez o Poderoso,
Grandes coisas faz o Poderoso:
Depõe dos tronos os soberbos
E eleva os humildes;
Enche de bens os famintos
E despede vazios os ricos.
Santo é o seu nome.

CORO

Aleluia! Aleluia! Aleluia!

III

RECITANTE

Noite feliz!
Começa em Belém a Missa da vida de Jesus.
Chegam os magos do Oriente, com as suas dádivas:
Ouro, incenso, mirra.

Pastores acorrem com as suas cornamusas, gaitas, flautas.
E cantam ao Messias recém-nascido:

Coro de pastores

Glória a Deus nas alturas!
A Virgem-Mãe vela o seu menino.
Todo o que nele crer, não perecerá;
Todo o que nele crer, terá a vida eterna.
Glória a Deus nas alturas!

IV

Recitante

Crescia o menino e se fortalecia em espírito e sabedoria.
E a graça de Deus estava sobre ele,
Ora, todos os anos ia a Santa Família a Jerusalém, à festa da Páscoa.
De uma feita ficou o menino na cidade e não o souberam os pais.
Ao cabo de três dias o acharam no templo, sentado entre os doutores,
Que o ouviam, admirados de suas respostas.
Disse-lhe então Maria:

Maria

Filho, por que fizeste assim para conosco?
Teu pai e eu te buscávamos, ansiosos.

Recitante

Ao que Jesus responde:

Jesus (menino de doze anos)

Por que me buscáveis?
Não sabeis que me convém tratar das coisas do Pai?

Recitante

E Maria:

MARIA

Achei aquele a quem minh'alma adora.
Recobrei-o e não o deixarei mais perder.
Meu espírito se alegra em meu Filho e Salvador.

CORO

Santo! Santo! Santo!

V

RECITANTE

A Hóstia Divina foi imolada no Calvário.
Ao terceiro dia foram as santas mulheres ao Sepulcro.
Estava a pedra removida e não acharam o corpo do Senhor Jesus.
Então dois varões de vestes resplandecentes falaram:

OS DOIS VARÕES

Por que buscais o vivente entre os mortos?
Não está aqui, já ressuscitou.
Lembrai-vos do que vos disse em Galileia:
"Convém que o Filho do homem seja entregue nas mãos dos homens pecadores,
"E seja crucificado,
"E ao terceiro dia ressuscite."

CORO

Morte, onde está tua vitória?
Pela primeira vez foste vencida.
Maria, Mãe de Deus, alegra-te!
Teu filho ressurgiu, divino.
Hosana! Hosana! Hosana!

ESTRELA DA TARDE

ACALANTO
PARA AS MÃES QUE PERDERAM O SEU MENINO

Dorme, dorme, dorme...
Quem te alisa a testa
Não é Malatesta,
Nem Pantagruel
— O poeta enorme.
Quem te alisa a testa
É aquele que vive
Sempre adolescente
Nos oásis mais frescos
De tua lembrança.

Dorme, ele te nina.

Te nina, te conta
— Sabes como é —,
Te conta a experiência
Do vário passado,
Das várias idades.
Te oferece a aurora
Do primeiro riso.
Te oferece o esmalte
Do primeiro dente.

A dor passará,
Como antigamente
Quando ele chegava.

Dorme... Ele te nina
Como se hoje fosses
A sua menina.

SATÉLITE

Fim de tarde.
No céu plúmbeo
A Lua baça
Paira
Muito cosmograficamente
Satélite.

Desmetaforizada,
Desmitificada,
Despojada do velho segredo de melancolia,
Não é agora o golfão de cismas,
O astro dos loucos e dos enamorados.
Mas tão somente
Satélite.

Ah Lua deste fim de tarde,
Demissionária de atribuições românticas,
Sem show para as disponibilidades sentimentais!

Fatigado de mais-valia,
Gosto de ti assim:
Coisa em si,
— Satélite.

OVALLE

Estavas bem mudado.
Como se tivesses posto aquelas barbas brancas
Para entrar com maior decoro a Eternidade.

Nada de nós te interessava agora.
Calavas sereno e grave
Como no fundo foste sempre
Sob as fantasias verbais enormes
Que faziam rir os teus amigos e
Punham bondade no coração dos maus.

O padre orava:
— "O coro de todos os anjos te receba..."
Pensei comigo:
Cantando "Estrela brilhante
Lá do alto-mar!..."

Levamos-te cansado ao teu último endereço.
Vi com prazer
Que um dia afinal seremos vizinhos.
Conversaremos longamente
De sepultura a sepultura
No silêncio das madrugadas
Quando o orvalho pingar sem ruído
E o luar for uma coisa só.

A ANUNCIAÇÃO

Seis meses passados sobre
A angélica anunciação
Do nascimento de João,
Santo filho de Isabel,
Baixou o arcanjo Gabriel
À Galileia e na casa
Do carpinteiro José
Entrou e diante da virgem
Desposada com o varão
— Maria ela se chamava —
Curvou-se em genuflexão,
Dizendo com voz suave
Mais que a aura da manhã: "Ave,
Maria cheia de graça!
Nosso Senhor é contigo,
Tu bendita entre as mulheres."
E ela, vendo-o assim, turbou-se
Muito de suas palavras.
Mas o anjo, tranquilizando-a,
Falou: "Maria, não temas:
Deus escolheu-te, a mais pura
Entre todas as mulheres,
Para um filho conceberes
No teu ventre e, dado à luz,
O chamarás de Jesus:
O santo Deus fá-lo-á grande,
Dar-lhe-á o trono de Davi,
Seu reino não terá fim."
E disse Maria ao anjo:
"Como pode ser assim,
Se não conheço varão?"
E, respondendo, o anjo disse-lhe:
"Descerá sobre ti o Espírito
Santo e a virtude do Altíssimo
Te cobrirá com sua sombra;
Pelo que também o Santo
Que de ti há de nascer,
Filho de Deus terá nome,
Com ser filho de mulher.
Pois tua prima Isabel
Não concebeu na velhice,
Sendo estéril? A Deus nada
É impossível." O anjo disse
E afastou-se de Maria.

Como no extremo horizonte
A primeira, desmaiada
Celagem da madrugada,
Duas rosas transluziram
Nas faces da Virgem pura:
Já era Jesus no seu sangue,
Antes de, infinito Espírito
Mudado em corpo finito,
Se fixar em forma humana
Na matriz santificada.

Letra para Heitor dos Prazeres

—   Juriti-pepena,
        Tão perto do fim...
—   Grande é minha pena,
        Nem há outra assim!
—   Juriti-pepena,
        Qual é tua pena?
        Conta para mim!
—   Não posso, me'irmão,
        Que ela está lá dentro,
        Muito lá no fundo
        De meu coração.
—   Juriti-pepena,
        É pena de amor?
—   Não, é de paixão.
—   Ah, agora te entendo:
        Não há maior pena.
        Pobre, pobre, pobre
        Juriti-pepena!

A ninfa

Estranha volta ao lar naquele dia!
Tornava o filho pródigo à paterna
Casa, e não via em nada a antiga e terna
Jubilação da instante cotovia.

Antes, em tudo a igual monotonia,
Tanto mais flébil quanto mais eterna.
A ninfa estava ali. Que alvor de perna!
Mas, em compensação, como era fria!

Ao vê-la assim, calou-se no passado
A voz que nunca ouviu sem que direito
Lhe fosse ao coração. Logo a seu lado

Buliu na luz do lar, na luz do leito,
Como um brasão de timbre indecifrado,
O ruivo, raro isóscele perfeito.

AD INSTAR DELPHINI

Teus pés são voluptuosos: é por isso
Que andas com tanta graça, ó Cassiopeia!
De onde te vem tal chama e tal feitiço,
Que dás ideia ao corpo, e corpo à ideia?

Camões, valei-me! Adamastor, Magriço,
Dai-me força, e tu, Vênus Citereia,
Essa doçura, esse imortal derriço...
Quero também compor minha epopeia!

Não cantarei Helena e a antiga Troia,
Nem as Missões e a nacional Lindoia,
Nem Deus, nem Diacho! Quero, oh por quem és,

Flor ou mulher, chave do meu destino,
Quero cantar, como cantou Delfino,
As duas curvas de dois brancos pés!

VITA NUOVA

De onde me veio esse tremor de ninho
A alvorecer na morta madrugada?
Era todo o meu ser... Não era nada,
Senão na pele a sombra de um carinho.

Ah, bem velho carinho! Um desalinho
De dedos tontos no painel da escada...
Batia a minha cor multiplicada,
— Era o sangue de Deus mudado em vinho!

Bandeiras tatalavam no alto mastro
Do meu desejo. No fervor da espera
Clareou à distância o súbito alabastro.

E na memória, em nova primavera,
Reviveu, candente como um astro,
A flor do sonho, o sonho da quimera.

VERSOS PARA JOAQUIM

Joaquim, a vontade do Senhor é às vezes difícil de aceitar.
Tanto Simeão desejoso de ouvir o celeste chamado!
Por que então chamar a que estava apenas a meio de sua tarefa?
A indispensável?
A insubstituível?
(Por isso sorri com lágrimas quando te vi, antes da missa, ajeitar o laço de fita
[nos cabelos de tua caçulinha.)
Ah, bem sei, Joaquim, que o teu coração é tão grande quanto o da mãe melhor.
Mas que tristeza! Ela foi demais, estou de mal com Deus.
— Joaquim, a vontade do Senhor é às vezes inaceitável.

VARIAÇÕES SÉRIAS EM FORMA DE SONETO

Vejo mares tranquilos, que repousam,
Atrás dos olhos das meninas sérias.
Alto e longe elas olham, mas não ousam
Olhar a quem as olha, e ficam sérias.

Nos recantos dos lábios se lhes pousam
Uns anjos invisíveis. Mas tão sérias
São, alto e longe, que nem eles ousam
Dar um sorriso àquelas bocas sérias.

Em que pensais, meninas, se repousam
Os meus olhos nos vossos? Eles ousam
Entrar paragens tristes de tão sérias!

Mas poderei dizer-vos que eles ousam?
Ou vão, por injunções muito mais sérias,
Lustrar pecados que jamais repousam?

ANTÔNIA

Amei Antônia de maneira insensata.
Antônia morava numa casa que para mim não era casa, era um empíreo.
Mas os anos foram passando.

Os anos são inexoráveis.
Antônia morreu.
A casa em que Antônia morava foi posta abaixo.
Eu mesmo já não sou aquele que amou Antônia e que Antônia não amou.

Aliás, previno, muito humildemente, que isto não é crônica nem poema.
É apenas
Uma nova versão, a mais recente, do tema *ubi sunt*,
Que dedico, ofereço e consagro
A meu dileto amigo Augusto Meyer.

Passeio em São Paulo

Settembre. Andiamo. È tempo di migrare.
A rainha, em São Paulo, chama-me.
É agora Maria Cacilda Stuart
E fala com sotaque voluntarioso,
Não paulista nem catarinense:
Acento beckeriano (com ck, não cqu),
que suscita infartos de alma,
Tão imperativos quanto os do miocárdio.
Saio do hotel com quatro olhos,
— Dois do presente,
Dois do passado.
Anhangabaú que já não é *dos suicídios passionais*!
O Hotel Esplanada virou catacumba.
Enfim a Rua Direita!
A minha Rua Direita!
Que saudades tinha dela!
Ainda existe a Casa Kosmos, mas
Não tem impermeáveis em liquidação.
Praça Antônio Prado, onde
Tudo é novo, salvo aquela meia dúzia de sobradinhos.
Montanha-russa da Avenida São João!
O *anjo cor-de-rosa* não é mais cor-de-rosa:
O tempo patinou-o de negro.
Almoço com Di,
Que hoje é Emiliano di Cavalcanti.
Volto ao hotel pelo Anhangabaú.
Onde as *Juvenilidades auriverdes*? Onde
A passiflora? o espanto? a loucura? o desejo?
Ubi sunt?
Ubi sum?
— Obrigado, Mário, pela tua companhia.

Embalo

No balanço das águas,
Ao trépido pulsar
Da máquina, embalar
As persistentes mágoas
Das peremptas feridas...
Beber o céu nos ventos
Sabendo a sonolentos
Sais e iodados relentos.
Anseios de insofridas
Esperas e esperanças
Diluem-se na bruma
Como na vaga a espuma
— Flores de espumas mansas —
Que a um lado e outro abotoa
Da cortadora proa.
Azuis de águas e céus...
Sou nada, e entanto agora
Eis-me centro finito
Do círculo infinito
De mar e céus afora.
— Estou onde está Deus.

A lua

A proa reta abre no oceano
Um tumulto de espumas pampas.
Delas nascer parece a esteira
Do luar sobre as águas mansas.

O mar jaz como um céu tombado.
Ora é o céu que é um mar, onde a lua,
A só, silente louca, emerge
Das ondas-nuvens, toda nua.

Elegia de Londres

Ovalle, irmãozinho, diz, *du sein de Dieu où tu reposes*,
Ainda te lembras de Londres e suas luas?
Custa-me imaginar-te aqui
— Londres é *troppo* imensa —
Com teu impossível amor, tuas certezas e tuas ignorâncias.
Tu, Santo da Ladeira e pecador da Rua Conde de Laje,

Que de madrugada te perdias na Lapa e sentavas no meio-fio para chorar.
Os mapas enganaram-me.
Sentiste como Mayfair parece descorrelacionada do Tamisa?
Sentiste que para pedestre de Oxford Street é preciso ser gênio e andarilho
[como Rimbaud?

Ou então português
— Como o poeta Alberto de Lacerda?
Ovalle, irmãozinho, como te sentiste
Nesta Londres imensa e triste?
Tu que procuravas sempre o que há de Jesus em toda coisa,
Como olhaste para estas casas tão humanamente iguais, tão
[exasperantemente iguais?
Adoeceste alguma vez e ficaste atrás da vidraça lendo incessantemente o
[letreiro do outro lado da rua
— *Rawlplug House, Rawlplug Co. Ltd., Rawlings Bros.*
Por que bares andaste bebendo melancolia?
Alguma noite pediste perdão por todos nós às mulherezinhas de *Picadilly Circus*?
Foste ao *British Museum* e viste a virgem lápita raptada pelo centauro?
Comungaste na adoração do Menino Jesus de Piero della Francesca na
[*National Gallery*?
Tomaste conhecimento da existência de Dame Edith Sitwell e seu *"Trio for
[two cats and a trombone"*?
Ovalle, irmãozinho, tu que és hoje estrela brilhante lá do alto-mar,
Manda à minha angústia londrina um raio de tua quente eternidade.

LONDRES, 3.9.1957

MAL SEM MUDANÇA

Da América infeliz porção mais doente,
Brasil, ao te deixar, entre a alvadia
Crepuscular espuma, eu não sabia
Dizer se ia contente ou descontente.

Já não me entendo mais. Meu subconsciente
Me serve angústia em vez de fantasia,
Medos em vez de imagens. E em sombria
Pena se faz passado o meu presente.

Ah, se me desse Deus a força antiga,
Quando eu sorria ao mal sem esperança
E mudava os soluços em cantiga!

Bem não é que a alma pede e não alcança.
Mal sem motivo é o que ora me castiga,
E ainda que dor menor, mal sem mudança.

25.7.1957

SONHO BRANCO

Não pairas mais aqui. Sei que distante
Estás de mim, no grêmio de Maria
Desfrutando a inefável alegria
Da alta contemplação edificante.

Mas foi aqui que ao sol do eterno dia
Tua alma, entre assustada e confiante,
Viu descender à paz purificante
Teu corpo, ainda cansado da agonia.

Senti-te as asas de anjo em mesto arranco
Voejar aqui, retidas pelo aceno
Do irmão, saudoso de teu riso franco.

Quarenta anos lá vão. De teu moreno
Encanto hoje que resta? O eco pequeno,
Pequeno de teu sonho — um sonho branco!

MASCARADA

Você me conhece?
(Frase dos mascarados de antigamente.)

— Você me conhece?
— Não conheço não.
— Ah, como fui bela!
Tive grandes olhos,
Que a paixão dos homens
(Estranha paixão!)
Fazia maiores...
Fazia infinitos.
Diz: não me conheces?
— Não conheço não.

— Se eu falava, um mundo
Irreal se abria
À tua visão!
Tu não me escutavas:
Perdido ficavas
Na noite sem fundo
Do que eu te dizia...
Era a minha fala
Canto e persuasão...
Pois não me conheces?
— Não conheço não.

— Choraste em meus braços...
— Não me lembro não.

— Por mim quantas vezes
O sono perdeste
E ciúmes atrozes
Te despedaçaram!

Por mim quantas vezes
Quase tu mataste,
Quase te mataste,
Quase te mataram!
Agora me fitas
E não me conheces?

— Não conheço não.
Conheço é que a vida
É sonho, ilusão.
Conheço é que a vida,
A vida é traição.

PEREGRINAÇÃO

Quando olhada de face, era um abril.
Quando olhada de lado, era um agosto.
Duas mulheres numa: tinha o rosto
Gordo de frente, magro de perfil.

Fazia as sobrancelhas como um til;
A boca, como um o (quase). Isto posto,
Não vou dizer o quanto a amei. Nem gosto
De me lembrar, que são tristezas mil.

Eis senão quando um dia... Mas, caluda!
Não me vai bem fazer uma canção
Desesperada, como fez Neruda.

Amor total e falho... Puro e impuro...
Amor de velho adolescente... E tão
Sabendo a cinza e a pêssego maduro...

ENTREVISTA

Vida que morre e que subsiste
Vária, absurda, sórdida, ávida,
Má!

        Se me indagar um
        qualquer
Repórter:
    "Que há de mais bonito
No ingrato mundo?"
           Não hesito;
Responderei:
       "De mais bonito
Não sei dizer. Mas de mais triste,
— De mais triste é uma mulher
Grávida. Qualquer mulher grávida."

PASSADO, PRESENTE E FUTURO

Só o passado verdadeiramente nos pertence.
O presente... O presente não existe:
Le moment où je parle est déjà loin de moi.
O futuro diz o povo que a Deus pertence.
A Deus... Ora, adeus!

SEIO

O teu seio que em minha mão
Tive uma vez, que vez aquela!
Sinto-o ainda, e ele é dentro dela
O seio-ideia de Platão.

PAULO GOMIDE

A poesia é o teu voo
Repletando a tua alma de alegrias,
Maravilhamentos e espantos.
Atrás de ti caminha um anjo
— "Todo anjo é terrível" —
E este te vai conduzindo para Deus
Pelo caminho mais difícil.

NU

Quando estás vestida,
Ninguém imagina
Os mundos que escondes
Sob as tuas roupas.

(Assim, quando é dia,
Não temos noção
Dos astros que luzem
No profundo céu.

Mas a noite é nua,
E, nua na noite,
Palpitam teus mundos
E os mundos da noite.

Brilham teus joelhos.
Brilha o teu umbigo.
Brilha toda a tua
Lira abdominal.

Teus seios exíguos
— Como na rijeza
Do tronco robusto
Dois frutos pequenos —

Brilham.) Ah, teus seios!
Teus duros mamilos!
Teu dorso! Teus flancos!
Ah, tuas espáduas!

Se nua, teus olhos
Ficam nus também:
Teu olhar, mais longo,
Mais lento, mais líquido.

Então, dentro deles,
Boio, nado, salto,
Baixo num mergulho
Perpendicular.

Baixo até o mais fundo
De teu ser, lá onde
Me sorri tu'alma,
Nua, nua, nua...

ELEGIA PARA RUI RIBEIRO COUTO

Meu caro Rui Ribeiro Couto, a mocidade
Promete mais que dá. Sonhamos se dormimos,
E sonhamos quando acordados. Altos cimos
Da aspiração, que em torno vê só a imensidade!
Assim, amigo, foi você; assim eu fui.
Mas terminada a mocidade, o sonho *rui*?

Não, não rui. Pois o sonho, amigo, não é cousa
Feita de pedra e cal: o sonho é cousa fluida.
Enquanto dura a mocidade, que não cuida
Senão de se gastar, nem para, nem repousa,
Vai de despenhadeiro a outro despenhadeiro.
Mas com o tempo serena e flui como um *ribeiro*.

Um dia as ilusões de Vitorino Glória
Se terão dissipado. Em cada nervo e músculo
Sentirá ele, na doçura do crepúsculo,
O que houve de melhor na sua louca história.
Apaziguado há de sorrir ao sonho roto,
E encontrará, dentro em si mesmo, o pouso, o *couto*.

O FAUNO

Na calada
Da alta noite,
Quando a sombra é como a augusta
Antecipação da morte,
Grita o fauno:

— "Bem que velho,
Te reclamo.
Bem que velho,
Te desejo,
Quero e chamo,
O novelletum quod ludis
In solitudine cordis!
Ó desejada que ainda
Não sabes que és desejada!
Deixa os brancos véus do pejo
E no inóspito jardim
Das oliveiras te cobre
Do cilício da paixão!
Respira as auras ardentes,
Cospe fogo,
Vira vento e furacão,
Sopra rijo sobre mim,
Me delabra, me ensorcela,
Ninfa bela!
Não jamais
Ninfomaníaca: és triste,
És calada,
És elegíaca.
Por isso mesmo é que te amo,
Te desejo,
Quero
E chamo,
Ninfa! Aonde estás? Aonde?..."

Grita o fauno, mas só o eco
De sua voz lhe responde
Na calada
Da alta noite,
Quando a sombra é como a augusta
Antecipação da morte.

MENSAGEM DO ALÉM

> *Aqui estamos todos nus.*
> Jayme Ovalle

Aqui é tudo o que olhamos
Nu como o céu, como a cruz,
Como a folha e a flor nos ramos:
Aqui estamos todos nus.

As vestes que aí usamos
Nada adiantam. Se o supus,
Se o supões, nos enganamos:
Aqui estamos todos nus.

Dinheiro que aí juntamos,
Joias que pões (e eu já as pus),
De tudo nos despojamos:
Aqui estamos todos nus.

Aqui insontes nos tornamos
Como antes do pecado os
De quem todos derivamos,
Aqui estamos todos nus.

Aos pés de Deus, que adoramos
Sob a sempiterna luz,
É nus que nos prosternamos:
Aqui estamos todos nus.

SONETO SONHADO[1]

Meu tudo, minha amada e minha amiga,
Eis, compendiada toda num soneto,
A minha profissão de fé e afeto,
Que à confissão, posto aos teus pés, me obriga.

O que n'alma guardei de muita antiga
Experiência foi pena e ansiar inquieto.
Gosto pouco do amor *ideal objeto*
Só, e do amor só carnal não gosto miga.

O que há melhor no amor é a iluminância.
Mas, ai de nós! Não vem de nós. Viria
De onde? Dos céus?... Dos longes da distância?...

Não te prometo os estos, a alegria,
A assunção... Mas em toda circunstância
Ser-te-ei sincero como a luz do dia.

---

1   Como se depreende do título, foi este soneto composto pelo autor em estado de sono. Ao despertar só se lembrava das palavras que vão aqui em grifo; das outras retinha apenas o sentido geral, de sorte que teve de completá-lo em estado de vigília. (N. A.)

Poema do mais triste maio

Meus amigos, meus inimigos,
Saibam todos que o velho bardo
Está agora, entre mil perigos,
Comendo, em vez de rosas, cardo.

Acabou-se a idade das rosas!
Das rosas, dos lírios, dos nardos
E outras espécies olorosas:
É chegado o tempo dos cardos.

E passada a sazão das rosas,
Tudo é vil, tudo é sáfio, árduo.
Nas longas horas dolorosas
Pungem fundo as puas do cardo.

As saudades não me consolam.
Antes ferem-me como dardos.
As companhias me desolam,
E os versos que me vêm, vêm tardos.

Meus amigos, meus inimigos,
Saibam todos que o velho bardo
Está agora, entre mil perigos,
Comendo, em vez de rosas, cardo.

Natal 64

A Moussy

Ao deitar-me para a dormida,
Desejara maior repouso
Do que adormecer, e não ouso
Desejar o jazer sem vida.

Vida é possibilidade
De sofrimento; quando menos,
Do sofrimento da saudade,
Com os seus vãos apelos e acenos.

Mas a não haver outra vida,
Aos que morrem pode a saudade
Dar-lhes, senão a eternidade,
Um prolongamento de vida.

Então por que neste momento
Me sinto tão amargo assim?
E a saudade me é um tal tormento,
Se estás viva dentro de mim?

IMPROVISO

Para Odylo e Nazareth

Por ser quem era e filho de quem era,
Eu queria-lhe bem. Pouco eu sabia
Do que no coração ele trazia.
Era discreto. A sua primavera

Não gritava. Tranquilo em sua espera,
Não se apressava. O que é que pretendia?
Fazer o bem aos outros, e o fazia:
Pelos que amava tudo, e a vida, dera.

E a noite veio em que, quando contente
Findava ele o seu dia, a sorte fera
Lhe surgiu de improviso pela frente.

E o que pelos que amava a vida dera,
Pela que amava a deu valentemente,
Por ser quem era e filho de quem era.

SUA SANTIDADE PAULO VI

Quando em torno de nós raiva o funesto
Desvairo, e na infernal perplexidade
Erramos o caminho da verdade
Nos Santos Evangelhos manifesto,

Baixem as luzes do divino Texto
Pela boca de Vossa Santidade
Para reconduzir a cristandade
Ao aprisco do Pai, ó Paulo VI!

Nest'hora em que de cada continente
Vêm mil gemidos, e incessantemente
Em sangue humano o duro chão se empapa,

Falai, falai, que ouvir a vossa isenta
Palavra é ouvir em meio da tormenta
A voz de Deus na voz de um grande Papa.

RECIFE

Há que tempo que não te vejo!
Não foi por querer, não pude.
Nesse ponto a vida me foi madrasta,
Recife.

Mas não houve dia em que te não sentisse dentro de mim:
Nos ossos, nos olhos, nos ouvidos, no sangue, na carne,
Recife.

Não como és hoje,
Mas como eras na minha infância,
Quando as crianças brincavam no meio da rua
(Não havia ainda automóveis)
E os adultos conversavam de cadeira nas calçadas
(Continuavas província,
Recife).

Eras um Recife sem arranha-céus, sem comunistas,
Sem Arrais, e com arroz,
Muito arroz,
De água e sal,
Recife.

Um Recife ainda do tempo em que o meu avô materno
Alforriava espontaneamente
A moça preta Tomásia, sua escrava,
Que depois foi a nossa cozinheira
Até morrer,
Recife.

Ainda existirá a velha casa senhorial do Monteiro?
Meu sonho era acabar morando e morrendo
Na velha casa do Monteiro.
Já que não pode ser,
Quero, na hora da morte, estar lúcido
Para te mandar a ti o meu último pensamento,
Recife.

Ah Recife, Recife, *non possidebis ossa mea*!
Nem os ossos nem o busto.
Que me adianta um busto depois de eu morto?
Depois de morto não me interessará senão, se possível,
Um cantinho no céu,
"Se o não sonharam", como disse o meu querido João de Deus,
Recife.

Rio, 20.3.1963

Irmã

Irmã — que outra expressão, por mais que a tente
Achar, poderei dar-te? —, em teu ouvido
Quero a queixa vazar confiantemente
Desta vida sem cor e sem sentido.

Amei outras mulheres, mas a urgente
Compreensão, sem a qual, por mais subido,
Falece o amor, esteve sempre ausente.
Em nenhuma encontrei o bem querido.

Em ti tudo é perfeito e incomparável.
E tudo o que de injusto e duro e amargo
Sofri, vieste delir com o teu carinho:

Com esse frescor de fruta desejável;
Com esse gris de teus olhos, que do largo
Me traz o ar sem mistura, o sal marinho.

Ariesphinx

Montanha e chão. Neve e lava.
Humildade da umidade.
Quem disse que eu não te amava?
Amo-te mais que a verdade.

E de resto o que é a verdade?
E de resto o que é a poesia?
E o que é, nesta guerra fria,
Qualquer pura realidade?

Então, tão só no passado
Quero situar o meu sonho.
Faço como tu e, mudado
Em ariesphinx, sotoponho

O leão ao manso carneiro.
Doçura de olhos da corça!
Doçura, divina força
De Jesus, de Deus cordeiro.

JUNHO, 1964

MINHA GRANDE TERNURA

Minha grande ternura
Pelos passarinhos mortos,
Pelas pequeninas aranhas.

Minha grande ternura
Pelas mulheres que foram meninas bonitas
E ficaram mulheres feias;
Pelas mulheres que foram desejáveis
E deixaram de o ser;
Pelas mulheres que me amaram
E que eu não pude amar.

Minha grande ternura
Pelos poemas que
Não consegui realizar.

Minha grande ternura
Pelas amadas que
Envelheceram sem maldade.

Minha grande ternura
Pelas gotas de orvalho que
São o único enfeite
De um túmulo.

ADEUS, AMOR

O amor disse-me adeus, e eu disse: "Adeus,
Amor! Tu fazes bem: a mocidade
Quer a mocidade." Os meus amigos
Me felicitam: "Como estás bem conservado!"
Mas eu sei que no Louvre e outros museus, e até no nosso
Há múmias do velho Egito que estão como eu bem conservadas.
Sei mais que posso ainda receber e dar carinhos e ternura.
Mas acho isso pouco, e exijo a iluminância, o inesperado,
O trauma, o magma... Adeus, Amor!
Todavia não estou sozinho. Nunca estive. A vida inteira
Vivi em *tête-à-tête* com uma senhora magra, séria,
Da maior distinção.
E agora até sou seu vizinho.
Tu que me lês adivinhaste ela quem é.
Pois é. Portanto digo: "Adeus, Amor!"
E à venerável minha vizinha:
"Ao teu dispor! Mas olha, vem
Para a nossa entrevista última,
Pela mão da tua divina Senhora
— Nossa Senhora da Boa Morte".

CANÇÃO DO SUICIDA

Não me matarei, meus amigos.
Não o farei, possivelmente.
Mas que tenho vontade, tenho.
Tenho, e, muito curiosamente,

Com um tiro. Um tiro no ouvido,
Vingança contra a condição
Humana, ai de nós! sobre-humana
De ser dotado de razão.

O BEIJO

Quando a moça lhe estendeu a boca
(A idade da inocência tinha voltado,
Já não havia na árvore maçãs envenenadas),
Ele sentiu, pela primeira vez, que a vida era um dom fácil
De insuputáveis possibilidades.

Ai dele!
Tudo fora pura ilusão daquele beijo.
Tudo tornou a ser cativeiro, inquietação, perplexidade:
— No mundo só havia de verdadeiramente livre aquele beijo.

ANTOLOGIA

A vida
Não vale a pena e a dor de ser vivida.
Os corpos se entendem mas as almas não.
A única coisa a fazer é tocar um tango argentino.

Vou-me embora pra Pasárgada!
Aqui eu não sou feliz.
Quero esquecer tudo:
— A dor de ser homem...
Este anseio infinito e vão
De possuir o que me possui.

Quero descansar
Humildemente pensando na vida e nas mulheres que amei...
Na vida inteira que podia ter sido e que não foi.

Quero descansar.
Morrer.
Morrer de corpo e de alma.
Completamente.
(Todas as manhãs o aeroporto em frente me dá lições de partir.)

Quando a Indesejada das gentes chegar
Encontrará lavrado o campo, a casa limpa,
A mesa posta,
Com cada coisa em seu lugar.

SETEMBRO, 1965

Duas canções do tempo do beco

Primeira canção do beco

Teu corpo dúbio, irresoluto
De intersexual disputadíssima,
Teu corpo, magro não, enxuto,
Lavado, esfregado, batido,
Destilado, asséptico, insípido
E perfeitamente inodoro
É o flagelo de minha vida,
Ó esquizoide! ó leptossômica!

Por ele sofro há bem dez anos
(Anos que mais parecem séculos)
Tamanhas atribulações,
Que às vezes viro lobisomem,
E estraçalhado de desejos
Divago como os cães danados
A horas mortas, por becos sórdidos!

Põe paradeiro a este tormento!
Liberta-me do atroz recalque!
Vem ao meu quarto desolado
Por estas sombras de convento,
E propicia aos meus sentidos
Atônitos, horrorizados
A folha-morta, o parafuso,
O trauma, o estupor, o decúbito!

Segunda canção do beco

Teu corpo moreno
É da cor da praia.
Deve ter o cheiro
Da areia da praia.
Deve ter o cheiro
Que tem ao mormaço
A areia da praia.

Teu corpo moreno
Deve ter o gosto
De fruta de praia.
Deve ter o travo,
Deve ter a cica
Dos cajus da praia.

Não sei, não sei, mas
Uma coisa me diz
Que o teu corpo magro
Nunca foi feliz.

LOUVAÇÕES

LOUVADO

Louvo o Padre, louvo o Filho,
O Espírito Santo louvo.
E a com que me maravilho
Louvo após, que um sofrer novo
Trouxe a esta vida afanosa,
Sem fé, nem vez, nem defesa:
Aquela que tem da rosa
O nome, o aroma, a beleza.

Juntei ao corpo de Vênus
Sua cabeça, e estou quite
Com o meu destino, que ao menos
Uma feminafrodite
Criei para ressarcir-me
Desta paixão que, ignorada,
Nem por isso é menos firme
Nem mais mal-aventurada.

Cada vez me maravilho
Mais com o que nela há de novo:
Louvo o Padre, louvo o Filho,
O Espírito Santo louvo.

RACHEL DE QUEIROZ

Louvo o Padre, louvo o Filho,
o Espírito Santo louvo.
Louvo Rachel, minha amiga,
nata e flor do nosso povo.
Ninguém tão Brasil quanto ela,
pois que, com ser do Ceará,
tem de todos os Estados,
do Rio Grande ao Pará.
Tão Brasil: quero dizer
Brasil de toda maneira
— brasílica, brasiliense,
brasiliana, brasileira.
Louvo o Padre, louvo o Filho,
o Espírito Santo louvo.
Louvo Rachel e, louvada
uma vez, louvo-a de novo.
Louvo a sua inteligência,
e louvo o seu coração.
Qual maior? Sinceramente,
meus amigos, não sei não.
Louvo os seus olhos bonitos,
louvo a sua simpatia.
Louvo a sua voz nortista,
louvo o seu amor de tia.
Louvo o Padre, louvo o Filho,
o Espírito Santo louvo.
Louvo Rachel, duas vezes
louvada, e louvo-a de novo.
Louvo o seu romance: *O Quinze*
e os outros três; louvo *As Três
Marias* especialmente,
mais minhas que de vocês.
Louvo a cronista gostosa.
Louvo o seu teatro: *Lampião*
e a nossa *Beata Maria*.
Mas chega de louvação,
porque, por mais que a louvemos,
nunca a louvaremos bem.
Em nome do Pai, do Filho e
do Espírito Santo, amém.

CANTADORES DO NORDESTE

Anteontem, minha gente,
Fui juiz numa função
De violeiros do Nordeste.
Cantando em competição,
Vi cantar Dimas Batista
E Otacílio, seu irmão.
Ouvi um tal de Ferreira,
Ouvi um tal de João.
Um, a quem faltava um braço,
Tocava cuma só mão;
Mas, como ele mesmo disse,
Cantando com perfeição,
Para cantar afinado,
Para cantar com paixão,
A força não está no braço:
Ela está no coração.
Ou puxando uma sextilha
Ou uma oitava em quadrão,
Quer a rima fosse em inha,
Quer a rima fosse em ão,
Caíam rimas do céu,
Saltavam rimas do chão!
Tudo muito bem medido
No galope do sertão.
A Eneida estava boba;
O Cavalcanti, bobão,
O Lúcio, o Renato Almeida;
Enfim, toda a Comissão.
Saí dali convencido
Que não sou poeta não;
Que poeta é quem inventa
Em boa improvisação,
Como faz Dimas Batista
E Otacílio, seu irmão;
Como faz qualquer violeiro
Bom cantador do sertão,
A todos os quais, humilde,
Mando a minha saudação!

Maísa

Um dia pensei um poema para Maísa
"Maísa não é isso
Maísa não é aquilo
Como é então que Maísa me comove me sacode me buleversa me hipnotiza?

Muito simplesmente
Maísa não é isso mas Maísa tem aquilo
Maísa não é aquilo mas Maísa tem isto
Os olhos de Maísa são dois não sei quê dois não sei como diga dois Oceanos
                                        [Não Pacíficos

A boca de Maísa é isto isso e aquilo
Quem fala mais em Maísa a boca ou os olhos?
Os olhos e a boca de Maísa se entendem os olhos dizem uma coisa e a
  [boca de Maísa se condói se contrai se contorce como a ostra viva em
                            [que se pingou uma gota de limão
A boca de Maísa escanteia e os olhos de Maísa ficam sérios meu Deus
    [como os olhos de Maísa podem ser sérios e como a boca de Maísa
                                    [pode ser amarga!
Boca da noite (mas de repente alvorece num sorriso infantil inefável)"
Cacei imagens delirantes
Maísa podia não gostar
Cassei o poema.

Maísa reapareceu depois de longa ausência
Maísa emagreceu
Está melhor assim?

Nem melhor nem pior
Maísa não é um corpo
Maísa são dois olhos e uma boca

Essa é a Maísa da televisão
A Maísa que canta
A outra eu não conheço não
Não conheço de todo
Mas mando um beijo para ela.

Carlos Drummond de Andrade

Louvo o Padre, louvo o Filho,
O Espírito Santo louvo.
Isto feito, louvo aquele
Que ora chega aos sessent'anos
E no meio de seus pares
Prima pela qualidade:
O poeta lúcido e límpido
Que é Carlos Drummond de Andrade.

Prima em *Alguma Poesia*,
Prima no *Brejo das Almas*.
Prima na *Rosa do Povo*,
No *Sentimento do Mundo*.
(Lírico ou participante,
Sempre é poeta de verdade
Esse homem lépido e limpo
Que é Carlos Drummond de Andrade.)

Como é fazendeiro do ar,
O obscuro enigma dos astros
Intui, capta em claro enigma.
Claro, alto e raro. De resto
Ponteia em viola de bolso
Inteiramente à vontade
O poeta diverso e múltiplo
Que é Carlos Drummond de Andrade.

Louvo o Padre, o Filho, o Espírito
Santo, e após outra Trindade
Louvo: o homem, o poeta, o amigo
Que é Carlos Drummond de Andrade.

Guilherme de Almeida

"Ó Poesia! Ó mãe moribunda!"
Assim clamou Banville um dia
Na Europa, terra sem segunda
Da grande, da nobre poesia.
Aqui ficara sem sentido
Esse grito de descoragem:
Vives, Guilherme, e eu, comovido,
Ponho a teus pés minha homenagem.

Toda a alma humana, da mais funda
Mágoa à mais etérea alegria,
Vibra, ora grave, ora jucunda,
Em teus poemas de alta mestria.
Por isso, e porque sempre hás sido
Em captar as vozes da aragem
Mais sutil o mais fino ouvido,
Ponho a teus pés minha homenagem.

Se no artesanato se funda
Aquela apurada euritmia
Da arte melhor e mais fecunda,
Há que ver na longa teoria
De teus livros, no tom subido
De tua lírica mensagem
Il miglior fabro, como és tido:
Ponho a teus pés minha homenagem.

OFERTA

— Príncipe do verso medido
Ou livre, e da rima, e da imagem,
Irmão admirado e querido,
Ponho a teus pés minha homenagem.

LOUVAÇÃO DE ADALARDO

Louvo o Padre, louvo o Filho
E louvo o Espírito Santo.
Lançado o sacro estribilho
Com que abro e fecho o meu canto,
Recolho aqui toda a minha
Mestria de velho bardo
Para entoar não louvaminha
Mas real louvor de Adalardo:
O que dá duro e se esfalfa
No batente, e cujo nome
Mais por de uma estrela alfa
É provável que se tome.

Eis que um tanto desmaiada
Esteve a estrela. Trombose?
Infarto? Não! não foi nada
Disso. Uma simples micose!

Por causa dela sumida
Andou a estrela. E o que mais é,
Por um triz no mar da vida
Quase a estrela perdeu pé!

Mas reintegrado Adalardo
Volta à roda dos amigos,
Reto e rijo como um dardo,
Vencedor de mil perigos,
E ovante como o estribilho
Do meu jubiloso canto.
Louvo o Padre, louvo o Filho
E louvo o Espírito Santo.

JULHO, 1965

LUÍS JARDIM

Louvo o Padre, louvo o Filho,
Louvo o alto Espírito Santo.
Após quê, Pégaso encilho
E, para mundial espanto,
Remonto à paragem calma
Onde, em práticas sem fim,
Deambulam as Musas: na alma
De Lula — Lula Jardim.

Um jardim de muitas flores
E sem espinhos nenhuns:
Jardim de Ilha dos Amores
Replantado em Garanhuns.
Louvo o desenhista exato:
Maneje lápis, carvão
Ou pena, trace retrato
Ou paisagem, é sua mão

Segura, certeira, leve:
Nunca vi tão leve assim.
E é assim também quando escreve
Romance ou conto o Jardim.
Faz igualmente bom teatro,
Ótima crítica. Tem
Arte e engenho como quatro...
Deus conserve-o tal, amém!

Um dia a menina Alice
No País das Maravilhas
Passeava. Lula lhe disse:
"Vamos ter filhos e filhas?
Casemo-nos!" E casaram-se.
Mas os filhos não vieram.
Lula e Alice conformaram-se.
Foi o melhor que fizeram.

Pois louvo Lula de novo
E louvo Alice também.
Louvo o Padre, o Filho louvo
E o Espírito Santo. Amém!

BALADA PARA ISABEL

Querem outros muito dinheiro;
Outros, muito amor; outros, mais
Precavidos, querem inteiro
Sossego, paz, dias iguais.
Mas eu, que sei que nesta vida
O que mais se mostra é ouropel,
Quero coisa muito escondida:
— O sorriso azul de Isabel.

Um mistério tão sorrateiro
Nunca o mundo não viu jamais.
Ah que sorriso! Verdadeiro
Céu na terra (o céu que sonhais...)
Por isso, em minha ingrata lida
De viver, é a sopa no mel
Se de súbito translucida
O sorriso azul de Isabel.

Quando rompe o sol, e fagueiro
O homem acorda, e em matinais
Hosanas louva o justiceiro
Deus de bondade — o que pensais
Que é a coisa mais apetecida
Do mau bardo de alma revel,
Envelhecida, envilecida?
— O sorriso azul de Isabel.

OFERTA

Não quero o sorriso de Armida:
O sorriso de Armida é fel
Junto ao desta Isabel querida.
— Quero é o teu sorriso, Isabel.

RIO DE JANEIRO

Louvo o Padre, louvo o Filho
E louvo o Espírito Santo.
Louvado Deus, louvo o santo
De quem este Rio é filho.
Louvo o santo padroeiro
— Bravo São Sebastião —
Que num dia de janeiro
Lhe deu santa defensão.

Louvo a cidade nascida
No morro Cara de Cão,
Logo depois transferida
Para o Castelo, e de então
Descendo as faldas do outeiro,
Avultando em arredores,
Subindo a morros maiores,
— Grande Rio de Janeiro!

Rio de Janeiro, agora
De quatrocentos janeiros...
Ó Rio de meus primeiros
Sonhos! (A última hora
De minha vida oxalá
Venha sob teus céus serenos,
Porque assim sentirei menos
O meu despejo de cá.)

Cidade de sol e bruma,
Se não és mais capital
Desta nação, não faz mal:
Jamais capital nenhuma,
Rio, empanará teu brilho,
Igualará teu encanto.
Louvo o Padre, louvo o Filho
E louvo o Espírito Santo.

Louvado para Daniel

Louvo o Padre, louvo o Filho
E louvo o Espírito Santo.
Feito isto, ainda que sem brilho
Quero louvar outro tanto
Quem de quem é seu amigo
Sempre é amigo fiel:
Esse homem bom como o trigo,
Hoje cinquentão, Daniel.

Louvo Daniel bom marido,
Daniel bom pai, bom irmão.
E esse meu dever cumprido,
Cumpro a grata obrigação
De desejar-lhe outro tanto
De vida como a que tem.
Louvo o Padre, o Filho, o Santo
Espírito, e Daniel também!

Louvado do centenário de Iracema

Louvo o Padre, louvo o Filho
E louvo o Espírito Santo.
Idem louvo, exalto e canto
O prosador, grande filho
Do Norte, e que no deserto
Do romance nacional
Ergueu, escorreito e diserto,
Seu mundo, — um mundo imortal.

Além, muito além da serra
Que lá azula no horizonte,
Inventou a donzela insonte,
Símbolo da nossa terra,
E escreveu o que é mais poema
Que romance, e poema menos
Que um mito, melhor que Vênus:
A doce, a meiga Iracema.

E o mito inda está tão jovem
Qual quando o criou Alencar.
Debalde sobre ele chovem
Os anos, sem o alterar.

Nem uma ruga no canto
Dos olhos de moço brilho!
Louvo o Padre, louvo o Filho
E louvo o Espírito Santo.

AGOSTO, 1965

COMPOSIÇÕES

AZULEJO

alarido
alvorada

ferro
serro

peito
flauta

nêsperas
anêmona

noite
noivado

Rosa tumultuada

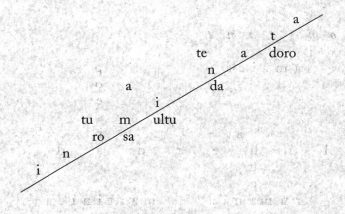

Homenagem a Niomar

MAMniomar
artemoderna

MAM

MAM

MAM

Estrela da tarde

HOMENAGEM A CONSTANT TONEGARU

```
c o n s t a n t
        j
      amaica                      p
        l                         o
        i                         e
        v                         s
          a                       i
      l   i   b   e   r   d   a   d   e
          u
          c
      rumania            martinica
          r
          e                   i       ba
          s                   u
          t                   c
                                  d
                      t o n e g a r u
```

O NOME EM SI

Antônio, filho de JOÃO MANUEL GONÇALVES DIAS e
VENÂNCIA MENDES FERREIRA
ANTÔNIO MENDES FERREIRA GONÇALVES DIAS
ANTÔNIO FERREIRA GONÇALVES DIAS
GONÇALVES DUTRA
GONÇALVES DANTAS
GONÇALVES DIAS
GONÇALVES GONÇALVES GONÇALVES GONÇALVES
DIAS DIAS DIAS DIAS DIAS
DIAS GONÇALVES
DIAS GONÇALVES
GONÇALVES, DIAS & CIA.
GONÇALVES, DIAS & Cia.
Dr. ANTÔNIO GONÇALVES DIAS
Prof. ANTÔNIO GONÇALVES DIAS
EMERENCIANO GONÇALVES DIAS
EREMILDO GONÇALVES DIAS
AUGUSTO GONSALVES DIAS
Ilmo. e Exmo. Sr. AUGUSTO GONÇALVES DIAS
GONSALVES DIAS
DIAS GONÇALVES
GONÇALVES DIAS

PONTEIOS

Flabela

FLABELA

flébil

lábil

Isabela

nota e núbil

Analianeliana

aurea aurora aurelia

aura eliana

liana

lilia

aura rórida aur

aura AURA

A U R E o l a r

a r e o l a r

e i u o a e t

p r c l s m n e

A ONDA

a onda anda

aonde anda

a onda?

a onda ainda

ainda onda

ainda anda

aonde?

aonde?

a onda a onda

Verde-negro

dever
    de ver
        tudo verde
        tudo negro
            verde-negro
                muito verde
                muito negro

ver de dia
        ver de noite
            verde noite
                negro dia
                verde-negro

verdes vós
        verem eles
        virem eles

virdes vós
        verem todos
            tudo negro
            tudo verde
                verde-negro

Preparação para a morte

Preparação para a morte

A vida é um milagre.
Cada flor,
Com sua forma, sua cor, seu aroma,
Cada flor é um milagre.
Cada pássaro,
Com sua plumagem, seu voo, seu canto,
Cada pássaro é um milagre.
O espaço, infinito,
O espaço é um milagre.
O tempo, infinito,
O tempo é um milagre.
A memória é um milagre.

A consciência é um milagre.
Tudo é milagre.
Tudo, menos a morte.
— Bendita a morte, que é o fim de todos os milagres.

VONTADE DE MORRER

Não é que não me fales aos sentidos,
À inteligência, o instinto, o coração:
Falas demais até, e com tal suasão,
Que para não te ouvir selo os ouvidos.

Não é que sinta gastos e abolidos
Força e gosto de amar, nem haja a mão,
Na dos anos penosa sucessão,
Desaprendido os jogos aprendidos.

E ainda que tudo em mim murchado houvera,
Teu olhar saberia, senão quando,
Tudo alertar em nova primavera.

Sem ambições de amor ou de poder,
Nada peço nem quero e — entre nós — ando
Com uma grande vontade de morrer.

CANÇÃO PARA A MINHA MORTE

Bem que filho do Norte,
Não sou bravo nem forte.
Mas, como a vida amei
Quero te amar, ó morte,
— Minha morte, pesar
Que não te escolherei.

Do amor tive na vida
Quanto amor pode dar:
Amei, não sendo amado,
E sendo amado, amei.
Morte, em ti quero agora
Esquecer que na vida
Não fiz senão amar.

Sei que é grande maçada
Morrer, mas morrerei
— Quando fores servida —
Sem maiores saudades
Desta madrasta vida,
Que, todavia, amei.

PROGRAMA PARA DEPOIS DE MINHA MORTE

> *... esta outra vida de aquém-túmulo.*
> Guimarães Rosa

Depois de morto, quando eu chegar ao outro mundo,
Primeiro quererei beijar meus pais, meus irmãos, meus avós, meus tios,
[meus primos.
Depois irei abraçar longamente uns amigos — Vasconcelos, Ovalle, Mário...
Gostaria ainda de me avistar com o santo Francisco de Assis.
Mas quem sou eu? Não mereço.
Isto feito, me abismarei na contemplação de Deus e de sua glória,
Esquecido para sempre de todas as delícias, dores, perplexidades
Desta outra vida de aquém-túmulo.

O CRUCIFIXO

É um crucifixo de marfim
Ligeiramente amarelado,
Pátina do tempo escoado.
Sempre o vi patinado assim.

Mãe, irmã, pai meus estreitado
Tiveram-no ao chegar o fim.
Hoje, em meu quarto colocado,
Ei-lo velando sobre mim.

E quando se cumprir aquele
Instante, que tardando vai,
De eu deixar esta vida, quero

Morrer agarrado com ele.
Talvez me salve. Como — espero —
Minha mãe, minha irmã, meu pai.

TERESÓPOLIS, MARÇO DE 1966

A Lourdes

Nesta estrada tão áspera que trilho
Agora tu me dás em meu caminho

Os tesouros sem par do teu carinho
Como se eu fosse teu segundo filho.

Deus te abençoe, minha amiga, minha
Irmã, irmã que fosse uma mãezinha.

8 MAIO 1867[1]

---

1 De acordo com o original manuscrito, datado pelo autor, por engano.

MAFUÁ DO MALUNGO

Hoy se ha perdido la buena costumbre, tan conveniente a la higiene mental, de tomar en serio — o mejor, en broma — los versos sociales, de álbum, de cortesía.

Desde ahora te digo que quien sólo canta en do de pecho no sabe cantar; que quien sólo trata en versos para las cosas sublimes no vive la verdadera vida de la poesía y las letras...

Alfonso Reyes

A João Cabral de Melo Neto,
Impressor deste livro e magro
Poeta, como eu gosto, arquiteto,
Oferto, dedico e consagro.
(Dedicatória da primeira edição)

JOGOS ONOMÁSTICOS

MARIA DA GLÓRIA CHAGAS

Esta é Glória, esta é Maria;
Nome que é nome e renome.
Claro está que com tal nome
Será — fácil profecia —

Boa filha, boa irmã e
Boa esposa. Ó anjos, dai-
-Lhe a gentileza da mãe,
A inteligência do pai.

Nesta vida transitória
Chagas tenha só no nome,
— Nome que é nome e renome —
E tudo o mais seja glória.

PRUDENTE DE MORAIS NETO

O autêntico poeta, dileto
Meu crítico e companheirão,
Deu-me a maior prova de afeto
De que eu podia ser objeto:
Fez-me tio por adoção.

Prudente! Prudente e discreto
Como o avô, o Santo Varão.
Bem grande avô! Bem grande neto,
       O autêntico!

Tomo aqui o tom mais circunspeto
E dou a bênção — ou benção,
Como seria mais correto —
Ao sobrinho do coração,
A Prudente de Morais Neto,
       O autêntico.

JOSEFINA

Em Josefina
Modos, linguagem,
Ar, expressão,
Olhos e riso,
Riso e sorriso,
É tudo imagem
Graciosa e fina
Do coração.

MARIA DA GLÓRIA

— Glória, Maria da Glória.
— Que glória? — De ser bonita.
— Só? — De ter merecimento.
— Só? — De ser boa e simpática.
— Que glória mais problemática!
— Absoluta! Imperatória!
— E habita?... — Não digo. — Habita?...
— Habita em meu pensamento.

CARLOS CHAGAS FILHO

Não degenera quem sai
Aos seus — é a lição da História.
Este, que com grande brilho
Já foi Carlos Chagas Filho,
Junta à do pai nova glória,
E hoje é Carlos Chagas pai.

CLARA DE ANDRADE

Trago n'alma a devoção
Da mais pura claridade.
Clara d'Ellébeuse? Não!
Clara, mas Clara de Andrade.

ANA MARGARIDA MARIA

Ana — Sant'Ana — principia.
Maria acaba. Entre elas brilha
Uma flor branca. E eis, maravilha
De pureza, graça, alegria,
Ana Margarida Maria.

MAGU

Magu, Magu, maga magra,
Magra Magu... Mas no corpo
— Como as pequeninas ilhas —
Tem as suas redondezas,
Redonduras, redondelas,
Redondilhas!

Magu é Maria Augusta,
Mas não tem nada de augusta
E é bem pouco mariana.
Magu! Magu?... Maguzinha!
Magra Magu, besourinho
Cor de havana.

ODYLO-NAZARETH

Vai a bênção que pediste.
Mas a maior bênção é
Ganhar em Natal tão triste
Maria de Nazareth.

JANEIRO DE 1942

Sílvia Maria

Muitas vezes, de repente,
Sílvia Maria, você
Parece um bichinho que é
Mais bonito do que gente.

Susana de Melo Moraes

Susana nasceu
Na segunda-feira.
E eu, que sou Bandeira,
Embandeirei eu
Esta Lapa inteira:
  Sus, Ana!

Não foi brincadeira:
Muito a mãe sofreu.
Gritava a enfermeira:
  Sus, Ana!

O pai lhe escolheu
Um nome que cheira
À terra fagueira
Do senhor do céu.
É a glória primeira:
  Sus, Ana!

Alphonsus de Guimaraens Filho

Refrão de glória, eis vem no trilho
Do pai — dois mestres em refrães —
Trás Alphonsus de Guimaraens,
Alphonsus de Guimaraens Filho.

Ribeiro Couto

Não é ruim, não é do Couto,
É Rui, mas não é Barbosa:
É, sim, Rui Ribeiro Couto,
Mestre do verso e da prosa.

Clara Ramos

Já cantei Clara de Andrade;
Hoje canto Clara Ramos.
De Graciliano, que amamos,
Grácil filha e claridade.

Verlaine

Não te posso dar flor nem fruto. Folha ou galho,
Sim. Folha e não será de álamo ou tília fina.
Folha do mato, mas cheirosa de resina,
Levando à tua glória uma gota de orvalho.

A Maria da Glória no seu primeiro aniversário

Maria dá glória à menina,
Mas esta dá glória a Maria.
Então viva muito a menina
Para glória maior de Maria.

Omoussi

Omoussi, quero ver neste
Teu neto o divino intento
De te dar completamento
Num filho que não tiveste.

Temístocles da Graça Aranha

A aranha morde. A graça arranha
E vale o gládio nu de Têmis.
Logo se vê que tu não temes,
Temístocles da Graça Aranha.

CARLOS DRUMMOND DE ANDRADE

O sentimento do mundo
É amargo, ó meu poeta irmão!
Se eu me chamasse Raimundo!...
Não, não era solução.
Para dizer a verdade,
O nome que invejo a fundo
É Carlos Drummond de Andrade.

SARA

Sara de olhar meigo e bom,
Sara de voz meiga e rara,
Sara, discípula cara,
Sara, rosa de Saron.

CÉLIA

Que idade risonha e bela,
Célia, a dos vinte anos! Eu
Que já possuo de meu
Perto de três vezes ela,
Os teus vinte anos saúdo,
Desejando que os renoves,
Faças conta e fora os noves,
Te reste em venturas tudo!

BELA

Bela, Bela, ritornelo
Seja em tua vida, espero:
Belo, belo, belo belo, belo,
Tenho tudo quanto quero!

ELISA

Dizem os lábios
O que está dentro
Do coração?

— Na face lisa
Dir-te-ão meus lábios
A mesma coisa
Que trago dentro
Do coração,
Elisa.

SÍLVIA AMÉLIA

Tudo quanto é puro e cheira:
— Manacá, jasmim, camélia,
Lírio, flor de laranjeira,
Rosa branca, Sílvia Amélia!

LILIANA

Para a filha (Feliciana?
Joana? Bibiana? Aureliana?
Ana? Mariana? Fabiana?
Herculana? Emerenciana?
Caetana? Diana? Damiana?
Justiniana? Sebastiana?
Valeriana? Taprobana?),
Para a filha de Liliana
E para a própria Liliana
Mando um beijo de pestana.

RODRIGO M.F. DE ANDRADE

Como melhor precisar
Esta palavra amizade?
Nomeando o amigo exemplar:
Rodrigo M.F. de Andrade.

OTÁVIO TARQUÍNIO DE SOUSA

Não só no nome que brilha
Este é imperador e rei.
Pois tem n'alma, ó maravilha,
Dois tronos de ouro de lei:
Lúcia esposa e Lúcia filha.

JOANITA

Não é Joe, não é Joana,
Nem Juanita: é Joanita.
A diferença é pequena,
Mas nessa diferencita,
Que em suma é tão pequenina,
Há a graça que não está dita,
Que é privilégio da dona,
Que já toda a gente cita
E assim talvez não reúna
Nenhuma moça bonita.

MARIA HELENA

Sou a única bisneta
De meu bisavô Bandeira,
Que era pessoa discreta,
Mansa, desinteresseira,
— Que era, em pessoa, a bondade:
Que responsabilidade!

ÁLVARO AUGUSTO

Hoje, afilhado, és pirralho.
Mas a infância terá fim
E a herança ilustre comanda:
Álvaro, olha que és Carvalho!
Olha que és Cesário Alvim!
Olha que és Buarque de Holanda!

JOHN TALBOT

John Talbot, John Talbot,
He's not very tall, but
He's a baby so sweet, so nice.
He looks like a bird
And I never have heard
Of such kind, such lovely blue eyes.

Duas Marias

Duas Marias: Cristina
E sua gêmea Isabel.
A ambas saúda e se assina
Servo e admirador Manuel.

Pincel que pintar Cristina
Tem que pintar Isabel.
Se o pintor for o Candinho,
Então é a sopa no mel.

Dorme sem susto, Cristina,
Dorme sem medo, Isabel:
Nossa Senhora vos nina,
Ao pé está o Anjo Gabriel.

Hilda Moscoso

O poeta te deseja, Hilda, o favor divino
Neste metro, como teu pai, alexandrino.

Augusto Frederico Schmidt

O poeta Augusto Frederico
Schmidt, de quem dizem que está rico,
Foi homem pobre, certifico,
Mas o poeta sempre foi rico.

Jaime Cortesão

Honra ao que, bom português,
Baniram do seu torrão:
Ninguém mais que ele cortês,
Ninguém menos cortesão.

Sacha

Sacha muchacha,
Nariz de bolacha!

(Meu estro não acha
Outra rima em acha.
Por isso se agacha,
Se cobre de graxa,
Se arranha, se racha,
Se desatarraxa
E pede em voz baixa
Desculpas a Sacha.)

KEATS

*A thing of beauty is a joy
For ever*, Keats exprimiu.
Mas ele próprio sentiu
Quanto essa alegria dói.

FRANCISCA

Francisca, me dá
Tudo aquilo que
Não gostas em ti.
E eu farei com isso
Um prazer tão grande
— Mais lindo que as nuvens
Da alvorada clara!
Mais doce que a brisa
Da alvorada fresca!
Francisca, Francisca!

ROSA FRANCISCA

Francisca, Francisca,
Ai Rosa Francisca,
Me dá tua boca
Dentuça e pequena,
Pequena e sabida!
Francisca, Francisca,
Me dá teus dois pés!
Teus pés tão felizes
De te pertencerem,
De neles pesares,
De andarem contigo.
Francisca, Francisca,

Me dá teus joelhos
Pontudos e finos,
Teus joelhos magros!
Francisca, Francisca,
Francisca, me dá
Tuas pestaninhas
Tão louras, tão brancas,
Tão... tão humorísticas!
Francisca, Francisca,
Ai Rosa Francisca!

ROSA FRANCISCA ADELAIDE

Francisca, Francisca,
Ai Rosa Francisca,
Francisca Adelaide!

Não queres ser Rosa,
Pois então, Francisca,
Me dá essa rosa:
A rosa mais limpa,
Mais escondidinha
— Rosa bonitinha —,
A única rosa
Em que para sempre,
A todo o momento,
De dia ou de noite,
Feliz, infeliz,
Ai Rosa Francisca,
Tenho o pensamento.

Ai Rosa Francisca!
Ai Rosa
Francisca
Adelaide!

EUNICE VEIGA

Eunice meiga,
Eunice linda...
Que mais ainda?
— Eunice Veiga!

ROSALINA

Rosalina.
Rosa ou Lina?
Lina ou Linda?
Flor ainda!
Flor purpúrea,
Mais singela
Que Adozinda:
Rosalina!
Rosalinda!

MURILO MENDES

Mais te amo, ó poesia, quando
A realidade transcendes
Em pânico, desvairando
Na voz de um Murilo Mendes.

MÁRCIA

Se tomares como Norma
Reto caminho na vida,
Viverás da melhor forma:
Terás bom nome, conforto
E ventura garantida,
Pois chegarás a bom porto
Como ela (ou sem moela!),
        Márcia bela.

ISADORA

Pois que és Isadora,
Dança, dança, dança.
Não direi agora
Que ainda és criança.
Mas quando chegares
À idade da trança,
Dança, dança, dança,
Dança até cansares.
Dança, dança, dança
Como na Ásia dançam
As moças de Java.

Pois que és Isadora,
Dança como outrora,
Como linda outrora
Dançava, dançava
Isadora Duncan.

LEDA LETÍCIA

Leda Letícia, delícia
Dos olhos de quem a vê,
Triste de quem não a vê,
Pois não sabe o que é a delícia
Maior dos olhos, Letícia!
— Um beijo para você.

HOMERO ICAZA

En el día 10 de Enero
Del año de 62.
Ruego a la Fortuna, a la vida,
A todas las Santas — y a Dios —
Concedan a Homero de Homero
La cosa más apetecida...
En el día 10 de Enero
Del año de 62.

SOLANGE

Para que não falem as más
Línguas, declaro aqui, Solange:
Não sou como os velhos gagás;
De Solange quero só *l'ange*.

VERA MARTA

Ver-te e amar-te, Vera Marta,
Obra foi de um só momento.
Nada mais ponho na carta:
Não é preciso, nem tento.

URÂNIA MARIA

Urânia junto a Maria:
Não há nome mais bonito:
A Musa da Astronomia
Junto à Mãe de Deus: Em ti
Se vê, Urânia Maria,
Unir-se um a outro infinito,
O mito à sabedoria,
A vida ao seu outro lado,
Ou seja, tudo abreviado
Num dissílabo — Teti.

CELINA FERREIRA

Não me tocou levemente:
Tocou-me fundo,
Celina, a tua poesia,
Que me tornou para sempre
     Seu cúmplice.

MARIA TERESA

Por Maria Teresa,
Filha de Elza e de Rui,
Mana o meu verso e flui,
Cantando em Guanabara
E toda a redondeza
Seus encantos e a rara
Modéstia, de quem fui
E serei sempre fiel
Admirador.
     Manuel.

ANA MARGARIDA

Fosse eu Rubén Darío e mil
Versos faria de seguida
Chamando-te, Ana Margarida,
"La niña bella del Brasil".

MARIA CÂNDIDA

Disse um poeta de renome
(vai num beijo aqui a lição):
"Quem é Cândida no nome
deve-o ser no coração."

Cândida Maria Cândida
foi, que era minha irmãzinha.
Assim tu, cândida, cândida
hás de ser, pois que és Candinha.

MARISA

Muitas vezes a beira-mar
Sopra um fresco alento de brisa
Que vem do largo a suspirar...
Assim é o teu nome, Marisa,
Que principia igual ao mar
E acaba mais suave que a brisa.

ADALARDO

Adalardo! Nome assim
Não parece de homem não.
De estrela alfa, isto sim,
De grande constelação.

Você sempre foi, aliás,
No seu ar fino e galhardo,
Digno do nome que traz,
Meu caro amigo Adalardo.

EDUARDA

Mais do que tu de mim
Gosto, Eduarda, de ti.
És mais que sapoti,
Sereia, és sapotim.

A Arnaldo Vasconcelos, respondendo à pergunta: "Quanto mede e quanto pesa o seu coração?"

Quanto mede e quanto pesa,
Arnaldo, o meu coração?
Depende da ocasião:
É às vezes bem pequenino
E pesa mais do que um sino,
Pesa como uma paixão.

Oitava camoniana para Fernanda

De Ely e Lorita, brandos, nasce a branda
(Vede da natureza o ideal concerto!),
Bonita e sem pecado algum Fernanda,
Que alegria dos pais será decerto.
E faça quem sobre o Universo manda
O mundo para ela um céu aberto,
Onde continuamente, como um dia
De claro sol, a vida lhe sorria.

Francisca

Francisca, Chica, Chiquita,
Qualquer *petit nom* que tome,
Quero que seja bonita
Como é bonito o seu nome!

Manuel Bandeira

Manuel Bandeira
(Sousa Bandeira.
O nome inteiro
Tinha Carneiro.)

Eu me interrogo:
— Manuel Bandeira,
Quanta besteira!
Olha uma cousa:
Por que não ousa
Assinar logo
Manuel de Sousa?

Teu nome

Teu nome, voz das sereias,
Teu nome, o meu pensamento,
Escrevi-o nas areias,
Na água, — escrevi-o no vento.

Soneto parnasiano e acróstico em louvor de Helena Oliveira

Houve na Grécia antiga uma beleza rara
(Em versos de ouro o grande Homero celebrou-a),
Linda mais do que a mente humana imaginara,
E cuja fama sem rival inda ressoa.

Não a compararei porém (quem a compara?)
À que celebro aqui: a outra não era boa.
O esplendor da beleza é sol que só me aclara
Luzindo sob o véu do pudor que afeiçoa.

Inspiremo-nos, pois, não na Helena de Troia,
Versátil coração, frio como uma joia,
Em cujo lume ardeu uma cidade inteira.

Inspiremo-nos, sim, de uma Helena mais pura.
Ronsard mostrou na sua uma flor de ternura:
A mesma flor que orna esta Helena brasileira.

Márcia dos Anjos

Ando sem inspiração...
Mas vou ver se agora arranjo os
Versos que o meu coração
Quer para Márcia dos Anjos.

Anunciação

O anjo, embuçado
Num raio X,
Curvou-se e disse:
— Chico de Assis,
Senhora Eunice,

Queríeis filho?
Pois, Deus louvado,
Me maravilho,
Que ouvidos sois:
Dar-vos-á dois!

LUÍSA, MARINA E LÚCIA

Esse José Bittencourt
— Chamá-lo-ei José *tout court* —,
Três anjos de muita argúcia
O acompanham, todos três
Lindos, que assim Deus os fez:
Luísa, Marina e Lúcia.

São três anjinhos goianos,
Nascidos faz poucos anos.
Homem de invejável sina
Esse José! Pois três filhas
Tem, três puras maravilhas:
Luísa, Lúcia e Marina.

Jamais irei à Rumânia.
Hei de ir, porém, a Goiânia.
Não à procura de brisa,
(Se há brisa em Goiás!), mas para
Ver essa trindade rara:
Lúcia, Marina e Luísa.

NIETA NAVA

O poeta Pedro Nava quando
Se casou, não imaginava
Que assim se estava completando
Um lindo nome — Nieta Nava.

ENEIDA

Amigo houve aqui que excomungo:
— Amigo de cacaracá.
Tu, tão querida do malungo,
Entra, Eneida, neste mafuá.

ANTHONY ROBERT

Anthony Robert,
sweet braggadocio,
     be-
lieve it or not,
I love you much more
than you love me!

ISÁ

Quisera poder molhar
A minha pena no orvalho
Para num verso imitar
A aurora que ouço cantar
Nos olhos de Isá Bicalho.

MAG

Só mesmo um santo
(Que eu nada valho)
Pode pintar
O jeito, o encanto,
Esse carinho
Posto no rosto
(Por Deus foi posto),
Posto no olhar,
No olhar gordinho
De Mag Bicalho.

MARIA ISABEL

Cresça em beleza, em simpatia e graças cresça
A filha de Hilda e de João Victor, e eu, Manuel,
Velho bardo, cada vez mais me desvaneça
De meu nome rimar com o seu, Maria Isabel.

THIAGO DE MELLO

Thiago de Mello, cuidado!
Poupa o teu novo sorriso.
Não o dês (nem é preciso)
Ao amigo refalsado,
Ao crítico canastrão,
Ao político safado,
À mulher sem coração!
Não o dês (nem é decente)
À direita e à esquerda, a tantas
Inúteis coisas e gente:
A fariseus faroleiros,
A calhordas sicofantas,
Brasileiros, estrangeiros!
Adverte, em teus desenganos,
Que vale vinte e três anos,
Mil e oitocentos cruzeiros!

ADALGISA

No Hotel D. Pedro
Há uma janela
Onde verás
A planta bela,
Penhor amável
De afeto antigo,
Mandada ao poeta
Que é teu amigo,
Que é teu criado,
Teu fã também,
Agora e na hora
Da morte, amém!

LAURA CONSTÂNCIA

Em Laura Constância
(Que delícia vê-la
Tão perto da infância!)
Saúdo a nova estrela.

Miguelzinho e Isabel

I

— Que menino inteligente
  Minha gente!
— Saiba que você é o menino
Bisneto de Zeferino.

— Que menina! Que feitiço
  Tem no olhar!
— Pudera! O avô é Ademar...
O pai, Miguel... — É por isso!

II

— Quem é a mãe de Miguelzinho?
— De Miguelzinho? Gisah.
    — Ah!
Por isso é tão bonitinho.

— As avós desta menina
  Quem são?
— Dona Isa, Dona Edina.
— Tem a quem sair então!

III

Miguelito
Pequetito
De olhozito
Redondito
Gaiatito;
Miguelito
Todo em ito:
Cabelito
Narizito;
Miguelito
Queridito,
Miguelito
Tão bonito.

IV

Maria Isabel
Anjozinho *aloof*
De boca de mel,
De olhar triste e fundo,
Mandado a este mundo
De tristezas, uf!
Para ser mulher:
Enquanto és criança
Conta o que ainda resta,
Em tua lembrança
Da pátria perdida.
E eu possa, ouvindo esta
História, esquecer
A madrasta vida.

JOÃO CONDÉ

Se as cores perder o João
Condé, dê-se ao descorado
Uma condecoração:
Assim, do pé para a mão,
Ficará Condé corado.

NININHA NABUCO

De Alvim e Melo Franco (Minas),
De Nabuco (Pernambuco)
Deus, tomando o melhor suco,
Formou — inveja das meninas,
Inveja delas e minha —
Maria do Carmo Nabuco
        (Nininha).

TOMY

Este menino, que só
Com me olhar me cativou,
Se tem o nome do avô,
Tenha os encantos da avó.

MARIE-CLAUDE

Quelque chose de doux, très doux,
Très (j'en ai l'âme toute chaude)
S'insinue en moi tout à coup:
C'est que je pense à Marie-Claude.

CRISTINA ISABEL

Viva a xará da Imperatriz,
Da Princesa e da Mãe de Deus!
Viva a que é a mais moça dos seus
E a mais nova das minhas Musas,
Toda graça, encanto e harmonia,
Geração de um casal feliz,
Sobre a qual, sobre o qual, profusas,
Chovam as bênçãos de Maria!

ZEZÉ-ARNALDO

Meus caros primos, na data
De hoje, a Jesus Cristo Rei
Alquimista pedirei
Transforme em ouro essa prata,
Ainda que é prata de lei.

ISAÍAS

Deus dê a este novo Isaías
Não visões, não profecias:
Dê o que falta a tanta gente
— Pureza d'alma, semente
Das celestiais alegrias.

LÊDO IVO

Pronuncie-se, não no exato
Padrão parnasiano Lêdo Ivo,
Mas Lêdo Ivo, com o hiato
Docemente nuncupativo.

MÔNICA MARIA

Seu avô me disse:
— "Mônica Maria
É loura e graciosa".
Foi como se a visse...
Pois de fato a via.
Mais lírio que rosa,
Melhor — madressilva,
Flor de minha infância
— Tamanha distância!
Como na Bahia
Mônica Maria
Pereira da Silva
     Overbeck.

G.S. DE CLERQ JÚNIOR

Honra ao holandês exemplar
Ao amigo tão verdadeiro
Que, sem se naturalizar
Se tornou grande brasileiro!

SÔNIA MARIA

Sônia, filha de Gilberto
E filha de Madalena,
Cumprirá em moça, decerto,
O que promete em pequena.
Não verei isso de perto,
Serei bem longe... Que pena!

ANDRÉ

André, André, André,
O Bandeira o que é?
É poeta ou não é?
André, André, André,
E você o que é?
É André ou Tomé,
Homem de pouca fé?

FIDELINO DE FIGUEIREDO

Figueiredo Fidelino,
Fidelíssimo e sincero,
Ser-me-á prazer superfino
Ler o retrato do *Antero*;
Mas como é de bom ensino
Desde já mandar eu quero
Ao mestre que amo e venero
Meu abraço manuelino.

VARIAÇÕES SOBRE O NOME DE MÁRIO DE ANDRADE

Mário
      Inteligência
      Sabor
      Surpresa
As neblinas paulistanas condensaram-se em ácidos sarcásticos
E queimaram a epiderme azul dos aços virginais
Mas nas sombras mais fundas ficaram os docementes dos nanquins mais
                                     [melancólicos!...

Como será São Paulo?...
O Paraná com os pinhais intratáveis?
(Não servem para uma exploração regular da indústria do papel)
Goiás! Ilha do Bananal!
Mas os índios? Os mosquitos?
Os botocudos e os borrachudos...
Como será o Brasil?...
Como será São Paulo?

São Paulo era a Sé Velha
Cercada de sobradinhos coloniais
Na Rua de São João a escala cromática dos para-sóis dos engraxates
Progredior Politeama
A Casa Garraux vendia também objetos de arte
Camilo Castelo Branco não sabia ainda da existência dos piraquaras do Paraíba
Não havia ainda Vasco Porcalho livreiro-editor encomendando a toda a gente
                                    [uma novela safada
Havia sim a Avenida Tiradentes espapaçada ao sol como um feriado nacional
E o edifício do Liceu implorando baixinho que o deixassem em tijolo aparente
(Lá dentro eu desenhando a bico de pena motivos arquitetônicos do
                                    [Renascimento...
As minhas arquiteturas corroídas!...)
Duas vezes por semana música no Jardim da Luz

A banda do maestro Antão
A primeira da América do Sul
O samba de Alexandre Levi
Bis! Bis!
O namorozinho nacional passeando cheio de dengue entre os zincos
[lambuzados de cerveja
Não havia guaraná bebida depurativa e tônico-refrigerante
Quem fazia o policiamento era a torre da Inglesa
O relógio grande batia os quartos um dois três quatro e recomeçava
[indefinidamente sem compreender como aquela gente podia
[ainda ouvir Puccini
E em torno dele a garoa paulistana irônica silenciosa encharcava todos os
[minutos

Mas as garoas condensaram-se em ácidos sarcásticos
E queimaram a epiderme azul dos aços virginais:
Mário de Andrade!

Como será São Paulo?
Não havia mais bandeirantes
Nem a lembrança de Álvares de Azevedo
O antigo Largo de São Bento com as árvores nuas e magrinhas
Pedia tanto um pouco de neve que lhe desse um arzinho de Paris
Os filhos de Bernardino de Campos faziam parte do cordão
Nem Teatro Municipal nem Esplanada Hotel
Só havia um viaduto:
Anhangabaú dos suicídios passionais!
Ponte Grande!
Cambuci!
E o cemitério da Consolação...

Mário um cigarro

O punho forte do subconsciente campeia e conjuga os relâmpagos mais díspares
Os ritmos mais dissolutos
Raivas
Testamentos de Heiligenstadt
Amores fantasmagorias carnavais porrada
Coisas absolutamente incompreensíveis
Como as obras de Deus
Raivas raivas
Bondade
A girândola do último dia de novena
Tudo
Para todos os lados
Católico

Mário um cigarro

Positivamente esta quarta-feira está quotidiana demais
O leite da manhã tinha mais água
O sol está banal como uma taça de campeonato
Como os bronzes comerciais que representam o Trabalho
Eu não sei latim
Não sei cálculo diferencial e integral
Não sei tocar piano (por causa de uma sonatina de Steibelt)
Não compreendo absolutamente Fichte Schelling e Hegel
Victor Hugo é pau
Byron é pau
Mário um cigarro

CAPORAL LAVADO!

Numa pia de igreja em Bizâncio está gravada esta inscrição
N I P S O N A N O M H M A T A M H M O N A N O P S I N
Soletrada da direita para a esquerda recompõe o mesmo sentido
Lava os pecados não laves só a cara
Mário eles não lavam nem os pecados nem a cara
Os homens são horríveis
Por isso HÁ QUE OS AMAR
Com os docementes dos nanquins mais melancólicos

    Brasil
    Como será o Brasil?
    MÁRIO DE ANDRADE

VITAL PACÍFICO PASSOS

Poeta do *Forrobodó*,
Se és Pacífico não sei,
Mas que és vital jurarei,
Ó satírico sem dó,
Sem dono, sem lei nem laços
— Vital Pacífico Passos!

POEMA DE DUAS MAGDAS

Uma é Magda Becker Soares;
A outra, Magda Araújo.
Ah vida de caramujo

A minha,
Em que entram moças aos pares,
Mais noivas do que convinha!
Se por uma bebo os ares
— E essa é Magda Becker Soares —
Por sua xará babujo
— *Scilicet* Magda Araújo.

LIRA DO BRIGADEIRO

O BRIGADEIRO

Depois de tamanhas dores,
De tão duro cativeiro
Às mãos dos interventores,
Que quer o Brasil inteiro?
        — O Brigadeiro!

Brigadeiro de verdade!
E o que quer o mau patriota
Que não ama a liberdade,
Que prefere andar na sota?
        — Quer a nota!

A nota tirada ao povo
Pelo Estado quitandeiro
Rotulado Estado Novo.
Quem lhe porá um paradeiro?
        — O Brigadeiro!

Brigadeiro da esperança,
Brigadeiro da lisura,
Que há nele que tanto afiança
A sua candidatura?
        — Alma pura!

Pergunto ao homem do Norte,
Do Centro e Sul: Companheiro,
Quem dos Dezoito do Forte
É o mais legítimo herdeiro?
        — O Brigadeiro!

Brigadeiro do ar Eduardo
Gomes, oh glória castiça!
Que promete se chegar
Ao posto que não cobiça?
    — A justiça!

O Brasil, barco tão grande
Perdido em denso nevoeiro,
Pede mão firme que o mande:
Deus manda que timoneiro?
    — O Brigadeiro!

Brigadeiro da virtude,
Brigadeiro da decência,
Quem o ergueu a essa altitude,
Lhe brindou tal ascendência?
    — A consciência!

Abaixo a politicalha!
Abaixo o politiqueiro!
Votemos em quem nos valha:
Quem nos vale, brasileiro?
    — O Brigadeiro!

Brigadeiro praticante

O Brigadeiro é católico:
Vai à igreja, ajoelha e reza.
Mas quando bate no peito,
Bate em rocha de certeza:
    — É direito!

Brigadeiro praticante,
Comunga, e quando comunga,
Incorpora um Deus ativo:
Não o Deus, inútil calunga,
    Sim o Deus vivo!

O Deus que acende nos homens
A chama da caridade,
Do dever sem recompensa:
Deus que a força da humildade
    Faz imensa!

Comunga, mas não comunga
Com os impostores ateus
E os ricos do Estado Novo:
Comunga só com o seu Deus
        E com o povo!

Embolada do Brigadeiro

— Não voto no militar; voto no homem escandaloso.
— Ué, compadre, quem é o homem escandaloso?
— O Brigadeiro.
— Escandaloso?
— Escandaloso.
— Escandaloso por quê?
— Ora, ouça lá o meu corrido:

Homem mesmo escandaloso,
Pois não mata,
Pois não furta,
Pois não mente,
Não engana, nem intriga.
Tem preceito, tem ensino:
Foi assim desde tenente,
Foi assim desde menino!

Homem mesmo escandaloso!
Não tem mancha,
Não tem medo,
Quem não sente?
Brigadeiro da fiúza,
Sem agacho, sem empino:
Foi assim desde tenente,
Foi assim desde menino!

Homem mesmo escandaloso!
Não é bruto,
Ambicioso,
Maldizente,
Nunca diz um disparate,
Nunca faz um desatino:
Foi assim desde tenente,
Foi assim desde menino!

Homem mesmo escandaloso!
Não zunzuna
Nem não fala
À toamente:

Será nosso Presidente,
Estava no seu destino
Desde que ele era tenente,
Desde que ele era menino!

— Tem razão, compadre, vamos votar nele.

OUTROS POEMAS

AUTORRETRATO

Provinciano que nunca soube
Escolher bem uma gravata;
Pernambucano a quem repugna
A faca do pernambucano;
Poeta ruim que na arte da prosa
Envelheceu na infância da arte,
E até mesmo escrevendo crônicas
Ficou cronista de província;
Arquiteto falhado, músico
Falhado (engoliu um dia
Um piano, mas o teclado
Ficou de fora); sem família,
Religião ou filosofia;
Mal tendo a inquietação de espírito
Que vem do sobrenatural,
E em matéria de profissão
Um tísico profissional.

ORAÇÃO A SANTA TERESA

Santa Teresa olhai por nós
Moradores de Santa Teresa
Santa Teresa olhai por nós
Moradores de Santa Teresa

Antigamente o bonde era no Largo da Carioca atrás do chafariz
Na estação tinha uma casa de frutas
Onde o chefe de família
Podia comprar a quarta de manteiga sem sal
A lata de biscoitos Aimoré
A língua do Rio Grande
O homem das balas recebia recados, guardava embrulhos
De vez em quando havia um desastre na manobra do reboque
Bom tempo em que havia desastre na manobra do reboque!
Porque hoje é ali no duro
Na ladeira dos fundos do Teatro Lírico.

***

Santa Teresa olhai por nós
Moradores de Santa Teresa,
Santa Teresa rogai por nós
Moradores de Santa Teresa
Rogai por nós junto ao prefeito da cidade.

Rogai pelos tísicos
Rogai pelos cardíacos
Rogai pelos tabéticos
Rogai pela gente de fôlego curto
Rogai por mim e pelo pintor Artur Lucas.

Nos fundos do Teatro Lírico
Tem um mictório
Rogai pelas donzelas do morro obrigadas a passar diariamente em frente
[do mictório.

Santa Teresa rogai por nós
Moradores de Santa Teresa
Estamos comendo da banda podre
Faz um ano.

SONHO DE UMA NOITE DE COCA

O suplicante — Padre Nosso, que estás no céu, santificado seja o teu nome.
[Venha a nós o teu reino. Seja feita a tua vontade, assim na
[terra como no céu. O pó nosso de cada dia nos dá hoje...

O Senhor (interrompendo enternecidíssimo) — Toma lá, meu filho. Afinal tu
[és pó e em pó te converterás!

Sapo-cururu

Sapo-cururu
Da beira do rio.
Oh que sapo gordo!
Oh que sapo feio!

Sapo-cururu
Da beira do rio.
Quando o sapo coaxa,
Povoléu tem frio.

Que sapo mais danado,
Ó maninha, ó maninha!
Sapo-cururu é o bicho
Pra comer de sobreposse.

Sapo-cururu
Da barriga inchada.
Vote! Brinca com ele...
Sapo-cururu é senador da República.

Madrigal para as debutantes de 1946

Outro, não eu, ó debutantes!
Cante as galas primaveris.
Que o meu estro de relutantes
Octossílabos já senis
Mais imagina do que diz
O que nos primeiros instantes
Do amor e do sonho sentis.

Meus vinte anos vão tão distantes!
Pensando bem, jamais os fiz.
Enfermo, envelheci muito antes.
Aprendi a ser infeliz,
Deus louvado, e por isso quis
Em vossa festa, ó debutantes!
Meter, perdoai! o meu nariz.

Astéria
Poema desentranhado de um estudo do dr. Júlio Novais

O Mestre me ensinou:

Fáculas nitentes
Como metal luzidio
Bordam as manchas
— Abismos de remoinhos electromagnéticos
A verrumar a espessura solar.

Massas de nuvens
Em colunatas coesas de fímbrias froculares
Atestam lá longe a despesa ignescente da estrela
No vômito de suas ondas
Despedidas e soltas.

O oceano celeste
Outrora tido por oco
Está cheio dessas como lavas vulcânicas
Pairando invisíveis no cosmos.
E eu as detecto no meu registro natural e inédito
— O esqueleto e modelo exterior do corpo radiário de Astéria.

"Casa-Grande & Senzala"

Casa-Grande & Senzala,
Grande livro que fala
Desta nossa leseira
        Brasileira.

Mas com aquele forte
Cheiro e sabor do Norte
— Dos engenhos de cana
        (Massangana!)

Com fuxicos danados
E chamegos safados
De mulecas fulôs
        Com sinhôs.

A mania ariana
Do Oliveira Viana
Leva aqui a sua lambada
     Bem puxada.

Se nos brasis abunda
Jenipapo na bunda,
Se somos todos uns
     Octoruns,

Que importa? É lá desgraça?
Essa história de raça,
Raças más, raças boas
     — Diz o Boas —

É coisa que passou
Com o franciú Gobineau.
Pois o mal do mestiço
     Não está nisso.

Está em causas sociais,
De higiene e outras que tais:
Assim pensa, assim fala
     Casa-Grande & Senzala.

Livro que à ciência alia
A profunda poesia
Que o passado revoca
     E nos toca

A alma de brasileiro,
Que o portuga femeeiro
Fez e o mau fado quis
     Infeliz!

Agradecendo uns maracujás

Estes não são de gaveta.
Estes são do Maranhão.
Não do Maranhão Estado,
Mas do Maranhão poeta
— Raul Maranhão chamado —
Amigo do coração.

RONDÓ DO ATRIBULADO DO TRIBOBÓ

No vale do Tribobó
Tinha uma casa bonita
Com varanda por dois lados
Várias cadeiras de lona
Redes rangendo gostosas
E dentro pelas paredes
Uns quadrinhos mozarlescos
Como os cocôs de Clarinha...
Mas era um calor danado!

Lá fora em frente da casa
Tinha um bosque muito agradável
Todo de madeira de lei
— Cedros jacarandás paus-d'arco —
Debaixo de cuja sombra
Era bom ficar fumando
Embalançando nas redes
Contando bobagens...
Mas era um calor danado!

Dentro de casa o conforto não deixava nada a desejar:
Luz elétrica gelo instalações sanitárias completas
Água quente de serpentina a qualquer hora do dia
Comida ótima
A mulher do homem que estava passando uns tempos no sítio era uma
[senhora distintíssima
Tinha três filhos: Rodrigo Luís que quando se referia aos planetas dizia o
[*Vênus*, o *Mártir*, etc. Joaquim Pedro bonitinho pra burro mas muito
[encabulado; e Clarinha a mesma de cujos cocôs já falei atrás.
Os meninos viviam de espingardas caçando taruíras
O atribulado achava tudo isso delicioso familiar bucólico repousante...
Mas era um calor danado!

Na véspera da partida
Faltou água vejam só!
Foi um pânico tremendo
No sítio do Tribobó.
O atribulado desceu
Sacudido num fordeco
Pra Maria Paula Baldeadouro Cova da Onça Fonseca Niterói
    E embarafustou numa barca
Onde por cúmulo do azar
Surgiu o Martins Errado!
(Não havia possibilidade de evasão

Nascer de novo não adiantava
Todas as agências postais estavam fechadas
Fazia um calor danado!)

PRECE

Senhor Bom Jesus do Calvário e da Via-Sacra
O prefeito Henriquinho
Vai derrubar o teu templo da Rua Uruguaiana
Para abrir uma avenida!

Senhor Bom Jesus do Calvário e da Via-Sacra
O prefeito Henriquinho
Para abrir uma avenida
Vai demolir o templo do santo
Pedra da fé
Sobre a qual edificaste a tua Igreja!

Senhor Bom Jesus do Calvário e da Via-Sacra
Quando o prefeito morrer
Não o mandes para o Inferno:
Ele não sabe o que faz.
Mas um seculozinho a mais de Purgatório
Não seria mau. Amém.

IDÍLIO NA PRAIA

Nudez anatômica
Onde madrugais
Areia dormente!
Quem vem lá? Vinicius
Não o de Moraes
Mas o de imorais
Poemas vai perdido
Tão perdidamente
Pela bomba atômica.

E diz-lhe ao ouvido:
— Ai bombinha atômica
Vem comigo vem!
Sou tão delicado
Sou um monstrozinho
De delicadeza!
Meu amor meu bem
Me ama me possui
Me faz em pedaços!
Já não sou Vinicius
Sou o que jamais
Fui: Mar de Sargaços
Cabo Guardafui!
Cantarei na lira
Casimiriana
Versos que esqueceram
Às musas de Góngora!
E te chamarei
Cupincha Nux Vómica
Oriana Ariana!
Ah mal sei que e é igual
a mc^2
Perdão bomba atômica!
Sou um sórdido poeta
Fundo em Matemática
E te amo ai de mim!

Vem ó pomba atômica!
Vem minha bombinha
Pombinha rolinha
Do meu coração!
Vem como és agora:
Te quero novinha
Donzela pucela
Antes da ebaente
Desintegração!

MADRIGAL DO PÉ PARA A MÃO

Teu pé... Será início ou é
Fim? É as duas coisas teu pé.

Por quê? Os motivos são tantos!
Resumo-os sem mais tardanças:
Início dos meus encantos,
Fim das minhas esperanças.

ITAPERUNA

Primeiro houve entradas para pegar índio
Entradas para descobrir o ouro
Agora há entradas para plantar café

Um dia trouxeram da Martinica um soldadinho verde
O soldadinho juntou-se com a mulata roxa
E nasceu um exército de soldadinhos verdes
Os batalhões alinharam-se
    Marcha soldado
    Pé de café
E tomaram de assalto as baixadas as lombadas as faldas e os contrafortes até
                    [o planalto.

Do meio deles
De Estrela boa estrela
Saiu o maior soldado brasileiro

Onde acampavam
Havia riqueza
Solares trapiches
Estradas reais calçadas com pedra
Resendes Valenças Vassouras
Os Tejucos do café
Com linhagens de barões estadistas que formaram gabinetes e deram lustre
                    [ao segundo reinado

Mas o amor do soldado derreia a mulata
O mau goza se satisfaz e
    Marcha soldado
    Pé de café!
Soldado gosta de mulher nova
Araçatubas de peito duro
Itaperunas de mamilo preto

Itaperuna!
Ponta de trilho da civilização cafeeira
Criação republicana e brasileira
Único município que não aderiu
Porque era republicano antes da República!

Ora esta eu agora me esqueci que não sou republicano
Ponhamos Itaperuna exceção republicana.
Desta república de paulistas baianos, paulistas pernambucanos e paulistas
[de Macaé!

    Marcha soldado
    Pé de café!
       (Qual onda verde nada!
       Batalhão é que é)
Batalhão de república militarista

Itaperuna exceção republicana
Itaperuna pacífica das pequenas propriedades
Das quatro mil oitocentas e seis pequenas propriedades registradas
Com os seus cinquenta e dois mil milhares de cafeeiros
A sua futura safra de um milhão e setecentas mil arrobas

Terra de José de Lannes
Bandeirante sem crimes na consciência
Itaperuna sem Rio das Mortes nem Mata da Traição
(Exceção republicana!)
Vértice do triângulo Itaperuna Araçatuba Paranapanema
Onde estão acampados os batalhões do café.

    Marcha soldado
    Pé de café
    Se não marchar direito
    O Brasil não fica em pé.

CARTA-POEMA

Excelentíssimo Prefeito
Senhor Hildebrando de Góis,
Permiti que, rendido o preito
A que fazeis jus por quem sois,

Um poeta já sexagenário,
Que não tem outra aspiração
Senão viver de seu salário
Na sua limpa solidão,

Peça vistoria e visita
A este pátio para onde dá
O apartamento que ele habita
No Castelo há dois anos já.

É um pátio, mas é via pública,
E estando ainda por calçar,
Faz a vergonha da República
Junto à Avenida Beira-Mar!

Indiferentes ao capricho
Das posturas municipais,
A ele jogam todo o seu lixo
Os moradores sem quintais.

Que imundície! Tripas de peixe,
Cascas de fruta e ovo, papéis...
Não é natural que me queixe?
Meu Prefeito, vinde e vereis!

Quando chove, o chão vira lama:
São atoleiros, lodaçais,
Que disputam a palma à fama
Das velhas maremas letais!

A um distinto amigo europeu
Disse eu: — Não é no Paraguai
Que fica o Grande Chaco, este é o
Grande Chaco! Senão, olhai!

Excelentíssimo Prefeito
Hildebrando Araújo de Góis,
A quem humilde rendo preito,
Por serdes vós, senhor, quem sois!

Mandai calçar a via pública
Que, sendo um vasto lagamar,
Faz a vergonha da República
Junto à Avenida Beira-Mar!

Na toalha de mesa de R.C.

Nunca lhe falte a esta toalha
O que ainda a fará mais bela,
E é: flores, fina baixela,
Bons vinhos, farta vitualha.

A Jorge Medauar

Há trinta anos (tanto corre
O tempo) escrevi a poesia
Onde disse que fazia
Meus versos como quem morre.

Ainda não eras nascido.
Agora, orgulhosamente
Moço, ao poeta velho e doente
Parodiaste destemido:

Das batalhas em que estive
É o suor que em meu verso escorre!
Tu o fazes como quem morre:
Eu o faço como quem vive!

Façam-no como quem morre
Ou quem vive, que ele viva!
Vive o que é belo e deriva
Da alma e para outra alma corre.

Verso que dela se prive,
Ai dele! quem lhe socorre?
Nem Marx nem Deus! Ele morre.
Só o verso com alma vive.

Deste ou daquele pensar,
Esta me parece a reta,
A justa linha do poeta,
Poeta Jorge Medauar!

Adivinha

O animal deu nome às ilhas:
Estas deram nome à ave.
O animal como se chama?
Como se chamam as ilhas?
E como se chama a ave?
— Responda, senhor ou dama.

41

À quarante et un an (c'est mon âge)!
Je n'ai pas d'enfant. Dieu m'assiste!
Je suis seul. Cela me soulage
Tout en me laissant un peu triste.

MADRIGAL MUITO FÁCIL

Quando de longe te vi,
Quando de longe te via,
Gostei logo bem de ti.
Como é bonita! eu dizia.

Mas por enganar aquilo
Que dentro de mim senti,
Que dentro de mim sentia,
Pensei de mim para mim
Que a distância é que fazia
Me pareceres assim.

Não era a distância não!
Pois chegou aquele dia
Em que te apertei a mão
Sem saber o que dizia.
E vi que eras mais bonita,
Porém muito mais bonita
Do que para o meu sossego
A distância te fazia.

Quanto mais de perto mais
Bonita, era o que eu dizia!
E desde então imagino
Que mais linda te acharia,
Mais fresca, mais desejável,
Mais tudo enfim, se algum dia
— Dia ou noite que marcasses —
Se algum dia me deixasses
Te ver de mais perto ainda!

Trova

Atirei um limão-doce
Na janela de meu bem:
Quando as mulheres não amam,
Que sono as mulheres têm!

Outra trova

Sombra da nuvem no monte,
Sombra do monte no mar.
Água do mar em teus olhos
Tão cansados de chorar!

Dois anúncios

I — Rondó de efeito

Olhei pra ela com toda a força,
Disse que ela era boa,
Que ela era gostosa,
Que ela era bonita pra burro:
Não fez efeito.

Virei pirata:
Dei em cima dela de todas as maneiras,
Utilizei o bonde, o automóvel, o passeio a pé,
Falei de macumba, ofereci pó...
À toa: não fez efeito.

Então banquei o sentimental:
Fiquei com olheiras,
Ajoelhei,
Chorei,
Me rasguei todo,
Fiz versinhos,
Cantei as modinhas mais tristes do repertório do Nozinho.
Escrevi cartinhas e pra acertar a mão, li *Elvira a Morta Virgem*, romance
  [primoroso e por tal forma comovente que ninguém pode lê-lo sem
        [derramar copiosas lágrimas...

Perdi meu tempo: não fez efeito.

Meu Deus, que mulher durinha!
Foi um buraco na minha vida.
Mas eu mato ela na cabeça:
Vou lhe mandar uma caixinha de *Minorativas*,
Pastilhas purgativas:
É impossível que não faça efeito!

II — COLÓQUIO SENTIMENTAL

— Não faça assim, bichinho. *O Segredo da Beleza* diz: "Certo, um lindo
      [seio apontando orgulhosamente o céu, é coisa rara. Mas a culpa
         [cabe muitas vezes às próprias mulheres. Não cuidam deles.
             [Deixam-nos magoar pelos dedos estouvados,
                  [esses belos frutos tão frágeis."

— Não tenha receio, meu coração. Farei massagens, como manda o livro.
            [Com muita leveza ... em sentido circular... começando pela
                 [implantação e acabando nas pontas...
— Com creme de pétalas de rosas?
— Com creme de pétalas de rosas...
— E ficarão firmes?
— Ora se!
— Como o Pão de Açúcar?...
— Como a Sul América!

PETIÇÃO AO PREFEITO

Governador desta cidade,
Excelentíssimo Prefeito
General Mendes de Morais,
Ouça o que digo, e tenho que há de
Mover-se-lhe o sensível peito
Dado às coisas municipais!

Há no interior do quarteirão
Formado pelas avenidas
Antônio Carlos, Beira-Mar,
Wilson e Calógeras, tão
Bem traçadas e bem construídas,
Um pântano que é de amargar!

Não suponha que eu exagero,
Excelência: é a verdade pura,
Sem nenhum véu de fantasia.
Já o pintei uma vez: não quero
Fabricar mais literatura
Sobre tamanha porcaria!

Reporters, a quem nada escapa,
Escreveram sueltos diversos
Sobre esse foco de infecção.
Fotógrafos bateram chapa...
Coisas melhores que os meus versos
De velho poeta solteirão!

Fiz, por sanear-se esta marema,
Uma carta desesperada
Ao seu ilustre antecessor,
Uma carta em forma de poema:
O homem saiu sem fazer nada...
Pelo martírio do Senhor,

Ponha o pátio, insigne Prefeito,
Limpo como o olhar da inocência,
Limpo como — feita a ressalva
Da muita atenção e respeito
Devidos a Vossa Excelência —
Sua excelentíssima calva!

A Moussy

De John o agrado mais terno,
De Tontje o olhar mais risonho
Tomo e com eles componho
Alguma coisa de eterno,
De fino, de leve — um sonho,
Um pensamento, um perfume,
A carícia mais querida,
— Um beijo, em que se resume
Toda a afeição de uma vida.

Dedicatórias da primeira edição

A Moussy e Jo

Malungo, malungulungo,
Malungo, malungulô
Com todo o amor do malungo
Para Moussy e para Jo.

A Rachel

À grande e cara Rachel
Mando este livro, no qual
Ruim é a parte do Manuel,
Ótima a do João Cabral.

A Santa Rosa

Quem é malungo, malunga.
Se não presta este Mafuá,
Ponha, meu Santa, um calunga
No anterrosto, e prestará.

A Vinicius

Penico é também cabungo,
Ma foi! São tais exercícios
Cabungagens que o malungo
Envia ao caro Vinicius.

A Prudente

Malungo Manuel envia
Isto ao malungo Prudente.
Sei que é mofina a poesia,
Mas que papel excelente!

A Alfonso Reyes

No es Pegaso, sino un matungo
El caballo de mi poesía:
Simple homenaje del malungo
Al maestro de *Cortesía*.

A Murilo e Saudade

Murilo de olhos de santo,
Saudade de olhos de mel,
Pode não ter grande encanto,
Mas é vosso este Manuel.

A Carpeaux

Malungo, malungulungo,
Malungo, malungulô.
Homenagem do malungo
A Otto Maria Carpeaux.

A Lauro Escorel

Maus versos em bom papel,
Aqui vai, Lauro Escorel,
O mafuá do Manuel.

A Maria

Malungo Manuel envia
Isto à malunga Maria.

A Murilo Miranda

Bandeira manda a Miranda,
Ao fino, ao raro editor
Esta versalhada, e manda-a
Pela edição, que é um primor.

A Homero Icaza Sánchez

— Are you Homer?
— Oh no! I'm Icaza Sánchez.
— Then a malungo?
— Definitely!
— Well, here you are!

A Lêdo Ivo

Lêdo, amor com amor se paga. Por isso, neste quarteto,
retribuo com o *Mafuá o A-
contecimento do Soneto.*

TRÊS LETRAS PARA MELODIAS DE VILLA-LOBOS

I
MARCHINHA DAS TRÊS MARIAS

Quando já a luz do dia
Atrás das serras arde;
Quando desmaia a tarde
À lenta voz dos sinos:
Nos céus da minha terra,
Tão ricos de esperança,
Brilham na noite mansa
Três luzes, três destinos.

Tremem gentis, tremeluzem com fulgor,
Astros do meu anseio e meu amor,
A levantar meus olhos para Deus.

Três sóis, os três destinos
Da terra em que nascemos,
Pátria que estremecemos
No solo e em sua história:
Maria que és da Graça
(Da Graça e dos Amores),
Maria que és das Dores,
Maria que és da Glória.

Tremem gentis, tremeluzem com fulgor,
Astros do meu anseio e meu amor,
A levantar meus olhos para Deus.

II
QUADRILHA

Roda, ciranda,
Por aí fora,
Chegou a hora
De cirandar!
Na tarde clara
Vinde ligeiras,
Ó companheiras,
Rir e dançar!

Moças que dançam
Nas horas breves

Dos sonhos leves,
Na doce idade
Das ilusões,
Guardam lembrança,
Boa lembrança
Da mocidade
Nos corações.

Roda, ciranda,
Como essas belas,
Gratas estrelas
Dos nossos céus!
Vamos, em rondas
Precipitadas,
Como levadas
Na asa dos véus!

Moças que dançam
Nas horas leves
Dos sonhos breves,
Na doce idade
Das ilusões,
Guardam lembrança,
Boa lembrança
Da mocidade
Nos corações.

III
QUINTA BACHIANA

Irerê, meu passarinho
Do sertão do Cariri,
Irerê, meu companheiro,
Cadê viola?
Cadê meu bem?
Cadê Maria?
Ai triste sorte a do violeiro cantadô!
Sem a viola em que cantava o seu amô.
Seu assobio é tua flauta de irerê:
Que tua flauta do sertão quando assobia,
A gente sofre sem querê!

Teu canto chega lá do fundo do sertão
Como uma brisa amolecendo o coração.

Irerê, solta teu canto!
Canta mais! Canta mais!
Pra alembrá o Cariri!

Canta, cambaxirra!
Canta, juriti!
Canta, irerê!
Canta, canta, sofrê!
Patativa! Bem-te-vi!
Maria-acorda-que-é-dia!
Cantem todos vocês,
Passarinhos do sertão!

Bem-te-vi!
Eh sabiá!

Lá! liá! liá! liá! liá! liá!
Eh sabiá da mata cantadô!
Liá! liá! liá! liá!
Liá! liá! liá! liá! liá! liá!
Eh sabiá da mata sofredô!

O vosso canto vem do fundo do sertão
Como uma brisa amolecendo o coração.

No aniversário de Maria da Glória

Trôpego, reumático, surdo,
Eu, poeta oficial da família,
Junto as últimas forças e urdo
Em mansa, amorosa vigília
Estes versos para Maria
Da Glória no glorioso dia!

Toada

Fui sempre um homem alegre.
Mas depois que tu partiste,
Perdi de todo a alegria:
Fiquei triste, triste, triste.

Nunca dantes me sentira
Tão desinfeliz assim:
É que ando dentro da vida
Sem vida dentro de mim.

Agradecendo doces a Stella Leonardos

1. Doces de açúcar e gemas
   São teus versos, e teus doces
   Sabem a poemas: não fosses
   Toda doce em cada poema!

2. Pouco e coco rimam, sim,
   Mas quando o coco é o seu coco,
   Que, por mais que seja, é pouco
   (Pelo menos para mim!).

3. Não veio doce, mas veio
   Verso seu, que me é tão doce
   Como se doce ele fosse:
   Mais que doce: doce e meio!

Madrigal epitalâmico

Ady Marinho,
Tu tens no olhar
O sol do vinho,
O sal do mar.

Por isso enlevas
E, de roldão
E para cima,
Rendido levas
O coração
De Ermiro Lima,

Ady Marinho,
Que tens no olhar
O sol do vinho,
O sal do mar.

Bodas de ouro

Bondade é coisa que na vida
— Nesta vida decepcionante —
Nenhum prêmio, nenhum tesouro,
Nenhuma recompensa paga:
Bondade de Mestre Aguinaga,
A quem, depois das bodas de ouro,
Desejamos as de brilhante.
(Depois as do céu, na outra vida...)

Resposta a Alberto de Serpa

Saber comigo como é Poesia?...
saber comigo como é Bondade?...
Pois quem mais sabe como é Poesia,
pois quem mais sabe como é Bondade
do que tu mesmo, bom e grande Alberto
de Serpa, amigo de peito aberto
para os amigos de longe ou perto,
querido Alberto, fraterno Alberto?

Cartão-postal

Paris encanta. Londres mete medo.
Paris é a maior... ninguém se iluda.
Por intermédio meu, amigo Lêdo,
a Coluna Vendôme te saúda!

A Antenor Nascentes

Como chega às de ouro agora,
Chegue um dia às de diamante,
Onde vou ver se consigo
(Mas não creio!) entre os presentes
Estar, — é o voto do amigo
Desde a infância, e vida afora
Seu admirador constante,
Meu caro Antenor Nascentes.

Allinges

És grande e bela, como as deusas e as esfinges
E as montanhas e o mar... És noite e aurora, Allinges!

Carla

Carla, és bonita. Pudera!
Sendo filhinha de Allinges,
O fato era de prever.
Mas o que ver eu quisera
É se a beleza materna
Tu, quando mulher, atinges,
Doce e pequenino ser
Feito da essência mais terna.

Poema para Tuquinha

Você chamou Maria Helena "o anjo lindo de Tuquinha".
Na realidade você é que é o anjo lindo de Maria Helena,
O anjo lindo de Branca,
O anjo lindo de Branquinha,
O anjo lindo de Isabel,
O anjo lindo de Manuel,
O anjo lindo de nós todos.

Reze a Deus por nós, anjo lindo: aos anjos ele atende.

Epitalâmio para Maria da Glória e Rodolfo

Cantei Maria da Glória
recém-nascida. Hoje canto
a mesma na plena glória
de mulher recém-casada
— adorável e adorada.
Ela, pelo seu encanto,
acabou por alcançar
com quem o mais belo par
de que no mundo há memória
fazer. Assim Deus os fez
e os uniu. Glória ao marquês
Rodolfo! e as bênçãos não cessem
dos céus aos dois, pois merecem.

Ria, Rosa, Ria!

A Guimarães Rosa

Acaba a Alegria
Dizendo-nos: — Ria!
Velha companheira,
Boa conselheira!

Por isso me rio
De mim para mim.
Rio, rio, rio!
E digo-lhe: — Ria,
Rosa, noite e dia!
No calor, no frio,

Ria, ria! Ria,
Como lhe aconselha
Essa doce velha
Cheirando a alecrim,
A alegre Alegria!

VOTOS DE ANO-BOM A MURILO E SAUDADE

Que a Murilo e Saudade vás
Levar, cartão, num grande abraço,
Meus votos de saúde e paz.
(Paz sem a pomba de Picasso.)

DEDICATÓRIA DE *OPUS 10* A THIAGO E POMONA

A Thiago e Pomona ofereço
Meu *Opus 10*, exemplar A.
E com este voto ofereço:
Deus bem-fade a vida em começo
Do *Opus 1* deles, meu xará.
— Meu imprevisível xará.

NOSSA SENHORA DE NAZARETH

Jantando uma vez em casa de Odylo,
Seu amigo Couto, na animação
Do papo — papo que é um deleite ouvi-lo —
Subitamente perdeu a razão

(Só assim se pode explicar aquilo)
E fez o clássico gesto vilão,
O obsceno gesto que a Vênus de Milo
Jamais poderia fazer, pois não?

Desaprovei a licença de Couto
Diante de Nazareth. Que afoito (ou afouto)!
Pois a intemerata piauiense é

A mulher que já encontrei até agora
Mais parecida com Nossa Senhora:
É Nossa Senhora de Nazareth.

Cantiga de amor

Mulheres neste mundo de meu Deus
Tenho visto muitas — grandes, pequenas,
Ruivas, castanhas, brancas e morenas.
E amei-as, por mal dos pecados meus!
Mas em parte alguma vi, ai de mim,
Nenhuma que fosse bonita assim!

Andei por São Paulo e pelo Ceará
(Não falo em Pernambuco, onde nasci),
Bahia, Minas, Belém do Pará...
De muito olhar de mulher já sofri!
Mas em parte alguma vi, ai de mim,
Nenhuma que fosse bonita assim!

Atravessei o mar e, no estrangeiro,
Em Paris, Basileia e nos Grisões,
Lugano, Gênova por derradeiro,
Vi mulheres de todas as nações.
Mas em parte alguma vi, ai de mim,
Nenhuma que fosse bonita assim!

Mulher bonita não falta, ai de mim!
Nenhuma porém, tão bonita assim!

Portugal, meu avozinho

Como foi que temperaste,
Portugal, meu avozinho,
Esse gosto misturado
De saudade e de carinho?

Esse gosto misturado
De pele branca e trigueira,
— Gosto de África e de Europa,
Que é o da gente brasileira?

Gosto de samba e de fado,
Portugal, meu avozinho,
Ai Portugal que ensinaste
Ao Brasil o teu carinho!

Tu de um lado, e do outro lado
Nós... No meio o mar profundo...
Mas, por mais fundo que seja,
Somos os dois um só mundo.

Grande mundo de ternura,
Feito de três continentes...
Ai mundo de Portugal,
Gente mãe de tantas gentes!

Ai Portugal de Camões,
Do bom trigo e do bom vinho,
Que nos deste, ai avozinho,
Este gosto misturado,
Que é saudade e que é carinho!

A Afonso

Recebi o seu telegrama,
Afonso. Obrigado, obrigado:
Sempre é bom ganhar um agrado
Dos amigos a quem mais se ama.

Gastão gentil como uma dama,
Esse merece ser chamado
Pinheiro, como você o chama.
E Otávio, nunca assaz louvado.

Não me sinto pinheiro, Afonso,
Eu velho bardo, entre mil vários,
À espera da hora do responso.

Sou apenas um setentão
Adido à estranha legação
Dos pinheiros septuagenários.

Saudação a Vinicius de Moraes

Marcus Vinicius
Cruz de Moraes,
Eu não sabia
Que no teu nome
Tu carregavas
A tua cruz

De fogo e lavas.
Cruz da poesia?
Cruz do renome?
Marcus Vinicius,
Que em tuas puras,
Tuas selvagens,
Raras imagens
Da mais pungente
Melancolia,
Ficaste ardente
Para jamais.
Quais são teus vícios,
Vinicius, quais,
Para os purgares
Nas consulares
Assinaturas?
Marcus Vinicius,
Eu já te tinha
(E te ofereço
Esta tetinha)
Como um dos marcos
De maior preço
Do bom lirismo
Da pátria minha.
Mas não sabia
Que fosses Marcus
Pelo batismo.
Hoje que o sei,
Te gritarei
Num poema bom,
Bom, não! no mais
Pantafaçudo
Que já compus:
— Marcus Vinicius
Cruz de Moraes
(Mello também)

De cruz a cruz
Eu te saúdo!

Resposta a Carlos Drummond de Andrade

À mão que o dispensa deve
O laurel sua virtude.
Grato, mas junto sou rude
De quem *Claro Enigma* escreve.

TEMA E VOLTAS

Em brigas não tomo parte,
A morros não subo não:
Que se nunca tive enfarte,
Só tenho meio pulmão.

No amor ainda tomo parte,
Mas não me esbaldo, isso não:
Que se nunca tive enfarte,
Só tenho meio pulmão.

De Eros a arriscada arte
Sempre usei com discrição:
Que se nunca tive enfarte,
Só tenho meio pulmão.

Bem que desejara amar-te
Sem medida nem razão.
Mas qual! Se não tive enfarte,
Só tenho meio pulmão.

O PALACETE DOS AMORES

Um dia destes a saudade
(Saudade, a mais triste das flores)
Me deu da minha mocidade
No Palacete dos Amores.

O Palacete dos Amores,
Criação que a força de vontade
Do velho Gomes, em verdade,
Atestava. Linhas e cores

Compunham quadro de um sainete
Tal, que os amores eram mato
Nos três pisos do palacete.

Mato, não — jardim: por maiores
Que fossem, sempre houve recato
No Palacete dos Amores.

Trovas para Adelmar

A Academia anda triste,
Triste, triste (para mim):
É um jardim cheio de rosas,
Mas um jardim sem jasmim.

Falta lá a flor mais gostosa
De se cheirar num jardim,
Pois das brasileiras flores
A mais cheirosa é o jasmim.

Basta um jasmim pequenino
Para encher todo um jardim.
Adelmar, na Academia,
És tu, meu caro, o jasmim.

A Academia anda triste...
Nunca a vi tão triste assim!
É um jardim cheio de rosas,
Mas um jardim sem jasmim!

Viriato octogenário

"Queixem-se outros de gota, reumatismo",
Diz Viriato, "e de falta de memória.
Nada disso conheço. Nula é a escória
Do tempo em meu minúsculo organismo.

"Não ouço bem? Frequentemente cismo
Que estou gripado? Dizem que é ilusória
Minha gripe (ao revés de minha glória),
E que a minha surdez é comodismo.

"Se eu vos confiar que escassa é a obesidade
Nos meus quadris e de ano em ano o cinto
Aperto um ponto mais, quem de vós há de

"Acreditar-me? E jurareis que minto
Quando eu disser que quanto mais idade
Tenho, mais moço e lépido me sinto!"

BALANÇO DE MARÇO DE 1959

Março. Visita da princesa inglesa.
Raivou o calor desabaladamente.
Foi culpa mesmo da duquesa,
Que é Kent.

***

Fui ao Museu de Arte Moderna,
À exposição dos neoconcretos.
Motivos por demais secretos
Poderão construir obra eterna?

Em Lígia, tão dotada, a pintura transcende
A tela e incorpora a moldura.
Vendo e escutando é que se aprende:
Aprendi, mas não vi pintura.

Uma palavra só e em torno
Muito branco basta a Gullar
Para um belo poema compor
No estilo mais oracular.

Minha amiguinha X. pretende
Que o entende. Será que entende?

Jaime Maurício me apresenta
Vera Pedrosa, hoje Martins.
Saio azul na tarde nevoenta,
Neoconcretizado até os rins!

***

Deixa Boto — última prova
Em sua terrena lida —
"Os movimentos da vida
Pelos silêncios da cova."

MOTE E GLOSAS

> *Como pode o peixe vivo*
> *Viver fora da água fria?*
> *Como poderei viver*
> *Sem a tua companhia?*
> (Toada de Diamantina)

Vi uma estrela tão alta,
Vi uma estrela tão fria!
Estrela, por que me deixas
Sem a tua companhia?

Sonho contigo de noite,
Sonho contigo de dia:
Foi no que deu esta vida
Sem a tua companhia.

Água fria fica quente,
Água quente fica fria.
Mas eu fico sempre frio
Sem a tua companhia.

Nunca mais vou no meu bote
Pescar peixe na baía:
Não quero saber de pesca
Sem a tua companhia.

SAUDADES DO RIO ANTIGO

Vou-me embora pra Pasárgada.
Lá o rei não será deposto
E lá sou amigo do rei.
Aqui eu não sou feliz
A vida está cada vez
Mais cara, e a menor besteira
Nos custa os olhos da cara.
O trânsito é uma miséria:
Sair a pé pelas ruas
Desta capital cidade
É quase temeridade.
E eu não tenho cadilac
Para em vez de atropelado,

Atropelar sem piedade
Meus pedestres semelhantes.
Oh! que saudade que eu tenho
Do Rio como era dantes!
O Rio que tinha apenas
Quinhentos mil habitantes.
O Rio que conheci
Quando vim pra cá menino:
Meu velho Rio gostoso,
Cujos dias revivi
Lendo deliciadamente
O livro de Coaraci.
Cidade onde, rico ou pobre,
Dava gosto se viver.
Hoje ninguém está contente.
Hoje, meu Deus, todo mundo
Traz na boca a cinza amarga
Da frustração... Minha gente,
Vou-me embora pra Pasárgada.

IMPROVISO

Glória aos poetas de Portugal.
Glória a D. Dinis. Glória a Gil
Vicente. Glória a Camões. Glória
a Bocage, a Garrett, a João
de Deus (mas todos são de Deus,
e há um santo; Antero de Quental).
Glória a Junqueiro. Glória ao sempre
Verde Cesário. Glória a António
Nobre. Glória a Eugénio de Castro.
A Pessoa e seus heterônimos.
A Camilo Pessanha. Glória
a tantos mais, a todos mais.
— Glória a Teixeira de Pascoais.

A ESPADA DE OURO

Excelentíssimo General
Henrique Duffles Teixeira Lott,
A espada de ouro que, por escote,
Os seus cupinchas lhe vão brindar,
Não vale nada (não leve a mal
Que assim lhe fale) se comparada

Com a velha espada
De aço forjada,
Como as demais.
— Espadas estas
Que a Pátria pobre, de mãos honestas,
Dá aos seus soldados e generais.
Seu aço limpo vem das raízes
Batalhadoras da nossa história:
Aço que fala dos que, felizes,
Tombaram puros no chão da glória!
O ouro da outra é ouro tirado,
Ouro raspado
Pelas mãos sujas da pelegada
Do bolso gordo dos argentários,
Do bolso raso dos operários,
Não vale nada!
É ouro sinistro,
Ouro mareado:
Mancha o Ministro,
Mancha o Soldado.

CRAVEIRO, DÁ-ME UMA ROSA

Craveiro, dá-me uma rosa!
Mas não qualquer, General:
Que eu quero, Craveiro, a rosa
Mais linda de Portugal!

Não me dês rosa de sal.
Não me dês rosa de azar.
Não me dês, Craveiro, rosa
Dos jardins de Salazar!

A Portugal mando um cravo.
Mas não qualquer, General:
Mando o cravo mais bonito
Da minha terra natal!

Não cravo de Juscelino,
Nem de nenhum general!
Não cravo (se há lá já cravos!)
Da futura capital.

Mando o puro cravo branco
Da pátria não oficial:
Cravo de amor, — sem política,
Só de amor, meu General.

ELEGIA DE AGOSTO

Não os decepcionarei.
Jânio Quadros, São Paulo, 6.X.60

A nação elegeu-o seu Presidente
Certa de que ele jamais a decepcionaria.
De fato,
Durante sete meses,
O eleito governou com honestidade,
Com desvelo,
Com bravura.
Mas um dia,
De repente,
Lhe deu a louca
E ele renunciou.

Renunciou sem ouvir ninguém.
Renunciou sacrificando o seu país e os seus amigos.
Renunciou carismaticamente, falando nos pobres e humildes que é tão
                                                    [difícil ajudar.

Explicou: "Não nasci presidente.
Nasci com a minha consciência."

Agora vai viajar.
Vai viajar longamente no exterior.
Está em paz com a sua consciência.
Ouviram bem?
ESTÁ EM PAZ COM A SUA CONSCIÊNCIA

E que se danem os pobres e humildes que é tão difícil ajudar.

O OBELISCO

Um obelisco monolítico é a verdade nua em praça pública.
A nudez dos obeliscos é mais inteira, mais estreme, mais escorreita,
[mais franca, mais sincera, mais lisa, mais pura, mais ingênua
[do que a da mulher mais bem-feita.
Ingênua como a de Susana surpreendida pelos juízes.
Pura como a de Santa Maria Egipcíaca despindo-se para o barqueiro.
Todo obelisco é uma lição de verticalidade física e moral, de retidão, de ascetismo.
Homem que não suportas a solidão (grande fraqueza!)
Aprende com os obeliscos a ser só.
Os egípcios erguiam obeliscos à entrada de seus templos, de seus túmulos,
[e neles gravavam apenas,

Discretamente,
O nome do rei construtor ou do deus reverenciado.
O obelisco aponta aos mortais as coisas mais altas: o céu, a lua, o sol,
[as estrelas — Deus.
O obelisco da Avenida Rio Branco não veio do Egito como o que está na
[Praça da Concórdia em Paris;
Nem por isso merece menos respeito.
Obelisco não é mourão para amarrar cavalos.
Não é manequim para camisolas de anúncio.
Não é andaime para farandulagens de carnaval.
(Já o fantasiaram de baiana, oh afronta!
Já lhe quebraram o ápice de agulha,
Já o chamuscaram de alto a baixo.)
Que o obelisco esteja sempre nu e limpo, apontando as coisas mais altas —
[o céu, a lua, o sol e as estrelas.

RAQUEL

Raquel, angélica flor
Do ramalhete de Clóvis.
(Amor, que os astros moves,
Dá-lhe o melhor amor.)

HELENA MARIA

Helena Maria:
O preto no branco,
No branco a poesia,
No preto esse arranco
Da alma forte e pura
Em sua ternura.

EDMÉE

Que delícia na mata o fio d'água
Da fresca fonte para a sede grande!
(Assim a tua voz, límpida água
      Para outra sede, Edmée Brandi.)

ELEGIA INÚTIL

Lágrimas, duas a duas,
choraram dentro de mim,
ao ler que o Prefeito Alvim
mudou o nome a muitas ruas.

Nomes de ruas que havia
no Rio de antigamente!
(A respeito, minha gente,
ainda há a Rua da Alegria?)

Eram tão lindos! Assim:
Rua Bela da Princesa
(que distinção, que beleza!
nome que cheira a jardim).

Rua Direita da Sé:
nome firme, nome nobre;
nome em que nada há que dobre;
nome-afirmação de fé!

Havia as ruas de ofício:
Dos Ourives, dos Latoeiros...
Becos: Beco dos Ferreiros...
E havia as ruas do vício...

Muito nome foi mudado,
mas o novo não pegou:
nunca ninguém não falou
senão Largo do Machado.

(Este nome pode ser,
quando muito, acrescentado,
assim, Largo do Machado
de Assis gosto de dizer.

Na do Catete, contou-me
Z., o mestre escreveu *Brás Cubas*.
Darás na casa se subas
pela rua do seu nome.)

Esta Rua do Ouvidor
já foi Caminho do Mar!
(Ouvidor pode passar,
mas o antigo era melhor.)

Não tens laranjas, mas cheiras
aos frutos da minha infância:
ah inesquecível fragrância
da que ainda és das Laranjeiras!

O Largo da Mãe do Bispo
há muito tempo acabou-se.
(E hoje acabou o que era doce
ainda: a Rua do Bispo...)

Vais ter um nome pequeno,
Rua do Jogo da Bola!
Vais ter um nome pachola,
ai Travessa do Sereno!

IMAGENS DE JUIZ DE FORA

I

Vejo-a dançando tão leve e linda,
Tão linda e leve como nenhuma
Não dança, voa como uma pluma
    Largada ao vento.
E quando passa, dançando ainda,
Leva consigo meu pensamento.

II

Entras, mimosa e cândida,
E enleado em teu perfume
Gagueja um poeta pálido:
Du bist wie eine Blume...

III

Soltos, desnastros,
Esvoaçantes,
Num fulgor de astros,
Quem dera vê-los,
Nas madrugadas,
Os teus cabelos,
Loucos, errantes,
Sobre as espáduas maravilhadas!...

IV

Qual o mistério de terdes
Uns olhos que tanto encantam?
Que sereias é que cantam
Na água desses olhos verdes?

V

Aparece... E uma luz irradia na sala
Como de uma primeira estrela em céu de opala.

A Guimarães Rosa

Não permita Deus que eu morra
Sem que ainda vote em você;
Sem que, Rosa amigo, toda
Quinta-feira que Deus dê,
Tome chá na Academia
Ao lado de vosmecê,
Rosa dos seus e dos outros,
Rosa da gente e do mundo,
Rosa de intensa poesia
De fino olor sem segundo;
Rosa do Rio e da Rua,
Rosa do sertão profundo!

Retruque a Guimarães Rosa

Respondo a Guimarães Rosa
Em pé de romance assim:
Vou pedir ao Maçarico,
Vou pedir a Miguilim
Que a mano Rosa eles digam:

— "Rosa, não seja ruim.
Faça a vontade do bardo,
Ainda que bardo chinfrim!"
E eu secundo: Mano Rosa,
Rosa, rosai, rosae, rosæ,
Vou aos meus dias pôr um fim.
Antes, porém, me prometa,
Pelo Senhor do Bonfim,
Que à minha futura vaga
Você se apresenta, sim?
Muito saudar a Riobaldo,
Igualmente a Diadorim!

LOUVADO E PRECE

Isabel querida
— A menininha
mais bonitinha,
mais engraçadinha,
mais bizurunguinha
que eu já vi na minha vida
— amorável,
adorável,
a d o r á v e l !

Mas é mesmo uma menina?
Ou será, Manuel,
lírio da campina
botão de rosa no galho,
ou, na manhã fria
de abril, cristalina
gotinha de orvalho?
(De orvalho ou de mel?)
Se não é um doce,
é como se fosse.

É mais: um anjinho
muito seriozinho
caído do céu
por descuido, com
uma bonequinha
loura e coradinha
nos braços. Que bom
que é um anjo fresquinho
caído do céu!

*

Rogo a Deus, nosso Senhor,
seres meu anjo-guardião:
se um dia, seja em que for,
eu cair em tentação
(sou tão grande pecador!)
Peço-te que tu me salves,
salves o bardo Manuel,
　　Isabel,
— Isabel Moreira Alves.

À MANEIRA DE...

...ALBERTO DE OLIVEIRA

Esse que em moço ao Velho Continente
Entrou de rosto erguido e descoberto,
E ascendeu em balão e, mão tenente,
Foi quem primeiro o sol viu mais de perto;

Águia da Torre Eiffel, da Itu contente
Rebento mais ilustre e mais diserto,
É o florão que nos falta (e não no tente
Glória maior), Santos Dumont Alberto!

Ah que antes de morrer, como soldado
Que malferido da refrega a poeira
Beija do chão natal, me fora dado

Vê-lo (tal Febo esplende e é luz e é dia)
Na que chamais de Letras Brasileira,
Ou melhor nome tenha, Academia.

...OLEGÁRIO MARIANO

Triste flor de milonga ao abandono,
Betsabé, Betsabé, que mal me fazes!
Ontem, a coqueluche dos rapazes,
E agora? pobre pássaro sem dono.

Primavera e verão foram-se. O outono
Chegou. Folhas no chão... Névoas falazes...
E aí vem o inverno... O fim das lindas frases...
O último sonho, e após, o último sono!

As cigarras calaram-se. Era tarde!
E hoje que no teu sangue já não arde
O fogo em que tanta alma se abrasou,

Choras, sem compreenderes que a saudade
É um bem maior do que a felicidade,
Porque é a felicidade que ficou!

...Augusto Frederico Schmidt

I

Daqui a trezentos anos
Não existirei mais.

Outros amarão e serão amados,
Outros terão livrarias católicas,
Outros escreverão no suplemento de domingo dos jornais:
Eu não existirei mais.

Seja, não importa, Senhor!
Sou um pobre gordo.
Mas sei que eles também não serão felizes.

Eu sim, o serei então,
Quando debaixo da terra, magro, magro, só ossos,
Não existir mais.

II

Há muito o meu coração está seco,
Há muito a tristeza do abandono,
A desolação das coisas práticas
Entrou em mim, me diminuindo.

Porém de repente será talvez a contemplação
De um céu noturno como mais belo não vi,
Com estrelas de um brilho incrível,
De uma pureza incalculável, incrível.

A poesia voltará de novo ao meu coração
Como a chuva caindo na terra queimada.
Como o sol clareando a tristeza das cidades,
Das ruas, dos quintais, dos tristes e dos doentes.

A poesia voltará de novo, única solução para mim,
Única solução para o peso dos meus desenganos,
Depois de todas as soluções terem falhado:
O amor, os seguros, a água, a borracha.

A poesia voltará de novo, consoladora e boa,
Com uma frescura de mãos santas de virgem,
Com uma bondade de heroísmos terríveis,
Com uma violência de convicções inabaláveis.

Verei fugir todas as minhas amargas queixas de repente.
Tudo me parecerá de novo exato, sólido, reto.
A poesia restabelecerá em mim o equilíbrio perdido.
A poesia cairá em mim como um raio.

...E.E. CUMMINGS

Thank you for the exquisite jam
Th
an
k you
too
) or also (
for the
71
Cumm
ings'
po? e! ms!!
An
d now —
get into this brazilian hammock and
let me sing for you:
"Lullaby
"Sleep on and on..."

Xaire, Elisabeth.

POEMAS MUSICADOS

A Catulo Cearense

Seresta (Nº 5)

Rio, 1926

MODINHA

Poesia de Manduca Piá

Heitor Villa-Lobos

A propriedade exclusiva desta composição, para todo o mundo, é da Casa Arthur Napoleão (Músicas), S. A., Rio de Janeiro.

A Cristina Maristany

VAI, AZULÃO
MY BLUEBIRD

Manuel Bandeira   Camargo Guarnieri
English version by Theodore F. Fitch.

Copyright 1947 by M. Camargo Guarnieri.
Exclusividade da edição no Brasil da Ricordi Brasileira – S. A. E. C. – São Paulo.
Todos os direitos de reprodução, tradução e transcrição são reservados.

MODINHA

Letra de Manuel Bandeira   Jayme Ovalle
                                      Op. 5

© Copyright 1945 Irmãos Vitale – Editores – São Paulo – Rio de Janeiro – Brasil.
Derechos internacionales asegurados – All rights reserved.
Todos os direitos de execução, tradução e arranjos, reservados para todos os países.

AZULÃO

Letra de Manuel Bandeira

Jayme Ovalle
Op. 21

Vai,
Azulão,
Azulão,
Companheiro,
Vai!
Vai ver minha ingrata

Diz
Que sem ela
O sertão
Não é mais
Sertão!
Ai voa,
Azulão,
Vai contar,
Companheiro,
Vai!

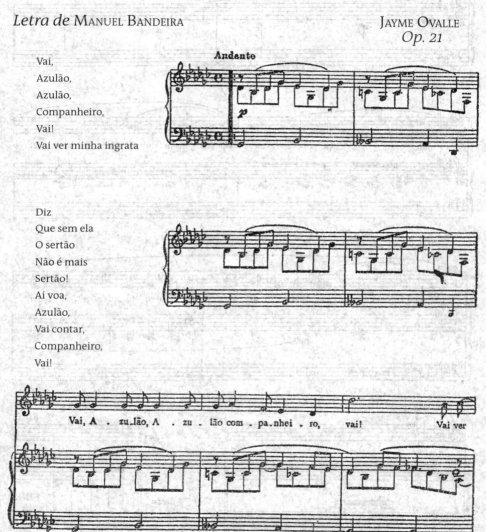

© Copyright 1945 Irmãos Vitale – Editores – São Paulo – Rio de Janeiro – Brasil.
Derechos internacionales asegurados – All rights reserved.
Todos os direitos de execução, tradução e arranjos, reservados para todos os países.

POEMAS
TRADUZIDOS

A Cristo crucificado

De autor espanhol não identificado

Não me move, meu Deus, para querer-te
O céu que me hás um dia prometido:
E nem me move o inferno tão temido
Para deixar por isso de ofender-te.

Tu me moves, Senhor, move-me o ver-te
Cravado nessa cruz e escarnecido.
Move-me no teu corpo tão ferido
Ver o suor de agonia que ele verte.

Moves-me ao teu amor de tal maneira,
Que a não haver o céu ainda te amara
E a não haver o inferno te temera.

Nada me tens que dar porque te queira;
Que se o que ouso esperar não esperara,
O mesmo que te quero te quisera.

Anelo

Goethe

Só aos sábios o reveles,
Pois o vulgo zomba logo:
Quero louvar o vivente
Que aspira à morte no fogo.

Na noite – em que te geraram,
Em que geraste – sentiste,
Se calma a luz que alumiava,
Um desconforto bem triste.

Não sofres ficar nas trevas
Onde a sombra se condensa.
E te fascina o desejo
De comunhão mais intensa.

Não te detêm as distâncias,
Ó mariposa! e nas tardes,
Ávida de luz e chama,
Voas para a luz em que ardes.

"Morre e transmuda-te": enquanto
Não cumpres esse destino,
És sobre a terra sombria
Qual sombrio peregrino.

A UM PESCADOR

Salvador Díaz Mirón

Tua canoa no afã madruga:
No firmamento luz o arrebol;
A água se estende sem uma ruga,
E a vela branca na sua fuga
Furta alguns raios ao novo sol.

Entanto rompes em cantoria,
Que, inculta e pobre, nos faz chorar:
Escuto a ingênua melancolia
Do que, inseguro do pão do dia,
Enfrenta os riscos do incerto mar!

Canta! Medrosa nos seus pesares,
A mulherzinha dirá: Senhor!
Serena as ondas, clareia os ares...
Por estes filhos, guia nos mares
O pobre barco do pescador!

ÚLTIMO INSTANTE

Manuel Gutiérrez Nájera

Quero morrer ao declinar do dia,
Em alto-mar, quando vem vindo a treva;
Lá me parecerá sonho a agonia,
E a alma uma ave que nos céus se eleva.

Não ouvir nos meus últimos instantes,
A sós com o mar e o céu, humanas mágoas,
Nem mais vozes e preces soluçantes,
Senão o grave retumbar das águas.

Morrer quando, ao crepúsculo, retira
A luz as áureas redes da onda verde,
E ser como esse sol que lento expira:
Algo de luminoso que se perde.

Morrer, e antes que o tempo me destrua
Da mocidade a esplêndida coroa;
Quando inda a vida ouço dizer: sou tua,
Saiba eu embora que nos atraiçoa.

Noturno

José Asunción Silva

      Uma noite,
Uma noite toda cheia de murmúrios, de perfumes e da música das asas;
      Uma noite,
Em que ardiam na nupcial e úmida sombra das campinas as lucíolas
                                  [fantásticas,
A meu lado lentamente, contra mim cingida toda, muda e pálida,
Como se um pressentimento de amarguras infinitas,
Até o fundo mais recôndito das fibras te agitasse,
Pela senda que se perde no horizonte da planície
      Caminhavas;
      E nos céus
Azulados e profundos esparzia a lua cheia sua claridade branca.
      Tua sombra,
      Fina e lânguida,
      E a minha,
Projetadas pelos raios do luar na areia triste
    Do caminho se juntavam
      E eram uma,
      E eram uma,
E eram uma sombra única,
    Uma longa sombra única,
      Uma longa sombra única...

Esta noite
Eu só, a alma
Cheia assim das infinitas amarguras e aflições de tua morte,
Separado de ti mesma pelo tempo, pelo túmulo e a distância,
Pela escuridão sem termo
Aonde a nossa voz não chega,
Silencioso
Pela senda caminhava...
E escutavam-se os ladridos dos cachorros para a lua,
Lua pálida,
E a coaxada
Dos batráquios...
Senti frio. O mesmo frio que coaram no meu corpo
Tuas faces e teus seios e teus dedos adorados
Entre as cândidas brancuras
Das cobertas mortuárias.
Era o frio do sepulcro, sopro gélido da morte,
Era o frio atroz do nada.
Minha sombra,
Projetada pelos raios do luar na areia triste,
Solitária,
Solitária,
Pela estepe desolada caminhava.
Foi então que a tua sombra
Ágil e esbelta,
Fina e lânguida,
Como nessa extinta noite da passada primavera,
Noite cheia de murmúrios, de perfumes e da música das asas,
Acercou-se e foi com ela,
Acercou-se e foi com ela,
Acercou-se e foi com ela... Oh, as sombras enlaçadas!
Oh, as sombras de dois corpos que se juntam às das almas!
Oh, as sombras que se buscam pelas noites de tristezas e de lágrimas!

ODE À PÁTRIA

Eduardo Ritter Aislán

Pelos fecundos prados onde sega
Sua dor infinita e renovada
A vasta emigração do pensamento,
Volta a esculpir sua voz de essência dissipada

O trânsito floral de um sonho roto.

Voltam a arar a terra da memória
A letal erosão das esperanças,
A ferrugem do amor adolescente
E a vigência tenaz de um desencanto.

Arrastam outra vez cadeias infrangíveis
Os fugazes anelos liberados,
E nos duros barrotes do silêncio
Voltam desertas vozes a agarrar-se.

Voltam vozes cordiais, a aflorarem na hera
Que recobre as paredes de muitos desenganos,
E da habitual tertúlia
Também volta a alegria
A assomar seu tremor de nubentes gerânios.

Volta o cinzel azul de meus anseios
A cinzelar com ouro
As ondas do mar pátrio
Nas praias sossegadas da memória.

E voltam a legar
Sua atônita brancura
Os áridos caminhos que a puerícia
Incorporou à vida
E a franjar, com eflúvios
De nardos e de cravos,
Pátria, tua presença imperecível.

Rosa D'Alva

Pedro Juan Vignale

Rosa azul, rosa vermelha,
Qual delas preferirias?
– Rosa cor-de-rosa da alva,
Eis a rosa que eu queria;
Coroada como as amoras,
E como a lua – tão fria.

Três dias com suas noites
E três noites com seus dias,
Andei atrás dessa rosa:
Da rosa rosada e fria.

Mas ai! sempre que partira,
Ai! que sempre que partia,
No caminho da alvorada
A rósea rosa pendia.
Já a amolecera a orvalhada,
Já os galos a encareciam,
Ai! a rosa mais rosada,
Rosa da alvorada fria!

Jamais suas mãos puderam,
Jamais elas poderiam
Colher nunca a rosa rósea
Da alvorada umedecida.
Pois sempre que ia chegando
– Andando noites e dias –,
Por sobre os caminhos de ouro
Já dançava o meio-dia.

RENÚNCIA

Patricia Morgan

Me mantive branca,
Me mantive estática;
No entanto uma chama
De paixão estranha
Ardeu dentro em mim.
Mas ele não soube,
Nem saberá nunca,
Tudo que senti...

Vi mundos nublados,
Me aromei de nardos,
Me tremia o peito...
E em meu porte erguido,
Me mantive estática,
Minha emoção foi pálida...
Já passou o momento,
Foi-se a tempestade.

Não saberá ele
Que senti seus lábios
Beijar minha carne;
Que ao fitar nos seus
Meus olhos profundos,
Entreguei minh'alma;
Que tremi de anelos,
Juntando nas minhas
As suas mãos cálidas.

Mas passou o momento
Como tudo passa,
E entre labaredas
Desse fogo imenso
Me mantive estática,
Me mantive branca.

Tu sábio e grandioso
Senhor do Universo,
Tu, sim, é que o sabes;
Te entrego este grave
Instante que redime
Meus pecados todos;
Guarda o meu segredo,
Que ele nunca saiba
Isto que tu sabes.

Pátio

Jorge Luis Borges

Com a tarde
Cansaram-se as duas ou três cores do pátio.
A grande franqueza da lua cheia
Já não entusiasma o seu habitual firmamento.
Hoje que o céu está frisado,
Dirá a crendice que morreu um anjinho.
Pátio, céu canalizado.
O pátio é a janela
Por onde Deus olha as almas.
O pátio é o declive
Por onde se derrama o céu na casa.
Serena

A eternidade espera na encruzilhada das estrelas.
Lindo é viver na amizade obscura
De um saguão, de uma aba de telhado e de uma cisterna.

PAZ

Dirk Rafaelsz Camphuysen

Muita luta aqui lutareis,
Muita cruz e dor sofrereis,
Santos costumes guardareis,
Caminho estreito tomareis
E muita reza rezareis,
Enquanto aqui permaneceis:
Assim, depois, em paz sereis.

SONETO PARA SACHA

Fredy Blank

Precisava de irmão a princesinha.
Deus o queria assim, era o destino:
Por isso uma manhã teve a mãezinha,
– Uma manhã de sol – esse menino.

Tamanha era a alegria que se tinha
No lar, que, a bem dizer, não imagino
Como emoção tão grande à casa vinha
Dar, por nascer, um ser tão pequenino!

Alegria sem dor também não era.
A mãe sofreu, e antes daquele dia
Sofrera a filha a dor da longa espera.

Sua vida era pálida e sombria,
Deus deu-lhe o sol, um sol de primavera:
A princesinha teve o que queria.

Dor

Enrique González Martínez

O seu olhar varou-me a alma abismada,
Fundiu-se em mim, tão minha parecia,
Que não sei se este alento de agonia
É vida ainda ou morte alucinada.

Chegou o Arcanjo, desferiu a espada
Sobre o duplo laurel que florescia
No horto concluso... E desde aquele dia
Voltei, dentro das trevas, ao meu nada.

Julguei que o mundo, para o humano assombro,
Ia rolar de súbito no escombro
Da ruína total do firmamento...

Mas vi a terra em paz, em paz a altura,
O campo tão sereno, a linfa pura,
O monte azul e sossegado o vento!...

Oração

São Francisco de Assis

Oh Senhor, faze de mim um instrumento da tua paz:
Onde há ódio, faze que eu leve Amor;
Onde há ofensa, que eu leve o Perdão;
Onde há discórdia, que eu leve União;
Onde há dúvida, que eu leve a Fé;
Onde há erro, que eu leve a Verdade;
Onde há desespero, que eu leve a Esperança;
Onde há tristeza, que eu leve a Alegria;
Onde há trevas, que eu leve a Luz.

Oh Mestre, faze que eu procure menos
Ser consolado do que consolar;
Ser compreendido do que compreender;
Ser amado do que amar.

Porquanto
É dando que se recebe;
É perdoando que se é perdoado;
É morrendo que se ressuscita para a Vida Eterna.

ÚLTIMO POEMA DE STEFAN ZWEIG

Suave as horas bailam sobre
O cabelo branco e raro.
A áurea taça a borra cobre:
Sorvida, eis o fundo, claro!

Pressentimento da morte
Não turba, é alívio profundo.
O gozo mais puro e forte
Da contemplação do mundo

Só o tem quem nada cobice,
Nem lamente o que não teve,
Quem já o partir na velhice
Sinta – um partir mais de leve.

O olhar despede mais chama
No instante da despedida.
E é na renúncia que se ama
Mais intensamente a vida.

UM POEMA DE HEINE

Vem, linda peixeirinha,
Trégua aos anzóis e aos remos.
Senta-te aqui comigo,
Mãos dadas conversemos.

Inclina a cabecinha
E não temas assim:
Não te fias do oceano?
Pois fia-te de mim.

Minh'alma, como o oceano,
Tem tufões, correntezas,
E muitas lindas pérolas
Jazem nas profundezas.

Canção

Antonio Machado

Abril florescia
Na paisagem mansa.
Entre os jasmineiros
E as roseiras brancas
Do balcão fronteiro
Vi as irmãs sentadas.
A menor cosia,
A maior fiava...
Entre os jasmineiros
E as roseiras brancas,
A mais pequenina,
Risonha e rosada,
De agulha suspensa,
Sentiu que eu a olhava.
A maior seguia,
Silenciosa e pálida,
O fuso na roca,
Que o fio enroscava.
Abril florescia
Na paisagem mansa.

Numa tarde clara
A maior chorava,
Entre os jasmineiros
E as roseiras brancas,
Ante o branco linho
Que na roca fiava.
– Que tens? perguntei-lhe.
Silenciosa e pálida,
Indicou o vestido
Que a irmã começara:
Na túnica negra
A agulha brilhava;
Sobre o véu luzia
A agulha de prata.
Apontou a tarde
De abril que sonhava:
Naquele momento
Os sinos dobravam.
E na tarde clara

Me ensinou suas lágrimas...
Abril florescia
Na paisagem mansa.

Noutro abril alegre,
Noutra tarde clara,
O balcão florido
Solitário estava...
Nem a pequenina,
Risonha e rosada,
Tampouco a irmã triste,
Silenciosa e pálida,
Nem a negra túnica,
Nem a touca branca...
Apenas no fuso
O linho girava
Por mão invisível;
E na obscura sala
A lua do límpido
Espelho brilhava...
Entre os jasmineiros
E as roseiras brancas
Do balcão florido,
Minha imagem dava
Na lua do espelho,
Que longe sonhava...
Abril florescia
Na paisagem mansa.

Soneto

e. e. cummings

Não será sempre assim... Quando não for,
Quando teus lábios forem de outro; quando
No rosto de outro o teu suspiro brando
Soprar; quando em silêncio, ou no maior

Delírio de palavras desvairando,
Ao teu peito o estreitares com fervor;
Quando, um dia, em frieza e desamor
Tua afeição por mim se for trocando:

Se tal acontecer, fala-me. Irei
Procurá-lo, dizer-lhe num sorriso:
"Goza a ventura de que já gozei."

Depois, desviando os olhos, de improviso,
Longe, ah tão longe, um pássaro ouvirei
Cantar no meu perdido paraíso.

TORSO ARCAICO DE APOLO

Rainer Maria Rilke

Não sabemos como era a cabeça, que falta,
De pupilas amadurecidas, porém
O torso arde ainda como um candelabro e tem,
Só que meio apagada, a luz do olhar, que salta

E brilha. Se não fosse assim, a curva rara
Do peito não deslumbraria, nem achar
Caminho poderia um sorriso e baixar
Da anca suave ao centro onde o sexo se alteara.

Não fosse assim, seria essa estátua uma mera
Pedra, um desfigurado mármore, e nem já
Resplandecera mais como pele de fera.

Seus limites não transporia desmedida
Como uma estrela; pois ali ponto não há
Que não te mire. Força é mudares de vida.

SOMBRAS DA VIOLÊNCIA

Gerhardt Hauptmann

Soubesse eu o que em sonho me revelou
O Espírito Eterno
– Ele a quem louvam Terra e Céu –
Quando do mar do tempo
Me lançou a este deserto vermelho,
Abandonado para todo o sempre
A todas as misérias!
Ali fiquei na areia ardente
Sem noção do dia de ontem nem do dia de amanhã!

Desamparado de tudo,
Desapegado de todos,
Tudo o que viam meus olhos
Me era estranho,
Tudo aparência e ilusão.
Uma criatura – seria um homem?
Me encarava na areia abrasada,
Alheado e taciturno,
Frio e insensível.
De certo modo me regozijei
Ao ver ali uns feixes
Que pareciam arrumados por mão humana:
Estaria eu perto dos homens?
Mas reconheci num como grito mudo
Que era palha vazia!
Ah, a colheita acabou,
E onde está o trigo?
Meditando como em sonho
Sobre aquela aparição,
Ali quedei na areia ardente,
Em face do corpo mudo, nem homem nem mulher,
Na sua silenciosa nudez, paralisado pela morte.
"Vens da parte da Esfinge?" perguntaram não sei donde.
Então, erguendo às cegas a mão
E subitamente inflamado, palpitante:
"Não pergunte ninguém quem eu seja
Nem quem sejas", falou.
"As perguntas aqui não têm sentido!
A paz das coisas parece mais vazia em torno de nós.
Não te fies das aparências:
Pois já não somos ambos
Senão sombras da violência."

DÉDALO

Jaime Torres Bodet

Enterrado, vivo
Em um infinito
Dédalo de espelhos
E me ouço, me sigo,
Me busco no liso
Muro do silêncio.

Porém não me encontro.

Olho, escuto, apalpo.
Por todos os ecos
O meu próprio acento
Está pretendendo
Chegar-me ao ouvido...

Porém não o advirto.

Alguém está preso
Aqui neste frio,
Lúcido recinto,
Dédalo de espelhos...
Alguém que eu imito.
Se parte, me afasto;
Se torna, regresso;
E se dorme, sonho...
– "És tu?" eu me digo.

Porém não respondo.

Cercado, ferido
Pelo mesmo acento
– Meu? Não sei dizê-lo –
Contra o eco mesmo
Da mesma lembrança,
Eu nesta lembrança,
Eu neste infinito
Dédalo de espelhos
Enterrado vivo.

O APELO

Jules Supervielle

Um apelo, um grito
Longínquo, abafado,
Quase imperceptível,
Erra no infinito
Coração da noite.
Do fundo da guerra,
Do fundo da França,

Expirando avança,
Desmaia, persiste,
Procura ganhar
Força e consistência
No espaço, procura
Com perseverança
Um apoio à beira
Do silêncio enorme.
Súbito me escolhe
E cala-se em mim.
Sirvo-lhe de abrigo,
Sirvo-lhe de leito,
Ajudo-o a acabar.
Como conseguiste,
Persistente apelo,
Passar o oceano,
Entrar no meu tempo,
Nele demorar?
De que lábio humano,
De que fundas trevas
Vens como expressão
De última vontade?
De que subterrâneo
Ou de que retiro
De lenta agonia
Até mim te elevas,
Lânguido suspiro,
Último suspiro?
Pequenino apelo
Quase a perecer,
Acabou-se a guerra,
A França renasce;
Poderás já agora
Ceder ao silêncio,
Deixar-te morrer.

A.

Alfonso Reyes

Tardes assim, já as respirei acaso?
Cabelos soltos, úmidos do banho;
Cheiro de granja, frescor de garganta,
Primavera toda ela flor e água.

Abriu-se a reixa e fomos a cavalo.
O céu era canção, carícia o campo,
E a promessa da chuva andava viva
E alegremente pelos altos cumes.

Tremia cada folha e era bem minha,
E tu também, de medo sacudida
Entre pressentimentos e relâmpagos.

Pulsavam entre nuvens as estrelas,
E o palpitar da terra nos chegava
Pelo tranco ligeiro do cavalo.

Meu humilde amigo

Francis Jammes

Meu cão fiel, humilde amigo, sucumbiste
Sob a mesa, fugindo à morte como à vespa
Tu fugias em vida. Ali tua cabeça
Voltaste para mim no passo breve e triste.

Companheiro banal do homem, tu que em teus dias
No que falta ao teu dono achas o que te baste,
Ó ser bendito que a jornada acompanhaste
Do arcanjo Rafael e do jovem Tobias...

Tal como um santo ama ao seu Deus, num grande exemplo
Amaste-me também, ó servo verdadeiro!
O mistério de tua obscura inteligência
Vive num paraíso inocente e fagueiro.

Ah se de vós, meu Deus, a graça eu alcançasse
De face a face vos olhar na eternidade,
Fazei que um pobre cão contemple face a face
Quem para ele foi um deus na humanidade.

GOTA DE ÁGUA

Homero Icaza Sánchez

Gravei tua figura
Em uma gota de água
Lancei a gota de água
Num pequenino arroio
O arroio foi rolando
E perdeu-se num rio
O rio entrou no mar
Depois te fui buscar
E te achei dividida
Teus cabelos ficaram
Numa curva do rio
Teus braços chamavam
Feitos ramos de uma árvore
As pernas completaram
Um corpo de sereia
Que ansiava ser mulher
De teu tronco nasceram
Algas e caracóis
Achei teus olhos garços
Em uma madrepérola
Teu vário coração
Um peixezinho de ouro
Alimentou-se dele
(Hoje no mar é rei
Por tão feliz façanha)

Como estou sem teus beijos
– A um tempo mel e sal –
Bebo a água do rio
Bebo a água do mar.

O VENTO REPOUSA

Garibaldo Alessandrini

O vento repousando ávido sonha.
Sua presa a imóvel verde distância
E as flamantes papoulas
E a glauca seda do mar;

Os eretos cirros de fumo,
As oliveiras atônitas da colina;
As nuvens firmes ao amplexo dos montes
E o submisso sussurrar dos bosques.

O vento repousa e ávido sonha...

ANÉLITOS

Claudio Allori

A tua boca de chama, o colo túrgido,
Teu ardente perfume
Arrastam-me a um abismo de alegria:
Ah ser em ti, perder-me todo em ti,
E em delírio soldar nossos desejos!

Anular-se, engolfar-se
Em fundos pegos de felicidade:
Para que a vida não se extinga.
Este é o supremo anélito
Que me assimila ao infusório, ao galgo,
A esta roseira em flor
Que, pejada de essências,
Difunde em derredor vagas de aromas.

PÁSSAROS AO SOL

Aldo Capasso

Passam revoando, como flores, sombras
Indizíveis. Um astro amante faz
Tão loura a minha mão! Oh sangue rico
Como o mel! Eis de súbito uma delas
Em direção à terra, a uma menina,
Dobra com doce curva... Um improviso
Grito, e infantil, ergue-se não sei donde,
E a alma convida a tranquila frescura.

Escalada ao céu

Luigi Fiorentino

Alta se arqueia a abóbada celeste,
Onde há um brilho de flores (e são mundos!),
Vagueiam sombras afanosamente.

Misteriosa a voz que assim me chama
A subir. Escalada interminável,
Áspera e ansiosa. Em vão, em vão procuro
O meu céu (tão longínquo!). Em vão, perdida
A terra para mim, clamo por entre
Aqueles mundos. Só, minha voz perde-se
Nos profundos silêncios desta noite.

Calefrio aquerôntico

Liliencron

Já bica o estorninho a sorva vermelha –
Jubilam violinos nas danças de agosto –
Não tarda que o Outono empunhe a tesoura
E corte uma a uma as folhas dos ramos.
Então se fará no bosque um vazio,
Um rio entre os troncos desnudos virá,
Trazendo à ribeira onde estou o barco
Que me há de levar ao frio silêncio.

Em memória de Nusch Éluard

Vitezslav Nezval

As portas estão abertas de par em par
O espírito arde na Rua da Capela chamazinha
Sobre o retrato de Pablo Picasso
Ali ela desapareceu para sempre sexta-feira de manhã
Sexta-feira de manhã
Desapareceu atrás da cortina de uma familiazinha de arlequins
Que ela conduziu amorável até à barricada

O poeta gritará mas o quadro sorri
O poeta gritará mas em vão
Aquela que lhe acompanhava os passos
A que dançava
Vestida de branco
As portas estão abertas de par em par
Não há mais agora senão um grande vazio
Um vazio depois da incrível coisa
Paul Éluard que tanto amamos.

Marinha

Mariano Brull

Estava o pássaro ali
Onde luz mais amplo o dia,
O bico no ar espetado,
Canto e pluma, nada mais!
O que é pluma e fora canto
– Fuga azul que o mar refresca –
O sol muda em chamarada,
Onde o canto, ora fulgor?
Onde? E onde esta luz de pluma?
O pássaro já abalara:
Somente a vela do trino
A cortar a solidão!

Estás onde o vão estava
De tua figura n'água,
Talhado n'água: fazendo-te
Entre a tua ausência e fala,
Nova de sol, nova de onda.
(Sobre o disco do silêncio
A data justa do mar:
Registro de tua voz
Crivado na transparência.)
Margens de tua figura
– Absoluta de milagre –:
Estátua que se eterniza
Conjugando para sempre
O reclamo do momento,
Hímen rompido da eterna
Entranha virgem do mar!

ACALANTO

Elizabeth Bishop

Nana nana.
Nana, dorme o adulto
E a criança dorme.
Ao largo, ferido de morte, naufraga
O navio enorme.

Nana nana.
Batalhem os povos
E morram: não faz diferença.
A sombra do berço desenha uma imensa
Gaiola no muro.

Nana nana.
Breve a guerra acaba.
Solta esse brinquedo
Bobo, e apanha a lua,
Que é melhor brinquedo.

Nana nana.
Se acaso disserem
Que não tens juízo,
Não dês importância:
Sorri o teu sorriso.

Nana nana.
Nana, dorme o adulto
E a criança dorme.
Ao largo, ferido de morte, naufraga
O navio enorme.

ELEGIA A JACQUES ROUMAIN NO CÉU DE HAITI

Nicolás Guillén

Grave a voz possuía.
Era triste, era forte.
De lua e de aço. O porte
Todo ressoava e ardia.

Envolto em luz seguia.
Mas caiu. Desta sorte
Falou: – "É a morte". A morte!
(Ainda era sonho o dia.)

Viste passar a sua
Fronte morena, a suave
Sombra, haitiano, viste?

Homem de aço e de lua.
Possuía a voz grave.
Era severo e triste.

Ai, bem sei, bem sabemos que está morto!
Morto. Confiadamente morto. Morto
Já sem remédio. Morto
Como se morre em toda parte. Morto.
De morte natural. Tenaz e morto.
Morto de terra. Morto
Com o morto riso de caveira. Morto
Deitado, longo, seco, puro... Morto
Sem roupa nem mortalha. Morto morto,
Desfeito o corpo morto:
Lisamente, singelamente morto!

Sem embargo, recordo.
Recordo, por exemplo,
Sua sobrecasaca
De prócer cotidiano:
A de Paris
De fumo gris,
De persistente gris
A de Paris,
E outra, de fumo azul, do trajo haitiano.
Recordo os seus sapatos
Que ainda eram franceses,
Certa calça listada que trazia
Numa fotografia
Como cônsul no México.
Recordo
Seu cigarro policial
De fogo perspicaz;
Recordo a sua escrita
De letras desligadas,
Independentes, tímidas,

Duras, de pé, pendidas para a esquerda;
A caneta-tinteiro curta, preta,
Grossa,
"Pelikan",
De guta-percha e ouro;
Recordo
Seu cinto de fivela
Com duas letras.
(Ou uma? Não sei... Me falha
Neste ponto um pouco a memória:
Era uma só talvez, um grande R,
Mas não estou seguro...)
Recordo
Suas gravatas e meias e lenços;
Recordo
Seu porta-chaves,
Seus livros,
Sua carteira
(Uma carteira de Ministro,
Ambiciosa, de couro.)
Recordo
Seus poemas inéditos,
Seus escritos polêmicos
E os seus apontamentos sobre negros...
Talvez também tudo isto haja morrido,
Ou, quando mais, são coisas de museu
Familiar. Conserva-as tu, Nicole?
Sim, conserva-as. Estão
Por aí... Guardo-as, sim, quero dizer
Que as recordo.

E o resto, o resto, Jacques,
De que tanto falávamos?
Ai, o resto não muda, isso não muda!
Aí está, permanece
Como uma grande página de pedra
Que todos leem, leem, leem;
Como uma grande página
Sabida e ressabida
Que todos dizem de memória,
Que ninguém dobra nem arranca
Desse tremendo livro aberto haitiano,
Desse tremendo livro aberto
Por essa mesma haitiana página sangrenta,
Por essa mesma única aberta página
Sinistra haitiana faz trezentos anos!

POEMAS TRADUZIDOS

Sangue nas espáduas do negro inicial.
Sangue no pulmão de Louverture.
Sangue nas mãos de Leclerc,
Tremulosas de febre.
Sangue no látego de Rochambeau,
Com os seus cães sedentos.
Sangue no Pont-Rouge.
Sangue na Citadelle.
Sangue na bota dos ianques.
Sangue no punhal de Trujillo.
Sangue no mar, no céu, na montanha.
Sangue nos rios, nas árvores.
Sangue no ar.
(Esquecia dizer que justamente
Jacques, a personagem
Deste poema, murmurava às vezes
– O Haiti é uma esponja
Empapada de sangue!)
Quem espremerá essa esponja, essa insaciável
Esponja? Talvez ele,
Com seus dedos de sonho. Talvez ele,
Com seu poder celeste...
Talvez!

Ele, *Monsieur* Jacques Roumain,
Falando em nome
Do negro Imperador,
Do negro Rei,
Do negro Presidente,
E de todos os negros
Que nunca foram mais que
>
> Jean
> Pierre
> Victor
> Candide
> Jules
> Charles
> Stephen
> Raymond
> André...

Negros de pé no chão no Champ de Mars,
Ou no morno mulato caminho de Pétionville,
Ou mais acima, no já frio branco caminho de Kenskoff:
Negros ainda não instalados,
Sombras zumbis,

Lentos fantasmas do café, da cana,
Carne febril, dilacerante,
Primária, pantanosa, vegetal!
Ele vai espremer a esponja.

Há de então ver o sol duro antilhano
Qual se estalasse telúrica veia,
Enrubescer o pávido oceano.
E flutuar sem baraço e sem cadeia
Colos puros em turba, num queixume
De corpos relembrando a dura peia!
Móvel incêndio de afiado lume
Virá lamber com a língua prometida
Desde a planície até o nublado cume.

Oh aurora dos tempos, incendida!
Oh mar de sangue, mar que desbordou!
O passado passado não passou.
A nova vida espera nova vida.

Ora bem: a coisa é esta, Jacques nunca esquecido.
Não porque hajas morrido,
Não porque te levaram, melhor dito,
Não porque te fecharam o caminho,
Parou ninguém, ninguém parou, longínquo amigo.
Muitas vezes faz frio,
É certo. Alguma vez um estampido
Nos ensurdece, e sobrevêm horas de ar líquido,
Lacrimosas, de estertor e gemido.
De quando em quando logra um rio
Destroçar uma ponte... Mas de cada suspiro
Nasce um novo menino.
Todos os dias pare a noite um sol maciço
E otimista, que fecunda o baldio.
Mói sua dura colheita o moinho.
Levanta-se, cresce a espiga do trigo.
Cobrem-se de rubras bandeiras os hinos.
Olhai! Chegam envoltos em pó e farrapos os primeiros vencidos!
O dia inicial inicia a grande luz de verão.
Venha o meu morto, grave, suave, haitiano irmão,
E erga outra vez, feita punho tempestuoso, a mão.
Cantemos juntos, amigo, a nossa fraterna canção.

Eis que floresce a velha lança.
Arde em nossas mãos a esperança.
A aurora é lenta, mas avança.

Cantemos em face dos séculos frescos recém-despertados,
Sob a estrela madura suspensa na noturna fragrância,
E ao longo de todos os caminhos rasgados
Na distância!
Cantemos, pois, querido,
Pisando o látego caído
Do punho do senhor vencido,
Um canto que ninguém tenha cantado:
(Eis que floresce a velha lança.)
Úmida canção estendida
(Arde em nossas mãos a esperança.)
De tua garganta em sombras, do outro lado da vida,
(A aurora é lenta, mas avança.)
Ao meu terrestre clarim de cobre ensanguentado!

CANÇÕES DO JARDINEIRO

Eugenio Florit

I

Tu, jardineiro, tens
Com tua terra, teu Céu.

Empresta-me teu Céu
Com tua terra um momento, jardineiro.

II

Que se não vá. Entre as mãos
A conservas, segura;
E está junto de ti,
E voando no ar, segura.

III

Longe, dói-nos dentro da alma
Pelo sangue que em rios bebe.
Mas aqui, quando bebe a água,
Que tímida nos parece.

IV

Ninguém contigo. Mas tudo
Na terra contigo, jardineiro.

V

E se nus nos pariu, que muito
É que nus nos receba?
A essa mãe não lhe doemos,
Nem ela a nós nos dói, viva.

VI

Com ela este som do silêncio
Se percebe tão claro...
E como dela sai o voo
Rumoroso da árvore.

VII

Na perfeita soledade,
Que carícias nos dá a terra
Quando a vamos semear.

VIII

A ferida, pelo sangue;
Pelo fulgor, a estrela;
Pela lágrima, o luto;
E pela flor, a terra.

IX

Quando lhe queremos dá
Seu amor apaixonado
E põe a alma com sua flor
Na carícia que lhe damos.

X

Filho, já vês como a terra
Cada pranto que recebe
O devolve na flor nova.

Epitáfio

Rainer Maria Rilke

Rosa, ó pura contradição, volúpia
De ser o sono de ninguém sob tantas
Pálpebras.

De *O profeta*

Kahlil Gibran

E uma mulher que trazia ao colo uma criança
Pediu: "Fala-nos das crianças".
E ele disse:
"Vossos filhos não são vossos filhos:
São os filhos e filhas da saudade que a Vida sente de si mesma.
Vêm por meio de vós, mas não de vós,
E ainda que estejam convosco, não vos pertencem.
Podeis dar-lhes o vosso amor, não o vosso pensamento,
Pois eles têm o seu próprio pensar.
Podeis dar agasalho aos seus corpos, não porém às suas almas,
Porque as suas almas se vão acolher num amanhã que não podeis visitar nem
                                        [mesmo em sonhos.
Podeis desejar ser como eles, mas não tentar fazê-los parecidos convosco.
Porque a vida não retrocede nem se detém no dia de ontem."

Horóscopo

André Gill

Malgrado o pranto que macera
Tua mãe, rapaz destemeroso,
Tu o queres, teu braço é nervoso,
Vem combater contra a quimera!

Gasta a vida em lide severa,
Seja o entusiasmo o teu só gozo,
Bebe até o fim o copo amargoso,
Encanece na ardente espera!

Luta e, isolado, sofre e pensa!
Guarda-te a sorte em recompensa
O desdém do asno consagrado,

Um coração puro e olhos cheios
De ternura para, enlevado,
Sorrires aos filhos alheios.

DAS *RIMAS*

Adolfo Bécquer

LXIII

Voltarão as escuras andorinhas
A em teu balcão seus ninhos pendurar,
E aos teus cristais com a asa novamente
    Brincando chamarão;

Mas aquelas que o voo interrompiam,
Teu rosto e o meu enleio ao contemplar,
Aquelas que aprenderam nossos nomes...
    Essas não voltarão!

Voltarão as espessas madressilvas
De teu jardim as cercas a escalar,
E de tarde, outra vez, ainda mais belas,
    As flores abrirão;

Mas aquelas, molhadas pelo orvalho,
Cujas gotas olhávamos rolar
E cair como lágrimas do dia...
    Essas não voltarão!

E voltarão do amor aos teus ouvidos
As palavras ardentes a soar;
Teu coração do seu profundo sono
    Talvez despertará;

Mudo porém, e absorto e de joelhos,
Como se adora a Deus em seu altar,
Como eu sempre te quis... ah, desengana-te,
    Nunca te quererão!

Morada terrestre

Jorge Carrera Andrade

Habito um castelo de cartas,
Uma casa de areia, um edifício no ar,
E passo os minutos esperando
O desmoronamento do muro, a chegada do raio,
O correio celeste com a última notícia,
A sentença que voa numa vespa,
A ordem como um látego de sangue
Dispersando ao vento uma cinza de anjos.
Então perderei minha morada terrestre
E me encontrarei nu novamente.
Os peixes, os astros,
Remontarão o curso de seus céus inversos.
Tudo o que é cor, pássaro ou nome,
Volverá a ser apenas um punhado de noite,
E sobre os despojos de cifras e plumas
E o corpo do amor, feito de fruta e música,
Baixará por fim, como o sonho ou a sombra,
O pó sem memória.

Epílogo

Baudelaire

De coração contente escalei a montanha,
De onde se vê – prisão, hospital, lupanar,
Inferno, purgatório – a cidade tamanha,

Em que o vício, como uma flor, floresce no ar.
Bem sabes, ó Satã, senhor de minha sina,
Que não vim ter aqui para lagrimejar.

Como o amásio senil de velha concubina,
Vim para me embriagar da meretriz enorme,
Cujo encanto infernal me remoça e fascina.

Quer quando em seus lençóis matinais ela dorme,
Rouca, obscura, pesada, ou quando em rosicleres
E áureos brilhos venais pompeia multiforme,

– Amo-a, a infame capital! Às vezes dais,
Ó prostitutas e facínoras, prazeres
Que nunca há de entender o comum dos mortais.

Três poemas

Jayme Ovalle

I

Deus contempla em silêncio
As folhas que caem das árvores
E as folhas que permanecem nos galhos,
E vê que elas o fazem como deve ser.

Enquanto isso, os anjos se ocupam
De outros detalhes, menos difíceis,
Do mundo de Deus.

II

Ser um santo
É como ser louco.
Quem sabe lá o que ele sente

Quando vê de sua cama
Imagens de sua infância
Relumearem nas paredes?

Mas tudo se acomoda,
Porque ele reza, reza, reza
A oração que o Senhor ensinou.

Não reza por si,
Reza pelos mortos que Deus esqueceu
No Inferno, no Purgatório e no Paraíso.

III

Se eu morresse neste momento
Mal o perceberia.

Seria levado nos ares
Mais alto do que as estrelas.

E o Senhor, à porta do céu,
Esperar-me-ia com sua Mãe,

E seus anjos e seus discípulos.
E eu,

Como fazem, ao nascer, todas as crianças,
Haveria de chorar.

UM POEMA DE CHAGALL

Só é meu
O país que trago dentro da alma.
Entro nele sem passaporte
Como em minha casa.
Ele vê a minha tristeza
E a minha solidão.
Me acalanta.
Me cobre com uma pedra perfumada.
Dentro de mim florescem jardins.
Minhas flores são inventadas.
As ruas me pertencem
Mas não há casas nas ruas.
As casas foram destruídas desde a minha infância.
Os seus habitantes vagueiam no espaço
À procura de um lar.
Instalam-se em minha alma.
Eis por que sorrio
Quando mal brilha o meu sol.
Ou choro
Como uma chuva leve
Na noite.
Houve tempo em que eu tinha duas cabeças.
Houve tempo em que essas duas caras
Se cobriam de um orvalho amoroso.
Se fundiam como o perfume de uma rosa.
Hoje em dia me parece
Que até quando recuo
Estou avançando
Para uma alta portada
Atrás da qual se estendem muralhas
Onde dormem trovões extintos
E relâmpagos partidos.
Só é meu
O mundo que trago dentro da alma.

NOSSA SENHORA DA TERNURA

K. H. de Josselin de Jong

Nossa Senhora da Ternura,
Abre a ele tua alma pura.

Dissipa a sua noite, e ele veja
Onde estás. Tua mão o proteja.

Afasta-o, Mãe, da gente má,
Para que a ti, puro, ele vá.

Guarda-o da dor, dá-lhe a alegria,
Para que, junto a ti, sorria.

Dá-lhe aos olhos pudor bastante
Para a visão de teu semblante.

Dá-lhe compreensão maior,
Para que entenda o que é o amor.

E além da morte, em teu regaço
Descanse enfim seu corpo lasso.

Nossa Senhora da Ternura,
Bendita sejas, Virgem pura.

DOIS POEMAS DE RUBÉN DARÍO
BALADA DA LINDA MENINA DO BRASIL

Existe um país encantado
No qual as horas são tão belas
Que o tempo desliza calado
Sobre diamantes, sob estrelas.
Odes, cantares ou querelas
Derramam-se pelo ar sutil
Em glória de perpétuo abril.
Pois ali a flor preferida
Do canto é Ana Margarida,
Linda menina do Brasil.

Existe um mágico Eldorado
(E Amor como seu rei lá está)
Onde há a Tijuca e o Corcovado
E onde gorjeia o sabiá.
O tesouro divino dá
Ali mil feitiços e mil
Sonhos; mas nada tão gentil
Como o broto de alva incendida
Que se chama Ana Margarida,
Linda menina do Brasil.

Doce, dourada e primorosa
Infanta de lírico rei,
É uma princesa cor-de-rosa
Que amara Kate Greenaway.
Buscará pela eterna lei
O pássaro azul de Tiltyl?
Eia, oboé, sistro, harpa, anafil:
Que hoje aurora a viver convida
A essa rosa Ana Margarida,
Linda menina do Brasil.

Oferta

Princesa em flor, nada na vida,
Por mais gracioso ou senhoril,
Iguala a esta joia querida:
A pequena Ana Margarida,
Linda menina do Brasil.

O FATAL

Ditoso o vegetal, que é apenas sensitivo,
Ou a pedra dura, esta ainda mais, porque não sente,
Pois não há dor maior do que a dor de ser vivo,
Nem mais fundo pesar que o da vida consciente.
Ser, e não saber nada, e ser sem rumo certo,
E o medo de ter sido, e um futuro terror...
E a inquietação de imaginar a morte perto,
E sofrer pela vida e a sombra, no temor
Do que ignoramos e que apenas suspeitamos,
E a carne a seduzir com seus frescos racimos,
E o túmulo a esperar com seus fúnebres ramos...
E não saber para onde vamos,
Nem saber donde vimos...

DOIS POEMAS DE GARCÍA LORCA
TOADA DE NEGROS EM CUBA

Quando chegar a lua cheia, irei a Santiago de Cuba,
Irei a Santiago.
Num carro de água negra
Irei a Santiago.
Cantarão os tetos de palmeira.
Irei a Santiago.
Quando a palma quer ser cegonha,
Irei a Santiago.
Quando quer ser medusa a bananeira,
Irei a Santiago,
Irei a Santiago.
Com a ruiva cabeça do Fonseca,
Irei a Santiago.
E com a rosa de Romeu e Julieta
Irei a Santiago.
Oh Cuba! Oh ritmo de sementes secas!
Irei a Santiago.
Oh cintura quente e gota de madeira!
Irei a Santiago.
Harpa de troncos vivos. Caimão. Flor de tabaco.
Irei a Santiago.
Sempre tenho dito que irei a Santiago
Num carro de água negra.
Irei a Santiago.
Meu coral na treva,
Irei a Santiago.
O mar afogado na areia,
Irei a Santiago.
Calor branco, fruta morta,
Irei a Santiago.
Oh bovino odor de canavieiras!
Oh Cuba! Oh curva de suspiro e barro!
Irei a Santiago.

BALADA DA PRACINHA

Cantam os meninos
na pracinha quieta:
Arroio claro,
fonte serena!

Os meninos
Que tem teu divino
coração de festa?

Eu
Um dobrar de sinos
perdidos na névoa.

Os meninos
Cantando nos deixas
na pracinha quieta.
Arroio claro,
fonte serena!

Que tens em tuas mãos
de primavera?

Eu
Uma rosa de sangue
e uma açucena.

Os meninos
Molha-as na água fresca
da cantiga velha.
Arroio claro,
fonte serena!

Que sentes na boca
vermelha e sedenta?

Eu
O sabor dos ossos
de minha caveira.

Os meninos
Bebe a água tranquila
da cantiga velha.
Arroio claro,
fonte serena!

Por que vais tão longe
da pracinha quieta?

Eu
Vou em busca de magos
e de princesas!

Os meninos
Quem te ensinou o caminho
dos poetas?

Eu
A fonte e o arroio
da cantiga velha.

Os meninos
E vais muito longe
do mar e de terra?

Eu
Todo se encheu de luzes
meu coração de seda,
e de sinos perdidos,
de lírios e de abelhas,
e irei para bem longe,
além daquelas serras,
irei além dos mares
próximo das estrelas,
para pedir a Cristo
que me devolva aquela
minha alma de menino
impregnada de lendas,
com o gorrinho de plumas
e o sabre de madeira.

Os meninos
Cantando nos deixas
na pracinha quieta.
Arroio claro,
fonte serena!

As pupilas enormes
das árvores frondosas,
feridas pelo vento,
choram as folhas mortas.

DOIS POEMAS DE PAUL ÉLUARD
PALMEIRAS

As árvores a copa orvalhada de sol
Retas. Dou ao meu sol a seiva evaporada.
O sol repousa sobre o mármore das folhas
Como a água do mar no fundo adormecido.

O céu é de um só bloco a terra é vertical
E as sombras das árvores continuam as árvores.

EM SEU LUGAR

Raio de sol entre dois límpidos diamantes
E a lua a se fundir nos trigais obstinados

Uma imóvel mulher tomou lugar na terra
No calor ela se ilumina lentamente
Profundamente como um broto e como um fruto

Nele a noite floresce o dia amadurece.

QUATRO POEMAS DE ARALDO SASSONE
DESPERTAR SEM PASSADO

Em tuas mãos suaves
Deposito
Meu coração cansado.

E quero, adormecido
No sonho bom
De teu semblante,
Despertar sem passado.

OUTONO

A passo lento eis já chegado o outono.

Cabeça baixa, desce mendicante
O armento esparso. Vem pastar no verde
Murcho como um vestido desbotado.

Ondeiam duvidosas largas cítaras
Sobre os campos. No sulco que se fecha,
Como grave semente a sombra aninha-se.

FELICIDADE

Um teu sorriso procurou esconder-me
A pergunta que leio nos teus olhos:
"Por que, se sou feliz, te martirizas?"
Quero fechar os olhos, não pensar,
Não te dizer que sofro... Desumana
Alegria! Palavra que regela.
Humana dita é apenas a esperança
De cumprir um desejo. Caminhar
De olhos no chão por sendas escarpadas
Para colher a flor desconhecida.
Mas guardá-la no peito ou arrancar-lhe
Uma por uma as folhas... O divino
Desejo não é mais senão matéria.
Temo a felicidade que perdura
Mais de um instante...

SANTA MARIA

Santa Maria Virgem, Filha e Mãe
De Deus eterno, rainha das mães,
Tu que embalaste a própria morte quando
Pousou em teu seio a fronte descarnada,
Pede por mim, mísero pecador,
Teu filho, ó Mãe Santíssima, na hora
Do meu sonho sem sonhos.
        E assim seja.

QUATRO POEMAS DE NATAL

I

Rafael de la Fuente

Teus olhos
Juntam as mãos
Como as madonas
De Leonardo.

Os bosques do ocaso,
As frondes amoradas
De um Renascimento sombrio.

O rebanho do mar
Bale para a gruta
Do céu cheio de anjos.

Deus encarna-se
Num menino que busca os brinquedos
De tuas mãos.

Teus lábios
Dão o calor que negam
A vaca e o burro.

E na penumbra
Tua cabeleira afofa as suas palhas
Para o Deus-Menino.

II

González Carballo

Cristo, o Cristo menino,
Pisa, com pé desnudo,
A rosa proibida,
Pisa o áspero cravo.

Para Jesus menino
Nardo é o espinho agudo.

Alvas vermelhas, céus
De algum entardecer
Teu destino anunciaram
Sangrento, Emanuel.

Em lágrimas o advertiam
A Virgem e José.

Tu nada mais olhavas:
O pássaro caindo,

A nuvem fatigada,
A estrela de Israel.

III

Victor Londoño

Desceu sobre os homens a doce paz das alturas,
E num estábulo, berço de pobreza e dor,
Após toda uma noite de maternas torturas
Jesus caiu na terra, débil como uma flor.

A música das coisas alegrou as obscuras
Abóbadas do presepe, e num hino de amor
Adoraram o menino as humildes criaturas:
Um burro com seu bafo, com sua flauta um pastor.

Depois os adivinhos de comarcas remotas
Ofertaram-lhe mirra, e em suas línguas ignotas
Ao pequeno chamaram Príncipe de Salém.

E enquanto no Levante, com revérberos vagos,
Suavemente brilhava a estrela dos Reis Magos,
Os cordeiros olhavam para Jerusalém.

IV

Pablo Rojas Guardia

A Estrela-d'Alva cintila,
São Nicolau vai chegar!

Me leva, minha mãe, me leva a Galipán!

Mãe, a lua, de tão tonta,
Passa roçando a montanha
E não para a descansar!

Me leva, minha mãe, me leva a Galipán!

Eu quero colher no campo
A erva listada de prata,
A erva que de madrugada
Estava toda verdinha.

Me leva, minha mãe, me leva a Galipán!

É verdade que esta noite
Se às estrelas erradias
Eu pedir o que desejo,

O céu o concederá?
Dize-me, mãe, se é verdade,
Olha que quero pedir-lhes
Que tua máquina pare
E que tu não cosas mais.

Me leva, minha mãe, me leva a Galipán!

Iremos colher os pêssegos
Saborosos, os morangos
Vermelhos para comê-los
Com leite fresco...

Me leva, minha mãe, me leva a Galipán!

Partamos, mãe, sem demora.
Eu quero ser o primeiro
Para ver como lá chegam
Os Três Magos a Belém.

Me leva, minha mãe, me leva a Galipán!

Que formoso o meu Natal!
Pêssegos grandes,
Erva de prata,
Moranguinhos vermelhos
Com leite fresco...
Encontrarei nos sapatos
O presente que ao céu peço:
Minha mãe não cosa mais!

Mãe, ainda que não queiras,
Irei hoje a Galipán!

VERSOS DE JUANA INÉS DE LA CRUZ
REDONDILHAS

O mal que venho sofrendo
E que em meu peito se lê,
Sei que o sinto, mas por que
O sinto é que não entendo.

Sinto uma grave agonia
No sonhar em que me vejo:
Sonho que nasce em desejo
E acaba em melancolia.

Quando com maior fraqueza
O meu estado deploro,
Sei que estou bem triste, e ignoro
A causa de tal tristeza.

Sinto um desejo nefasto
Pela ocasião a que aspiro;
Mas quando de perto a miro,
Eu mesma é que a mão afasto.

Pois se acaso se oferece,
Depois de tamanho anseio,
Perde o sabor com o receio,
Ou algum susto a desvanece.

Se sem susto me deleito
Em tão rara possessão,
Qualquer ligeira ocasião
Malogra todo proveito.

Penso mal do mesmo bem
Com apreensivo temor
E às vezes o mesmo amor
Me obriga a mostrar desdém.

Qualquer leve ocasião lavra
Em meu peito tão severa,
Que a que impossíveis vencera
Se irrita com uma palavra.

Com causa pouca ofendida,
Costumo, no meu amor,
Negar um leve favor
A quem eu daria a vida.

Já paciente, já irritada,
Vacilo em penar agudo:
Por ele sofrerei tudo,
Tudo; mas com ele, nada.

Ao que pelo objeto amado
Meu coração não se atreve?
Por ele, o pesado é leve:
Sem ele, o leve é pesado.

Sem bastantes fundamentos
Formam meus tristes cuidados
De conceitos enganados
Um monte de sentimentos.

Se porventura essa brava
Máquina rui, com surpresa
Vejo que tal fortaleza
Só num ponto se estribava.

Às vezes é a dor tamanha,
Que presumo, sem razão,
Não haver satisfação
Que possa aplacar-me a sanha.

Quando chego a averiguar
O agravo em que me amofino,
É qual susto de menino,
Que em brinco vai acabar.

Quando o desengano toco,
Luto com o mesmo quebranto
De ver que padeço tanto,
Padecendo por tão pouco.

A vingar-se se abalança
Às vezes a alma ofendida,
E depois, arrependida,
De mim toma outra vingança.

Se ao desdém com desdém pago,
É com tão ambíguo error,
Que, supondo que é rigor,
Vejo-o acabar em afago.

Até o lábio desatento
É equívoco alguma vez,
Para, usando de altivez,
Encontrar o rendimento.

Quando por sonhada culpa
Com mais enfado me incito,
Eis que incrimino o delito
E lhe suscito a desculpa.

Fujo o mal, ou busco o bem?
Não, que em meu confuso ardor,
Nem me tranquiliza o amor,
Nem me despeita o desdém.

No tormento em que me vejo,
Levada de meu engano,
Busco sempre o desengano,
E não achá-lo desejo.

Se a alguém meu queixume exalo
Mais a dizê-lo me obriga
Para que mo contradiga
Do que para reforçá-lo.

Pois se, com minha paixão,
Daquele que amo maldigo,
É meu maior inimigo
Quem nisso me dá razão.

E se acaso em meu proveito
Deparo a razão submissa,
Embaraça-me a justiça
E vou cedendo o direito.

Nunca é o meu gosto cumprido,
Porquanto entre alívio e dor,
Encontro culpa no amor
E acho desculpa no olvido.

Este o penar que me apura
Em suspiro após suspiro,
E muito mais não refiro
Porque passa de loucura.

Se acaso me contradigo
Neste meu arrazoado,
Vós que tiverdes amado
Entendereis o que digo.

ACALANTO PARA DEUS-MENINO

Pois meu Deus nasceu para penar,
Deixem-no velar.
Pois está desvelado por mim,
Deixem-no dormir.
Deixem-no velar:
Não há pena em quem ama,
Como não penar.
Deixem-no dormir:
Sono é ensaio da morte
Que um dia há de vir.
Silêncio, que dorme.
Cuidado, que vela.
Não o despertem, não.
Sim, despertem-no, sim.
Deixem-no velar.
Deixem-no dormir.

Quatro haicais de Bashô

Quatro horas soaram.
Levantei-me nove vezes
Para ver a lua.

*

Fecho a minha porta.
Silencioso vou deitar-me.
Prazer de estar só...

*

A cigarra... Ouvi:
Nada revela em seu canto
Que ela vai morrer.

*

Quimonos secando
Ao sol. Oh aquela manguinha
Da criança morta!

NOVE POEMAS DE HÖLDERLIN
Pôr de sol

Onde estás? A alma anoitece-me bêbeda
De todas as tuas delícias; um momento
Escutei o sol, amorável adolescente,
Tirar da lira celeste as notas de ouro do seu canto da noite.

Ecoavam ao redor os bosques e as colinas;
Ele no entanto já ia longe, levando a luz
A gentes mais devotas
Que o honram ainda.

O aplauso dos homens

Não trago o coração mais puro e belo e vivo
Desde que amo? Por que me afeiçoáveis mais
    Quando era altivo e rude,
    Palavroso e vazio?

Ah! só agrada à turba o tumulto das feiras;
Dobra-se humilde o servo ao áspero e violento.
    Só creem no divino
    Os que o trazem em si.

As Parcas

Mais um verão, mais um outono, ó Parcas,
Para amadurecimento do meu canto
Peço me concedais. Então, saciado
Do doce jogo, o coração me morra.

Não sossegará no Orco a alma que em vida
Não teve a sua parte de divino.
Mas se em meu coração acontecesse
O sagrado, o que importa, o poema, um dia:

Teu silêncio entrarei, mundo das sombras,
Contente, ainda que as notas do meu canto
Não me acompanhem, que uma vez ao menos
Como os deuses vivi, nem mais desejo.

Fantasia do crepúsculo

Descansa o lavrador à sua porta
E vê o fumo do lar subir, contente.
Hospitaleiramente ao caminhante
Acolhem os sinos da aldeia.

Voltam os marinheiros para o porto.
Em longínquas cidades amortece
O ruído dos mercados; na latada
Brilha a mesa para os amigos.

Ai de mim! de trabalho e recompensa
Vivem os homens, alternando alegres

Lazer e esforço: por que só em meu peito
Então nunca dorme este espinho?

No céu da tarde cheira a primavera;
Rosas florescem; sossegado fulge
O mundo das estrelas. Oh! levai-me,
Purpúreas nuvens, e lá em cima

Em luz e ar se me esvaia amor e mágoa!
Mas, do insensato voto afugentado,
Vai-se o encanto; escurece, e, solitário
Como sempre, fico ao relento.

Vem, suave sono! Por demais anseia
O coração; um dia enfim te apagas,
Ó mocidade inquieta e sonhadora!

E chega serena a velhice.

OUTRORA E HOJE

Meu dia outrora principiava alegre;
No entanto à noite eu chorava. Hoje, mais velho,
Nascem-me em dúvida os dias, mas
Findam sagrada, serenamente.

CANTO DO DESTINO DE HIPERÍON

No mole chão andais
Do éter, gênios eleitos!
Ares divinos
Roçam-vos leve
Como dedos de artista
As cordas sagradas.

Como adormecidas
Criancinhas, eles
Respiram. Floresce-lhes
Resguardado o espírito
Em casto botão;
E os olhos felizes
Contemplam em paz
A luz que não morre.

Mas, ai! nosso destino
É não descansar.
Míseros os homens
Lá se vão levados
Ao longo dos anos
De hora em hora como
A água, de um penhasco
A outro impelida,
Lá somem levados
Ao desconhecido.

METADE DA VIDA

Peras amarelas
E rosas silvestres
Da paisagem sobre a
Lagoa.

Ó cisnes graciosos,
Bêbedos de beijos,
Enfiando a cabeça
Na água santa e sóbria!

Ai de mim, aonde, se
É inverno agora, achar as
Flores? e aonde
O calor do sol
E a sombra da terra?
Os muros avultam
Mudos e frios; à fria nortada
Rangem os cata-ventos.

MADURAS ESTÃO

Maduras estão, em fogo imergidas, cozidas
E na terra provadas as frutas. É força
Que tudo penetrem, à guisa de cobras,
Profeticamente e sonhando nas
Colinas do céu. Muita coisa
Devemos guardar como um fardo
De lenha nos ombros. Entanto
São maus os caminhos. Indóceis

Cavalos, trabalham
Elementos e as velhas
Leis da terra. Ah, e sempre ao
Sem peias vai uma saudade. Contudo
Muito há que guardar. É mister a constância.
Mas nós não queremos ver nem
Para diante e nem para trás! só queremos
É que nos embalem da mesma maneira
Que o lago num bote.

Lembrança

Sopra o nordeste,
O mais grato dos ventos:
Grato a mim porque é cálido, e aos marujos
Porque promete fácil travessia.
Eia, saúda agora
O formoso Garona
E os jardins de Bordéus!
Lá coleia na íngreme ribeira
A vereda, e no rio
Se despenha o regato; mas acima
Olha o par generoso
De álamos e carvalhos.

Ainda me lembro bem e como
As largas copas curva
O olmedo sobre o moinho.
No pátio há uma figueira.
E nos dias feriados,
Pisando o chão sedoso
Passeiam mulheres morenas
No mês de março
Quando o dia é igual à noite
E nos lentos caminhos
De áureos sonhos pejados
Sopram brisas embaladoras.

Mas estenda-me alguém,
Da escura luz repleto
O aromado copo
Para que eu possa descansar; pois doce
Seria o sono à sombra.
Também não fora bem

Privar-se de mortais
Pensamentos, que bom
É conversar, dizer
O que se sente, ouvir falar de amores,
De coisas passadas.

Porém que é dos amigos? Belarmino
E o companheiro? Muitos
Têm medo de ir à fonte.
É que a riqueza principia
No mar. Ora, eles
Reúnem como pintores
As belezas da terra e não desprezam
A alada guerra não,
Nem desdenham morar anos a fio
Sob o mastro sem folhas, onde à noite
Não há as luminárias da cidade,
Nem dança e música nativa.

Mas hoje aos índios
Foram-se os homens,
Ali, na extremidade
Das montanhas cobertas de vinhas
Donde baixa o Dordonha,
Acaba o rio no Garona
Largo como o Oceano. Todavia
O mar toma e devolve a lembrança.
O amor também demora o olhar debalde.
O que perdura porém, fundam-no os poetas.

QUATRO SONETOS DE
ELIZABETH BARRETT BROWNING

I

Amo-te quanto em largo, alto e profundo
Minh'alma alcança quando, transportada,
Sente, alongando os olhos deste mundo,
Os fins do Ser, a Graça entressonhada.

Amo-te em cada dia, hora e segundo:
À luz do sol, na noite sossegada.
E é tão pura a paixão de que me inundo
Quanto o pudor dos que não pedem nada.

Amo-te com o doer das velhas penas;
Com sorrisos, com lágrimas de prece,
E a fé da minha infância, ingênua e forte.

Amo-te até nas coisas mais pequenas.
Por toda a vida. E, assim Deus o quisesse,
Ainda mais te amarei depois da morte.

II

As minhas cartas! Todas elas frio,
Mudo e morto papel! No entanto agora
Lendo-as, entre as mãos trêmulas o fio
Da vida eis que retomo hora por hora.

Nesta queria ver-me – era no estio –
Como amiga a seu lado... Nesta implora
Vir e as mãos me tomar... Tão simples! Li-o
E chorei. Nesta diz quanto me adora.

Nesta confiou: sou teu, e empalidece
A tinta no papel, tanto o apertara
Ao meu peito, que todo inda estremece!

Mas uma... Ó meu amor, o que me disse
Não digo. Que bem mal me aproveitara,
Se o que então me disseste eu repetisse...

III

Parte: não te separas! Que jamais
Sairei de tua sombra. Por distante
Que te vás, em meu peito, a cada instante,
Juntos dois corações batem iguais.

Não ficarei mais só. Nem nunca mais
Dona de mim, a mão, quando a levante,
Deixará de sentir o toque amante
Da tua, – ao que fugi. Parte: não sais!

Como o vinho, que às uvas donde flui
Deve saber, é quanto faço e quanto
Sonho, que assim também todo te inclui

A ti, amor! minha outra vida, pois
Quando oro a Deus, teu nome ele ouve e o pranto
Em meus olhos são lágrimas de dois.

IV

Ama-me por amor do amor somente.
Não digas: "Amo-a pelo seu olhar,
O seu sorriso, o modo de falar
Honesto e brando. Amo-a porque se sente

Minh'alma em comunhão constantemente
Com a sua." Porque pode mudar
Isso tudo, em si mesmo, ao perpassar
Do tempo, ou para ti unicamente.

Nem me ames pelo pranto que a bondade
De tuas mãos enxuga, pois se em mim
Secar, por teu conforto, esta vontade

De chorar, teu amor pode ter fim!
Ama-me por amor do amor, e assim
Me hás de querer por toda a eternidade.

DOIS POEMAS DE CHRISTINA ROSSETTI
Canção

Em minha sepultura,
Ó meu amor, não plantes
Nem cipreste nem rosas;
Nem tristemente cantes.
Sê como a erva dos túmulos
Que o orvalho umedece.
E se quiseres, lembra-te;
Se quiseres, esquece.

Eu, não verei as sombras
Quando a tarde baixar;
Não ouvirei de noite
O rouxinol cantar.
Sonhando em meu crepúsculo,
Sem sentir, sem sofrer,
Talvez possa lembrar-me,
Talvez possa esquecer.

REMEMBER

Recorda-te de mim quando eu embora
For para o chão silente e desolado;
Quando não te tiver mais ao meu lado
E sombra vã chorar por quem me chora.

Quando não mais puderes, hora a hora,
Falar-me no futuro que hás sonhado,
Ah de mim te recorda e do passado,
Delícia do presente por agora.

No entanto, se algum dia me olvidares
E depois te lembrares novamente,
Não chores: que se em meio aos meus pesares

Um resto houver do afeto que em mim viste,
– Melhor é me esqueceres, mas contente,
Que me lembrares e ficares triste.

CINCO POEMAS DE EMILY DICKINSON
À PORTA DE DEUS

Duas vezes perdi tudo
E foi debaixo da terra.
Duas vezes parei mendiga
À porta de Deus.

Duas vezes os anjos, descendo dos céus,
Reembolsaram-me de minhas provisões.
Ladrão, banqueiro, pai,
Estou pobre mais uma vez!

BELEZA E VERDADE

Morri pela beleza, mas apenas estava
Acomodada em meu túmulo,
Alguém que morrera pela verdade
Era depositado no carneiro contíguo.

Perguntou-me baixinho o que me matara:
– A beleza, respondi.
– A mim, a verdade – é a mesma coisa,
Somos irmãos.

E assim, como parentes que uma noite se encontram,
Conversamos de jazigo a jazigo,
Até que o musgo alcançou os nossos lábios
E cobriu os nossos nomes.

NUNCA VI UM CAMPO DE URZES

Nunca vi um campo de urzes.
Também nunca vi o mar.
No entanto sei a urze como é,
Posso a onda imaginar.

Nunca estive no Céu,
Nem vi Deus. Todavia
Conheço o sítio como se
Tivesse em mãos um guia.

CEMITÉRIO

Este pó foram damas, cavalheiros,
Rapazes e meninas;
Foi riso, foi espírito e suspiro,
Vestidos, tranças finas.

Este lugar foram jardins que abelhas
E flores alegraram.
Findo o verão, findava o seu destino...
E como estes, passaram.

MINHA VIDA ACABOU DUAS VEZES

Já morri duas vezes, e vivo.
Resta-me ver enfim
Se terceira vez na outra vida
Sofrerei assim

Dor tão funda e desesperada,
O pungir cotidiano e eterno.
Só sabemos do Céu que é adeus,
Basta a saudade como Inferno.

DOIS POEMAS DE ADELAIDE CRAPSEY
PRESSÁGIO

Agora mesmo
De fora do estranho
Silente crepúsculo... estranho como ele, silente como ele,
Uma mariposa branca esvoaçou. Por que fiquei
Tão fria?

TRÍADE

São três
Coisas silenciosas:
A neve que cai... a hora
Antes da alva... a boca de alguém
Que acabou de morrer.

DOIS SONETOS DE GABRIELA MISTRAL
O PENSADOR DE RODIN

Apoiando na mão rugosa o queixo fino,
O Pensador reflete que é carne sem defesa:
Carne da cova, nua em face do destino,
Carne que odeia a morte e tremeu de beleza.

E tremeu de amor, toda a primavera ardente,
E hoje, no outono, afoga-se em verdade e tristeza.
O "havemos de morrer" passa-lhe pela mente
Quando no bronze cai a noturna escureza.

E na angústia seus músculos se fendem sofredores,
Sua carne sulcada enche-se de terrores,
Fende-se, como a folha de outono, ao Senhor forte

Que o reclama nos bronzes. Não há árvore torcida
Pelo sol na planície, nem leão de anca ferida,
Crispados como este homem que medita na morte.

Primeiro soneto da morte

Do nicho lôbrego onde os homens te puseram
Te levarei à terra humilde e ensolarada.
Nela hei de adormecer – os homens não souberam –
E havemos de dormir sobre a mesma almofada.

Te deitarei na terra humilde, te envolvendo
No amor da mãe para o seu filho adormecido.
E a terra há de fazer-se um berço recebendo
Teu corpo de menino exausto e dolorido.

Poderei descansar, sabendo que descansas
No pó que levantei azulado e lunar
Em que presos serão os teus leves destroços.

Partirei a cantar minhas belas vinganças,
Pois nenhuma mulher me há de vir disputar
A este fundo recesso o teu punhado de ossos.

DOIS POEMAS DE ARCHIBALD MCLEISH

1892-19...

Haverá pouca coisa a esquecer:
O voo dos corvos,
Uma rua molhada,
O modo do vento soprar,
O nascer da lua, o pôr do sol,
Três palavras que o mundo sabe,
Pouca coisa a esquecer.

Será bem fácil de esquecer.
A chuva pinga
Na argila rasa
E lava lábios,
Olhos e cérebro.
A chuva pinga na argila rasa.

A chuva mansa lavará tudo:
O voo dos corvos,
O modo do vento soprar,
O nascer da lua, o pôr do sol.
Lavará tudo, até chegar
Aos duros ossos desnudados,
E os ossos, os ossos esquecem.

CHARTRES

Pedras, o que me espanta
Não é que tenhais resistido
Por tanto tempo a tanto vento e a neve tanta:
Pois não vos tinham construído
Para arrostar nesta colina
O inverno e o vento desabrido?

Meu espanto é que suportais,
Sem vos gastardes, nossos olhos,
Nossos olhos mortais.

TRÊS POEMAS DE LANGSTON HUGHES

ASPIRAÇÃO

Estirar os braços
Ao sol nalgum lugar,
E até que morra o dia
Dançar, pular, cantar!
Depois sob uma árvore,
Quando já entardeceu,
Enquanto a noite vem
– Negra como eu –
Descansar... É o que quero!

Estirar os braços
Ao sol nalgum lugar,
Cantar, pular, dançar
Até que a tarde caia!
E dormir sob uma árvore
– Este o desejo meu –
Quando a noite baixar
Negra como eu.

POEMA

A noite é bela:
Assim os olhos do meu povo.
As estrelas são belas:
Belas são também as almas do meu povo.

Belo é também o sol.
Belas são também as almas do meu povo.

LUA DE MARÇO

A lua está despida.
O vento despiu a lua.
O vento arrancou ao corpo da lua
As suas vestes de nuvens.
E agora ela está nua,
Inteiramente nua.

Mas já não coras,
Ó lua impudica?
Pois tu não sabes
Que não é bonito estar nua?

TRÊS POEMAS DE VERLAINE

I

No ermo da mata o som da trompa ecoa,
Vem expirar embaixo da colina.
E uma dor de orfandade se imagina
Na brisa, que em ladridos erra à toa.

A alma do lobo nessa voz ressoa...
Enche os vales e o céu, baixa à campina,
Numa agonia que à ternura inclina
E que tanto seduz quanto magoa.

Para tornar mais suave esse lamento,
Através do crepúsculo sangrento,
Como linho desfeito a neve cai.

Tão brando é o ar da tarde, que parece
Um suspiro do outono. E a noite desce
Sobre a paisagem lenta que se esvai.

II

As mãos que foram minhas, mãos
Tão bonitas, mãos tão pequenas,
Após tanto equívoco e penas,
Tantos episódios pagãos,

Após os exílios medonhos,
Ódios, murmurações, torpezas,
Senhoris mais do que as princesas
As caras mãos abrem-me os sonhos.

Mãos no meu sono e na minh'alma,
Pudera eu, ó mãos celestes,
Adivinhar o que dissestes
A est'alma sem pouso nem calma!

Mente-me acaso a visão casta
De espiritual afinidade,
De maternal cumplicidade
E de afeição estreita e vasta?

Caro remorso, dor tão boa,
Sonhos benditos, mãos amadas,
Oh essas mãos, mãos consagradas,
Fazei o gesto que perdoa!

III

Chora em meu coração
Como chove lá fora.
Que desconsolação
Me aperta o coração!

Oh a chuva no telhado
Batendo em doce ruído!
Para as horas de enfado,
Oh a chuva no telhado!

Chora em ti sem razão,
Coração sem coragem.
Se não houve traição,
Teu luto é sem razão.

Certo, é essa a pior dor:
O não saber por que
Sem ódio e sem amor
Há em mim tamanha dor.

TRINTA E DUAS CANÇÕES DE JUAN RAMÓN JIMÉNEZ

A menina Idílio

A verde terra em flor
Do cemitério novo
Te acolheu de manhã
Em seu coração fresco.

Logo, ao sair, vi um íris
De sol, como cabelos
Teus, por onde tu ias,
A um cântico de fogo,
Remontando ao céu claro
De par em par aberto...

Primavera caída,
Amor truncado e tenro,
Nada viste daquilo
Que dizias sorrindo!

Fizeste uma só viagem,
Da terra para o céu.

Pavilhão

Muros altos de teu corpo.
Não havia entrada em teu horto.

(Que onda de asas ascendia!
Oh o que ali se passaria!)

Céu claro ou turvo, que importa?
Não havia entrada em tua glória.

(Que aroma às vezes subia!
Oh em teus vergéis que haveria?)

Tornaste a ficar fechada.
Não havia em tua alma entrada!

O TESOURO

Quando a mulher está,
Tudo é, tranquilo, o que é
(A chama, a flor, a música).

Quando a mulher se foi
(A luz, o canto, a chama)
Tudo é, louco, a mulher.

OLHOS DE ONTEM

Olhos que querem
Olhar alegres
E olham tão tristes!
Ai, impossível
Que um muro velho
Dê brilhos novos;
Que um tronco seco
Abra outras folhas,
Abra outros olhos
Que estes, que querem
Olhar alegres
E olham tão tristes!

Ai, impossível!

A VIAGEM DEFINITIVA

Ir-me-ei embora. E ficarão os pássaros
Cantando.
E ficará o meu jardim com sua árvore verde
E o seu poço branco.

Todas as tardes o céu será azul e plácido,
E tocarão, como esta tarde estão tocando,
Os sinos do campanário.

Morrerão os que me amaram
E a aldeia se renovará todos os anos.
E longe do bulício distinto, surdo, raro
Do domingo acabado,
Da diligência das cinco, das sestas do banho,

No recanto secreto de meu jardim florido e caiado
Meu espírito de hoje errará nostálgico...
E ir-me-ei embora, e serei outro, sem lar, sem árvore
Verde, sem poço branco,
Sem céu azul e plácido...
E os pássaros ficarão cantando.

DEUS DO AMOR

O que quiserdes, Senhor,
E seja o que bem queirais.

Se quiserdes que entre as rosas
Eu ria até os matinais
Deslumbramentos da vida,
Que seja o que bem queirais.

Se quiserdes que entre as rosas
Eu sangre até as abismais
Sombras, ai! da noite eterna,
Que seja o que bem queirais.

Graças se quereis que eu veja,
E graças se me cegais;
Graças por tudo e por nada,
E seja o que bem queirais.

O que quiserdes, Senhor,
E seja o que bem queirais.

DE VOLTA

Devagar voltamos,
Com tudo já dito.
Tu me olhas ainda,
Eu já não te fito.

Tu tocas nas flores,
Eu vou beira-rio.
Que modo diverso
O de nós sorrirmos!

A grande lua branca
Em nosso caminho!
A ti ela aquece,
A mim me dá frio.

A CASTIGADA

Rit de la fraîcheur de l'eau.
Victor Hugo

Com lilases cheios de água
Eu a golpeei nas espáduas.

Toda a sua carne branca
Se alegrou de gotas claras.

Ai fuga molhada e cândida
Sobre a areia aljofarada!

(A carne morria pálida
Por entre os rosais vermelhos
Como a maçã desmaiada
Amanhecida na neve.)

Corria fugindo da água
Por entre os rosais vermelhos.

Ria-se! Ria fantástica,
E o riso se lhe molhava...

Com varas de lilás e água,
Correndo eu a golpeava...

A PAZ

Ter em minhas mãos
Uns jasmins com sol,
Com o primeiro sol;
Saber que amanhece
Em meu coração;
Ouvir de manhã
Uma única voz...

É tudo o que quero.

Regressar sem ódios,
Calmo adormecer,
Sonhar ter nas mãos
Silindras com sol,
Com o último sol;
Dormir escutando
Uma única voz...

É tudo o que quero.

TU

Passam todas, verdes, rubras...
Tu pairas lá em cima branca.

Passam bulhentas, rixosas...
Tu pairas lá em cima plácida.

Passam arteiras, levianas...
Tu pairas lá em cima clara.

MEU SÍTIO

Tarde última e serena,
Curta como uma vida,
Fim de tudo que amei,
Eu quero ser eterno!

Atravessando folhas,
O sol, já cobre, vem
Ferir-me o coração.
Eu quero ser eterno!

Beleza que fitei,
Oh não te apagues nunca!
Para que eterna sejas,
Eu quero ser eterno!

As ilusões

Não é ninguém. É a água.

Não é ninguém a água?

É ninguém. É a flor.

Pois não é ninguém a flor?

É ninguém. O vento.

Não é ninguém o vento?

Há ninguém. Ilusão.

E não é ninguém a ilusão?

– Ninguém?

– Não

– Ninguém?

– Não

– Ninguém?

– Não

– Ninguém?

O dia e Robert Browning

Jogo

O verdelhão no choupo
    – E que mais?
O choupo no céu azul
    – E que mais?
O céu azul dentro d'água
    – E que mais?
A água na folhinha nova
    – E que mais?
A folha nova na rosa
    – E que mais?
A rosa em meu coração
    – E que mais?
E o meu coração no teu!

A ausente

Fecha, fecha a porta
Como ela gostava...
Que fique a seu gosto
A sua lembrança!

GRÁCIL

Colhi-te? Não sei
Se te colhi, pluma suavíssima,
Ou se colhi tua sombra.

A NOITE

O dormir é como ponte
Que leva de hoje a amanhã:
Por debaixo, como um sonho,
A água passa, e passa a alma.

UNIVERSO

Teu corpo: ciúmes do céu.
Minh'alma: ciúmes do mar.
(Pensa minh'alma outro céu.
Teu corpo sonha outro mar.)

VIRTUDE

Tem cuidado
Quando beijas o pão
Que te beija a mão!

DESERTO E MAR

É o horizonte o teu corpo.
É o horizonte a minh'alma.
Chego ao teu fim: mais areia.
Chegas ao meu fim: mais água.

TUA NUDEZ

A rosa:
Tua nudez feita graça.
A fonte:
Tua nudez feita água.
A estrela:
Tua nudez feita alma.

O ESTUDANTE

Sonha, sonha enquanto dormes.
Tudo esquecerás com o dia.

(Dia, alegre aprendizagem
Da grande sabedoria.)

Aprende, aprende. No sonho
Esquecerás o aprendido.

(Sonho, doce aprendizagem
Do definitivo olvido.)

A ÚNICA ROSA

Todas as rosas são a mesma rosa,
Amor, a única rosa.
E tudo está contido nela,
Breve imagem do mundo,
Amor! a única rosa.

CONTIGO, COMIGO

Como contigo
Eu chego a mim!

Como me trazes
A esfera imensa
Do mundo meu
E toda a encerras
Dentro de mim!

Como contigo
Eu chego a mim!

Ah como pões
Dentro de mim
A flor, a estrela,
O vento, o sol,
A água, o sonho!...

Como contigo
Eu chego a mim!

O PERIGO

Meu peito todo me treme
Com susto de teu amor,
Como o pássaro que teme
O tiro do caçador.

Quer desaparecer, quer
Fugir, quer cantar na fé
De sua vida, e quer ser
Qualquer coisa que não é.

Em cada refúgio está
Pior; é a felicidade,
Antecipado sangrar,
Como um rio que se vai.

Já não há remanso ou flor
Para buscar, na aflição
De fugir. De teu amor
Já todo é o meu coração.

MINHA CABRA

Olhai, lá vem minha cabra!
(Quero-lhe como a uma dama.)
Que linda que ela caminha!
Como olha e como interroga!
Como de súbito estaca!

Se rumina uma folhinha,
Se para a sonhar, se salta,
Se desce a mirar-se na água
Do pântano verde e prata,
Se trepa a um cabeço íngreme,
Se foge ao macho, se o chama...
Estou certo que eu (se lhe ponho
Minha mão na testa alçada)
Sou eu para ela. E ela
(Como está sorrindo, olhai-a!),
Eu sei que é essa mulher
Que está escondida na cabra.

PRIMAVERA

Aí vem a primavera.
Já o disse a estrela!

A primavera sem mancha.
Já o disse a rosa!

De glória, paixão e sol.
Já o disse a tua voz!

FIM DE INVERNO

Cantam, cantam.
Onde cantam os pássaros que cantam?

Chove e chove. Até as casas
Estão sem ramas verdes. Cantam, cantam
Os pássaros. Onde cantam
Os pássaros que cantam?

Não tenho pássaros em casa.
Não há meninos que os vendam. Cantam.
O vale está bem longe. Nada...

Nada, não sei onde cantam
Os pássaros (e cantam, cantam)
Os pássaros que cantam.

BRANCO

Branco, primeiro. De um branco
De inocência, cego, branco,
Branco de ignorância, branco.

Pronto verdeja o veneno.
Abre janelas o corpo.
O branco torna-se negro.

Guerra de noites e dias!
O vento assassina a brisa,
A brisa ao vento...
                        Na brisa

Vem reconquistado o branco.
Branco verdadeiro, branco
Já de eternidade, branco.

AGRIDOCE

Um pouquinho de sol,
E o jardim gotejante goteja luz, amor.
Um pouquinho de sol,
E os olhos que choram chorarão luz, amor!

GLÓRIA BAIXA

Às vezes as estrelas
Não despontam no céu:
O solo é que cintila
Igual a um firmamento.

O ÚNICO AMIGO

Não me alcançarás, amigo.
Chegarás ansioso, louco.
Eu, porém, já terei ido.

(E que espantoso vazio
Tudo o que tenhas deixado
Atrás para vir comigo!
Que lamentável abismo
Tudo quanto eu haja posto
Em meio, sem culpa, amigo!)

Ficar não podes, amigo.
Voltarei talvez ao mundo.
Tu, porém, já terás ido.

CANÇÃO DE CANÇÕES

Canção curta, cançãozinha.
Muitas, muitas, muitas, muitas...
Como no céu as estrelas,
Como na praia as areias,

Como no prado as ervinhas
E como as ondas no rio.

Cançãozinha. Curtas, muitas.
Horas, horas, horas, horas.
(Estrelas, areias, ervas,
Ondas.) Horas, luzes; horas.
Sombras. As horas das vidas,
Das mortes da minha vida.

TRÊS POEMAS DE ARTURO TORRES RIOSECO
PRIMEIRA ELEGIA

Ai como me deixaste
Tão cheio de incerteza e de cuidado!
Quando me abandonaste
Andava eu, coitado,
Como se o mundo fora verde prado.

Embriagado no gozo
Da juventude andei pelas campinas;
O mundo generoso
Ofertava-me as finas
Uvas, rios e bocas de meninas.

Os mansos animais
– Os animais de Deus – iam comigo,
Eram todos iguais
Naquele suave abrigo,
Todos, e o abutre era da pomba amigo.

No meu contentamento
Eu ia nas manhãs nu de pecado,
Ia puro no vento,
E no fogo sagrado
Do sol levava o corpo levantado.

Em plena luz te via,
Na luz e no ar aberto te buscava;
Eras toda alegria,
E quando eu só ficava,
Parecia que o mundo se acabava.

Ai que de ti afastado,
Era a noite, era a treva, era a tormenta,
O círculo fechado,
Era o mundo em que venta
A noite de Valpúrgis turbulenta!

Distanciada a essência,
O perfume suavíssimo da rosa,
Ah a inefável ardência
De tua formosura, a milagrosa
Vista que junto a ti minh'alma goza.

Com tua formosura
Simples, zonas inteiras acendias,
Influías doçura
Nos olhos das bravias
Feras e os prados de verdor enchias.

Eu contemplava a vida
Feita rosa no vale do teu peito,
Contemplava-a incendida
No inexprimível jeito
De teus braços e pernas sem defeito.

Eu gozava-a desperto
No ovo auroral dos joelhos, ó candura!
Em completo concerto,
Na consonância pura
De sol fecundador e semeadura.

Gozava-a no teu beijo,
Nos lábios de salivas redolentes,
Na língua, onde o desejo
Punha cravos ardentes,
E na umidade agreste dos teus dentes.

Gozava-a na quentura
Da tua pele em sua flor primeira,
E na grata frescura
De florida ladeira
Que vai de uma cadeira a outra cadeira.

Da humana companhia,
Do bulício do mundo eu me afastava,
E assim me recolhia

E morrer me deixava
No teu olhar, a alma rendida e escrava.

Teu olhar de prodígios
A iluminar-me numa luz tão pura,
Que apagava os vestígios
Da entranhada amargura
Na paz da tua angélica ternura.

Ternura de ovelhinha,
Ternura maternal e luminosa,
Branda queixa que vinha
Numa aura fervorosa,
Como o esvaecimento de uma rosa.

Tudo isso era o meu mundo,
Meu mundo em ti, sem quem já não existe,
Um abismo profundo
Desde que me fugiste,
Mundo que só de sombra hoje consiste.

Solidão pavorosa,
Povoada das espécies mais estranhas,
Na frialdade odiosa
Deslizam as aranhas,
Lutam reptis... Mundo de pena e sanhas!

Aqui meu ser desfaz-se
Em asquerosa morte sepultado.
O cordeiro que pasce,
Ao ver meu triste estado
Solta ao vento o balido desolado.

Minh'alma prisioneira
É falena de luz em cova escura;
A doce companheira,
Cheia de compostura,
Não pode compreender-lhe a desventura.

Tu dormes em teu leito,
Em teu leito de sedas e de plumas;
Tu trazes sobre o peito
Com que os lençóis perfumas,
O jasmim que se banha nas espumas.

Segues despreocupada,
Não sentes minha dor da tua ausência.
À brisa perfumada
Cedes a tua essência,
E ela a vai distribuindo em consciência.

Eu vou por entre a gente,
Pelas cidades cheias de pecado,
Em um ritmo dolente
De homem desamparado,
Em profunda tristeza mergulhado.

Vou sem rumo e sem ânsias
À toa em becos ermos e vulgares,
Por lúgubres estâncias,
Por frios bulevares,
Pela agonia cínica dos bares.

Ai miséria infinita
De te saber estranha à minha sorte,
De não ter na desdita
Nada que me conforte
Senão pensar na paz final da morte!

Ela que sempre mora
Junto ao triste que chora o bem perdido,
Com ela vou agora,
Longe de todo ruído,
Olvidado de tudo para o olvido.

AUSÊNCIA

Ausência de quatorze anos,
Silêncio, mar e distância,
Quedam-se-te os olhos lentos,
Perdem-se em longes de nácar,
Açucenas de teus pés
Assomando em folharada,
Mastro roto de baixéis
Lançado à areia da praia.

Que doces olhos me deitas,
Que suaves mãos, ó pátria!

Marinheiro de ilusões,
Comandante de uma barca
Tinta de prata e de rosa,
Tinta de rosa e de prata,
Pescador que atirou redes
Às sereias de Montmartre,
E em Saaras inexistentes
Guiou loucas caravanas.

Que doces olhos me deitas,
Que suaves mãos, ó pátria!

Não quero ver meu deserto,
Ausência ao cabo amorável,
Pluma sobre o meu chapéu,
Fragrância em minhas narinas,
Deslumbramento nos olhos,
Em meus ouvidos um sino,
Formigas que se alimentam
Da inquietação dos meus passos.

Que doces olhos me deitas,
Que suaves mãos, ó pátria!

Agora volto e não sou;
A alma se me fatigava,
A cinza de muitos fogos
Já me dá cor de mortalha,
Sombras de muitas paixões
Para sempre sepultadas,
Nem sei se posso volver
A gozar de tuas águas.

Que doces olhos me deitas,
Que suaves mãos, ó pátria!

Por te desejar de longe
Apertaram-me as entranhas
Acontecimentos que
Tua nitidez toldavam;
Minhas frases em teu corpo
Agudos fios de espada,
E em teu coração a triste
Flor azul das minhas ânsias.

Que doces olhos me deitas,
Que suaves mãos, ó pátria!

No torso sanguinolento
Surdem línguas escarlatas,
Ogres e carabineiros
Te mantinham sequestrada,
Revoavam nos céus cinzentos
Gaviões de compridas garras,
Pobres pombas da saudade
Chegavam de asas quebradas.

Que doces olhos me deitas,
Que suaves mãos, ó pátria!

Podem prender minhas mãos
Resinas de tuas chagas,
Em minhas colmeias trago
Mel para as tuas desgraças,
A abelha que o fabricou
Não era abelha, era infanta
Pelas artes de uma bruxa
Quatorze anos encantada...

Que doces olhos me deitas,
Que suaves mãos, ó pátria!

Sinto esvanecer-se a ausência
Entre o passado e o futuro,
Desígnios imaginados
Sob as patas de uma aranha
Que tece teias azuis,
Que tece flores delgadas
Para te abrigar os peitos
E a bonina das espáduas...

Que doces olhos me deitas,
Que suaves mãos, ó pátria!

Recebe-me em teus sorrisos,
Arco-íris de tuas alvas;
Recolhe-me nos teus sonhos,
Clarezas de tuas águas:
Pois quero voltar a ser
Cabreiro em tuas montanhas,

No teu seio adormecer
Com o candor de uma criança.

Que doces olhos me deitas,
Que suaves mãos, ó pátria!

Ausência de quatorze anos,
Marinheiro em terra estranha,
Para me lembrar de ti
Tenho as têmporas de prata,
Se queres suster-me o voo
Acaricia-me as asas,
Que doces olhos me deitas,
Que suaves mãos, ó pátria!

ELEGIA A UMA RUA

– Por onde foi que a levaram?
– Por aqui, por esta rua.
– A rua está bem mudada.
– A rua é a mesma, não muda.

   – Os que a levaram, acaso
   Se lembrarão dessa tarde?
   – Aqueles que iam com ela
   Sumiram-se ao fim da estrada.

– Mil novecentos e treze!
Chovia naquela tarde...
– Vinte anos faz que na rua
Chuva de tempo desaba.

   – Dizes que se foram todos
   Os que lhe queriam bem?
   – Hoje só restam os filhos,
   Ora amigos de ninguém.

Mas este é o mesmo sol, e estas
As mesmas cornijas e árvores,
E nestes mesmos telhados
Cantam hoje os mesmos pássaros.

   – Sim, tudo é o mesmo, no entanto
   Minh'alma estranha o que sente.

A rua vejo que é a mesma,
O ar porém é diferente.

A tarde era um cobre novo
Saturado de laranjas.
Chorava pelas janelas
Aquela dor de quinze anos.

Foi por aqui que a levaram,
Por esta rua passaram.

DOIS POEMAS DE RAFAEL ALBERTI
UM POEMA DE *MARINERO EN TIERRA*

Lembra-te de mim no mar,
Amiga, quando partires
Para não voltar.

Quando a tempestade, amiga,
Na vela o dardo embeber.

Quando alerta o comandante
Não se mover.

Quando não se escutar mais
O telégrafo sem fios.

Quando o mastro da mezena
A onda mais alta levar.

Quando já fores sereia
No alto-mar.

O TOURO DA MORTE

Negro touro saudoso de feridas,
Chifrando-lhe à água azul suas paisagens
E revisando cartas e equipagens
Aos trens que partem rumo das corridas:

Que sonhas em teus cornos, que escondidas
Ânsias lhes arrebolam as viagens,

Que sistema de regos e drenagens
No mar ensaiam tuas investidas?

Nostálgico de um homem com espada,
De sangue femoral, gangrena feia,
Já ninguém há a deter-te o passo forte.

Corre, touro, ao oceano, investe, nada,
E a um toureiro de espuma e sal e areia,
Já que intentas ferir, fere e dá morte.

POEMAS DE PABLO ANTONIO CUADRA
MEDITAÇÃO ANTE UM POEMA ANTIGO

Perguntou a flor: o aroma
acaso me sobreviverá?

Perguntou a lua: alguma
luz guardo depois de morrer?

Mas o homem disse: por que acabo
e fica entre vós o meu canto?

A ROSA

Quem se arrima à rosa
não tem sombra.

Eu busquei a beleza
e o sol me queima.

JACULATÓRIA AO RIO

Flor da noite prendida
sobre a fronte florida:
te rogamos
pela terra que cantamos.

Talo da rosa do silêncio!

Lírio de água:
perfuma a dor da Nicarágua!

Autossoneto

Poeta chamam ao ser por mim cumprido.
Levo mundo em meus pés ultravagantes.
Um pássaro nas veias. E ao ouvido
Um anjo de conselhos inquietantes.

Se quixotesco, ao que é meu apelido
– Cuadra – me enviai: questor de rocinantes,
assim terá pretextos cavalgantes
meu interior ginete enlouquecido.

Sou o que fui. Como homem, verdadeiro.
Sonhador, como poeta, e estreleiro.
Como cristão, de espinhos coroado.

E pois que a morte ao cabo a tudo vence,
Pablo Antonio, à tua cruz entrelaçado
suba em flor teu cantar nicaraguense.

RUBAIYAT

OMAR KHAYYAM

(Da tradução francesa de Franz Toussaint)

Prefácio

Omar Khayyam, cujo nome completo era Ghiyáthuddin Abulfath Omar bin Ibráhim Al-Khayyámi, o que vem depois de Omar significando "filho de Ibrahim, o fabricante de tendas", nasceu e morreu em Nishapur, província de Khorassan, na Pérsia (c. 1050-c. 1123). Parece ter seguido a princípio o ofício do pai. Entrando para um colégio na sua cidade natal, a fim de fazer os seus estudos, travou ali estreita amizade com Hassan Sabbah e Abú Ali Hasán Tusí, filhos de famílias nobres, mas arruinadas. Os três amigos firmaram um pacto mediante o qual cada um deles se comprometia, logo que a fortuna lhes sorrisse, a proteger os outros dois tanto quanto pudesse. O primeiro bafejado pela fortuna foi Abú Ali Hasán Tusí, que recebeu a nomeação de secretário e, pouco depois, a de vizir do Sultão, passando a chamar-se Nizam-Ul-Mulk. Cumprindo o pacto nomeou a Hassan Sabbah para um alto cargo na corte, mas, entregando-se ele a toda classe de intrigas, não tardou a cair no desagrado do Sultão; refugiou-se numa cordilheira ao sul do Mar Cáspio e fundou a seita dos Kaschichinos, que espalhou o terror em todo o país. A Omar Khayyam foi concedida inicialmente uma pensão de 1.200 *mithkals* de ouro e, posteriormente, foi nomeado diretor do observatório astronômico de Merv. Dedicado ao estudo da matemática e da astronomia, escreveu tratados, um dos quais, sobre álgebra, tornou-se um livro clássico e foi traduzido no Ocidente por Woepke (1851). Elaborou a reforma do calendário muçulmano. Em vida era conhecido sobretudo como matemático e astrônomo. Mas foi poeta também, exprimindo-se em quadras epigramáticas (*rubáyyát* é o plural de *rubay*, *quadra* em persa). Compôs algumas centenas delas.

A filosofia que impregna esses breves poemas caracteriza-se pelo seu agnosticismo: não se pode negar nem afirmar coisa alguma, devemos contentar-nos com saber que tudo é mistério — a criação do mundo e a nossa, o destino do mundo e o nosso, jamais saberemos nada, jamais elucidaremos um só dos mistérios do universo; pelo seu imediatismo: goza o momento que passa, não te preocupes com o passado nem com o futuro — o passado é um cadáver que se deve enterrar, o futuro é indevassável, os homens falam de um Paraíso depois da morte, mas é bem possível que ele não exista e portanto cria um Paraíso para o teu gozo na terra, e que é um Paraíso? — A sombra de uma árvore, vinho, os sons de alaúde, rosas, canções, uma bonita mulher de seios cor de neve... e melhor é evitar amá-la, e que ela seja também incapaz de amar-te: Deus deu-nos o amor como a certas plantas deu o veneno; o seu hedonismo: o prazer é o fim da vida, nosso tesouro é o vinho, nosso palácio a taverna, nossos fiéis companheiros o vinho e a embriaguez, não penses na morte; depois da morte só pode haver duas coisas — o nada ou a misericórdia, colhe todos os frutos da vida, deixa-te penetrar de todos os perfumes, de todas as cores, de todas as músicas, acaricia todas as mulheres... Seu hedonismo, porém, não era o de um egoísta, não excluía a compaixão pelo próximo, e o poeta aconselhava: ao pobre que te pede uma esmola dá a metade do que possuis; perdoa todos os culpados; não concorras para a tristeza de ninguém.

Mais de seis séculos se passaram antes que as quadras do poeta persa fossem conhecidas no Ocidente, o que ocorreu em 1857 na tradução francesa de Nicolas.

Leu-a o inglês Edward FitzGerald (1809-1883), que encantado com os versos de Khayyam, empreendeu traduzi-los (já ele havia traduzido seis autos de Calderón de la Barca), publicando anonimamente em 1859 a tradução em verso de 75 *rubáyyát*. Passou porém quase despercebida embora Swinburne e Dante Gabriel Rossetti tivessem tomado conhecimento dela. Só oito anos depois apareceu nova edição. Com esta veio subitamente a popularidade. A poesia do persa serviu como arma de combate contra as convenções, a afetação moralista, o *cant* da era vitoriana.

A obrinha de FitzGerald tornou-se um clássico da literatura inglesa. Surgiram as traduções para outros idiomas, o francês, o alemão, o italiano, o dinamarquês, o húngaro. E novas traduções apareceram, de outros autores — Sadik Ali (1878), Whinfield (1883), J. H. McCarthy (1889), Dole (1896), J. Payne (1898), E. Heron Allen (1898), Pollen (1915), Franz Toussaint (1923) etc. Otávio Tarquínio, que verteu para o português a tradução de Toussaint, cita ainda as de Grolleau, J. Carpentier, Jules Marthold, Edmond Dulac, Claude Anet e Mirza Muhammad, que no prefácio à edição José Olympio do seu trabalho (1955) diz ter lido, preferindo afinal a de Toussaint. Foi esta que utilizamos no nosso trabalho, já que a de FitzGerald, se primorosa do ponto de vista literário, é, do ponto de vista da fidelidade ao texto original, inaproveitável.

Sente-se isto *a priori*, pois todas as quadras foram por ele traduzidas em decassílabos, rimando o primeiro, o segundo e o quarto versos, deixando solto o terceiro. Ora, só muito raramente será isso possível de fazer sem abandonar quase todo o original. Assim procedeu o inglês: alterou frequentemente as ideias de Khayyam, ora condensando-as, ora desenvolvendo-as, transpondo imagens, enxertando ideias e imagens suas... Na verdade pouco resta do poeta persa na tradução do inglês. Apenas o sentido geral da sua filosofia e algumas belas imagens. Prefaciando a tradução de Toussaint, escreveu Ali-Nô Rouze em 1923 quando servia na legação da Pérsia no Egito: "A limpidez das quadras, tanto quanto a sua profundidade, determinou na Europa o sucesso delas, apesar das odiosas traições do seu primeiro tradutor Nicolas e das falsas variações de FitzGerald". E mais adiante: "Tendo a fortuna de apresentar-vos a rosa vermelha que Mr. Franz Toussaint religiosamente colheu no mais melancólico jardim da Pérsia, admiro sobretudo que ela tenha guardado a sua cor e o seu perfume, a despeito dessa longa, perigosa viagem".

MANUEL BANDEIRA

1

Sabem todos que nunca
Murmurei uma prece.
Sabem todos que nunca
Escondi meus pecados.

Ignoro se realmente
Existe uma Justiça
E uma Misericórdia.
Nada temo no entanto.

Nada temo. Antes, nelas,
Se é que existem, confia
Minh'alma, porque sempre
Fui um homem sincero.

2

O que é melhor? Sentarmo-nos
Numa taverna e o exame
De consciência fazermos,
Ou bem numa mesquita

Prosternarmo-nos de alma
Fechada? Não me inquieta
Saber se um Senhor temos
E o que fará de mim.

3

Olha com indulgência os homens
Que se embriagam. Dize que tens
Outros defeitos. Se quiseres
Ter a paz, a serenidade,

Volta-te para os deserdados
Da existência, para os humildes
Que sob o peso do infortúnio
Gemem, e sentir-te-ás feliz.

4

Procede sempre de maneira
Que de tua sabedoria
Nunca sofra o teu semelhante.
Domina-te. Jamais te entregues

À ira. Se queres chegar
Um dia à paz definitiva,
Sorri aos golpes do Destino,
E nunca batas em ninguém.

5

Uma vez que se ignora o que é que nos reserva
O dia de amanhã, busca ser feliz hoje.
Vai sentar-te ao luar e bebe. Pois talvez
Não vivas mais quando amanhã voltar a lua.

6

Alcorão, o livro supremo,
É lido às vezes pelos homens.
Mas que homem na leitura dele
Se deleita todos os dias?

Repara: há nas bordas das copas
Gravada uma secreta máxima
Que todos somos obrigados
A compreender e saborear.

7

Nosso tesouro? O vinho.
O palácio? A taverna.
E os fiéis companheiros?
O vinho e a embriaguez.

Ignoramos o medo,
Pois sabemos que nossos
Corações, nossas almas,
Nossas copas e nossas

Roupas enodoadas
Pelas bebidas, nada,
Nada podem temer
Do pó, da água, do fogo.

8

Satisfaze-te neste mundo
Com poucos amigos. Não busques
Tornar durável a amizade
Que possas sentir por alguém.

Antes de apertares na tua
A mão que te estendem, pergunta
A ti mesmo se ela algum dia
Não se erguerá para ferir-te.

9

Outrora era este vaso um pobre
Amante que da indiferença
De uma mulher gemia. A asa
No gargalo... o braço a enlaçá-la.

10

Vil coração que amar não sabes,
De amor não podes te embriagar!
Se não amas, como apreciares
O fulvo sol, o doce luar?

11

Estou sentindo que hoje
Meus anos reflorescem.
Vinho! Vinho! Que as chamas
Dele me abrasem... Vinho!

Não importa qual seja...
Pois qualquer um, o melhor,
Parecer-me-á, acredita,
Amargo como a vida.

12

Nenhum poder sobre o destino
Te foi dado, sabes. Portanto
Que adianta a ansiedade em que ficas
Pela incerteza do amanhã?

Então, se és um sábio, procura
Tirar do momento presente
O maior proveito possível.
O futuro o que te trará?

13

Chegada é a estação inefável,
A estação da esperança, quando,
Impacientes por expandir-se,
Buscam as almas a aromada

Solidão. Cada flor que cheira
Será a branca mão de Moisés?
Será cada brisa que sopra
O doce hálito de Jesus?

14

Não anda firme em seu caminho
O homem que não colheu o fruto
Da verdade. Se conseguir,
Porém, da árvore da Ciência

Arrebatá-lo, saberá
Que passado e futuro em nada
Diferem daquele enganoso
Primeiro dia da Criação.

15

Além da Terra e do Infinito
Eu procurava o Céu e o Inferno.
Mas uma voz solene disse-me:
— "Procura-os dentro de ti mesmo."

16

Nada mais me interessa. Ergue-te,
Traz-me vinho! Amiga, esta noite
Tua boca amorável é a
Mais bela rosa do Universo.

Vinho! Vinho vermelho como
Tuas faces! E que os meus remorsos
Sejam leves, leves, tão leves
Como os cachos dos teus cabelos!

17

A viração da primavera
Refresca as pétalas das rosas,
E na sombra azul do jardim
Beija as faces da minha amada.

Apesar da felicidade
Que gozamos outrora, esqueço
O passado. A doçura de hoje
É, querida, tão imperiosa!

18

Por quanto tempo ainda encherás
De pedras o oceano? Não tenho
Senão o máximo desprezo
Por devotos e libertinos.

Vais para o Céu? Vais para o Inferno,
Khayyam? Quem poderá dizê-lo?
Sabes de alguém que tenha visto
Essas regiões desconhecidas?

19

Bebedor, urna imensa, ignoro
Quem te modelou. Sei apenas
Que podes conter muito vinho
E a Morte quebrar-te-á um dia.

Então procurarei saber
Por que razão foste criado,
Por que razão foste feliz,
Por que não serás mais que pó.

20

Mais rápidos que a água do rio,
Que o vento do deserto, escoam-se
Os dias. Dois não me interessam:
São o de ontem e o de amanhã.

21

Não posso evocar o dia
Do meu nascimento, nem
Dizer quando morrerei.
Que homem saberá fazê-lo?

Vem, minha amada! À embriaguez
Quero pedir que me faça
Esquecer que neste mundo
Jamais saberemos nada.

22

Khayyam, que cosia as tendas
Da Sabedoria, foi,
Caindo da dor no fogo,
Reduzido a cinza. Então

O anjo Azrael cortou as cordas
Da tenda dele. Depois
A glória de Khayyam vendeu-a
À Morte por uma canção.

23

É inútil, Khayyam, penares
Por teres pecado tanto.
Depois da morte só existe
O nada ou a Misericórdia.

24

Nos conventos, nas sinagogas
E nas mesquitas é costume
Irem refugiar-se os fracos
Que a ideia do Inferno apavora.

O homem que conhece a grandeza
De Deus não acolhe em sua alma
As sementes más do terror
E da imploração lamentosa.

25

Na primavera vou, às vezes,
Sentar-me num campo florido.
E se uma bela rapariga
Vem trazer-me um copo de vinho,

Não penso em minha salvação
No outro mundo. Se me deixasse
Dominar por esse cuidado,
Valeria menos que um cão.

26

O vasto mundo: apenas
Grão de poeira no espaço.
Toda a ciência dos homens:
Só palavras, palavras.

Povos, animais, flores
Dos sete climas: sombras.
Resultado de toda
Tua meditação: nada.

27

Admitamos que tenhas
Resolvido o difícil
Enigma da Criação.
Qual será o teu destino?

Admitamos que tenhas
Conseguido afinal
Desvendar a Verdade.
Qual será o teu destino?

Admitamos que tenhas
Sido feliz cem anos,
E outros cem ainda o sejas.
Qual será o teu destino?

28

Convence-te disto:
Um dia tua alma
Deixará teu corpo
E serás lançado

Para trás do véu
Que há flutuando sempre
Entre este Universo
E o desconhecido.

Enquanto esse dia
Não chega, procura
Ser feliz. Esquece
Todo outro cuidado.

Pois não sabes de onde
Vens, tampouco sabes
Para onde irás
Depois de tua morte.

29

Os doutores e os sábios mais ilustres
Caminharam nas trevas da ignorância.
O que não impediu que em vida fossem
Tidos por luminares do seu tempo.

Que fizeram? Pronunciaram
Algumas frases confusas
E depois adormeceram
Para toda a eternidade.

30

Pediu-me o coração: "Quero saber,
Quero instruir-me! Ensina-me, Khayyam,
Tu que durante a tua vida inteira
Tanto tens estudado e trabalhado!"

Disse a primeira letra do alfabeto,
E logo, pressuroso, o coração
Secundou: "Sei agora, *um* é o primeiro
Algarismo de um número sem fim."

31

Ninguém pode compreender
O que é mistério, ninguém
Pode ver o que se esconde
Debaixo das aparências.

Nossas casas, salvo a última
— A terra, são provisórias.
Amigo, bebe o teu vinho!
Trégua às palavras supérfluas!

32

Vida, jogo monótono
Em que só se está certo
De ganhar duas coisas:
Uma, a dor; a outra, a morte.

Feliz o que expirou
No dia em que nasceu
Mais feliz ainda quem
Não chegou a nascer!

33

Nesta feira que tu atravessas
Nunca tentes fazer amigo,
Nem busques abrigo seguro.
Acolhe a dor sem procurares

Remédio: não o encontrarias.
Sorri em face do infortúnio.
Não esperes que te sorriam,
Pois seria tempo perdido.

34

A Roda gira, descuidosa
Dos árduos cálculos dos sábios.
Renuncia aos teus vãos esforços
De seguir o curso dos astros.

Mais sábio é meditares sobre
Esta certeza: morrerás
E não sonharás mais, e os vermes
Ou os cães comerão teu cadáver.

35

Eu estava com sono, quando
A Sabedoria me disse:
As rosas da felicidade
Não perfumam jamais teu sono;

Em lugar de te abandonares
Nos braços desse irmão da Morte,
Bebe vinho! Para dormir
Terás, sabes, a eternidade.

36

O Criador do Universo e das estrelas
Superou-se a si mesmo ao criar a dor!
Bocas como rubis e cabeleiras
Embalsamadas, quantas sois na terra?

37

Não posso divisar o céu:
Tenho os olhos rasos de lágrimas!
As fogueiras do Inferno são
Uma centelha pequenina,

Pequenina, quando as comparo
A estas chamas devoradoras
Em que ardo todo. O Paraíso
Para mim é um instante de paz.

38

Sono sobre a terra
Sono sob a terra.
Sobre e sob a terra
Corpos estendidos.

Nada em toda parte.
Deserto do nada.
Homens vêm chegando.
Outros vão partindo.

39

Velho mundo que és percorrido
A galope pelo cavalo
Branco e negro do dia e da noite,
És o triste palácio aonde

Cem Djemchids sonhando de glória,
Cem Bahrams sonhando de amor
Estiveram adormecidos
E despertaram soluçando.

40

O vento sul veio fanar a rosa
Cuja beleza os rouxinóis cantavam.
Choraremos por ela ou por nós? Mortos
Nós, outras rosas desabrocharão.

41

Ontem devias ser recompensado e não o foste.
Mas não deplores nada, nem esperes coisa alguma.
O que te deve acontecer está escrito no Livro
Que ao acaso vai folheando o vento da Eternidade.

42

Quando eu ouço falar em bem-aventuranças
Noutra vida, respondo apenas: "Só no vinho
Posso confiar. Dinheiro à vista e não promessas!
O ruído do tambor só me agrada à distância..."

43

Bebe vinho! Receberás
Com ele a vida eterna. Vinho!
Único filtro que te pode
Restituir a mocidade.

Mocidade! A estação divina
Das rosas e dos vinhos e dos
Amigos sinceros! Desfruta
Esse instante fugaz que é a vida.

44

Amigo, bebe vinho. Dormirás
Um dia para sempre sob a terra
Sem mulher nem amigo. Ouve um segredo:
Não reflorescem as tulipas murchas.

45

Em voz baixa dizia a argila
Ao oleiro que a modelava:
"Já fui como tu, não te esqueças...
Portanto não me brutalizes!"

46

Se és perspicaz, oleiro, evita machucar
A argila com que Adão foi modelado! Vejo
Em teu torno sofrer a mão de Feridum,
Oleiro, o coração de Khosru... Que fizeste?

47

A cor da papoula provém
Do sangue de um rei enterrado.
Nasce a violeta do sinal
Do rosto de um adolescente.

48

Há milhares de séculos
Há auroras e crepúsculos.
Há milhares de séculos
Giram no céu os astros.

Pisa pois com cautela
A terra: este torrão
Porventura o olho lânguido
Foi de um adolescente.

49

As raízes deste narciso
Que treme à beira do regato,
Tiram seiva talvez dos lábios
Decompostos de uma mulher.

Pisa de mansinho na relva!
Ela pode ter germinado
Das cinzas de faces que tinham
O brilho das papoulas rubras!

50

Vi ontem sentado um oleiro
Modelando os flancos de um vaso.
Fora a argila que ele amassava
Crânios de reis, mãos de mendigos...

51

Disputam o bem e o mal
A primazia na terra.
O Céu não é responsável
Pelas voltas do destino.

Não agradeças portanto
Ao Céu, nem tampouco o acuses...
O Céu é indiferente
A tuas dores e alegrias.

52

Se em teu coração
Enxertaste a rosa
Do Amor, tua vida
Não passou inútil.

Quer a voz de Deus
Ouvir procurasses,
Ou a taça brandisses
Sorrindo ao prazer.

53

Viajor, cuidado! A estrada que palmilhas
É perigosa; o gládio do Destino,
Afiado. Deparando amêndoas doces,
Não as queiras colher: são venenosas.

54

Um jardim, uma mulher, vinho,
Meu desejo e minha amargura:
Eis o meu Céu e o meu Inferno.
Mas quem já viu o Céu e o Inferno?

55

Tu, cuja face humilha
A rosa silvestre; tu,
Cujo rosto semelha
Um ídolo chinês;

Sabes que teu olhar
Tornou o rei babilônio
Um bispo de xadrez
Que foge da rainha?

56

A vida escoa-se... Que é feito
De Bagdade e Balk? O menor
Choque pode esfolhar a rosa
Demasiado desabrochada.

Por isso ouve este meu conselho:
Bebe vinho e contempla a lua
Lembrando as civilizações
Que ela viu desaparecerem.

57

Escuta o que a Sabedoria
Está a dizer-te o dia inteiro:
"Nada tens de comum com as plantas,
Que rebrotam quando podadas."

58

Retóricos e sábios
Morreram sem chegar
A conclusão nenhuma
Sobre o ser e o não ser.

Nós, ignaros, bebamos
O bom suco das uvas,
Deixando aos grandes homens
O regalo das passas.

59

Nenhum proveito trouxe ao Universo o meu
Nascimento. Não o mudará na imensidade
Nem no esplendor a minha morte. Quem me explica
Por que vim a este mundo e hei de um dia ir-me embora?

60

Cairemos na estrada do Amor
E o Destino nos pisará.
Ergue-te, moça, ó linda taça!
Beija-me antes que eu seja pó.

61

Só conhecemos da ventura o nome.
Nosso mais velho amigo é o vinho novo
Afaga o único bem que não engana:
A urna cheia do sangue dos vinhedos.

62

O paço de Bahram
É hoje abrigo das corças.
Feros leões vagueiam
No parque, ora deserto.

Bahram, que capturava
Os onagros selvagens,
Dorme hoje sob um cômoro
Onde pastam os asnos.

63

Ah, não procures a felicidade!
A vida dura o tempo de um suspiro.
Djemchid e Kai-Kobad hoje são poeira.
A vida é um sonho; o mundo, uma miragem.

64

Senta-te e bebe: uma ventura
Que Mahmud jamais conheceu.
Ouve: os cânticos dos amantes
São os veros salmos de Davi.

Não te mergulhes no passado
Nem no porvir. Teu pensamento
Não vá além do presente instante!
Este é que é o segredo da paz.

65

Os homens estreitos ou orgulhosos
Fazem distinção entre a alma e o corpo.
Eu afirmo apenas que o vinho acaba
Com as preocupações e nos dá o sossego.

66

Que enigma estes astros que giram no espaço!
Cautela, Khayyam, com a vertigem que em torno
De ti faz caírem os teus companheiros!
Agarra-te à corda da Sabedoria.

67

Não temo a morte. Prefiro,
Irmãos, esse inelutável
Ao outro imposto ao nascermos.
O que é a vida afinal?

Um bem que me foi confiado
Sem o meu consentimento
E que eu com indiferença
Restituirei um dia.

68

A vida passa, caravana rápida!
Sofreia o animal, busca ser feliz.
Por que estás triste, rapariga? Vamos.
Dá-me vinho, que a noite já vem perto.

69

Ouço dizer que os amantes
Do vinho vão para o Inferno.
Não há verdades na vida,
Mas há evidentes mentiras.

Se porventura os amantes
Do amor e do vinho vão
Para o Inferno, então vazio
Deve estar o Paraíso.

70

Estou velho. Minha paixão
Por ti conduz-me à sepultura,
Pois não cesso de encher de vinho
De tâmara esta grande copa.

Minha paixão por ti levou
De vencida a minha razão.
E o tempo esflora sem piedade
A bela rosa que eu possuía.

71

Podes perseguir-me incessante,
Ó imagem de outra ventura!
Podeis, ó vozes amorosas,
Modular os vossos encantos!

Olho só para o que escolhi.
Só escuto o que já me embalou.
Dizem-me: "Deus te perdoará."
Recuso o perdão que não peço.

72

Um pedaço de pão, um pouco de água
Fresca, a sombra de uma árvore e os teus olhos!
Nenhum sultão é mais feliz do que eu.
Nem mendigo nenhum mais melancólico.

73

Por que tanta delícia e afagos
No começo do nosso amor?
Mas agora o teu só prazer
É rasgar o meu coração.

74

Quando minha alma pura e a tua
Abandonarem nossos corpos,
Virão colocar um tijolo
Embaixo de nossas cabeças.

E um dia virá um tijoleiro,
Que recolherá minhas cinzas
E as tuas, e em sua oficina
Fará com elas uns tijolos.

75

Vinho! Meu coração enfermo
Necessita desse remédio
Para curar-se! Vinho cor-
-De-rosa! Vinho perfumado!

Vinho, vinho, para apagar
O incêndio da minha tristeza!
Vinho, vinho, e o teu alaúde
De cordas de seda, ó amada!

76

Falam de um Criador... Terá formado
Então os seres só para destruí-los?
Por que são feios? Quem é o responsável?
Por que são belos? Não compreendo nada.

77

Falam da estrada do Conhecimento...
Uns dizem tê-la achado, outros procuram-na
Mas um dia uma voz há de exclamar-lhes:
"Não há estrada nenhuma, nem vereda!"

78

Dedica às chamas da aurora
O vinho da tua copa,
Que se assemelha à amorável
Tulipa da primavera!

Eia, dedica ao sorriso
De algum belo adolescente
O vinho de tua taça
Semelhante à boca dele!

Bebe descuidado e esquece
Que o punho do sofrimento
Te prostrará dentro em breve,
Talvez para sempre... Bebe!

79

Vinho! Vinho a jorro!
Que ele ferva dentro
De minha cabeça!
Salte em minhas veias!

Taças... E não fales!
Tudo são mentiras.
Taças... Mas depressa,
Que estou envelhecendo...

80

Um tal cheiro de vinho
Virá do meu sepulcro,
Que poderão os passantes
Embriagar-se aspirando-o

E tamanho sossego
Cercará o meu jazigo,
Que não poderão dele
Afastar-se os amantes.

81

No turbilhão da existência
Só são felizes aqueles
Que se consideram sábios
Ou não procuram instruir-se.

Fui inclinar-me sobre todos
Os segredos do Universo...
Voltei a casa invejando
Os cegos que eu encontrava.

82

Dizem: "Não bebas mais, Khayyam!"
Respondo: "Quando bebo entendo
O que dizem rosas, tulipas,
E até o que não diz minha amada."

83

Em que meditas, meu amigo?
Será nos teus antepassados?
Todos eles são pó no pó.
Meditas nas virtudes deles?

Repara só como sorrio.
Toma desta copa e bebamos,
Ouvindo sem inquietação
O grande silêncio do mundo.

84

Encheu de rosas a aurora
A copa do céu. No ar límpido
Modula seu canto o meigo
Derradeiro rouxinol.

O odor do vinho é mais leve.
Pensar que há agora quem sonhe
Glórias e honras! Que sedosos
São teus cabelos, querida!

85

Amigo, não faças plano
Para amanhã. Sabes lá
Se poderás terminar
A frase que vais dizer?

Talvez bem longe amanhã
Estejamos deste albergue,
Já iguais aos que faleceram
Há mais de sete mil anos.

86

Ó reciário dos corações,
Toma de uma urna e uma copa,
E vamos no dia que morre
Sentar à beira do regato.

Esbelto adolescente de olhos
Tão claros, tão claro semblante,
Contemplo-te e penso na urna,
Na copa que serás um dia.

87

Há muito tempo a minha juventude
Foi-se juntar a tudo o que é já morto.
Primavera de minha vida, estás
Onde estão as passadas primaveras.

Ó mocidade, sem que eu percebesse,
Te partiste! Partiste para sempre
Como todos os anos a doçura
Da primavera, que esta, porém, volta...

88

Abre-te, meu irmão, a todos os perfumes,
Todas as músicas, todas as cores. Beija,
Afaga todas as mulheres, e repete
Que a vida é breve e serás pó na terra um dia.

89

Aspirares à paz na terra: uma loucura.
Confiares no repouso eterno: outra loucura.
Morto, teu sono será breve, e ainda serás
Erva que pisarão, ou flor que murchará.

90

Que possuo em verdade?
Que restará de mim
Depois de morto? É a vida
Breve como um incêndio.

Chamas que o transeunte
Não tardará a esquecer,
Cinzas que o vento espalha,
Varre: um homem viveu.

91

Convicção e dúvida,
Verdade e erro são
Palavras vazias
Como a bolha de ar.

Irisada ou baça,
Essa bolha oca
É a imagem mesma
Da existência humana.

92

Riquezas do Khorassan,
Poder de Kai-Kaús, glória
De Kai-Kobad trocaria
Eu por um jarro de vinho.

Estimo o amante que geme
E suspira de volúpia;
Desprezo, porém, o hipócrita
Que murmura uma oração.

93

Ouve este grande segredo,
Irmão, que te vou contar.
Quando o Universo clareou
Na luz da primeira aurora,

Adão já não era mais
Que uma triste criatura
Suspirando pela noite,
Suspirando pela Morte.

94

A lua do Ramazan
Acaba de aparecer.
Amanhã o sol banhará
Uma cidade silente.

Os vinhos dormirão quietos
Em suas urnas, e à sombra
Dos bosques repousarão
Tranquilas as raparigas.

95

Não pedi para nascer.
Forcejo por aceitar,
Sem cólera nem espanto,
O que a vida me oferece.

E quando me for embora,
Partirei sem indagar
Explicação desta minha
Estranha estada na terra.

96

Não deixes de colher os frutos
Que a vida te oferece. Corre
A todos os festins e escolhe
As copas que forem maiores.

Não creias que Deus leve em conta
Os nossos vícios e virtudes.
Nunca desprezes qualquer coisa
Que te possa fazer feliz.

97

Não me preocupa saber onde eu poderia
Comprar o manto da Perfídia ou da Mentira:
Desprezo e odeio pérfidos e mentirosos
Mas ando sempre à descoberta do bom vinho.

Os meus cabelos já estão brancos. Completei
Meus setent'anos. Aproveito a ocasião
De ser feliz no dia de hoje, que amanhã
Posso talvez não ter mais forças para tanto...

98

Se soubesses quão pouco me interesso
Pelos quatro elementos naturais
E pelas cinco faculdades do homem!
Certos sábios da Grécia — ao que me dizes

Eram capazes de propor um cento
De enigmas aos ouvintes. É total
A minha indiferença a tal respeito.
Traz-me vinho, toca o alaúde e que as suas notas,

Suas modulações façam lembrar-me
A brisa que cicia nas ramagens
Das árvores, a brisa leve, leve,
Leve... A brisa que passa como nós!

99

Quando a sombra da Morte me alcançar
E o feixe de meus dias for atado,
Chamar-vos-ei e levar-me-eis, amigos,
À minha sepultura! E quando já

Me tenha eu transformado em pó na terra,
Modelareis com a minha cinza um vaso
Que enchereis de bom vinho. Então talvez
Despertarei de novo para a vida.

100

No silêncio da noite, como o imóvel
Galho queda-me o imóvel pensamento.
De uma rosa, que é a imagem de teu brilho
Precário, uma das pétalas caiu.

Onde estarás, reflito, neste instante,
Ó tu, que me estendeste a copa cheia
De vinho, e por quem chamo ainda, saudoso
E só, no ermo sem fim desta hora morta?

Certo nenhuma rosa se desfolha
Junto de quem agora desalteras;
E estás privada da ventura amarga
Com que eu te saberia embriagar...

101

Onde os nossos amigos? Terá a Morte
Derrubado e pisado todos eles?
Ainda ouço-os na taverna... Estarão mortos?
Ou bêbados de tanto ter vivido?

102

Quando eu deixar de existir,
Não existirão mais rosas,
Ciprestes, lábios vermelhos,
Canções, vinho perfumado...

Não haverá mais auroras,
Não haverá mais crepúsculos.
Não haverá mais amores,
Nem penas, nem alegrias.

O mundo será abolido,
Pois do nosso pensamento
É que a sua realidade
Depende exclusivamente.

103

Eis a única verdade:
Somos os peões no xadrez
Que Deus joga. Ele desloca-nos
Para diante, para trás,

Detém-nos, de novo impele-nos,
Lança-nos um contra outro...
Depois um a um nos mete
Todos na caixa do Nada.

104

Abóbada do céu
Se assemelha a uma taça
Emborcada. Sob ela
Erram em vão os sábios.

Seja igual teu amor
Ao da urna pela taça.
Vê... Lábio contra lábio
A urna dá-lhe o seu sangue.

105

Os sábios não te ensinam nada,
Mas ao acarinhares os longos
Cílios de tua bem-amada
Sentirás a felicidade.

Não te esqueça que tens os dias
Contados. Assim, compra vinho,
Busca um retiro sossegado
E no vinho a paz, o consolo.

106

O vinho te dará calor; das neves
Do passado e das brumas do futuro
Te aliviará; te inundará de luz;
Teus ferros quebrará de prisioneiro.

107

Nunca rezei numa mesquita,
Mas lá me sorria a esperança.
Hoje ainda vou sentar-me nelas:
Sua sombra é propícia ao sono.

108

Na Terra multicolorida
Alguém caminha que não é
Nem muçulmano, nem infiel,
Nem opulento, nem humilde.

Não venera nem Deus nem leis.
Não acredita na verdade.
Jamais afirma coisa alguma.
Que homem é esse, bravo e triste?

109

Antes de tu poderes afagar
Um rosto que é semelhante a uma rosa,
Quantos espinhos, quantos, dolorosos,
Não tens que retirar de tua carne!

Teu pente de madeira que suplício
Não teve que sofrer quando o talharam?
Mas hoje ele mergulha deliciado
Na cabeleira de um adolescente.

110

Quando a brisa pela manhã
Entreabre as rosas, cochichando-lhes
Que as violetas já despertaram,
Só é digno de viver aquele

Que, contemplando o quieto sono
De uma grácil adolescente,
Toma de sua taça, bebe,
Esvazia-a e depois atira-a.

111

Apreendes o que amanhã
Pode acontecer-te? Confia,
Senão não deixaria a sorte
De justificar teus receios.

Nada merece o teu esforço,
Não te prendas a nada, não
Questiones livros nem pessoas,
Pois nosso destino é insondável.

112

Senhor, ó Senhor, responde-nos!
Deste-nos olhos, permitiste
Que a beleza das criaturas
Perturbasse os nossos sentidos.

Dotaste-nos da faculdade
De ser felizes, e pretendes
Todavia que renunciemos
A gozar dos bens deste mundo?

Mas isto é-nos mais impossível
Que virar, Senhor, uma taça
Para o chão, sem que se derrame
O líquido que ela contém.

113

Pedi numa taverna a um velho sábio
Que sobre os mortos algo me ensinasse.
"O que há de certo é que não voltarão",
Disse. "É tudo o que sei. Bebe o teu vinho!"

114

Olha! Escuta! Na brisa uma rosa estremece.
Um rouxinol canta-lhe um hino apaixonado.
Uma nuvem parou. Bebe, e esquece que a brisa
Desfolha a rosa, leva o canto e a fresca nuvem.

115

És uma lanterna mágica,
Ó céu! A lâmpada é o sol;
O mundo, a tela na qual
Passam as nossas imagens.

116

"Eu sou a maravilha
Do mundo", a rosa disse.
"Que perfumista ousara
Expor-me ao sofrimento?"

Um rouxinol cantou:
"Um dia de ventura
Pode ser que prepare
Todo um ano de lágrimas."

117

Hoje à noite, amanhã,
Talvez já não existas.
É tempo de pedires
Um vinho cor-de-rosa.

Comparas-te, insensato,
A um tesouro, e acreditas
Que os ladrões virão um dia
Roubar o teu cadáver?

118

Sultão, teu glorioso fado
Está escrito em constelações
Onde Khosru resplandece!
Desde o princípio dos tempos

Teu cavalo de áureos cascos
Salta entre os astros. Se passas,
Um turbilhão de centelhas
Te esconde dos nossos olhos.

119

O amor que não devasta
Não é amor. A brasa
Pode espalhar acaso
Um calor de fogueira?

Noite e dia, durante
Toda a sua vida, o amante
Verdadeiro consome-se
De dor e de alegria.

120

Não sairás da noite que nos cerca,
Por mais que te debatas... Adão, Eva,
Que atroz deve ter sido o vosso beijo,
Pois nos gerastes tais desesperados!

121

Flores do céu deixam cair as suas pétalas.
Como não está já o meu jardim coberto delas?
E como o céu espalha flores sobre a Terra,
Verto eu também vinho rosado em minha taça.

122

Bebo vinho como as raízes do salgueiro
Bebem as águas cristalinas da torrente.
Deus me criou sabendo bem que eu beberia:
Se eu me abstivesse de beber, Deus falharia.

123

Só o vinho pode te livrar dos teus cuidados;
De entre as setenta e duas seitas vacilares.
Não te separes, pois, do mago que possui
Poder de transportar-te às regiões onde esqueces.

124

Toda manhã o orvalho pesa sobre as rosas,
Jasmins, tulipas, mas o sol livra-os do fardo.
Toda manhã meu coração pesa em meu peito;
Mas teu olhar logo o liberta da tristeza.

125

Se queres ter a solidão magnífica
Dos astros, foge aos homens e às mulheres.
Afasta-te de todos. De nenhuma
Dor participes, nem de festa alguma.

126

O vinho tem a cor das rosas.
Não é talvez sangue das uvas,
E sim das rosas. Esta copa
Talvez não seja de cristal,

Mas de azul do céu coagulado.
A noite, tão contrária ao dia,
Talvez não seja a noite negra
Mais do que a pálpebra do dia.

127

O vinho proporciona aos sábios
Embriaguez como a dos Eleitos.
Restitui-nos a mocidade,
Dá-nos tudo o que desejamos.

Queima-nos como uma torrente
De fogo, mas por outro lado
Pode mudar em fresca água
Nossas mais acerbas tristezas.

128

Fecha o teu Corão. Pensa livremente,
E encara livremente o Céu e a Terra.
Ao pobre que passar, pedir-te esmola,
Dá-lhe a metade do que possuíres.

Perdoa sempre a todos os culpados.
Não concorras jamais para a tristeza
De nenhuma criatura. Se tiveres
Vontade de sorrir, esconde-te.

129

Como o homem é fraco! E inelutável
É o nosso destino! Não cumprimos
As juras que fazemos, e a vergonha
De tal conduta é-nos indiferente.

Eu mesmo muita vez, ai tantas vezes!
Procedo e falo como um insensato.
Tenho, porém, amigos, a desculpa
De estar ébrio de amor, e sou perdoável.

130

Se este mundo é uma miragem,
Homem, por que desesperas
E incessantemente lembras
Tua mísera condição?

Entrega pois a tua alma
À fantasia das horas.
O teu destino está escrito.
Nada poderá mudá-lo.

131

A névoa em torno desta rosa...
É voluta do seu perfume?
Ou frágil proteção que a bruma
Lhe deixou? Tua cabeleira

Sobre o teu rosto é noite ainda
Que o teu olhar vai dissipar?
Desperta, bem-amada! O sol
Doura as nossas copas. Bebamos!

132

Toma a decisão de não mais
Contemplares o céu, e cerca-te
De algumas belas raparigas.
Afaga-as... Pois ainda hesitas?

Tens vontade de orar ainda?
Muitos homens antes de ti
Oraram fervorosamente...
Sabes lá se Deus os ouviu?

133

A aurora! Ventura e pureza!
Um imenso rubi cintila
Dentro de cada uma copa.
Toma estes dois galhos de sândalo,

Transforma um em alaúde,
Depois ateia fogo ao outro,
A fim de que ele nos perfume,
Querida, enquanto nos amamos.

134

Fatigado de interrogar
Em vão homens e livros, quis
Interpelar a urna de vinho.
Pousei meus lábios nos seus lábios

E murmurei: "Quando eu morrer,
Para onde vou?" E ela: "Bebe.
Bebe em meus lábios longamente.
Nunca mais voltarás aqui."

135

Sê feliz, quando ébrio, Khayyam.
Sê feliz, se olhas tua amada.
Se sonhas que já não existes,
Sê feliz, pois a morte é o nada.

136

Atravessei a deserta
Oficina de um oleiro.
Umas mil urnas falavam
Baixinho. Senão quando uma,

Vendo-me, disse: "Silêncio!
Deixemos que este que aí vai
Possa evocar os oleiros
E os compradores que fomos..."

137

Dizes: "Só existe um bálsamo no mundo!"
Trazei-me todo o vinho do universo
Então! Meu coração tem tais e tantas
Feridas... Todo o vinho do universo,
E que o meu coração guarde as feridas!

138

Como é leve a alma do vinho!
Assim que, para contê-la,
Vós, oleiros, modelai
Jarros de flancos bem lisos!

Cinzeladores de taças,
Com amor arredondai-as,
Para que essa voluptuosa
Possa afagar-se no azul.

139

Homem ignaro, que te crês um sábio,
Vejo-te sufocado entre o infinito
Do passado e o infinito do futuro.
Entre os dois infinitos gostarias

De erguer um marco onde te alcandorares.
Melhor fora sentares sob uma árvore
Com um jarro de vinho, que faria
Esqueceres ali tua impotência.

140

Mais uma aurora! Como todas
As manhãs, ante esse esplendor,
Aflijo-me de não poder
Agradecer ao seu Criador.

Mas tantas rosas me consolam,
Tantos lábios se me oferecem!
Deixa o teu alaúde, as aves
Começam a cantar, querida...

141

Contenta-te em saber que tudo
É mistério: a criação do mundo
E a tua, o destino do mundo
E o teu. Sorri desse mistério

Como de um risco que desprezas.
Não creias que saberás algo
Depois da Morte. Paz aos homens
No silêncio negro do Além!

142

No meio da campina verde a sombra
Desta árvore semelha-se a uma ilha.
Fica onde estás, passante! Entre o caminho
E a sombra que se move lentamente,
Talvez haja um abismo intransponível.

143

Que devo fazer hoje? Ir à taverna?
Sentar-me num jardim? Folhear um livro?
Uma ave corta o espaço... Oh, embriaguez
Da ave no quente azul! Melancolia
Do homem na sombra fresca da mesquita!

144

Um pouco mais de vinho, bem-amada!
Tua face ainda não tem a cor das rosas
Um pouco mais de tristeza, Khayyam!
A tua bem-amada vai sorrir-te.

145

Nosso mundo é um caramanchel
De rosas. Nossos visitantes
São as borboletas. Os nossos
Músicos são os rouxinóis.

Quando já não há rosas nem
No bosque mais folhas nas árvores,
As estrelas são minhas rosas;
Teus cabelos, minha floresta.

146

Servidores, não tragam lâmpadas:
Meus convivas, extenuados,
Adormeceram. Vejo bem
Como estão imóveis e pálidos.

E hirtos e frios como estão,
Jazerão na noite do túmulo.
Não tragam lâmpadas, não há
Aurora na mansão dos mortos.

147

Ao cambaleares sob o peso
Da dor, ao secarem-te as lágrimas,
Pensa nas folhinhas da relva
Que cintilam depois da chuva.

Quando te exaspera o esplendor
Do dia e desejas que a noite
Baixe definitiva, pensa
No despertar de uma criança.

148

Bem como os pássaros feridos
Que se escondem para morrer,
Dissimulo a minha tristeza.
Vinho, vinho! Ouve os meus gracejos!

Tudo o que quero neste instante
É vinho, sons de alaúde, cantos,
Rosas e tua indiferença,
Amor, para a minha tristeza!

149

Mil armadilhas colocaste,
Senhor, na estrada que trilhamos,
E depois disseste: "Ai daqueles
Que não souberem evitá-las!"

Tudo vês e sabes. Sem tua
Permissão nada ocorre. Somos
Responsáveis por nossos erros?
Podes censurar-me a revolta?

150

Aprendi muito, esqueci muito
Também, e por vontade própria.
Em minha mente cada coisa
Estava sempre em seu lugar.

Não cheguei à paz senão quando
Tudo rejeitei com desprezo.
Compreendera enfim que é impossível
Tanto afirmar como negar.

151

Estudei muito quando moço.
Tive muito mestre eminente.
Orgulhei-me, regozijei-me
De meus progressos e triunfos.

Quando evoco o sábio que eu era,
Comparo-o à água, que se amolda
À forma do vaso, e à fumaça,
Que é dissipada pelo vento.

152

A tristeza e a alegria, o bem e o mal
São parecidos aos olhos do sábio.
Para o sábio tudo o que principiou
Deve acabar. E se assim, pergunta

A ti mesmo, se tens, irmão, motivo
De porventura te regozijares
De uma felicidade que te chega,
Te afligires com o mal que não esperavas?

153

Já que a nossa sorte no mundo
É penar e depois morrer,
Não seria um bem revertermos
À terra o mais breve possível?

E nossa alma que Deus espera
Para julgá-la? dirás tu.
Responder-te-ei quando instruído
Por alguém vindo de entre os mortos.

154

Derviche, despoja-te dessas
Vestes pintadas, de que estás
Tão orgulhoso e que no entanto
Não trazias quando nasceste.

Não te saudará quem passar,
É verdade, mas dentro em teu
Coração hás de ouvir cantar
Todos os serafins do céu.

155

Ébrio ou sedento, não procuro
Senão dormir. Renunciei
A saber que é o bem, que é o mal,
E não distingo o mal do bem.

Para mim ventura e desgraça
Se parecem. Se uma alegria
Chega, dou-lhe pouca atenção,
Pois sei que uma dor se lhe segue.

156

Não se pode incendiar o mar, nem convencer
O homem de que a ventura é perigosa. Todavia
Sabes que o menor choque é fatal à urna cheia,
E no entanto deixa intacta a urna vazia.

157

Olha em torno de ti. Verás somente
Angústias, aflições e desesperos.
Teus melhores amigos já morreram,
Tens por só companhia, hoje, a tristeza.

Mas levanta a cabeça! Abre os dois punhos!
Agarra firmemente, caso o avistes
À mão, o que desejas. O passado
É um cadáver que deves enterrar.

158

Cavaleiro que vejo ao longe na neblina
Do crepúsculo, aonde irá? Sei não. Por Vales
E montanhas? Sei não. Estará amanhã estendido...
Sobre a terra?... Ou debaixo da terra?... Sei não.

159

"Deus é grande!" Esse grito do muezim
Ecoa no ar como uma queixa imensa
Cinco vezes por dia. Será a Terra
Que implora o seu criador indiferente?

160

Terminou o Ramazan. Corpos exaustos,
Almas fanadas, a alegria volta!
Contadores de histórias sabem novas.
Vendedores de vinho — mercadores

De sonhos — vão lançando os seus apelos.
Mas entre tantos só não ouço aquele
Que num momento me restituiria
A vida — o apelo da mulher amada!

161

Olha o arroio brilhante no jardim.
Como eu, dize que avistas o Kautar
E estás no Paraíso. Vai buscar
Tua amiga de faces de carmim.

162

Não vês mais que as aparências
Das coisas e das criaturas.
Percebes tua ignorância,
Mas não abdicas do amor.

Aprende que Deus nos deu
O amor com a mesma intenção
Com que fez na natureza
Certas plantas venenosas.

163

És infeliz? Pois não penses
Em tua dor: não sofrerás.
Se essa dor é muito forte,
Pensa em todas as criaturas

Que inutilmente sofreram.
Escolhe uma mulher de alvos
Seios, mas evita amá-la.
E que ela também não te ame...

164

Pobre homem, nunca saberás
Nada; jamais explicarás
Um só dos mistérios do mundo.
E já que as religiões prometem

Depois da morte o Paraíso,
Busca tu mesmo criar um
Para teu gozo aqui na Terra,
Pois o outro talvez não exista.

165

Lâmpadas que se apagam, esperanças
     Que se acendem: aurora.
Lâmpadas que se acendem, esperanças
     Que se apagaram: noite.

166

Todos os reinos por uma copa
De vinho límpido e generoso!
Todos os livros e toda a ciência
Por um suave aroma de vinho!

Todos os hinos do amor humano
Pela canção do vinho que corre!
A glória toda de Feridum
Pela cambiante cor desta urna!

167

Recebi o golpe que esperava:
A minha amada abandonou-me.
Quando a possuía, era-me fácil
Exaltar todas as renúncias.

Junto de tua bem-amada,
Khayyam, ah como estavas só!
Sabes? Ela se foi embora
Para te refugiares nela...

168

Senhor, me destruíste a alegria!
Senhor, ergueste uma muralha
Entre o meu coração amante
E o coração de minha amada!

Minha bela, rica vindima
Calcaste aos pés desapiedado.
Vou morrer, mas tu cambaleias,
Completamente embebedado!

169

Silêncio, ó minha dor!
Deixa-me ir à procura
Do remédio. É preciso
Continuar a viver.

Pois os mortos não têm
Memória, e eu quero sempre,
Quero sempre rever
A minha bem-amada!

170

Alaúdes, perfumes, copas,
Lábios, cabelos, grandes olhos:
Brinquedos que o Tempo destrói
Dia a dia — meros brinquedos!

Austeridade, solitude,
Meditação, prece e renúncia:
Cinzas que o Tempo esmaga e espalha
A seu bel-prazer — tudo cinzas!

NOTAS

Azrael: O anjo da Morte. Assistia aos moribundos, separando a alma do corpo.
Bahram: Rei persa da dinastia do Sassânidas. Pereceu num pântano quando perseguia um asno selvagem.
Djemchid: Rei semilendário, considerado o pai da civilização persa.
Feridum: Rei semilendário da Pérsia, filho ou neto de Djemchid.
Kai-Kobad: Rei persa, o primeiro da dinastia dos Kaiânides.
Kai-Kaús: Rei persa, sucessor de Kai-Kobad.
Khosru: Rei persa, filho de Kai-Kobad.
Mahmud: Sultão de Ghazni, conquistador da Índia.

TEATRO

POÉTICO
TRADUZIDO

Auto sacramental do divino Narciso

Soror Juana Inés de la Cruz

"Ofereço este meu trabalho
ao prof. Sousa da Silveira,
meu amigo e mestre
desde o 1º ano do curso
do Colégio Pedro II, em 1897."

Juana Inés de la Cruz

Dizem as biografias de Sor Juana Inés de la Cruz que foi seu nome no século Juana de Asbaje, e assim intitulou Amado Nervo o formoso livro consagrado àquela que chamaram a Décima Musa do México. O grande mestre da filologia românica Karl Vossler afirma que Juana Inés adotou, em vez do apelido do pai, o basco Manuel de Asbaje y Vargas Machuca, o da mãe, Isabel Ramírez de Santillana, filha de espanhóis mas nascida no México. Adotou-o porque assim "se mostrava muito mais mexicana".

Refere o Padre Diego Calleja, seu primeiro biógrafo, que Juana Inés nasceu na fazenda São Miguel de Nepantla, a doze léguas da cidade do México, à meia-noite de sexta-feira 12 de novembro de 1651, num aposento conhecido por La Celda, *"casualidad que con el primer aliento, la enamoró de la vida monástica y le enseñó a que eso era vivir: respirar aires de clausura"*.

A precocidade de inteligência e a pertinácia que punha no seu desejo de saber ressaltam das linhas em que na carta a Filotea de la Cruz ela nos fala de sua meninice. É um trecho encantador, que desde logo nos coloca na intimidade de sua pessoa moral e literária – natural, espontânea, alegre e engraçada:

> Não tinha eu completado ainda os três anos de idade quando, mandando minha mãe a uma irmã minha mais velha do que eu, para que aprendesse a ler numa das escolas que chamam Amigas, levaram-me trás ela o carinho e a travessura: e assistindo à lição, me abrasei de tal modo no desejo de saber ler, que enganando, a meu parecer, a mestra, disse-lhe: "Que minha mãe ordenava me desse lição também". Ela não o creu, porque não era crível; mas para comprazer o donaire, me fez a vontade. Prossegui voltando, e ela prosseguiu ensinando-me, já não por brincadeira, que a desenganou a experiência, e eu aprendi a ler em tão breve tempo, que já o sabia quando o fato chegou ao conhecimento de minha mãe, a quem a mestra ocultou tudo para lhe dar o gosto por inteiro e receber o galardão por junto: e eu calei-o, julgando que me bateriam por tê-lo feito sem consentimento. Ainda vive aquela que me ensinou, Deus a guarde, e pode testificá-lo. Lembra-me que naqueles tempos, sendo gulosa como se é de ordinário nessa idade, me abstinha de comer queijo; porque ouvi dizer que o queijo fazia ficar estúpido, e podia mais comigo o desejo de saber que o de comer, sendo este tão forte nos meninos. Por volta dos seis ou sete anos, sabendo já ler e escrever, de par com todas as outras habilidades de trabalho e costura próprias de mulheres, ouvi dizer que havia Universidade e Escolas, onde se estudavam as ciências no México; e mal o ouvi, comecei a importunar minha mãe rogando-lhe que, vestindo-me de menino, me enviasse à cidade do México, à casa de uns parentes, para eu estudar e cursar a Universidade; ela não acedeu (e fez muito bem), mas eu me desforrei lendo muito livros vários da biblioteca de meu avô, sem que bastassem castigos e represões a estorvar-me; de maneira que quando vim para a cidade do México, admiravam-se todos não tanto do engenho, quanto da memória e dos conhecimentos que eu tinha em idade que parecia mal ter tido tempo para aprender a falar. Comecei a aprender Gramática, em que creio não chegaram a vinte as lições que tomei; e era tão intensa a minha aplicação que, sendo tão natural nas mulheres o cuidado com os cabelos (sobretudo em tão florida juventude), eu cortava quatro ou cinco dedos da minha cabeleira, medindo antes até onde chegavam, e me impunha a lei de só os deixar crescer até ali quando soubesse tal ou tal coisa que me propunha aprender. Sucedia que os cabelos cresciam e eu não aprendia, porque o pelo crescia depressa e eu aprendia devagar. Cortava-os então como castigo da minha rudeza; pois não me parecia razoável estivesse vestida de cabelos cabeça que estava tão nua de conhecimentos, que eram o mais apetecível adorno.

Quando a adolescência chegou, as graças naturais da idade encontraram para as realçar uma cabeça esplendidamente vestida por dentro e por fora: no exterior, rosto oval de traços regulares e finos, bela cabeleira, negra como os olhos, rasgados e vivos; no interior a poesia, a música, a pintura, toda a sorte de conhecimentos científicos, postos um dia à prova pelo vice-rei, o Marquês de Mancera, numa tertúlia em palácio, onde a arguiram quarenta eruditos convocados especialmente para o ato; respondendo à direita e à esquerda, replicando prontamente às objeções cavilosas que lhe opunham, Juana Inés se despachava, segundo o testemunho de Mancera, "*a la manera que un galeón real se defendería de pocas chalupas que lo embistieran*".

Cerca de dois anos frequentou a menina a corte, muito admirada e festejada por todos, naturalmente requestadíssima. Terá amado sem correspondência? E a desilusão haveria determinado, ou pelo menos influído, na decisão que tomou em 1667 de se fazer religiosa? Não se tem nenhum dado positivo que possa informar sobre a vida amorosa de Juana Inés. Que amou e muito, se depreende claramente dos seus versos. Por confissão direta:

> *Yo me acuerdo (oh, nunca fuera!)*
> *que hé querido en otro tiempo,*
> *lo que pasó de locura*
> *y lo que excedió de extremo.*

Indiretamente, quando em vários poemas analisa os sentimentos do amor, sobretudo aqueles que são inspirados pela ausência ou pelo ciúme:

> *aquel que tuviere amor*
> *entenderá lo que digo.*

De que não foi correspondida se infere da frequência com que glosou conceptisticamente o tema: qual será nos afetos desencontrados a condição mais molesta – amar ou aborrecer? Há entre os seus sessenta e cinco sonetos três que versam o assunto.

E no soneto "Fantasia", incluído por Pedro Henríquez Ureña na sua antologia *Cien de las mejores poesias castellanas*, abandona Juana Inés as graças e sutilezas da análise para exprimir gravemente e com uma ponta de orgulho a unilateralidade de seu sentimento:

> *Deténte, sombra de mi bien esquivo,*
> *imagen del hechizo que más quiero,*
> *bella ilusión por quien alegre muero,*
> *dulce ficción por quien penosa vivo.*
>
> *Si al imán de tus gracias atractivo*
> *sirve mi pecho de obediente acero,*
> *para que me enamoras lisonjero,*
> *si has de burlarme luego fugitivo?*
>
> *Mas blasonar no puedes satisfecho*
> *de que triunfa de mi tu tiranía:*
> *que aunque dejas burlado el lazo estrecho*

que tu forma fantástica ceñía,
poco importa burlar brazos y pecho,
si te labra prisión mi fantasía.

Essa ponta de orgulho nascia da má opinião que Juana Inés formava dos homens em matéria de amor. Numa sátira que ficou famosa lança-lhes em rosto a fatuidade e a inconsequência.

Não acredito que pessoa tão bem armada sentimental e intelectualmente se metesse de freira por causa de amor infeliz. Não há que duvidar do seu próprio testemunho quando diz nesse franco documento autobiográfico – um dos mais formosos da língua castelhana – que é a *Resposta a Sor Filotea de la Cruz*:

> Fiz-me religiosa, porque embora reconhecendo haver no estado de monja coisas (falo das acessórias, não das formais) muito repugnantes ao meu gênio, contudo, para a total negação que eu tinha para o casamento, era o menos desproporcionado e o mais decente que podia escolher, respeito à segurança, que eu desejava, de minha salvação: a essa primeira consideração (como a mais importante afinal) cederam e baixaram a cabeça todas as impertinenciazinhas do meu gênio, que eram de querer viver só, de não querer ter nenhuma ocupação obrigatória que estorvasse a liberdade dos meus estudos, nem rumor de comunidade que impedisse o sossegado silêncio de meus livros. Isso me fez vacilar um pouco na determinação, até que, esclarecendo-me algumas pessoas doutas que era tentação, venci-a com o favor divino, e tomei o estado que tão indignamente tenho. Pensei que fugia de mim mesma: mas, pobre de mim! trouxe-me a mim comigo e trouxe o meu maior inimigo nessa inclinação, que não sei dizer se por prenda ou castigo me deu o Céu, pois de se apagar ou embaraçar com tanto exercício que a Religião impõe, rebentava como pólvora, e se verificava em mim o *privatio est causa appetitus*.

Fracassou a moça em sua primeira tentativa de clausura no Convento de São José, então a cargo das Carmelitas Descalças. A regra de Santa Teresa era demasiado severa para uma menina de dezesseis anos incompletos. Juana Inés adoeceu gravemente e retirou-se da Ordem. Mas dois anos depois, a 24 de fevereiro de 1669, tomava o véu de noviça na Ordem das Concepcionistas, que ocupava o Convento de São Jerônimo. Desta vez para sempre.

Com atender pontualmente aos deveres religiosos, pôde Juana Inés entregar-se no claustro à sua inclinação, "prenda ou castigo do Céu", pelas artes e pelas ciências. A sua cela era a um tempo biblioteca, salão de música e laboratório de física. Diga-se, no entanto, que aos olhos da monja ciências e artes humanas eram os degraus para chegar ao cume sagrado da Teologia. Não sendo uma mística, parecia-lhe de razão, como católica, "saber tudo o que nesta vida se pode alcançar, por meios naturais, dos Divinos Mistérios".

A obra poética de Juana Inés de la Cruz compreende hinos, vilancicos e loas para festas de igreja, sonetos, romances, ovilhejos, endechas, décimas, redondilhas, coplas musicais, o longo poema *Primero sueño*, duas comédias – *Los empeños de una casa* e *Amor es más laberinto* (esta última em colaboração com seu primo Juan de Guevara) e três autos sacramentais – *El Mártir del Sacramento San Hermenegildo*, *El Ceptro de José* e *El Divino Narciso*.

Obra que representa, com a de Bernardo de Valbuena, a grande contribuição hispano-americana ao barroco em literatura. O poema *Grandeza mexicana*, de

Valbuena, é não só barroco, mas americanamente barroco (Pedro Henríquez Ureña comparou-o à capela paroquial da Catedral do México). O mesmo se pode dizer dos autos sacramentais e dos vilancicos de Juana Inés de la Cruz. Assim como na arquitetura barroca da América espanhola se deparam frequentemente elementos indígenas, assim nos vilancicos e loas da monja índios alegres

> *también a su usanza salen*
> *y con las cláusulas tiernas*
> *del mexicano lenguaje*
> *en un tocantín sonoro*
> *cantan con voces suaves.*

Nem falta tampouco ali o elemento negro, estropiando o castelhano em estribilhos e coplas onde Juana Inés foi a precursora da poesia negra como a fazem hoje os cubanos Nicolás Guillén e Emilio Ballagas, o porto-riquense Luis Palés Matos:

> *Ha, ha, ha,*
> *Monan vuchilá!*
> *He, he, he,*
> *Cambulé,*
> *Guila coro,*
> *Gulungú, gulungú,*
> *Hu, hu, hu.*
> *Menguiquilá,*
> *Ha, ha, ha!*
>
> *Flasica, naquete día*
> *Qui tamo lena li glolia,*
> *No vindamo pipitolia,*
> *Pueque sobla la aleglía:*
> *Que la Señola Malía*
> *A turo munro la dá.*
>
> *Ha, ha, ha,*
> *Monan vuchilá!* etc.

Aliás é nos vilancicos que vamos encontrar algumas das líricas de mais fluida simplicidade de toda a poesia de Juana Inés:

> *Pues mi Dios ha nacido a penar,*
> *déjenle velar.*
> *Pues está desvelado por mi,*
> *déjenle dormir.*
> *Déjenle velar,*
> *Que no hay pena en quien ama,*
> *como no penar.*
> *Déjenle dormir,*
> *que quien duerme, en el sueño*
> *se ensaya a morir.*
> *Silencio, que duerme.*
> *Cuidado, que vela.*

> *No le despierten, no.*
> *Si, le despierten, si.*
> *Déjenle velar.*
> *Déjenle dormir.*

Em todos os gêneros se mostra Juana Inés excepcionalmente dotada e atenta ao estilo dos grandes mestres espanhóis – Góngora, Quevedo, Calderón, Lope de Vega, ou ainda ao estilo popular eclesiástico.

Gongórica, com todos os matadores, só o foi uma ou outra vez e no *Primero sueño* excelentemente. Esse longo poema de 975 endecassílabos e heptassílabos em silva sustenta o cotejo com o seu incomparável modelo – as *Soledades* do poeta cordovês. E sustenta porque, como notou Karl Vossler, "se assombrar-se e assombrar era o programa da poesia barroca... aqui ele chega a ser um estado de alma real e por assim dizer, legítimo, uma sensação poética e um motivo fecundo... O esquema gasto, medieval, do sonho didático, se rejuvenesce nesta lírica com o anelo de investigar, e assinala, para o futuro, a poesia iluminada..." E pergunta surpreso o grande romanista: "Como é possível que essa poesia tenha saído de um convento mexicano de freiras?"

A tese dessa transcendente meditação em que, sob a roupagem de rutilantes e audaciosas metáforas, se descreve o funcionamento da respiração, da circulação e da digestão, e se analisa o que se passa no sonho quando o corpo é

> *un cadáver con alma,*
> *muerto a la vida y a la muerte vivo:*

a tese dessa meditação foi resumida pela própria Juana Inés em poucas linhas: "Sendo noite, adormeci; sonhei que uma vez quis compreender todas as coisas de que se compõe o Universo; não pude nem mesmo divisá-las por suas categorias, não pude nem mesmo divisar a um só indivíduo. Desenganada, amanheceu e despertei." O *Primero sueño* é a síntese poética da impotência de penetrar pela razão o mistério do Universo.

Não me demorarei em apreciar as comédias *Los empeños de una casa* e *Amor es más laberinto*. São peças escritas antes dos dezoito anos e nada apresentam de particular, embora bem urdidas e engraçadas.

Passarei logo ao auto do *Divino Narciso*, sem dúvida a sua obra-prima. O divino Narciso é Jesus. Como conseguiu Juana Inés renovar o mito pagão, transmutar-lhe o sentido da complacência em si mesmo no símbolo da Redenção? É o que vamos ver chamando a atenção do leitor para a extraordinária habilidade com que o poeta soube criar em torno das verdades dogmáticas uma atmosfera de sensibilidade e poesia.

O auto é precedido de uma loa, iniciada com um bailado de índios e índias, que festejam, sob a direção do Ocidente e da América, o maior dos seus deuses, o deus das semeaduras. Entra a Religião Cristã, vestida de espanhola e acompanhada do Zelo, seu capitão-general. Exclama a América:

> *Qué rayos el Cielo vibra*
> *contra mi? qué fieros globos*
> *de plomo ardiente graniza?*

qué centauros monstruosos
contra mi gente militan?

Trava-se a batalha e o Zelo quer dar morte à América atrevida. Mas a Religião impede-o:

Espera, no le dés muerte,
que la necesito viva,

Procura persuadir o Ocidente e a América a abandonarem os deuses pagãos, a converterem-se à fé cristã. E para os iniciar de maneira mais sensível nos mistérios sagrados faz representar o auto, cujas personagens são Narciso, a Natureza Humana, a Graça, a Gentilidade, a Sinagoga, que representa a natureza angélica decaída, Eco, a Soberba, o Amor-Próprio, ninfas e pastores.

Na paisagem da Arcádia erram Narciso e a Natureza Humana, sua imagem, à procura um do outro. Foram separados pelas águas turvas do pecado.

A ninfa Eco, ladeada de seus amigos o Amor-Próprio e a Soberba, anda alerta para que nunca mais Narciso volte a pôr os olhos na bem-amada, sua imagem. Para isso resolve tentar a Narciso numa montanha, aonde se retirou em forma de mulher.

Por outro lado a Natureza Humana depara com a Graça, que lhe fala da Fonte Sagrada, em cujas águas claríssimas se poderá ela refletir na inteira pureza de suas feições primitivas. Dirigem-se as duas à fonte. Na margem oposta caminha Narciso, suspirando pela esposa desgarrada:

Ven, Esposa, a tu Querido,
rompe esa cortina clara,
muéstrame la hermosa cara,
suene tu voz a mi oído.

Aproxima-se da Fonte Sagrada e exprime todo o seu ardor amoroso, toda a sua inquietação neste admirável soneto:

Mas ya el dolor me vence; ya, ya, llego
al término fatal por mi Querida,
que es poca la materia de una vida
para la forma de tan grande fuego.

Ya licencia a la muerte doy, ya entrego
el alma a que del cuerpo la divida;
aunque en ella, y en él quedará asida
mi deidad, que las vuelva a reunir luego.

Sed tengo, que el amor que me ha abrasado,
aun con todo el dolor que padeciendo
on todo el dolor que padeciendo
estoy, mi corazón aun no ha saciado.

Padre, porque en un trance tan tremendo
me desamparas? Ya está consumado;
en tus manos mi Espíritu encomiendo.

O que tornava difícil a união de Narciso com a Natureza Humana eram as águas do pecado. Vendo Narciso quase impossível lograr os seus desígnios,

> *porque hasta Dios en el mundo*
> *no halla amores sin peligro,*

determina-se a morrer.

Morre de contemplar a sua imagem:

> *que aun copia de su imagen*
> *hace efecto tan fuerte.*

Lamenta-se então a Natureza Humana.

Mas Narciso ressuscita, e, ao separar-se, deixa-lhe

> *un recuerdo y un aviso*
> *por memoria de su muerte*
> *y prenda de su cariño.*

> *El mismo quiso quedarse*
> *en blanca Flor convertido.*

Aparece junto à Fonte um cálice com uma hóstia em cima, fogem derrotados Eco, Soberba e Amor-Próprio, e o auto se encerra com um cântico da Natureza Humana em louvor do alto mistério do Corpo Glorioso.

O auto histórico-alegórico *El Mártir del Sacramento San Hermenegildo* e o auto sacramental e histórico *El Ceptro de José* não têm a mesma grandeza de concepção, a mesma harmonia dos elementos divino e humano, nem encerra os tesouros de lírica religiosa que fazem do *Divino Narciso* uma obra-prima do teatro sacramental em língua espanhola. Todavia é de assinalar na loa de *El ceptro de José* ainda a influência do ambiente mexicano no curioso debate entre a Idolatria e a Fé. A Idolatria, exortada pela Fé a renunciar aos sacrifícios humanos, responde que persistia neles por duas causas:

> *La primera es el pensar*
> *que las Deidades aplacan*
> *con la víctima más noble:*
> *y la otra es que en las viandas*
> *es el plato más sabroso*
> *la carne sacrificada,*
> *de quien cree mi nación,*
> *no solo que es la substancia*
> *mejor, mas que la virtud tiene*
> *para hacer la vida larga*
> *de todos los que la comen.*

Ao que revida a Fé:

> *Pues yo pondré en las Aras*
> *un holocausto tan puro,*
> *una víctima tan rara,*
> *una ofrenda tan suprema,*
> *que no solamente humana,*
> *más tambien divina sea:*
> *y no solamente valga*
> *para aplacar la Deidad,*
> *sino que la satisfaza*
> *enteramente; y no solo*
> *delicias de un sabor traiga,*
> *sino infinitas delicias;*
> *y no solamente larga*
> *vida dé, mas vida eterna.*

Essa oferenda suprema é

> *la Eucaristía Sagrada,*
> *en que nos dá el mismo Cristo*
> *su cuerpo, en que transubstancía*
> *el Pan y el Vino.*

E como a Idolatria ficasse naquela perplexidade em que caíram os discípulos de Jesus quando lhe ouviram falar do mesmo mistério, representa-se a história de José do Egito, que é propriamente o assunto do auto. Não citarei dele senão o famoso colóquio do hebreu com a mulher de Putifar para que se veja a graça com que o idealizou Juana Inés:

A MULHER DE PUTIFAR:

> *Espera, galán Hebreo,*
> *y si a obligarte no bastan*
> *las prendas de mi belleza,*
> *los adornos de mi gracia;*
> *si en los rizos de mi pelo*
> *los tesoros de la Arabia*
> *no te aprisionan, porque*
> *son en fin cadenas blandas;*
> *si de mis ojos los rayos,*
> *si de mi frente la plata,*
> *si en mi boca los rubíes,*
> *si en mis mejillas el nácar*
> *no te mueven, ni te incitan,*
> *ni a que te enamores bastan;*
> *porque son prendas caducas,*
> *que pagan al tiempo parias:*
> *muévate una Alma rendida,*
> *que los tesoros del Alma*
> *no pagan pensión al tiempo,*
> *no tributo a las mudanzas.*
> *No huyas, José, espera,*
> *buelve, si quiera, la cara,*

AUTO SACRAMENTAL DO DIVINO NARCISO

mírame, que con la vista
tu fidelidad no manchas.
Buelve los ojos!

JOSÉ:

No quiero,
que quien la vista no guarda,
no guardará el corazón,
pués abre la porta franca.
Lo que no le és al deseo
lícito, no os bien que haga
lícito a mis ojos yo;
que aun que el precepto no caiga
sobre el ver, como la vista
ministra especies al alma,
que despierten al deseo
y que susciten su llama,
si yo una vez las recibo,
será imposible borrarlas,
y difícil resistirlas;
y es mui necia confianza
que yo mismo a mi enemiga
admita dentro de casa.

Por volta dos quarenta anos teve Soror Juana Inés com Don Manuel Fernández de Santa Cruz, bispo de Puebla de los Ángeles, uma conversação que, na sua aparência de simples prática literária, iria determinar na alma e na vida da freira de São Jerônimo a mais profunda e definitiva mudança. Comentavam os dois a oratória sagrada de Vieira, a quem a monja mexicana tinha em tal conta que não hesitou dizer que "se Deus lhe desse escolher talentos, não elegeria outro senão o dele". Isso, porém, não a fazia abdicar de seu entendimento humano, potência livre, e Soror Juana fez a propósito do sermão do Mandato pronunciado pelo jesuíta português em 1650 na Capela Real de Lisboa, crítica tão aguda e cabal, que o bispo de Puebla instou com ela para que pusesse por escrito os seus argumentos. Obedeceu a freira, sem imaginar que Don Manuel mandaria imprimir o que a sua autora chamou singelamente *Resposta* e ficou mais conhecido sob o nome de *Carta atenagórica.* Atenagórica, sem dúvida porque, como Atenágoras se batia pela fé tradicional contra as interpretações acomodatícias dos sistemas filosóficos, Soror Juana Inés naquela carta defendia as opiniões de Santo Agostinho, Santo Tomás e São João Crisóstomo, contraditadas no sermão pelo Padre Antônio Vieira. E escusava-se modestamente de o fazer com estas palavras: "Se há quem não tema combater em engenho com três mais que homens; que muito é que haja alguém para fazer frente a um homem, ainda que tão grande? Quanto mais se acompanhado e amparado daqueles três gigantes. Pois meu assunto é apenas sustentar as razões dos três Santos Padres."

O sermão de 1650 é, na sua incomparável beleza de forma e correção de linguagem, exemplo típico da fantasia conceptista de Vieira. Propunha-se ele provar que a maior fineza de Cristo para com os homens foram as palavras do novo mandamento: "*Mandatum novum do vobis, ut diligatis in vicem*": Dou-vos um mandamento novo, e é que vos ameis uns aos outros. E mais: "*Sicut dilexi vos, ut vos diligatis in vicem*": Como vos amei a vós, amai-vos uns aos outros. Comenta Vieira: "A novidade do mandamento e do amor não está em os homens se amarem uns aos outros: está em que o amor com que se amarem, seja paga do amor com que Cristo os amou. Os homens amam a fim de que os amem; Cristo amou-nos a fim de que nós nos amemos."

Antes de demonstrar a sua proposição, expõe Vieira o que na opinião de Santo Agostinho, Santo Tomás e São João Crisóstomo constituía a maior fineza de amor do Cristo, opondo a cada uma, outra fineza maior. Para Santo Agostinho a maior fineza foi morrer por amor dos homens; argumenta Vieira que o morrer Cristo era deixar a vida, que amava menos, e ausentar-se, deixar os homens, que amava mais; logo o ausentar-se era maior fineza que morrer. Para Santo Tomás a maior fineza foi Cristo deixar-se ficar conosco no Sacramento ao ausentar-se de nós; Vieira dá outra maior, e é no mesmo Sacramento o encobrir-se Cristo, porque ali, embora presente corporalmente, não tem uso nem exercício dos sentidos; estar ausente e não ver, é padecer a ausência na ausência, mas não ver estando presente é padecer a ausência na presença. Para São João Crisóstomo a maior fineza de Cristo foi o lavar os pés a seus discípulos. Vieira, dentro do mesmo lavatório dos pés, dá como maior fineza o lavá-los também a Judas, porque lavando-os aos onze discípulos fiéis pagava amor com amor, que é o que se chama correspondência, mas lavando-os também a Judas, pagava-lhe o ódio com amor, em que propriamente consiste a fineza: o amor fino é aquele que não procura causa nem recompensa: ama porque ama, e ama por amar.

A Juana Inés pareceram fracos os fundamentos em que se apoiava a extraordinária fábrica de suavidade, viveza e energia que é o Sermão do Mandato de 1650. Defende a opinião de Santo Agostinho dizendo: "Que dor há na ausência senão a falta da presença do que se ama? Na ausência a falta é limitada, ao passo que na morte será perpétua. O ausente sente apenas não ver a quem ama; e o que morre ou vê morrer sente a falta do ausente e a morte própria, ou sente a falta e sente a morte do seu amado: logo a morte é dor maior do que a ausência, porque a ausência é só ausência, e a morte é morte e é ausência."

No que se refere a Santo Tomás e a São João Crisóstomo, assinala a monja na argumentação de Vieira uma falha silogística. Disse Santo Tomás: Sacramentar-se foi a maior fineza de Cristo. Replica Vieira: Não foi tal, mas ficar sem uso dos sentidos no Sacramento. Rebela-se Juana Inés: Que forma de arguir é essa? O Santo propõe em gênero, Vieira responde em espécie, logo não vale o argumento. Aliás não seria maior fineza estar sem uso dos sentidos, e sim estar presente no desaire das ofensas. Disse João Crisóstomo que a maior fineza foi lavar os pés aos discípulos. Retruca Vieira que não foi o lavar os pés, e sim a causa que levou o Cristo a lavá-los. "*Otra tenemos no muy diferente de la pasada.*" Aquela de espécie a gênero, esta de efeito a causa. "*Válgame Dios! Pudo pasarle al Divino Crisóstomo que Cristo obró tal cosa sin causa y mui grande? Claro está que no puede pensar tal cosa. Antes no solo una causa, sino muchas.*" Inferiu Crisóstomo o grande das causas sem expressá-las.

Contraditando a opinião de Vieira, que sustentou: Cristo não quis a retribuição do seu amor para si, mas para os homens, e esta a sua maior fineza: amar sem retribuição, Juana Inés responde: Cristo quis a retribuição, e esta é a fineza. Manda Deus amar ao próximo: quando, por amor de alguém, se faz alguma coisa a favor de outrem, mais se preza aquele em cuja atenção se procede do que aquele a quem se favorece. O não querer retribuição será fineza num amor humano: porque seria desinteresse; mas no de Cristo não o seria; porque ele não tem interesse algum em nossa retribuição. O amor humano encontra na retribuição algo que lhe faltava, mas a Cristo nada lhe falta, ainda que não lhe correspondamos. Assim, no solicitar a nossa retribuição sem ter necessidade dela é que está a fineza. Vieira, adverte Juana, não distinguiu entre retribuição e utilidade de retribuição. Cristo perguntou a Pedro: – Pedro, amas-me? – Sim. – Então apascenta as minhas ovelhas. Bem podia ter dito: – Pedro, amas as minhas ovelhas? Pois apascenta-as. Mas não diz isso e sim: Amas-me? Pois guarda as minhas ovelhas. Logo quis o amor para si e a utilidade para os homens.

Depois de refutar Vieira, propõe Juana Inés como a maior fineza de Cristo os benefícios que deixa de fazer-nos por causa da nossa ingratidão. E prova-o: Deus é a infinita bondade e tem infinito amor aos homens. Logo está sempre pronto a fazer--lhes infinitos benefícios. Mais: Deus é todo-poderoso e pode fazer aos homens todos os benefícios, sem que isso lhe custe trabalho. Portanto quando Deus faz bem aos homens vai com a corrente natural de sua própria bondade e de seu próprio poder. Logo, quando Deus não faz benefícios aos homens porque estes os converteriam em dano para si próprios, reprime os caudais de sua imensa liberalidade, detém o mar de seu infinito amor, estanca o curso de seu absoluto poder. Logo, mais custa a Deus não nos fazer benefícios do que fazê-los, e portanto mais fineza é suspendê-los do que executá-los. Porque é benefício não fazer benefícios quando havemos de usar mal deles.

Muito humildemente concluía a freira a sua carta, dizendo ao bispo: Se este papel está errado, rasgue-o, que assim ficará sanado o erro de ter sido escrito. Sujeito--o em tudo à correção da Santa Madre Igreja, o detesto e dou por nulo e não dito tudo o que se afastar do seu comum sentir e dos Santos Padres.

A Carta Atenagórica produziu viva sensação em todo o mundo hispano--americano, onde o nome de Vieira era respeitadíssimo. Pasmavam os teólogos, sobretudo os jesuítas, que uma pobre monja, do fundo do seu convento do México, ousasse levantar a voz contra o pregador de fama mundial. Muitas foram as murmurações. O bispo de Puebla escreveu-lhe uma carta sob o pseudônimo de Sor Filotea de la Cruz, na qual, reconhecendo que Juana empregava bem os dons que recebera de Deus, concitava-a a empregá-los ainda melhor. Fizesse versos como já os tinham feito Santa Teresa, o Nazianzeno e outros, mas imitasse-os não só no metro senão também na escolha dos assuntos. Já gastara muito tempo no estudo dos filósofos e dos poetas.

Juana Inés escreveu em resposta outra admirável carta, defendendo com argumentos tirados das Sagradas Escrituras o direito feminino de aprender e ensinar, de saber outras coisas mais do que *"filosofías de cocina"*. Mas as advertências de seu amigo calaram fundo no ânimo da freira. Conseguiram o que não havia obtido a severidade do confessor, o jesuíta Padre Antônio Nuñez de Miranda, o qual durante dois anos lhe retirara o auxílio espiritual por não renunciar a monja ao seu pendor pelas ciências e pelas artes. É verdade que aos conselhos de Don Manuel se juntara a pressão do ambiente tormentoso do México nos primeiros anos da década de 1690. Desgraças de toda a sorte desabaram sobre o país: assaltos de piratas no litoral, levantes de índios, epidemias, fome. Momento chegou em que o mesmo Conde de Galve não se sentia seguro no palácio vice-reinal e procurou asilo no Convento de São Francisco. O efeito produzido por essas calamidades no espírito da filha de São Jerônimo foi decisivo. A rebelada, a feminista, a mulher de poesia e de ciência cedeu lugar à santa que verdadeiramente havia nela. Ao arcebispo do México entregou a sua biblioteca de quatro mil volumes, os seus instrumentos astronômicos e musicais para que fossem vendidos em benefício dos necessitados, quedou-se penitente em sua cela nua, onde a 5 de março de 1694 firmou com o próprio sangue o protesto de renunciar aos estudos humanos para trilhar o caminho da perfeição. Não deixou em sua cela senão três livrinhos de devoção e muitos cilícios e disciplinas. A eles se entregou com tal paixão que o seu confessor, o bom Padre Antônio, teve de intervir, desta vez para lhe moderar o ardor quase suicida. No ano seguinte as febres malignas que devastavam a população do México irromperam na casa de São Jerônimo. Juana Inés desvelou-se no tratamento das irmãs até cair ela mesma vítima do mal. Faleceu aos 17 de abril, com 44 anos de idade.

> *Ven, Esposa, a tu Querido,*
> *rompe esa cortina clara,*
> *muéstrame tu hermosa cara,*
> *suene tu voz a mi oído.*

Estava transposta a corrente de águas turvas: o divino Narciso revia-se finalmente, à luz da eternidade, na face desse grande poeta-mulher que terminou os seus dias terrenos morrendo como uma grande santa.

M. B.

Loa para o *Autosacramental do Divino Narciso*

Pessoas que falam nela:

O OCIDENTE
A AMÉRICA
O ZELO
A RELIGIÃO
MÚSICOS
SOLDADOS

(Entra o OCIDENTE, Índio gentil com Coroa, tendo a AMÉRICA a seu lado, vestida de Índia bizarra, com mantas. Os dois e o seu séquito dispõem-se em duas filas. Bailam Índios e Índias o Tocotim. Enquanto bailam, canta a MÚSICA.)

MÚSICA

Nobres Mexicanos,
Cuja Estirpe antiga
Das límpidas luzes
Do Sol se originam:
Pois é hoje do ano
O ditoso dia
Em que se consagra
A maior Relíquia,
Chegai adornados
De vossas divisas.
Ao devoto culto
Juntai a alegria;
Prestai reverência e louvor
Ao grande Deus Seminador.

E pois que a abundância
Das nossas Províncias
Devemos ao que é
Quem as fertiliza,
Ofertai agora,
Pois lhe são devidas,
Dos novos produtos
Todas as primícias.
Dai do vosso sangue
A parte mais fina,
Para que, mesclada,
Ao seu culto sirva.
Prestai reverência e louvor
Ao grande Deus Seminador!

(Sentam-se o OCIDENTE e a AMÉRICA, e cessa a MÚSICA.)

OCIDENTE

Pois que entre todos os Deuses
Que meu culto solenizam,
Embora tantos, que só
Nesta muito esclarecida
Régia Cidade ultrapassam
Dois mil, aos quais sacrifica
Em sacrifícios sangrentos,

De crueza nunca ouvida,
Já as entranhas, que estremecem,
Já o coração, que palpita;
Embora (torno a dizer)
Sejam tantos, mais admira
Minha atenção como ao maior
O grande Deus Seminador!

AMÉRICA
E com razão, pois só ele
É que a nossa Monarquia
Sustenta, pois a abundância
Dos frutos dele deriva;
E, por ser este o maior
Benefício, em que se cifram
Todos os outros, pois é
O de conservar a vida,
Como o maior o estimamos:
Pois que importara que rica
Nossa América abundasse
Com o ouro de suas Minas,
Se aquela riqueza mesma
Dos metais não permitira
Que os frutos no estéril campo
Em sementeiras opimas
Brotassem? Demais, a ajuda
Que nos dá, não se limita
Só ao corporal sustento
Da material comida,
Senão que depois, fazendo
Manjar das carnes divinas,
Estando purificadas
Antes, de sua imundícia
Corporal, de feias manchas
A Alma nos purifica.
Assim que, atentos ao culto,
Todos comigo repitam:

OS DOIS E A MÚSICA
Prestai reverência e louvor
Ao grande Deus Seminador!

*(Saem bailando, e entram a RELIGIÃO Cristã, vestida de Dama Espanhola,
e o ZELO, fardado de Capitão-General armado, e atrás soldados espanhóis.)*

MANUEL BANDEIRA   Volume 1   *Poesia completa*

RELIGIÃO

Como, sendo o Zelo tu,
Tuas católicas iras
Sofrem ver, vãmente cega,
Celebrar a Idolatria
Com supersticiosos cultos
Um Ídolo, em ignomínia
Da Cristã Religião?

ZELO

Religião, não tão asinha
De minha omissão te queixes,
Deplores minhas carícias;
Pois já, levantando o braço
E brandindo a minha espada,
Tirarei tuas vinganças:
A este lado te retira
Enquanto te desagravo.

*(Vão entrando, a bailar, o OCIDENTE e AMÉRICA, e acompanhamento,
e a MÚSICA por outro lado.)*

MÚSICA

Prestai reverência e louvor
Ao grande Deus Seminador!

ZELO

Pois que eles entram, me acerco.

RELIGIÃO

Irei também, que me inclina
A piedade a chegar antes
Que o teu furor os invista,
A convidá-los por bem
A que os meus dogmas admitam.

ZELO

Pois cheguemos, que em seus torpes
Ritos ela está entretida.

MÚSICA

Prestai reverência e louvor
Ao grande Deus Seminador!

(Aproximam-se o ZELO e a RELIGIÃO.)

RELIGIÃO

Ocidente poderoso,
América bela e rica,
Que viveis tão miseráveis
Entre riquezas miríficas:
Deixai o culto profano
Ao que o Demo vos incita;
Abri os olhos, segui
A verdadeira Doutrina
Que meu amor vos inculca.

OCIDENTE

Que gentes não conhecidas
São, ó Céus, estas que vejo
E de minhas alegrias
Querem impedir o curso?

AMÉRICA

Essas Nações nunca vistas
Quem são, que vêm contrastar
Minha potestade antiga?

OCIDENTE

Ó tu, Estrangeira beleza!
Ó tu, Mulher peregrina!
Dize-me quem és, que queres
Perturbar minhas delícias?

RELIGIÃO

Sou a Religião Cristã,
E intento as tuas Províncias
Incorporar ao meu culto.

OCIDENTE

Bom empenho solicitas!

AMÉRICA

Boa loucura pretendes!

OCIDENTE

Bem impossível maquinas!

AMÉRICA

De certo é louca, deixá-la,
E nossos ritos prossigam!

Os dois e a Música

Prestai reverência e louvor
Ao grande Deus Seminador!

Zelo

Como, bárbaro Ocidente,
Como, cega Idolatria,
A Religião menos prezas,
Esposa minha querida?
Olha que às tuas maldades
Já completaste a medida,
Olha que Deus não consente
Que em teus delitos prossigas,
E me envia a castigar-te.

Ocidente

Quem és, que me atemorizas
Só de eu ver o teu semblante?

Zelo

O Zelo sou, que te admira?
Porque, quando à Religião
Tocam tuas demasias,
Entrará o Zelo a vingá-la,
Castigando-te a ousadia.
Ministro do Deus que, vendo
Tuas néscias tiranias
Chegar ao mais alto ponto,
Cansado de ver que vivas
Tanto tempo entre pecados,
A castigar-te me envia.
São estas armadas Hostes,
Que raios e ferro vibram,
Instrumentos do seu nojo,
Ministros de suas iras.

Ocidente

Que Deus, que erro, que ignomínia
Ou que castigo me intimas?
Pois não te entendo as razões,
Nem a mais vaga notícia
Tenho de quem és, que ousado
A tanto empenho te animas,
Como obstar à minha gente
A fé praticar antiga.

MÚSICA

Prestai reverência e louvor
Ao grande Deus Seminador!

AMÉRICA

Bárbaro, insano, que cego,
Com razões não entendidas
Queres quebrar o sossego
Que em serena paz tranquila
Gozamos: cessa esse intento,
Se não desejas que em cinzas
Reduzido, nem os ventos
Tenham de teu ser notícias!
E tu, Esposo, e os teus Vassalos

(Ao Ocidente.)

Negai-lhe ouvidos e vista
Aos motivos, não fazendo
Caso de tais fantasias;
Prossegui nas vossas práticas
Sem consentir que adventícias
Nações por demais ousadas
Queiram tentar impedi-las.

MÚSICA

Prestai reverência e louvor
Ao grande Deus Seminador!

ZELO

Pois que a primeira proposta
De paz desprezas altiva,
Nova proposta e de guerra
Será preciso que admitas.
Toca às armas; guerra, guerra!

(Soam tambores e clarins.)

OCIDENTE

Que abortos o Céu envia
Contra mim? Que armas são estas
Nunca de meus olhos vistas?
Ó da Guarda, ó meus Soldados,
As flechas que prevenidas
Estão sempre, disparai.

AMÉRICA

Oh que raios o Céu vibra
Contra mim? Que feros globos
De chumbo ardente graniza?
Que Centauros monstruosos
Contra os meus homens militam?

NOS BASTIDORES

Arma, arma, guerra, guerra!

TOCAM

Viva Espanha, e o seu Rei viva!

*(Travada a batalha, vão saindo por uma porta, e entram Índios
fugindo e Espanhóis no encalço deles, e atrás o OCIDENTE se afasta
da RELIGIÃO, e a AMÉRICA do ZELO.)*

RELIGIÃO

Rende-te, altivo Ocidente.

OCIDENTE

Mister é já, que me humilha
Teu valor, não a razão.

ZELO

Morre, América atrevida!

RELIGIÃO

Espera, não lhe dês morte,
Que eu a necessito viva.

ZELO

Como? És tu quem a defendes,
Após seres ofendida?

RELIGIÃO

Sim, porque tê-la vencido
Coube à tua valentia:
À minha piedade toca,
Porém, conservar-lhe a vida;
Porque vencê-la por força
Te tocou: mas reduzi-la
Pela razão me compete
Com doçura persuasiva.

ZELO

Se tu já viste a protérvia
Com que teu culto abominam,
Não será melhor que morram?

RELIGIÃO

Suspende a tua justiça,
Zelo, não lhes dês a morte,
Pois não quer minha benigna
Condição que morram, mas
Que se convertam e vivam.

AMÉRICA

Se o pedires que eu não morra,
Mostrando-te compassiva,
É porque esperas de mim
Que me vencerás altiva,
Como antes, com corporais
Depois com intelectivas
Armas, estás enganada;
Porquanto, embora cativa
Chore a minha liberdade,
Com liberdade crescida
Adorarei os meus Deuses.

OCIDENTE

Já te disse que me obrigas
A me render pela força;
Mas nisso claro se explica
Não haver força ou violência
Que ao livre alvedrio iniba
Em suas operações;
Assim, por mais que me digas,
Não poderás impedir
Que eu, no meu foro interior,
Venere o grande Deus Seminador!

RELIGIÃO

Espera, que não se trata
De força, mas de carícia:
Que Deus é esse que adoras?

OCIDENTE

Um Deus é que fertiliza
Os campos que dão os frutos,
Ante quem os céus se inclinam,

A quem a chuva obedece:
Finalmente é quem nos limpa
Dos pecados, e depois
Se faz manjar, que nos brinda.
Dize-me se pode haver
Divindade mais benigna,
Que mais benefícios faça
Na sua glória infinita.

RELIGIÃO
(À parte.)

Valha-me Deus! Que debuxos,
Que arremedos, ou que cifras
De nossas sacras verdades
Querem ser estas mentiras?
Ó Áspide cautelosa!
Ó feia Serpente! Ó Hidra,
Que vertes por sete bocas
Tua peçonha nociva
Mais mortal do que a cicuta!
Até onde tua malícia
Quer arremedar de Deus
As Sagradas maravilhas?
Porém com o teu mesmo engano,
Seu Deus me a língua habilita,
Te tenho de convencer.

AMÉRICA

Em que, suspensa, imaginas?
Vês que outro Deus não existe,
Como este, que nos confirma
Em favores suas obras.

RELIGIÃO

Valendo-me da doutrina
De Paulo, arguirei, pois quando
Aos Atenienses predica,
Vendo que entre eles é lei
Que morra o que solicita
Introduzir novos Deuses,
Como tivesse notícia
De que a um Deus não conhecido
Eles um Altar dedicam,
Diz-lhes: "Divindade nova
Não é, mas já conhecida
E que adorais neste Altar,
A que a minha voz publica."

Assim, Ocidente, escuta,
Ouve, cega Idolatria,
Que atendendo às minhas vozes,
Encontrareis vossas ditas!
Esses milagres que contas,
Esses prodígios que intimas,
Esses visos, esses rasgos,
Que debaixo de cortinas
Supersticiosas assomam;
Portentos que falsificas,
Atribuindo o seu efeito
A Divindades mentidas,
Obras do Deus verdadeiro,
Da sua sabedoria
Efeitos são. Pois se o prado
Florido se fertiliza,
Se se fecundam os campos,
Se o fruto se multiplica,
Se crescem as sementeiras,
E se as chuvas se destilam,
É tudo obra dele; pois
Nem o braço que cultiva,
Nem a chuva que fecunda
Ou o calor que vivifica,
Daria incremento às Plantas,
Se faltasse a produtiva
Providência, que concorre
A dar-lhes vegetativa
Alma.

AMÉRICA

       Quando isso assim seja,
Dize, será tão propícia
Tal Divindade, que deixe
Tocarem-no estas mãos minhas,
Tal como o Ídolo que aqui
Minhas próprias mãos fabricam
De sementes e do sangue
Que do inocente se tira
Tão só para tal efeito?

RELIGIÃO

Se bem sua Essência Divina
Seja invisível e imensa,
Como aquela que está unida
À natureza dos homens,

Tão humana se avizinha
De nós, porém, que permite,
Tocarem-no as mãos indignas
Dos Sacerdotes do culto.

AMÉRICA

Quanto a isso, convencida
Estou, porque ao nosso Deus
Ninguém há a quem se permita
Tocá-lo senão aos que
De Sacerdotes se sirvam;
E não somente tocá-lo,
Mas nem entrar na Capela
Se permite aos seculares.

ZELO

Ó reverência mais digna
De feita ao Deus verdadeiro!

OCIDENTE

Peço que ainda me digas:
Será este Deus de matérias
Tão raras, tão escolhidas,
Como a do sangue que foi
Em sacrifício vertida,
Da semente, que é sustento?

RELIGIÃO

Digo-te: é a sua infinita
Majestade imaterial;
Mas posta incruenta da Missa
Nos cândidos acidentes,
Se vale das sementinhas
Do trigo, o qual se converte
Pela Santa Eucaristia
Em sua Carne e seu Sangue;
E este Sangue, por divina
Fineza, na Ara da Cruz
Inocente, pura e limpa,
Foi a redenção do Mundo.

AMÉRICA

Já que estas tão inauditas
Coisas eu quisera crer,
Será a Deidade que pintas
Tão amorosa que queira

Oferecer-se em comida
Como faz a que adoramos?

RELIGIÃO

A sua Sabedoria
Para esse fim tão somente
Entre os humanos habita.

AMÉRICA

E não verei esse Deus
Para ficar convencida?

OCIDENTE

E para que de uma vez
De minha teima desista?

RELIGIÃO

Sim, vê-lo-ás, se te lavares
Com as águas cristalinas
Do Batismo.

OCIDENTE

                    Bem o sei:
Antes de chegar à rica
Mesa, tenho de lavar-me,
Como é nossa usança antiga.

RELIGIÃO

Não é esse o lavatório
Que as tuas manchas precisam.

OCIDENTE

Pois qual?

RELIGIÃO

                    O de um Sacramento
Com virtude de águas vivas
Para limpar teus pecados.

AMÉRICA

Como me dás as notícias
Tão por maior, não te acabo
De entender; e assim, queria
Recebê-las por extenso,
Que já a inspiração divina
Me move a querer sabê-las.

OCIDENTE

E mais: conhecer a vida
E morte do grande Deus
Que estar em Pã certificas.

RELIGIÃO

Eia pois, que numa ideia
Metafórica, vestida
De retóricas roupagens,
Irei mostrar-to, que já
Percebo que tu te inclinas
A objetos visíveis, mais
Dos que aos com que a Fé te avisa
Pelos ouvidos; destarte
É preciso que te sirvas
Dos olhos, a fim de que
A Fé por eles admitas.

OCIDENTE

Assim é: mais quero vê-lo,
Que ouvir o que dele digas.

RELIGIÃO

Vamos pois.

ZELO

Mas dize-me antes:
Em que forma determinas
Representar os Mistérios?

RELIGIÃO

De um Auto na alegoria
Quero mostrar os visíveis,
Para que fique instruída
Ela e mais todo o Ocidente
Daquilo que solicita
Saber.

ZELO

E como intitulas
Esse Auto que alegorizas?

RELIGIÃO

Divino Narciso, pois
Se esta infortunada tinha
Um Ídolo que adorava

De tão estranhas divisas,
No qual pretendeu o Demônio
Da Sagrada Eucaristia
Simular o alto Mistério,
Saiba que também havia
Sinais entre outros Gentios
De tão alta maravilha.

ZELO

E onde é que se representa?

RELIGIÃO

Na coroada, na subida
Madri, que é centro da Fé,
Régia cidade onde habitam
Os seus Católicos Reis,
A quem deveram as Índias
Ter as luzes do Evangelho
Que já no Ocidente brilham.

ZELO

Pois não vês a impropriedade
Sejam no México escritas
E em Madri representadas?

RELIGIÃO

Pois é coisa nunca vista
Se faça uma coisa numa
Parte, e noutra parte sirva?
Além do que, o escrevê-lo
Não foi ideia antojadiça,
Senão devida obediência,
Que ao impossível aspira;
Assim, a obra, ainda que seja
Rústica e pouco polida,
É da obediência efeito,
E não parto da ousadia.

ZELO

Ora, dize, Religião.
Tu que, sábia, tudo explicas,
Como salva a objeção
De que introduzes as Índias
E a Madri queres levá-las?

RELIGIÃO

Como isto somente visa
A celebrar os Mistérios;
E as na loa introduzidas
Pessoas nada mais são
Do que uns abstratos, que pintam
O que se intenta dizer,
Nada haverá que desdiga,
Ainda que as leve a Madri:
Que a espécies intelectivas
Não há distâncias que estorvem,
Nem são por Mares detidas.

ZELO

Sendo assim, ao Rei magnânimo
Em quem dois Mundos se cifram,
Pedimos perdão, prostrados.

RELIGIÃO

E à Rainha esclarecida,

AMÉRICA

Cujas soberanas plantas
Beijam humildes as Índias.

ZELO

Aos seus Supremos Conselhos.

RELIGIÃO

Às Senhoras que iluminam
Seu hemisfério.

AMÉRICA

       Aos Engenhos,
A quem humilde suplica
Meu estro que lhe perdoem
O querer com toscas linhas
Descrever tanto Mistério.

OCIDENTE

Vamos, que já me agonia
Ver como será esse Deus
Que me darão em comida,

(Cantam a AMÉRICA, o OCIDENTE e o CÉU.)

Dizendo que já
Sabe a minha dita
Qual a verdadeira
Pessoa Divina.
E em lágrimas ternas
Que o gozo destila,
Repitam alegres
Com vozes festivas:

Todos

Prestai reverência e louvor
Ao verdadeiro Deus Seminador!

(Saem bailando e cantando.)

Auto sacramental do Divino Narciso

Personagens que falam no auto:

O Divino Narciso
A Natureza Humana
A Graça
A Gentilidade
A Sinagoga
Eco, que faz a Natureza Angélica
A Soberba
O Amor-Próprio
Ninfas e Pastores
Dois coros de Música

(Entram por um lado a Gentilidade, *vestida de ninfa, com acompanhamento de ninfas e pastores, e por outro lado, a* Sinagoga, *também vestida de ninfa, com outro acompanhamento, que serão os músicos, e atrás a* Natureza Humana *ouvindo o que cantam.)*

Sinagoga

    Louvai todos os homens o Senhor!

Coro I

    Louvai todos os homens o Senhor!

Sinagoga

    Todos entoai novo Canto
    àquele divino encanto
    que o Tempo jamais consome,
    e da glória de seu nome
    ressoe eterno o louvor.

Coro I

    Louvai todos os homens o Senhor!

Gentilidade

    Festejai Narciso, plantas e flores.
    Pois seu encanto divino,
    sem igualdade peregrino,
    passa toda formosura
    vista em outra criatura,
    e a todas inspira amores.

Coro II

    Festejai Narciso, fontes e flores!

Sinagoga

    Exalçai,

Gentilidade

    Festejai,

Sinagoga

    Com hinos,

Gentilidade

    Com vozes,

Sinagoga

    Ao Senhor,

GENTILIDADE

A Narciso,

SINAGOGA

Todos os homens,

GENTILIDADE

Fontes e flores!

(Coloca-se a NATUREZA HUMANA entre os dois coros.)

NATUREZA HUMANA

Vós, Gentilidade, e vós,
Sinagoga, vós que em doces
métricas vozes cantais,
a Deus uma celebrando
e outra um homem aplaudindo:
atentai no que vos digo,
ouvi as minhas razões.
Pois que sou mãe de vós ambas,
a ambas é bem que vos toque
por lei natural ouvir-me.

SINAGOGA

Meu amor te reconhece,
ó Natureza que és mãe
comum de todos os homens.

GENTILIDADE

E eu também já te obedeço;
ainda que andemos discordes
eu e a Sinagoga, nem
por isso te desconhece
meu amor, antes te acata.

SINAGOGA

E nisto apenas conformes
estamos, pois observamos,
– ela em meio dos seus erros,
eu entre as minhas verdades –
aquele preceito imposto
de que um ao outro não faça
o que para si não queira.
E visto que Pai nenhum
quer que seu filho o aborreça,
assim não fora razão

que a nosso dever faltássemos,
ó Natureza, negando
atenção às tuas vozes.

GENTILIDADE

Por isso aquele preceito,
para que ninguém o ignore,
o escreves, o gravas dentro
do coração de teus filhos.

NATUREZA HUMANA

E é bem, pois esse preceito
basta para que se note
que a mim, como a Mãe comum,
me deveis as atenções.

SINAGOGA

Dize-nos o que pretendes.

GENTILIDADE

Dize-nos o que dispões.

NATUREZA HUMANA

Digo que, tendo escutado
em vossas métricas vozes
os diferentes objetos
de nossas aclamações:
tu, Gentilidade cega,
se errada, ignorante e feia
a uma caduca beleza
aplaudes em teus labores;
e tu, Sinagoga, certa
das verdades que aprendeste
em teus profetas, a Deus
lhe prestas venerações;
deixando de discorrer
em vossas oposições,

(à GENTILIDADE.)

pois claro está que tu erras

(à SINAGOGA.)

e claro que tu conheces,
ainda que tempo virá

quando, trocando as ações,
conheça a Gentilidade,
e a Sinagoga, essa ignore.
Mas não é o caso de agora,
e assim, volvendo-me à ordem
do discurso, digo que,
ouvindo as vossas canções,
passei a considerar
que misteriosa fé escondem
aquelas certas verdades
debaixo destas ficções.
Pois se em teu Narciso tu
tanta perfeição supões,
que ímã sua formosura
dizes que é dos corações;
e que não somente a seguem
as ninfas como os pastores,
mas também aves e feras,
plantas, ervinhas e flores,
vales fundos, altos montes,
águas de arroios e fontes:
com quanto maior razão
estas sumas perfeições
se verificam em Deus,
a cuja beleza os mundos
para servir-lhe de espelhos,
indignos se reconhecem;
e a quem todas as criaturas
(mesmo sem haver razões
de tão grandes benefícios,
de tão estranhos favores)
só por sua formosura
deveram adorações;
e a quem eu, a Natureza
Humana, com atenções
como a meu centro apeteço,
e sigo como ao meu Norte.
E assim, pois Mãe de vós ambas
sou, intentarei com cores
alegóricas que ideias
representáveis compõem,

     (*à Sinagoga.*)

de uma tomar o sentido,

(à Gentilidade.)

e da outra tomar as vozes,
e em metafóricas frases,
tomando-lhe as locuções,
em figura de Narciso
solicitar os amores
de Deus, para ver se esboçam
estes obscuros borrões
o esplendor das suas luzes;
pois muitas vezes conformes
divinas e humanas letras,
dão a entender que Deus põe
mesmo em penas de pagãos
uns visos em que repontem
os altos mistérios seus;
e assim quero que, concordes,

(à Sinagoga.)

tu à ideia dês o corpo,

(à Gentilidade.)

e tu o vestido lhe cortes.
Que dizeis?

SINAGOGA

Que pela parte
que nesse intento me toque,
eu te servirei com dar-te,
em tudo quanto te importe,
os versos de meus Profetas,
os coros de meus Cantores.

GENTILIDADE

Embora eu bem não te entenda,
visto que o que me propões
é só que te dê matéria
para que tu mesma a informes
de outra alma, de outro sentido
que meus olhos não conhecem:
te darei de humanas letras
os poéticos primores
que há na História de Narciso.

Natureza Humana

Volvei então aos acordes
cantos em que vos achei,
para que quem ouça logre
sob a metáfora ver
que em minhas amantes vozes
uma coisa é o que ele entende
e outra, diferente, o que ouve.

Sinagoga

Louvai todos os homens o Senhor!

Coro I

Louvai todos os homens o Senhor!

Gentilidade

Festejai Narciso, Plantas e Flores!

Coro II

Festejai Narciso, Plantas e Flores!

Sinagoga

Todos os homens te gabem
e nunca aplausos acabem
os Anjos em sua altura,
o Céu em sua formosura
e os Astros em seu fulgor.

Coro II

Louvai todos os homens o Senhor!

Gentilidade

E pois sua prodigiosa
beldade, tão prestigiosa,
é de todas a maior,
– beldade cujo primor
aplaudem os Horizontes,

Coro II

Festejai Narciso, Flores e Fontes!

Coro I

Louvai todos os homens o Senhor!

Sinagoga

As Águas que sobre o Céu
formam cristalino véu,

e excelsas Virtudes puras
que habitam suas alturas,
juntem-se no seu louvor.

CORO I

Louvai todos os homens o Senhor!

CORO II

Festejai Narciso, Fontes e Flores!

GENTILIDADE

Diante de seu brilho, o Sol
detém o claro Farol,
e para lhe ver a cara,
o fogoso Carro para,
contemplando os seus primores.

CORO II

Festejai Narciso, Fontes e Flores!

CORO I

Louvai todos os homens o Senhor!

SINAGOGA

O Sol, a Lua, as Estrelas,
o Fogo e as suas centelhas,
a Névoa com o seu rocio,
Neve e Gelo, Chuva e Frio,
Dias e Tardes e Noites.

CORO I

Louvai todos os homens o Senhor!

CORO II

Festejai Narciso, Fontes e Flores!

GENTILIDADE

Seu encanto singular
não só consegue arrastar
após si Ninfas, Zagais,
em seu seguimento iguais,
mas até Penhas e Montes.

CORO II

Festejai Narciso, Flores e Fontes!

Coro I

Louvai todos os homens o Senhor!

Natureza Humana

Oh que bem soam unidos
estes acordes louvores,
que da beldade divina
celebram as perfeições!
Que embora as minhas desditas
desterradas de seus sóis
me ponham, não me proíbem
que eu sua beleza adore;
que embora, muito ofendido
por meus delitos enormes,
me desdenhe, não me faltam
piedosos Intercessores
que insistem continuamente
para que o perdão me outorgue,
e o estar em mim sua Imagem;
malgrado a enxurrada torpe
das águas de minhas culpas
borrem as minhas feições:
porque às culpas o Sagrado
Texto, em muitas ocasiões
águas chama quando diz:
"Não me afogue a tempestade
das águas"; e em outra parte,
encarecendo os favores
de Deus, repete Davi
que o seu Deus, que lhe socorre,
o livrou de muitas águas;
e que no tempo oportuno
cheguem os intercessores
mas que não entre os furores
seja do dilúvio de águas.
Assim, é justo que eu chame
à minha culpa águas turvas,
pois suas obscenas cores,
entre mim e ele interpostas,
tanto meu ser desfiguram,
que a beleza me falece
das feições, tão alteradas,
que se as contempla Narciso,
sua imagem desconhece.
Digam-no, depois daquele
pecado do homem primeiro,

que foi Mar, cujas espumas
não há nenhum que não molhem
tantas fontes, tantos rios
obscenos de pecadores,
nos quais sempre submergida
a Natureza hoje esconde
a formosura. Oh, Deus queira
que minha esperança encontre
alguma fonte que, livre
daquelas águas salobras,
reflita de novo inteiras
de Narciso as perfeições!
E enquanto não me for dado
tocar-lhe o puro cristal,
vós outros, para abrandar
de meu Amado os rigores,
repeti vossos louvores
em ternas aclamações,
unindo às vozes o pranto,
que é o que mais ouvir lhe agrada.
Representai minha dor,
que vossos cantos acordes
pode ser que o enterneçam,
e o seu perdão me conceda.
E pois em nenhuma idade
já faltou quem advogasse
por mim, vamos procurar
a Fonte em que os meus borrões
se hão de lavar sem deixar
as doces persuasões
da Música, repetindo
entre lágrimas de amor:

Coro I

Louvai todos os homens o Senhor!

Coro II

Festejai Narciso, Fontes e Flores!

> (*Saem, e entra* Eco, Ninfa *alvorotada, a* Soberba,
> *vestida de Pastora e o* Amor-Próprio, *vestido de Pastor.*)

Eco

Soberba, Amor-Próprio, amigos,
ouvistes nesta floresta
umas vozes?

SOBERBA

Ouvi, sim,
as quais muito mais que o ouvido
o coração me penetram.

AMOR-PRÓPRIO

Eu também, que ao escutar
o dulçor do que diziam,
fora de acordo fiquei.

ECO

Pois bem, e o que inferis delas?

SOBERBA

Nada, porque como sou
a Soberba, apenas sei
que me molestam louvores
que não são dados a mim.

AMOR-PRÓPRIO

E eu, como sou o Amor-Próprio,
só sei quanto me aborrecem
aqueles ternos carinhos
que não a mim se aderecem.

ECO

Pois dir-vos-ei o que infiro,
já que em mim a infusa ciência
se distingue de meu próprio
amor e minha soberba.
Natural em vós é que,
não o alcançando, o temais.
E assim, Amor-Próprio, unido
a mim tão intimamente,
que fazes que a mim me olvide
para que a mim só me queira:
porque é o amor-próprio paixão tão intensa,
que insensato olvida aquilo em que pensa;
princípio de meus afetos,
que és em quem eles começam,
que és em quem eles acabam,
pois acabam em soberba
(porquanto quando o amor-próprio
se afasta do que é razão,
em soberba se remata,
essa sombria afeição

que em todas as coisas nunca toma a peito
senão o que lhe fala ao próprio proveito),
ouvi-me: vistes aquela
Pastora, que representa
em sua bela aparência
toda a humana Natureza.
Em figura de uma Ninfa
com metafórica ideia
segue a beldade que adora,
quando no fundo a despreza.
Para que às letras divinas
sirvam as humanas letras,
valendo-se de umas e outras,
cotejando-lhes a essência,
tomando a estas o sentido,
tomando a certeza àquelas;
e sob retóricas cores
que uma coisa são, mas outra
diferente significam,
chama a Deus Narciso, que a sua beleza
ninguém haverá que iguale ou mereça.
Pois agora, uma vez que eu
represento o Ser Angélico,
senão no todo, naquela
parte réproba, que ousada
arremessou das Estrelas
a terça parte ao Abismo:
quero, adotando-lhe a mesma
metáfora, me fazer
de outra Ninfa, pois já que ela
como uma Ninfa a Narciso
segue, que papel me deixa
senão o de Eco infeliz,
que de Narciso se queixa?
Pois que outra beleza mais que a sua imensa?
Que maior desprezo, se acaso em mim pensa?
E assim, malgrado o saibais,
pelo que a mim me atormenta,
que sou tal, que nem a mim
pouparei a pior sina,
referir-vos-ei a História,
usando a mesma metáfora,
para ver se com a de Eco
minha tragédia combina.
E diga o curioso que a tiver ouvido,
se nela concordam a letra e o sentido.

Já sabeis que sou aquela
Eco que, com ser formosa,
por desejar ser mais bela,
fiquei mais feia. Dotada
de formosura e nobreza,
de valor e de virtude,
de perfeição e de ciência;
e enfim vendo que era eu
da Angélica natureza
a criatura mais perfeita,
quis esposa de Narciso
ser, e pretendi, soberba,
tomar assento em seu Sólio,
igualá-lo na grandeza,
pensando justo fosse, posto que era
tão formosa, à igualdade pretendera.
Razão por que ele, ofendido,
tão desdenhoso me deixa,
tão colérico me arroja
de sua graça e presença,
que me tirou (ai de mim!)
toda esperança de um dia
volver a gozar os raios
de sua divina beleza.
Eu, vendo-me desprezada,
na dor da afronta, em rancor
troco a ternura, em vinganças
o carinho, em ódio o amor,
e qual víbora assanhada,
nociva peçonha exalo,
veneno me anima as veias:
pois toda vez que em ódio o amor se altera,
mais eficaz será o rancor que gera.
Depois disso, temerosa
de que a humana Natureza
os lauréis por mim perdidos
venha a alcançar venturosa,
invento tantos ardis,
formo tal estratagema,
que obrigo a Ninfa infeliz,
sem olhar minha cautela,
a desobrigar Narciso,
a, ingrata e tonta, ofendê-lo,
vendo que é de condição
tão severa, que, ofendido,
jamais concede o perdão,

visto que é infinita a ofensa
feita à sua Divindade:
dívida tamanha, que à sua exigência
não satisfará a maior penitência.
Com isto a pobre infeliz
se vê posta em tal miséria
que, por mais que triste gema
ao som de suas cadeias,
são embalde os seus suspiros,
pois, igual a mim, não pode,
eternamente risonha,
ver o rosto de Narciso,
com o que fica a minha injúria
vingada; o Sólio perdido
não é bem que outra o mereça,
nem que o que me foi tirado,
o logre a vilã grosseira,
formada de tosco barro,
de baixa matéria feita.
Assim, convém que estejamos
todos nós acautelados
para que Narciso nunca
mais os olhos dela veja:
porque tanto se assemelham
(ela feita à imagem dele,
tanto que se me rebenta
o peito de pura inveja),
que temo, ao vê-la, a sua imagem
nela se revendo toda,
forçaria a divindade
a inclinar-se a afeiçoá-la:
pois tanta força tem a parecença,
que nada existe que a contraste e vença.
Por isso é que com cuidado,
com diligente constância
tenho sempre procurado
delir esta semelhança,
fazendo que cometesse
tais pecados, que ele mesmo,
soltando as rédeas a Aquário
destruiu no dilúvio o mundo,
como castigo da ofensa.
Mas como é costume dele
piedoso misturar sempre
à dureza da justiça
a doçura da clemência,

quis que em meio do naufrágio
a uma tábua se agarrasse,
deixando-a a salvo e com vida:
que a misericórdia nunca lhe esquece,
e embora irritada sempre se enternece.
Mal, porém, do dano escapa,
ei-la, de glória sedenta,
com altivas homenagens
escalar os céus intenta:
e crendo em sua inocência
ser-lhe acessível a Esfera,
não pelas imateriais
escadas da penitência,
mas por materiais tarefas
e fadigas corporais,
soberbas Torres eleva.
De cuja louca ambição
em proporcionada pena
resultou a confusão
das Línguas: justo castigo
ao néscio que soberbo em si não cabe
e o que ninguém não sabe, diz que sabe.
Depois de assim dividido,
soprei aos homens tais seitas,
que ora adoravam o Sol,
ora o curso das Estrelas,
ora os Brutos veneravam,
ora davam culto às Penhas,
ora às Fontes, ora aos Rios,
ora aos Bosques, ora às Selvas,
sem que ficasse criatura,
por mais imunda e grosseira
que fosse, excluída daquela
adoração da cegueira;
e cultuando embelezados
as próprias inclinações,
ei-los de Deus olvidados
e das sumas perfeições:
fiéis de estátuas, amando-as sem disfarce,
nelas chegaram quase a transformar-se.
Não obstante esses delitos
nunca faltaram centelhas
que lhes lembrassem a origem
do Ser a que se assemelham;
e pretendendo volver
à dignidade primeira

com lágrimas e suspiros
aplacar a Deus intentam;
e se não, olhai Abel
que acende o fogo, e as espigas
ajunta para a oferenda.

(Abre-se o pano do fundo, e aparece ABEL *acendendo o lume, e depois se descobre cantando.)*

ABEL

Senhor poderoso, de imensa piedade,
Aceita a oferenda de minha humildade!

ECO

Ao Santo Enoc atendei,
Ao Santo Enoc, o primeiro
que invoca, o divino nome
em novas invocações.

(Passa da mesma maneira ENOC, *ajoelha de mãos postas, e canta.)*

ENOC

Do Céu e da Terra potente criador,
só a Ti reconheço por Deus e Senhor!

ECO

Vede Abraão, aquele Monstro
da Fé e da Obediência,
que nem dilata matar
o filho, embora o estremeça,
só porque assim Deus ordena;
nem duvida da promessa
que o número de seus filhos
igualará o das Estrelas.
E olhai como Deus benigno,
em justa correspondência,
a vítima lhe perdoa
e o sacrifício lhe aceita.

(Passa ABRAÃO *como o pintam e canta o* ANJO.)

ANJO

Contra o teu menino, Abraão, não te extremes,
Que ao Senhor lhe basta ter visto que o temes!

ECO

Olhai Moisés que, Caudilho
de Deus, o povo governa;
sabendo que idolatrou
e Deus castigá-lo intenta,
por ele ousado intercede,
e assim confiante falou:

(*Passa* MOISÉS *com as tábuas da Lei e canta.*)

MOISÉS

Oh perdoe ao Povo a tua piedade,
Senhor, ou a mim negue a Eternidade!

ECO

Mas para que vos cansardes?
Prestai ouvido aos Profetas
e Patriarcas do Coro,
que, com doces vozes ternas,
de Deus imploram socorro,
pedem que aliviá-los venha.

CORO II

Abre, claro Céu, tuas portas sublimes,
chove-nos o justo com que nos redimes!

ECO

Digo que presteis ouvido
também a vozes contrárias,
as quais formulam pedido
diverso por bocas várias.

CORO II

Entreabra-se a Terra, e como uma flor
brote lá de dentro o nosso Salvador!

ECO

Assim, querem uns que desça
das nuvens quem os proteja;
querem outros que ele cresça,
como a flor da terra. Seja
de um ou de outro modo, salvos
serão. Pois eu que em Narciso,
por certos, claros sinais
que não enganam, diviso,
ai de mim! que é de Deus filho

e nasceu de verdadeira
Mulher; temo, e com bastantes
fundamentos, que será
o anunciado Salvador.
E à alegoria voltando
outra vez, digo temer
que Narciso, desdenhando
minha nobreza e valor,
àquela Pastora queira:
que é vezo do forte mal esclarecido
deixar o brocado por tosco tecido;
e por impedir, ai triste!
que além do supremo agravo
feito à minha formosura,
outro maior não me venha,
roguemos, se porventura
não o impeçamos de vê-la,
que a veja nas águas turvas do pecado,
onde o claro rosto se espelhe afeado.
Que vos parece?

SOBERBA

               Que pode
parecer-me? De tua ideia
sou, desde que ser tomaste,
companheira inseparável,
tanto que por assentir
a meus altivos conselhos,
em desgraça de Narciso
estás. Porém, se despreza
ele e todos do seu bando
teus dons e tua beleza,
já viste que quando te faltou amigo,
só a tua Soberba quis ficar contigo.

AMOR-PRÓPRIO

E eu, que naquele momento
em que do supremo assento
sobre Aquilão intentaste
igualar em majestade
o Altíssimo, me engendraste,
contra essa falsa beldade
que em suas feições humanas
te deram a entender que era
a que, inferior pela natureza,
em mérito havia de ter mais grandeza;

e ressentindo-te então
de injúria e ofensa tamanha,
ficaste em tal aflição,
em tal rancor, em tal sanha,
que em raivosas queixas, em ódio daninho
se mudou de súbito o afeto e o carinho:
eu, que sou teu Amor-Próprio,
duvidas que me pareça
bem que, pois padeces tu,
o mundo todo padeça?
Padeça essa vil Pastora,
padeça Narciso imensas
dores e morram, se mortos,
se apagam nossas ofensas.

Eco

Já que tão de acordo estais,
sabei que nesta montanha
Narciso, que se acompanha
de muitas feras mortais,
erra oculto e de tal modo
anda esquecido de si,
que já não come de todo
faz quarenta dias; se,
na firmeza que aparenta,
divino é, conhecereis
por um fino estratagema;
suponho que não, pois sei
pela fome que já sente,
ser homem e nada mais.
Assim quero que vejais
como a ele me chegarei
amorosa e sorridente:
pois a tentação quem duvida ser
mais forte, se tenta mudada em mulher?
E vós ambas, que sois parte
de mim e juntas sofremos
as três, pois, ficai destarte
alerta.

As duas

           Assim o faremos
porque é força acompanhar-te.

(Descobre-se um monte e no alto o Divino Narciso, como Pastor, e alguns animais, e enquanto Eco vai subindo, diz Narciso no alto.)

NARCISO

Nesta Montanha, cujo sobranceiro
cume o céu beija, passo o dia inteiro,
sentindo como próprio o alheio fado,
de simples animais acompanhado;
e saúdam as Aves
com músicas suaves
a minha formosura
de mais luzente Sol, Alma mais pura.
Não recebo alimento
de material sustento,
que até o bocado lícito à apetência
recuso em minha rígida abstinência.

(Entra Eco e diz em tom recitativo.)

ECO

Belíssimo Narciso
que a estes humanos Vales,
do teu Monte de glórias
as celsitudes trazes:
Meus pesares escuta
indignos de escutares,
porque nem nisso esperam
alívio os meus pesares.
Eco sou, destes Vales
a Pastora mais rica,
bela dizer puderam
minhas atuais desditas.
Mas desde que severo
meu valor desdenhaste,
meus cantados encantos
choro como fealdades.
Que os ímãs de teus claros
olhos – melhor o sabes –
arrastam, dominados,
corações e vontades.
Não estranharás ver
que eu procurar-te venha,
pois todo o mundo adora
tuas Celestiais Prendas.
E assim venho dizer-te
que já não são bastantes
a abrandar-te a dureza
minhas excelsas partes.
No teu próprio interesse,

senão no meu, atenta
no quanto vantajosas
te são minhas riquezas.
Estende a vista a quanto
alcança divisar-se
do alto desta Montanha,
injúria que é de Atlante.
Contempla aqueles Gados
que abundando nos Vales,
das Campinas fecundas
as esmeraldas pascem.
Olha em cândidos copos
o puro leite, afronta,
ao coalhar, dos jasmins
da Aurora que desponta.
Vê de espigas vermelhas
nos campos rutilar
vívidos chamalotes
ondeando ao sopro do Ar.
Considera as riquezas
destes montes brilhantes,
cuja prenhez são Ouro
e Rubis e Diamantes.
Vê as lágrimas da Aurora
na concha resplendente
congelarem-se em pérolas
do mais rico Oriente.
Olha nestes pomares
as árvores pejadas
com diversas espécies
de frutas sazonadas.
Não vês de verdes árvores
Os Montes coroar-se,
Altos Pinhos que intentam
do Céu ser os Gigantes?
Escuta as melodias
Das sonorosas Aves,
Que em coros diferentes
Formam ternos descantes.
Vê de um Polo a outro Polo
Os Reinos dilatar-se,
Divididas as terras
Pelos braços dos Mares.
E olha como lhes sulcam
Os cristais azulados
As ambiciosas proas

Dos velejantes barcos!
Olha entre aquelas Grutas
Animais numerosos,
Uns surgindo ferozes,
Uns fugindo medrosos.
Tudo, belo Narciso,
Sujeito ao meu ditame,
É o dote que te trago,
É minha propriedade.
E teu será tudo isso,
Se, com teu peito afável,
Abdicando o ar severo,
Vieres a adorar-me.

NARCISO

Aborrecida Ninfa,
A ambição não te engane,
Pois só minha beleza
É digna de adorar-se.
Vai-te de minha vista
Ao Polo mais distante,
Onde sempre padeças,
Onde jamais acabes.

ECO

Já me vou, mas adverte
Que daqui por diante
Com declarados ódios
Tenho de procurar-te
A morte, para ver
Se esta pena implacável
Morre, quando tu morras,
Acaba, quando acabes.

(Cobre-se o MONTE *e entra a* NATUREZA HUMANA.*)*

NATUREZA HUMANA

De buscar a Narciso fatigada,
Sem permitir sossego aos pés errantes,
Nem à vista cansada,
Que dias há que vago por distantes
Brenhas e precipícios,
Sem poder encontrar mais do que indícios,

Chego a este bosque atrás do que desejo:
Achar notícias de meu Bem perdido;
Que se indícios cotejo,

Dizendo está dos Prados o florido
Que produzir amenidades tantas
Vem de os haver beijado as suas Plantas.

Oh quantos dias tenho examinado
A Selva flor a flor, e planta a planta,
Gastando atribulado
Meu triste coração em pena tanta,
E meu pé fatigando, vagamundo,
Tempo que idades são, Selva que é mundo!

Os séculos o digam já passados,
As Regiões por mim já percorridas.
Os suspiros já dados,
As torrentes de lágrimas vertidas,
As prisões, os trabalhos, os reveses
Que tenho padecido tantas vezes.

De uma feita, ao buscá-lo, me encontraram
Os Guardas da Cidade, e de atrevidas
Não só me arrebataram
O manto, mas me deram mil feridas
As sentinelas dos erguidos Muros,
Julgando-se de mim por mal seguros.

Ó Ninfas que habitais este florido
E ameno Prado! Ansiosamente rogo
Que se acaso ao Querido
De minha alma encontrardes, de meu fogo
Testemunheis, dizendo-lhe a agonia
Em que de amor definho dia a dia.

Se quereis os sinais de meu Amado,
Direi: rubra esplendor o coloreia
Sobre jasmim nevado;
Por seu colo soberbo Ofir passeia;
Os olhos são de Pomba, que enamora
E ao pé das fontes transparentes mora.

Mirra olorosa seu alento exala,
Suas mãos são torneadas e estão plenas
De jacintos por gala
Ou por sinal de suas graves penas:
Que se o jacinto é um *Ai*, que a luz lhe aumenta,
Tantos *Ais* como anéis nas mãos ostenta.

O Edifício do corpo lhe repousa
Sobre duas colunas de nitente
Mármore, e não há causa
Como o seu bafo tão suave e olente;
Assim, apetecido e desejado,
É todo, ó Ninfas, meu Divino Amado.

Entre milhares mil foi escolhido,
E qual Romã que brilha sazonada
No Prado florescido
Entre rústicas árvores plantada,
Tal sobreleva em graça e formosura
Entre os outros Zagais sua figura.
Onde está esse a quem minha alma adora,
Dizei-me, onde apascenta os seus cordeiros,
Em que lugar na hora
Meridiana descansa seus luzeiros,
Para que eu principie a andar vagando
Pelos redis por onde o vou buscando?

Mas, ditosa que sou, cumpridas vejo
De Daniel as Semanas misteriosas;
E logra o meu desejo
As alegres promessas amorosas
Que oferece Isaías
No verbo das Sagradas Profecias.

Pois já nasceu aquele Infante belo,
Nasceu aquele Filho delicado
Que será glória vê-lo,
Sobre os ombros levando o Principado,
Onipotente Deus, Guia seguro,
Rei forte e Pai do Século futuro.

Já brotou aquela Vara misteriosa.
De Jefte a bela Flor, em que descansa
Sobre a copa formosa
Espírito Divino, que afiança
Sabedoria, Aviso, Inteligência,
Fortaleza, Temor, Piedade e Ciência.

Já o Fruto de Davi na sede senta
Do Pai; com o Lobo o tímido Cordeiro
Em paz se dessedenta;
Já o Cabritinho e o Tigre carniceiro
Se unem, o Urso e o Bezerro; e o Leão, amigo
Do Boi, faz das ervinhas seu pascigo.

Recém-nascida, cândida Criança
Brinca com a Serpente venenosa,
O esconderijo alcança
Do nocivo réptil, e a mão mimosa
Lá sem medo introduz, que está segura
Não lhe causará dano a boca impura.

Já o sinal dado a Acab, que o não rogara,
Por Deus, sem que o rogasse, é visto agora,
Quando realiza Deus a nova, a rara
Maravilha que fez Nossa Senhora
– Ato que à Natureza tanto excede –
Virgem parir, inda que Virgem quede.

Já o prometido a Abraão e reiterado
A Isaac pelo Senhor, de que seriam
Em sua Estirpe e Estado
Abençoadas as gentes que nasciam
Em todas as Nações, participando
Assim das bênçãos que Ele vai deitando.

O Cetro de Judá, que há já faltado,
Como disse Jacó por profecia,
Dá a entender que é chegado
O divino momento de Alegria,
O auxílio do Senhor, que ele esperava
e em profético espírito avistava.

Ora me falta só ver consumado
O maior Sacrifício. Oh se chegara
E de meu doce Amado
Meu amor merecesse olhar a cara!
Segui-lo-ei sem temer qualquer fadiga,
Pois diz que há de encontrá-lo quem o siga.

Ó meu Divino Amado, quem gozara
Chegar-se ao teu alento generoso,
De fragrância mais rara
Que o vinho ou que o unguento mais precioso!
Teu nome é como o óleo derramado,
Por isso as Ninfas todas te hão amado.

Trás teus olores presto vou correndo:
Oh com quanta razão todas te adoram!
Não fujas de mim, vendo
Que do Sol os ardores me acaloram:

Olha que, embora negra, sou formosa,
Pois feita à tua Imagem milagrosa.

Mas que Pastora ali formosa vejo?
Que beleza será tão peregrina?
Ou mente o meu desejo,
Ou de outra vez já vi essa Luz divina:
Quero dela acercar-me,
Para que possa bem certificar-me.

(Entra a GRAÇA vestida de Pastora, cantando, e vão-se aproximando.)

GRAÇA

Alvíssaras, ó Mundo,
Ó Natureza humana,
Pois com dar estes passos
Te aproximas da Graça:
Feliz a Alma
Que é digna de me ter em sua casa!
Venturoso é mil vezes
Quem me vê tão de perto:
Que está bem perto o Sol
Quando a Alva aparece.
Feliz a Alma
Que merece hospedar-me em sua casa!

(Repete a MÚSICA este último verso e chega-se a NATUREZA a ela.)

NATUREZA HUMANA

Pastora bela que admiras,
Doce sereia que encantas
Não menos pela beleza
Que pela voz soberana;
Pois a mim a voz diriges
E alvíssaras me reclamas
De alguma nova feliz,
Dizendo-me no que cantas:

AS DUAS

Alvíssaras, ó Mundo,
Ó Natureza humana,
Pois com dar estes passos
Te aproximas da Graça.

CORO

Feliz a Alma
Que merece hospedar-me em sua casa!

NATUREZA HUMANA

Dize-me quem sou, quem és,
Porque inda que a tua cara
Julgo ter visto outra vez,
Não formo ideia bem clara,
Não te reconheço bem.

GRAÇA

Eu disso nada me espanto,
Que pouco estive contigo,
E tu então descuidada
Nunca me estimaste, enquanto
Não sentiste a minha falta.

NAT.

Dize-me afinal quem és.

GRAÇA

Não te lembras de uma dama
Naquele belo jardim
Onde tu foste criada,
Que por ordem de teu Pai
Gostosa te acompanhava
Assistindo-te, até que,
Pela sabida desgraça
Deixando a ele irritado,
Foste de lá desterrada,
E a mim me apartou de ti
Para punir teu pecado,
Até hoje?

NATUREZA HUMANA

Ó venturoso
Quem volve a ver tua cara,
Graça divina, pois és
A melhor prenda da Alma!
Dá-me os braços!

GRAÇA

Isso não,
Que por ora ainda te falta
Uma grande circunstância.

NATUREZA HUMANA

Qual é, dize-me, se está
Em meu poder observá-la.

GRAÇA

Não, mas está em teu poder
Te dispores a alcançá-la.
Não bastam forças humanas
Para a merecer, mas podem
Com lágrimas impetrá-la
Com o dom gracioso que é,
E não é justiça, a Graça.

NATUREZA HUMANA

E como posso dispor-me?

GRAÇA

Como? Seguindo o meu rastro
E chegando àquela Fonte
Cujas cristalinas águas
Livres de licor impuro,
Sempre limpas, sempre intactas,
Desde seu primeiro instante,
Sempre correram sem mancha.
Esta é a Fonte dos Cantares,
Aquela Fonte selada
Que brota do Paraíso
E águas vivíficas mana.
Este o pequeno caudal
Que misterioso sonhava
Mardoqueu, e que crescia
Tanto, que dessa abundância
Se formava um grande Rio,
E depois se transformava
Em Luz e em Sol, inundando
Os campos com sua pujança.

NATUREZA HUMANA

Já sei que nisso se entende
Ester, em quem figurada
Vemos a Imagem divina
Da Virgem cheia de graça.
Ó Fonte divina! ó Poço
Das vivificantes águas,
Pois desde o instante primeiro
Estiveste preservada
Do pecado original,
Da mancha transcendental
Que infesta todos os Rios:
Restitui-me a imagem clara

Que só em ti se retrata
Com perfeição de beleza,
Sem quebra de semelhança.

GRAÇA

Ó Natureza feliz,
Pois já te vês acercada
De conseguir teu remédio,
Chega-te à Fonte Sagrada
De cristalinas correntes,
Da qual tenho sido a Guarda,
Desde quando começou
A fluir imaculada,
Por singular privilégio;
E encoberta entre estas ramas,
A Narciso esperaremos;
Que não duvido que o traga
A refrigerar-se nela
A ardente sede em que abrasa.
Procura tu que o teu rosto
Se represente nas águas,
Porque, chegando ele a vê-las,
Verifique a semelhança,
E assim de ti se enamore.

NATUREZA HUMANA

Deixa-me antes que a saúde,
Pois há de ser o infalível
Remédio de minhas ânsias.

GRAÇA

Devido obséquio, por isso
Te ajudarei a invocá-la.

(Canta a GRAÇA.)

GRAÇA

Ó sempre cristalina
Fonte formosa e clara,
Para, para!
Reparem-me a ruína
Tuas ondas pressurosas,
Claras, limpas, vivíficas, lustrosas.

NATUREZA HUMANA

Menos veloz quisera
Tua clara torrente;

Tem-te, tem-te,
Os meus prantos espera,
Toma em tua corrente
Santa, pura, claríssima, luzente.

GRAÇA

Fonte de perfeições
A mais bela e serena,
Plena, plena
De méritos e dons,
A quem nunca há chegado
Mácula, risco, sombra nem pecado.

NATUREZA HUMANA

Serpente venenosa
Em teu seio não mora.
Fora, fora
De tua água formosa
A peçonha rebenta:
Tu corres limpa, preservada, isenta.

GRAÇA

Fera obscena ou traiçoeira
Foge aos teus cristais santos;
Tantos, tantos
São, e de tal maneira
Que dá sua doçura
Saúde e força, júbilo e ventura.

NATUREZA HUMANA

Minha imagem revela,
Se Narciso repara,
Clara, clara;
Para que sinta no íntimo, ao mirá-la,
Tudo a que Amor dá ensejos:
Ânsias, afetos, lágrimas, desejos.

GRAÇA

Agora, à margem florida
Que lhe dá à líquida prata
Ornamentações de cravos
Sobre campos de esmeraldas,
Nos sentaremos, enquanto
Ele não chega; que venha
Não duvido, ó Natureza,
Se estás ao lado da Graça.

Natureza Humana

Se o dispor-me a conquistá-la
Quanto o possam as humanas
Forças é o que a mim me cabe,
Já obedeço no que mandas.

(*Chegam as duas à* Fonte, *põe-se a* Natureza *entre as ramas, e com
ela a* Graça, *de maneira que pareça mirar-se, e entra por outra
parte* Narciso *como Pastor, com uma funda, e canta o último
verso, e o resto representa.*)

Narciso

Ovelhinha perdida,
De teu Dono olvidada,
Aonde vais errada?
Olha que dividida

(*Canta.*)

De mim, também te apartas de tua vida.

Bebendo águas nefastas
De corruptas paludes,
A néscia sede iludes.
Surda às vozes mais castas,

(*Canta.*)

Destas águas vivíficas te afastas.

Em meus favores pensa,
Verás que sempre amante
Te guardo vigilante,
Te protejo da ofensa,

(*Canta.*)

Morro por ti, que amo sem recompensa.

Quando ou bem neva ou chove,
Coberto vou, movendo
Meu passo após o teu, cuidoso vendo
Que ingrata não te move

(*Canta.*)

Ver que deixo por ti noventa e nove.

Por caminhos penosos,
Teu rastro vou seguindo,
Minhas plantas ferindo
Em espinhos cheirosos

(Canta.)

Que estas selvas produzem escabrosos.

Eu tenho de buscar-te,
Tema embora perdida,
Por te buscar, a vida!
Nem poderei deixar-te,

(Canta.)

Que antes quero perdê-la por achar-te.

Assim me correspondes,
Néscia, de juízo errado?
Não sou quem te há criado?
Como não me respondes?

(Canta.)

Como, por me fugir, de mim te escondes?

Pergunta aos teus Maiores
Os meus dons prestadios,
Os abundantes Rios,
Os pastos, os verdores

(Canta.)

Em que te apascentaram meus amores.

Em um campo de abrolhos,
Terra não habitada,
De lobos ameaçada
Te achei, de mil escolhos

(Canta.)

Te guardei qual menina de meus olhos.

Conduzi-te à verdura
Do mais ameno prado;

Ali te há apascentado
Só de mel a doçura,

(Canta.)

E azeite, que manou da penha dura.

Do trigo generoso
A medula escolhida
Te sustentou a vida,
Feito Manjar gostoso,

(Canta.)

E o almo licor das uvas oloroso.

Engordaste, enfeitaste,
E logo, envaidecida
De te veres luzida,
A beleza olvidaste

(Canta.)

Que não sofre reserva nem contraste.

Buscaste outros Pastores
Que teus Pais ignoraram.
Nem os viram e honraram
Jamais os teus Maiores;

(Canta.)

E com isto incitaste os meus furores.

E prorrompi, irritado:
Esconderei a cara
(A cujas luzes para
O Sol como enfiado)

(Canta.)

Deste infiel, perverso é ingrato gado.

Farei que meus furores
As campinas arrasem,
A relva toda abrasem,
E talem meus ardores

(Canta.)

Até os Montes que são mais superiores.

Minhas setas velozes
Despedirei: transidos
De fome, perseguidos
Serão pelas atrozes

(Canta.)

Aves gulosas e animais ferozes.

Provarão os furores
De arrastadas serpentes;
E em mortes diferentes
Obrarão meus rigores,

(Canta.)

Por fora a faca, e no íntimo os temores.

Olha que potestade
Do que a minha mais forte
Não há; dou vida e morte,
Firo e saro à vontade;

(Canta.)

Tudo se dobra à minha Majestade.

Porém a sede ardente
Me aflige e me fatiga;
Bem é que o curso siga
Da Fonte transparente

(Canta.)

E nela o meu ardor calmar intente.

Pois por ti hei passado
A fome de gozar-te,
Que muito é que mostrar-te
Procure o meu cuidado,

(Canta.)

Que da sede por ti estou abrasado.

(Tudo há de ter dito ao aproximar-se da Fonte, e chegando a ela, contempla-a e diz.)

Narciso

Chego: mas quanto me admira
Essa excelsa formosura!
Afronta a sua luz pura
Toda a celestial Safira:
O Sol que soberbo gira
Com todo o curso luzente
Que vai do Ocaso ao Oriente,
Não jorra em Signos e Estrelas
Luzes tantas e tão belas
Como esta Fonte esplendente.

Terra e Céu se hão concertado
A lhe compor o arrebol:
O Céu com o seu Farol,
Com suas flores o Prado.
A Esfera se há transladado
Toda para a ornamentar;
Porém não, que tão sem par
Beleza, ainda que se esmeram
O Céu e a Terra, não eram
Bastantes para a formar.

Romã recém-sazonada
As faces lhe aformoseia,
Os seus dois lábios arreia
Partida cinta rosada,
Por onde a voz delicada,
Fazendo agravo ao coral,
Despede o alento vital,
Que assim em seus cravos toca;
Leite e mel destila a boca,
Favo de odor celestial.

Pérolas, que em concha breve
Guardas, se hão assimilado
Ao rebanho que apinhado
Desce obscurecendo a neve;
Toma o corpo, airoso e leve,
O porte à Palmeira toma;
O manso olhar, onde assoma

A alma, tem a suavidade
Da pomba, e é pela bondade
Que os seus inimigos doma.

Terso o vulto delicado
No que à vista se oferece
Campo de trigo parece
De açucenas rodeado;
O colo, em Marfim torneado,
Gentil coluna, não cousa
No mundo a mais bela cousa
Lhe disputar o arrebol:
Escolhida como o Sol,
E como a Lua, formosa.

Com um só dos seus olhos belos
O coração me há abrasado;
O peito me há traspassado
Com um só anel dos cabelos:
Abre os cristalinos selos
Deste centro claro e frio
Ao meu amor erradio.
Olha que trago escarchada
A coma de ouro, riçada
Com as pérolas do rocio.

Vem, Esposa, a teu Querido,
Rompe essa cortina clara,
Mostra-me a formosa cara,
Soe tua voz ao meu ouvido;
Vem do Líbano escolhido,
Vem, acaba já de vir,
Pois quero coroar-te o Ofir
Da madeixa preciosa
Com a Coroa olorosa
De Amaná, Hermo e Sanhir.

(Queda como suspenso na Fonte, *e fala como escutando* Eco.)

Eco

Devo crer no que vejo? Ou o que diviso
São desvairos do amor, ou é Narciso
A mirar-se na Fonte transparente,
Cuja limpa corrente
Isenta flui de minha raiva fera.
Quem fora tão ditosa que pudera

Envenenar a sua linfa pura
Para pôr fim a tanta desventura!
Pois bebendo Narciso o meu veneno,
Penaria também ânsias que eu peno.
Quero vê-lo de perto, que suspenso
Está saciando, penso,
A sede.

(Aproxima-se e torna a retirar-se.)

Mas que vejo?
Confusa me acobardo em meu desejo:
A sua própria imagem contemplando
Está nela, e admirando
A Natureza Humana impressa nela.
Ó destinos fatais de minha estrela!
Quanto receei que límpida a avistasse,
Para que dela não se enamorasse!
E afinal sucedeu! Ó pena brava!
Blasfemarei do Céu, que assim me agrava.
Mas sequer para a queixa
Alentos a dor bárbara me deixa,
Pois sinto em ânsia tanta
Um áspide, um baraço na garganta.
Se desejo falar, a voz não saco,
E a meia frase estaco,
Ou, raivando em furor de tal maneira
A sílaba só digo derradeira;
Que pois letras Sagradas, que me infamam
Em alguma ocasião muda me chamam:
Porque se formalmente
Não pude sê-lo, o sou casualmente;
E eficazmente o fui, emudecendo
A quem com meu furor ocupo e rendo:
Locução figurada de que há usado,
Como aquele que diz que alegre é o Prado
Porque causa alegria;
De uma fonte, pretenda que se ria.
Assim porque Narciso alguma vez
Emudecer me fez,
Quando seu Ser Divino publicava
E a voz, ao repreender-me, me atalhava;
É natural ora também pretenda
Que com esta ânsia horrenda,
Ao chegar a avistá-lo quede muda;
Mas, ai! que já a garganta se me gruda!

A dor já me emudece.
Onde a Soberba, que não aparece,
E a meu mal não alenta?
Onde Amor-Próprio que me não fomenta
Ou anima as razões?

      (Faz extremos, como quem quisesse falar e não pode; entram a
      Soberba *e o* Amor-Próprio.*)*

AMOR-PRÓPRIO

    Que confusões
    Eco triste deplora?
    Posto novo não é vê-la que chora,
    Parece nova pena
    Essa que a irados prantos a condena.

SOBERBA

    Estátua de si mesma, emudecida,
    Nem mesmo a deixa respirar dorida
    A força da aflição que a alma lhe preme,
    Ainda que sem falar soluça e geme.

AMOR-PRÓPRIO

    Tentemos consolar o seu lamento,
    Posto lhe sirva de maior tormento.

SOBERBA

    Tentemos conhecer o que a amargura,
    Posto lhe sirva de maior tortura.

AMOR-PRÓPRIO

    Pois o trazer seu próprio Amor consigo
    Claro está que será maior castigo.

SOBERBA

    Pois ter sua Soberba, quem ignora
    Que lhe será maior tormento agora?

AMOR-PRÓPRIO

    Olha que julgo que precipitada
    Quer arrojar-se, do furor levada;
    Acudamos.

SOBERBA

        Detê-la solicito,
    Posto sou eu que mais a precipito.

Esquecendo quanto
Causou seu encanto

ECO

Fuja o meu sorriso?

AMOR-PRÓPRIO
Não me quer a mim?

ECO

A mim.

SOBERBA
Não me estima, não?

ECO

Não.

AMOR-PRÓPRIO
Por que outra prefira?

ECO

Prefira.

SOBERBA
Pois rebente a ira
Contra o ser que, odiado,
Faz que o Desejado

ECO

A mim não prefira.

(Diz ela com entrecadências furiosas.)

ECO

Tenho Pena, Ira
De ver que Narciso
Fuja o meu sorriso,
A mim não prefira.

(Repete a MÚSICA toda a copla.)

AMOR-PRÓPRIO
Ocultemo-la já, Soberba, no oco
Daquele tronco, para que o som rouco
Dos seus tristes gemidos

Não cheguem aos ouvidos
De Narciso, e ambas nós a acompanhemos,
Pois separar-nos dela não podemos.

(*Vão-se chegando e* Narciso *levanta-se da* Fonte.)

Narciso

Selvas, quem haveis olhado
O tempo que haveis vivido,
Que ame como eu hei querido,
Que queira como hei amado?
A quem já vistes, na ingrata,
Lenta sucessão dos dias,
Morrer, ó Selvas sombrias,
Do mesmo mal que me mata?
Contemplando o que apeteço,
Fico sem poder gozá-lo,
E nas ânsias de alcançá-lo,
Ânsias de morte padeço.
Conheço que ela me adora,
Sente igual amor em si,
Pois quando eu rio, ela ri,
E quando eu choro, ela chora.
Nem neste juízo me engano,
Que bem minha ciência o alcança:
Minha própria semelhança
É que produziu meu dano.
Dela estou enamorado;
E embora haja de morrer,
Mais fácil ser-me-á perder
A vida, antes que o cuidado.

(*Isto diz encaminhando-se para onde está Eco, e esta lhe vai respondendo.*)

Narciso

É insofrível o tormento

Eco

Tormento.

Narciso

Das aflições por que passo

Eco

Passo.

NARCISO

Em rigor tão insofrível!

ECO

Insofrível.

NARCISO

Pois em minha dor terrível
E na angústia em que me vejo,
Não gozando o que desejo,

OS DOIS

Tormento passo insofrível.

NARCISO

Oh, como se dói a minha

ECO

Minha.

NARCISO

Menosprezada beleza,

ECO

Beleza.

NARCISO

De todas a mais cabal!

ECO

Cabal.

NARCISO

Pois meu fado sem igual
Me sujeita a padecer,
Vendo ultrajados meu Ser,

OS DOIS

Minha beleza cabal.

NARCISO

Por compaixão, por amor,

ECO

Por amor.

Narciso

Humano e mortal se fez

Eco

Se fez.

Narciso

O Ser divino e imortal.

Eco

Mortal.

Narciso

Por ele padeço o mal
Que minh'alma dilacera,
Pois o Ser que imortal era

Os dois

Por amor se fez mortal.

Narciso

Como tão fera sujeita

Eco

Sujeita.

Narciso

Esta aflição inumana

Eco

Humana.

Narciso

Meu Ser divino, impassível!

Eco

Passível.

Narciso

Mas sem dúvida é invencível
Deste amor a fortaleza,
Pois tornou minha beleza

Os dois

Sujeita, humana, passível.

Música e ele

Tormento passo insofrível.
Minha beleza cabal
Por amor se fez mortal,
Sujeita, humana, passível.

Narciso

Mas quem nesse tronco seco

Eco

Seco.

Narciso

Com triste voz, e chorosa

Eco

Chorosa.

Narciso

A minhas vozes responde?

Eco

Responde.

Narciso

Quem és tu, ó voz? Ou onde
Estás de mim escondida?
Quem me responde dorida?

Os dois

Eco chorosa responde.

Narciso

Pois já com o que tu estás vendo,

Eco

Vendo.

Narciso

O teu despeito o que quer?

Eco

Que quer?

Narciso

Que espera mais teu amor?

ECO

Teu amor.

NARCISO

Consciente de teu erro,
De teu próprio amor guiada,
Andas aqui transviada,

OS DOIS

Vendo que quer teu amor.

NARCISO

Se vês que sempre hei de amar

ECO

Amar.

NARCISO

E que hei de estar em um ser;

ECO

Um ser.

NARCISO

Julgues embora inferior

ECO

Inferior.

NARCISO

O objeto do meu amor,
Que desdenha a tua maldade,
Me ensina a minha bondade

OS DOIS

Amar um ser inferior.

NARCISO

Eu tenho de amar; por isso

ECO

Por isso.

NARCISO

Não queiras ver-me: de ti

ECO

De ti.

NARCISO

Minha beleza se esconde.

ECO

Se esconde.

NARCISO

Porque jamais corresponde
Tua soberba à humildade
Que busca a minha beldade;

OS DOIS

Por isso de ti se esconde.

ECO

Eco chorosa responde,
Vendo que quer Teu amor
Amar um ser inferior:
Por isso de ti se esconde.

NARCISO

Muito ousadamente o amor

ECO

O amor.

NARCISO

Desejou mostrar que pode

ECO

Que pode

NARCISO

Com suas setas ferir.

ECO

Ferir.

NARCISO

Pois quem me pôde induzir
A que tão penoso viva,
Senão com sua força ativa

Os dois

O amor que pode ferir?

Narciso

Todo o seu poder mostrou

Eco

Mostrou.

Narciso

Acertando a mira em mim,

Eco

Em mim.

Narciso

Que provei sua pujança.

Eco

Sua pujança.

Narciso

Pois abaixando a balança
Da Deidade soberana,
Para a igualar com a humana

Os dois

Mostrou em mim sua pujança.

Narciso

Triste está minh'Alma: eu amo

Eco

Amo.

Narciso

E por desventura minha,

Eco

Minha.

Narciso

Busco a minha semelhança.

Eco

Semelhança.

NARCISO

Quem a razão não alcança
Destes suspiros que dou,
Desta aflição em que estou?

OS DOIS

Amo minha semelhança.

NARCISO

De meu Trono, que é do Céu,

ECO

Do Céu.

NARCISO

Amoroso e manso vim

ECO

Vim.

NARCISO

Sem ver que para morrer.

ECO

Para morrer.

NARCISO

Ninguém poderá medir
O valor desta fineza,
Pois, renunciando à Grandeza,

OS DOIS

Do Céu vim para morrer.

ELE E A MÚSICA

O amor que pode ferir
Mostrou em mim sua pujança;
Amo minha semelhança,
Do Céu vim para morrer.

(Vai-se aproximando NARCISO da FONTE e diz.)

NARCISO

Mas já me vai vencendo a dor; já chego
Ao fim por minha imagem tão querida,
Pois é pouco a matéria de uma vida
Para o tão grande fogo que carrego.

Já dou licença à morte, a Alma já entrego
Para que do meu corpo ela a divida;
Que da divina essência em mim contida
Tão só para morrer me desapego.

Tenho sede, e do amor que me há abrasado,
Ainda com toda a dor que padecendo
Venho, meu coração não está saciado.

Ó Pai, por que num transe tão tremendo
Me desamparas? Tudo é consumado:
Em tuas mãos meu Espírito encomendo.

> (Soa um terremoto, some-se Narciso nos bastidores, entram
> assustados Eco, a Soberba e o Amor-Próprio.)

Eco

Que eclipse!

Soberba

Que terremoto!

Amor-Próprio

Que assombro!

Eco

Que horror?

Soberba

Que susto!

Eco

As luzes do Sol apaga
Na metade do seu curso.

Amor-Próprio

Cobre de sombras o Espaço!

Soberba

Reveste a Lua de luto!

Eco

O Chão de sua firmeza
Desmente o antigo atributo,
Pavoroso se estremece,
E abrindo o seu centro oculto,

Escondendo nele os montes,
Põe patentes os sepulcros.

SOBERBA

As pedras enternecidas,
Rompendo o seu cenho duro,
Se despedaçam mostrando
Que até na matéria bruta
Coube o sentimento.

ECO

                         E o mais
Portentoso que descubro
É que este medonho Eclipse
Não causa aquele concurso
Do Sol e da Lua, quando
Os dois Luminares juntos
Na mesma linha, interpõe-se
Um deles ao outro e o vulto
Lhe esconde aos olhos da Terra;
E o Sol aparece obscuro,
Não que o esteja, senão que
Não se lhe enxergam os puros
Resplendores, mas agora
Seguindo apartados rumos,
Distantes estão, e assim
Nenhum Astro ao claro curso
Se interpôs como cortina:
Ele é que funesto e murcho
Seus resplendores apaga,
Como se foram caducos.

AMOR-PRÓPRIO

E talvez por haver isso
Observado no tumulto
Em que se afunda o Universo
Tomado de horror e susto,
Algum Astrólogo grande
Prorrompe na voz que escuto
Por entre a turba assombrada,
Pois diz em ecos confusos:

DENTRO

Ou bem padece o Mestre do Universo,
Ou bem perece a Máquina do Mundo.

AMOR-PRÓPRIO

Ó força do amor! ó força
De um enamorado impulso!
Passar a linha da morte,
Romper ao Inferno o muro,
Para que o ter-se rendido
Lhe seja maior triunfo!
Mas atentai, que na turba
Outra voz distinta escuto.

DENTRO

Esse Homem era, na verdade, um Justo.

SOBERBA

Outra voz não menos clara,
Ou a mesma com o orgulho
Da Fé e da admiração
Confessa com outros muitos:

DENTRO

Era o Filho de Deus, estou seguro.

ECO

Ó pesar! que já começa
Sua morte a mostrar o fruto
Da misteriosa Semente
Que escondida no profundo
Pareceu morta e depois
Viveu em tantos produtos!
Oh, jamais a profecia
Se ouvisse em lábios impuros
Que para viverem todos,
Um morresse e fosse o Justo!
Oh, nunca, cega e enganada,
Implorasse pelos rumos
Mais diversos esta morte!
Pois quando vingada julgo
Minha afronta, morrendo ele,
Com maior pesar descubro
Que só fiz foi dar-lhe meios
De que seu amante orgulho
Fineza maior obrasse
Morrendo por seu transunto!
Mas embora a fera inveja
Corroa, Áspide sanhudo,
O meu peito, tenho ao menos

O consolo (se, contudo,
Pode haver em mim consolo)
De conseguir que no Mundo
Não esteja à vista daquela
Má Vilã; que de seu rudo
Natural, de sua ingrata
Condição, não será muito
Que o não vendo, o não esqueça.

AMOR-PRÓPRIO

Dizes bem, que por seguro
Não podendo pôr-lhe os olhos,
Logo esquecida dos sumos
Benefícios que lhe deve,
Volverá a seguir o curso
De seus delitos passados;
Que acostumados insultos
É difícil que se olvidem,
Não tendo quem do discurso
Os vá sempre dissipando
Com encontrados assuntos
De diferentes lembranças.

SOBERBA

Seja agora nosso estudo
Buscar que estes benefícios
Ela esqueça no futuro;
Porque se depois de tantos,
Volta a ofendê-lo, presumo
Que a ela ocasione mais pena,
E a nós um maior triunfo.

ECO

Dizes bem. Ei-la que chega
Chorando como infortúnio
O que é a sua maior dita,
Com o piedoso concurso
Das Ninfas e dos Pastores;
Esperemos aqui ocultos,
Até saber no que param
Tantos funestos anúncios.

(Retiram-se a um lado, e entra a NATUREZA *chorando, e todas as Ninfas e Pastores e* MÚSICA *triste.)*

NATUREZA HUMANA

Ninfas habitadoras
Destes campos silvestres,
Umas em claras ondas,
E outras em troncos verdes;
Pastores que, vagando
Nestes Prados alegres,
Rústicas atenções
Com o vosso Gado tendes;
De meu belo Narciso,
Glória do vosso albergue,
Os dois lumes divinos
Cerrou a morte breve:
Senti as minhas ânsias,
Chorai a morte dele!

MÚSICA

Chorai a morte dele!

NATUREZA HUMANA

Morreu do próprio amor;
Que o seu amor somente
Poderia vencê-lo,
Fazendo que morresse.
De olhar enamorado
Seu retrato, perece:
Tanto, mesmo copiada,
Sua imagem enternece:
Senti as minhas ânsias,
Chorai a morte dele!

MÚSICA

Chorai a morte dele!

NATUREZA HUMANA

De ver o seu malogro
Todo o Universo sente,
As Penhas se quebrantam,
Os Montes compadecem,
Enlutada está a Lua,
Os Polos estremecem,
O Sol sua luz esconde,
O Céu todo escurece:
Senti as minhas ânsias,
Chorai a morte dele!

MÚSICA

Chorai a morte dele!

NATUREZA HUMANA

Os Ares se encapotam,
A Terra inteira treme,
O Fogo se alvorota,
A Água se agita e freme;
Abrem opacas bocas
Os sepulcros patentes,
Como para mostrar
Que os próprios mortos sentem:
Senti as minhas ânsias,
Chorai a morte dele!

MÚSICA

Chorai a morte dele!

NATUREZA HUMANA

Divide-se do Templo
O Manto reverente;
Nisso, que se romperam
As suas Leis se entende;
O Universo, privado
Da beldade dolente,
Capuz funesto arrasta,
Negras baetas tende:
Senti as minhas ânsias,
Chorai a morte dele!

MÚSICA

Chorai a morte dele!

NATUREZA HUMANA

Ó vós que ides passando
A meu lado, atendei-me:
Olhai, dizei se há dor
Que à minha se assemelhe.
Só, e desamparada,
Estou, sem que se chegue
A mim mais do que a dor,
Que me acompanha sempre:
Senti as minhas ânsias,
Chorai a morte dele!

MÚSICA

Chorai a morte dele!

NATUREZA HUMANA

Da força deste pranto
Meu rosto se intumesce,
E cegam-se os meus olhos
Com lágrimas que vertem;
O coração cá dentro
De meu peito parece
Cera que se derrete
Ao fogo da Alma ardente:
Senti as minhas ânsias,
Chorai a morte dele!

MÚSICA

Chorai a morte dele!

NATUREZA HUMANA

Olhai, o seu amor
Transpõe a morte e desce
Para olhar sua imagem
Ao abismo do Letes;
Pois só por contemplá-la
Na tranquila corrente,
Ele quebra os cadeados
De diamantes rebeldes:
Senti as minhas ânsias,
Chorai a morte dele!

MÚSICA

Chorai a morte dele!

NATUREZA HUMANA

Ai de mim! que por mim
Sua beleza padece:
Sejam meus tristes olhos
Como duas nascentes.
Buscai seu Corpo belo,
Buscai: meus dedos querem
Ungi-lo de preciosos
Unguentos recendentes.
Senti as minhas ânsias,
Chorai a morte dele!

MÚSICA

Chorai a morte dele!

NATUREZA HUMANA

Minha vida na imagem
Morta buscai daquele
Que por me dar a vida,
Padecendo perece.

(Fazem como se procurassem o Corpo.)

NATUREZA HUMANA

Ai de mim, que o precioso
Corpo não aparece!
Sem dúvida o roubaram:
Ah, quem mo devolvesse!

(Entra a GRAÇA.)

GRAÇA

Ninfa bela, por que
Choras tão ternamente?
Que buscas neste sítio?
Ou que pena é que sentes?

NATUREZA HUMANA

Busco a meu Dono amado,
E não sei onde ausente
O ocultam de meus olhos
Os fados inclementes.

GRAÇA

Vivo está teu Narciso.
Não chores, não lamentes;
Nem entre os mortos busques
Ao que está vivo sempre.

(Entra NARCISO com outras galas, como ressuscitado, por detrás da NATUREZA, e esta se volta para olhá-lo.)

NARCISO

Por que choras, Pastora?
As pérolas que vertes,
Meu coração abrandam
E minh'alma enternecem.

NATUREZA HUMANA

Por meu Narciso choro,
Que perdi; se conheces

Porventura onde esteja,
Dize-o, irei ter com ele.

NARCISO

Pois como, Esposa minha,
Não podes conhecer-me,
Se à minha Formosura
Nenhuma se parece?

NATUREZA HUMANA

Ai, adorado Esposo!
Deixa que alegremente
Eu beije as tuas plantas.

NARCISO

A tocar-me não chegues,
Porque vou com meu Pai
Para o Trono celeste.

NATUREZA HUMANA

Então me desamparas?
Ai, Senhor, não me deixes.
Que voltará a insidiar-me
A inimiga Serpente.

(Entram ECO, a SOBERBA e o AMOR-PRÓPRIO.)

ECO

Claro é que, embora hajas feito
Tantas finezas por ela,
Em a deixando, estou certa
Que a ser meu despojo venha.

SOBERBA

Longe de teus olhos, é
De condição tão grosseira,
Que esquecerá teus carinhos,
Deixará tuas finezas.

AMOR-PRÓPRIO

Eu lhe porei tantos laços
Em seus caminhos e sendas,
Que não se possa livrar
De volver a quedar presa.

ECO

E eu lhe porei tantas manchas
Na apreciada beleza,
Que torne a desfigurar-se,
E a desobrigar-te venha.

GRAÇA

Isso não, que lhe estarei
Ao lado em sua defesa:
E estando com ela a Graça,
Não é tão fácil vencê-la.

ECO

Que importará, se é tão fácil
Que frágil ela te perca?
Perdendo-te, será força
De novo se torne feia.

NARCISO

Pouco importa, pois darei,
Contra os teus estratagemas,
Remédios a seus perigos,
Escudo em sua defesa.

ECO

Que remédios nem que Escudo,
Se quando outra vez te ofenda,
Infinita sendo a ofensa,
Não podes satisfazê-la?
Pois se para a que já fez
Foi preciso que morreras,
Claro é que não tem sentido
Que todas as vezes que ela
Torne a pecar, tu também
A morrer por ela venhas.

NARCISO

Meu imenso amor, por isso,
A preveniu para essa
Fragilidade, e remédios
Lhe deu para que volvera,
Se caísse, a levantar-se.

SOBERBA

Que remédio há que pudera
Repô-la na tua graça?

NARCISO

Que remédio? A Penitência
Com os demais Sacramentos
Já vinculados à Igreja
Para medicinas da Alma.

ECO

Quando estas bastantes sejam,
Não quererá utilizá-los,
Que esquecerá teu amor,
Se faltar tua presença.

NARCISO

Tampouco isso há de faltar-lhe,
Porque dispôs minha imensa
Sabedoria primeiro
Fosse minha morte acerba;
Memorial de meu amor,
Para que quando me fora,
Juntamente me quedara.

ECO

Isto é o que a minha ciência
Não vê bem como será.

NARCISO

Pois por dar-te maior pena,
Porque há de ser o maior
Tormento que tu conheças,
E por manifestação
De minha rara fineza,
Venha a Graça, e recopile,
Pela metáfora mesma
Que até aqui temos usado,
Minha História.

GRAÇA

Que obedeça
Será preciso, portanto
Ouvi-me.

ECO

Já minhas penas
Te atendem, a meu pesar.

GRAÇA

Passou-se desta maneira:

Estava aquela beleza
Do Soberano Narciso
Na própria glória gozando
Venturas do Paraíso,
Pois em si mesmo guardava
Todas as glórias consigo:
Rei de toda a formosura,
Que é da perfeição Arquivo,
Esfera de altos milagres,
Concentração de prodígios.
Eram de suas grandezas
Esses Orbes cristalinos
Os cronistas, escrevendo
Com as penas de seus giros.
Anúncio de suas obras,
O Firmamento luzido
Com o resplendor o louvava
Dos Luzeiros matutinos:
O Fogo o aclamava em chamas,
O Mar com penachos riços,
A Terra em lábios de rosas,
E o Ar em ecos de silvos.
Chispa de sua beleza
Se ostentava o Sol luzido,
Com suas luzes os Astros
Eram brilhantes mendigos,
Côncavos espelhos eram
De seu resplendor divino,
Em brunidas superfícies,
Os onze Céus cristalinos;
Debuxo de sua luz,
Com primoroso artifício,
O concerto dos Planetas,
A disposição dos Signos.
Por imitar-lhe a beleza
Com cuidadosos alinhos,
Vestiu-se o Campo de flores,
Ornou-se o Monte de riscos.
Adoravam-lhe a Deidade
Como amoroso destino,
A Fera na sua gruta,
O Pássaro no seu ninho;
O Peixe no seio obscuro
Lhe dava cultos devidos,

E o Mar para as oferendas
Lhe ergueu altares de vidro.
Adorações lhe ofertavam
Devotamente submissos
Os vegetais, da erva baixa
Ao pinheiro mais subido.
Mare-magnum se ostentava
De perfeição infinito,
De quem todas as belezas
Se derivam como Rios.
Em suma, todo o insensível,
Racional e sensitivo,
Teve o ser em seu cuidado,
Que sem ele era perdido.
Este, pois, formoso Assombro,
Que entre os Prados florescidos
Se regalava nas rosas,
Se apascentava dos lírios,
Ao ver de seu esplendor
O reflexo peregrino,
Vendo no homem sua imagem
Cai de si mesmo rendido.
Sua própria semelhança
Foi o amoroso atrativo,
Pois somente Deus, de Deus
Pôde ser objeto digno.
Abalançou-se a gozá-la,
Porém quando o seu carinho
Mais amoroso buscava
O ímã tão apetecido,
Por impedir invejosas
Seus afetos bem-nascidos,
Se interpuseram ousadas
As águas de seus delitos.
E vendo impossível quase
Conseguir os seus desígnios
(Porque nem Deus neste Mundo
Tem amores sem perigo),
Determinou-se a morrer
No seu empenho tão vivo
Para mostrar-nos a todos
Que o risco é a prova do fino.
Segundo Paulo, apoucou-se
E (se dizê-lo me é lícito)
Consumiu-se ao doce fogo
Ternamente derretido.

Abateu-se como amante
Ao tormento mais indigno,
E morreu enfim do amor
Ao voluntário suplício.
Deu a vida por sinal
De seu amor, porém disso
Quis ficasse para sempre
Um testemunho preciso;
Dispôs-se assim a deixar
Uma lembrança e um aviso,
De sua morte atestado
E prenda de seu carinho.
Disposição que foi parto
De seu saber infinito;
Pois que não se ostenta o amante
Sem as asas do entendido.
Quis ele mesmo ficar
Em branca Flor convertido,
Para que não desse a ausência
À tibieza motivo.
Nem muito é que hoje floresça,
Pois antes em seus escritos
Já se chamou Flor dos Campos,
Se chamou dos Montes Lírio.
Cândido disfarce, é véu
De seus amantes desígnios,
Ignoto ao fraco poder
Cognitivo dos sentidos.
Oculto se quis quedar
Entre cândidos Arminhos
Para assistir como Amante
E zelar como Registro:
Porque como Esposo da Alma,
Muito cioso de desvios,
A espia pelas janelas,
A espreita pelos resquícios.
Por fazer novos favores
Ficou e não quis magnífico,
Outorgar uma fineza
Sem fazer um benefício.
Ostentou-se o enamorado
Com amantes desperdícios,
E fez tudo quanto pôde
Quem pôde o que quis; benigno,
Deixou-se ficar, às almas
Dando o Manjar Eucarístico,

Alimento para o justo
E veneno para o indigno.

(Um Carro surge da FONTE, e juntamente um cálice com uma Hóstia em cima.)

NATUREZA HUMANA

Olhai da límpida Fonte
Junto ao lençol cristalino
A bela, cândida Flor
De quem disse o Ser divino:
"Este é meu Corpo e meu Sangue
Que dei a tantos martírios
Por todos vós; em memória
Da imolação, repeti-o."

NATUREZA HUMANA

A essa inaudita fineza,
A esse supremo carinho,
A Alma toda se desfaz,
Todo o peito enternecido
Gostosas lágrimas verte.

ECO

E eu, ai de mim, que vejo isto,
Emudeça, para a dor
Viva, e morta para o alívio.

AMOR-PRÓPRIO

Eu, insano, absorto, cego,
Raivoso Áspide nocivo,
A mim próprio me dou morte.

SOBERBA

Eu, que de teus precipícios
Fui causa segunda vez,
Vou sepultar-me no Abismo.

GRAÇA

E eu, que vejo o impedimento
Desfeito e desvanecido
Do pecado que por tantos
Tempos pôde dividir-nos,
Ó Natureza ditosa,
Nestes meus braços te admito;

Chega, pois, que eternas pazes
Quero celebrar contigo:
Não temas, cai nos meus braços!

Natureza Humana

Com a Alma em teus braços fico;
Mas o chegar temerosa
É respeito em mim preciso,
Pois a tanto Sacramento,
A Mistério tão divino
É muito justo que o amor
Chegue de temor vestido.

(Abraça-a.)

Graça

Que mais falta às tuas ditas?

Natureza Humana

Só lhes falta que rendidos
As devidas graças demos;
Assim, em concertados Hinos
Os seus louvores cantai,
Dizendo todos comigo:

(Canta.)

Canta, língua, do Corpo glorioso
O alto Mistério, que por preço digno
Do Mundo se nos deu, sendo Fruto
Real, generoso, do Ventre mais limpo.
Veneremos o Grão Sacramento,
E ao novo Mistério cedam os antigos,
Compensando da Fé os afetos
Todos os defeitos dos nossos sentidos
Bendição, honra, glória e louvor
Grandeza, virtude ao Padre e ao Filho
Se deem, e ao Amor que de ambos procede
Os mesmos louvores lhe demos rendidos.

LAUS DEO

(Eiusque Santissimae Matri sine labe conceptae atque Beatifico Josepho.)

MACBETH

WILLIAM SHAKESPEARE

Nota do tradutor

As *Crônicas de Inglaterra, Escócia e Irlanda,* de Raphael Holinshed, falecido por volta de 1580, e a crônica *União das nobres famílias de Lancastre e Iorque,* de Eduardo Hall, seu predecessor, foram as fontes diretas onde Shakespeare hauriu matéria para as suas peças históricas e lendárias. Para a tragédia *Macbeth* inspirou-se ele em Holinshed, em alguns pontos transcrevendo-o literalmente, como no longo diálogo entre Macduff e Malcolm (4º ato), em outros alterando-o livremente (no cronista o Rei Duncan morre em combate com Macbeth; em Shakespeare, Macbeth apunhala-o durante o sono; como Jaime I, perante quem se representou provavelmente a peça, pretendia descender de Banquo, não foi este implicado por Shakespeare no crime). Acredita-se que Shakespeare se tenha também utilizado do *Discurso de feitiçaria,* de Reginald Scott, e da *Demonologia* de Jaime I. Afirma-se igualmente que o incidente da floresta ambulante se encontra no folclore dos povos semíticos e indo-europeus. Finalmente, J. M. Robertson julga ter havido um *Macbeth* pré-shakespeariano.

A peça foi escrita entre 1605 e 1606, representada em 1606 e impressa no in--fólio de 1623. Admitem os críticos ter havido no texto do in-fólio numerosas interpolações: no primeiro ato, a primeira cena e os versos 1-27; no segundo, a terceira cena, vv. 1-22; no terceiro, a cena 5; no quarto, a primeira cena, vv. 39-43 e 125-132, a segunda cena, vv. 30-64, e a terceira cena, vv. 140-160; no quinto ato, as cenas segunda e nona. Certos cantos cujos títulos são mencionados devem, segundo Robertson, ter sido tomados de *A bruxa de Middleton,* principal responsável pelas outras interpolações.

Macbeth é, senão a mais profunda (*O rei Lear, Hamlet, Otelo* e outras são consideradas psicologicamente mais ricas), a mais sinistra e sanguinária tragédia do autor: baste dizer que dos protagonistas só dois sobrevivem – Macduff e Malcolm. A peça é uma sequência de combates e violências, de traições e assassínios, que se sucedem da primeira à última cena em ritmo precipitado, implacável. Na opinião de Schlegel, a poesia trágica não havia produzido, depois da *Oréstia,* de Ésquilo, nada mais grandioso nem mais terrível. *Macbeth* é, por excelência, a tragédia da ambição.

Uma antologia que se fizesse das expressões, imagens e conceitos profundos ou originais que enriquecem a obra de Shakespeare, haveria que incluir muita coisa de *Macbeth* a que se fazem frequentes alusões em literatura ou na conversação. Assim, a expressão "o leite da bondade humana" (*"the milk of human kindness"*), a réplica de Macduff – cuja família havia sido toda assassinada pelos sicários de Macbeth – a Malcolm, que concitava à vingança ("ele não tem filhos"), a definição da vida ("uma história contada por um idiota, cheia de ruído e fúria, e sem nenhum sentido": *"a tale told by an idiot, full of sound and fury, signifying nothing"*), e tantos outros passos.

Manuel Bandeira

Lista de personagens

DUNCAN, Rei de Escócia

MALCOLM
DONALBAIN } seus filhos

MACBETH
BANQUO } generais do exército do Rei

MACDUFF
LENNOX
ROSS
MENTEITH } nobres da Escócia
ANGUS
CAITHNESS

FLEANCE, filho de Banquo
SIWARD, Conde de Northumberland, general das forças inglesas
JOVEM SIWARD, seu filho
SEYTON, oficial a serviço de Macbeth
MENINO, filho de Macduff
MÉDICO INGLÊS
MÉDICO ESCOCÊS
OFICIAL
PORTEIRO
UM VELHO

LADY MACBETH
LADY MACDUFF
DAMA DE COMPANHIA DE LADY MACBETH
HÉCATE
TRÊS BRUXAS
APARIÇÕES
LORDES, GENTIS-HOMENS, OFICIAIS, SOLDADOS, ASSASSINOS, CRIADOS E MEN-
SAGEIROS.

Cena: o fim do 4º ato, na Inglaterra; o resto da peça, na Escócia.

ATO 1

CENA 1
Planície.

(Relâmpagos e trovões. Entram as Três Bruxas.)

1ª Bruxa

Quando novamente as três nos juntamos
No meio dos raios e trovões que amamos?

2ª Bruxa

Quando terminada esta barulhada.
Depois da batalha perdida e ganhada.

3ª Bruxa

Antes de cair a noite.

1ª Bruxa

Em que lugar?

2ª Bruxa

Na charneca.

3ª Bruxa

Ali vamos encontrar
Com Macbeth.

1ª Bruxa

Irmãs, o Gato nos chama!

2ª Bruxa

O Sapo reclama!

3ª Bruxa

Já vamos! Já vamos!

Todas

O Bem, o Mal,
– É tudo igual:
Depressa, na névoa, no ar sujo sumamos!

(Saem.)

CENA 2
Acampamento.

(Rebate. Entram o Rei Duncan, Malcolm, Donalbain, Lennox, Homens do séquito, e dão com um soldado ferido.)

DUNCAN

Que homem ensanguentado é este? Ele pode,
Segundo as aparências, informar-nos
Dos últimos sucessos da revolta.

MALCOLM

É o oficial que, como bom soldado,
Bravamente lutou por que eu não fosse
Aprisionado. Eh, corajoso amigo,
Dá ao Rei conhecimento da batalha
No ponto em que a deixaste.

OFICIAL

                Indecidida:
Era ver dois exaustos nadadores
A agarrar-se e a anular sua perícia.
O implacável Macdonwald – bem talhado
Para rebelde, pois de vilanias
Tão cumulado pela natureza –
Das ilhas de oeste recebeu reforço
De tropas irlandesas, e a Fortuna
Sorria-lhe à diabólica empreitada
Como rameira de soldado. Tudo
Debalde, pois Macbeth (merece o nome),
Zombando da Fortuna, e com a brandida
Espada, fumegante da sangrenta
Carnificina, abre passagem como
O favorito do valor e enfrenta
O miserável. Sem lhe dar bons-dias,
Descose-o de um só golpe desde o umbigo
Até às queixadas, corta-lhe a cabeça,
Crava-a numa seteira.

DUNCAN

                Ó bravo primo!
Ó digno cavaleiro!

OFICIAL

                Tal no entanto
Como de onde desponta o sol rebentam
Trovões sinistros e fatais tormentas,

Assim daquela fonte de esperança
Jorrou, o alívio não! mas a inquietude.
Ouvi-me, Rei de Escócia, ouvi: mal tinha
A justiça, no esforço sustentada,
Obrigado o inimigo tão ligeiro
A dar aos calcanhares, eis acode
O rei noruego e com reservas frescas
E armas luzentes tenta um novo assalto.

DUNCAN

E porventura isso infundiu receio
Aos nossos capitães Macbeth e Banquo?

OFICIAL

Sim: como à águia o pardal, e ao leão a lebre!
A falar a verdade, pareciam
Dois refertos canhões com dupla carga
A redobrar dobradamente os tiros
Sobre o adversário: a menos que quisessem
Banhar-se em sangue ou consagrar um novo
Gólgota, que sei eu? Mas desfaleço;
Meus ferimentos gritam por socorro.

DUNCAN

Ficam-te bem tuas palavras, tanto
Quanto as tuas feridas: umas e outras
Honram-te grandemente. Ide, levai-o
Aos cirurgiões.

(Sai o OFICIAL acompanhado por alguns homens do séquito.)

MALCOLM

Quem vem chegando?

(Entra ROSS.)

DUNCAN

                    É o nobre
Tane de Ross.

LENNOX

                    Que pressa há nos seus olhos!
Como nos dos que têm coisas estranhas
Para contar.

ROSS

Deus guarde o Rei!

DUNCAN

Tu de onde
Vens, nobre Ross?

ROSS

De Fife, grande Rei,
Onde as bandeiras de Noruega insultam
Os nossos céus e em nosso povo sopram
O frio do terror. O soberano
Norueguês em pessoa comandando
Inumeráveis tropas, e assistido
Pelo mais desleal entre os traidores
Digo o Tane de Cawdor, começava
Um terrível combate, – senão quando
O noivo de Belona, armado a toda
Prova, rebelde braço contra braço,
Espada contra espada, o enfrenta, e em breve
A vitória foi nossa.

DUNCAN

Dita grande!

ROSS

Agora Sweno, o rei noruego, implora
Composição; nem lhe concederemos
O enterro de seus mortos, até que ele
Pague em São Columbano dez mil dólares
Para o nosso proveito.

DUNCAN

Nunca mais
Trairá o Tane de Cawdor o nosso íntimo
Interesse. — Vai, Ross, e pronuncia
Sua imediata execução. Saúda
Macbeth com aquele título.

ROSS

Fá-lo-ei
Como ordenais.

DUNCAN

O que perdeu o traidor,
Ganhe o nobre Macbeth por seu valor.

(Saem.)

CENA 3
Numa charneca.

(Trovões. Entram as Três bruxas.)

1ª Bruxa

Irmã, que andaste fazendo?

2ª Bruxa

Matando porcos.

3ª Bruxa

E tu, irmã?

1ª Bruxa

A mulher de um marítimo
Tirava castanhas do regaço e, tome!
Se enchia, se enchia, se enchia...
"Dá-me uma", pedi-lhe. "Sai, bruxa!", gritou-me.
Navega o marido para Alepo. Ao diabo!
Que eu, numa peneira, também lá irei ter,
E, rata sem rabo,
Vou roer, vou roer, vou roer!

2ª Bruxa

Dar-te-ei um vento, irmã.

1ªBruxa

Obrigada!

3ª Bruxa

Outro, eu!

1ª Bruxa

Já não me falta nada
Os demais tenho-os comigo.
Sei na carta dos mareantes
Quais são nos quatro quadrantes
As paragens sem abrigo
Onde sopram.
Fá-lo-ei secar como o feno.
Como o doente de veneno.
Treze noites treze vezes
Repetidas e outras treze,
Esmorecendo, definhando
Ficará sob o meu mando.

Presa de insônia e fastio.
Não irá ao fundo o navio,
Mas como estalar não há de
Nas fúrias da tempestade!
Olhai só o que tenho!

2ª Bruxa

        Mostra-me!

1ª Bruxa

Polegar de piloto morto
Em naufrágio à vista do porto!

(Ouve-se um rufo de tambor.)

3ª Bruxa

Um tambor rufando!
É Macbeth chegando.

Todas

Bruxas da terra e do mar,
Toca, toca a cirandar,
E roda que rodopia!
Três voltas para a direita,
Três para a esquerda, e está feita
A preceito a bruxaria.

(Entram Macbeth e Banquo.)

Macbeth

Um dia assim tão feio e tão bonito
Não vi jamais.

Banquo

        A que distância estamos
De Fores? Quem são estas criaturas
Tão mirradas e estranhas? Não parecem
Habitantes da terra. Entanto aí estão.
Viveis? dizei-me, ou sois alguém que ao homem
Seja dado falar? Bem que dais mostras
De compreender-me, pois as três a um tempo
Levais o dedo aos lábios descarnados.
Mulheres deveis ser, embora as vossas
Barbas me impeçam crer que sois mulheres.

MACBETH

Quem sois vós três? Caso o possais, falai-me.

1ª BRUXA

Salve, Macbeth! Salve, Tane de Glamis!

2ª BRUXA

Salve, Macbeth! Salve, Tane de Cawdor!

3ª BRUXA

Salve, Macbeth, que rei sereis um dia!

BANQUO

Meu bom senhor, por que esse sobressalto?
Porventura temeis coisas que soam
Tão lindamente?

(*Às Bruxas.*)

Em nome da verdade,
Sois criaturas fantásticas? Ou bem.
Tais como vos mostrais exteriormente?
Saudais meu nobre companheiro pelo
Seu título atual, mas predizendo-lhe
Maior fortuna, e até real esperança
Incutindo-lhe, a ponto que parece
Como que transportado. A mim, contudo,
Nada dizeis. Se o dom tendes de ler
Nas sementes do tempo e de dizerdes
Qual há de germinar e qual não há de,
Falai-me então a mim, que nem vos rogo
Favores nem me temo do vosso ódio.

1ª BRUXA

Salve!

2ª BRUXA

Salve!

3ª BRUXA

Salve!

1ª BRUXA

Menos que Macbeth e maior do que ele.

2ª BRUXA

Não tão feliz e todavia muito mais feliz.

3ª Bruxa

Serás tronco de reis, embora a rei não chegues. Salve, pois, Macbeth e
Banquo!

1ª Bruxa

Banquo e Macbeth, salve! salve!

Macbeth

Ficai ainda e sede mais explícitas.
Eis-me, morto Sinel, Tane de Glamis:
Como, porém, de Cawdor? Vive, próspero,
O atual Tane de Cawdor. A realeza
Não é mais crível do que a senhoria
De Cawdor. Dizei, pois, de onde tirastes
Informes tão sem cor? ou por que vindes
Assim, no ermo desta árida charneca,
Nossos passos deter com tais proféticas
Palavras de saudar? Dizei-me, exorto-vos!

(As Bruxas desaparecem.)

Banquo

A terra tem, como a água, as suas bolhas,
E estas o são. Onde sumiram elas?

Macbeth

No ar; e o que corporal nos parecia
Se dissipou como o hálito no vento.
Prouvera a Deus tivessem demorado!

Banquo

Estavam mesmo aqui estas criaturas
De que falamos? ou teremos ambos
Comido da raiz que faz perdermos
A razão?

Macbeth

Serão reis os vossos filhos.

Banquo

Vós sereis rei.

Macbeth

Também Tane de Cawdor.
Não foi o que disseram?

BANQUO

                       Nessa mesma
Toada e mesmas palavras. Quem vem lá?

    (Entram ROSS e ANGUS.)

ROSS

O Rei soube, Macbeth, com alegria,
Do teu triunfo, e ao ler tuas façanhas
No combate aos rebeldes, de tal modo
Competem nele espantos e louvores,
Que não sabe o que é teu ou seja dele.
Assim que, mudo em tal conflito de alma,
Informa-se do resto da jornada,
Sempre a te ver, nas filas norueguesas,
Herói sem medo às lúgubres imagens
Da morte que semeavas. Mais frequentes
Do que a saraiva, amiúdam-se os correios;
E cada qual celebra diante dele
Os prodígios que obraste na defesa
Do seu reino.

ANGUS

              Macbeth, fomos mandados
Para trazer-te os agradecimentos
De nosso Rei: só para conduzir-te
À real presença e não para premiar-te.

ROSS

E por penhor de honra maior me ordena
Por ele te saudar Tane de Cawdor.
Assim, salve! mui nobre Tane. O título
É teu.

BANQUO

        Pois quê! Falou verdade o diabo?

MACBETH

E por que me vestis, se vivo é o Tane,
Com roupas emprestadas?

ANGUS

                Vive ainda
Quem foi Tane de Cawdor, mas pendente
De pesada sentença traz a vida,
Que merece perder. Se acumpliciado

Era com os de Noruega, ou fornecia
Secreta ajuda e préstimo ao rebelde,
Ou se, feito com ambos, trabalhava
Na ruína do país, não sei. Mas certo
É que traições confessas e provadas
O perderam.

MACBETH

Tane de Glamis, Tane
De Cawdor... E o melhor virá depois.

(A Ross e Angus.)

Obrigado vos fico pelo incômodo.

(A Banquo)

Crerás agora que teus filhos venham
A ser reis, visto como as que me deram
O tanato de Cawdor, prometeram
A eles a coroa?

BANQUO

Isso tomado
A sério, poderia conduzir-nos
A esperar vê-la posta sobre a tua
Fronte de já Tane de Cawdor. Mas
É estranho! E muita vez, para perder-nos,
Os agentes das trevas são verídicos:
Captam-nos com inocentes bagatelas
Por afundar-nos nos piores crimes.

(A Ross e Angus.)

Primos, uma palavra ainda.

MACBETH

(À parte.)
Duas
Verdades foram ditas, como prólogos
De bom augúrio ao ato culminante
Do imperial tema.

(A Ross e Angus.)

Obrigado, senhores.

(À parte.)

Esta insinuação sobrenatural
Não pode ser má, não pode ser boa.
Se má, por que certeza de sucesso
Me dá neste começo de verdade?
Pois sou Tane de Cawdor. E se boa,
Por que assim cedo à imagem pavorosa
Que os cabelos me eriça e faz meu firme
Coração palpitar contra as costelas,
Fora do que é normal na natureza?
Os temores presentes são mais fracos
Do que as horríveis imaginações.
Meu pensamento, onde o assassínio é ainda
Projeto apenas, move de tal sorte
A minha simples condição humana,
Que as faculdades se me paralisam
E nada existe mais senão aquilo
Que não existe.

BANQUO

Olhai-me o companheiro
Como está absorto!

MACBETH

(À parte.)
Se a sorte me quer rei, há de coroar-me
Sem que eu me mexa.

BANQUO

As novas honras caem-lhe
Iguais às novas roupas, que só o uso
Nos molda ao corpo.

MACBETH

(À parte.)
Venha o que vier,
O tempo e a hora saberão correr.

BANQUO

Nobre Macbeth, o que mandais?

MACBETH

Perdoai-me.
Minha obtusa cabeça divagava
Em coisas esquecidas. Bons senhores,

Vossos obséquios traçarei num livro
Em página a ser lida cada dia.
— Vamos agora ao Rei.

(A Banquo.)

Reflete, amigo,
No sucedido; e, com mais tempo, tendo
Meditado até lá, conversaremos
Abertamente.

BANQUO

Muito de bom grado.

MACBETH

Por ora basta. — Vinde, meus amigos.

(Saem.)

CENA 4
Fores. Numa sala do palácio.

(Fanfarra. Entram DUNCAN, MALCOLM, DONALBAIN, LENNOX e séquito.)

DUNCAN

Cawdor já foi executado? E os homens
Encarregados disso já tornaram?

MALCOLM

Meu soberano, ainda não estão de volta.
Falei, porém, a alguém que o viu morrer;
O qual conta ter ele confessado
Suas traições, pedindo a Vossa Alteza
O seu perdão, e em tudo demonstrando
Estar profundamente arrependido.
Nada em sua vida o honrou como o deixá-la:
Dir-se-ia que se houvesse exercitado
Em jogar fora o objeto mais querido
Como se fora inútil bagatela.

DUNCAN

Arte não há de descobrir na face
O que vai dentro d'alma. Era um vassalo
Em que pus sempre toda a confiança.

(Entram Macbeth, Banquo, Ross e Angus.)

Oh, meu mui nobre primo! O meu pecado
De ingratidão pesava-me no peito.
Foste tão longe que a asa mais ligeira
Da recompensa é tarda em alcançar-te.
Gostaria que menos merecesses,
Para que em paga e reconhecimento
Te levasse eu vantagem! Só me resta
Dizer que mais mereces, por imensa
Que fora a minha régia recompensa.

Macbeth

O serviço e a lealdade que vos devo
Pagam-se por si mesmos. Vossa parte
É receber nossos deveres: estes
São para o vosso trono e Estado, filhos
E servidores, que não fazem mais
Do que aquilo que devem, ao fazerem
Tudo o que é para bem e honra de vossa
Real pessoa.

Duncan

       Sê tu aqui bem-vindo.
Comecei a plantar-te, e no futuro
Far-te-ei chegar a pleno crescimento.
Nobre Banquo, não menos mereceste;
Não menos tens direito a proclamar-se
O que fizeste. Vem, quero abraçar-te,
Estreitar-te ao meu peito.

Banquo

        Se aí medro,
Vossa é a colheita.

Duncan

       As minhas alegrias,
Ébrias de sua plenitude, buscam
Dissimular-se em lágrimas de mágoa.
Filhos, parentes, tanes, e vós todos
Mais próximos de nós, sabei que ao nosso
Primogênito, Malcolm, passaremos
O Estado, e desde já o fazemos Príncipe
De Cumberland. Honra que não o investe
A ele somente: insígnias de nobreza
Brilharão como estrelas sobre o peito

De quantos o mereçam. Dirijamo-nos
Para Inverness agora e acrescentemos
Nossas obrigações para convosco.

MACBETH

O ócio que em vos servir não nos ocupa
Transforma-se em fadiga. Vosso arauto
Serei; quero alegrar a minha esposa
Anunciando que vindes. Permiti-me
Assim que já me vá.

DUNCAN

               Meu nobre Cawdor!

MACBETH

      (À parte.)

O Príncipe de Cumberland!
Obstáculo
Que me fará cair, se o não transponho
De um salto, pois está no meu caminho.
Estrelas, ocultai os vossos raios!
Não veja a luz meus negros, meus profundos
Desejos. Ante a mão cerrem-se os olhos.
Faça-se, todavia, aquilo que eles
Temem de ver depois de praticado.

                                      (Sai.)

DUNCAN

Tens razão, nobre Banquo; é de sobejo
Valoroso. Os louvores que lhe tecem,
Com eles me alimento, pois banquete
São para mim. Sigamo-lo ao que adiante
Partiu para aviar-nos acolhida.

                            (Fanfarra. Saem.)

CENA 5
Inverness. Sala do castelo de Macbeth.

(Entra LADY MACBETH lendo uma carta.)

LADY MACBETH

"Encontrei-as no dia da vitória; e vim a conhecer, por testemunho
irrecusável, que há nelas mais do que a mera inteligência humana.

Quando eu mais ardia no desejo de lhes fazer novas perguntas, mudaram-se em ar, no qual se desvaneceram. Estava eu ainda transportado de espanto, quando chegaram mensageiros do Rei, que me saudaram como 'Tane de Cawdor', título com que, minutos antes, me tinham saudado as três bruxas, vaticinando-me depois o futuro com as palavras 'Salve, rei que serás!'. Pareceu-me bem comunicar-te estas coisas a ti, para que não perdesses a tua parte de júbilo, ficando no desconhecimento da grandeza que te está prometida. Guarda isto em teu coração e até breve."

Glamis tu és e Cawdor; e hás de ser
O que te prometeram. Mas receio
A tua natureza, por demais
Cheia do leite da ternura humana,
Para que tomes, resolutamente,
O caminho mais curto. Quererias
Ser grande. És ambicioso. Mas te falta
A malvadez que deve secundar-te.
A grandeza a que aspiras, desejaras
Obtê-la santamente. Não quiseras
Trapacear, e entanto gostarias
De ganhar deslealmente. Ah, grande Glamis,
Queres o objeto que te grita "É assim
Que tens de agir", caso cobices tê-lo.
E a ação que temes de fazer, tu a temes
Mais do que quererás não vê-la feita.
Vem depressa, que eu verta em teus ouvidos
Minha coragem, bata com o vigor
De minha língua tudo o que te aparta
Do círculo dourado com que a sorte
E a ajuda sobrenatural parecem
Querer te ver coroado.

(Entra um mensageiro.)

Que notícias
Trazes?

Mensageiro
O Rei pernoitará esta noite
Aqui.

Lady Macbeth
Estás louco? Teu senhor não estava
Com ele? Se fosse assim, ter-me-ia avisado
Para os preparativos.

MENSAGEIRO

É a verdade,
Com vossa vênia. O Tane está a caminho.
Um de meus companheiros, despachado
Por ele, aqui chegou, quase sem fôlego.
Mal podendo falar.

LADY MACBETH

Deem-lhe assistência:
Ele traz grandes novas.

(Sai o mensageiro.)

Até o próprio
Corvo está rouco, que crocita a entrada
Fatídica de Duncan sob as minhas
Ameias. Vinde, espíritos sinistros
Que servis aos desígnios assassinos!
Dessexuai-me, enchei-me, da cabeça
Aos pés, da mais horrível crueldade!
Espessai o meu sangue, prevenindo
Todo acesso e passagem ao remorso;
De sorte que nenhum compungitivo
Retorno da sensível natureza
Abale a minha determinação
Celerada, nem faça a paz entre ela
E o seu efeito! Vinde, ó vós, ministros
Do Mal, seja onde for que, em invisíveis
Substâncias, instigais o que é contrário
Aos sentimentos naturais humanos!
Vem, noite tenebrosa, e te reveste
Do mais espesso fumo dos infernos
Para que o meu punhal não veja o golpe
Que vibrará, nem possa o céu ver nada
Através do lençol da escuridade
Para gritar: "Detém-te!".

(Entra MACBETH.)

Grande Glamis!
Nobre Cawdor! Maior que os dois no título
Com que serás saudado no futuro!
Tuas cartas transportaram-me do cego
Presente aos dias que virão, e eu sinto-os
Como se já chegados.

MACBETH

Bem-querida,
Duncan virá esta noite.

LADY MACBETH

E quando parte?

MACBETH

Amanhã. Assim o pretende.

LADY MACBETH

Oh não, jamais
O sol verá esse amanhã!
Tua face, meu Tane, é um livro aonde
Se podem ler estranhas coisas. Há
Que parecer como os demais, a fim
De os poder enganar; mostra-te afável
No olhar, na mão, na fala. Sê a inocente
Flor na aparência, e no íntimo – serpente!
Ao hóspede que vem há que aprontar-se
Boa acolhida; fique a meu encargo
A grande empresa desta noite: a que há de
Dar-nos nas demais noites, demais dias
De nossa vida o império incontrastado.

MACBETH

Falaremos depois.

LADY MACBETH

Mas não te alteres:
Não diga o teu semblante o que não queres.
Deixa o resto comigo.

(Saem.)

CENA 6
Diante do castelo.

(Oboés e tochas. Entram DUNCAN, MALCOLM, DONALBAIN, BANQUO, LENNOX, MACDUFF, ROSS, ANGUS *e séquito.)*

DUNCAN

Este castelo está em situação
Muito aprazível; o ar fino e macio
Refaz nossos sentidos fatigados.

BANQUO

Este hóspede do estio – o martinete,
Frequentador de templos, escolhendo-o
Para sua morada está mostrando
Que o hálito do céu cheira amorável
Aqui: não há saliência, não há friso,
Contraforte ou recanto em que a avezinha
Não tenha feito ninho: onde eles vivem
E procriam, já observei, o ar
É delicado.

DUNCAN

Olhai! olhai! A nossa
Hospitaleira castelã. — O afeto
Que nos dedicam, muita vez é causa
De incômodos; no entanto o agradecemos,
Mesmo assim, como afeto. Aprendei nisto
A pedirdes a Deus nos recompense
Pelo trabalho que tomais.

LADY MACBETH

Todo ele
Duas vezes cumprido e redobrado,
É bem pobre serviço, se o cotejo
Com as mercês tão grandes e tão altas
Sobre esta nossa casa acumuladas
Por Vossa Majestade: as velhas honras
E as que acabais, meu Rei, de conceder-nos,
Impõem-nos o dever de rezar sempre
Pela vossa pessoa.

DUNCAN

E vosso esposo
Onde está? Galopamos-lhe no encalço,
Querendo antecipá-lo, mas é o Tane
Bom cavaleiro; e seu amor, agudo
Como as suas esporas, ajudou-o
A levar-nos vantagem. Nobre e bela
Castelã, somos esta noite vossos
Hóspedes.

LADY MACBETH

Nós, os vossos servos, temos
Nossas pessoas e as de nossa casa
E tudo o que possuímos como coisas
De vosso patrimônio, utilizáveis
A bel-prazer de Vossa Majestade.

DUNCAN

Dai-me a mão; conduzi-me ao que me hospeda.
Estimamo-lo imenso e seguiremos
Dispensando-lhe sempre as nossas graças.
Com a vossa licença.

(Saem.)

CENA 7
Sala no castelo.

(Oboés e tochas. Entram e atravessam a cena um mordomo e vários criados com iguarias e objetos de serviço. Em seguida entra MACBETH.)

MACBETH

Se não houvesse mais que praticá-lo,
Seria bem fazê-lo sem delonga.
Se o golpe detivesse em suas redes
Todas as consequências, e lograsse
Triunfar com a morte dele; se o assassínio
Fosse aqui tudo e o fim de tudo – aqui,
Nestas praias do tempo, eu arriscara
Minha vida futura. Nestes casos
Há aqui, porém, sentença, de maneira
Que as sanguinárias instruções se voltam
Contra o próprio inventor; e o conteúdo
Da nossa copa envenenada leva-a
A justiça imparcial aos nossos lábios.
Ele está aqui sob dupla salvaguarda:
Primeiro, é meu parente e eu seu vassalo,
Motivos ambos poderosos contra
O ato; depois, neste momento o hospedo,
Não devo abrir a porta ao assassino
Nem usar o punhal eu mesmo. Aliás
Reina com tal brandura, exerceu sempre
Suas altas funções com tal pureza,
Que as virtudes que o exornam clamariam
Como anjos clarinantes contra o crime
Monstruoso do seu assassinato.
E semelhante a um nu recém-nascido
Cavalgando a tormenta, ou a querubins
Arrebatados sobre os invisíveis
Correios do ar, a compaixão ferira
De tão brutal horror todos os olhos,
Que as lágrimas fariam abater-se

O vento. Outro acicate não possuo
Para os flancos picar do meu intento
Se não esta ambição, que ao arrojar-se
Com demasiado impulso, vai cair
Do outro...

(Entra LADY MACBETH.)

És tu? Que há de novo?

LADY MACBETH

Pouco falta
Para que finde a ceia. Que motivo
Te fez sair da sala?

MACBETH

Indagou ele
Por mim?

LADY MACBETH
Não sabes que indagou?

MACBETH

Não vamos
Prosseguir nesta trama. O Rei acaba
De distinguir-me, e junto a toda sorte
De pessoas ganhei por esse fato
Alto conceito, que convém gozarmos
No seu lustre recente e não jogá-lo
De lado tão depressa.

LADY MACBETH

Estava bêbeda
Tua anterior esperança? Porventura
Dormiu depois para acordar agora
E olhar, pálida e verde, o que fizera
Tão livremente? Desde já me ponho
A duvidar de teu amor. Tens medo
De ser na ação e no valor o mesmo
Que és no desejo? Queres ter aquilo
Que estimas como o ornato da existência,
E te mostras em tua mesma estima
Um covarde, dizendo "Não me atrevo"
Depois de "Quero", como o pobre gato
Do provérbio, que quer comer o peixe
Mas sem sujar as patas?

MACBETH

Cessa! Quanto
Cumpre a um homem fazer, fá-lo-ei sem medo:
Quem se abalança a mais, não o é.

LADY MACBETH

Que bruto
Foi que te fez falar-me desta empresa?
Quando a ousavas fazer, sim, eras homem!
E querendo ser mais, serias por isso
Tanto mais homem. Nem local propício
Nem ocasião então se apresentavam.
Mas tu os criaste a ambos. Ora existem,
E o ensejo te apavora! Bem conheço
As delícias de amar um tenro filho
Que se amamenta: embora! eu lhe arrancara
Às gengivas sem dente, ainda quando
Vendo-o sorrir-se para mim, o bico
De meu seio, e faria sem piedade
Saltarem-lhe os miolos, se tivesse
Jurado assim fazer, como juraste
Cumprir esta empreitada.

MACBETH

E se falharmos?

LADY MACBETH

Falharmos! Se susténs tua coragem,
Não falharemos. Quando esteja Duncan
Adormecido, ao que o terão depressa
Conduzido as fadigas da jornada,
Distrairei de tal modo com bebidas
Os seus dois camareiros, que essa guarda
Do cérebro – a memória, será apenas
Um fumo, e o recipiente da razão
Mero alambique; quando em suíno sono
Mergulhados os dois como na morte,
Que não podemos nós contra o indefeso
Duncan? Que não podemos pôr à conta
Dos beberrões, que levarão a culpa
Do nosso crime?

MACBETH

Não concebas nunca
Senão filhos varões; tua alma indomável
O pede assim. Se usarmos os punhais

Dos camareiros e mancharmos a ambos
De sangue, quem não acreditaria
Que os matadores terão sido eles?

LADY MACBETH

Quem ousará pensar de outra maneira,
Nosso clamor ouvindo e nossas lástimas
Depois da morte dele?

MACBETH

Estou já agora
Firme na minha decisão; já sinto
Tensa em todo o meu corpo cada fibra
Para cumprir o ato terrível. Vamos!
Respirem inocência, enganadoras,
Tuas feições: falsa aparência esconda
No falso coração a trama hedionda!

(Saem.)

ATO 2

CENA 1
Pátio no interior do castelo.

(Entram Banquo e Fleance, este trazendo uma tocha.)

BANQUO

Que horas são, meu rapaz?

FLEANCE

Não vi o relógio;
A lua já se pôs.

BANQUO

E ela se põe
À meia-noite.

FLEANCE

Tenho que é mais tarde.

BANQUO

Toma lá minha espada. Há economia
Hoje no céu: vês? foram apagadas
Suas luzes todas. Toma também isto.
Cai sobre mim, pesado como chumbo,
O apelo ao sono. E todavia agora
Prefiro não dormir. Ó Potestades
Misericordiosas! reprimi
Em mim os maus pensamentos que nos sonhos
Instila a natureza!
— Dá-me a espada!

(Entram Macbeth e um criado com uma tocha.)

Quem vem?

MACBETH

Amigo.

BANQUO

Vós? Ainda acordado?
O Rei já foi deitar-se, e tão contente
De tudo, que doou largas propinas
Aos vossos serviçais. À vossa esposa

Enviou este diamante, pelo nome
De encantadora hóspede saudando-a.
Não cabe em si de satisfeito.

MACBETH

Estando
Desprevenidos nós, não foi possível
Recebê-lo melhor do que o fizemos.

BANQUO

Tudo está bem. Sonhei ontem de noite
Com as três bruxas: no que vos disseram
Houve algo de veraz.

MACBETH

Não penso nelas.
Contudo, se uma hora disponível
Tiverdes, poderemos sobre o assunto
Trocar ideias.

BANQUO

Como bem quiserdes.

MACBETH

Caso aderirdes ao que tenho em mira,
Uma vez realizado, muita honra
Vos será acrescentada.

BANQUO

Se não perco
Nenhuma com querer multiplicá-las;
Se o coração posso guardar isento
De culpa, e pura a minha lealdade,
Contai comigo.

MACBETH

Por agora, boa
Noite.

BANQUO

Obrigado. O mesmo vos desejo.

(Saem BANQUO e FLEANCE.)

MACBETH

(Ao criado.)

Dize a tua Senhora que eu lhe mando
Que ela toque a sineta quando a minha
Bebida estiver pronta. Vai deitar-te.

(Sai o criado.)

É um punhal o que enxergo, com o seu cabo
Voltado para mim? Vem, que eu te empunho!
Não te seguro, é certo, mas te vejo
Sempre. Não és, fatal visão, sensível
Ao tato, como à vista? Ou és apenas
Imaginária criação da mente
Que a febre exalta? Vejo-te, contudo,
Tão palpável na forma como estoutro
Que saco neste instante.
Apontas-me o caminho em que eu seguia,
E de arma semelhante ia servir-me.
Ou bem são estes olhos um joguete
Dos meus demais sentidos, ou bem valem
Por eles todos: não me sais da vista,
E há agora em tua lâmina, em teu cabo
Gotas de sangue que antes não havia.
Mas não há tal? É a trama sanguinária
Que toma corpo ante os meus olhos. Neste
Momento a natureza é como morta
Em metade do mundo. Hora em que os sonhos
Maus se insinuam sob os cortinados;
Em que celebra a bruxaria os ritos
De Hécate pálida; e descarnado
Assassínio, alertado pelo lobo,
Seu sentinela, com furtivos passos,
À semelhança do raptor Tarquínio,
Move-se em direção à sua vítima
Como um fantasma. Tu, sólida terra,
Firmemente assentada, oh não escutes
Meus passos, nem aonde eles se encaminham.
Pois receio que as tuas mesmas pedras,
A conversarem de meu paradeiro,
Roubem a esta hora o horror que ela revela!
Eu ameaço e ele dorme... Um frio bafo
Sobre o calor da ação sopra a palavra.

(Toque de sino.)

Um golpe, e é tudo: o sino me convida.
Não o ouças, Rei, não o ouças, que esse toque
Te chama para o Céu – ou para o Inferno!

(Sai.)

CENA 2
(Entra Lady Macbeth.)

Lady Macbeth

O que a eles embriagou, a mim deu-me audácia.
Escutemos... Silêncio! Foi o mocho
Que piou, esse tétrico vigia
Que dá o boa-noite mais sinistro. As portas
Estão abertas. Neste instante o golpe
Vai ser vibrado. Os camareiros, bêbedos,
Roncam, como a zombar de seus deveres.
Deitei-lhes na poção droga tão forte,
Que natureza e morte altercam sobre
Se estão vivos ou mortos.

Macbeth

(No interior.)
Eh! Quem é?

Lady Macbeth

Ai, temo que eles tenham despertado
E nada haja de feito: a tentativa,
Que não o golpe, poderá perder-nos.
Escutemos... Deixei os punhais deles
Bem à mostra. É impossível que os não visse.
Se no seu sono não lembrasse tanto
Meu pai, tê-lo-ia eu mesma apunhalado!
Meu marido!

(Entra Macbeth.)

Macbeth

Está feito. Não ouviste
Um ruído?

Lady Macbeth

Ouvi o grito da coruja
E o cricrido dos grilos. Tu falaste?

MACBETH

Quando?

LADY MACBETH

Ainda agora mesmo.

MACBETH

Ao vir descendo?

LADY MACBETH

Sim, não falaste?

MACBETH

Escuta! Quem ficou
Dormindo no outro quarto?

LADY MACBETH

Donalbain.

MACBETH

(Olhando as mãos ensanguentadas.)
Triste espetáculo este!

LADY MACBETH

Tola ideia
Dizer que é triste.

MACBETH

Um riu-se no seu sono,
Outro gritou: "Assassino!". De maneira
Que despertaram. Eu parei à escuta.
Depois eles fizeram suas preces
E adormeceram novamente.

LADY MACBETH

Há dois
No mesmo quarto.

MACBETH

Um deles gritou: "Valha-nos
Deus!". E o outro: "Amém!", como se houvessem visto
Estas mãos de carrasco. E eu, a ouvir-lhes
O medo, não podia repetir
"Amém" quando disseram: "Deus nos valha!".

LADY MACBETH

Não o leves tanto a sério.

MACBETH

                        Que motivo
Me impediu proferir "Amém", se tanto
Me era a graça divina necessária?
O "Amém" colou-se-me à garganta.

LADY MACBETH

                                É absurdo
Pensar em coisas tais dessa maneira.
Isso leva à loucura.

MACBETH

                     Pareceu-me
Ouvir bradarem: "Despertai do vosso
Sono! Macbeth trucida o sono!" – O sono
Inocente, o sono dissipador
Das preocupações, morte da vida
De cada dia, banho após a dura
Labuta, bálsamo de almas doridas,
Principal alimento no banquete
Da grande natureza!

LADY MACBETH

                     O que pretendes
Dizer com isso?

MACBETH

                 A voz clamava a toda
A casa: "Despertai! Glamis matou
O sono, e Cawdor não dormirá mais
Nunca! Macbeth não dormirá mais nunca!".

LADY MACBETH

Mas quem gritava assim? Querido Tane,
Não afrouxes destarte a tua nobre
Coragem a falar morbidamente
Destas coisas. Vai e lava as mãos. Por que
Trouxeste para cá esses punhais?
Leva-os de novo para o quarto e suja
De sangue os camareiros.

MACBETH

                   Não, não posso!
De pensar no que fiz fico aterrado:
Não ousarei voltar a ver aquilo.

LADY MACBETH

Homem fraco! Dá-me os punhais. Aqueles
Que estão mortos ou dormem são pinturas
Apenas. As crianças é que temem
Ver o diabo pintado. Se ele sangra
Ainda, besuntarei de sangue as faces
Dos homens: é preciso que sobre eles
Recaia a culpa.

(Sai. Batem à porta.)

MACBETH

Quem será que bate?
O que há comigo, que qualquer ruído
Me sobressalta assim? Que mãos são estas?
Oh, elas horrorizam-me! me arrancam
Os olhos! Lavaria o grande oceano
De Netuno esta mão ensanguentada?
Não! esta minha mão é que faria
Vermelho o verde mar de polo a polo!

(Volta LADY MACBETH.)

LADY MACBETH

As minhas mãos estão da cor das tuas.
Mas me envergonho de guardar tão branco
O coração.

(Batem à porta.)

Estão batendo à porta
Do lado sul. Convém nos recolhermos
Ao nosso quarto. Um pouco d'água limpa-nos
Deste ato: como é simples! Tua firmeza
Abandonou-te.

(Batem novamente.)

Estás ouvindo? Insistem.
Veste o roupão, para que não pareça,
Se chamados, que estávamos despertos.
Não fiques tão perdido assim em teus próprios
Míseros pensamentos!

MACBETH

>Ter consciência
>Do ato que pratiquei – melhor seria
>Perder conhecimento de mim mesmo!

(Batem.)

Bate! Desperta o Rei! Ah, se o pudesses!

(Saem.)

CENA 3
(Entra o PORTEIRO.)

(Batem à porta.)

O PORTEIRO

Irra! Batem deveras! Um homem que fosse porteiro do Inferno teria grande prática de dar à chave. *(Batem.)* Toc, toc, toc! Quem é, em nome de Belzebu? — É um lavrador que se enforcou porque esperava uma boa colheita, que não veio. — Entra, homem dependente do tempo, e traze lenços em quantidade, porque aqui hás de suar na labuta. *(Batem.)* Toc, toc, toc! Quem é, em nome do outro demônio? — À fé, um jesuíta capaz de jurar por qualquer um dos pratos da balança contra o outro prato; que traiu quanto pôde por amor de Deus, mas não conseguiu intrujar o Céu. Entra, jesuíta. *(Batem.)* Toc, toc, toc! Quem é? — É um alfaiate inglês que vem para cá porque achou meio de furtar pano ao consertar uns calções franceses. — Entra, alfaiate. Aqui podes esquentar bem o teu ferro de engomar. *(Batem.)* Toc, toc, toc! Não há um minuto de sossego! Quem é? Mas este lugar é frio demais para Inferno. Não quero mais saber de ser porteiro do demo. Tive foi a ideia de dar entrada a alguns sujeitos de todas as profissões que lá se vão por caminho de flores à fogueira eterna. *(Batem.)* Um momento, um momento! Por favor, lembrai-vos do porteiro.

(Abre a porta. Entram MACDUFF e LENNOX.)

MACDUFF

Era tão tarde quando te deitaste,
Amigo, que tão tarde te levantas?

O PORTEIRO

Na verdade, senhor, estivemos bebendo até o segundo cantar do galo. E a bebida é uma grande provocadora de três coisas.

MACDUFF

E que três coisas são essas que a bebida provoca tão especialmente?

O PORTEIRO

Ora, meu senhor, nariz vermelho, sono e vontade de urinar. Quanto à luxúria, a bebida incita-a e reprime-a ao mesmo tempo: provoca o desejo, mas impede-lhe a execução. Por isso se pode dizer que a bebida em demasia é um verdadeiro logro para a luxúria, pois suscita-a e frustra-a, instiga-a e corta-a, persuade-a e desanima-a, arma-a e desarma-a. Em conclusão: engambela-a, adormecendo-a, derruba-a e vai-se embora.

MACDUFF

Está me parecendo que a bebida te derrubou esta noite.

O PORTEIRO

Derrubou sim, meu senhor, saltando-me à goela, mas revidei-lhe o golpe e, sendo eu forte demais para ela, em certo momento em que ela me agarrou pelas pernas, achei meio de lançá-la fora.

MACDUFF

Teu amo já está de pé?

(Entra MACBETH.)

LENNOX

Ei-lo! Nossas pancadas despertaram-no.
Nobre senhor, bom dia!

MACBETH

A ambos bom dia!

MACDUFF

O Rei já está de pé?

MACBETH

Não, por enquanto.

MACDUFF

Ordenou-me ele que o chamasse cedo.
Quase me ia esquecendo.

MACBETH

Irei levar-vos
Ao seu quarto.

MACDUFF

        É um incômodo agradável,
Bem sei, mas sempre é incômodo.

MACBETH

                         O trabalho
Em que nos comprazemos cura a pena.

MACDUFF

        Ousarei despertá-lo: foi a ordem
Que recebi.

                                           (Sai.)

LENNOX

        O Rei parte hoje?

MACBETH

                Parte, assim mo disse.

LENNOX

        A noite foi horrível. Onde estávamos,
As chaminés ruíram. Ao que dizem,
Foram ouvidos ais e estranhos gritos
De morte e, predizendo com sinistros
Acentos os terríficos tumultos
E confusos sucessos, incubados
Nesta funesta hora, a ave das trevas
Clamou a noite inteira. Parecia,
Dizem alguns, tremer febricitante
A terra.

MACBETH

        É certo, a noite foi medonha.

LENNOX

        Minha parca experiência não se lembra
De outra como esta.

        (Volta MACDUFF, gritando.)

MACDUFF

                  Oh horror! horror! horror!
Boca nem coração poderão nunca
Nomeá-lo ou concebê-lo!

MACBETH E LENNOX

                                    Que foi que houve?

MACDUFF

Gerou a confusão sua obra-prima!
Assaltou o mais sacrílego assassino
O templo do Senhor, dali roubando
A vida do lugar!

MACBETH

                        Que vida?

LENNOX

                               A vida
De Sua Majestade?

MACDUFF

                              Entrai no quarto
E destruí vossos olhos contemplando
A nova Górgona. Não me façais
Falar: vede e falai depois vós mesmos.

                                                (Saem MACBETH e LENNOX.)

Alerta! Alerta! Fazei soar o alarme!
Assassínio e traição! Banquo, Malcolm,
Donalbain, acordai, espancai o mole,
Suave sono, imitação da morte,
E olhai a morte mesma! Levantai-vos
E vinde ver a pavorosa imagem
Do Juízo Final! Malcolm e Banquo,
Como de vossos túmulos erguei-vos
E avançai, semelhantes a fantasmas,
Neste sítio de horror!

            (Entra LADY MACBETH.)

LADY MACBETH

                              Que foi? Que odioso
Rebate nos convoca aos que dormimos
Nesta casa? Falai! Falai!

MACDUFF

                            Senhora,
Não é para escutardes o que eu possa
Dizer, pois repeti-lo a femininos
Ouvidos fora outro assassínio.

(Entra Banquo.)

                              Oh, Banquo!
Banquo! Nosso real senhor é morto,
Apunhalado!

LADY MACBETH

Que ouço? Desgraçada
De mim! Em nosso lar?

BANQUO

                    Cruel demais
Fosse onde fosse! Caro Duff, desdize-te,
Nega que seja assim!

(Voltam Macbeth e Lennox.)

MACBETH

Tivesse eu sucumbido uma hora antes
Deste momento e dera por ditoso
O meu tempo na terra; mas agora,
A partir deste instante, nada sério
Depararei na vã mortalidade.
Tudo é futilidade: honra e renome
Estão mortos; o vinho da existência
Esgotou-se até a borra e só lhe resta
Borra a esta triste adega.

(Entram Malcolm e Donalbain.)

DONALBAIN

                        Que desgraça
Aconteceu?

MACBETH

                A vossa, e a não sabeis!
A origem, o princípio, a fonte mesma
Do vosso sangue é extinta.

MACDUFF

                            Assassinado
Foi o Rei, vosso pai.

DONALBAIN

                    Oh! E o assassino
Quem foi?

LENNOX

                    Ao que parece, os camareiros.
Tinham faces e mãos tintas de sangue;
Os seus punhais também, que, não enxutos
Ainda, encontramos sobre os travesseiros.
Olhavam fixamente e como atônitos.
A gente assim jamais se deveria
Confiar a vida de ninguém.

MACBETH

                         Contudo,
Oh! me arrependo de, na minha fúria,
Os ter matado.

MACDUFF

               E por que tal fizeste?

MACBETH

Quem pode ser prudente, transtornado?
Comedido e furioso? Leal e neutro
Ao mesmo tempo? Homem nenhum. O impulso
Do meu violento afeto antecipou-se
Ao freio da razão. Aqui, jazia
Duncan, a pele, branca como prata,
Dourada do seu sangue, e assemelhavam
As punhaladas uma brecha aberta
Na natureza para dar entrada
À ruína assoladora; ali, laivados
Com as cores de seu crime, os assassinos
E os seus punhais tão afrontosamente
Revestidos de sangue. Quem, possuindo
Coração para amar e, dentro dele,
Coragem de provar o seu afeto,
Poderia conter-se, quem?

LADY MACBETH

                       Levai-me
Daqui!

MACDUFF

Acudi-lhe!

MALCOLM

      (À parte, a DONALBAIN.)
Por que silenciamos,
Se a nós cabe falar como ele fala?

DONALBAIN

       (À parte, a MALCOLM.)
Para dizer o que, neste momento
Em que pode o destino, de surpresa,
Saltar sobre nós dois? Antes fujamos:
Ainda não estão maduras nossas lágrimas.

MALCOLM

Nem nossa imensa dor aparelhada
Para a ação.

BANQUO

       Ocupai-vos da senhora.

       (LADY MACBETH é carregada para fora da sala.)

Cubramos a nudez do nosso corpo
Sensivo ao frio. Após o que, reunidos
Todos, examinemos este horrendo
Crime, a ver se podemos apurá-lo.
Sobre nós pesam dúvidas e medos:
Na grande mão de Deus me ponho, de onde
Combaterei contra o desígnio oculto
Da traiçoeira malícia.

MACDUFF

       O mesmo digo.

TODOS

       E nós também.

MACBETH

       Vistamo-nos depressa
E vamos ao salão.

TODOS

       Está entendido.

       (Saem todos, exceto MALCOLM e DONALBAIN.)

MALCOLM

Que pretendes fazer? É perigoso
Para nós avistarmo-nos com eles.
Exibir o pesar que não se sente
É fácil ao fingido. Vou-me embora
Para Inglaterra.

DONALBAIN

                            E eu para Irlanda. Nossas
Fortunas separadas, mais seguros
Nos deixam. Onde estamos, há punhais
Nos sorrisos dos homens: os mais próximos
Pelo sangue é que são mais sanguinários
Para conosco.

MALCOLM

                    A seta portadora
Da morte corta os ares: evitemos
Ser alvo dela. Conseguintemente,
A cavalo e partamos, sem delongas
De cortês despedida. É furto lícito
Furtar o corpo aonde não há justiça.

                                            (Saem.)

CENA 4
Fora do castelo.

(Entram ROSS e um VELHO.)

O VELHO

    Setenta anos vivi e guardo memória
De horas terríveis e de estranhas coisas.
Mas são todas nonadas se as comparo
A esta noite espantosa.

ROSS

                        Ah, meu bom velho!
Vês como os céus, turbados pelo humano
Feito, ameaçam o palco do sangrento
Drama: pelo relógio é dia, e entanto
A tenebrosa noite afoga ainda
A lâmpada viajora. Será acaso
Influição da noite ou remitência
Do dia envergonhado esta escureza
A sepultar a terra quando a vívida
Luz devia beijá-la?

O VELHO

                      Isto que vemos
É contranatural, do mesmo modo
Que o crime perpetrado. Terça-feira
Passada, ao remontar-se em altaneiro

Voo, foi um falcão preado e morto
Por um mocho rateiro.

ROSS

E, coisa muito
Estranha e certa, os dois corcéis de Duncan,
Soberbos e velozes, os mais belos
De sua raça, enfurecidos subita-
mente, despedaçaram suas baias,
Lançaram-se ao ar livre, refugando
Toda obediência, como em declarada
Guerra ao gênero humano.

O VELHO

E mutuamente
Se devoraram!

ROSS

Como, para assombro
Destes meus olhos, vi!

(Entra MACDUFF.)

O bom Macduff
Que vem chegando. Como vão as coisas,
Senhor, neste momento?

MACDUFF

Pois não vedes?

ROSS

Já se sabe quem são os criminosos?

MACDUFF

Os que Macbeth matou.

ROSS

Que pretendiam,
Meu Deus, com isso?

MACDUFF

Foram subornados.
Malcolm e Donalbain, filhos do Rei,
Estão fugidos, o que atrai sobre ambos
Suspeitas do delito.

Ross

                                Outra vez contra
A natureza! Ó cega, ó perdulária
Ambição, que esperdiças os teus próprios
Meios de vida! Então é bem provável
Que venha a ser Macbeth o soberano.

Macduff

Já foi nomeado e viaja para Scone,
Onde será investido.

Ross

                             E os reais despojos
De Duncan, onde estão?

Macduff

                               Foram levados
Para São Columbano, onde, em sagrado
Recinto, jazem seus antecessores.

Ross

Ides a Scone?

Macduff

                     Não, vou para Fife.

Ross

Eu, para Scone.

Macduff

                     Bem, estimarei
Que encontreis tudo em paz. Adeus. Contanto
Que as nossas velhas vestes não pareçam
Mais cômodas que as novas.

Ross

                          Meu bom velho,
Adeus!

O velho

A bênção do Senhor seja convosco
E com todos também que amam fazer,
Neste mundo de dores e perigos,
Do mal o bem, e amigos de inimigos.

                                             (Saem.)

ATO 3

CENA 1

Fores. Sala no palácio.

(Entra Banquo.)

BANQUO

Tens tudo agora: és rei, Cawdor e Glamis,
Conforme as bruxas prometeram. Muito
Receio que o não tenhas conseguido
Senão à custa da traição mais negra.
Todavia foi dito que a coroa
Não ficaria em tua descendência,
Mas que eu serei o tronco e pai de muitos
Reis. Se verdades podem provir delas,
Como se deu, Macbeth, no que falaram
Sobre ti, que muito é pôr esperança
No que a mim predisseram? Mas silêncio
Agora!

(Fanfarras. Entram Macbeth, em trajo de rei, Lady Macbeth, em trajo de rainha, Lennox, Ross, senhores e criados.)

MACBETH

Cá está o nosso principal
Conviva.

LADY MACBETH

Sem o qual, caso o tivéssemos
Esquecido, haveria uma lacuna
Que estragaria a nossa grande festa.

MACBETH

Esta noite, senhor, damos um lauto
Banquete, para o qual solicitamos
Vossa presença.

BANQUO

Ordene Vossa Alteza,
Que a Vossa Alteza estão os meus deveres
Presos por laço o mais indissolúvel.

MACBETH

Cavalgais esta tarde?

BANQUO

                                 Assim pretendo,
Alteza.

MACBETH

Não fosse isso, e eu gostaria
De ter, na reunião de hoje do conselho,
O vosso parecer, sempre discreto
E proveitoso. Deixaremos isto
Para amanhã. Ides a muito longe?

BANQUO

Longe bastante para encher o tempo,
Alteza, até o jantar: se meu cavalo
Não for ligeiro, tomarei de empréstimo
À noite uma ou duas horas.

MACBETH

                                 Não falteis
Ao banquete.

BANQUO

               Não faltarei, Alteza.

MACBETH

Soube que os nossos sanguinários primos
Estão um na Inglaterra, outro na Irlanda.
Longe de confessarem o seu bárbaro
Parricídio, relatam aos que os ouvem
Estranhas imposturas. Falaremos
Disto amanhã, ao tratarmos de outro assunto
De Estado que reclama o nosso exame.
A cavalo, e até à noite! Vosso filho
Vai convosco?

BANQUO

                    Vem, sim, Alteza. O tempo
Urge.

MACBETH

Ligeiros e seguros sejam
Os vossos animais, a cujos lombos
Vos recomendo. Adeus!

                                              (Sai BANQUO.)

Cada qual seja dono de seu tempo
Até às 7 da noite.
Para mais gentilmente recebermos
Os nossos convidados, ficaremos
Só até a hora do banquete. Guarde-vos
Deus até lá.

(Saem todos, exceto Macbeth *e um criado.)*

Rapaz, uma palavra:
Estão aí aqueles homens?

Criado

Fora
Do portão do palácio, Alteza.

Macbeth

Faze-os
Vir à minha presença.

(Sai o criado.)

Ser o rei
Não é nada: há que sê-lo sem perigo.
Banquo inspira-nos medos. Nele aponta
Algo que é de temer: tem grande audácia;
E à têmpera indomável de su'alma
Alia uma prudência que encaminha
O seu valor a agir com segurança.
Só nele vejo alguém cuja existência
Me atemoriza; o gênio que preside
À minha vida inclina-se ante o dele;
Como o de Marco Antônio ante o de César,
Segundo contam. Increpou sem medo
As três velhas fatídicas, ouvindo-as
Dar-me o nome de rei; depois mandou-lhes
Que lhe falassem, e elas o saudaram
Em palavras proféticas, com o título,
Senão de rei, de pai de uma linhagem
De reis; puseram sobre a minha testa
Uma coroa estéril, colocaram-me
Nas mãos um cetro que outras mãos de estranha
Estirpe hão de arrancar-me, nenhum filho
Meu sucedendo-me! E se for destarte,
Pelos filhos de Banquo é que manchado
Terei minh'alma, assassinando o nobre

Duncan; por eles, que verti no cálix
De minha paz rancores, só por eles!
Para fazê-los reis – reis os rebentos
De Banquo! –, terei dado ao inimigo
Comum da espécie humana a minha joia
Imortal! Ah, mas antes que assim seja,
Desce à estacada, ó meu destino, e em transe
De vida e morte enfrenta-me!

                                         Quem vem?

(Entra o criado com dois Assassinos.)

Vai, fica à porta até que te chamemos.

                                                  (Sai o criado.)

Não foi ontem, pois não, que nos falamos?

1º Assassino

Foi sim, Alteza.

Macbeth

                          Então? Considerastes
No que vos disse? E conheceis agora
Que era ele, não eu, quem vos mantinha
Em situação tão inferior aos vossos
Merecimentos, o que atribuíeis
A mim, inocente? Isto expliquei-vos a ambos
Em nosso conciliábulo passado.
Demonstrei como fostes iludidos,
Como fostes frustrados; que instrumentos
Usaram para tal e quem com eles
Manobrou; e outras muitas circunstâncias
Que mesmo a uma alma obtusa ou fraco espírito
Fariam dizer: "Isto é obra de Banquo!".

1º Assassino

Demonstrastes-nos sim.

Macbeth

                        E fui mais longe,
O que será o assunto deste encontro.
Tanto impera a paciência em vossas índoles
Por que atureis assim tantas ofensas?
Sois tão amigos do Evangelho a ponto
De rezar por esse homem, por seus filhos,

— Esse homem cuja dura mão pesada
Vos empurrava para a sepultura?
Que reduziu os vossos à miséria
Até hoje?

1º Assassino

Que remédio? Somos homens,
Meu suserano.

Macbeth

                    Sim, passais por homens
Na catalogação; como os sabujos,
Mastins, podengos, galgos, perdigueiros,
Cães de rua, cães-lobos e cães-d'água
São todos designados sob o nome
De cães; porém no rol classificado
Se distingue o sutil, o lesto, o lento,
O de guarda, o de caça, e isso conforme
Certo dom com que foi para com eles
Pródiga a natureza; e assim, recebem
Designação particular na lista
Que os compreende a todos igualmente.
Dá-se o mesmo com os homens. E se acaso
Figurais em tal lista, não na classe
Mais vil da espécie humana, confiaremos
Aos vossos peitos um projeto, cuja
Execução vos livra do inimigo
E meter-vos-á dentro, e para sempre,
Do nosso coração e nosso afeto:
Pois com sua vida, adoece-me a saúde,
Que, em morrendo ele, então será perfeita.

2º Assassino

Uma criatura sou, meu suserano,
A quem tanto indignaram os infames
Golpes e bofetadas deste mundo,
Que a tudo estou disposto por vingar-me
Dele.

1º Assassino

Outro tanto digo: tão cansado
De reveses estou, tão malferido
Da má fortuna, que exporei meus dias
A qualquer risco para melhorá-los
Ou dar cabo da vida.

MACBETH

                            Tendes ambos
Um inimigo em Banquo.

2º ASSASSINO

                                Na verdade,
Alteza.

MACBETH

Ele é também meu inimigo.
E tão cruenta é a nossa inimizade
Que cada instante de sua vida ameaça
As minhas partes mais vitais; e embora
Eu pudesse, exercendo abertamente
O meu poder, varrê-lo deste mundo,
Sem alegar senão minha vontade,
Não deverei fazê-lo, todavia,
Em consideração de alguns amigos
Tanto meus como dele e cujo afeto
Não desejo perder; antes me importa
A mim chorar-lhe a morte, eu quem o mata.
Daí o recorrer à vossa ajuda,
Dissimulando a ação ao olho público
Por diversos motivos ponderosos.

2º ASSASSINO

Cumpriremos, Senhor, quanto mandardes.

1º ASSASSINO

Ainda que as nossas vidas...

MACBETH

                             A coragem
Brilha no vosso olhar. Dentro de uma hora
Farei saber onde deveis postar-vos,
Darei precisa informação do instante
Mais propício à empreitada. Há que ser feita
Hoje, e a alguma distância do palácio;
Tendo-se sempre em vista que eu pareça
Alheio ao caso. E para que não haja
Na empresa erro nenhum que a comprometa,
Fleance, o filho, que o acompanha, e cujo
Sumiço não me é menos necessário
Do que o do pai, partilhará do mesmo
Sombrio fado. Resolvei sozinhos.
Voltarei logo.

2º Assassino

Estamos resolvidos,
Alteza.

Macbeth

Bem. Chamar-vos-ei com pouco.
Esperai no Palácio.

(Retiram-se os Assassinos.)

Tudo assentado. Ai, Banquo. Se em seu voo
É para o Céu que tu'alma se encaminha,
Breve o entrarás: tua hora se avizinha!

(Sai.)

CENA 2
Fores. Em outro salão.

(Entram Lady Macbeth e um criado.)

Lady Macbeth

Banquo saiu?

Criado

Saiu, minha senhora,
Mas vai voltar à noite.

Lady Macbeth

Dize ao Rei
Que, se pode dispor de alguns instantes,
Quero falar-lhe.

Criado

Com licença, Alteza.

(Sai.)

Lady Macbeth

Nada ganhamos, não, mas, ao contrário,
Tudo perdemos quando o que queríamos
O obtemos sem nenhum contentamento:
Mais vale ser a vítima destruída
Do que, por a destruir, destruir com ela
O gosto de viver. Não nos preocupe

O que não tem remédio. O que está feito,
Está feito.

(Entra Macbeth.)

Macbeth

Estropiamos a serpente,
Mas sem matá-la. Ora, ela pode ainda
Recobrar-se e voltar a ser a mesma,
Ficando a nossa mísera malícia
De novo exposta aos riscos de seu dente.
Antes vacile a fábrica das coisas,
E os dois mundos pereçam, do que a medo
Comer nosso alimento e adormecermos
Na aflição destes sonhos espantosos
Que à noite nos sacodem! Melhor fora
Estar com os mortos que, para vivermos
Em paz, mandamos nós à paz do túmulo,
Do que sofrer no espírito a tortura
De um desvairo incessante. Duncan jaz
Em sua campa e dorme sossegado
Após arder na febre desta vida.
Fez-lhe a traição o pior mal que pôde:
Nem aço, nem veneno, nem revoltas,
Nem ameaça estrangeira, nada agora
Pode mais atingi-lo!

Lady Macbeth

Ânimo, Alteza
De minh'alma: adoçai o olhar severo
E mostrai-vos afável e brilhante
Entre os vossos convivas hoje à noite.

Macbeth

Assim farei, amor, e tu, procede
Da mesma forma. Sejam para Banquo
Tuas melhores atenções: distingue-o
Com palavras e olhares.
Triste necessidade a de lavarmos
Nossa grandeza em ondas de lisonjas,
De fazermos os nossos rostos máscaras
De nossos corações para ocultarmos,
Querida, o que eles são!

Lady Macbeth

Não penseis nisso.

MACBETH

Oh, cheia de escorpiões trago a minh'alma!
Banquo e seu filho vivem!

LADY MACBETH

Mas a cópia
Da natureza neles não é eterna.

MACBETH

São vulneráveis: há conforto nisto.
Portanto, alegra-te. Antes que o morcego
Bata o voo claustral, e que aos apelos
De Hécate tenebrosa o estercorário
Escaravelho com os seus sonolentos
Zumbidos faça ouvirem-se os bocejos
Da noite, um ato será perpetrado
De sinistra memória.

LADY MACBETH

Que ato é esse?

MACBETH

Fica inocente de o saberes, pomba
Querida, até o momento de o aplaudires.
Vem, ó tu, grande noite veladora,
E o tenro olhar do compassivo dia
Venda; e com as mãos sangrentas e invisíveis
Rompe, destrói o laço que me torna
Tão pálido! A luz baixa, as gralhas rumam
Aos seus ninhos na mata.
As criaturas do dia já se inclinam
Ao sono, enquanto os lôbregos agentes
Da noite vão movendo-se à procura
Da presa. Não te espantes do que digo.
Tem-te tranquila. As coisas começadas
No mal, no mal se querem acabadas.
Vem, querida, comigo.

(Saem.)

CENA 3
Em Fores. Parque, com estrada que leva ao palácio.

(Entram os TRÊS ASSASSINOS.)

1º ASSASSINO

Quem te mandou juntar-te a nós?

3° ASSASSINO

Macbeth.

2º ASSASSINO

(Ao primeiro.)
Não há motivo para não confiarmos
Nele, visto que mostra ter notícia
Do que vamos fazer, conforme as ordens
Que recebemos.

1º ASSASSINO

(Ao terceiro.)
Fica então conosco.
Vai desmaiando o ocaso. O caminhante
Retardatário estuga o passo em busca
De oportuna pousada. E já vêm perto
Os que esperamos.

3º ASSASSINO

Atenção! Escuto
Um tropel de cavalos.

BANQUO

(Fora.)
Eh, rapaz,
Traze um archote aqui!

3º ASSASSINO

É ele! O último
Que faltava chegar.

1º ASSASSINO

Já desmontaram.

3º ASSASSINO

A uma milha daqui; é o que ele sempre
Faz, prosseguindo a pé, como é costume,
Até o palácio.

(Entram BANQUO e FLEANCE com um archote.)

2º ASSASSINO

Um facho! Um facho!

3º Assassino

É ele!

1º Assassino

Atenção! Preparai-vos!

Banquo

Vai chover esta noite.

1º Assassino

Pois que chova!

(O 1º Assassino apaga o archote e os outros dois assaltam Banquo.)

Banquo

Oh, traição! Foge, foge, meu bom Fleance!
Foge para vingar-me! Ah, miserável!

(Morre. Fleance escapa.)

3º Assassino

Quem apagou a luz?

1º Assassino

Eu. Pois não era

O mais seguro?

3º Assassino

Um só foi atingido:

Fugiu o rapaz.

2º Assassino

Falhamos a melhor

Metade da incumbência. E agora?

1º Assassino

Tanto

Pior! Vamos contar o sucedido.

(Saem.)

CENA 4

Salão de jantar no palácio.

(Banquete preparado. Entram Macbeth, Lady Macbeth, Ross, Lennox, outros senhores e criados.)

MACBETH

Sentai-vos: conheceis vossos lugares.
Dou-vos a todos, do primeiro ao último,
As minhas boas-vindas.

OS SENHORES

Obrigado,
A Vossa Majestade.

MACBETH

Como humilde
Conviva, quero estar entre vós outros:
Cabe à dona da casa o posto de honra.
Mas em tempo oportuno pedir-lhe-emos
Que nos dê as boas-vindas.

LADY MACBETH

Pronunciai-as por mim, senhor, a todos
Esses nossos amigos: são bem-vindos,
Diz-me o meu coração.

(Chega à porta o 1º ASSASSINO.)

MACBETH

Vês? Correspondem eles cordialmente
Às tuas graças. De um e do outro lado
Há o mesmo número de convidados.
Sentar-me-ei, pois, no meio. Abandonai-vos
Livremente à alegria. Dentro em pouco
Brindaremos à roda.

(Vai até a porta e fala ao ASSASSINO.)

Há sangue no teu rosto.

ASSASSINO

Se há, é de Banquo.

MACBETH

Melhor é então que esteja em tuas faces
Do que nas veias dele. Despachaste-o?

ASSASSINO

Pela garganta, Alteza: degolei-o
Eu mesmo.

MACBETH

És o maior dos corta-gorjas!
Grande é também quem fez o mesmo a Fleance.
Se foste tu, não tens rival.

ASSASSINO

Alteza,
Fleance logrou escapar.

MACBETH

Então de novo
Me vai voltar o acesso; de outro modo,
Estaria eu perfeito – inteiro como
O mármor, firme como a rocha, livre
E irrestrito como o ar que nos envolve:
Mas, ao contrário – sinto-me coibido,
Confinado, claustrado, presa fácil
De insolentes suspeitas e terrores.
Mas Banquo, está esse ao menos em seguro?

ASSASSINO

Se está, meu bom senhor! Jogado a um fosso,
Com vinte brechas na cabeça, a mínima
Delas mortal.

MACBETH

Graças por isso. A serpe
Maior jaz esmagada. O seu filhote
É de uma natureza que, com o tempo,
Gerará o seu veneno, mas por ora
Não tem dentes ainda. Podes ir:
Conversaremos amanhã de novo.

(Sai o ASSASSINO.)

LADY MACBETH

Não animais a festa, Alteza minha.
Jantar durante o qual não insistimos
Que o damos com prazer será, não dado,
Porém vendido; então melhor seria
Jantar-se em casa; fora dela o molho
Que dá sabor aos pratos é a constante
Cordialidade. Reunião sem ela
Será sempre vazia.

MACBETH

                          Encantadora
Mestra! Siga-se agora ao apetite
A boa digestão, e aos dois perfeita
Saúde!

LENNOX

Queira sentar-se, Vossa Alteza.

MACBETH

Teríamos aqui o que de mais nobre
Há neste reino, se presente fosse
A pessoa de Banquo.

        (Entra o espectro de BANQUO e se senta à mesa no lugar de MACBETH.)

ROSS

Desonra é sua ausência para a sua
Palavra. Vossa Alteza não quer dar-nos
A honra de sua companhia?

MACBETH

                     A mesa
Está completa.

LENNOX

           Ainda há um lugar, Alteza.

MACBETH

Onde?

LENNOX

Aqui, meu bom senhor. Que é que perturba
A Vossa Alteza?

MACBETH

           Quem de vós fez isto?

OS SENHORES

Alteza, o quê?

MACBETH

           Não podes acusar-me
De tê-lo feito! Não sacudas diante
De mim tua cabeça ensanguentada!

ROSS

Sua Alteza está indisposto: levantemo-nos,
Senhores.

LADY MACBETH

Não, permanecei sentados,
Nobres amigos. Desde sua infância
Sofre meu real senhor destes acessos.
É coisa passageira. Daqui a pouco
Estará bem de novo. Se prestardes
Demasiada atenção ao seu delírio,
Será pior e ficará ofendido.
Rogo-vos conserveis vossos lugares
E continueis comendo. Sois um homem
Ou não?

MACBETH

Se sou! E bastante temerário
Para olhar o que ao diabo aterraria!

LADY MACBETH

Oh, que tolices! Tudo são imagens
Filhas do vosso medo: como aquele
Punhal que víeis no ar e que dizíeis
Apontar para Duncan. Esses transes
E estremeções, ridículos disfarces
Do medo verdadeiro, quadrariam
A um conto de ama, dito com licença
Da avó, no inverno, ao canto da lareira.
É vergonhoso! Por que tais esgares?
Não vedes mais que uma cadeira.

MACBETH

Olhai!
Pois não vedes? Ali! Mas que me importa?
Não farei caso. — Fala, já que podes
Menear tua cabeça! Se os jazigos
E sepulturas podem devolver-nos
Os mortos que enterramos, então sejam
Os buchos dos milhafres nossas covas!

(O espectro desaparece.)

LADY MACBETH

Ah, tão pouco homem na loucura!

MACBETH

                                      Vi-o
Tão certo como eu estar aqui presente.

LADY MACBETH

Oh, pois não vos pejais dessas palavras?

MACBETH

Outrora muito sangue foi vertido,
Nas velhas eras, quando as leis humanas
Não haviam purgado os maus instintos
Da grei, tornando-a boa. Ai, depois disso,
Quantos crimes terríveis, demasiado
Terríveis, quantos! não se cometeram!
Foram-se os tempos em que, aberto o crânio,
O homem morria e pronto! tudo estava
Acabado. Hoje a vítima, com vinte
Ferimentos mortais, sai de seu túmulo,
Toma a nossa cadeira! É mais estranho
Do que o próprio homicídio.

LADY MACBETH

                                Caro esposo,
Vossos nobres amigos vos reclamam.

MACBETH

Esquecia-me. Amigos, não façais
Caso da minha estranha enfermidade,
Sem importância para os que bastante
Me conhecem. Saúde e afeto a todos!
Vou sentar-me. Servi-me: quero a taça
Cheia. Bebo à alegria de vós todos,
E à pessoa de Banquo, nosso amigo,
Que nos faz tanta falta. Ah, quem nos dera
Que estivesse conosco!

       (Reaparece o espectro.)

                         Eia! Bebamos
Por todos e por ele!

OS SENHORES

                    Pela vossa
Saúde, Alteza!

MACBETH

    (Falando ao espectro)
      Para trás e longe
Da minha vista! Volta à tua cova!
Vai-te! Teu sangue é frio, e nos teus ossos
Não tens medula, e nesse olhar, que abrasa,
Não há expressão de humana inteligência!

LADY MACBETH

Tomai o que estais vendo, nobres pares,
Como coisa habitual. Só que isso estraga
O prazer desta noite.

MACBETH

        Ousarei tudo
Que um homem pode ousar! Vem, arremete
Como o hirsuto urso russo, ou como o armado
Rinoceronte, ou o tigre hircano! Toma
Todas as formas que quiseres, todas
Menos essa e verás: meus nervos firmes
Não tremerão jamais! Ou ressuscita
E ousa enfrentar-me, a sós, com tua espada,
Em lugar ermo. Se eu ficar tremendo
Em casa, vai dizer aos quatro ventos
Que Macbeth é um poltrão! Some-te, sombra
Sinistra! Some-te daqui, fantasma
Sem realidade!

    (O espectro desaparece.)

       Foi-se... Ainda bem! Volto
A ser um homem. Rogo-vos, sentai-vos,
Amigos.

LADY MACBETH

Espancastes a alegria,
Interrompestes o prazer da festa
Com imaginações as mais absurdas.

MACBETH

Podem tais coisas existir e, como
As nuvens de verão, passarem sobre
Nós, sem pasmo maior de nossa parte?
De mim próprio me admiro quando penso
Que podeis contemplar tais espetáculos
Guardando o natural carmim das faces,
Quando as minhas de assombro empalidecem!

ROSS

Alteza, que espetáculo?

LADY MACBETH

Suplico-vos,
Não lhe faleis: fá-lo-á piorar; irrita-o
Qualquer pergunta. Assim, boa noite a todos.
Não aguardeis a ordem de retirar-vos,
E saí juntos imediatamente.

LENNOX

Boa noite! Estimamos as melhoras
De Sua Majestade.

LADY MACBETH

Afetuoso
Boa noite a todos vós.

(Saem senhores e criados.)

MACBETH

Haverá sangue.
Dizem que o sangue pede sangue. Viu-se
Pedras moverem-se, árvores falarem;
Augúrios, relações subentendidas,
Têm feito descobrir, por gralhas, pegas
E corvos, o assassino mais oculto.
Que horas da noite são?

LADY MACBETH

Aquelas quando
Luta o dia com a noite e não se sabe
Se é noite ou dia.

MACBETH

Que achas de Macduff
Se recusar a vir à nossa grande
Convocação?

LADY MACBETH

Mandastes convidá-lo?

MACBETH

Não, indiretamente o sei. Mas hei de
Mandar alguém. Não há nenhum em cuja
Casa eu não tenha um assalariado.

Irei ver amanhã (e irei bem cedo)
As três irmãs fatídicas:
Fá-las-ei dizer mais. Estou, já agora,
Decidido a saber, pelos piores
Meios, o pior; tudo farei dobrar-se
Ante os meus interesses: fui tão longe
Neste rio de sangue, que, a vadeá-lo,
Retroceder ser-me-ia tão penoso
Quanto ir adiante. Estranhas coisas trago
Em minha mente, urgindo que as realizem
As minhas mãos, e têm que ser cumpridas
Sem exame.

LADY MACBETH

Necessitais do sono,
Reparador de toda criatura.

MACBETH

Sim, tens razão, durmamos. Minha estranha
Ilusão foi efeito de meu medo,
Fruto da inexperiência nestes atos,
Em que ainda somos, eu e tu, novatos.

(Saem.)

CENA 5
Charneca.

(Trovão. Entram as TRÊS BRUXAS, encontrando-se com HÉCATE.)

1ª BRUXA

Que se passou, que tão zangada olhais,
Hécate?

HÉCATE

E com razão! Pois não ousais.
Torpes bruxas antipáticas,
Entrar em comércio e práticas
De mortes e malefícios
Com Macbeth? E eu, que em fictícios
Prodígios sou mestra, em nada
Sou ouvida nem cheirada?!
E o que é pior, procedestes
De tal modo por um destes
Homens ingratos, odientos,
De malvados sentimentos,

Que no bem que lhes é feito
Só pensam no seu proveito,
Não no prestado serviço.
Pedi desculpas por isso!
Ide e me esperai as três
Na caverna que sabeis
Amanhã de manhãzinha.
Levai lá vossa cozinha,
Vossos vasos de bruxedo,
De malfeitos. Em segredo
Ali irá ter o assassino
A inquirir do seu destino.
Transportar-me-ei pelos ares,
Sobre os montes, sobre os mares,
Por cumprir coisa importante:
Pende da lua minguante
Espesso floco de névoa;
Vou eu mesma colhê-la; levo-a
Aonde sei, e ali fabrico
Um sortilégio tão rico
De artificiosa ilusão,
Que o afundará em confusão!
Dará com o pé à própria sorte,
Desprezará a mesma morte,
E acima haverá de pôr
Da virtude e do temor
E da prudência – a esperança!
Ora, sabeis, a confiança
Em si, quando por demais,
É a perdição dos mortais.

(Música e canto nos bastidores.)

Ouvi! Da névoa azul no floco leve
Meu geniozinho chama-me. Até breve!

(Sai.)

1ª Bruxa
Vamos! Com pouco ela estará de volta.

(Saem.)

CENA 6
Algures na Escócia.

(Entram LENNOX e outro nobre.)

LENNOX

Minhas palavras anteriores foram
Tão só tocar, senhor, vossas ideias,
Que, interpretando-as, podem ir mais longe:
O que sei é que as coisas se passaram
De modo bem estranho. O bom Rei Duncan
Foi deplorado por Macbeth: pudera!
Se estava morto... E o bravo e honrado Banquo
Prolongou por demais o seu passeio
Noite adentro. Podeis, se vos apraz,
Dizer que Fleance o matou, pois Fleance
Fugiu. Ninguém devia demorar-se
Em passeios tão tarde. Quem acaso
Não achará monstruoso que Malcolm
E Donalbain tenham assassinado
O pai, tão bom? Medonho crime! Como
O abominou Macbeth! Pois não é certo
Que, pela compaixão enfurecido,
Estraçoou incontinente os matadores,
– Dois escravos do sono e da bebida?
Não agiu nobremente? E com prudência
Também? Pois haverá coração vivo
A quem não indignasse ver os homens
Negar mais tarde o fato? Assim que, penso
Que se portou com grande habilidade.
E se os filhos de Duncan lhe caíssem
Nas mãos (o que Deus queira não suceda),
Haveriam de ver que coisa é um filho
Matar seu pai. Do mesmo modo Fleance.
Mas silêncio! Pois soube que, devido
A ter falado franco e haver negado
Comparecer à festa do tirano,
Macduff vive em desgraça. Poderíeis,
Senhor, dizer-me onde se encontra?

NOBRE

                              O filho
De Duncan, a quem cabe por direito
De nascimento o cetro que o tirano
Detém, vive na corte de Inglaterra,
Onde do piedosíssimo Eduardo

É tido em tal favor, que a má fortuna
Não lhe faz perder nada do respeito
Que lhe é devido. Ali foi ter Macduff
Para pedir ao santo Rei que chame,
Em auxílio do Príncipe, Northumberland
E o belicoso Siward. De maneira
Que, assim ajudados, e com o beneplácito
De Aqueloutro lá em cima, novamente
Possamos dar comida a nossas mesas,
E sono a nossos leitos; libertarmos
De punhais homicidas nossas festas
E banquetes; prestarmos livremente
E recebermos honras e homenagens
– Enfim tudo por que hoje suspiramos.
E este relato exasperou a tal ponto
O Rei, que ele prepara uma ofensiva
Guerreira.

LENNOX

Mandou ele algum recado
A Macduff ?

NOBRE

Mandou sim, mas a resposta
Foi um "Não!" peremptório, e o mensageiro
Deu-lhe as costas sombrio, resmungando
Como quem diz: "Haveis de arrepender-vos
Deste momento que me põe nos ombros
Encargo tão pesado".

LENNOX

O que, decerto,
Ter-lhe-á feito sentir como devia
Acautelar-se, pondo-se em seguro
Tão distante daqui quanto aconselha
A prudência. Oxalá voe algum anjo
À corte de Inglaterra, antecipando-o
E expondo-lhe a mensagem, por que em breve
Possa, divina bênção, a ventura
Alegrar como dantes este nosso
País, guie tanto sofre sob um guante
Maldito!

NOBRE

As minhas preces o acompanham!

(Saem.)

ATO 4

CENA 1
Caverna. No centro, um caldeirão fervendo.

(Trovão. Entram as Três bruxas.)

1ª Bruxa

Três vezes o gato malhado miou.

2ª Bruxa

Três vezes mais uma o ouriço gemeu.

3ª Bruxa

Harpia "Já é tempo! Já é tempo!" gritou.

1ª Bruxa

Toca a lançar na panela
As sustâncias da mistela.
Sapo, que a dormir te inchaste
Da peçonha que engendraste,
Serás a coisa primeira
A ferver nesta caldeira.

Todas

Borbulhe a papa ao fogacho:
Arda a brasa e espume o tacho!

2ª Bruxa

Rabo de víbora, dardo
De venenoso moscardo,
Fel de bode, unto de bicha,
Pernas de osga e lagartixa,
Asa de coruja, pelo
De rato, olho de cobrelo
Refervam na olha do tacho
Para o feitiço do diacho.

Todas

Borbulhe a papa ao fogacho:
Arda a brasa e espume o tacho!

3ª Bruxa

Escama de drago, dente
De lobo, iscas de serpente
Paulosa, ramos de teixo

Cortados no eclipse, e um queixo
De sanioso tubarão,
Mão de rã, língua de cão,
Raiz de cicuta arrancada
Da noite pela calada,
Múmia de filha do demo,
Bofe de judeu blasfemo,
Beiços de mongol, focinho
De turco, dedo mindinho
De criancinha estrangulada
Ao nascer, logo jogada
Por uma rameira ao fosso
— Tudo isso dê ponto grosso
E força à sopa do diacho!

TODAS

Borbulhe a papa ao fogacho:
Arda a brasa e espume o tacho!

2ª BRUXA

Esfriai com o sangue de um símio,
E eis pronto o feitiço exímio!

(Entra HÉCATE e diz para as bruxas:)

HÉCATE

Bravo! Mestras que sois no ofício,
Partilhareis do benefício.
E agora, como elfos e fadas
Em ronda, cantai, de mãos dadas,
Ao redor da mixórdia ardente,
Embruxando cada ingrediente.

(Sai HÉCATE. Ouve-se música e a canção.)
"Maus espíritos da noite":
"Maus espíritos da noite,
Negros, brancos e cinzentos.
Bailai conosco, bailai!
Vinde todos e rabeai
Como os ventos!
Tiffy, Tiffin,
Robin, Puckey,
Vinde todos!
Bailai conosco, bailai!"

2ª Bruxa

> Pelo comichar
> Do meu polegar
> Sei que deste lado
> Vem vindo um malvado.
> Abre-te, porta:
> A quem, não importa!

> *(Entra Macbeth.)*

Macbeth

> Eh, horrendas bruxas, filhas do demônio.
> Que estais fazendo?

Todas

> Obra que não tem nome

Macbeth

> Eu vos conjuro, pela negra arte
> Que, como quer que fosse, conseguistes
> Aprender, respondei-me: ainda que os ventos,
> Soltos por vós, furiosos, arremetam
> Contra as igrejas; ainda que nas bravas
> Ondas soçobrem todos os navios;
> Ainda que roje o trigo já espigado,
> Desarraiguem-se as árvores; ainda
> Que desmoronem os castelos sobre
> Seus ocupantes; ainda que palácios
> E pirâmides toquem com os seus cimos
> Seus alicerces; ainda que o tesouro
> Dos germens naturais role em tremenda
> Balbúrdia, a ponto que se esgote estruída
> A destruição mesma – respondei-me
> Ao que vou perguntar!

1ª Bruxa

> Fala.

2ª Bruxa

> Interroga.

3ª Bruxa

> Responderemos.

1ª Bruxa

> Quererás ouvi-lo
> De nossa boca ou da de nossos mestres?

MACBETH

Da deles. Evocai-os: quero vê-los!

1ª BRUXA

Deitemos à caldeirada
O sangue da mala porca
Que comeu sua ninhada;
E o unto que escorreu da forca
Para um assassino armada.

TODAS

Alto ou baixo, vem mostrar-te,
Tu e tua mágica arte.

(Trovão. Primeira APARIÇÃO, uma cabeça armada de capacete.)

MACBETH

Dize-me, ó tu, poder desconhecido...

1ª BRUXA

(Interrompendo-o)
Ele lê em teu pensamento:
Não fales, escuta atento.

1ª APARIÇÃO

Macbeth! Macbeth! Macbeth! Cuidado com
Macduff! Cuidado com o Tane de Fife!
É só: dispensai-me.

(Desaparece.)

MACBETH

Quem quer que sejas,
Por tua boa advertência, obrigado.
Pressentiste o meu medo. Uma palavra
Ainda...

1ª BRUXA

(Interrompendo-o)
Ele não sofre ser mandado.
Eis que outro vem, mais forte que o primeiro.

(Trovão. Segunda APARIÇÃO, uma criança ensanguentada.)

2ª APARIÇÃO

Macbeth! Macbeth! Macbeth!

MACBETH

Tivesse eu três ouvidos para ouvir-te!

2ª APARIÇÃO

Sê sanguinário, audaz e resoluto!
Ri da força dos homens, pois nascido
De mulher nenhum foi, que possa um dia
Causar dano a Macbeth!

(Desaparece.)

MACBETH

Então vive, Macduff! Por que temer-te?
Mas quero pôr-me em dupla segurança:
Não viverás! para que eu diga "Mentes!"
Ao descorado medo, e durma a sono
Solto, a despeito dos trovões.

(Trovão. Terceira APARIÇÃO, uma criança coroada, com uma árvore na mão.)

Que é aquilo
Que, como estirpe régia, se levanta
E na testa infantil traz a coroa
Do poder soberano?

TODAS AS BRUXAS

Ouve e não fales.

3ª APARIÇÃO

Sê fero como o leão. Não se te dê
De quem conspira e onde conspira: até
Que a floresta de Birnam não avance
Rumo de Dunsinane e não se lance
Contra ti, não serás, Macbeth, vencido!

(Desaparece.)

MACBETH

Tal jamais se verá! Que destemido
Pode mandar nas árvores, fazer
Uma floresta inteira obedecer
Às suas ordens? Augúrios excelentes!
Rebelião, não me mostreis os dentes
Antes que contra mim toda não ande
De Birnam a floresta. Até lá, o grande

Macbeth há de reinar. Chegará ao fim
Normal de sua vida, como assim
O quer a natureza. Todavia,
Pulsa-me o coração precipitado
Por saber uma coisa: respondei-me
(Se de tanto é capaz esta arte vossa.)
Acaso dará reis à Escócia um dia
A progênie de Banquo?

TODAS AS BRUXAS

              Não procures
Saber mais nada.

MACBETH

            Quero saber isso!
Se mo negais, que a maldição eterna
Recaia sobre vós! Oh, revelai-mo!
Por que se abisma esta caldeira? O que é
Este rumor de música?

      (Oboés.)

1ª BRUXA

           Mostrai-vos!

2ª BRUXA

Mostrai-vos!

3ª BRUXA

Mostrai-vos!

TODAS

Enchei-lhe a mente de pesar:
Desfilai como espectros no ar!

      *(Oito reis desfilam, o último dos quais trazendo na mão um
espelho. Acompanha-os o espectro de* BANQUO.*)*

MACBETH

Vai-te! Que és demasiado semelhante
Ao espectro de Banquo. Essa coroa
Fere-me os olhos. Tu, que lhe sucedes,
Cingida a fronte de ouro, teu semblante
É igual ao do primeiro. E este terceiro
Semelha os outros dois. Bruxas imundas!
Por que me mostrais isto? Um quarto? Abri-vos,

Bem abertos, meus olhos! Porventura
Vai esta descendência prolongar-se
Até o Juízo Final? Outro! E mais outro!
Um sétimo! Não quero ver mais nada!
Todavia este, o oitavo, traz na destra
Um espelho, que me mostra muitos outros,
Alguns dos quais tendo nas mãos dois orbes
E três cetros. Horrível espetáculo!
Agora vejo que é verdade: Banquo,
Empastados de sangue os seus cabelos,
Me sorri, apontando-me com o dedo
Seus descendentes... *(Desvanecem-se as aparições.)*
                Quê! Será assim mesmo?

1ª Bruxa

Sim, será! Mas por que motivo
Está o grande rei apreensivo?
Vinde, vinde, irmãs, alegrá-lo.
Dai-lhe o nosso melhor regalo,
Bailando ao som de doces árias
Nossas rondas vivas e várias.
E assim em nós ele possa ver
A delícia de o receber!

(Música. As Bruxas dançam e desaparecem com Hécate.)

Macbeth

Onde estão elas? Foram-se! Maldita
Seja esta hora funesta para sempre
No calendário!
— Entre quem está lá fora!

(Entra Lennox.)

Lennox

Que desejais, Alteza?

Macbeth

                Acaso vistes
Essas irmãs sinistras?

Lennox

                Não, Alteza.

Macbeth

Não cruzaram convosco?

LENNOX

                             Na verdade,
Não, meu senhor.

MACBETH

                        Inficionado seja
O ar que elas atravessem! E maldito
Quem quer que nelas creia! — Ouvi galope
De cavalos... Alguma novidade?

LENNOX

Chegaram mensageiros com a notícia
De que Macduff fugiu para a Inglaterra.

MACBETH

Fugiu para a Inglaterra?

LENNOX

                           Com efeito,
Meu bom senhor.

MACBETH

                     Ó tempo, que antecipas
Meus terríveis projetos! O volúvel
Desígnio não será nunca alcançado
Se a ação não o acompanha. Desde agora
Andem sempre acertados os primeiros
Impulsos de minh'alma com os de minha
Mão. E por conseguinte, coroando
Meus pensamentos com a ação, pensado
Seja e logo cumprido: agora mesmo
Cairei sobre o castelo de Macduff,
Tomarei Fife e passarei a fio
De espada sua esposa, seus filhinhos
E quantos tenham a infelicidade
De ser de sua gente. Nada adianta
Bravatear como um louco. Agirei presto,
Antes que o meu propósito arrefeça.
Mas nada de visões! Onde ficaram
Esses senhores? Vinde, conduzi-me
Aonde eles estão.

(Saem.)

CENA 2
Em Fife. Aposento no castelo de Macduff.

(Entram Lady Macduff, seu filho e Ross.)

LADY MACDUFF

 Que mal fez ele para deste modo
 Fugir de seu país?

ROSS

      Tende paciência,
 Senhora.

LADY MACDUFF

 E teve-a ele? Uma loucura
 É o que foi sua fuga. O nosso medo,
 Quando não nossos atos, nos inculca
 De traidores.

ROSS

     Senhora, não sabeis
 Se foi, não medo, mas prudência dele.

LADY MACDUFF

 Prudência? Abandonar a sua esposa,
 Os seus filhinhos, sua gente e títulos
 No lar de onde fugiu? Não! Não nos ama!
 É pai desnaturado. Até a carriça,
 Das aves a menor, quando atacado
 O ninho, onde deixara os seus filhotes,
 Luta contra a coruja. Tudo nele
 Foi medo; amor, nenhum. Não é prudência
 Fugir quando a razão manda o contrário.

ROSS

 Minha querida prima, dominai-vos,
 Por quem sois; vosso esposo é nobre, é bravo,
 É judicioso, e bem conhece a crise
 Destas horas terríveis, em que somos,
 Sem o saber, traidores; em que ouvimos
 Falar do que se teme e não sabemos
 O que temermos, e flutuamos todos
 À mercê do destino em mar violento!
 Mas preciso partir. Não será longa
 Minha ausência; com pouco estou de volta.
 Ou as coisas tornarão ao que eram dantes,

Ou, se forem a pior, cessarão breve.
Meu lindo primo, adeus: Deus te proteja!

LADY MACDUFF
Pobre! Tem pai e está sem pai!

ROSS

                        Um louco
Sou se aqui permaneço por mais tempo:
Fora minha desgraça e vossa ruína.
Partirei já.

                                                        (Sai.)

LADY MACDUFF
Filho, teu pai é morto.
Que farás? Como irás viver agora?

FILHO
Mãe, como as aves.

LADY MACDUFF
                     De vermes e moscas?

FILHO
Do que encontrar: é o que elas fazem.

LADY MACDUFF
                              Pobre
Avezinha! Jamais tiveste medo,
À rede, ao alçapão, ao visgo, ao laço.

FILHO
Por que ter medo, mãe? Não se armam laços
A pobres passarinhos.
Meu pai não morreu, como você está dizendo.

LADY MACDUFF
Morreu, sim: que farás agora para arranjares outro pai?

FILHO
E você, que é que vai fazer para arranjar outro marido?

LADY MACDUFF
Ora, eu posso comprar vinte quando quiser.

FILHO

Então compra para revender.

LADY MACDUFF

Falas com toda a tua inteligência,
Que é muita para a tua pouca idade.

FILHO

Mãe, meu pai foi um traidor?

LADY MACDUFF

Um traidor, sim, é o que ele foi.

FILHO

O que é um traidor?

LADY MACDUFF

O que é? Uma pessoa que mente quando jura.

FILHO

Todos que fazem isso são traidores?

LADY MACDUFF

São, e todo traidor deve ser enforcado.

FILHO

Todos que quando juram mentem devem ser enforcados?

LADY MACDUFF

Todos.

FILHO

E quem é que enforca?

LADY MACDUFF

Ora, os homens de bem, que não mentem.

FILHO

Então os mentirosos são muito bobos, porque, sendo tantos, podiam
bater e enforcar os outros.

LADY MACDUFF

Deus te proteja, meu bichinho! Mas que farás para arranjares um pai?

FILHO

Se ele tivesse morrido, você estaria chorando por ele; se você não chorasse, era bom sinal que eu arranjaria depressa outro pai.

LADY MACDUFF

Meu tagarelazinho! Como falas!

(Entra um MENSAGEIRO.)

MENSAGEIRO

Deus esteja convosco, nobre dama.
Se não sabeis quem sou, eu, todavia,
Conheço bem vossa alta condição.
Receio para vós risco iminente.
Se quiserdes seguir o meu humilde
Conselho, ide daqui com vossos filhos.
Assustar-vos assim será crueldade.
Mais cruel, porém, seria não fazê-lo.
Deus vos guarde! Não ouso demorar-me.

(Sai.)

LADY MACDUFF

Onde fugir? Não cometi maldade.
Mas (agora me lembro) estou num mundo
Em que fazer o mal é muitas vezes
Louvado, e praticar o bem é tido
Às vezes por loucura perigosa.
Por que então alegar este argumento
Feminino, ai de mim, que estou inocente
De maldades?
                    Que homens são estes?

(Entram ASSASSINOS.)

ASSASSINO

                                        Onde
Se escondeu vosso esposo?

LADY MACDUFF

                              Não em sítio
Tão sem favor de Deus que possa achá-lo
Um homem como tu!

ASSASSINO

                    Ele é um traidor.

FILHO

É mentira, bandido!

ASSASSINO

                        É assim? Pois toma
E cala-te!

    (Apunhala-o.)

FILHO

Mãe, foge! Ele matou-me!

    (Morre.)
    (Sai Lady Macduff gritando "Assassino!" e perseguida pelos Assassinos.)

                  CENA 3
      Na Inglaterra. Sala no palácio do Rei.

    (Entram Malcolm e Macduff.)

MALCOLM

Procuremos alguma desolada
Sombra e em lágrimas tristes aliviemos
Os nossos corações.

MACDUFF

               Não! Empunhemos
Nossas mortais espadas: como bravos,
Defendamos a pátria malferida.
Cada nova manhã novas viúvas
Gemem de dor e novos órfãos choram;
Novas calamidades bofeteiam
Os céus na face, e eles ressoam como
Se sentissem com a Escócia e os mesmos gritos
De dor soltassem.

MALCOLM

               Acredito em quanto
Sei, e deploro tudo que acredito.
Repararei o que me for possível
Quando a hora for propicia. O que dissestes
Poderá ser verdade. Este tirano
Cujo só nome ulcera as nossas línguas,
Já foi julgado homem de bem; vós mesmo
O amastes já. Não vos tocou até agora.
Sou moço, mas podeis à minha custa
Merecer algo dele. É de prudente
Ganhar com o sacrifício de um cordeiro
Inocente o favor de um deus irado.

MACDUFF

    Não sou traidor.

MALCOLM

                    Macbeth o é. Uma alma
Virtuosa e boa poderá dobrar-se
Ao régio mando. Mas perdoai-me: aquilo
Que sois não o mudarão meus pensamentos.
Os anjos ainda esplendem, muito embora
Tenha caído o mais esplendecente.
Ainda que tudo quanto seja odioso
Assuma as aparências da virtude,
Nem por isso a virtude deixaria
De parecer como é.

MACDUFF

                    Perdi as minhas
Esperanças.

MALCOLM

                Talvez precisamente
Onde achei minhas dúvidas. Por que
Desamparastes vossa esposa e filhos
(Esses entes preciosos, esses fortes
Laços de amor) sem despedir-vos deles?
Rogo-vos não vejais nesta suspeita
Agravo contra a vossa lealdade,
Senão penhor de minha segurança:
Pense eu o que pensar, nada isso afeta
A vossa retidão.

MACDUFF

                  Sangra, perece,
Pobre pátria! E tu, grande tirania,
Firma-te em tua base, usa dos ganhos
Mal adquiridos; confirmado é o título.
Adeus, senhor. Nem pela terra toda
Sob as garras do déspota e acrescida
Das riquezas do Oriente eu quereria
Ser o vilão que imaginais.

MALCOLM

                    Suplico-vos,
Não fiqueis ofendido. Não havia
No que vos disse puro e simples medo
De vós. Nosso país, curvado ao jugo,

Chora, se esvai em sangue; e a cada novo
Dia uma punhalada vem juntar-se
Aos golpes recebidos. Penso entanto
Que em meu favor haverá mãos erguidas.
Do bom Rei da Inglaterra tenho a oferta
De milhares de bravos; nada obstante,
Quando eu calcar aos pés a vil cabeça
Do tirano ou espetá-la em minha espada,
Pobre do meu país! Curtirá males
Mais numerosos do que no passado,
Sofrerá mais, de mais diversos modos
Que nunca, pela mão do rei futuro.

MACDUFF

Quem poderá ser ele?

MALCOLM

       É de mim mesmo
Que falo, em quem estão tão bem plantadas
As sementes dos vícios, que, em rompendo
Elas, parecerá o negro Macbeth
Tão puro como a neve, e o pobre reino
Estimá-lo-á um cordeiro, no cotejo
Com os meus danos sem conta.

MACDUFF

       Nem do Inferno
Nas legiões tenebrosas há demônio
Que em danadas maldades ultrapasse
A Macbeth.

MALCOLM

     Eu bem sei que é sanguinário,
Falso, avaro, brutal, libidinoso,
Embaidor, capaz enfim de todo
Pecado conhecido. Não tem fundo,
Porém, minha lascívia: vossas filhas,
Vossas esposas, aias e serventes,
Juntas, não encheriam a cisterna
Do meu desejo; e a minha incontinência
Derrubaria todos os obstáculos
Que viessem contrastar minha luxúria.
Melhor reinar Macbeth do que tal homem.

MACDUFF

A intemperança, quando ilimitada,

É tirania em nós da natureza:
Tem sido causa de ficar vacante
Muito trono feliz antes do tempo;
De muitos reis caírem. Todavia,
Não temais de apossar-vos do que é vosso.
Bem podeis desfrutar vossos prazeres
À puridade e à saciedade, e entanto
Parecer frio para todo o mundo.
Temos bastantes damas complacentes;
Não escondeis em vós aquele abutre
Capaz de devorar quantas quiserem
Dar-se-vos livremente, se vos virem
Assim inclinado.

MALCOLM

          A isso se junta em minha
Índole malformada uma tamanha
Avareza, que, sendo eu rei, matara
Os nobres por tomar-lhes suas terras;
A um cobiçara as joias, a outro a casa;
A gana de ter mais seria o molho
Para abrir-me o apetite; de tal sorte,
Que eu forjaria injustas desavenças
Contra os bons e os leais por destruí-los
E os bens após tomar-lhes.

MACDUFF

          A avareza
Deita mais fundo no ânimo raízes
Ainda mais perniciosas que a luxúria
Semelhante ao verão. Ela tem sido
Uma espada fatal que deu a morte
A nossos reis. Mas não temais: a Escócia
Tem riquezas demais, afora aquelas
Que vos são próprias. E depois, tais pechas
Se compensam em vós com outras graças.

MALCOLM

          Não as tenho nenhumas. As virtudes
Que tanto aos reis incumbem – a justiça,
A verdade, a firmeza, a temperança,
A liberalidade, a fortaleza,
A coragem, o zelo, a persistência,
A modéstia, a clemência – disso tudo
Não há vestígio em mim, antes abundo
Nas variadas feições de cada vício,

Praticando-os de todas as maneiras.
Sim! tivesse eu poder e derramara
No Inferno o doce leite da concórdia;
A paz universal subverteria;
Lançara em confusão a terra inteira!

MACDUFF

Ó Escócia, Escócia!

MALCOLM

Se julgais tal homem
Digno de governar, falai: sou ele.

MACDUFF

Digno de governar? Não! Não é digno
Nem de viver! Ó mísera nação,
Que um tirano sem título governa
Com ensanguentado cetro! Quando acaso
Verás dias melhores, se o legítimo
Herdeiro do teu trono se interdita
A si mesmo e difama sua própria
Linhagem? Vosso real pai foi sempre
Um santíssimo rei. Quanto à rainha,
Essa, vivendo mais frequentemente
De joelhos que de pé, morria a cada
Dia de sua vida. Adeus! Os vícios
De que vos acusais me desterraram
Da Escócia. Ó alma minha, aqui se finda
Tua última esperança!

MALCOLM

A nobre cólera,
Macduff, filha de vossa integridade,
Desoprimiu-me o coração de negras
Suspeitas, conciliou meu pensamento
Com a vossa lealdade e a vossa honra.
O sinistro Macbeth, por muitos desses
Estratagemas, procurou ganhar-me
Ao seu poder. Assim, com moderada
Prudência me defendo da excessiva
Credulidade. Seja Deus lá em cima
O nosso intermediário! Doravante
Sigo o vosso conselho; e me retrato
De quanto me inculpei. Aqueles vícios,
Maldades e pecados que a mim mesmo
Atribuí, quero agora desmenti-los

Como estranhos à minha natureza.
Não conheço mulher; não fui perjuro;
Mal cobiço o que é meu; não quebrei nunca
Minha palavra; não trairia o Diabo
A um seu igual. Amo a verdade tanto
Quanto amo a vida. Se menti, foi hoje
Falando contra mim. O que realmente
Sou, vos pertence e à minha pobre pátria,
Para a qual, ainda antes que chegásseis,
Dez mil bravos guerreiros, sob as ordens
Do velho Siward, já se preparavam
Para partir. Agora partiremos
Juntos. Seja a fortuna favorável
Às nossas armas, cuja causa é a mesma
Da Justiça. Por que ficais calado?

MACDUFF

Duras de conciliar são tantas coisas
Boas e más.

(Entra um MÉDICO.)

MALCOLM

    Bem, logo falaremos
Mais.
  (Ao médico.)
O Rei vem chegando?

MÉDICO

     Vem. Lá fora
Há uma turba de enfermos, pobres almas
Que só nele confiam. É doença
Que não cede aos remédios; mas um toque
De suas mãos, tamanha é a santidade
Que o Céu lhes conferiu, cura-as de pronto.

MALCOLM

Obrigado, doutor.

         (Sai o médico.)

MACDUFF

    Que doença é essa?

MALCOLM

Chamam-lhe o mal do Rei. Na minha estada

Aqui, presenciei curas milagrosas
Do santo homem. Como ele solicita
Os Céus, só ele o sabe. Vi infelizes
Em chagas, tumefactos, desespero
Da Medicina, súbito curados.
Cura-os rezando e pondo aos seus pescoços
Uma medalha de ouro. Ao que se conta,
Transmitirá aos reis seus sucessores
O poder de curar. Mas a essa estranha,
Milagrosa virtude junta ainda
Em si o divino dom da profecia.
Cobrem-lhe o trono bênçãos, que o proclamam
Cheio de graça.

    (Entra Ross.)

MACDUFF

Olhai, senhor, quem chega.

MALCOLM

Meu compatriota, mas não sei quem seja.

MACDUFF

Sede bem-vindo, nobre e caro primo.

MALCOLM

Agora sei quem é. Deus de bondade,
Afastai prontamente as tristes causas
Que nos tornam estranhos uns aos outros!

ROSS

Amém, senhor.

MALCOLM

              Dizei-me: a nossa Escócia
Está onde sempre esteve?

ROSS

                     Ai, pobre pátria!
Mal ousa conhecer-se. Nem podemos
Chamar-lhe mãe, que é, antes, sepultura;
Onde ninguém se vê sorrir, exceto
Quem não sabe o que faz; onde suspiros
E lamentos e gritos dilaceram
O ar sem serem notados, e violentas
Dores parecem já triviais pesares;

Onde, se os sinos dobram a finados,
Mal se pergunta por quem é; e a vida
Das pessoas de bem expira ainda antes
Que lhes feneçam nos chapéus as flores
Que os enfeitam.

MACDUFF
                    Ó vívido relato,
Que, com ser tão perfeito, é no entretanto
Tão verdadeiro!

MALCOLM
                    Qual a mais recente
Desgraça?

ROSS
                A que é de uma hora faz vaiarem
Seu narrador: cada minuto gera
Um infortúnio novo.

MACDUFF
                    Como vai
Minha esposa?

ROSS
                    Está bem.

MACDUFF
                        Meus filhos todos?

ROSS
Bem, igualmente.

MACDUFF
                    Não atentou o tirano
Contra o sossego deles?

ROSS
                        Não; deixei-os
Em perfeito sossego.

MACDUFF
                    Não poupeis
Vossas palavras: como vão as coisas?

ROSS

Ao partir para aqui, trazendo novas
De que tanto me peso, ouvi rumores
De estarem rebelados muitos bravos.
Ao que logo dei crédito, pois via
Em pé de guerra as tropas do tirano.
É a hora de ajudar. Vossa presença
Lá criaria soldados, levaria
À luta até mulheres por livrarem-se
De cruéis aflições.

MALCOLM

Em seu socorro
Marcharemos. Conosco dez mil homens
Vão, comandados pelo bravo Siward,
Que o bom Rei de Inglaterra nos empresta:
Não há mais velho nem melhor soldado
Em toda a cristandade.

ROSS

Ah, se eu pudera
Dar-vos notícias tão confortadoras
Quanto as que ouço de vós! Mas as que trago
Deviam ser gritadas no deserto,
Onde ouvidos nenhuns as escutassem!

MACDUFF

A quem dizem respeito? À causa pública?
Ou é dor de um só?

ROSS

Não há alma bem formada
Que nessa grande dor não tenha parte.
Mas a parte maior só a vós pertence.

MACDUFF

Se é minha, não tardeis em revelar-ma.
Falai presto.

ROSS

Oxalá vossos ouvidos
Não tomem aversão irredutível
À minha voz, pesada das palavras
Mais duras que jamais eles ouviram.

MACDUFF

    Ah, já adivinho!

ROSS

                    Foi vosso castelo
    Acometido de surpresa; vossa
    Esposa, vossos filhos, cruamente
    Assassinados; relatar-vos como,
    Fora à morte das corças inocentes
    Acrescentar a vossa.

MALCOLM

                Deus piedoso!
    Vamos, não enterreis até aos olhos
    Vosso chapéu: dai voz à vossa mágoa.
    Pois a dor que não fala, essa cochicha
    Ao coração pejado em demasia,
    Incitando-o a quebrar-se.

MACDUFF

                  Até meus filhos
    Também?

ROSS

            Esposa, filhos, servos – todos
    Que foram encontrados.

MACDUFF

                E eu ausente!
    Minha esposa também?

ROSS

                Como vos disse.

MALCOLM

    Ânimo, nobre amigo. Em nossa grande
    Vingança buscaremos o remédio
    Com que curar a dor incomportável.

MACDUFF

    Ah, ele não tem filhos! Meus amores
    Todos, dizeis? Oh, abutre dos infernos!
    Como? Meus lindos pintainhos todos,
    Com a mãe, de uma só atroz arremetida?

MALCOLM

Lutai contra o infortúnio como um homem.

MACDUFF

Assim farei, sem dúvida; no entanto,
Força é também senti-lo como um homem.
Mas não posso esquecer que aqueles entes
Viviam, e eram para mim na vida
O que de mais precioso havia nela.
Viram tal crime os Céus e o consentiram?
Macduff, és o culpado! Por teus erros
Pagaram. Desprezível criatura
Que sou! Não por pecados que não tinham,
Mas pelos meus, caiu-lhes sobre as almas
Morte cruel. O Céu no seu regaço
Os tenha agora!

MALCOLM

Que isto seja a pedra
Que afie a vossa espada: a dor converta-se
Em ira e fúria; não se vos abrande
O coração: encrueça.

MACDUFF

Oh, eu podia
Chorar como mulher, ameaçar como
Um fanfarrão. Mas, Deus onipotente,
Cortai toda delonga, defrontai-me
Com o demônio da Escócia: colocai-mo
Ao alcance da espada: se escapar-me,
Perdoe-lhe o Céu também!

MALCOLM

Isto é falar
Como homem. Vinde, vamos ter agora
Com o Rei. As nossas forças estão prontas
Para marchar. Só falta despedirmo-nos.
O tirano Macbeth está maduro

Para ser sacudido; e as forças do Alto
Preparados já têm seus instrumentos.
Aceitai o conforto que em tamanha
Dor possa dar-vos nossa simpatia:
Longa é a noite que nunca chega ao dia.

(Saem.)

ATO 5

CENA 1
Em Dunsinane. Sala no castelo.

(Entram um Médico e uma Dama de companhia.)

MÉDICO

Velei convosco duas noites, mas não vi confirmada a verdade de vossas informações. Quando foi que ela mais recentemente se levantou e andou assim?

DAMA DE COMPANHIA

Depois que Sua Majestade partiu para a guerra, vi-a levantar-se da cama, vestir o roupão, abrir o armário, tirar papel, dobrá-lo, escrever, depois ler o que tinha escrito, pôr-lhe o sinete e voltar para a cama. E durante todo esse tempo, profundamente adormecida.

MÉDICO

Grande perturbação nas funções naturais, essa de receber o benefício do sono e ao mesmo tempo proceder como se estivesse acordada! E nessa atividade sonâmbula, além de andar e praticar outros atos, não lhe ouvistes porventura dizer alguma coisa?

DAMA DE COMPANHIA

Ouvi sim, doutor, mas eram coisas que não posso repetir.

MÉDICO

A mim podeis, e será até muito conveniente que o façais.

DAMA DE COMPANHIA

Não, não o farei, nem a vós nem a ninguém, pois não tenho testemunha para confirmar o que eu disser.
(Entra Lady Macbeth trazendo uma vela acesa na mão.)
Olhai! aí vem ela. Tal qual a vi das outras vezes; e, por vida minha, profundamente adormecida. Observai-a: escondei-vos.

MÉDICO

Onde arranjou ela esta luz?

DAMA DE COMPANHIA

Tem-na sempre a seu lado: nunca fica às escuras, foi a ordem que deu.

MÉDICO

Tem os olhos abertos.

DAMA DE COMPANHIA

Sim, mas o sentido deles está fechado.

MÉDICO

Que está fazendo agora? Olhai como esfrega as mãos.

DAMA DE COMPANHIA

Costuma fazer isso: fingir que está lavando as mãos. Vi-a persistir nesse gesto durante bem um quarto de hora.

LADY MACBETH

Por mais que eu faça, esta mancha não sai.

MÉDICO

Atenção! Está falando. Vou tomar nota do que ela disser para guardar lembrança mais viva.

LADY MACBETH

Vai-te, mancha maldita! Vai-te, digo! — Uma, duas: é tempo de pôr mãos à obra. — Como é lôbrego o Inferno! — Por quem sois, meu senhor, que vergonha! Um soldado com medo? — Por que havemos de recear que alguém o saiba, se ninguém nos pode pedir contas? — Mas quem poderia ter imaginado que o velho tivesse tanto sangue nas veias?

MÉDICO

Ouvistes bem o que ela disse?

LADY MACBETH

O Tane de Fife tem esposa: onde está ela? — Que coisa! estas mãos nunca ficarão limpas? — Parai com isto, meu senhor, parai com isto: esses vossos sobressaltos podem pôr tudo a perder.

MÉDICO

Vamos embora, vamos embora: ouvimos o que não deveríamos ter ouvido.

DAMA DE COMPANHIA

Ela disse coisas que não devia dizer, disso estou certa: só Deus está a par de tudo o que ela soube!

LADY MACBETH

Sinto ainda aqui o cheiro do sangue: nem todos os perfumes da Arábia poderão fazê-lo desaparecer desta mão pequenina. Oh! Oh! Oh!

MÉDICO

Que suspiro! Um coração gravemente atormentado, o dela.

DAMA DE COMPANHIA

Não gostaria de ter tal coração no meu peito, mesmo com as grandezas da pessoa inteira.

MÉDICO

Está bem, está bem.

DAMA DE COMPANHIA

Oxalá estivesse, doutor!

MÉDICO

Esta enfermidade está acima da minha ciência; contudo, conheci pessoas que andavam durante o sono e no entanto morreram santamente em seus leitos.

LADY MACBETH

Ide lavar as vossas mãos, vesti o roupão; não vos ponhais tão pálido. — Repito-vos: Banquo está enterrado, não pode sair da cova.

MÉDICO

Será possível?...

LADY MACBETH

Deitai-vos, deitai-vos: estão batendo à porta. Vinde, vinde depressa, dai-me a mão. O que está feito não pode ser desfeito. Deitai-vos, deitai-vos, deitai-vos.

(Sai.)

MÉDICO

Voltará para a cama agora?

DAMA DE COMPANHIA

Diretamente.

MÉDICO

Terrível o que ouvimos! Quando os atos
Violam a natureza, eles produzem
Desordens também contra a natureza.
As consciências culpadas aos seus surdos
Travesseiros confiam seus segredos.
A pobre mais precisa dos cuidados
Do padre que do médico. — Perdoai-nos,
Senhor, a todos nós! Olhai por ela:
Afastai dela os meios com que possa
Fazer mal a si mesma. Protegei-a.

— Boa noite. Ela lançou no meu espírito
A confusão, e o assombro nos meus olhos.
Penso, mas não ouso falar.

DAMA DE COMPANHIA

                        Boa noite,
Meu bom doutor.

                                                    (Saem.)

CENA 2
Campo nos arredores de Dunsinane.

(Entram, precedidos de tambores e bandeiras, MENTEITH, CAITHNESS, ANGUS, LENNOX e SOLDADOS.)

MENTEITH

As tropas de Inglaterra se aproximam,
Comandadas por Malcolm, por seu tio
Siward e pelo bravo Macduff. Arde
A vingança em seus peitos, pois a causa
Que os move é dessas que levantariam
Para o horror dos combates até um morto!

ANGUS

Devemos ir-lhes ao encontro perto
Da floresta de Birnam: desse lado
Avançam.

CAITHNESS

                    Sabe alguém se Donalbain
Vem com o irmão?

LENNOX

                            Não vem, seguramente.
Tenho a lista completa da nobreza
Presente; há um filho de Siward e muitos
Jovens ainda imberbes, que as primícias
Darão aqui de sua galhardia.

MENTEITH

E que faz o tirano?

CAITHNESS

                        Fortifica
O mais que pode o sólido castelo

De Dunsinane. Uns dizem que está louco;
Outros, que o odeiam menos, a isto chamam
Valente fúria: o certo é que não pode
Afivelar a causa tão perdida
O cinturão da ordem.

ANGUS

Sente agora
Picar-lhe as mãos os crimes cometidos
Secretamente; agora sucessivas
Revoltas de seus súditos lhe exprobram
A sua felonia; os que comanda
Movem-se à voz do mando, não do afeto.
Já agora está sentindo que o seu título
De rei lhe pende bambo na pessoa
Como no corpo de um ladrão nanico
A roupa de um gigante.

MENTEITH

Por que se há de
Censurar aos seus nervos perturbados
O retrair-se e estremecer, se tudo
O que há nele a si mesmo se condena
Por estar ali dentro?

CAITHNESS

Bem, marchemos,
Para dar obediência a quem se deve:
Unamo-nos ao médico da pátria
Doente, e por curá-la derramemos
Até a última gota o nosso sangue.

LENNOX

Pelo menos o quanto for preciso
Para regar a flor da realeza
E afogar as más ervas. A caminho
Da floresta de Birnam!

(Saem marchando.)

CENA 3

Em Dunsinane, numa sala do castelo.

(Entram Macbeth, o Médico e o séquito.)

MACBETH

Não quero ouvir novos informes: que eles
Fujam todos, que importa? Inacessível
Serei ao medo, enquanto a Dunsinane
A floresta de Birnam não avance!
Quem é afinal esse rapaz Malcolm?
Não nasceu de mulher? Pois os espíritos,
Que estão a par de todas as mortais
Consequências, disseram no meu caso:
"Macbeth, não tenhas medo: nenhum homem
Nascido de mulher terá jamais
Poderes sobre ti". Assim, desertem
Tanes traidores, e unam-se aos ingleses
Epicureus: esta alma, que governa
O coração que trago no meu peito,
Não tremerá de dúvida ou de medo.
        (Entra um criado.)
Leve-te o demo e pinte-te de negro,
Poltrão da cor do leite! Onde arranjaste
Esse olhar de patola?

CRIADO

                São dez mil...

MACBETH

Dez mil o quê? Dez mil patetas, biltre?

CRIADO

Dez mil soldados, Majestade.

MACBETH

                        Vai-te!
Pica as bochechas, pinta de vermelho
O teu medo, covarde! Que soldados,
Pulha? Com mil demônios! Essa cara
De requeijão transmite o medo aos outros.
Que soldados, palerma?

CRIADO

                Praza a Vossa
Majestade, os ingleses.

MACBETH

Fora daqui!

(Sai o CRIADO.)

— Seyton! — Me sinto mal
Quando contemplo... — Seyton! — Esta crise
Ou me põe à vontade para sempre,
Ou me derruba agora. Já bastante
Vivi: o curso de meus anos chega
Ao seu outono, e o que, na velha idade,
Me fora companhia desejável,
— A honra, o afeto, a obediência, amigos,
Não me é dado esperar: em lugar deles,
Maldições é o que tenho, não ruidosas,
Porém profundas, honraria apenas
Da boca para fora, vãs lisonjas,
Que o pobre coração bem gostaria
De recusar, mas não se atreve. — Seyton!

(Entra SEYTON.)

SEYTON

Que ordenais, Majestade?

MACBETH

Que notícias
Há mais?

SEYTON

Foi confirmado tudo quanto
Nos informaram antes, Majestade.

MACBETH

Combaterei até que a minha carne
Seja cortada de meus ossos! Dai-me
Minha armadura.

SEYTON

Não é tempo ainda.

MACBETH

Quero vesti-la.
Mandai mais cavaleiros a baterem
As cercanias do castelo. E forca
Para quem fale em medo! Ide buscar
Minha armadura. — Como está passando,
Doutor, a nossa doente?

MÉDICO

Menos doente,
Senhor, que perturbada por estranhas,
Obsessivas imagens, que lhe impedem
De repousar em paz.

MACBETH

Curai-a disso:
Não podeis ministrar algum remédio
A um espírito enfermo, e da memória
Arrancar-lhe uma dor enraizada,
Apagar-lhe os escrúpulos gravados
Na alma? Não conheceis algum nepente
Capaz de lhe extirpar a um peito inquieto
A matéria que pesa insuportável
No coração?

MÉDICO

É caso em que só o doente
Pode ajudar-se.

MACBETH

Então lançai aos perros
A medicina! Não preciso dela.
— Seyton, vesti-me as minhas armas; dai-me
Meu bastão de comando. Despachai
Batedores. — Doutor, os tanes fogem
De mim. – Vamos, aviai-vos! – Se pudésseis,
Doutor, diagnosticar pelas urinas
De meu país o mal de que ele sofre
E restituí-lo à prístina saúde,
Como eu vos decantara aos próprios ecos,
Para que renovassem meus aplausos!
— Arrancai logo! — Que ruibarbo ou sene,
Que droga purgativa evacuaria
Daqui estes ingleses? Já tivestes
Notícia deles?

MÉDICO

Tive alguma pelos
Vossos preparativos, Majestade.

MACBETH

– Trazei-a atrás de mim!
– Não temerei a morte nem a ruína

Enquanto não marchar a Dunsinane
A floresta de Birnam.

(Sai.)

MÉDICO

(À parte)
Visse-me eu
Longe de Dunsinane, a são e salvo,
Dificilmente aqui me atrairia
A ambição de proventos algum dia.

(Saem.)

CENA 4
Campo nas cercanias de Dunsinane. Floresta ao fundo.

(Entram, precedidos de tambores e bandeiras, MALCOLM, o velho
SIWARD e seu filho, MACDUFF, MENTEITH, CAITHNESS, ANGUS, LENNOX, ROSS e
soldados, marchando.)

MALCOLM

Primos, espero venha perto o dia
Em que nos nossos leitos poderemos
Dormir em segurança.

MENTEITH

Assim confiamos.

SIWARD

Que mata é aquela à nossa frente?

MENTEITH

Birnam.

MALCOLM

Corte cada soldado um ramo dela
E se esconda atrás dele: assim marchando,
Encobriremos o efetivo exato
De nossas forças, estorvando o cálculo
Aos nossos inimigos.

SOLDADOS

Será feito.

SIWARD

Tudo quanto se sabe é que o tirano
Permanece, confiante, em Dunsinane,
E sofrerá que nós ponhamos cerco
À fortaleza.

MALCOLM

É o seu melhor partido;
Pois onde a deserção era possível,
Foram-se dele grandes e pequenos:
Só tem a seu serviço mercenários,
De corações remissos.

MACDUFF

Bem, deixemos
Para depois da ação as nossas justas
Críticas. Por agora, preparemo-nos
Para a batalha.

SIWARD

O tempo se aproxima
Em que a sorte das armas vai dizer-nos
O que ganhamos nós e o que perdemos.
As ideias teóricas inspiram
Estimativas muitas vezes falhas:
A decisão reside nas batalhas.
Para lá avança a guerra.

(Saem marchando.)

CENA 5
Em Dunsinane, no interior do castelo.

(Entram, precedidos de tambores e bandeiras, MACBETH, SEYTON e soldados.)

MACBETH

Içai nossas bandeiras nas muralhas
Exteriores. Nosso grito é sempre:
"Ei-los que vêm!". A força do castelo
Zombará deste assédio: que se fiquem
Até que a fome e as febres os consumam.
Não os tivessem reforçado aqueles
Que deviam ser nossos, já os teríamos
Atacado sem medo, cara a cara,
E enxotado daqui.

(Grito de mulheres dentro.)
Que ruído é este?

SEYTON

É grito de mulheres, Majestade.

(Sai.)

MACBETH

Já quase que esqueci o gosto do medo.
Tempo houve em que o meu pulso pararia
De ouvir alguém gritar dentro da noite;
Em que um sinistro conto relatado
Me faria eriçar-se os meus cabelos
Como se vivos fossem! Mas fartei-me
De horrores: o terror, já acostumado
Com os meus pensamentos homicidas,
Não me surpreende mais.
    (Volta SEYTON.)
                        Qual foi a causa
Deste grito?

SEYTON

            A Rainha, Majestade,
É morta.

MACBETH

É morta... Não devia ser agora.
Sempre seria tempo para ouvir-se
Essas palavras. Amanhã, volvendo
Trás amanhã e trás amanhã de novo,
Vai, a pequenos passos, dia a dia,
Até a última sílaba do tempo
Inscrito. E todos esses nossos ontens
Têm alumiado aos tontos que nós somos
Nosso caminho para o pó da morte.
Breve candeia, apaga-te! Que a vida
É uma sombra ambulante; um pobre ator
Que gesticula em cena uma hora ou duas,
Depois não se ouve mais; um conto cheio
De bulha e fúria, dito por um louco,
Significando nada.
    (Entra um MENSAGEIRO.)
Vieste para servir-te de tua língua:
Depressa, o teu recado.

MENSAGEIRO

                    Majestade,
Deveria eu contar o que estou certo
Que vi, porém não sei como fazê-lo.

MACBETH

Vamos, fala!

MENSAGEIRO

                Estando eu de sentinela
No alto de uma colina, volvi os olhos
Na direção de Birnam e eis que vejo
Mover-se o bosque.

MACBETH

                Mentes, miserável!

MENSAGEIRO

Desabe sobre mim a vossa cólera,
Real meu Senhor, se isto não for verdade.
Podeis vê-lo a três milhas de distância.
Repito: é um bosque em marcha.

MACBETH

                        Se não for
Verdade, mandarei que te pendurem
Vivo à árvore mais próxima, onde morras
De fome. Mas se for como disseste,
Não se me dá que a mim faças o mesmo.
Já não posso dar rédeas à confiança,
E entro a desconfiar das profecias
Equívocas do demo, que nos mente
Sob a cor da verdade: "Não receies
Até que Birnam venha a Dunsinane".
E agora uma floresta vem marchando
Na direção de Dunsinane. — Às armas!
Às armas, e saiamos! Se é verdade
O que este nos refere, não adianta
Fugir daqui ou aqui quedar. Começo
A me sentir cansado deste sol,
E desejara ver neste momento
Espedaçada a máquina do mundo!
Dai rebate! Ora sus, ao inimigo!
Ventos, soprai! Catástrofe, abatei-vos!
Ao menos morreremos combatendo.

(Saem.)

CENA 6

Em Dunsinane. Planície diante do castelo.

(Entram, precedidos de tambores e bandeiras, Malcolm, o velho Siward, Macduff, etc. e seu exército, trazendo cada soldado um ramo de árvore na mão.)

MALCOLM

Eis-nos enfim já perto: deitai fora
Os folhudos disfarces e mostrai-vos
Como realmente sois. Vós, nobre tio,
Com meu valente primo, vosso filho,
Comandareis nosso primeiro corpo
De exército; Macduff e eu tomaremos
Sobre nós tudo o mais, conforme o nosso
Plano.

SIWARD

Adeus. Se esta noite depararmos
As tropas do tirano, que sejamos
Batidos, caso os não acometamos.

MACDUFF

Fazei ressoar nossos clarins: dai forte
Sopro à prenunciação de sangue e morte!

(Saem. Continuam os rebates.)

CENA 7

Em Dunsinane. Outro trecho da planície.

(Entra Macbeth.)

MACBETH

Amarraram-me a um poste: não me posso
Livrar, mas é preciso que, à maneira
Do urso, lute até o fim. Entre esses homens
Que vêm, quem será aquele não nascido
De mulher? A este só, que não a outro,
Há que temer.

(Entra o jovem Siward.)

JOVEM SIWARD
Teu nome?

MACBETH

Tremerias de escutá-lo.

JOVEM SIWARD

Não! Ainda que ele fosse mais fervente
Do que nenhum no Inferno.

MACBETH

Eu sou Macbeth.

JOVEM SIWARD

O demônio em pessoa não pudera
Articular um nome mais odioso
Aos meus ouvidos.

MACBETH

Não, nem mais terrível.

JOVEM SIWARD

Mentes, tirano abjeto, e vou prová-lo
Com a minha espada.

(Lutam. O JOVEM SIWARD é abatido.)

MACBETH

De mulher nasceste:
Mas zombarei de espadas, de qualquer
Arma de homem nascido de mulher.

(Sai.)

(Rebate. Entra MACDUFF.)

MACDUFF

Vem deste lado o ruído. Mostra a face,
Tirano! Se tombaste e não por golpe
De minha espada, as sombras ainda inultas
De minha esposa e filhos serão sempre
Diante de mim. Não devo nem desejo
Cair sobre estes pobres irlandeses,
Que alugaram seus braços. Contra ti,
Macbeth, quero bater-me. Do contrário,
Prefiro embainhar, com o fio intacto,
A minha espada. Por aqui o pressinto,
Pois este grande estrépito anuncia
Combatente de marca. Dá, Fortuna,

Que eu me enfrente com ele! Não te peço
Mais nada.

(Sai. Rebate.)

(Entram MALCOLM *e o velho* SIWARD.*)*

SIWARD

Por aqui, meu senhor; – a fortaleza
Entregou-se sem grande resistência:
Há gente do castelo batalhando
Por nós contra o tirano. Os nobres tanes
Batem-se com bravura. Já a vitória
Se decide por vós e pouco resta
Que fazer.

MALCOLM

              Deparamos inimigos
Que vieram pelejar do nosso lado.

SIWARD

Senhor, entremos no castelo.

(Saem. Rebate.)

CENA 8
Outra parte do campo.

(Entra MACBETH.*)*

MACBETH

Por que haveria eu de, arremedando
O insensato romano, traspassar-me
Com a minha própria espada? Enquanto vejo
Inimigos com vida, melhor ficam
Neles que em mim as cutiladas.

(Entra MACDUFF.*)*

MACDUFF

                       Vira-te,
Cão dos infernos, vira-te!

MACBETH

                  De todos
Os demais homens foste o que evitei.
Vai-te daqui! Minha alma está referta
Com o sangue dos teus.

MACDUFF

Não direi nada:
Minha voz falará por esta lâmina,
Malvado, mais vilão do que as palavras
Poderiam pintar-te!

(Batem-se.)

MACBETH

Vãos esforços!
Pois mais fácil será o ar impalpável
Marcares tu com o gume do teu ferro
Do que ferir-me. Descarrega tua arma
Sobre elmos vulneráveis: minha vida
Não a pode cortar homem nascido
De nenhuma mulher.

MACDUFF

O teu encanto
Não vale contra mim. Diga-te o anjo
Que é teu senhor: "Macduff foi arrancado
Do ventre de sua mãe antes do tempo!".

MACBETH

Amaldiçoada língua a que o revela!
Pois assim me acobarda a melhor parte
Do homem em mim. Ninguém mais fie agora
Desses dúbios demônios, que se riem
De nós com seus equívocos; que sopram
A palavra aliciante ao nosso ouvido
E não a cumprem. Não combaterei
Contigo.

MACDUFF

Então, entrega-te, covarde!
E vive para seres o espetáculo
Do mundo inteiro. Como aos monstros raros
Se faz, a tua imagem pregaremos
No alto de um poste, com o letreiro embaixo:
"Vinde ver o tirano!".

MACBETH

Não me entrego!
Não beijarei o pó aos pés do jovem
Malcolm; não ouvirei os arrenegos
Da canalha. Que embora a Dunsinane

Haja o bosque de Birnam avançado,
E eu te tenha ante mim, que não nasceste
De nenhuma mulher, hei de bater-me
Até o último alento. Eis-me coberto
Com o meu broquel de guerra. Em guarda, pois,
Macduff, e amaldiçoado o que dos dois
Gritar primeiro: "Basta!".

(Saem batendo-se. Rebates.)
(Tornam lutando e MACBETH *é abatido.)*

CENA 9
No interior do castelo.

(Clarins. Entram, precedidos de tambores e bandeiras, MALCOLM, *o velho* SIWARD, ROSS, *tanes e soldados.)*

MALCOLM

Oxalá aqui encontremos sãos e salvos
Os companheiros desaparecidos.

SIWARD

Alguns, por certo, devem ter tombado.
Contudo, por aqueles que estou vendo,
Barato é o preço de tão grande dia!

MALCOLM

Macduff está faltando, e o jovem Siward.

ROSS

Vosso filho, senhor, pagou a sua dívida
De soldado: viveu somente o tempo
De se tornar um homem. Mal provara
Que era um bravo, caiu, mas como um homem.

SIWARD

Morto meu filho?

ROSS

                    Desgraçadamente.
A vossa dor não pode ser medida
Pelo mérito dele: de outro modo
Nunca teria fim.

SIWARD

                    Seus ferimentos
Recebeu-os de frente?

ROSS

        Em pleno rosto.

SIWARD

Se foi assim, está bem que seja agora
Um soldado de Deus. Tivesse eu tantos
Filhos quantos cabelos na cabeça,
Não desejara morte mais bonita
Para eles. Neste instante os sinos dobram
Por sua alma.

MALCOLM

        Maiores condolências
Nos merece e as terá.

SIWARD

        Isto lhe basta:
Foi-se, mas bem – pagando a sua parte.
Assim, que Deus o tenha! – Eis mais conforto!

(Volta MACDUFF trazendo a cabeça de MACBETH.)

MACDUFF

Salve, Rei! pois já o sois. Aqui vos trago
A cabeça maldita do tirano.
A pátria é livre. Vejo-vos cercado
Pelas mais finas pérolas do reino,
Os quais em mente o meu saudar secundam;
Cujas vozes desejo que bem alto
Queiram todas bradar comigo: Viva
O Rei da Escócia!

TODOS

        Viva o Rei da Escócia!

(Clarim.)

MALCOLM

Não me deixarei estar por muito espaço
Sem que vos retribua o vosso zelo
E me quite convosco. De ora em diante,
Meus tanes e parentes, sereis condes
– Os primeiros na Escócia a ser honrados
Com título tão alto. O que me resta
Por fazer, e que as novas circunstâncias
Pedem venha a cumprir-se, como seja:

Reconduzir ao lar nossos amigos
Que, fugindo às ciladas do tirano,
Tiveram que passar-se ao estrangeiro;
Desembuçar os pérfidos ministros
Do carniceiro morto e da diabólica
Rainha, que, ao que dizem, por suas próprias
Mãos se matou violentas; isto e o mais
Que for mister, farei executar,
Com a graça de Deus, em seu lugar
E tempo. A todos vós, agradecido,
A Scone, à minha coroação, convido.

Maria Stuart

SCHILLER

Prefácio

Bem conhecida é a evolução de Schiller no seu teatro, passando do drama revolucionário ao drama histórico, ao drama burguês, ao drama ideológico, para afinal, em sua madureza, elevar-se ao drama de grandes conflitos individuais inseridos num fundo histórico, e moralmente exaltando a purificação interior da consciência que triunfa sobre a fúria cega dos instintos. O drama *Maria Stuart* é uma das obras-primas desta última fase.

A peça foi começada no ano de 1799, tinha o autor quarenta anos, e concluída no ano seguinte. O assunto empolgava-o.

> À medida que prossigo na execução, escrevia ele a Goethe, me persuado, cada dia mais, da qualidade trágica do meu assunto, e quero dizer com isso muito especialmente que se percebe a catástrofe desde as primeiras cenas, e que quanto mais parece a ação refugi-la, mais, ao contrário, se aproxima dela com movimento ininterrupto. Haverá no drama, até à saciedade, aquele terror que Aristóteles reclama, e quanto à piedade, encontrá-la-ão também. A minha Maria não provocará o enternecimento, não está isso em minhas intenções, quero tratá-la do começo ao fim como uma criatura de instintos naturais, e o patético que ela produzirá terá antes as características de uma emoção profunda de natureza geral do que as de uma simpatia pessoal a um indivíduo. Não desperta em ninguém nada que se pareça com sentimentalidade; o seu destino é sentir por conta própria e desencadear em torno de si paixões violentas. Só a sua ama sente por ela o que se chama ternura.

Embora tenha Schiller lido abundantemente toda a literatura histórica relativa à desgraçada rainha escocesa, como não era seu propósito escrever uma tragédia histórica, mas suscitar a emoção mediante o patético conflito entre Elizabeth e a Stuart, poderosamente evocadas em seus respectivos dramas interiores, tomou o poeta grandes liberdades no tratamento histórico de suas personagens e dos episódios que formam a trama do enredo. Assim, a personagem Mortimer, exasperadamente romântica (e nisto o antigo *Stuermer und Draenger* ainda sobrevivia intacto), é invenção total do poeta. Outras personagens, com serem históricas, aparecem na tragédia deslocadas de sua verdadeira cronologia ou psicologicamente deturpadas. Do Cardeal de Lorena, Carlos de Guise, falecido em 1574, se lê na peça uma carta escrita em 1587, ano da execução da Stuart. Em relação à execução, cumpre advertir que Maria, condenada em outubro de 1586, só foi executada em fevereiro do ano seguinte; esses quatro meses de interstício foram reduzidos a três dias na afabulação da tragédia. Elizabeth ficara noiva do duque de Anjou em 1579, e o noivado foi rompido em 1581, portanto dez anos antes das negociações de que se fala no segundo ato da tragédia. Outra invenção do poeta é o recíproco amor de Maria e Leicester. Muito alterada foi a figura de Talbot, conde de Shrewsbury, que aparece na tragédia como intercedendo pela escocesa e, sacrificada esta, furtando-se a continuar servindo a Elizabeth, quando na verdade histórica permaneceu servidor fidelíssimo da rainha. Citamos apenas alguns casos de inexatidão, a todos os quais foi Schiller levado, não por ignorância, mas por conveniências artísticas, já que o que lhe interessava não era a história, mas o drama.

E este saiu-lhe realmente magnífico em seu poder de sacudir as plateias no frêmito daquele terror e piedade a que ele se referiu na carta a Goethe. Século e meio depois de representado pela primeira vez, ainda mantém o mesmo prestígio sobre o público, não só na Alemanha como fora dela em todo o mundo. É uma das obras-primas permanentes do teatro universal.

MANUEL BANDEIRA

Lista de personagens

ELIZABETH, Rainha da Inglaterra.
MARIA STUART, Rainha de Escócia, prisioneira em Inglaterra.
ROBERT DUDLEY, conde de Leicester.
GEORGE TALBOT, conde de Shrewsbury.
WILLIAM CECIL, barão de Burleigh, Grande-Tesoureiro.
CONDE DE KENT.
WILLIAM DAVISON, secretário de Estado.
AMIAS PAULET, guarda de Maria.
MORTIMER, seu sobrinho.
CONDE DE L' AUBESPINE, embaixador de França.
CONDE DE BELLIÈVRE, enviado extraordinário de França.
OKELLY, amigo de Mortimer.
DRUGEON DRURY, segundo guarda de Maria.
MELVIE, seu mordomo.
BURGOYN, seu médico.
ANA KENNEDY, sua ama.
MARGARET KURL, sua camareira.
O XERIFE DO CONDADO.
UM OFICIAL DA GUARDA DO CORPO.
SENHORES FRANCESES E INGLESES.
GUARDAS.
SERVOS DA RAINHA DE INGLATERRA.
SERVOS E SERVAS DA RAINHA DE ESCÓCIA.

ATO 1

Sala do Castelo de Fotheringhay

CENA 1

(Ana Kennedy, ama da Rainha de Escócia, em viva discussão com Paulet, que está prestes a forçar uma secretária. Drugeon Drury, seu ajudante, com uma alavanca.)

KENNEDY

Sir, que fazeis? Que nova audácia é esta?
Forçando a secretária!...

PAULET

De onde vem
Esta joia? Do andar superior
Foi jogada ao jardim; seguramente
Era para comprar o jardineiro!
Maldita astúcia de mulher! Mau grado
Minhas buscas e minha vigilância,
Sempre novos objetos preciosos
A aparecer e cofres escondidos!
(Tentando forçar a secretária.)
Outras coisas como esta há aqui!

KENNEDY

Insolente!
São segredos da Lady.

PAULET

É o que procuro!
(Tira papéis.)

KENNEDY

Papéis sem importância, onde corria
A pena, a encurtar as horas neste cárcere.

PAULET

É em horas como tais que o diabo as trama.

KENNEDY

São coisas em francês.

PAULET

Tanto pior:
Língua dos nossos inimigos.

KENNEDY

Simples
Borrões de carta à Rainha de Inglaterra.

PAULET

Vou entregá-los. Ha, ha! O que está luzindo
Aqui?
*(Toca uma mola secreta, abre o segredo e retira joias de uma
gaveta oculta.)*
Um diadema real, em que se alternam
Lises de França e ricas pedrarias!
(Passa-o ao companheiro.)
Guarda-o, Drury, com o resto.

KENNEDY

Oh, que infame violência a que sofremos!

PAULET

Todo o cuidado é pouco, nas mãos dela
Tudo é perigo.

KENNEDY

Sede compassivo,
Sir, não tireis à nossa vida a última
Joia que ainda a embeleza, e cuja vista
Consola a pobre do esplendor extinto,
Pois tudo o mais lhe foi arrebatado.

PAULET

Está tudo em boas mãos; será a seu tempo
Escrupulosamente devolvido!

KENNEDY

Quem, pondo o olhar nestas paredes nuas,
Dirá que vive aqui uma Rainha?
Onde o trono e o dossel? Seus delicados
Pés, afeitos às suaves alcatifas,
Pisam em duro chão; sua baixela
— Que obscura fidalguinha a quereria? —
É de grosseiro estanho.

PAULET

Assim em Sterlyn
Comia o esposo, enquanto com o amante
Ela bebia em copas de ouro.

KENNEDY

                                          Até
Os pequenos serviços de um espelho
Lhe recusam.

PAULET

                     Enquanto a sua imagem
Ela puder rever, não cessará
De esperar e de ousar.

KENNEDY

                         Vive sem livros
Para entreter o espírito.

PAULET

                         Na Bíblia
Que se lhe deixa ler, tem o que basta
Para emendar-lhe o coração.

KENNEDY

                         Tiraram-lhe
Seu alaúde.

PAULET

                     Porque o que tocava
Eram canções de amor pecaminosas.

KENNEDY

É isso destino para quem no berço
Já era Rainha e se criou mimada
Em pompa sem rival, na corte esplêndida
De uma filha dos Médicis? Acaso
Não é bastante que o poder lhe usurpem?
Por que ainda lhe negar pobres prazeres?
Na maior desventura o coração
Que é bem-nascido aprende a conformar-se;
Mas sofre com privar-se das pequenas
Alegrias da vida.

PAULET

                     Elas só servem
Para incensar o coração de quem
Precisa é entrar em si e arrepender-se.
Uma viciosa vida de lascívia
Na privação se expia e na humildade.

KENNEDY

Se ainda tão nova errou, só deve conta
A Deus e ao próprio coração, nem pode
Nenhum juiz julgá-la na Inglaterra.

PAULET

Será julgada onde ela delinquiu.

KENNEDY

Delinquiu quando presa em duros ferros?

PAULET

Não a impediram esses duros ferros
De estender o seu braço pelo mundo,
De atear no reino a guerra, de assassinos
Armar contra a Rainha, que Deus guarde.
Não açulou de dentro destes muros
Ao tredo regicídio Parry e Babington?
Não conseguiu enlear em suas pérfidas
Teias o nobre coração de Norfolk?
Assim, sacrificado à ambiciosa
Caiu sob o machado do carrasco
A mais forte cabeça desta ilha.
E por ventura esse tremendo exemplo
Deteve a mão dos homens que, à porfia,
Por amor dela à morte se lançaram?
Dia após dia se enchem os patíbulos
De vítimas por ela aliciadas.
E isto só terá fim quando ela mesma,
A mais culpada, suba ao cadafalso.
Oh, que maldito o dia em que estas praias
Hospitaleiramente receberam
A nova Helena!

KENNEDY

Hospitaleiramente?...
A infeliz, desde o dia em que primeiro
Este solo pisou, aonde buscava,
Suplicante exilada, o régio amparo
De sua prima, viu-se, não obstante
O direito das gentes e a realeza,
Posta em prisão, chorando os belos anos
Da inútil juventude. E agora, após
Haver provado o que de mais amargo
Sofre quem perde a sua liberdade,
Ser como ré comum — ela, Rainha —

Levada a responder ante a justiça
Por crime capital — cena afrontosa!

PAULET

A este país chegou como assassina
Por seu povo deposta de seu trono,
Que ela ultrajou com o mais hediondo crime.
Veio para trair-nos, na esperança
De restaurar os tempos sanguinosos
Da espanhola Maria, para ao cabo
Impor a fé católica à Inglaterra,
Para ao cabo entregar-nos aos franceses.
Porque negou ao tratado de Edimburgo
Pôr sua assinatura, renunciar
Às pretensões ao trono de Inglaterra,
E assim com uma penada abrir de pronto
As portas da masmorra? Preferiu
Permanecer cativa e maltratada
A desistir da pompa vã do título.
Por que fez isso? Por confiar nas tramas,
Nas pérfidas manobras das conjuras,
Para do fundo mesmo do seu cárcere
A ilha inteira enfeudar ao seu domínio.

KENNEDY

Sir, gracejais. Estais acrescentando
À dureza o sarcasmo! É concebível
Que alimente tais sonhos a que vive
Enclausurada aqui, a quem não chega
Palavra de consolo ou voz amiga
Vinda da cara pátria, a que faz muito
Não vê ninguém senão seus carcereiros,
A que faz pouco um novo e rude guarda
Tem que é vosso parente e que cercada
Se acha de novas grades...

PAULET

                              Não há grade
Que nos garanta contra a astúcia dela.
Sei lá se enquanto durmo estes varões
Não são limados, se este soalho e muros.
Firmes exteriormente, não estão sendo
Escavados por dentro, a dar passagem
À traição? Maldito encargo o meu
De vigiar a astuta criatura!
Rouba-me ao sono o medo: erro de noite

Como uma alma penada, pondo à prova
Os ferrolhos, velando sobre os guardas,
E é tremendo que aguardo a luz do dia,
Que pode dar razão aos meus receios!
Ainda bem para mim que o termo é próximo.
Pois mais quisera montar guarda às portas
Do inferno e às suas multidões de réprobos,
Do que a esta Rainha cavilosa.

KENNEDY

Ei-la que vem!

PAULET

Nas mãos o crucifixo;
No coração, porém, luxúria e orgulho.

CENA 2

(Os precedentes e mais MARIA, que traz um véu à cabeça e um crucifixo na mão.)

KENNEDY

(Acorrendo ao seu encontro.)
Ó Majestade! Esmagam-nos com os pés.
Não tem limite a injusta tirania.
Sobre a tua cabeça coroada
Novas dores e afrontas amontoa
Cada nova manhã.

MARIA

Contém-te. Dize,
Que aconteceu de novo?

KENNEDY

Vê tu mesma:
Violada a secretária, teus papéis,
Teu só tesouro, a tanto custo salvo,
A coroa real, o que restava
Das joias que de França aqui trouxeste,
Nas mãos dela! Dos signos de realeza
Nada possuis agora, estás roubada!

MARIA

Calma, Ana. Não são os ouropéis
Que fazem a Rainha. Baixamente
Nos poderão tratar, não rebaixar-nos.
Aprendi a habituar-me na Inglaterra

A muita coisa. Esta é mais uma e dela
Saberei consolar-me.
   (Voltando-se para Paulet.*)*
       Sir, violentamente vos apossastes do que eu
                [mesma
Ia entregar-vos hoje. Entre os papéis
Está uma carta para minha irmã
De Inglaterra. Entregai-a — prometei-me —
Em mão, e não ao fementido Burleigh.

Paulet

Refletirei no que fazer.

Maria

       Convém
Que conheçais o conteúdo. Peço
Uma grande mercê nessa missiva:
Avistar-me com ela, em quem jamais
Os olhos pus. Citaram-me perante
Homens que não reputo meus iguais,
Em quem não posso confiar. Elizabeth
É do meu sangue e sexo e condição.
Só a ela me abrirei, à irmã, à Rainha,
À mulher.

Paulet

     Muitas vezes já confiastes,
Milady, vossa honra, vossa sorte
A homens de vossa estima menos dignos.

Maria

Outra mercê suplico-lhe e inumano
Seria recusar-ma. Há longos anos
Me vejo aqui nesta prisão, privada
Dos consolos da Igreja, do conforto
Dos sacramentos. A que me roubou
Coroa e liberdade, e ameaça até
Roubar-me a vida, espero que não queira
Fechar-me as portas do céu.

Paulet

       Se quiserdes,
O deão-pastor...

Maria

(Interrompendo-o vivamente.)

                    Não! nada de pastores!
Quero é um padre da igreja a que pertenço.
Também notários e escrivães, a quem
Ditar as minhas últimas vontades.
As aflições do longo cativeiro
Vão aos poucos matando-me. Os meus dias
Estão contados. E me considero
Como já moribunda.

PAULET

                      Fazeis bem:
Tais reflexões assentam-vos.

MARIA

                        Sei eu
Se não virá um dia uma mão rápida
Abreviar a ação lenta dos desgostos?
Quero fazer meu testamento, quero
Dispor do que ainda é meu.

PAULET

                    Podeis fazê-lo.
Não pretendeu jamais de vossos bens
Enriquecer-se a rainha de Inglaterra.

MARIA

De minhas dedicadas camareiras,
De meus servos fiéis me separaram.
Onde estão eles? Qual o seu destino?
Posso passar sem seu serviço, entanto
Quero ter a certeza que não curtem
Necessidades, que não sofrem.

PAULET

                        Tem-se
Cuidado bem de todos.

                                        (Vai sair.)

MARIA

                    Sir, já ides?
Mais uma vez partis sem aliviar
Do pesado tormento da incerteza
Meu coração apreensivo. Estou,
Sob o olhar dos espias, isolada
Do mundo inteiro, pois notícia alguma

Transpõe estas paredes. Minha sorte
Está nas mãos dos que me odeiam. Faz
Um mês, longo, penoso mês, quarenta
Comissários aqui me surpreenderam,
Com indecente pressa se instalaram
Em tribunal, e eis-me, desprevenida,
Sem assistência de advogado, diante
De inaudito conselho de justiça,
Forçada a responder-lhes, aturdida,
A mil acusações artificiosas.
Como vieram, foram-se — uns fantasmas...
Desde esse dia ninguém mais me fala.
Em vão procuro ler em vossos olhos
Se triunfaram por fim minha inocência
E o zelo dos amigos, ou a perfídia
Dos maus. Rompei vosso silêncio. Dai-me
A conhecer o que neste momento
Posso esperar, temer...

PAULET

    (Depois de uma pausa.)
                    Ajustai contas
Com o céu.

MARIA

                Espero, Sir, misericórdia
Da Rainha, justiça dos juízes.

PAULET

Não duvideis: justiça será feita.

MARIA

O meu processo já acabou?

PAULET

                        Não sei.

MARIA

Fui condenada?

PAULET

                Nada sei, Milady.

MARIA

Andam depressa aqui... Ver-me-ei surpresa
Pelo algoz, como o fui pelos juízes?

PAULET

Pensai que será assim, e a encontrará
Em mais feliz disposição que agora.

MARIA

Não me admiro de nada. Já adivinho
O que irá decidir um tribunal
Convocado em Westminster, dirigido
Pelo rancor de Burleigh e pelo zelo
De Hatton. Pois não sei até onde vai
A audácia da Rainha de Inglaterra?...

PAULET

Nunca temeram nossos soberanos
Senão sua consciência e o Parlamento.
O que a justiça pronunciar, Milady,
Pelo poder será cumprido à face
Do mundo inteiro e sem temor.

CENA 3

*(Os precedentes. MORTIMER, sobrinho de PAULET, entra e sem prestar
a menor atenção à RAINHA dirige-se a PAULET.)*

MORTIMER

Procuram-vos,
Meu tio.

*(Afasta-se da mesma maneira como entrou. A Rainha observa-o
indignada e se volta para PAULET, que se dispunha a acompanhá-lo.)*

MARIA

Sir, ainda um pedido: quando
Tiverdes que dizer-me alguma coisa...
— De vós aturo muito, pois respeito
A vossa idade, mas poupai-me a vista,
Que o não sofro, e a insolência deste moço!

PAULET

Porque odioso vos é, me é meritório.
Não está entre aqueles moles insensatos
Que enternecer se deixam por fingidas
Lágrimas de mulher. Já viajou muito.
Vem de Paris e Reims, traz-nos de volta
Seu fiel coração de inglês. Contra este
Não vingarão, Milady, as vossas artes.

(Sai.)

CENA 4

(Maria. Kennedy.)

KENNEDY

Lançar-vos isto em rosto o grosseirão!
Oh, é duro!
                (Perdida em suas reflexões.)

MARIA

                        Boa Kennedy, nos dias
De grandeza prestamos à lisonja
Ouvidos demasiado complacentes.
Justo é que agora ouçamos da censura
A voz severa.

KENNEDY

                        Como? Tão prostrada,
Tão sem coragem, cara Lady? Outrora
Éreis contudo tão alegre! Tínheis
O dom de consolar-me, e eu precisava
Ralhar-vos pelo vosso estouvamento,
Não por vossa tristeza.

MARIA

                                Reconheço-o.
É a sombra ensanguentada do Rei Darnley,
Que, irritada, da tumba se levanta,
E nunca em paz me deixará, até quando
Cheia a medida dos meus infortúnios.

KENNEDY

Que pensamentos esses!

MARIA

                        Tu, Ana, esqueces.
Eu, porém, não esqueço. Mais um ano
Passa hoje do fatídico sucesso
Que em jejum e penitência rememoro.

KENNEDY

Cometei para sempre à paz do túmulo
Esse funesto espírito. Vosso erro
Com anos de remorso e de pesados
Sofrimentos expiastes. Nossa Igreja,
Que para cada culpa tem a chave
Da absolvição, e o céu já vos perdoaram.

MARIA

Mas a culpa de há muito perdoada
Eis que se ergue de novo, sanguinosa,
Da mal coberta campa. O espectro irado
De um esposo sedento de vingança,
Não o faz voltar ao túmulo a sineta
De nenhum sacristão, nem o Santíssimo
Nas mãos de nenhum padre.

KENNEDY

                                    Não matastes.
Outros é que o mataram.

MARIA

                              Eu sabia
De tudo, e permiti se praticasse
O crime, e eu mesma fui que com enganos
O atraí à cilada.

KENNEDY

                    A pouca idade
Minora a vossa culpa: éreis tão nova!

MARIA

Tão nova, e ousei tomar nos tenros ombros
Tão duro fardo!

KENNEDY

                    Fostes provocada
Por um sangrento agravo, pela audácia
De um homem que de sua obscuridade
O vosso amor, como uma mão divina,
Sacara; a quem ao trono conduzistes
Pelo quarto nupcial; a quem fizestes
Ditoso dando, com a coroa herdada,
Vossa pessoa em flor. Podia ele
Esquecer que era a esplêndida fortuna
Generosa criação do amor? No entanto
Esqueceu, sim, o indigno. Suas baixas
Suspeitas e maneiras ofenderam
Vossa ternura e odioso então tornou-se
Aos vossos olhos. Dissipou-se o encanto
Que vos prendia a ele, a seus abraços
Fugistes, ao desprezo o relegando.
E ele? Que fez? Buscou, arrependido,
Reconquistar vosso favor, pedir

Perdão, lançou-se a vossos pés, jurando
Emendar-se? Ao contrário! Desafiou-vos,
Como se fosse vosso rei, o infame,
Vossa criatura! e sob os vossos olhos
Mandou matar o vosso favorito,
O belo cantor Rizzio. Não fizestes
Senão vingar com o sangue dele o do outro.

MARIA

E em mim com sangue o crime há de vingar-se.
Tentando consolar-me, sentencias-me!

KENNEDY

Ao consentirdes no assassínio, estáveis
Desorientada, não vos pertencíeis.
A loucura do amor, de um amor cego,
Vos sujeitara a um sedutor temível,
O fatal Bothwell. Sobre vós reinava
A máscula arrogância daquele homem,
Que com filtros de amor e artes do inferno
Vos inflamara o coração...

MARIA

                                    As artes
Com que venceu foram somente duas:
Sua força viril, minha fraqueza.

KENNEDY

Não! Para vos enlear o claro espírito
Usou ele de todos os recursos
Da perdição. Não tínheis mais ouvidos
Para a advertência da amiga, nem olhos
Para o que fosse decoroso. Tínheis
Abandonado então todo o recato
Diante dos homens. Vossas faces, dantes
Morada da modéstia mais pudica,
Ferviam de desejo. Despojastes
Vossa pessoa do véu de mistério
Que a envolvia. A impudência daquele homem
Venceu-vos de tal sorte, que exibíeis
Com despejada fronte a vossa infâmia.
O real cetro de Escócia consentíeis
Que o levasse nas ruas em triunfo,
À vossa frente, o matador que o povo
Apontava indignado. Sitiastes
De homens em armas vosso Parlamento,

E ali, no templo mesmo da justiça,
Forçastes os juízes a absolverem
Em descarada farsa o criminoso!
Fostes ainda mais longe... Oh, Deus!

MARIA

                                        Conclui:
Dei-lhe perante o altar a mão de esposa!

KENNEDY

Ah, Rainha, guardai sobre tal culpa
Silêncio eterno! Ela é terrivel, — digna
De uma perdida, e eu sei que uma perdida
Não sois, pois vos criei, conheço o terno
Coração que eduquei, tão acessível
Ao pudor. Um só vício o desmandava
— A leviandade. Existem maus espíritos.
Repito, que se instalam por momentos
Em nosso incauto coração, à pressa
Devastam-no, e ao fugirem, só nos fica
Pasmo e terror no peito maculado.
Desde aquele delito, mancha negra
Em vossa vida, nada cometestes
De mau. Posso atestar vossa virtude.
Coragem, pois! Fazei convosco as pazes.
Do que quer que vos punja com remorsos
Não sois culpada em Inglaterra. Elizabeth
E o Parlamento inglês não lhes pertence
Julgar-vos. Uma vítima da força
É o que sois. Diante desse tribunal
Usurpador comparecei portanto
Com toda a fortaleza da inocência.

MARIA

Quem é?

         (MORTIMER *aparece à porta.*)

KENNEDY

O sobrinho. Retirai-vos.

CENA 5
(*Os mesmos. MORTIMER entrando acanho. À ama.*)

MORTIMER

                    Aia,

Saí, vigiai diante da porta. Tenho
Que falar à Rainha.

MARIA

(Com autoridade.)
                    Ana, não saias!

MORTIMER

Nada temais, Milady. Principiai
A conhecer-me.
        (Estende-lhe um papel.)

MARIA

        (Olha o papel e recua admirada.)
                    Ah! Que é?

MORTIMER

        (Para KENNEDY.)
                    Senhora Kennedy,
Ide e cuidai que não nos surpreenda
Meu tio!

MARIA

        (Para a ama, que olha para a Rainha interrogativamente.)
Faze o que ele diz. Vai! Vai!

        (A ama afasta-se manifestando surpresa.)

CENA 6
(MORTIMER. MARIA.)

MARIA

Do cardeal de Lorena, de meu tio!
        (Lê.)
"Pode confiar no portador — Sir Mortimer,
"Vosso mais fiel amigo na Inglaterra."
        (Olhando para MORTIMER com espanto.)
Será possível? Não será ilusão?
Tão perto acho um amigo, e imaginava-me
Abandonada aqui de todo o mundo,
E ele é o sobrinho de meu carcereiro?...
Vós, em quem via o pior dos inimigos?

MORTIMER

        (Lançando-se-lhe aos pés.)
Perdão, Rainha, pela odiosa máscara

Que foi mister impor-me e a quanto custo!
Devo-lhe entanto o ter-me aproximado
De vós e auxílio e salvação trazer-vos.

MARIA

Levantai-vos, Senhor. Estou surpresa
Nem posso tão de súbito à esperança
Me erguer do abismo de meus infortúnios.
Falai, senhor, tornai-me verossímil
Esta aventura, por que eu possa crê-la.

MORTIMER

 (Levanta-se.)
Milady, o tempo corre. Dentro em pouco
Aqui estará meu tio acompanhado
De um homem detestável. Ouvi, antes
Que vos surpreenda a horrífica mensagem.
Como o céu vos socorre.

MARIA

     Me socorre
Num milagre de sua onipotência!

MORTIMER

Sofrei que principie por mim.

MARIA

       Falai,
Senhor.

MORTIMER

    Vinte anos tinha eu, Rainha.
Em severos princípios educado
(Bebi com o leite o mais cerrado ódio
Do papado), eis me impele ao Continente
Incoercível desejo. Fujo às tristes
Salas de pregação dos puritanos.
Deixo a pátria, percorro a França, passo
Com vivo afã à Itália tão louvada.
Era ao tempo do grande jubileu.
Por toda a parte enchiam-se as estradas
De multidões de peregrinos. Era
Como se em marcha para o céu andasse
Todo o gênero humano. Na torrente
Dos fiéis envolvido, fui levado
Ao recinto de Roma. E o que senti,

Rainha, ante o esplendor incomparável
Das colunas, dos arcos de triunfo,
Do Coliseu!... quando me vi encerrado
Pelo gênio sublime da escultura
Em seu sereno mundo!... Eu não provara
Ainda o poder das artes. Doutrinado
Numa igreja que odeia os atrativos
Dos sentidos, e imagens não tolera,
Só à imaterial palavra limitando-se,
Que emoção não senti ao penetrar
No interior das igrejas, ao ouvir
Baixar dos céus as músicas divinas,
Ao ver surdir de tetos e paredes
A profusão das formas. Ante os olhos
Atônitos movia-se, e animava-se
O que há de mais subido e mais grandioso:
As sagradas pessoas e episódios
— Maria mãe de Deus, o anjo Gabriel
Saudando-a, o nascimento do Senhor,
A Trindade Santíssima descida
À terra, a clara Transfiguração...
E a figura do Papa, em toda a sua
Magnificência, celebrando a missa
E abençoando os povos... Oh, que valem
O ouro e o brilho das joias de que se ornam
Os reis da terra? Ele do só divino
Se cerca. A sua casa é um verdadeiro
Reino do céu, porquanto aquelas formas
Não são do nosso mundo miserando.

MARIA

Oh, poupai-me! Cessai! Não continueis
Abrindo o fresco tapete da vida
Diante de mim cativa e desgraçada!

MORTIMER

Também o fui, Rainha, e de repente
Se abriu minha prisão, e meu espírito
Saudou, liberto, o belo sol da vida.
Jurei odiar o Livro estreito e frio,
De frescas flores coroar-me a fronte,
Unir-me, de alma alegre, a almas alegres.
Muito nobre escocês, muitos gentis
Franceses se fizeram meus amigos.
Apresentaram-me ao Cardeal de Guise.
Que homem o vosso tio! Que clareza!

Que segurança! que viril presença!
Nasceu talhado para governar
As consciências, um Príncipe da Igreja,
Como jamais viram meus olhos!

MARIA

Vistes
As queridas feições do homem sublime,
Guia da minha terna juventude?
Oh, falai-me sobre ele! Ainda se lembra
De mim? Sua saúde é sempre boa?
Brilha ainda a sua estrela e ele ainda se ergue
Como uma rocha a sustentar a Igreja?

MORTIMER

Dignou-se Sua Eminência elucidar-me
Os mistérios da Fé, desvanecer
As minhas dúvidas. Mostrou-me como
Os ardis da razão sempre levaram
O homem ao erro: e me mostrou que os olhos
Precisam ver o que devemos crer;
Que a Igreja necessita de um cabeça
Visível; e que o sopro da verdade
Sempre falou na voz dos Santos Padres.
As loucas ilusões de minha infância,
Ah como as dissipou sua pujante
Razão, sua amorável eloquência!
Voltei à comunhão da Igreja, em suas
Mãos abjurei, meu erro.

MARIA

Sois um desses
Milhares que ele, como o Pregador
Da Montanha, guiou, com a aura celeste
De sua voz, à salvação eterna!

MORTIMER

Quando os deveres de seu cargo em breve
O chamaram à França, mandou-me ele
A Reims, onde piedosa a Companhia
De Jesus forma os padres destinados
À igreja de Inglaterra. Lá encontrei
Morgan, nobre escocês, e o vosso fiel
Lessley, bispo de Ross, que hoje na França
Vivem os tristes dias do desterro.
Privei com esses dois homens veneráveis,

Fortaleci-me em minha fé. Um dia,
Estando em casa do bispo, olhei em torno,
Caíram os meus olhos num retrato
De formosura ideal, tão fascinante,
Que dominar não pude a intraduzível
Emoção que até o fundo de minh'alma
Nesse instante senti. No que atentando,
Me disse o bispo: Com razão detendes
O olhar nessa mulher, de quantas vivem
A mais bela, e também mais inditosa;
Que por amor de nossa igreja há que anos
Sofre, e é em vossa Inglaterra que ela sofre!

MARIA

Ah, o fiel amigo! Não, não perdi tudo,
Se o conservei na minha adversidade!

MORTIMER

E entrou a pintar-me então tocantemente
Vosso martírio e a sanha sanguinária
Dos vossos inimigos. Mostrou a vossa
Árvore genealógica, apontando
A vossa filiação à casa ilustre
Dos Tudores e assim me convencendo
De que a vós tão somente em Inglaterra
Cabe reinar e não a esse arremedo
De rainha, engendrada no adultério,
Do próprio rei, seu pai, repudiada
Como filha bastarda. Não me fiando
Só do seu testemunho, bati às portas
De todos os legistas, consultei
Os velhos livros de linhagens... Quantos
Interroguei, todos me confirmaram
Vosso direito. E agora, agora sei
Que esse direito é todo o vosso crime
No reino de Inglaterra; e que este reino,
Onde, sem culpa definhais cativa,
De direito pertence-vos, Rainha!

MARIA

Oh, esse fatal direito! Única fonte
De todos os meus males!

MORTIMER

                              A esse tempo
Vim a saber que fôreis removida

Do castelo de Talbot e confiada
À guarda de meu tio. Vi no fato
A mão da Providência, um claro apelo
Do destino, a escolher para salvar-vos
O meu braço. Os amigos aprovaram-me.
Deu-me o Cardeal conselho e bênção, na arte
Difícil do dissímulo adestrando-me.
Traçado o plano, fiz-me de regresso
À pátria, onde me encontro faz dez dias.
Como sabeis.
   (Depois de uma pausa.)
     E vi-vos em pessoa!
Não apenas a imagem! Que tesouro
Encerra este castelo! Prisão isto?
Não! Morada divina é que é! Mais bela
Que a corte de Inglaterra... Oh que ditosos
São os a quem é dado respirar
Este ar em que viveis! Ah, tem razão
Aquela que tão fundo vos esconde!
Pois se a Rainha verdadeira vissem
Os moços do país, nenhuma espada
Ficaria ociosa na bainha;
A insurreição, alteando o colo horrendo,
Correria a ilha inteira!

MARIA
      Bom seria
Me visse cada inglês com os mesmos olhos
Com que me vêdes!

MORTIMER
      Todos o fariam
Se por ventura fossem testemunhas,
Como eu, das vossas penas, da tranquila
Coragem, da doçura inalterável
Com que sofreis o indigno tratamento.
Pois não atravessais como Rainha
Todas as provações? Roubou-vos nunca
A infâmia deste cárcere a radiosa
Beleza? Careceis de tudo aquilo
Que enfeita a vida e vejo-vos no entanto
Sempre de luz e vida aureolada!
Jamais aqui pisei que não tivesse
Ralado o coração de mil tormentos,
Porém ao mesmo tempo transportado
Da delícia sem par de contemplar-vos!

Mas a terrível decisão não tarda;
A cada hora que passa aumenta o risco.
Não devo demorar-me em transmitir-vos
O pior...

MARIA

Fui condenada? Falai franco!
Tenho ânimo bastante para ouvi-lo.

MORTIMER

Condenada! Quarenta e dois juízes
Declaram-no. A Câmara dos Lords
E a dos Comuns, a cidade de Londres
Insistem vivamente pela pronta
Execução; só a Rainha hesita,
Mas por astúcia, como se a quisessem
Forçar, — não por clemência ou humanidade.

MARIA

(Com firmeza.)
Sir Mortimer, sabei que tal mensagem
Não me surpreende nem me assusta. Há muito
A esperava. Conheço os meus juízes.
Compreendo que não queiram conceder-me
A liberdade após tantos ultrajes.
O que se quer, sei bem, é sequestrar-me
Em perpétua prisão, e o meu direito,
Minha vingança soterrar nas trevas
Do calabouço.

MORTIMER

Oh, não! oh, não, Rainha!
Não pararão aí. A tirania
Não se contenta de deixar sua obra
Pela metade. Enquanto vós viverdes,
Viverá o medo da Rainha inglesa.
Calabouço não há bastante fundo
Para nele enterrarem-vos! Só a vossa
Morte garantirá o trono dela.

MARIA

Acreditais então que ela ousaria.
Levar minha cabeça coroada
Ao cepo do carrasco?

MORTIMER

Oh, se ousaria!

MARIA

Fora ultrajar a própria majestade
E a de todos os reis? E não teme ela
A desforra da França?

MORTIMER

                 Paz perene
Ofereceu à França dando ao Duque
De Anjou a mão e o trono.

MARIA

                   E o rei da Espanha
Nada fará?

MORTIMER

          Enquanto com o seu povo
Ela estiver em paz, nem todo o mundo
Em pé de guerra pode amedrontá-la.

MARIA

Quer aos ingleses dar tal espetáculo?

MORTIMER

Este país, Milady, já tem visto
Mais de uma vez nos tempos mais recentes
Decapitar efêmeras rainhas.
Assim morreu a própria mãe de Elizabeth.
E Catarina Howard. Lady Gray
Não foi também cabeça coroada?

MARIA

       (Depois de uma pausa.)
Não, Mortimer! Receios infundados
São esses vossos. Os fiéis desvelos
De vosso coração é que tais medos
Criam inutilmente. O que apreendo
Não é o cadafalso. Há outros meios,
Mais discretos, com que de meu direito
Se possa defender a soberana
De Inglaterra. Em lugar de me mandarem
O algoz, podem mandar-me um assassino.
Diante disso é que tremo. Nunca aos lábios,
Sir, levo um copo, que não sinta um frio
Correr-me a espinha: não será servido
Por amor da mulher minha inimiga?

MORTIMER

Não, nem aberta, nem secretamente
Contrá vós vingará a trama assassina.
Não tenhais medo. Tudo está disposto.
Doze nobres mancebos deste reino
Juraram, recebendo esta manhã
A comunhão, raptar-vos do castelo
A viva força. O embaixador de França
Sabe de tudo, ajuda-o pessoalmente,
E é em seu palácio que nos reuniremos.

MARIA

Tremo, Sir Mortimer — não de alegria.
Anda-me n'alma um mau pressentimento...
Que ides fazer? Já meditastes bem?
Não vos atemorizam as cabeças
De Tichburn e de Babington expostas
À multidão de Londres para exemplo?
O triste fim de tantos que encontraram
A morte em aventuras semelhantes,
Sem conseguir senão dobrar o peso
De meus grilhões? Fugi, fugi depressa,
Se ainda é tempo, se Burleigh, o espião,
Ainda não farejou o que planejastes
E não pôs um traidor entre vós outros!
Fugi! Jamais achou Maria Stuart
Mortal nenhum feliz para salvá-la.

MORTIMER

As cabeças de Tichburn e de Babington
Expostas para exemplo à multidão,
O triste fim de tantos que encontraram
A morte em aventuras semelhantes
Não me intimidam. Se morreram, foi
Ganhando eterna glória, e que melhor
Ventura que morrer para salvar-vos?

MARIA

Empresa vã! Não poderão salvar-me
Nem astúcia nem força. Vigilante
É o inimigo, e seu o poderio.
Não é Paulet apenas, com os seus homens,
Mas a Inglaterra inteira que vigia
As portas de meu cárcere. Só a livre
Vontade da Rainha pode abri-las.

MORTIMER

Oh, isso não espereis jamais.

MARIA

Só um homem
Poderia salvar-me.

MORTIMER

Oh, o nome dele?
Dizei-me o nome dele!

MARIA

O conde Leicester.

MORTIMER

Leicester? O conde Leicester? O mais cru
Entre todos os vossos inimigos?
O favorito da Rainha? E é dele...

MARIA

Se me posso salvar, só dele o espero.
Ide falar-lhe. Abri-vos. Por sinal
De que vos mando, este papel levai-lhe.
Contém o meu retrato.
            (Tira um papel do seio. MORTIMER recua, hesitando em recebê-lo.)
                        Há longos anos
Trago-o comigo, porque a vigilância
De vosso tio me fechou os caminhos
Que levavam ao Conde. Ei-lo, tomai-o.
Meu anjo bom vos trouxe a mim...

MORTIMER

Rainha,
Explicai-me este enigma...

MARIA

O Conde Leicester
O explicará. Confiai no Conde, o Conde
Confiará em vós, Sir Mortimer... Quem chega?

KENNEDY

(Entrando precipitadamente.)
Paulet, Milady, com um senhor da corte.

MORTIMER

É Lord Burleigh, Rainha! Preparai-vos
A ouvir, serena, o que ele vem dizer-vos.

(Afasta-se por uma porta lateral. KENNEDY segue-o.)

CENA 5
(MARIA, LORD BURLEIGH, Grande-Tesoureiro de Inglaterra e PAULET.)

PAULET

Queríeis conhecer a vossa sorte:
Ouvila-eis de Sua Senhoria
Lord Burleigh. Suportai-a resignada.

MARIA

Com a dignidade, espero, da inocência.

BURLEIGH

Venho na condição de delegado
Do tribunal, Lady.

MARIA

Lord Burleigh empresta-lhe
A voz também, como emprestou o espírito?

PAULET

Falais como já ciente da sentença.

MARIA

Se é Lord Burleigh que a traz, já sei qual seja.
(A LORD BURLEIGH.)
Começai.

BURLEIGH

Submetestes-vos, Milady,
Ao julgamento dos quarenta e dois...

MARIA

Perdoai-me interromper-vos desde logo,
Milord, dissestes que me submeti
Ao julgamento dos quarenta e dois:
De modo algum me submeti, nem mesmo
O poderia, pois não poderia
A tal ponto esquecer minha realeza,
A honra do meu povo, e a de meu filho,
E a de todos os Príncipes. Ordena,
Milord, a lei inglesa seja o réu
Por seus pares julgado. Quem me é igual
Na comissão? Só os reis são meus iguais.

BURLEIGH

Ouvistes, Lady, os itens do libelo,
Sobre eles respondestes aos juízes.

MARIA

Sim, arrastada pela vil astúcia
De Hatton, por amor de minha honra
Tão somente, e na força confiando
De meu direito, me dignei de ouvir
E refutar os pontos principais
Da acusação. Se o fiz, foi deferência
Às pessoas dos Lords, à autoridade
Não, que não a aceitei.

BURLEIGH

Mas que a aceiteis
Ou não, Milady, é vã formalidade,
Que não pode entravar o julgamento
Da causa. Respirais o ar de Inglaterra,
Gozais da proteção, dos benefícios
Da lei inglesa, estais também, portanto,
Sujeita ao seu império.

MARIA

O ar que respiro
É ar de prisão. É isso que se chama
Gozar da proteção das leis? Aliás
Mal as conheço. Não aquiesci nunca
A observá-las. Não sou nenhuma súdita
Do reino da Inglaterra: sou Rainha
De um país estrangeiro.

BURLEIGH

E imaginais
Que o nome de Rainha possa dar-vos
Carta branca para semear impune
A discórdia sangrenta em terra estranha?
Ai da estabilidade dos Estados,
Caso a espada de Têmis justiceira
Não pudesse cair sobre a cabeça
De um hóspede real da mesma forma
Que sobre a de um mendigo!

MARIA

Não desejo
Subtrair-me à justiça, o que recuso
São os juízes.

BURLEIGH

Os juízes? Como,
Milady? Por ventura são gentalha,
Palreiros impudentes, para os quais
A verdade e o direito estão à venda,
Homens de se alugar como instrumento
Da opressão? Não são eles os primeiros
Varões deste país, independentes
Bastante para ousarem ser sinceros,
Para se colocarem muito acima
Da baixa corrupção, do medo a príncipes?
Não são os mesmos que este nobre povo
Governam livre e equitativamente?
E cujos nomes basta pronunciá-los
Para fazer calar suspeita ou dúvida?
À sua testa está o pastor dos povos,
O piedoso primaz de Cantuária,
Está Talbot, o sábio guarda-selos,
E Howard, que comanda as frotas reais.
Podia a soberana de Inglaterra
Fazer mais que escolher para juízes
Neste processo os homens mais ilustres
Da monarquia? Que o ódio partidário
Cegue um ou outro, admito, mas supor
Que quarenta e dois homens dos melhores
Concordem por paixão numa sentença
Iníqua!

MARIA

(Após um momento de silêncio.)
Sir, pasmo de ouvir a voz
Que me foi sempre tão funesta. Como
Eu, mulher ignorante, poderia
Contrastá-la? Sem dúvida se os juízes
Fossem como os pintais, eu me calara.
Teria por perdida sem remédio
A minha causa, se me declarassem
Culpada. Mas os nomes que citais
Com tão grande louvor e cujo peso
Deveria esmagar-me, tenho-os visto
Desempenhar na História deste reino
Papéis muito outros. Vejo a alta nobreza
De Inglaterra, o Senado majestoso
De um país, como escravos de serralho,
Sorrirem e complacentes aos volúveis
Caprichos de sultão de Henrique oitavo,
Meu tio-avô. Vejo a Câmara Alta,

Tão subornável quanto a dos Comuns,
Fazer e desfazer leis, casamentos,
Ao sabor do amo, deserdar um dia
As princesas reais, hoje infamando-as
Com o nome de bastardas, e amanhã
Proclamando-as rainhas. Vejo em quatro
Reinados nobres pares quatro vezes
Mudarem de opinião...

BURLEIGH

                    Dissestes, Lady,
Não conhecer as leis do reino, e entanto
Mostrais saber-lhe a fundo as más fortunas.

MARIA

E eis meus juízes! Lord Grande-Tesoureiro,
Vou ser justa convosco: sede-o, peço-vos,
Também comigo. Diz-se, e quero crê-lo,
Que desejais o bem da soberana,
O bem do Estado, e sois incorruptível,
E vigilante, e infatigável. Diz-se
Que não vos move, Sir, vosso interesse
Pessoal, mas o interesse da Rainha,
E do Estado tão só. Por isso mesmo
Guardai-vos, nobre Lord, de confundir
O interesse do Estado e o da justiça.
Bem sei que têm assento ao vosso lado
Alguns nobres juízes. Todavia,
São protestantes, desvelados súditos
De Elizabeth, e a mim, Rainha da Escócia,
Me chamam a papista! Diz antigo
Provérbio que o inglês não pode ser
Justo com o escocês. Por isso, desde
Tempos imemoráveis é costume
Não testemunhe o inglês contra o escocês,
Nem este contra aquele: estranha lei,
Necessária. Há nas velhas tradições
Um sentido profundo que devemos
Respeitar, Milord Burleigh, — a natureza
Lançou sobre esta prancha ao oceano
Estes dois povos, ambos belicosos;
Repartiu-lha, porém, desigualmente,
Impondo-lhes assim que se guerreassem.
Um rio estreito é tudo o que separa
Essas gentes violentas; muitas vezes
Se misturou, na água do Tweed o sangue

Dos combatentes, que há mil anos se olham
De mão posta na espada, ameaçadores.
Nenhum inimigo já atacou a Inglaterra,
Que a si não atraísse os escoceses;
Guerra civil nunca abrasou a Escócia,
Que pelo inglês não fosse suscitada.
E esse ódio só se extinguirá no dia
Em que os una irmãmente um parlamento
E um só cetro comande na ilha inteira.

BURLEIGH

E quem traria ao reino essa ventura?
Uma Stuart, pois não?

MARIA

Por que negá-lo?
Nutri, sim, a esperança de os dois povos
Unir à sombra da oliveira, livres
E felizes. Nem nunca imaginara
Que haveria de ser sacrificada
Ao seu ódio recíproco; esperava
Abolir para sempre aquela antiga
Discórdia, e como o meu antepassado
Richmond, juntou, após dura peleja,
As duas rosas, reunir sem luta
As coroas de Escócia e de Inglaterra.

BURLEIGH

Mau caminho seguistes nesse intento.
Pois que tramastes abrasar o reino
Para, através das chamas de uma guerra
Civil, chegar ao cobiçado trono.

MARIA

Jamais tramei! Por Deus do céu! E quando
Haveria tramado? Quero as provas!

BURLEIGH

Não vim, Milady, aqui para um debate.
A causa está julgada. Por quarenta
Votos contra só dois reconheceram
Que violastes a lei do ano passado
E incorrestes em culpa. A lei dizia:
"Se alguma sedição for concertada
Em nome e no proveito de pessoa
Com pretensões ao trono, seja esta

Levada ao tribunal como culposa
De crime capital". Está provado...

MARTA

Não duvido, Milord, do cumprimento
De uma lei concebida e redigida
Expressamente para aniquilar-me.
Ai da vítima quando aquele mesmo
Que a lei forjou, Milord, lavra a sentença!
Podeis negar que se visou perder-me?

BURLEIGH

O que visava a lei, era advertir-vos
Apenas. Fostes vós que a transformastes
Em armadilha. Vistes bem o abismo
Aberto aos vossos pés, e não obstante
Lealmente prevenida, vos jogastes.
Entrastes em conjuração com Babington,
O traidor, e seus cúmplices. Estáveis
A par de tudo e tudo dirigíeis
De dentro da prisão.

MARIA

Quando o teria
Feito? Mostrem-me então os documentos!

BURLEIGH

Perante o tribunal recentemente
Já vos foram mostrados.

MARIA

Essas cópias
Por mão estranha escritas! Deem-me as provas
De que eu mesma as ditei, de que as ditei
Exatamente como foram lidas.

BURLEIGH

Babington confessou que eram as mesmas
Que havia recebido.

MARIA

E por que não
Me acarearam com ele? Por que tanta
Pressa em tirar-lhe a vida antes de pôr-nos
Face a face?

BURLEIGH

                 Ambos, Kurl e Nau, os vossos
Secretários, juraram em justiça
Que as cartas eram tais como as ditastes.

MARIA

E nesses testemunhos de domésticos
Meus se basearam para condenar-me?
E fazem fé de homens que me traíram
A mim, sua Rainha?

BURLEIGH

                   Mas vós mesmas,
Milady, já louvastes a virtude,
A retidão do escocês Kurl...

MARIA

                   Assim
Pensava. Ora, a virtude só se prova
Nas horas do perigo. É bem possível
Que, temendo a tortura, confessasse
Por verdade a mentira, que contasse
Salvar com um falso testemunho a vida
Sem me causar, contudo, a mim, Rainha,
Grande dano.

BURLEIGH

              Por livre juramento
O declarou.

MARIA

             Mas não à minha vista!
Como, Milord? Eis duas testemunhas
Que ainda vivem; confrontem-me com elas!
Façam-nas repetir seus testemunhos!
Porque se me recusa esse direito,
Esse favor que nem aos assassinos
Se nega? Meu ex-carcereiro Talbot
Já me informara que no atual governo
Foi baixado um decreto em que se ordena
Que perante o acusado compareça
O seu acusador. É assim, de fato?
Terei acaso ouvido mal? — Sir Paulet,
Sempre vos estimei homem de bem.
Mostrai-o aqui, dizei-me em consciência
Se é mesmo assim, se tal decreto existe!

PAULET

Existe, sim, Milady, é de direito,
Verdade seja.

MARIA

Muito bem. Agora,
Milord! se tão estritamente aplicam
A lei inglesa quando me é contrária,
Por que a deturpam quando me seria
Propícia? — Respondei! Por que não mandam,
Como na lei se ordena, Babington
Vir à minha presença? E de igual modo
Meus secretários, que ambos inda vivem?

BURLEIGH

Não vos zangueis, Milady. O entendimento
Que tivestes com Babington não é
A única razão...

MARIA

É, sim, a única
De que careço desculpar-me, a única
Que pode expor-me à espada da justiça.
Não fujais à questão, Milord!

BURLEIGH

Há ainda,
E está provado, que negociastes
Com o embaixador da Espanha...

MARIA

(Vivamente.)
Não fujais
À questão, Milord!

BURLEIGH

E que fomentastes
Conspirações para derruir a Igreja
De Inglaterra, e açulastes contra o reino
Todos os reis da Europa...

MARIA

E que o fizesse?
Não o fiz, mas conceda-se que o tenha
Feito! Milord, retêm-me aqui cativa
Contra todas as regras do Direito

Das gentes. Vim a este país, sabei-lo,
Não de espada na mão, mas suplicando
O sagrado direito de hospedagem,
Lançando-me nos braços da Rainha,
Minha parente... E o que se deu? Prenderam-me
Num cárcere, forjaram-me cadeias
Onde eu buscara proteção. Dizei-me:
Obrigada estará minha consciência
Com este Estado? Terei eu deveres
Para com a Inglaterra? Uso um direito
Sagrado de legítima defesa
Ao forcejar romper essas cadeias,
Ao revidar violência com violência,
Ao convocar em meu auxílio todos
Os Estados da Europa. A tudo quanto
Em bom combate se reputa justo
Me é lícito apelar. Só o assassínio,
O atentado em segredo me proíbem
A minha consciência e o meu orgulho.
Um assassínio, sim, me mancharia
E me desonraria. Vêde bem:
Digo desonraria, e não, de modo
Algum, condenaria. Uma sentença
De tribunal jamais pode atingir-me!
Entre mim e a Inglaterra não se trata
De direito, Milord, mas só de força!

BURLEIGH

(Gravemente.)
Não vos convém, Milady, prisioneira
Que ora sois, apelar para o direito
Formidável da força.

MARIA

Eu sou a fraca;
Ela, a forte. Pois bem, use a violência,
Sacrifique-me à sua segurança,
Mate-me! Mas confesse que tal ato
Será não de justiça, e sim de força!
Não peça à lei que esta lhe empreste a espada
Por desembaraçar-se da inimiga
A quem odeia! Não disfarce em veste
Sagrada a sanguinária prepotência!
Não burle o mundo com tamanha farsa!
Matar-me poderá, mas não julgar-me!
Não queira unir aos préstimos do crime

O santo ar da virtude! Tenha a audácia
De parecer o que é — no fundo d'alma!

(Sai.)

CENA 8
(BURLEIGH. PAULET.)

BURLEIGH

Ela nos desafia, Cavaleiro.
E nos desafiará, mesmo ao subir
Ao cadafalso. É um coração altivo,
Inquebrantável. Surpreendeu-a acaso
A sentença de morte? Demudou-se-lhe
A cor ou derramou alguma lágrima?
Não fez apelo ao nosso dó. Conhece
Bem a irresolução da soberana,
E o nosso medo é que lhe dá a coragem.

PAULET

Lord Grande-Tesoureiro! Esta arrogância
Não durará faltando-lhe o pretexto.
Se posso falar franco, houve de fato
Neste processo irregularidades.
Deviam, na verdade, ter mandado
Comparecer Tichburn e Babington,
Bem como os secretários, à presença
Dela.

BURLEIGH

(Vivamente.)
Não, Cavaleiro! Não! Seria
Arriscado. O fascínio que ela exerce
Sobre quantos a veem é enorme, e enorme
A força feminil de suas lágrimas.
Se o secretário Kurl a defrontasse,
Chegado o instante em que mister lhe fora
Pronunciar a palavra decisiva
Da sorte da escocesa, ele, hesitante,
Poderia recuar e desdizer-se.

PAULET

Então os inimigos da Inglaterra
Papearão contra nós no mundo inteiro;
E o solene aparato do processo
Tomará cor de bárbara empreitada.

BURLEIGH

É o que mais dá cuidados à Rainha.
Ah, por que não morreu a semeadora
De sobressaltos antes que pisasse
O solo de Inglaterra!

PAULET

Amém, vos digo!

BURLEIGH

Se a tivesse matado uma doença
Nestes anos de cárcere!

PAULET

Poupara-se
Muita desgraça a este país.

BURLEIGH

Contudo,
Mesmo de morte natural levada,
Ainda nos tratariam de assassinos.

PAULET

Não se pode impedir que os homens pensem
O que bem queiram.

BURLEIGH

Todavia as provas
Eram difíceis e menor o escândalo.

PAULET

O escândalo que importa? Não nos dói
A censura loquaz, dói a que é justa.

BURLEIGH

Oh, até a santa justiça não escapa
À censura. A opinião toma partido
Pelo infeliz. A inveja não dá tréguas
Ao vencedor. O gládio da justiça,
No homem decoro, é na mulher odioso.
Não acredita o mundo na justiça
De uma mulher se outra mulher é a vítima.
Em vão nós, os juízes, decidimos
Conforme à nossa consciência! Tem
Seu direito de graça a soberana:
Deve usá-lo! E parece intolerável
Que deixe à lei seu curso rigoroso.

PAULET

Assim...

BURLEIGH

                    Força é que viva?... Não! Não deve
Continuar vivendo! É justamente
O que aflige a Rainha e de seu leito
Afasta o sono. Leio nos seus olhos
Todo o combate que lhe vai no espírito.
Não declaram seus lábios o que anela,
Mas o seu mudo olhar bem que pergunta:
Não há, entre todos os meus servidores,
Nenhum capaz de me poupar a odiosa
Alternativa — ou em perpétuo susto
Ocupar o meu trono, ou ao carrasco
Entregar a Rainha de meu sangue?

PAULET

É uma necessidade a que não foge.

BURLEIGH

Poderia fugir, pensa a Rainha,
Se servidores mais fiéis tivesse.

PAULET

Mais fiéis?!

BURLEIGH

                    Que soubessem entender
Uma ordem tácita.

PAULET

                    Uma ordem tácita?!

BURLEIGH

Homens que se a guardar lhes fosse dada
Venenosa serpente, a não guardassem
Como a sagrada joia preciosa!

PAULET

        (Pesando as palavras.)
Joia sem par, Milord, é a boa fama,
A nomeada sem mancha da Rainha:
Nunca será bastante resguardada!

BURLEIGH

Quando das mãos de Shrewsbury a Lady
Foi transferida às vossas, Cavaleiro,
A intenção era...

PAULET

Espero que ela fosse
Entregar a missão mais delicada
Nas mãos mais puras. Nem a aceitaria,
Milord, por Deus! se acaso não julgasse
Que ela reclamaria o mais honrado
Dos homens de Inglaterra. Não lanceis
Em minh'alma a suspeita de que a devo
A outra coisa senão meu nome intacto!

BURLEIGH

Espalha-se o rumor que ela definha...
Cada vez mais doente... Até que morra
Na memória dos homens... Vosso nome
Ficará intacto.

PAULET

Não minha consciência!

BURLEIGH

Bem, não o façais vós mesmo, outro o faria...

PAULET

(Interrompendo-o.)
Não! Nenhum assassino terá acesso
Junto dela, afianço-vos! enquanto
Os deuses de meu lar a acobertarem.
Para mim tão sagrada é a sua vida
Quanto a da soberana de Inglaterra!
Sois juízes! Pois julgai! Pois condenai-a!
Chegada a hora, venha o carpinteiro
Com serrote e machado preparar-lhe
O cadafalso. E após venham xerife
E carrasco. A estes sós serão abertas
As portas do castelo. Por agora
Está confiada à minha guarda e guardo-a!
Ficai certo que em minha proteção
Mal não fará nenhum, nem lho farão!

(Saem.)

ATO 2

O Palácio de Westminster.

CENA 1
(O Conde de Kent e Sir William Davison encontram-se.)

DAVISON

Por aqui, Milord Kent? Já de regresso
Do torneio? Acabada a festa?

KENT

Como?
Não estivestes lá?

DAVISON

Não mo deixaram
Minhas funções.

KENT

Perdestes o mais belo
Dos espetáculos, imaginado
Pelo gosto mais fino e posto em obra
Com o mais nobre decoro. Ouvi, Milord:
Figurava-se a casta cidadela
Da Beleza assaltada do Desejo.
Defendiam-na contra os cavaleiros
Franceses que a investiam, o Estribeiro-
-Mor, o Grão-Juiz e o Senescal seguido
De outros dez cavaleiros da Rainha.
Primeiro foi a altiva fortaleza
Intimada a render-se pelo arauto
Num madrigal. Do muro respondeu-lhe
O Chanceler. Troou a artilharia.
Ramalhetes de flores e cheirosas,
Raras essências foram desferidas
Por mimosos canhões contra o castelo.
Debalde! Sempre e sempre repelido,
O Desejo bateu em retirada.

DAVISON

Hum, Conde! Vejo nisso um mau presságio
Ao pedido francês de casamento.

KENT

    Ora, era uma brincadeira. Na verdade,
    A cidadela acabará rendendo-se.

DAVISON

    Acreditais? Por mim, não acredito.

KENT

    Os pontos mais difíceis do tratado
    Acertados estão e a França aceita-os.
    O pretendente obriga-se a em capela
    Fechada praticar os seus deveres
    Da religião, a honrar publicamente
    E a proteger a Igreja de Inglaterra.
    Pena que não tivésseis presenciado
    O júbilo do povo a esta notícia!
    Que este é o medo em que vive: que a Rainha
    Não deixe herdeiro e novamente o reino
    Caia nas mãos do Papa, se no trono
    Lhe suceder a Stuart.

DAVISON

             Desse medo
    Ficará livre agora. Para as núpcias
    Caminha a soberana e para a morte
    A Stuart.

KENT

       Sir, ei-la, a Rainha!

CENA 2

(Os mesmos. ELIZABETH acompanhada por LEICESTER. O CONDE DE L'AUBESPINE, O CONDE DE BELLIÈVRE, O CONDE SHREWSBURY com outros senhores franceses e ingleses entram em cena.)

ELIZABETH

    (A DE L'AUBESPINE.)
        Conde,
    Lamento a sorte desses cavaleiros
    Que o seu galante zelo aqui nos trouxe.
    Há de fazer-lhes falta o imenso fausto
    De Saint-Germain. Não posso oferecer-lhes
    O divino esplendor das festas dadas
    Pela Rainha-mãe de França. Um povo
    Honesto e alegre, que, quando apareço
    Em público me cerca e me abençoa,

É o único espetáculo que posso
Proporcionar, ufana, aos estrangeiros.
O brilho das senhoras que florescem
No jardim de Beleza da Rainha
Catarina até a mim me eclipsaria
E aos meus escuros méritos.

DE L'AUBESPINE

O Paço
De Westminster só uma dama patenteia
Aos olhares surpresos do estrangeiro.
Mas todos os encantos que em seu sexo
Seduzem, estão nela reunidos.

BELLIÈVRE

Digne-se Vossa Augusta Majestade
De receber as nossas despedidas,
Para levarmos a Monsieur, nosso amo,
A leda nova que o fará ditoso.
A fogosa impaciência que no peito
Lhe vai não consentiu que ele ficasse
Em Paris; em Amïens veio aguardá-la
E até Calais se escalam seus correios,
Prontos a transmitirem com a presteza
Do voo ao seu ouvido inebriado
O sim de vossos reais lábios.

ELIZABETH

Conde
Bellièvre, não insteis. Não é chegado
Ainda o momento de acender, repito,
As tochas do himeneu. Um céu sombrio
Cobre o país e mais me assentariam
Os véus do luto que os nupciais agora.
Pois de sinistro golpe ameaçados
Vejo meu coração e minha casa.

BELLIÈVRE

Dai-nos, Rainha, uma promessa apenas;
Cumpri-la-eis em dias mais felizes.

ELIZABETH

Escravos são os reis de seu estado
E não podem ceder ao sentimento.
Foi sempre meu desejo não casar-me,
Pôr minha glória em que se lesse um dia

Na minha campa este epitáfio: "Aqui
Jaz a Rainha virgem". Mas meus súditos
O não quiseram. Pensam com frequência
No tempo em que eu me for... Não é bastante
Fazê-los venturosos no presente:
Também ao bem futuro se me exige
Me sacrifique, e até que sacrifique
A minha virgindade, a mais preciosa
Prenda, ao meu povo. Impõe-se-me que aceite
Um senhor, o que mostra que me tomam
Só por mulher, a mim, que imaginava
Ter reinado como homem, como rei!
Certo não serve a Deus quem abandona
A ordem da natureza, e bem andaram
Os meus antecessores quando abriram
As portas dos conventos, libertando
Vítimas aos milhares, imoladas
A uma piedade mal compreendida.
Contudo uma Rainha que os seus anos
Não passa em ócio inútil, que pratica
Infatigavelmente os mais difíceis
De todos os deveres, bem podia
Ser eximida à lei da natureza
Que coloca à mercê de uma metade
Da raça humana a outra metade.

DE L'AUBESPINE

                    Honrastes
Em vosso trono todas as virtudes,
Rainha, e nada mais vos resta agora
Senão ao sexo de que sois a glória,
Propor-vos como exemplo no atributo
Mais feminino. Homem não há, por certo,
Que vos mereça abrirdes mão por ele
De vossa liberdade. Todavia,
Se nascença, grandeza, heroicos méritos
E beleza viril podem um príncipe
Tornar acaso digno de tal honra,
Então...

ELIZABETH

            Senhor Embaixador, sem dúvida
Fora honra para mim um casamento
Com o príncipe real de França. É claro
Que se assim tem de ser e nada posso
Mudar, se força me é ceder à instância

De meu povo, em tal caso não conheço
Príncipe algum na Europa a quem pudesse
Sacrificar com menos repugnância
Meu mais caro tesouro — a liberdade.
Tomai tal confissão por suficiente.

BELLIÈVRE

É a mais bela esperança, mas apenas
Uma esperança. Meu senhor quer mais...

ELIZABETH

Que mais quer?
  (Tira do dedo um anel e considera-o pensativa.)
    Em verdade uma Rainha
Não usufrui nenhuma regalia
Sobre a simples burguesa! O mesmo símbolo
Igual dever e servidão implica.
O anel faz casamentos, e de anéis
Se faz uma cadeia. A Sua Alteza
Levai de minha parte este presente.
Ainda não é cadeia, não me prende,
Mas pode vir a ser.

BELLIÈVRE

  (Ajoelha-se, recebendo o anel.)
    Grande Rainha,
Em nome de meu príncipe recebo,
Ajoelhado, este presente e imprimo
Em vossas mãos o beijo da homenagem.

ELIZABETH

  (Ao Conde de Leicester, que ela não cessou de olhar fixamente
  enquanto ouvia as últimas palavras.)
Com licença, Milord!
  (Tira-lhe a fita azul e pendura-a ao pescoço de Bellièvre.)
    Adereçai
Com esta insígnia a Sua Alteza como
Vos adereço e admito nos deveres
De minha ordem. *Honni soit qui mal*
Y pense! Toda dúvida e suspeita
Entre as duas nações desapareçam
E os laços da confiança unam por diante
As coroas de França e de Inglaterra!

DE L'AUBESPINE

Este é um dia de júbilo, ó sublime
Rainha! Oxalá o seja para todos

Nesta ilha! Em vosso rosto luz um raio
Da divina clemência... Oh, que ele caia
Sobre a infeliz princesa, tão de perto
Ligada aos dois países...

ELIZABETH

Alto, Conde!
Não mesclemos assuntos tão diversos.
Se a França quer buscar minha aliança,
Precisa compartir de meus cuidados,
Não pode afeiçoar meus inimigos.

DE L'AUBESPINE

Ela seria indigna aos vossos próprios
Olhos, se, concluindo esta aliança,
Esquecesse a inditosa, a irmã de crença,
A viúva de seu rei. Assim o exigem
A honra, a humanidade...

ELIZABETH

Em tal sentido
Sei apreciar, como convém, a sua
Intercessão. A França desempenha
O dever da amizade, mas consinta-se-me
A mim o proceder como rainha.

(Saúda os senhores franceses, que se retiram respeitosamente seguidos dos lords.)

CENA 3
(ELIZABETH. LEICESTER. BURLEIGH. TALBOT. A Rainha senta-se.)

BURLEIGH

Gloriosa Rainha! Coroais hoje
A ardente aspiração de vosso povo.
Só agora é que podemos alegrar-nos
Do bem que dispensais aos que vos servem,
Já que não mais veremos a ameaçar-nos
Um futuro pejado de tormentas.
Só um cuidado nos morde, um sacrifício
De todos reclamado. Concedei-o
E este dia feliz terá fundado
Para sempre a ventura de Inglaterra.

ELIZABETH

Que quer ainda o meu povo?

BURLEIGH

Ele vos pede
A cabeça da Stuart. Se quiserdes
Assegurar ao povo o dom precioso
Da liberdade, a luz caro adquirida
Da verdade, é preciso que a escocesa
Desapareça. Para não tremermos
Por vossa vida, que nos é tão cara.
Morra a inimiga! Bem sabeis, Rainha,
Que divergem de crença os vossos súditos.
Ainda há muitos sectários da romana
Idolatria em nossa ilha. Todos
Nos são hostis e à Stuart devotados,
Em aliança com os irmãos lorenos,
De vós inexoráveis inimigos.
Jurou-vos guerra — guerra de extermínio —
A seita furiosa e a faz com as pérfidas
Armas do Inferno. Reims é o arsenal
Onde se forjam os seus raios. A arte
Do regicídio ali tem sua escola.
Dali se espalham as missões, compostas
De intrépidos fanáticos ocultos
Debaixo dos disfarces mais diversos.
Dali saíram já três assassinos;
Inexaurivelmente aquele báratro
Vomita contra nós os seus demônios:
E a Arte implacável desta eterna guerra
Vive em Fotheringhay, donde põe fogo
Com o seu facho de amor ao reino inteiro.
Dá uma lisonja e uma esperança a todos;
Por ela a juventude à morte certa
Se precipita. A senha é libertá-la;
O fim, sentá-la um dia em vosso trono.
Não reconhece a casa de Lorena
Vosso direito ao trono, usurpadora
Feliz vos chama. Eles é que levaram
A insensata princesa a intitular-se
Rainha de Inglaterra. Não se espere
Paz possível com ela e sua gente.
Ou desfechais o golpe ou ele vos colhe,
Rainha! A sua vida é a vossa morte!
A sua morte, a vossa vida!

ELIZABETH

Triste
Mister cumpris, Milord! Conheço o puro

Delito grave! mas acontecido
Numa quadra funesta, em meio aos transes
De uma guerra civil, em que ela, a fraca,
Cercada de vassalos apremantes,
Entregou-se nos braços do mais forte,
Vencida sabe Deus de que artifícios!
Frágil ser é a mulher...

ELIZABETH

      Não, Lord de Shrewsbury
Há almas fortes no sexo. À minha vista
Não se fale em fraqueza das mulheres.

TALBOT

Tivestes no infortúnio dura escola,
Rainha. A face alegre da existência
Não se vos deparava. Nenhum trono
Em perspectiva; a vossos pés um túmulo
Era tudo o que víeis. Em Woodstock
E na noite da Torre é que aprendestes
Pela aflição a ciência dos deveres.
Lá não ia a lisonja. Retirada
Do vão rumor do mundo, desde cedo
Vos habituastes ao recolhimento
Medidativo, a amar os verdadeiros
Bens desta vida. Quanto à pobre Stuart,
Nenhum Deus lhe valia. Ainda criança
Foi transplantada à França, àquela corte
Da leviandade e frívolos prazeres.
Ali, inebriada em festas incessantes,
Nunca ouviu da verdade a voz severa.
Ofuscaram-na os vícios, e a torrente
Da perdição colheu-a em seus remoinhos.
Tocou-lhe o vão prestígio da beleza,
A todas as mulheres eclipsava
Pelo encanto das formas e dos gestos
Não menos do que pelo nascimento.

ELIZABETH

Pesai no que dizeis, Milord de Shrewsbury!
Grave assembleia é esta. Incomparável
Deverá ser o encanto que num velho
Põe tanto fogo! E vós, Milord de Leicester?
Só vós guardais silêncio? Porventura
O que o torna loquaz vos prende a língua?

LEICESTER

É de espanto, Rainha, que me calo.
De ver como vos enchem os ouvidos
De horrores, dessas fábulas que correm
Nas ruas, inquietando o povo crédulo,
Sobem mesmo a este ambiente sossegado.
Para ocupar tão sábios conselheiros!
Admira-me, confesso, que a Rainha
De Escócia, uma Rainha sem estados,
Que não soube guardar o próprio trono,
De seus próprios vassalos motejada,
Rebotalho infeliz da própria pátria,
Possa, cativa que é, sobressaltar-vos!
Dizei-me o que, por Deus onipotente!
Vo-la torna temível? Porque aspira
Ao trono?... Porque não vos reconhecem
Como Rainha os Guises?... Pode acaso
A oposição movida pelos Guises
Cercear-vos o direito conferido
Por vosso nascimento e confirmado
Pelas resoluções do Parlamento?...
Não foi ela, pela última vontade
De vosso pai, tacitamente excluída
Da sucessão?... E agora irá a Inglaterra,
Tão feliz na alegria da luz nova,
Atirar-se nos braços da papista?...
Desertar a adorada soberana
Pela assassina de seu próprio esposo?...
Que querem estes homens impetuosos
Que vos maçam falando-vos de herdeira
E em casar-vos tão trêfegos procedem
Para salvar de risco Estado e Igreja?...
Não estais na flor da idade, e não declina
A outra para a morte dia a dia?...
Por Deus! Por muitos anos ainda, espero-o,
Havereis de pisar-lhe a sepultura,
Sem carecerdes de aí precipitá-la.

BURLEIGH

Nem sempre assim pensastes, Milord Leicester.

LEICESTER

É verdade, votei por sua morte
No tribunal. Porém neste conselho
Outra é a minha linguagem. Não se trata
Mais do direito aqui, sim do interesse.

É oportuno julgá-la assim temível
Quando a abandona a França, único apoio
Que lhe restava, e ides fazer ditoso
O filho de seus reis com desposá-lo,
E a esperança de nova dinastia
Floresce no país? Por que matá-la?
Ela está morta! A verdadeira morte
É o desprezo. Cuidado! Que a piedade
Não a revoque à vida! O meu conselho
É pois que se mantenha em toda a força
A sentença de morte, mas que viva
Sob a ameaça constante do machado
Do carrasco, e ele caia, se por ela
Se levantar um braço.

ELIZABETH

    (Erguendo-se.)
                Bem, Milords,
Ouvido tenho os vossos pareceres
E vos digo obrigada. Com a ajuda
De Deus, que os reis socorre, quero agora
Pesar vossas razões e decidir-me.

CENA 4
(Os mesmos. O CAVALEIRO PAULET com MORTIMER.)

ELIZABETH

Amias Paulet! Nobre Sir, que novas
Nos trazeis?

PAULET

           Gloriosa Majestade!
Após longa viagem, meu sobrinho
Mortimer, de regresso não há muito
Ao reino, vem, fiel, apresentar-vos
A homenagern de sua juventude.
Acolhei-o, Rainha, com bondade,
E ele prospere ao sol de vossas graças.

MORTIMER

    (Lançando-se aos pés de ELIZABETH.)
Viva por longos anos em ventura
E glória e paz minha real senhora!

ELIZABETH

Podeis erguer-vos. Sede-me bem-vindo
Na Inglaterra. Fizestes vós a grande

Jornada ao estrangeiro? Visitastes
Paris e Roma? Em Reims vos demorastes?
Dizei: meus inimigos o que tramam?

MORTIMER

Um deus confunda-os! Volte contra o peito
Deles mesmos as setas que despedem
Contra a minha Rainha!

ELIZABETH

                Vistes Morgan?
E Lessley, aquele artífice de intrigas,
Bispo de Ross?

MORTIMER

            Travei conhecimento
Com todos os banidos escoceses
Que em Reims conspiram contra a nossa ilha.
Insinuei-me na sua confiança
Por ver se algo das tramas descobria.

PAULET

Cartas cifradas lhe confiaram para
A Rainha de Escócia, as quais, lealmente,
Nos entregou.

ELIZABETH

          Dizei, quais são agora
Seus planos?

MORTIMER

           Atingiu-os como um raio
Tê-los a França abandonado e entrado
Em sólida aliança com a Inglaterra.
Na Espanha é que hoje põem sua esperança.

ELIZABETH

Assim me informa Walsingham.

MORTIMER

               O Papa
Expediu contra vós recente bula,
Que a Reims chegou pouco antes que eu partisse.
Tra-la-á a esta ilha o próximo navio.

LEICESTER

Já não treme a Inglaterra de tais armas.

BURLEIGH

Temíveis ainda são, se manejadas
Por fanáticos.

ELIZABETH

(A MORTIMER.)
Fostes acusado
De ter estado em Reims no seminário
E vossa fé abjurado...

MORTIMER

Em aparência,
Não nego. Tanto ansiava por servir-vos.

ELIZABETH

(A PAULET, que lhe estende um papel.)
Que é isso?

PAULET

Uma missiva que vos manda
A Rainha de Escócia.

BURLEIGH

(Tentando interceptá-la.)
Dai-me a carta!

PAULET

(Dá-a à RAINHA.)
Perdão, Lord Grande-Tesoureiro! Em mãos
Da Rainha ordenou-me que a entregasse
E faço-o! Ela não cessa de dizer-me
Que sou seu inimigo. Sou inimigo
Só de seus crimes. No que se coaduna
Com os meus deveres sempre a satisfaço.

(A RAINHA recebe a carta. Enquanto a lê, MORTIMER e LEICESTER se
falam disfarçadamente.)

BURLEIGH

(A PAULET.)
Que poderá conter a carta? Queixas
Sem fundamento... Era melhor poupá-la
Ao coração sensível da Rainha.

PAULET

Ela não faz mistério do conteúdo:
À Rainha suplica-lhe conceda
A graça de avistá-la face a face.

BURLEIGH

 (Vivamente.)
Jamais!

PAULET

  E por que não? Não pede nada
Exorbitante.

BURLEIGH

  Não merece a graça
De avistar a Rainha, a instigadora
De assassínios, sedenta de seu sangue.
Quem quer que seja leal à soberana
Não pode dar conselho tão errado!

TALBOT

Se pretende a Rainha contentá-la,
Quereis tolher-lhe o gesto de clemência?

BURLEIGH

Foi condenada, Sir! Sua cabeça
Cairá sob o machado. Não é digno
Da Majestade ver uma cabeça
Já consagrada à morte. O julgamento
Não poderia ser executado,
Se ela se aproximasse da Rainha,
Pois a presença real confere a graça.

ELIZABETH

 (Enxugando as suas lágrimas depois de ter lido a carta.)
Que pouco é o homem! Quão insubsistente
A ventura terrena! A que há descido
Esta Rainha que com tão soberbas
Esperanças havia começado;
Que foi chamada ao mais antigo trono
Da cristandade; que ajuntar contava
Sobre a sua cabeça três coroas!
Que outra linguagem fala, bem diversa
Da que a vimos usar ao tornar suas
As armas de Inglaterra, e se fazia
Chamar pelos servis aduladores

De sua corte Rainha das duas
Ilhas britânicas! Perdoai, Milords,
Sangra-me a alma, invade-me a tristeza
O coração ao ver a insegurança
Dos bens terrenos, ao sentir tão perto
O que há de horrível no destino humano!

TALBOT

Ó Majestade! É Deus que assim vos move!
Obedecei a esse celeste influxo!
Pesadamente expiou a pesada culpa
Vossa inimiga, e é tempo que termine
A dura provação! À que tão baixo
Caiu oferecei a mão benigna!
Como um anjo de luz descei à noite
Sepulcral de seu cárcere!

BURLEIGH

Firmeza,
Grande Rainha! Não deixeis ganhar-vos
Um sentimento humano, em si louvável,
Mas imprudente agora. Não podeis
Indultá-la, salvá-la: em vossos ombros
Não queirais pôr o peso da censura
De fruir com insultante crueldade
Vosso triunfo sobre vossa vítima.

LEICESTER

Fiquemos, Lords, dentro de nossa esfera.
Sábia é a nossa Rainha, nem carece
De nossa ajuda para decidir-se
Pelo melhor partido. Essa entrevista
Implorada à Rainha não tem nada
A ver com a marcha da justiça. A Stuart
Foi condenada pela lei inglesa,
E não pela vontade da Rainha.
Digno é do grande espírito de Elizabeth
Ceder ao belo impulso de su'alma,
Quando a rígida lei segue o seu curso.

ELIZABETH

Ide, Milords. O meio encontraremos
De conciliar o que de nós reclamam
A clemência e a justiça. Por agora,
Retirai-vos!
        (Saem os Lords. No momento em que MORTIMER vai sair, a RAINHA
        chama-o.)

>   Sir Mortimer! Ainda
> Uma palavra!

CENA 5

(ELIZABETH. MORTIMER.)

ELIZABETH

>   Demonstrastes grande
> Coragem e um domínio de vós mesmo
> Bem raro em vossa idade. Quem tão cedo
> Se exercitou nessa arte tão difícil
> Da dissimulação, antes de tempo
> Fica maior e encurta os longos anos
> Do aprendizado. Chama-vos o fado
> A invejável carreira, profetizo-o,
> E, por vossa ventura, posso eu mesma
> Fazer do vaticínio realidade.

MORTIMER

> Augusta Majestade, tudo quanto
> Eu possa e sou, a vós é consagrado.

ELIZABETH

> Aprendestes em França a conhecer
> Os inimigos de Inglaterra. A sanha
> Que contra mim os anima é inexaurível;
> Sua sede de sangue inesgotável.
> Protegeu-me até agora o Onipotente.
> Mas em minha cabeça esta coroa
> Sempre há de vacilar enquanto viva
> Aquela que lhes dá pretexto ao zelo
> Fanático e lhes nutre as esperanças.

MORTIMER

> Cessará de viver quando o ordenardes.

ELIZABETH

> Ah, Sir! julgava ter chegado à meta,
> E estou no mesmo ponto que ao princípio.
> Quis facultar à lei seu livre curso,
> Guardar as mãos puras de sangue. Agora
> A sentença está dada. E que me resta?
> Precisa ser cumprida, e eu é que devo
> Ordenar que se cumpra! A ação odiosa
> Recairá sobre mim, em todo o caso,
> Pois que sou a responsável. Nem ao menos

Poderei ressalvar as aparências.
Isto é o pior de tudo!

MORTIMER

                        A causa é justa:
Que vos importa então a má aparência?

ELIZABETH

Não conheceis o mundo, cavaleiro.
Não nos julga ninguém pelo que somos,
Mas todos pelo que lhes parecemos.
Jamais persuadirei de meu direito
Uma pessoa. Assim, o mais que posso
É agir de tal maneira, que uma dúvida
Paire sempre no espírito daquele
Que investigar no caso a minha parte.
Em sucessos que tais, de dupla face,
A salvaguarda está na ambiguidade.
O pior passo é confessar; só perde
Quem de si próprio entrega.

MORTIMER

    (Perscrutador.)
                           Assim, seria
Melhor...

ELIZABETH

    (Vivamente.)
           Ah, sim, melhor, muito melhor!
Adivinhais-me... Oh! pela vossa boca
Fala meu anjo bom. Continuai.
Sir, completai o vosso pensamento.
Tomais a sério o assunto, ides ao fundo
Das coisas. Não é assim o vosso tio.

MORTIMER

Já revelastes a ele esse desejo?

ELIZABETH

Sim, revelei-o e me arrependo.

MORTIMER

                           O velho
É perdoável. Os anos o tornaram
Escrupuloso. Golpes tão ousados
Exigem o calor da mocidade.

ELIZABETH

     (Vivamente.)
Ousais...

MORTIMER

              Meu braço é vosso; a vós vos cabe
Vosso nome salvar como o puderdes.

ELIZABETH

     Ah, caro Sir, se um dia me acordásseis
Trazendo esta notícia: "Maria Stuart,
A vossa inexorável inimiga.
Faleceu esta noite!"

MORTIMER

                 Majestade,
Contai comigo.

ELIZABETH

               Quando poderei
Dormir tranquila?

MORTIMER

               Ponha a lua nova
Termo aos vossos receios!

ELIZABETH

                Sir, adeus!
Que a minha gratidão venha a servir-se
Dos negros véus da noite não vos pese:
O deus dos venturosos é o silêncio,
E é dentro do mistério que se estreitam
Os mais sólidos laços, — os mais ternos.

                                       (Sai.)

CENA 6

MORTIMER

     (Só.)
Vai-te, Rainha hipócrita e fingida!
Como enganas o mundo, assim te engano.
Trair-te é de justiça, — ação louvável!
Terei ar de sicário? Ou terás lido
O pendor para o crime em minha fronte?
Fia-te de meu braço e o teu retira.

Assume as fementidas aparências
Da clemência ante o mundo; enquanto esperas
Meus bons ofícios de assassino, ganho
Tempo para salvar a quem adoro.
Insinuas que queres elevar-me;
Acenas-me de longe com valioso
Preço, e esse preço qual será? Teu corpo,
Teu favor de mulher. Mas quem és tu,
Misérrima de todas! e que podes
Dar-me? O desejo de um renome inglório
Não me seduz. Só nela é que eu encontro
Os encantos da vida; em torno dela
Giram perenemente em ronda alegre
As deidades da graça com os deleites
Da mocidade. Sinto-lhe no peito
A doçura do céu... Mas tu, tu apenas
Uns bens sem vida tens a oferecer-me.
O bem supremo, o que embeleza a vida,
É quando um coração amante e amado
Se dá, no esquecimento de si mesmo,
A um outro coração. Nunca a possuíste
Essa coroa da mulher, nem nunca
Deste o prazer do amor a nenhum homem!
— Aguardarei aqui o destinatário
Da carta. Odiosa comissão! Não fio
No cortesão. Posso salvá-la eu mesmo:
Meu seja o risco, a glória e a recompensa!

(Vai sair e encontra-se face a face com PAULET.*)*

CENA 7
*(*MORTIMER. PAULET. *Depois* LEICESTER.*)*

PAULET

    Que te disse a Rainha?

MORTIMER

                Nada, Sir.
Nada importante.

PAULET

    (Encarando-o sério.)
             Mortimer, escuta:
Liso e escorregadio é o chão que pisas.
Os favores dos reis são cativantes;
A mocidade, ávida de honras.
Não te deixes levar pela cobiça!

MORTIMER

Não fostes vós que à corte me trouxestes?

PAULET

Antes o não fizesse! Pois na corte
Não se fundou a honra de nossa casa.
Procede com firmeza, meu sobrinho.
Não ofendas a tua consciência;
Não te custe o favor paga excessiva!

MORTIMER

Que temores, meu tio! E em que se esteiam?...

PAULET

Por mais e por mais alto que prometa
A Rainha elevar-te, não confies
Em suas doces falas lisonjeiras:
Renegar-te-á depois que obedeceres.
E vingará, para limpar seu nome,
O crime que ela mesma houver tratado.

MORTIMER

Dizeis — o crime?...

PAULET

                    Basta de disfarces!
O crime, sim! Eu sei o que a Rainha
Espera que tu faças. Ela espera
Que a tua ambiciosa mocidade
Se mostre mais maneável do que a perra
Velhice de teu tio. Prometeste-lhe
Alguma coisa? Dize: prometestes?

MORTIMER

Meu tio!

PAULET

                    Se o fizeste, eu te maldigo
E te renego!

LEICESTER

        (Entrando.)
                    Permiti-me, Sir,
Dar a vosso sobrinho uma palavra.
Conquistou ele as graças da Rainha,
Que quer lhe fique à sua guarda a Stuart

Discricionariamente. Ela confia
Em sua lealdade.

PAULET

                    Ela confia...
Bem!

LEICESTER

Que dizeis?

PAULET

             Ela confia nele,
E eu confio, Milord, confio em mim
E em meus dois olhos bem abertos!

CENA 8

(LEICESTER. MORTIMER.)

LEICESTER

           Que há
Com o Cavaleiro?

MORTIMER

               Ignoro. A inesperada
Confiança com que me honra a soberana...

LEICESTER

       (Fitando-o escrutadoramente.)
Mereceis, Cavaleiro, confiança?

MORTIMER

       (Da mesma maneira.)
O mesmo vos pergunto, Milord Leicester.

LEICESTER

Desejáveis falar-me à puridade...

MORTIMER

Dai-me a certeza de que eu deva ousá-lo.

LEICESTER

E quem me dá por vós igual certeza?
Não vos agrave a minha desconfiança!
Mostrai-vos nesta corte homem de duas
Caras. Uma será forçosamente
Falsa, mas qual será a verdadeira?

MORTIMER

Dais-me igual impressão, Milord.

LEICESTER

Quem deve
Primeiro abrir caminho à confiança?

MORTIMER

Quem tiver menos que arriscar.

LEICESTER

Sois vós
Então.

MORTIMER

Eu, não! Vós! Vosso testemunho
De Lord considerável e importante
Pode arruinar-me; o meu fora impotente
Contra o vosso favor e o vosso estado.

LEICESTER

Sir, enganai-vos. Minha força é certa
Aqui, salvo no ponto delicado
Em que pedis de mim que em vós confie.
Sou nele o homem mais fraco desta corte
E qualquer desprezível testemunho
Pode dar-me por terra.

MORTIMER

Se Lord Leicester,
O todo-poderoso, assim se curva
Até mim, confessando-se tão fraco,
Posso fazer de mim mais alta ideia,
Dar-lhe o exemplo da generosidade.

LEICESTER

Falai primeiro vós, e eu vos secundo.

MORTIMER

(Sacando rapidamente a carta e estendendo-a a LEICESTER.*)*
A Rainha de Escócia vo-la envia!

LEICESTER

(Estremece e recebe-a precipitadamente.)
Falai baixo! Que vejo? Ah, seu retrato!

(Beija o retrato e contempla-o embevecidamente.)

MORTIMER

    Agora, sim, confio em vós, Milord.

LEICESTER

    (Depois de uma leitura rápida da carta.)
    Conheceis o conteúdo desta carta,
    Sir Mortimer?

MORTIMER

          Não, absolutamente.

LEICESTER

    Confiou-vos ela então...

MORTIMER

            Não confiou nada.
    Apenas disse que me explicaríeis
    Este enigma, porque é, efetivamente.
    Para mim um enigma, Milord Leicester,
    Que o favorito da Rainha Elizabeth,
    Declarado inimigo de Maria
    E um de seus julgadores, seja o homem
    De quem, do fundo de seu infortúnio,
    Espera salvação a prisioneira!
    Mas deve ser assim, pois vossos olhos
    Exprimem bem o que sentis por ela.

LEICESTER

    Revelai-me primeiro que motivo
    Tendes tão forte para interessar-vos
    Em seu destino? Como a confiança
    Lhe ganhastes?

MORTIMER

          Milord, poucas palavras
    Bastarão a explicá-lo. Estando em Roma,
    Abjurei minha fé, liguei-me aos Guises.
    Deu-me o bispo de Reims uma missiva
    Acreditando-me junto à Rainha
    De Escócia.

LEICESTER

         Sir, tive conhecimento
    De vossa conversão. Aliás, foi ela
    Que despertou em mim a confiança
    Que hoje já me inspirais. Agora, dai-me

A mão e perdoai as minhas dúvidas.
Toda a cautela é pouca: Walsingham
E Burleigh me detestam, me espionam,
Me armam laços... Podíeis ser criatura
Ou instrumento deles...

MORTIMER

Nesta corte
Vão os grandes a passos bem pequenos!
Conde, lastimo-vos!

LEICESTER

Sim, que alegria
Poder enfim no peito de um amigo
Lançar-me, onde aliviar a tensão longa!
Sir, admirais-vos de que tão depressa
Meus sentimentos para com Maria
Tivessem variado. Na verdade
Nunca a odiei: foi à pressão dos tempos
Que obedeci. Sabeis que desde muito
Me estava destinada, antes que desse
A mão a Darnley, quando a não envolvia
Ainda em seu halo o brilho da grandeza.
Rejeitei friamente essa ventura
Outrora, e hoje que a vejo prisioneira
E já às portas da morte é que a procuro
Com perigo de vida.

MORTIMER

Isso é, Milord,
Ser generoso!

LEICESTER

No entretanto as coisas
Mudaram muito. Se insensível fora
À sua juventude e formosura,
É que à minha ambição se afigurava
Pequena a sua mão e eu cobiçava
Ser senhor da Rainha de Inglaterra!

MORTIMER

Era sabida a sua preferência
Por vós.

LEICESTER

Assim a todos parecia.

E hoje, depois de dez perdidos anos
De uma corte incansável, de um odioso
Constrangimento, oh, Sir! deliciado
Se abre o meu coração! Força é que agora
Me descarregue do longo tormento...
Julgam que sou feliz: ah, se soubessem
O peso das cadeias que me invejam!
Após um sacrifício de dez anos
Ao ídolo de sua vaidade,
Durante os quais, submisso como escravo,
Atendi aos seus caprichos de sultana,
Fui o joguete do seu frio egoísmo,
Ora afagado, logo repelido,
Não menos torturado pelas graças
Do que pelos rigores, vigiado
Como um cativo pelos olhos de Árgus
Do ciúme, obrigado a prestar contas
De mim como se fosse uma criança,
Ralhado como um fâmulo... Oh! a linguagem
Não tem palavras para aquele inferno!

Mortimer

Lastimo-vos.

Leicester

             E quando chego ao termo,
Foge-me a recompensa! Outro me rouba
O fruto da penosa assiduidade!
Para um noivo na flor da juventude
Perco os velhos direitos adquiridos!
Forçado a abandonar a cena onde era
Primeira personagem! Não me rouba O
recém-vindo a sua mão somente, Mas
seu favor também: ela é mulher, Ele,
digno de amar-se.

Mortimer

             Como filho
De Catarina, andou em boa escola:
Sabe a arte da lisonja.

Leicester

             Assim ruíram
As minhas esperanças. No naufrágio
De tudo o que sonhei busco uma tábua
De salvação, e o meu olhar se volta

Para aquela que foi minha primeira
Bela esperança. A imagem de Maria
Vejo brilhar. Beleza e mocidade.
Reconquistaram, Sir, os seus direitos.
Agora o coração, e não a fria
Ambição, comparava... E sentir pude
A joia que perdera. Com terror
A vejo debater-se num abismo
De desgraças, e disso sou culpado!
Então raiou em mim uma esperança
De salvá-la: salvá-la e possuí-la.
Por mão segura lhe mandei notícia
Da contravolta de meus sentimentos:
E esta carta, que agora me entregastes,
Diz-me que me perdoa e que, se a salvo,
Se me dará por prêmio e recompensa.

MORTIMER
Mas se nada fizestes por salvá-la!
Deixastes que ela fosse condenada.
Votastes vós também a sua morte!
Foi preciso um milagre, foi preciso
Que o lume da verdade me clareasse,
A mim, sobrinho de seu carcereiro,
E que no Vaticano lhe aprontasse
O céu um salvador inesperado,
Sem o qual não pudera achar caminho
Até vós!

LEICESTER
       Ai de mim, Sir, sofri muito.
Entrementes foi ela transferida
Para Fotheringhay, à rigorosa
Guarda de vosso tio confiada.
Trancado todo acesso à sua presença,
Fingi, aos olhos do mundo, que seguia
Detestando-a. Asseguro-vos, no entanto,
Que não a deixaria sem socorro
Caminhar para a morte! Eu esperava,
E espero ainda! obstar o irreparável
Até que se ache um meio de livrá-la.

MORTIMER
Esse meio está achado, Milord Leicester.
Vossa nobre confiança bem merece
Retribuição. Eu quero libertá-la.

Para isso estou aqui. Todos os passos
Já foram dados; o valioso apoio
Que nos trazeis afiança o feliz êxito
Da empresa.

LEICESTER

              O que dizeis? Sir, assustais-me!
Com que então, pretendeis...

MORTIMER

                    Abrir-lhe à força
As portas da prisão; tenho ajudantes,
Tudo está pronto.

LEICESTER

           Tendes confidentes
E cúmplices? Ah, Sir! A que insensata
Empresa me arrastais! E sabem eles
O meu segredo?

MORTIMER

           Não tenhais receio.
O plano foi sem vós organizado,
Sem vós fora cumprido, se não fosse
A obstinação com que ela quer dever-vos
A salvação.

LEICESTER

           Destarte, podeis dar-me
A absoluta certeza que o meu nome
Não foi pronunciado na conjura?

MORTIMER

Podeis ficar tranquilo. Mas estranho
Ver-vos tão apreensivo ao escutardes
O mensageiro que vos traz auxílio:
Queríeis libertar, possuir a Stuart;
Achais amigos com que não contáveis;
Do céu vos cai quanto é preciso, — e entanto
Mostrais mais embaraço que alegria!

LEICESTER

Nada de violências. A aventura
É arriscada demais.

MORTIMER

O adiamento
Não o é menos.

LEICESTER

Insisto, Cavaleiro:
Não é para arriscar.

MORTIMER

(Amargo:)
Não para vós,
Que desejais possuí-la! Nós, queremos
Simplesmente salvá-la, e somos menos
Hesitantes.

LEICESTER

O golpe é perigoso
Demais, e inçado de dificuldades.
Sois excessivamente arrebatado.

MORTIMER

Vós, muito ponderado em caso de honra.

LEICESTER

Vejo os laços que em torno se nos armam.

MORTIMER

Sinto a coragem de rompê-los todos!

LEICESTER

É uma temeridade essa coragem.

MORTIMER

Não é bravura. Sir, essa prudência.

LEICESTER

Apeteceis o fim de Babington?

MORTIMER

Não imitais a generosidade
De Norfolk.

LEICESTER

Norfolk não voltou com a noiva.

MORTIMER
Mostrou com isso que era digno dela.

LEICESTER
Se fracassarmos, morrerá conosco.

MORTIMER
Se nos pouparmos, nunca a salvaremos!

LEICESTER
Não refletis, nada escutais. A vossa
Louca temeridade compromete
O que em tão bom caminho parecia.

MORTIMER
No caminho, pois não? que vós abristes.
Mas afinal, dizei-me, o que fizestes
Para salvá-la? Respondei: se eu fosse
Bastante infame para assassiná-la,
Como a Rainha me ordenou e como
Ainda espera de mim neste momento,
Que providências tínheis já tomado
Para salvaguardá-la do perigo?

LEICESTER
(Espantado.)
A Rainha ordenou-vos que a matasse?...

MORTIMER
Enganou-se comigo: assim Maria
Convosco.

LEICESTER
E vós lhe prometestes?...

MORTIMER
Conde,
Para evitar a compra de outro braço,
Ofereci o meu.

LEICESTER
Fizestes bem,
Isso nos dá uma margem. A sentença
Permanece em suspenso. Ela confia
Em vossa ação. Assim ganhamos tempo.

MORTIMER

  (Impaciente.)
Ganhamos, não! Perdemos!

LEICESTER

         Ela conta
Convosco; assim, menos hesitará
A assumir ante o mundo as aparências
Da clemência. Talvez que pela astúcia
Possa eu convencê-la de avistar-se
Com Maria, o que a deixa de mãos presas.
Burleigh está com razão, pois do momento
Que se vissem as duas, a sentença
Não poderia mais executar-se.
Sim, vou tentá-lo, porei tudo em obra.

MORTIMER

  E que obteríeis? Se ela percebesse
Que eu a estou enganando, se a cativa
Continua com vida, não está tudo
Como dantes? Jamais a liberdade
Será dada a Maria. O mais suave
Que possa vir, será a prisão perpétua.
Por um ato violento há que acabar-se:
Por que não começar logo com ele?
Tendes a força em vossas mãos, podeis
Levantar um exército, se armardes
A nobreza de vossos numerosos
Castelos! Tem Maria em quantidade
Partidários fiéis. As nobres casas
Dos Howard e dos Percy, se caíram
As cabeças dos chefes, continuam
Ricas de heróis, esperam tão somente
Que um poderoso Lord lhes dê o exemplo.
Basta de simulardes! Procedei
Às claras! Defendei a bem-amada
Cavalheirescamente! Se o quiserdes,
Mandareis em Elizabeth. Chamai-a
A um dos vossos castelos. Já lá esteve
Convosco. Ali mostrai que sois um homem.
Falai como senhor, mantendo-a presa
Até que a Stuart cobre a liberdade!

LEICESTER

  Pasmo, aterro-me... Aonde vos arrasta
A vertigem? Sabeis que chão pisais?

Sabeis o que se passa nesta corte?
Que a mão de uma mulher mantém submissos
A todos os espíritos? Que é dele,
O espírito de heroísmo que animava
Outrora este país? Curvou-se tudo
A um jugo feminino, quebrantaram-se
As molas das coragens! Atendei-me:
Não arrisqueis nada de irrefletido.
— Ouço alguém vir...

MORTIMER

                        Maria espera... Devo
Levar-lhe apenas frívolos consolos?

LEICESTER

Levai-lhe, Cavaleiro, os meus protestos
De eterno amor!

MORTIMER

                    Levai esses protestos
Vós mesmo, Sir. Jurei ser instrumento
De sua salvação, não mensageiro
Do vosso afeto!

                                                        (Sai.)

CENA 9

(Elizabeth. Leicester.)

ELIZABETH

                Quem saiu? Parece
Que ouvi falar...

LEICESTER

                (Ouvindo voz da Rainha, volta-se visivelmente assustado.)
                    Era Sir Mortimer.

ELIZABETH

Que há convosco, Milord? Tão perturbado?

LEICESTER

                (Dominando-se.)
Pela vossa beleza, Majestade!
Nunca vos vira tão encantadora.
Ai!

ELIZABETH

Por que suspirais?

LEICESTER

Por quê? Não tenho
Motivos para tal? Contemplo absorto
Vossas feições e sinto renovar-se
A dor sem nome da iminente perda.

ELIZABETH

Que ides perder?

LEICESTER

O vosso coração,
Toda a vossa pessoa tão amada!
Breve, nos braços de um ardente esposo
Sereis feliz, Rainha, e ele, o ditoso,
Possuirá, sem contraste, as vossas graças.
É de sangue real, eu não; no entanto
O mundo inteiro desafio a que ache
Na terra alguém que mais do que eu vos tenha
Adoração. O vosso pretendente
Nunca vos viu. O que ama é a vossa glória,
Vosso esplendor. Eu, sim, vos amo. Mesmo
Que fôsseis a mais pobre das campônias,
E eu, por nascença, o mais subido príncipe,
Até vós desceria e humildemente
Poria aos vossos pés minha coroa!

ELIZABETH

Não mereço censuras, lastimai-me,
Dudley! Como Rainha, não possuo
O direito de ouvir meus sentimentos.
Meu coração faria uma outra escolha.
Ah, como invejo, amigo, outras mulheres
Que podem elevar os a quem amam!
Não me é dada essa dita de a coroa
Colocar sobre aquele que entre todos
Me é mais caro! Ela, a Stuart, conheceu-a,
A alegria maior de livremente
Conceder sua mão a quem amava:
Tudo teve, bebeu até ao fundo
A taça dos prazeres e alegrias.

LEICESTER

Hoje, porém, esgota a taça amarga
Do sofrimento.

ELIZABETH

A vida lhe foi leve;
Jamais se impôs o jugo a que, paciente,
Me submeti. Os deleites da existência,
Também eu poderia permitir-me:
Preteri-os, porém, pelos deveres
Austeros da realeza. E todavia,
Porque só a ser mulher ela se aplica,
Tem o favor dos homens; moço ou velho,
Todos a incensam: são assim os homens.
Escravos dos sentidos, só os incita
O gozo vão, a frívola alegria:
O que há mais respeitável, desveneram.
Não rejuvenescia o próprio Talbot
Quando há pouco falava dos encantos
Da Stuart?

LEICESTER

Perdoai-lhe. Foi seu guarda;
A astuta ensandeceu-o com lisonjas.

ELIZABETH

Mas é mesmo verdade que é tão bela?
Já tanto ouvi gabar-lhe a formosura,
Que para crer, precisaria vê-la.
Pois as descrições mentem, os retratos
Favorecem. Só fio de meus olhos.
— Por que me olhais de modo tão estranho?

LEICESTER

Perdão, minha Rainha: colocava-a
Em pensamento ao lado de Maria.
Gostara, não o escondo, se em segredo
Puder fazer-se, ver-vos face a face
Com ela! Aí finalmente gozaríeis
Vosso inteiro triunfo! Desejara-lhe
Tamanha humilhação, para que visse
Com os seus próprios olhos — pois o ciúme
Tem olhos agudíssimos — o quanto
A superais no nobre, altivo porte,
Vós que a venceis em todas as virtudes.

ELIZABETH

É mais moça do que eu...

LEICESTER

                              Mas não parece.
É possível que tenha envelhecido
Precocemente com o que vem sofrendo.
O que lhe tornaria mais amarga
A humilhação seria ver-vos noiva!
As belas esperanças desta vida
Ficam-lhe para trás: vós, Majestade,
Ides dentro de pouco desfrutá-las.
Ela, que tanto se envaidecera
Do marido francês, e ainda se gaba
Da proteção da França, ver-vos noiva
Logo de quem? do herdeiro da coroa
Francesa!

ELIZABETH

        (Com fingida indiferença.)
              Instam comigo para eu vê-la.

LEICESTER

        (Com vivacidade.)
Pede-o como um favor; pois concedei-o
Como uma punição! Podeis levá-la
Ao cadafalso, o que lhe doerá menos
Do que de vossas graças ser vencida.
Com isso, e mais completamente ainda,
Matá-la-eis, como ela quis matar-vos.
Quando ela vir a vossa formosura
Aureolada nas luzes da virtude,
Que ela, em sua vaidade, descurava;
Quando ela a vir realçada pelo brilho
Do diadema real, e hoje acrescida
Dos encantos de noiva, então para ela
Chegada é a hora do aniquilamento.
Nunca vos vi assim tão bem-armada
Para triunfar num pleito de beleza.
Eu mesmo me senti como envolvido
Em luminosa aparição ao ver-vos
Diante de mim. Dizei! Se agora mesmo,
Como estais, vos mostrásseis à inimiga?
Não teríeis momento mais propício.

ELIZABETH

Não, não! Agora não, Leicester. Preciso
Pensar primeiro, consultar com Burleigh...

LEICESTER

(Interrompendo-a com vivacidade.)
Burleigh! Esse não vê senão os vossos
Interesses políticos, e tem
Vossa feminidade os seus direitos.
É ponto delicado que pertence
Ao vosso foro interior: não cabe
À competência do estadista. Aliás,
É também interesse da política
Avistardes a Stuart e ganhardes
A simpatia pública por esse
Movimento de generosidade.
Depois, livrai-vos dela, a vosso arbítrio.

ELIZABETH

Não me ficará bem ver a parente
Na miséria e no opróbrio. Não a cerca,
Dizem, nada da antiga realeza.
Seu aspecto ser-me-ia uma censura
Tácita.

LEICESTER

Não seria necessário
Que a fôsseis ver onde ela vive. Ouvi-me:
O acaso arranjou tudo à maravilha.
Hoje há grande caçada; a cavalgata
Passa em Fotheringhay: a Stuart pode
Na ocasião estar no parque; como
Por acaso entrareis. Será preciso
Que o encontro não pareça meditado
De antemão. Se sentirdes que a entrevista
Vos aborrece, então guardai silêncio.

ELIZABETH

Leicester, se eu cometer uma loucura,
Será vossa, não minha. Não vos quero
No momento negar nenhum pedido:
Porque hoje sois de todos os meus súditos
Aquele a quem causei maior desgosto.

(Olhando-o ternamente.)
Seja um capricho. O afeto assim se prova:
Concedendo o favor que não se aprova.

(LEICESTER lança-se aos pés dela. O pano cai.)

ATO 3

Passa-se num parque. No primeiro plano, árvores; ao fundo, vasta perspectiva.

CENA 1

(Maria sai correndo de trás das árvores. Ana Kennedy segue-a lentamente.)

Kennedy

Não posso acompanhar-vos, esperai-me!
Como correis depressa! Até parece
Que em vossos pés, Rainha, tendes asas!

Maria

Oh, deixa que voe minh'alma liberta!
Que eu seja criança! Sê outra também!
Sobre a verde alfombra, de folhas coberta,
Bailemos, bailemos, em doce vaivém!
Será que estou livre, a vista não me mente?
Livre da sinistra prisão tumular?
Ah, deixa que eu beba lenta, longamente
O puro, o cheiroso, o celeste ar!

Kennedy

Ó minha cara Lady! O vosso cárcere
Ficou um pouquinho menos apertado.
Eis tudo. Se não vedes as muralhas
Que tão iniquamente nos clausuram,
É que no-las escondem estas árvores.

Maria

Obrigado, obrigado a esta verdura
Que nos encobre a aspérrima prisão!
Imagino-me livre e venturosa:
Por que me despertar desta ilusão?
Os céus por toda a parte nos rodeiam;
Meus olhares passeiam.
Sem peias, na infinita imensidão!
Além daqueles montes, de cinzentas
Brumas coroadas, para o norte avança
O meu reino... E estas nuvens alvacentas
Buscam terras de França.

Ó nuvens errantes, veleiros do ar,
Nuvens apressadas para o sul rumando,
Feliz quem pudera vos acompanhar,
Feliz quem convosco pudera ir vogando!
Ai, nuvens, sois livres: eu, uma corrente
Me retém cativa. Altos veleiros, ai!
À terra aonde fui, menina inocente,
O meu pensamento, ó nuvens, levai!

KENNEDY

Ó minha cara Lady! A liberdade
De que por tanto tempo estais privada,
Vos faz extravagar em sonhos doidos.

MARIA

Vês o pescador que amarra a canoa?
Nela eu poderia me fazer ao mar!
E eu dar-lhe-ia em troca pescaria boa,
Com que o pobre nunca nem pôde sonhar:
Dava-lhe tesouros, se em sua canoa
Me levasse à outra ribeira do mar!

KENNEDY

Desejos vãos! Não vedes que espiões
Acompanham de longe os nossos passos?
Uma ordem cruel faz que se afaste
De nós toda criatura compassiva.

MARIA

Não, minha boa Ana. Houve um motivo
Para que as portas da prisão se abrissem.
Este favor pequeno prenuncia
Outro maior, e não me engano: devo-o
À mão pronta do amor; enxergo nele
O braço poderoso de Lord Leicester.
Querem minha prisão a pouco e pouco
Relaxar, habituar-me por ligeiras
Concessões a maiores liberdades.
Até que chegue o dia em que eu reveja
Aquele que afinal virá salvar-me.

KENNEDY

Ai de nós! não compreendo este contraste:
Ontem anunciavam vossa morte;
Hoje vos dão tamanha regalia.
Já ouvi dizer que tiram as cadeias
A quem espera a eterna liberdade.

MARIA

Não ouves as trompas? Não ouves ressoar
Por montes e vales seu possante alarme?
Seu possante alarme, suave e doloroso?
Que tristes lembranças me vem despertar
Essa voz de outrora! Ah, poder juntar-me
Ao cortejo alegre num corcel fogoso!
Ressoai, velhas trompas! Ressoai mais, ressoai!
Quantas vezes, quantas, na pátria distante
Não vos escutaram meus ouvidos, ai!
Ecoar alto e longe, como neste instante!

CENA 2

(As mesmas. PAULET.)

PAULET

Então, Milady, andei corretamente
Convosco desta vez e vos mereço
Um obrigado?

MARIA

Como, Cavaleiro?
É a vós que devo este favor? A vós?!

PAULET

E por que não seria? Fui ao paço
E entreguei vossa carta.

MARIA

Ah, entregaste-la?
Entregaste-la mesmo? E a liberdade
De que desfruto agora é fruto dela?

PAULET

É, e não será o único! Esperai
Outro maior.

MARIA

Outro maior ainda?
Sir, que quereis dizer?

PAULET

Pois não ouvistes
Soar as trompas de caça?

MARIA

Amedrontais-me!

PAULET

É a Rainha a caçar nos arredores.

MARIA

O quê?

PAULET

Em poucos instantes a vereis.

KENNEDY

(Correndo para MARIA, *que estremece e parece prestes a desmaiar.)*
Que tendes, cara Lady? Estais tão pálida!

PAULET

Que foi, Milady? Não fiz bem? Não era
O que com tanto empenho me pedíeis?
Mais depressa o obtivestes que pedistes.
Tínheis tão pronta a língua! A hora é chegada
De usá-lá.

MARIA

Oh, por que não me prepararam?
Agora não, que estou desprevenida.
O que implorei como favor supremo,
Hoje me aterra, é horrível! Ana, vem.
Vamos entrar até que eu recupere
A calma um pouco.

PAULET

Não! Deveis, Milady,
Ficar e aqui esperar pela Rainha.
É natural que vos aflija a ideia
De aparecerdes ante a que vos julga.

CENA 3
(Os mesmos. O CONDE SHREWSBURY.*)*

MARIA

Não é isso. Meu Deus, são outras coisas
Muito diversas que me ocupam. Ah,
Nobre Shrewsbury! Vindes a propósito,
Como enviado do céu! Não posso vê-la!
Poupai-me aos olhos a presença odiosa!

SHREWSBURY

Acalmai-vos, Rainha! Tende ânimo.
A hora é decisiva.

MARIA

                        Ansiei por ela,
Por esta hora! Preparei-me em longos
Anos, tudo me disse e na memória
Gravei, com que pudesse comovê-la!
Súbito esqueci tudo, e neste instante
Não resta em mim senão o sentimento
Das minhas aflições e minhas dores!
Ódio implacável contra ela inflama
Todo o meu coração, foge-me d'alma
Todo bom sentimento, e, sacudindo
As suas cabeleiras de serpentes,
Giram-me em roda as fúrias espantosas!

SHREWSBURY

Dominai a selvagem turbulência
Do vosso sangue. Se ódio contra ódio
Se chocam, nada bom pode esperar-se.
Por mais que vos repugne, obedecei
Às circunstâncias e necessidades
Do momento. O poder está com ela:
Demonstrai humildade.

MARIA

                            À sua vista?
Impossível!

SHREWSBURY

                   Tentai-o todavia.
Falai com placidez, com deferência.
Não a afronteis. Fazei apelo à sua
Benignidade, sem argumentardes
Com os vossos direitos. Não é a hora.

MARIA

Ai de mim! Supliquei a minha perda
E, por minha desgraça, eis-me atendida!
Não devêramos ver-nos! Nada pode,
Nada! provir de bom do nosso encontro.
Mais fácil fora que se acomodassem
A água e o fogo; que amorosamente
Cordeiro e tigre se beijassem. Fui
Cruelmente ultrajada. Entre nós duas
Não haverá conciliação que valha!

SHREWSBURY

Não tireis conclusões antes de vê-la.
Ficou profundamente perturbada,
Sou testemunha, ao ler a vossa carta.
Não, não é insensível, verteu lágrimas.
Tende melhor confiança. Antecipei-me
Para exortar-vos calma, aconselhar-vos.

MARIA

(Tomando-lhe a mão.)
Ah, Talbot! Fostes sempre meu amigo.
Por que não me deixaram sob a vossa
Suave guarda? Sofri muito, Shrewsbury!

SHREWSBURY

Esquecei-o! Pensai neste momento
Somente em recebê-la com decoro.

MARIA

Burleigh, meu anjo mau, virá com ela?

SHREWSBURY

Não, só quem a acompanha é o Conde Leicester.

MARIA

Lord Leicester?!

SHREWSBURY

Não temais sua presença.
Não vos é desafeto, e esta entrevista
Foi obra dele.

MARIA

Eu sei.

SHREWSBURY

O que dissestes?...

PAULET

Vem a Rainha!

*(Todos se retiram para os lados; só MARIA permanece onde estava,
apoiada em KENNEDY.)*

CENA 4

(Os mesmos. ELIZABETH. O CONDE LEICESTER. Séquito.)

ELIZABETH

(A LEICESTER.)
Que castelo é este?

LEICESTER

Fotheringhay.

ELIZABETH

(A SHREWSBURY.)
Mandai a comitiva
Adiante. É grande a multidão nas ruas
De Londres. Protejamo-nos um pouco
No amorável sossego deste parque.
*(TALBOT faz partir a comitiva. ELIZABETH fita os olhos em MARIA, mas
continuando a falar com LEICESTER.)*
Meu bom povo me adora, me festeja
Com uma alegria idólatra, excessiva:
Ama-se assim a um deus, não a criatura
Humana.

MARIA

*(Que durante esse tempo está apoiada, quase desfalecida, contra
o peito de sua ama, reanima-se e os seus olhos encontram o olhar
fixo de ELIZABETH; então estremece e se agarra de novo ao peito de
ANA.)*
Ó Deus, naqueles traços
Não há sinal de coração!

ELIZABETH

Quem é esta
Lady?

(Silêncio geral.)

LEICESTER

Estais em Fotheringhay, Rainha.

ELIZABETH

(Finge surpresa e espanto, lançando um olhar sombrio a LEICESTER.)
Quem me fez isto? Quem o ousou? Lord Leicester!

LEICESTER

Está feito, Rainha! E pois vos trouxe

O céu aqui, deixai triunfar agora
A compaixão e a generosidade.

SHREWSBURY

Ouvi as nossas súplicas, Rainha;
Baixai o olhar a esta desventurada.
Que desmaia de ver-nos!

(MARIA *cobra forças, quer dirigir-se para* ELIZABETH, *mas a meio caminho para toda trêmula; sua mímica exprime a mais violenta luta interior.*)

ELIZABETH

Quê, Milords?!
Quem me falou de uma mulher prostrada
Profundamente? Encontro é uma orgulhosa
De modo algum dobrada ao infortúnio.

MARIA

(Consigo mesma.)
Seja! A mais esta provação me curvo.
Impotente altivez de uma alma nobre,
Longe de mim! Quero esquecer quem sou
E o que sofri, lançar-me aos pés daquela
Que me precipitou nesta ignomínia.
(Dirige-se à Rainha.)
Irmã, o céu se decidiu por vós!
Coroada foi pela vitória a vossa
Feliz cabeça: adoro a divindade
Que assim vos exalçou!
(Cai de joelhos diante de ELIZABETH.)
Mas sede agora,
Ó minha irmã, clemente! Oferecei-me
Vossa mão soberana, levantai-me
Do fundo abatimento em que me vedes!

ELIZABETH

(Recuando.)
Esse é o vosso lugar, Lady Maria!
E eu louvo, agradecida, a mercê grande
Que me fez o meu Deus, não permitindo
Que eu viesse a cair às vossas plantas
Como vos vejo aqui caída às minhas!

MARIA

(Com emoção crescente.)

Pensai, Rainha, nas vicissitudes
Da vida humana! Há deuses que castigam
O orgulho! Honrai, temei esses terríveis
Deuses, que aos vossos pés me arremessaram.
Por amor de tão altas testemunhas,
Honrai em mim a vós mesma! O nobre sangue
Dos Tudores, que corre em vossas veias
Como nas minhas, não o profaneis,
Não o ultrajeis! Oh, não permaneçais
Assim, Rainha, abrupta, inacessível
Como o escolho a que o náufrago perdido,
Quase sem forças já, tenta agarrar-se!
Meu tudo, minha vida, meu destino
Pendem do que eu disser, de minhas lágrimas:
Desapertai meu coração, que eu possa
Mover o vosso. Quando o olhar de gelo
Pondes em mim, meu coração se fecha,
Estancam-se-me as lágrimas, e um frio
Horror prende as palavras em meu peito!

ELIZABETH

  (Fria e severa.)
Que tendes a dizer-me, Lady Stuart?
Desejastes falar-me. Esquecer quero
A Rainha ofendida gravemente
Para cumprir convosco o compassivo
Dever de irmã e benigna dispensar-vos
O consolo de verdes-me. Assim, cedo
Ao meu impulso generoso, embora
Me exponha a justa crítica descendo
A tanto, pois sabeis que me quisestes
Mandar assassinar.

MARIA

    Por onde devo
Dar início ao que quero postular-vos,
De que palavras me servir, de modo
Que vos comova, mas vos não ofenda?
Dá-me, ó Deus, força à minha voz, suprime-lhe
Todo aguilhão capaz de melindrá-la!
Para falar por mim devo acusar-vos,
Rainha, e isto não quero. Procedestes
Comigo injustamente, pois Rainha
Sou como vós, e entanto me fizestes
Prisioneira. Cheguei buscando asilo
Junto de vós e vós, menosprezando

Em mim o sagrado direito das gentes,
As leis sagradas da hospitalidade,
Me jogastes a um cárcere. Privaram-me
De meus amigos e meus servidores.
Fui ultrajantemente relegada
À privação de todo o necessário.
Depois do quê, puseram-me perante
Um tribunal injurioso! — Bem,
Não falemos mais nisso! — Eterno olvido
Recubra as crueldades que sofri.
Sim! Porei tudo à conta do destino;
Não sois culpada, nem o sou tão pouco;
Um espírito mau surdiu do abismo
Para inflamar em nosso peito aquele
Ódio que desde a infância nos separa.
Cresceu ele conosco, e homens malvados
Vêm atiçando a desgraçada chama;
Insensatos fanáticos armaram
De espada e de punhal mãos que nenhuma
De nós chamara. Este é o fatal destino
Dos reis: se divididos, dilaceram
O mundo, sobre o qual desencadeiam
Todas as fúrias da discórdia. Agora
Não há boca de estranho entre nós duas.
    (Aproxima-se confidencialmente de Elizabeth *e em tom insinuante.)*
Estamos face a face. Irmã, dizei-me
O de que me inculpais e vos prometo
Toda satisfação. Ah, se me houvésseis
Ouvido, como em tempo eu vos instava!
Jamais a tal extremo chegaríamos;
Nunca em lugar tão triste ocorreria
Este nosso infeliz, triste colóquio!

Elizabeth
    A minha boa estrela preservou-me
De recolher a víbora em meu seio.
Não culpeis o destino, antes culpai
Vosso perverso coração, e a negra,
Selvagem ambição de vossa casa.
Nada de hostil havia entre nós, quando
Vosso tio, esse padre cubiçoso
De todas as coroas, declarou-me
Guerra, insuflou-vos a vos apropriardes
Do meu brasão real e do meu título
De soberana de Inglaterra, a entrardes
Em luta contra mim de vida e morte.

De que não lançou mão na louca empresa?
A espada das nações, a envenenada
Língua dos padres, as terríveis armas
Da piedosa demência. Até em meu reino
Tentou atear as chamas da revolta.
Mas Deus está comigo, e o astuto padre
Não ganhou a batalha. A ameaça era
Contra a minha cabeça, — e tomba a vossa!

MARIA

Estou nas mãos de Deus. Tão cruamente
Não usareis vosso poderio.

ELIZABETH

E quem me impediria? Vosso tio
Mostrou, por seu exemplo, aos reis da terra
Como se faz a paz com os inimigos.
Sirva-me de lição aquela noite
De São Bartolomeu! Que representam
Para mim parentescos ou direitos
De povos? Pois não rompe a Igreja os laços
De todos os deveres? Não consagra
A felonia, o regicídio? Apenas
Uso o que os vossos padres me ensinaram!
Dizei-me: que penhor responderia
Por vós, se num impulso de clemência
Vos desse a liberdade? Que cadeado
Com que eu a vossa boa-fé trancasse,
Não abriria a chave de São Pedro?
Minha só segurança está na força.
Não pode haver qualquer entendimento
Com a raça das serpentes.

MARIA

                                    Oh, as sinistras,
Tristes suspeitas vossas! Vistes sempre
Em mim uma estrangeira, uma inimiga.
Se me tivésseis declarado herdeira
Da coroa, conforme aos meus direitos,
Então teria a gratidão, o afeto
Feito de mim vossa fiel amiga,
De mim sempre fiel vossa parente.

ELIZABETH

No estrangeiro é que estão, Lady Maria,
As vossas amizades; o Papado

É que é a vossa família; o vosso irmão
É o frade. Declarar-vos minha herdeira!
Oh, a pérfida cilada! Para, ainda
Em vida minha, vós, astuta Armida,
Seduzirdes meu povo, enredeardes
Nas finas malhas da galanteria
A nobre mocidade do meu reino!
Para que todo o mundo celebrasse
O sol nascente, — e eu...

MARIA

Reinai tranquila!
Todo direito ao trono renuncio.
Oh, as asas do meu sonho estão quebradas!
Nem me atrai a grandeza. Conseguistes
O vosso fim: não sou senão a sombra
Da Maria que fui. No longo opróbrio
Da prisão relaxaram-se-me as nobres
Fibras do ânimo antigo. O pior fizestes-me:
Destruistes-me, sem dó, na flor dos anos!
Já agora, ponde, irmã, cobro a meus males:
Pronunciai a palavra generosa
Que aqui vos trouxe, pois não acredito
Que tenhais vindo para cruelmente
Zombar de vossa vítima. Dizei-me:
"Sois livre! A mão do meu poder sentistes:
Ora aprendei a honrar minha clemência."
Dizei-o e a minha vida e liberdade
Receberei de vós como um presente.
Uma palavra apaga tudo: espero
Essa palavra. Oh, não tardeis, Rainha,
Em dizer-ma. Ai de vós se a não disserdes!
Pois se daqui sairdes não magnânima
Como uma divindade, nem por toda
A riqueza desta ilha eu quereria
Estar diante de vós, como estais diante
De mim neste momento!

ELIZABETH

Confessais-vos
Finalmente vencida? Renunciastes
Às intrigas e enredos cavilosos?
Não há mais assassinos em caminho?
Já não ousa nenhum aventureiro
Oferecer-vos suas tristes armas?
— Então é mesmo o fim, Lady Maria.

Já a ninguém atraís... Pois que insensato
Aspirará a tornar-se o vosso quarto
Marido? Sabem todos que matais
Tanto os vossos maridos como os vossos
Pretendentes!

MARIA

    (Num sobressalto.)
        Irmã! Irmã! Ó Deus!
Dai-me, ó meu Deus, dai-me moderação!

ELIZABETH

    (Encara-a longamente com orgulhoso olhar de desprezo e
    voltando-se para LEICESTER.)
Então, Milord, são estes os encantos
Que nenhum homem pode impunemente
Arrostar? Junto aos quais mulher nenhuma
Devera ousar mostrar-se? Na verdade
Custou barata a fama: foi bastante
Dar-se a beleza a todos para em todos
Achar admirador que a proclamasse!

MARIA

    (Num brusco movimento de indignação.)
Isto é demais!

ELIZABETH

        Agora sim, mostrais-vos
Como realmente sois! Até este ponto
Trazíeis uma máscara.

MARIA

    (Fervendo em cólera, mas com uma nobre dignidade.)
        Escutai:
Errei humanamente, infantilmente.
O poder perturbou-me. Errei, mas nunca
Às escondidas. Com franqueza régia
Desdenhei sempre as falsas aparências.
Meus pecados e culpas são notórios.
Posso, porém, dizer que sou melhor
Que a minha fama. E vós? Ai, desgraçada
De vós no dia em que vos arrancassem
O manto de solerte hipocrisia
Com que cobris o ardor de vossa oculta
Sensualidade! Certo não herdastes
De vossa mãe recato nem modéstia,

Pois sabe o mundo por amor do quê
Subiu Ana Bolena ao cadafalso!

SHREWSBURY

(Interferindo entre as duas.)
Ó Deus do céu! ó Deus, a que chegaram!
Isto é moderação, Lady Maria?

MARIA

Moderação! Sofri com paciência
O que pode sofrer um ser humano.
Basta destas doçuras de cordeiro!
Torna ao teu céu, paciência, que em silêncio
Tudo suportas! Cólera contida
Faz tanto tempo já, quebra as cadeias.
Sai de teu antro! E tu que conferiste
Ao basilisco irado o olhar que mata,
Põe-me na língua o dardo envenenado!

SHREWSBURY

Oh, ela está fora de si! Perdoai-lhe,
Rainha, a louca fúria, a irreprimível
Sanha, tão duramente provocada!

(ELIZABETH, emudecida pela cólera, lança a MARIA olhares cheios de ira.)

LEICESTER

(Vivamente inquieto, busca sair com ELIZABETH.)
Não escuteis, Rainha, a tresloucada!
Parti, parti deste lugar funesto!

MARIA

Uma bastarda profanou o trono
Inglês, o nobre povo de Inglaterra
Foi por uma astuciosa comediante
Ludibriado! Se direito houvesse,
Vós é que neste instante às minhas plantas
Rojaríeis no pó, pois *eu* sou o rei!

(ELIZABETH retira-se apressadamente: seguem-na os Lords na maior consternação.)

CENA 5

(Maria. Kennedy.)

KENNEDY

Que fizestes, Rainha? Ela saiu
Furiosa. Agora tudo está perdido
Sem esperança!

MARIA

(Ainda fora de si.)
Sim, saiu furiosa!
Levando a morte n'alma!
(Lançando-se ao pescoço de Kennedy.)
Ana querida,
Como me sinto bem! Enfim! Enfim,
Depois de tantos anos de tormentos
E humilhações, um instante de vingança
E de triunfo! Como se do peito
Me tivessem tirado uma montanha!
Enterrei o punhal no coração
Da inimiga!

KENNEDY

Ai de vós, que em desvairada
Ira feristes a que não perdoa!
Ela que brande o raio, ela, a Rainha,
Na presença do amante a escarnecestes!

MARIA

Sim! à vista de Leicester humilhei-a!
Leicester testemunhou minha vitória,
Quando a atingi mais fundo em seu orgulho!
Viu-me, e sua assistência me animava!

CENA 6

(As mesmas. Mortimer.)

KENNEDY

Oh, Sir! que resultado!...

MORTIMER

Eu ouvi tudo.
*(Faz à ama um sinal para que ela vá para o seu posto de
observação e aproxima-se. Toda a sua pessoa exprime uma
disposição de espírito violenta e apaixonada.)*
Triunfastes! Pisaste-la na poeira!

Éreis vós a Rainha, ela a culpada.
Vossa bravura me entusiasma, adoro-vos,
Pareceis, como estais neste momento,
Uma deusa magnífica.

MARIA

                   Falastes
A Leicester? Entregastes minha carta
E meu presente? Oh, Sir, contai-mo!

MORTIMER

(Contemplando-a com olhos ardentes.)
                            Ah, como
A indignação, a cólera aureolavam
Vossas régias feições! Ah, sois sem dúvida
A mais bela de todas as mulheres!

MARIA

Por Deus! satisfazei minha impaciência.
Que vos disse Milord? Deu esperanças?

MORTIMER

Quem? Ele? É um miserável, um cobarde!
Nada fará por vós. Ele, salvar-vos?
Ele, possuir-vos? Ele? Ouse o poltrão!
Teria que bater-se corpo a corpo
Comigo. Oh, desprezai-o!

MARIA

                   Não lhe destes
A minha carta? Então estou perdida!

MORTIMER

O cobarde ama a vida, mas aquele
Que quer salvar-vos e chamar-vos sua,
Esse defronta a morte, destemido!

MARIA

Nada fará por mim?

MORTIMER

                Nada! Esquecei-o!
Nem é preciso que ele faça nada:
Salvar-vos-ei eu só!

MARIA

Que poderíeis,
Ai de mim?!

MORTIMER

Não me iludo: da maneira
Que saiu a Rainha, do caminho
Que tomou a entrevista, há que tirar-se
Que está tudo perdido; todo acesso
À clemência, vedado. Agora, cumpre
Agir, decida a audácia e tudo arrisque-se!
Força é que sejais livre antes da aurora.

MARIA

Esta noite, dizeis? Como é possível?

MORTIMER

Ides saber: numa capela oculta
Reuni meus companheiros. Ali um padre
Confessou-nos a todos, absolveu-nos
De todos os pecados cometidos
E a cometer, deu-nos o Sacramento,
E ei-nos prontos para a última viagem!

MARIA

Oh, que aziagos aprestos!

MORTIMER

Esta noite
Escalaremos o castelo. Tenho
Comigo as chaves. Assassinaremos
As sentinelas. Arrancar-vos-emos
A força de lá dentro. Que não fique
Viv'alma que nos traia e conte o rapto.

MARIA

E Drury e Paulet, os meus carcereiros?
Esses derramarão a última gota
De seu sangue antes de...

MORTIMER

Serão os primeiros
Que meu punhal abaterá!

MARIA

É possível

Que façais isso a Paulet? Paulet, vosso
Tio e segundo pai?

MORTIMER

                              Paulet às minhas
Mãos morrerá!

MARIA

                    Oh, crime abominável!

MORTIMER

Todos os nossos crimes já nos foram
De antemão perdoados. Assim, posso
— E quero! — praticar seja o mais negro!

MARIA

Horrendo! horrendo!

MORTIMER

                    E se me for preciso,
Apunhalar a soberana, faço-o!
Jurei-o sobre a hóstia.

MARIA

                    Ah, não! Se tanto
Sangue por mim...

MORTIMER

                    E que me importa a vida
De outrem ninguém junto da tua e junto
De meu amor? Rompa-se, subvertida,
A ordem dos astros, venha sobre a terra
Um segundo dilúvio: antes que ver-te
Perdida para mim, pereça o mundo!

MARIA

       (Recuando.)
Deus! Que linguagem, Sir! E esses olhares
Como me assustam, como me amedrontam!

MORTIMER

       (Com olhares desvairados e uma expressão de tranquila demência.)
A vida é um breve instante, a morte é outro!
Arrastem-me ao suplício e me esquartejem
Com tenazes de fogo, membro a membro,
       (Avançando para a RAINHA, com os braços estendidos.)

Contanto que eu te estreite entre os meus braços
Ó bem-amada!

MARIA

    (Recuando.)
          Enlouquecestes?!

MORTIMER

                   Neste
Peito, sobre estes lábios que respiram
Amor...

MARIA

      Oh, por amor de Deus, deixai-me
Entrar!

MORTIMER

É um tonto aquele que a ventura
Posta nas suas mãos pelo destino
Não cinge contra o seio num abraço
Indissolúvel! Sim, quero salvar-te,
Ainda que ao preço de mil vidas, quero
E hei de fazê-lo, juro, e tão verdade
Como que Deus existe, hei de possuir-te!

MARIA

Oh, que em meu infortúnio não me valha
Nenhum deus, nenhum anjo! Atroz destino!
De terror em terror, ferinamente,
Me vens jogando. Não terei nascido
Senão para incitar a fúria? Uniram-se
Ódio e amor contra mim para aterrar-me?

MORTIMER

Amo-te com o ardor com que te odeiam!
Querem decapitar-te, golpear-te
A fio de machado esse pescoço
De ofuscante brancura... Oh, então consagra
Ao deus das amorosas alegrias
O que ao ódio amanhã, sangrentamente,
Imolarão! Faze a felicidade
Deste abrasado amante com os encantos
Que já te não pertencem! Estas belas,
Aneladas madeixas, desde agora
Patrimônio da morte, emprega-as para
Prender eternamente o teu escravo!

MARIA

Oh, que expressões usais! As minhas penas,
Meu infortúnio deveriam ser
Sagrados para vós, já que, ai de mim,
Não o é minha cabeça de Rainha.

MORTIMER

A coroa caiu de tua fronte,
Nada tens da terrena majestade
Neste momento. Experimenta, eleva
Tua voz de soberana, a ver se agora
Algum amigo ou cavaleiro atende
Ao teu apelo. Nada mais te resta
Senão tua tocante formosura,
O divino poder de teus encantos:
Por eles tudo arrisco e tudo posso,
Sem temer o machado do carrasco!

MARIA

(À parte.)
Oh, quem de seu furor virá salvar-me?

MORTIMER

A favor temerário, temerária
Recompensa! Por que derramaria
Seu sangue o bravo? A vida é o bem supremo!
Insensato o que a expende inutilmente!
Quero primeiro repousar no seu
Mais quente seio...

MARIA

(Aperta-a nos braços violentamente.)
Oh, Sir, o que fazeis,
Vós que a salvar-me vínheis!

MORTIMER

Insensível
Não és, pois não te acusam de severa.
Rizzio, o cantor, gozou de teus favores,
Cedeste a Bothwell...

MARIA

Temerário!

MORTIMER

E ele era
Um tirano contigo. Diante dele

Tremias, mas o amavas. Se é preciso
Empregar o terror para que me ames,
Pelo deus dos infernos...

MARIA

                              Oh, deixai-me!
Enlouquecestes!!

MORTIMER

                       Quero que tu tremas
Diante de mim também!

KENNEDY

        (Entrando precipitadamente.)
                              Homens armados
Enchem todo o jardim!

MORTIMER

        (Puxando da espada.)
                              Eu te protejo!

MARIA

        Ana, salvai-me das mãos dele! Aonde
Acharei um refúgio? Aqui, a violência;
Lá dentro, a morte! oh, céus!

        (Foge para o interior e a ama segue-a.)

CENA 7

(MORTIMER. PAULET e DRURY, *fora de si, entram precipitadamente. A escolta que os acompanha atravessa o palco correndo.*)

PAULET

                Fechai as portas!
Alçai as pontes levadiças!

MORTIMER

                              Que houve,
Meu tio?

PAULET

                Onde a assassina? Ide buscá-la
E lançai-a à mais lôbrega masmorra!

MORTIMER

Explicai-me este alarme: o que há?

PAULET

                                A Rainha!
Malditas mãos! Diabólica ousadia!

MORTIMER

Rainha? Que Rainha?

PAULET

                        De Inglaterra!
Assassinaram-na!...

                                        (Sai precipitadamente.)

CENA 8

(MORTIMER. Logo depois OKELLY.)

MORTIMER

                    Terei perdido
A razão? Passou mesmo alguém gritando
Que assassinaram a Rainha? Não,
Não! Deve ser um sonho! Um vão delírio,
Que ante os sentidos me apresenta aquilo
Que me trabalha a mente atribulada.
Quem vem? É Okelly. Que pavor denota!

OKELLY

            (Entrando agitadíssimo.)
Fugi, Mortimer! Tudo está perdido!

MORTIMER

Perdido o quê?

OKELLY

                        Não pergunteis mais nada!
Fugi sem mais demora!

MORTIMER

                            Mas o que houve?

OKELLY

Savage vibrou o golpe!

MORTIMER

                        Então é certo?

OKELLY

    Certíssimo! Oh, salvai-vos!

MORTIMER

                  Ela morta,
Maria ascende ao trono de Inglaterra!

OKELLY

    Morta? Quem disse tal?

MORTIMER

                      Vós mesmo!

OKELLY

                            Viva!
Está viva a Rainha! E nós, perdidos!...

MORTIMER

    Viva?!

OKELLY

        O golpe falhou; traspassou apenas
O manto. Shrewsbury desarmou Savage.

MORTIMER

    Viva!...

OKELLY

        Para matar-nos a nós todos!
Vinde, o pátio já cercam.

MORTIMER

                 Quem é Savage?

OKELLY

    Aquele barnabita de Toulon
Que vistes pensativo na capela
Quando o monge explicava-nos a bula
Em que o Papa lançou contra a Rainha
A excomunhão maior. O barnabita,
Para ganhar a palma do martírio,
Escolheu, como salvador da Igreja,
O meio mais à mão, mais expedito.
Só ao padre confiou o seu projeto.
E na estrada de Londres consumou-o.

MORTIMER

(Após longo silêncio.)
Ai, mísera! O destino se encarniça
Furiosamente contra ti. Agora
Força é que morras. O teu próprio anjo
Preparou tua queda.

OKELLY

Para onde ides
Em vossa fuga? Eu, para as florestas
Do norte.

MORTIMER

Parti! Deus vos acompanhe!
Eu ficarei para tentar salvá-la
Ou, vencido, na morte acompanhá-la!

(Saem cada um para seu lado.)

ATO 4

Antecâmara.

CENA 1

(O Conde De L'aubespine, Kent e Leicester.)

De L'aubespine

     Como vai a Rainha? Estou ainda
     Horrorizado! Como foi, Milords?
     Como se explica um atentado destes
     No mais fiel dos povos?

Leicester

                O culpado
     Não é inglês, embaixador. É um súdito
     De vosso rei.

De L'aubespine

         Um louco, certamente!

Leicester

     Um papista!

CENA 2

(Os mesmos. Burleigh em conversa com Davison.)

Burleigh

         É preciso, Milord Davison,
     Redigir-se e selar-se incontinenti
     A ordem de execução. Uma vez pronta,
     Levá-la à assinatura da Rainha.
     Não há tempo a perder. Ide!

Davison

              Farei
     Como mandais.

                         (Sai.)

De L'aubespine

         Milord, sinceramente
     Meu coração comparte da legítima
     Alegria do povo desta ilha.

Louvado seja o céu, que o mortal golpe
Afastou da cabeça da Rainha!

BURLEIGH

Louvado seja, por haver frustrado
A maldade de nossos inimigos!

DE L'AUBESPINE

Maldito o autor de ação tão execrável!

BURLEIGH

O autor e o vil mandante.

DE L'AUBESPINE

       Queira Vossa
Senhoria, Lord Marechal, levar-me
A Sua Majestade, a fim de pôr-lhe,
Como devo, a seus pés, os cumprimentos
E parabéns de meu Senhor e Rei.

BURLEIGH

Não o façais, Conde De L' Aubespine.

DE L'AUBESPINE

Conheço o meu dever, Lord Burleigh.

BURLEIGH

         O vosso
Dever é deixar a ilha o mais depressa
Possível.

DE L'AUBESPINE

  (Recuando espantado.)
  Como?

BURLEIGH

      A condição sagrada
De embaixador protege-vos agora:
Já o não fará amanhã.

DE L'AUBESPINE

       Qual o meu crime?

BURLEIGH

Nomeado, já seria indesculpável.

DE L'AUBESPINE

    Lord, o direito dos embaixadores,
    Espero...

BURLEIGH

               Não protege os criminosos
    De Estado.

LEICESTER E KENT

              O quê? Que significa isto?

DE L'AUBESPINE

    Refleti bem, Milord...

BURLEIGH

                  Um passaporte
    Assinado por vós foi encontrado
    No bolso do francês.

KENT

              Será possível?

DE L'AUBESPINE

    Bem possível: dou tantos passaportes!
    Não posso ler no coração dos homens.

BURLEIGH

    Confessou-se o assassino em vossa casa.

DE L'AUBESPINE

    Minha casa está aberta a toda a gente.

BURLEIGH

    Sobretudo a inimigos da Inglaterra.

DE L'AUBESPINE

    Reclamarei inquérito.

BURLEIGH

              Temei-o!

DE L'AUBESPINE

    Meu Rei foi agravado na pessoa
    De seu embaixador. Será rasgado
    O tratado de aliança que assinamos.

BURLEIGH

Já o rasgou a Rainha! Não mais se une
A Inglaterra com a França. Milord Kent,
Encarregai-vos de levar o Conde
Em segurança até o navio. O povo
Tomou de assalto a casa da embaixada,
Verificando que era um verdadeiro
Arsenal de armas, e indignado ameaça,
Se o Conde aparecer, fazê-lo em postas.
Até que a fúria acalme, ponde-o a salvo.
Sois responsável pela vida dele!

DE L'AUBESPINE

Vou-me deste país onde se pisa
O direito das gentes e se mofa
Dos tratados. Meu Rei pedirá contas
De armas na mão!

BURLEIGH

Que venha aqui pedi-las!

(KENT e DE L'AUBESPINE *saem.*)

CENA 3

(*LEICESTER. BURLEIGH.*)

LEICESTER

Assim, Milord, rompeis vós mesmo a aliança
Em que tanto, por própria iniciativa,
Trabalhastes! Não recolhestes grande
Mercê para a Inglaterra. Bem podíeis
Poupar-vos o trabalho.

BURLEIGH

Era louvável
O escopo. Deus dispôs de outra maneira.
Feliz quem nada pior pode increpar-se!

LEICESTER

Sabidos são os ares misteriosos
Que toma Cecil quando vai na pista
De algum crime político. O momento
Vos é, Milord, propício. Cometeram
Um delito monstruoso e os seus autores
Vela um denso mistério. Será aberto
Um conselho de inquérito. Palavras,

Gestos, olhares hão de ser pesados
Miudamente. Os próprios pensamentos
Serão esquadrinhados. E com isso
Eis-vos agora todo-poderoso,
— O Atlas do Estado, sobre cujos ombros
Pesa a Inglaterra inteira.

BURLEIGH

Em vós, Milord,
Reconheço o meu mestre, pois vitória
Como a que já alcançou vossa eloquência,
Jamais a obteve a minha.

LEICESTER

Falai claro.

BURLEIGH

Não fostes vós que pelas minhas costas
A Rainha atraístes ao castelo
De Fotheringhay?

LEICESTER

Pelas vossas costas?
Quando jamais receei agir de frente
Convosco?

BURLEIGH

Disse: atraístes a Rainha
Ao castelo. Não! Ela é que, em verdade,
Vos conduziu ali, por comprazer-vos.

LEICESTER

Que quereis insinuar, Milord?

BURLEIGH

Bonito
Papel distribuístes à Rainha!
Que soberbo triunfo reservastes
A quem fiava de nós tão sem malícia!
— Boa princesa! Como vos faltaram!
Com que insolência vos escarneceram!
Para isso, Milord, é que assumíreis
No Conselho de Estado tão benigna,
Generosa atitude! Para isso
É que representastes essa Stuart
Como tão impotente e desdenhável

Inimiga, que já nem valeria
A pena alguém manchar-se com o seu sangue!
Fino plano, de fato! Finamente
Aguçado! Aguçado em demasia,
Pois partiu-se-lhe a ponta!

LEICESTER

Miserável!
Responder-me-eis por isso aos pés do trono.

BURLEIGH

Lá me vereis, Milord. E ponde tento:
Que não vos traia ali vossa eloquência!

(Sai.)

CENA 4
(LEICESTER só, a princípio. Depois MORTIMER.)

LEICESTER

Fui descoberto! Como pôde o infame
Encontrar o meu rasto? Se tem provas,
Desgraçado de mim! Céus, se a Rainha
Vier a saber que tive entendimentos
Com a sua inimiga, como me há de
Julgar culpado! Como insidiosos
Se lhe afigurarão o meu conselho
E os meus esforços por levá-la àquela
Desgraçada entrevista! Há de sentir-se
Por mim perfidamente escarnecida
E traída à rival! Nunca jamais
Me há de querer perdoar! Premeditado
Tudo parecerá: o amargo rumo
Imprimido ao colóquio, o triunfo e o riso
Insultante da outra... E mais — o braço
Do criminoso, que um sinistro fado
Lançou na luta inesperadamente,
Eu terei sido quem o armou! Não vejo
Em parte alguma salvação! Quem vem?

MORTIMER

(Entra vivamente inquieto, olhando em torno assustado.)
Conde Leicester! Sois vós? Estais sozinho?

LEICESTER

Desgraçado, fugi! Que procurais?

MORTIMER

Estão no nosso rasto e, acautelai-vos!
Também no vosso!

LEICESTER

Eu sei! Parti! Fugi!

MORTIMER

Já sabem que houve uma reunião secreta
Em casa do Conde De L'Aubespine.

LEICESTER

E o que me importa?

MORTIMER

Sabem que o assassino
Esteve lá também.

LEICESTER

Isto é convosco!
Como ousais, temerário, misturar-me
À vossa tentativa celerada?
Defendei-vos vós mesmo!

MORTIMER

Oh, escutai-me!

LEICESTER

(Tomado de grande cólera.)
Ao diabo! Ouvis? Ao diabo! Que vos deu
De vos colardes aos meus calcanhares
Como um mau gênio! Ide! Não vos conheço,
Nada tenho em comum com assassinos.

MORTIMER

Recusais escutar-me. Vim, no entanto,
Prevenir-vos que fostes delatado.

LEICESTER

Ah!

MORTIMER

O Grande-Tesoureiro visitou
Fotheringhay logo depois do crime.
Deram busca nos quartos da Rainha
E lá foi encontrado...

LEICESTER

O quê?

MORTIMER

O princípio
De uma carta da Stuart para vós...

LEICESTER

A insensata!

MORTIMER

Na qual vos exortava
A cumprir a palavra que empenhastes,
Ao mesmo tempo que vos repetia
A promessa de dar-vos sua mão,
E aludia ao retrato...

LEICESTER

Com os demônios!

MORTIMER

A carta está com Burleigh.

LEICESTER

Estou perdido!

(Enquanto MORTIMER continua a falar, LEICESTER põe-se a andar de um lado para outro numa crise de desespero.)

MORTIMER

Procedei com presteza! Antecipai-o!
Salvai-vos e salvai-a! Ganhai tempo
Com juramentos, inventai desculpas,
Afastai o pior! Por minha parte,
Nada posso fazer, meus companheiros
Estão dispersos, nossa associação
Desmantelada. Parto para a Escócia
A reunir ali novos amigos.
A vós cabe tentardes na ocorrência
O de que são capazes vossa audácia
E vossa autoridade.

LEICESTER

(Readquirindo de súbito o sangue frio.)
É o meu intento!
(Vai até a porta, abre-a e chama.)

Ó da guarda!
(Ao Oficial *que acorre com homens armados.)*
Prendei este facínora,
Criminoso de Estado e vigilai-o.
Desmascarada foi a mais ignóbil
Das tramas contra Sua Majestade.
Vou levar-lhe a notícia eu mesmo.

(Sai.)

MORTIMER

(Fica a princípio estarrecido, mas não tarda em voltar a si e encara Leicester *com expressão do mais profundo desprezo.)*
Ah, infame!
Mas não tenho senão o que mereço!
Quem me mandou confiar no miserável?
Passa sobre o meu corpo, minha queda
É a ponte que usará para salvar-se.
Pois bem, salva-te! Eu guardarei silêncio.
Sim! não te arrastarei na minha queda:
Nem na morte te quero por aliado!
O único bem do celerado é a vida.
(Ao oficial que avança para prendê-lo.)
Que queres, vil escravo de tiranos?
Eu me rio de ti! Sou um homem livre!
(Saca de um punhal.)

O OFICIAL

Está armado. Tomem-lhe o punhal!

(Os guardas precipitam-se sobre MORTIMER, *que se defende.)*

MORTIMER

E livres no meu último momento
Falam meu coração e minha boca!
Maldição e ruína caiam sobre
Os que traem seu Deus e a soberana
Legítima! os que infiéis se desviaram
Da Maria terrena e da celeste
Para vender-se, indignos! à bastarda.

O OFICIAL

Ouvis suas blasfêmias? Agarrai-o!

MORTIMER

Se não pude salvar-te, quero agora

Dar-te um viril exemplo, ó bem-querida!
Maria, Santíssima, ora
Por mim na luz e glória da outra vida!

(Apunhala-se e cai nos braços dos guardas.)

CENA 5
(No quarto da Rainha. ELIZABETH, com uma carta na mão. BURLEIGH.)

ELIZABETH

Levar-me ali! Zombar dessa maneira
De mim! Traidor! Diante de sua amante
Exibir-me em triunfo! Oh, Burleigh, nunca
Mulher nenhuma assim foi enganada!

BURLEIGH

Não posso conceber por que magias,
Por que poder ele terá logrado
Surpreender a tal ponto o siso, o tino
De minha soberana.

ELIZABETH

Como devem
Ter desfrutado os dois minha fraqueza!
Julgava rebaixá-la, e eu é que fui
A escarnecida... Oh, morro de vergonha!

BURLEIGH

Vedes agora como lealmente
Vos preveni.

ELIZABETH

Oh, quando fui punida
Por não ouvir-vos! Mas que razões tinha
Para o não crer? para recear insídias
Do amor mais devotado? Em quem agora
Confiar, se me traiu? Ele, a quem fiz
Grande acima dos grandes, a pessoa
Que do meu coração mais perto esteve
Sempre, e a quem nesta corte eu permitia
Agir como senhor e soberano!

BURLEIGH

Ao mesmo tempo que vos enganava
Com a escocesa!

ELIZABETH

                Oh, ela há de pagar-me
Com sangue! Oh, se há! — Dizei: foi redigida
A sentença?

BURLEIGH

             Está pronta, Majestade.

ELIZABETH

Ela tem de morrer! E que ele a veja
Morrer, antes que morra ele também!
Arranquei-o do peito, que em meu peito
Não há lugar senão para a vingança.
Que a sua queda seja tão profunda
E vergonhosa quanto foi subida
A glória a que o ergui! Seja um exemplo
Do meu rigor como já o foi da minha
Fraqueza. Que o conduzam para a Torre.
Constituirei um tribunal de pares
Para julgá-lo. Seja entregue ao justo
Rigor da lei.

BURLEIGH

            Procurará avistar-vos,
Justificar-se...

ELIZABETH

            Como o poderia?
Não o condena esta carta? Oh, o crime dele
É claro como o dia!

BURLEIGH

              Sois bondosa
E clemente, Rainha. O que receio
É que a sua presença cativante...

ELIZABETH

Não quero mais revê-lo. Nunca, nunca!
Já destes ordem de o mandar embora
Se ele vier?

BURLEIGH

           A ordem já está dada.

UM PAJEM

    (Entrando.)
Milord de Leicester!

ELIZABETH

Miserável! Como
Ousou! Dizei-lhe que não quero vê-lo.
Não quero vê-lo!

BURLEIGH

Não me atreveria
A dizer-lho, Rainha. Certamente
Não me acreditaria.

ELIZABETH

Coloquei-o
Tão alto, que meus próprios servidores
Tremem mais diante dele do que diante
De mim!

BURLEIGH

Dizei-lhe, pajem, que a Rainha
O proíbe de entrar!

(Sai o pajem, hesitante.)

ELIZABETH

(Depois de uma pausa.)
E se no entanto
Fosse possível! Se ainda conseguisse
Justificar-se? Burleigh, não seria
A carta uma cilada de Maria
Para alhear-me meu melhor amigo?
Oh, a desavergonhada é uma intrigante
De marca! Se tivesse escrito a carta
Só para insinuar-me uma suspeita
Venenosa contra o homem que ela odeia
E quer destruir?...

BURLEIGH

Mas refleti, Rainha...

CENA 6

(Os mesmos. LEICESTER.)

LEICESTER

(Abre a porta com violência e entra com ar imperioso.)
Quero ver o impudente que me veda
Acesso junto a Sua Majestade,
Minha Rainha!

ELIZABETH

Ah, o temerário!

LEICESTER

Se ela
Recebe um Burleigh, a mim também recebe!

BURLEIGH

Grande ousadia, Lord, terdes entrado
Contra a proibição.

LEICESTER

Grande impudência
Tomardes a palavra aqui, Milord.
Proibição! Sabei que nesta corte
Não há ninguém que possa ao Conde Leicester
Proibir ou consentir coisa nenhuma!
　　(*Aproximando-se com humildade de* ELIZABETH.)
Da própria boca da Rainha quero...

ELIZABETH

　　(*Sem o encarar.*)
Fora da minha vista, homem indigno!

LEICESTER

Nestas duras palavras, Majestade,
Não reconheço a minha boa Elizabeth,
Mas o insolente Lord, meu inimigo.
Ora, eu apelo para a minha Elizabeth:
Destes-lhe ouvido, concedei-me o mesmo
Favor.

ELIZABETH

Pois bem, falai! Falai, infame!
Agravai vossa culpa! Desmenti-o!

LEICESTER

Antes mandai que saia este importuno.
Retirai-vos, Milord! O que me cumpre
Comunicar à minha soberana
Dispensa testemunhas. Ide embora!

ELIZABETH

　　(*A* BURLEIGH.)
Ficai, ordeno-o!

LEICESTER

Para que um terceiro
Entre nós dois? É à minha soberana
Adorada, a ela só, que necessito
Falar. Assim, mantenho os meus direitos.
Sagrados são, Rainha! Insisto: exijo
Que o Lord se afaste.

ELIZABETH

Assenta-vos linguagem
De tanto orgulho!

LEICESTER

Certo! Porventura
Não sou o feliz mortal a quem brindastes
De vossa graça o augusto privilégio
Que por cima de todos me coloca?
Esta glória sublime conferiu-ma
O vosso coração, e pois foi dado
Por vosso amor, defendê-lo-ei com a vida
Se necessário! Que ele saia — bastam
Dois minutos e havemos de entender-nos!

ELIZABETH

Já não me iludem mais vossas mentiras!

LEICESTER

Iludir vos deixastes foi por ele
Mas eu, quero falar à vossa alma,
E a sós com ela irei justificar-me
Do que, por confiar no vosso régio
Favor, ousei fazer. Não me submeto
A nenhum tribunal, senão, Rainha,
O vosso amor!

ELIZABETH

É ele, precisamente,
Que vos há condenado. — Milord Burleigh,
Mostrai-lhe a carta!

BURLEIGH

Ei-la!

LEICESTER

(Percorre a carta sem se alterar.)
É da mão da Stuart!

ELIZABETH

Lede-a e calai-vos.

LEICESTER

(Depois de ler, tranquilamente.)
A aparência é contra
Mim, mas tenho o direito de esperar
Que não me julguem pelas aparências!

ELIZABETH

Podeis negar que entrastes em secreto
Acordo com a escocesa, e recebestes
O seu retrato, e destes-lhe esperança
De a libertar?

LEICESTER

Ser-me-ia muito fácil,
Caso fosse culpado, recusar
Testemunha inimiga. Entanto, tenho
Tranquila a consciência; reconheço
Que ela disse a verdade!

ELIZABETH

E' então verdade!

BURLEIGH

Ele mesmo se acusa.

ELIZABETH

À Torre, à torre
O traidor!

LEICESTER

Não sou um traidor.
A minha culpa foi guardar segredo
Desse passo que dei no leal desígnio
De sondar a inimiga.

ELIZABETH

Má desculpa!

BURLEIGH

Como, Milord? Quereis fazer-nos crer...

LEICESTER

Foi um jogo arriscado, que só o Conde

Leicester podia ousar. O mundo inteiro
Sabe que odeio a Stuart. Meu estado
Nesta corte, a confiança com que me honra
Minha Rainha, devem desde logo
Dissipar qualquer dúvida que possam
Ter sobre a minha inteira lealdade.
O homem que a vossa graça ergueu tão alto,
Tinha o direito de tomar caminho
Tão perigoso, desde que o fazia
No cumprimento de um dever.

BURLEIGH

                              Se a causa
Era boa, por que fazer mistério?

LEICESTER

Milord! Sabemos todos que é vosso hábito
Palrar antes de agir. Sois a trombeta
Dos vossos atos. Meu sistema é outro:
Primeiro agir, depois falar!

BURLEIGH

                              Falastes
Agora, porque a isso éreis forçado.

LEICESTER

(Medindo-o com os olhos, altivo e desdenhoso.)
E vos gabais de ter levado a cabo
Estupenda façanha — de ter salvo
Vossa Rainha, haver desmascarado
A traição... Sois onisciente, nada
Pode escapar ao vosso olhar agudo...
Ai, pobre fanfarrão! Mau grado o vosso
Faro, Maria Stuart estaria
Em liberdade agora, se não fossem
As providências que tomei.

BURLEIGH

                              Tomastes?

LEICESTER

Sim, Milord, em pessoa! Mortimer
Ganhara a confiança da Rainha,
Que se abrira com ele, revelando-lhe
Seus segredos mais íntimos, a ponto
De encarregá-lo de missão sangrenta

Contra Maria, à qual se recusara
Horrorizado o tio... Ora, dizei-me:
Não é exato?

(A Rainha e Burleigh trocam olhares surpresos.)

BURLEIGH

                    Dizei: como o soubestes?

LEICESTER

    Não é exato, Milord? Onde é que estavam
Vossos milhares de olhos, que não viram
A cilada de Mortimer, e que era
Um papista exaltado, um instrumento
Dos Guises, criatura da inimiga
Estrangeira, um fanático audacioso,
Que voltou a este reino decidido
A raptá-la, e a matar nossa Rainha?

ELIZABETH

        (Com o mais profundo espanto.)
Mortimer?!

LEICESTER

                Ele mesmo! Era por ele
Que ela mantinha relações comigo.
Foi assim que aprendi a conhecê-la;
E soube que hoje mesmo a arrancariam
À força do castelo. Revelou-mo
Ele próprio. Dei a ordem de prendê-lo.
E ele, no desespero de sentir-se
Descoberto e frustrada a sua empresa,
Matou-se!

ELIZABETH

            Oh, como fui ludibriada
Por esse Mortimer!

BURLEIGH

                E isto passou-se
Depois que vos deixei?

LEICESTER

                    Lamento muito,
No meu próprio interesse, que ele tenha
Morrido assim. Certo, seu testemunho

Me teria isentado totalmente
De toda acusação. Quis entregá-lo
Vivo à mão da justiça. O mais severo
Processo atestaria ao mundo inteiro
Minha inocência.

BURLEIGH

                   Ele matou-se mesmo?
Por suas próprias mãos? Ou vós mataste-lo?

LEICESTER

Suspeita infame! Interrogai os guardas
Aos quais mandei prendê-lo!
      (Vai até a porta e chama para fora. Entra o OFICIAL dos guardas.)
                Relatai
A Sua Majestade de que modo
Morreu Mortimer!

O OFICIAL

               Foi assim: eu estava
Na antecâmara, quando bruscamente
Milord abriu a porta e deu-me a ordem
De aprisionar o cavaleiro como
Culpado de alta traição. E nisso
Este, tomado de furor, arranca
Do punhal, e rompendo em impropérios
Contra a Rainha, crava-o com mão forte
No peito e a nossos pés vem cair morto.

LEICESTER

É só. Podeis sair.

                                   (Sai o OFICIAL.)

Então, Rainha?

ELIZABETH

Oh, que abismo de horrores!

LEICESTER

                    Pronunciai-vos:
Quem vos salvou? Foi Milord Burleigh? Estava
Ele a par do perigo que pendia
Sobre vós e o desviou? Não! Foi o vosso
Fiel criado Leicester!

BURLEIGH

                 Este Mortimer
Morreu muito a propósito... Não, Conde?

ELIZABETH

Não sei o que dizer. Creio e não creio
No que afirmais. Acho que sois culpado
E que o não sois! Oh, a odiosa criatura,
Causa do meu tormento!

LEICESTER

Que ela morra!
Agora eu mesmo peço a sua morte,
Aconselhei sustardes a sentença
Enquanto um braço não se levantasse
Por ela. O fato aconteceu, insisto
Em que seja a sentença executada
Sem mais tardança.

BURLEIGH

Aconselhai-lo? Vós?

LEICESTER

Por mais que me repugne a tal extremo
Recorrer, vejo agora claramente
Que a segurança da Rainha exige
O sacrifício. Pelo quê, proponho
A ordem de execução seja lavrada
Incontinenti!

BURLEIGH

Pois que os sentimentos
De Milord são tão leais e tão sinceros,
Proponho eu, Rainha, que lhe seja
Entregue a execução.

LEICESTER

A mim?

BURLEIGH

A vós.
Que outro meio melhor de refutardes
Toda suspeita contra vós do que este
De com vossas mãos mesmas decepardes
A cabeça que fostes inculpado
De amar?

ELIZABETH

Tendes razão, fica entendido,
Milord.

LEICESTER

A minha posição, Rainha,
Deveria eximir-me de tão triste
Missão, a qual, a todos os respeitos,
Ficaria melhor confiar a um Burleigh.
A quem, pela afeição, está tão perto
Da Rainha, não cabe o desempenho
De funestos encargos. Todavia.
Para dar testemunho de meu zelo,
Para satisfazer a soberana,
Renuncio ao meu justo privilégio
E tomo sobre mim o dever odioso.

ELIZABETH

Milord Burleigh comparti-lo-á convosco.
      (A BURLEIGH.)
Cuidai que o ato seja redigido
Agora mesmo.

(Sai BURLEIGH. Ouve-se um tumulto lá fora.)

CENA 7
(Os mesmos. O CONDE DE KENT.)

ELIZABETH

Que se está passando,
Milord de Kent? Que agitação é essa
Que vai lá fora? O que houve?

KENT

Majestade,
É o povo à volta do palácio instando
Em ver-vos.

ELIZABETH

Que me quer meu povo?

KENT

O espanto,
O medo abalam toda Londres. Temem
Por vossa vida. Diz-se que circulam
Assassinos mandados pelo Papa
Contra vós; que conspiram os católicos
Por libertar a viva força a Stuart
E aclamá-la Rainha. É o que acredita
O povo enfurecido. Só caindo

A cabeça da Stuart hoje mesmo,
Pode acalmar-se.

ELIZABETH

Com que então, Milord,
Querem forçar-me?

KENT

Dizem-se dispostos
A não se retirarem senão quando
Assinada a sentença.

CENA 8
(Os mesmos. BURLEIGH e DAVISON, com um papel.)

ELIZABETH

Que trazeis,
Davison?

DAVISON

(Aproximando-se grave.)
Ordenastes, Majestade...

ELIZABETH

Que é isso?
(No momento em que vai receber o documento, estremece e recua.)
Oh, Deus!

BURLEIGH

Obedecei, Rainha,
À voz do povo: é a voz de Deus.

ELIZABETH

(Irresoluta; lutando consigo mesma.)
Milords!
Quem me dirá se verdadeiramente
Ouço a voz de meu povo, a voz do mundo?
Ah, que receio, obedecendo agora
Ao desejo da turba, ouvir mais tarde
Outra voz bem diversa, e que estes mesmos
Que hoje com mais calor me estão instando
A esse ato, não mo exprobrem algum dia
Severamente!

CENA 9

(Os mesmos. O Conde de Shrewsbury.)

SHREWSBURY

(Entra, presa de grande emoção.)
                    Querem apressar-vos,
Rainha! Resisti! Tende firmeza!
                    (Percebendo o documento na mão de Davison.)
Ou é fato consumado? Nesta mão
Vejo o fatal papel. Ah, que não caia
Sob os olhos de Sua Majestade!

ELIZABETH

Meu nobre Shrewsbury, querem forçar-me!

SHREWSBURY

Quem quer forçar? Pois sois a soberana,
Mostrai, Rainha, a vossa potestade!
Fazei calar as vozes temerárias
Que ousam impor sua vontade à vossa
E antecipar vossa real sentença.
O medo, um medo cego, agita o povo.
Vós mesma estais fora de vós, pois fostes
Cruelmente ofendida. Sois, Rainha,
Um ser humano e, como tal, no instante
Sem isenção para um pronunciamento.

BURLEIGH

A sentença já foi pronunciada:
O que falece agora é executá-la.

KENT

(Que se tinha afastado quando Shrewsbury entrou, volta de fora.)
A agitação aumenta! A multidão
Não pode ser contida por mais tempo!

ELIZABETH

(A Shrewsbury.)
Estais vendo, Milord, como me premem?

SHREWSBURY

Peço apenas um prazo. Essa penada
Vai decidir da paz e da ventura
De vossa vida. Refletistes anos
A fio e ides agora despachar

Numa tormenta momentânea? Apenas
Um curto prazo. Resolvei com calma.
Esperai uma hora mais serena.

BURLEIGH

(Vivamente.)
Esperai, vacilai, tardai, Rainha,
Até que o reino esteja em labaredas,
Até que contra vós possa a inimiga
Um dia, ao cabo, desfechar o golpe
Mortal! Frustrou-o um Deus por já três vezes.
Roçou-vos hoje, confiar em novo
Milagre, é tentar Deus.

SHREWSBURY

O Deus, Rainha,
Cuja mão milagrosa quatro vezes
Vos salvou, que emprestou ao fraco braço
De um velho força para desarmar
Um possesso, merece-vos confiança.
Não é a voz da justiça que levanto
Neste momento: não seria oportuno.
Em meio do tufão não a escutáreis!
Quero apenas dizer-vos uma coisa:
Tremeis agora da Maria viva:
Não é esta que deve amedrontar-vos.
Tremei da morta, da decapitada.
Ela sairá da campa, nova deusa
Da discórdia, inflamando todo o reino
Em chamas de vingança, repelindo
De vós o coração do vosso povo.
O inglês a odeia agora porque a teme;
Vingá-la-á depois de degolada.
Não veria mais nela uma inimiga
De sua fé, mas tão somente a neta
De seus monarcas, vítima do ciúme
E do rancor, e a chorará! Depressa
Sentireis a mudança. Percorrei
A cidade, depois de executada
A sentença, mostrai-vos a esse povo
Que outrora vos cercava jubiloso:
Vereis outra Inglaterra, pois despida
Estareis dessa auréola sublime
Da justiça, que era a razão de vosso
Prestígio! O medo, horrível companheiro
Da tirania, irá por onde fordes,

Produzindo o vazio à vossa frente.
É que tereis, Rainha, procedido
Com rigor excessivo: que cabeça
Se sentirá segura, se abatida
For a de quem devera ser sagrada
Como filha de reis?

ELIZABETH
                              Ah, Shrewsbury!
Salvaste-me hoje a vida, desviando
O punhal do assassino... Antes lhe déreis
Curso ao furor! Teria sido o termo
De minhas penas, e liberta agora
De toda dúvida, pura de culpa,
Repousaria em paz no meu jazigo!
Da vida e do poder já estou cansada.
Se das duas Rainhas uma deve
Morrer porque a outra viva, e não existe
Solução fora dessa alternativa,
Bem poderia eu ser a que cedesse
O seu lugar. Faça o meu povo a escolha:
Devolvo-lhe nas mãos a majestade.
Não para mim, mas para bem do povo
Tenho vivido. Deus me é testemunha.
Se porventura esperam da rainha
Mais moça, dessa lisonjeira Stuart,
Melhores dias, descerei do trono
E voltarei à calma soledade
De Woodstock, onde passei a juventude
Sem ambições, onde bem longe posta
Das grandezas terrenas, em mim mesma
Encontrava a grandeza. Na verdade
Não fui nascida para soberana.
O soberano deve de ser duro:
Ora, meu coração é sem dureza.
Por longos anos com felicidade
Governei esta ilha, porque a minha
Tarefa era fazer outros felizes.
Pela primeira vez defronto agora
Um penoso dever de soberano,
E me sinto bem fraca...

BURLEIGH
                              Ora, por Deus!
Quando de vossa boca, Majestade,
Tenho de ouvir palavras tão impróprias

De uma Rainha, estimo que seria
Trair o meu dever, a minha pátria,
Se guardasse o silêncio por mais tempo!
Dizeis que amais o vosso povo mais
Do que a vós mesma: pois mostrai-o agora!
Não queirais para vós a paz, deixando
O vosso reino exposto às tempestades.
Pensai na Igreja! Consentis que a Stuart
Restaure no país a abominável
Superstição? Quereis que o frade reine
De novo aqui? Venha amanhã um legado
Papal para fechar nossas igrejas,
Destronar nossos reis? Em vossas mãos
Quero as almas depor de vossos súditos.
Conforme decidirdes, serão elas
Ou salvas ou perdidas. Não é tempo
De enternecidos compadecimentos;
O supremo dever é o bem do povo.
Se Shrewsbury salvou a vossa vida,
Quero eu salvar a da Inglaterra! É mais!

Elizabeth

Deixai-me a sós comigo mesma. Em homens
Não posso achar conselho nem consolo
Para assunto tão grave. Ao juiz supremo
Submeto a causa. O que disser que eu faça,
É o que farei. — Saí, Milords!
        (A Davison.)
                                Vós, Davison,
Ficai por perto!

*(Saem os Lords. Só Shrewsbury permanece ainda alguns momentos diante da Rainha,
olhando-a com expressão significativa; depois afasta-se lentamente, denotando
profundo pesar.)*

CENA 10
(*Elizabeth* SÓ.)

Ó escravidão do servidor do povo!
Servidão vergonhosa! Ah, estou cansada
De lisonjear esse ídolo, que no íntimo
Desprezo! Ai, quando poderei sentar-me
Livre neste meu trono! A opinião pública
Há de se respeitar, se desejamos
Ter o louvor da turba, há que atender
À plebe, a quem só as charlatães agradam.

Oh, não é rei ainda o que precisa
Agradar à opinião, só o é aquele
Que em sua ação não necessita o aplauso
Dos homens. Por que em toda a minha vida
Acatei a justiça, odiei o arbítrio?
Para sentir-me assim de mãos atadas
Ante o primeiro inevitável ato
De violência a sancionar? O exemplo
Que eu mesma dei, condena-me. Se eu fosse
Tirânica, à maneira da espanhola
Maria Tudor, minha antecessora,
Podia agora derramar o sangue
Da Rainha de Escócia sem por isso
Sofrer censura! E acaso terá sido
De minha própria livre escolha o espírito
De justiça? A fatal necessidade,
Que até aos reis obriga onipotente,
Impôs-me essa virtude. Rodeada
De inimigos, no trono contestado,
Se não caí, devo-o ao favor do povo.
Põem-se de acordo todas as potências
Do continente para aniquilar-me.
O Papa, irredutível, lança o anátema
Sobre a minha cabeça, a França trai-me,
Com um falso beijo fraternal, e a Espanha
Abertamente apresta contra mim
Uma furiosa guerra sobre os mares!
Indefesa mulher, eis-me atacada
De todo lado, em luta contra o mundo!
Há que dissimular sob inflexíveis
Virtudes meu direito questionado,
O labéu de nascença que meu próprio
Pai me infligiu e embalde escondo. O ódio
De meus antagonistas pô-lo a nu
E suscitou contra o meu trono o espectro
Perenemente ameaçador da Stuart.
Não! Este medo tem que ter um fim!
Ela tem que morrer. Quero o sossego!
Essa mulher é em minha vida a Fúria,
Gênio do mal posto pelo destino
A perseguir-me! Onde eu uma alegria,
Uma esperança plante, ali me salta
Uma serpe infernal no meu caminho
Tudo me tira: arrebatou-me o noivo,
Roubou-me o meu amante! Maria Stuart,
Eis o nome de todas as desditas

Que me acabrunham! Desaparecida
Ela, respirarei desafogada.
— Livre como o ar que sopra nas montanhas!
   (Fica um momento silenciosa.)
Com que desdém me olhou de cima, como
Se com o olhar quisesse fulminar-me!
Mas nada podes! Tenho em mãos melhores
Armas. Com pouco o fio de um machado
Porá um termo aos teus sonhos — e à tua vida!
   (A passos rápidos se dirige à mesa e toma da pena.)
Chamas-me de bastarda... Todavia
Sê-lo-ei somente enquanto respirares.
A dúvida que paira sobre a minha
Origem principesca, hei de destruí-la
Destruindo-te! No dia em que os ingleses
Ja não tiverem que escolher, nascida
Serei então de tálamo legítimo!

(Assina com mão rápida e firme; depois deixa cair a pena e recua com uma expressão de terror. Ao cabo de algum tempo toca a campainha.)

CENA 11

(Elizabeth. Davison.)

ELIZABETH

Onde estão os outros Lords?

DAVISON

                    Foram chamados
A apaziguar o povo. A turbulência
Cessou instantaneamente quando o Conde
Shrewsbury apareceu. "É ele! É ele!"
Exclamaram mil vozes. "Ele, o homem
"Que salvou a Rainha! Ouvi-o, ouvi-o,
"Ao melhor da Inglaterra!" E o nobre Talbot
Principiou a falar. Serenamente
Exprobra ao povo o inútil alvoroto;
Discorre com tal força persuasiva
Que a multidão se acalma e se dissolve
Em silêncio.

ELIZABETH

                  Oh, essa turba, que varia
Com os ventos variáveis! Ai daquele
Que em tão frágil caniço busca apoio!

Está bem, podeis ir, Sir Davison.
                (E quando este se encaminha para a porta.)
E este papel? Levai-o, deposito-o
Em vossas mãos.

DAVISON

                (Lançando um olhar ao papel e estremecendo assustado.)
                Rainha! O vosso nome!
Decidistes?

ELIZABETH

                Havia que assinar.
Fi-lo. Um nome não mata. A simples folha
De papel por si só nada decide.

DAVISON

Vosso nome, Rainha, nesta folha
Decide tudo, mata, é como um raio
Que detona e fulmina! Este papel
Ordena aos comissários, ao xerife
Que se dirijam imediatamente
Ao castelo de Fotheringhay, junto
À Rainha de Escócia, a anunciar-lhe
A ordem de execução e que a efetuem
Ao raiar da manhã. Não há adiamento
Mais. Quando houver saído este papel
De minhas mãos, ela terá vivido!

ELIZABETH

Em vossas fracas mãos Deus deposita,
Sir Davison, um grande, um importante
Destino. Orai! Que ele vos alumie
Com a sua celestial sabedoria.
Cumpri vosso dever.

        (Quer sair.)

DAVISON

                Não, Majestade!
Não me deixeis sem me fazer ciente
Do que é a vossa vontade. Não desejo
Nem necessito outra sabedoria
Senão cumprir à risca a vossa ordem.
Ponde-la em minhas mãos para que a leve
A ser executada prontamente?

ELIZABETH

Deixo ao vosso juízo...

DAVISON

(Interrompendo-a vivamente, aterrado.)
Ao meu juízo!
Deus me defenda! Obedecer — eis todo
O meu juízo. Não lhe fique nada
Por decidir, Rainha, a este criado
De Vossa Majestade. Uma pequena
Inadvertência, e fôra um regicídio,
Uma desgraça imensa, incalculável.
Oh, consenti-me ser nesta matéria
Cego instrumento sem vontade própria!
Exprimi com palavras bem precisas
O vosso pensamento: que destino
Dou a esta ordem de morte?

ELIZABETH

O nome o diz.

DAVISON

Assim, a quereis bem pronto executada?

ELIZABETH

(Hesitante.)
Isso não digo, e tremo de pensá-lo.

DAVISON

Devo retê-la ainda, Majestade?

ELIZABETH

(Impetuosa.)
Correndo o risco e suas consequências!

DAVISON

Eu? Santo Deus! Falai, dizei, Rainha,
Vosso desejo!

ELIZABETH

(Com impaciência.)
Sir, o meu desejo
É que não falem mais no malfadado
Caso; é que de ora em diante e para sempre
Me deixem em sossego a esse respeito.

DAVISON

Não vos custa senão uma palavra:
Pronunciai-a! Que faço do papel?

ELIZABETH

Já vos disse. Cessai de atormentar-me.

DAVISON

Já mo dissestes? Não! Nada dissestes!
Oh, lembrai-vos, Rainha...

ELIZABETH

Insuportável!

(Batendo com o pé no chão.)

DAVISON

Sede indulgente, Majestade. Há poucos
Meses ocupo este meu cargo. Ignoro
A linguagem das cortes e dos príncipes...
Cresci num meio de costumes simples
E sem malícia. Tende, pois, paciência
Com o vosso servidor! Não regateeis
A palavra que o instrua e lhe esclareça
O seu dever...
(Aproxima-se da RAINHA em atitude suplicante; ela dá-lhe as costas; ele detém-se desesperado e depois fala em tom resoluto.)
Tomai, tomai, Rainha
Este papel! Tomai-o! Ele me queima
As mãos. Não me escolhais para servir-vos
Em missão tão sinistra e tão difícil!

ELIZABETH

Fazei o que compete ao vosso cargo!

(Sai.)

CENA 12
(DAVISON e logo depois BURLEIGH.)

DAVISON

Foi-se e deixou-me em dúvida e incerteza
Com este papel terrível... Que farei?
Devo guardá-lo? Devo transmiti-lo?
(A BURLEIGH, que entra.)
Ah, chegais, felizmente, Milord Burleigh!

Vós, que me colocastes neste posto,
Livrai-me dele, Sir! Ao aceitá-lo,
Não sabia as responsabilidades
Que me esperavam. Permiti que eu volte
À condição obscura em que me achastes:
Não nasci para isto!

BURLEIGH

                              Sir, que tendes?
Recuperai a calma. Que é da ordem?
A Rainha chamara-vos.

DAVISON

                              Acaba
De sair muito irada. Oh, aconselhai-me!
Socorrei-me! Arrancai-me a este suplício
Diabólico da dúvida! Eis a folha...
Está assinada.

BURLEIGH

            (Com precipitação.)
                  Está? Oh, dai-ma! dai-ma!

DAVISON

Não tenho esse direito.

BURLEIGH

                        O quê?

DAVISON

                              Milord,
A Rainha não disse claramente
Sua vontade...

BURLEIGH

                  Ela não disse? Como
Não disse? Pois não assinou? Entregai-me
A ordem!

DAVISON

            Devo fazer executá-la?...
Não devo?... Deus! Sei lá o que é que devo?

BURLEIGH

            (Mais instante.)
Deveis fazer executá-la agora,

Já, neste mesmo instante. Se tardardes,
Estais perdido.

DAVISON

                Estou perdido, caso
Apresse a execução.

BURLEIGH

                Desarrazoais!
Dai-me o papel!

*(Arranca-lhe o documento da mão e dirige-se precipitadamente
para a porta.)*

DAVISON

(Correndo atrás dele.)
       À ruína me lançais!

ATO 5

A mesma sala do primeiro ato.

CENA 1

> (Ana Kennedy, *de luto fechado, com os olhos inchados de chorar e mergulhada numa dor profunda mas silenciosa, está ocupada em selar com sinete cartas e pacotes. Frequentemente a aflição interrompe-a em sua tarefa e ela reza.* Paulet *e* Drury, *também vestidos de preto, entram; são acompanhados por vários criados, que trazem vasos de ouro e de prata, espelhos, quadros e outros objetos preciosos, que depõem no fundo da sala.* Paulet *entrega a* Kennedy *um escrínio e um papel, dando-lhe a entender por sinais que é a lista dos objetos trazidos. A vista dessas preciosidades renova a dor da ama, que cai em fundo abatimento; as outras personagens se retiram. Entra* Melvil.)

KENNEDY

(Soltando um grito ao dar com os olhos em Melvil.)
Melvil! Sois vós! Até que enfim vos vejo!

MELVIL

Até que enfim nos vemos, boa Kennedy!

KENNEDY

Depois de longa, longa e dolorosa
Separação!

MELVIL

Um doloroso encontro!

KENNEDY

Agora enfim, agora, na manhã
De sua morte, deixam que ela veja
Os seus, do que a privaram tanto tempo.
Ó caro Sir, não quero perguntar-vos
O que vos sucedeu, nem referir-vos
Os sofrimentos que passamos desde
Que nos tiraram vossa companhia.
Ah, um dia virá o tempo para isso!
Ó Melvil, Melvil! Por que não morremos
Antes de acontecida esta desgraça?!

MELVIL

Não nos enterneçamos mutuamente.
Por mim, hei de chorar enquanto viva;
Nunca um sorriso alumiará meu rosto;
Nem tirarei jamais este vestuário
Da cor da noite! Viverei em luto
Eterno. Hoje, porém, cumpre ser forte...
Prometei-me, senhora, moderardes
Também a vossa dor. Mesmo que todos
Se entreguem sem medida ao desespero,
Caminhemos os dois adiante dela
Com serena firmeza, e assim ser-lhe-emos
Amparo na jornada para a morte!

KENNEDY

Melvil, errais se porventura credes
Que ela carece o nosso amparo para
Marchar com passo firme ao cadafalso.
Não tenhais medo: saberá a Rainha
Morrer como Rainha — e como heroína!

MELVIL

Recebeu a notícia sem alarme?
Dizem que ela não estava preparada.

KENNEDY

Não, não estava, eram outros os seus medos.
Não tremia da morte, mas daquele
Que a queria salvar. A liberdade
Fora-nos prometida. Mortimer
Nos tinha assegurado que esta noite
Sairíamos daqui. E era hesitante
Entre o susto e a esperança, não sabendo
Se podia confiar ao moço ousado
Sua régia pessoa e sua honra,
Que ela aguardava a aurora. De repente
Agita-se o castelo em alvoroço.
Batem à porta. Fortes marteladas
Abalam-nos o ouvido. Imaginamos
Que seriam os nossos salvadores:
Sorri-nos a esperança, o doce instinto
Da vida acorda em nós involuntário,
Avassalante... Abre-se a porta: é Paulet
Anunciando que... que os carpinteiros
Armam aos nossos pés o cadafalso!

(Vira-se presa de violenta dor.)

MELVIL

Justos céus! Oh, dizei-me, como a pobre
Suportou tão brutal vicissitude?

KENNEDY

(Após um instante de silêncio, durante o qual recobra a calma.)
Sir, não nos despegamos pouco a pouco
Da vida! É de um só golpe, prestemente,
No instante mesmo, que se faz a troca
Do perecível pelo eterno. Deus
Inspirou nesta hora a minha Lady
Força para abdicar as esperanças
Terrenas, e com a fé ganhar o céu!
Nenhum sinal de medo, nem nenhuma
Queixa escapou à minha soberana.
Só ao saber da vil traição de Leicester,
Do triste fim do jovem valoroso
Morto por ela, e quando viu a mágoa
Do velho cavaleiro é que correram
Suas lágrimas; não foi a própria sorte
Mas as dos outros que lhas arrancaram.

MELVIL

Onde está agora? Podereis levar-me
À sua presença?

KENNEDY

Esteve a noite toda
Rezando. Despediu-se por escrito
De amigos caros, e do próprio punho
Fez o seu testamento. Neste instante
Repousa: o último sono a reconforta.

MELVIL

Quem está com ela?

KENNEDY

O médico, Sir Burgoyn,
E as camareiras.

CENA 2
(Os mesmos. MARGARIDA KURL.)

KENNEDY

Que notícia, Mistress,
Nos trazeis? A Rainha está acordada?

KURL

    (Enxugando as lágrimas.)
Já está vestida. Quer falar convosco.

KENNEDY

Vou já.
    (A MELVIL, que se dispunha a acompanhá-la.)
    Não me sigais, até que eu tenha
Preparado a Rainha para ver-nos.

                                       (Sai.)

KURL

Sois Melvil, o mordomo?

MELVIL

                   Sim, eu mesmo!

KURL

Já não precisa a casa de mordomo!
Vindes de Londres? Podeis dar-me novas
De meu marido?

MELVIL

             Será solto quando...

KURL

Quando a Rainha estiver morta! O infame!
Ele é que é o matador de minha Lady
Querida. Foi seu testemunho, dizem.
Que a condenou.

MELVIL

            É exato.

KURL

              Oh, amaldiçoada
Seja a sua alma até no inferno! É falso
Tudo o que ele depôs!

MELVIL

           Milady Kurl,
Refleti no que estais dizendo!

KURL

              Quero

Jurar perante o tribunal, gritar-lhe
A meu marido face a face, e ao mundo
Inteiro apregoar: Morre inocente
Minha Rainha!

MELVIL

Oh, Deus o queira!

CENA 3
(Os mesmos. BURGOYN e depois KENNEDY.)

BURGOYN

(Ao ver MELVIL.)
Melvil!

MELVIL

(Abraçando-o.)
Burgoyn!

BURGOYN

(A MARGARIDA KURL.)
Depressa, ide buscar um copo
De vinho para vossa Lady!

MELVIL

Teve
Alguma coisa?

BURGOYN

Não. Sente-se forte.
Seu heroísmo a engana. Ela acredita
Não ter necessidade de alimento.
Ora, um rude combate a espera ainda,
E não convém que os inimigos folguem
Atribuindo ao medo, à cobardia
A palidez das faces da Rainha,
Quando a sua fraqueza é apenas física.

MELVIL

(A KENNEDY, que vem entrando.)
Quer ver-me?

KENNEDY

Virá aqui dentro de poucos
Instantes. Pareceis olhar em volta
Com estranheza, como perguntando:

Que significa todo este aparato
Na câmara da morte? Oh, Sir, sofríamos
Falta de tudo aqui; só agora, quando
O fim está perto, dão-nos o supérfluo.

CENA 4

*(Os mesmos. Duas outras camareiras de MARIA, igualmente
vestidas de preto. Ao depararem com MELVIL, caem em pranto.)*

MELVIL

Que tristeza! Rever-nos deste modo!
Gertrudes! Rosamunda!

SEGUNDA CAMAREIRA

                Ela mandou-nos
Sair do quarto, pois deseja agora,
Pela última vez, falar a sós
Com Deus!

*(Entram mais duas mulheres, de luto como as outras, exprimindo
silenciosamente, por gestos, o seu pesar.)*

CENA 5

*(Os mesmos e MARGARIDA KURL. Traz ela uma copa de ouro com
vinho e depõe-na sobre a mesa, apoiando-se, pálida e trêmula, a
uma cadeira.)*

MELVIL

Que tendes, Mistress Kurl, que estais
Tão demudada?

KURL

                Oh, Deus!

MELVIL

                    Mas o que foi?

KURL

Ah, o que acabo de ver!

MELVIL

                Calma! Contai-nos.

KURL

Quando eu subia a grande escadaria
Que leva ao salão térreo, abriu-se a porta...
Eu fui olhar... e vi... Oh, Deus! Oh, Deus!

MELVIL

Vistes o que, senhora? Sossegai!

KURL

Panos negros forravam as paredes;
No centro um grande cadafalso, negro
Também; no chão, ao lado, uma almofada
E um machado afiado, cintilante...
A sala estava cheia de pessoas,
Que, sequiosas de sangue, ali aguardavam
A chegada da vítima.

AS CAMAREIRAS

                    Deus tenha
Piedade da Rainha!

MELVIL

            Ei-la que chega!

CENA 6

(Os mesmos. MARIA. Está de branco, vestida como para uma solenidade; traz ao pescoço um Agnus Dei, pendurado por uma corrente formada de globulozinhos; da cintura pende um rosário; segura na mão direita um crucifixo e tem sobre os cabelos um diadema; o seu grande véu negro está lançado para trás. Quando ela entra os assistentes retiram-se para os lados da cena, exprimindo o mais profundo pesar. Num movimento involuntário Melvil cai ajoelhado.)

MARIA

(Com tranquila dignidade relanceia os olhos sobre os presentes.)
Por que pranto e lamento? Antes devíeis
Alegrar-vos comigo, pois chegada
É a hora de acabar o meu tormento,
De se me desatarem as cadeias,
De se abrir o meu cárcere e contente,
Sobre as asas dos anjos, voar minh'alma
Para o mundo da eterna liberdade.
Quando eu estava em poder da minha dura
Inimiga, sofrendo tratamentos
Indignos de Rainha grande e livre,
Então sim, era tempo de chorardes!
A morte, grave amiga, se aproxima
Benfazeja e saudável. Suas negras
Asas vêm encobrir minha vergonha.
Por mais baixo que caia um ser humano,

O momento supremo o reabilita.
Sinto de novo sobre a minha testa
A coroa, e em minh'alma o nobre orgulho!
   (Avançando alguns passos.)
Como? Melvil aqui? Não de joelhos
Vos quero, Sir! Erguei-vos, pois viestes
Para assistir ao triunfo e não à morte
De vossa soberana. É uma alegria
Que jamais esperei: meus derradeiros
Instantes não terão por testemunhas
Somente os que me odeiam: um amigo,
Irmão de crença, ali estará presente
Para depois honrar minha memória.
Dizei-me, nobre cavaleiro, como
Fostes tratado nesta terra inóspita
Desde o momento em que vos apartaram
De minha companhia? A vossa sorte
Me preocupou.

MELVIL

     Nada sofri, Rainha,
Senão a dor de ver-vos prisioneira
E a impotência em que estava de servir-vos.

MARIA

E como vai meu velho camareiro
Didier? Deve dormir o eterno sono,
Pois já era tão idoso.

MELVIL

     Essa mercê
Não lhe fez Deus, Rainha: Didier vive
Para enterrar a vossa mocidade.

MARIA

Ah, se me fora dado antes da morte
Cingir ao peito algum desses queridos
Entes a que estou presa pelo sangue!
Ai de mim! morrerei entre estrangeiros
E só de vós verei correr o pranto!
— Melvil, a vós confio as minhas últimas
Vontades para os meus. — Bendito o Rei
Cristianíssimo, meu cunhado, e toda
A casa real de França. Benditos
Meu tio, o Cardeal, e meu nobre primo
Henrique de Guise. Bendito o Papa,

Santo vigário de Cristo, a quem rogo
Me dê sua bênção, e Sua Majestade
Católica, que generosamente
Se ofereceu para meu cavaleiro
E meu vingador. A todos contemplo
Em meu testamento. Pobres lembranças
Do meu afeto, que por serem pobres
Não serão por eles menos amadas.
        (Voltando-se para os seus servidores.)
Ao rei de França, meu irmão, ficais
Recomendados: cuidará de vós,
Dar-vos-á nova pátria. Se o meu último
Pedido vos é caro, i-vos embora
De Inglaterra: não possa repastar-se
Na vossa desventura o duro orgulho
Inglês, vendo no pó os que me serviram.
Por esta imagem do Crucificado,
Prometei-me deixar este funesto
País, quando eu me for...

MELVIL

        (Tocando o crucifixo.)
                        Juro-o por todos.

MARIA

O que eu, a pobre, a despojada, tinha
Ainda, e do que permitem que disponha,
Eu reparti entre vós. Respeitarão,
Espero, as minhas últimas vontades.
E tudo o que eu usar no ato da morte
Pertence-vos também. Ah, consenti-me
Ataviar-me ainda uma vez em galas
Terrenas para entrar o céu...
        (Dirigindo-se às mulheres.)
                        A ti,
Rosamunda, a ti Alice, a ti Gertrudes,
Destino meus vestidos, minhas pérolas,
Pois vossa juventude ama enfeitar-se.
Tu, Margarida, tens, como de todas
A mais desventurada, a maior parte:
Que não me vingo em ti do teu esposo
Meu testamento mostrará. E quanto
A ti, minh'Ana, Ana fiel, nem ouro
Nem pedrarias te seduzem: prezas
Como joia melhor minha lembrança.
Toma este lenço. Para ti bordei-o

Com minhas próprias mãos nas tristes horas
De sofrimento, entremeando aos pontos
Minhas ardentes lágrimas. Com ele
Vendarás os meus olhos, quando o instante
Fatal chegar. Este último serviço
Me prestarás, minha Ana...

KENNEDY

Oh, Melvil, não
Terei forças para isso!

MARIA

Recebei
O meu último adeus!
(Estende-lhes as mãos e todos lhe caem aos pés, beijando-lhe a
mão e chorando angustiadamente.)
Adeus, Alice!
Margarida, adeus! Burgoyn, obrigada
Por vossos fiéis serviços. Os teus lábios
Queimam, Gertrudes! Ah, fui detestada,
Mas também muito amada. Possa um nobre
Esposo dar-te a ti, minha Gertrudes,
Toda a felicidade: teu ardente
Coração pede amor. Berta, escolheste
A melhor parte com ficares noiva
Do céu... Oh, apressa-te em cumprir teu voto!
Bem vãos são os bens do mundo, o meu exemplo
To está ensinando, minha Berta — É tudo.
Adeus! Adeus! Adeus e para sempre!

(Dá-lhes as costas bruscamente, e todos, exceto MELVIL, retiram-se.)

CENA 7
(MARIA. MELVIL.)

MARIA

Já dispus sobre tudo que concerne
As coisas deste mundo. Vou deixá-lo
Sem dúvida a cumprir. Um só cuidado,
Melvil, pesa-me n'alma e a impede ainda
De alçar, contente, o voo.

MELVIL

Revelai-mo.
Desafogai a alma, confiando-o
Ao amigo fiel.

MARIA

Eis-me chegada
Ao limiar da eternidade. Dentro
De alguns minutos estarei perante
O juiz supremo, sem haver ainda
Confessado os meus erros. Recusaram-me
Padre da minha igreja. Ora, não quero
Receber pelas mãos de falsos padres
O celeste manjar do Sacramento.
Quero morrer na fé da minha Igreja:
Só ela assegura a paz da vida eterna!

MELVIL

Tranquilizai-vos. Para o céu, Rainha,
A intenção fervorosa vale tanto
Quanto o seu cumprimento. A tirania
Pode encadear as mãos. Que importa? A prece
Sobe livre até Deus: a letra mata,
A crença vivifica.

MARIA

Ah, o coração
Não se basta a si mesmo, a fé precisa
De terreno penhor para apropriar-se
Do bem celeste, Melvil, e por isso
Deus se fez homem, misteriosamente
Pondo em corpo visível a celeste,
Invisível presença. O corpo é a Igreja,
A augusta, a santa, a que constrói a escada
Que nos conduz ao céu, a que se chama
Universal, católica, porquanto
A fé de todos é que fortifica
A fé de cada um. Onde milhares
Oram e adoram, faz-se o ardor em chama,
Sobe a alma aos céus... Ah, bem-aventurados
Os que a prece em comum reúne alegres
Na casa do Senhor. Luzem os círios
No altar ornado, o sino soa, o incenso
Espalha-se... Em seus sacros paramentos
O bispo toma em suas mãos o cálice
E, benzendo-o, anuncia o alto mistério
Da eucaristia. A multidão convicta
Lança-se de joelhos, pressentindo
A celeste influição de Deus presente.
Só eu sou excluída do banquete
Da comunhão; nem desce até o meu cárcere
A bênção do Senhor!

MELVIL

Sim, ela desce!
Está junto de vós! Tende confiança
No Onipotente: o caule ressequido
Pode abrolhar na mão do crente, e aquele
Que do rochedo fez jorrar a fonte,
Pode erguer de improviso em vosso cárcere
O altar sagrado e transmudar o vinho
Terrestre no celeste.

(Toma o cálice que está sobre a mesa.)

MARIA

Porventura,
Melvil, compreendo bem vossas palavras?
Sim, compreendo! Nem padre, nem igreja,
Nem Sacramento há aqui, mas disse o Cristo:
"Onde estiverem dois ou três reunidos
"Em meu nome, aí estou eu no meio deles".
O que consagra o padre? Um coração
Puro, o procedimento imaculado.
Por isso, para mim, sois, muito embora
Não ordenado, um padre, um mensageiro
De Deus. A vós desejo confessar-me
E ouvir de vossos lábios a palavra
De salvação.

MELVIL

Se é tanto o vosso anelo,
Sabei, Rainha, que, para consolo
Vosso, bem pode Deus fazer ainda
Um milagre. Dissestes que nem padre,
Nem igreja, nem hóstia há aqui? Enganai-vos.
Há um padre aqui, e aqui está Deus presente.
*(Descobre-se ao dizer essas palavras e ao mesmo tempo lhe
mostra uma hóstia numa caixinha de ouro.)*
Sou sacerdote; para ouvir a vossa
Última confissão e assegurar-vos
A paz antes da morte, recebi
As sete ordens, Rainha, e aqui trago esta
Hóstia benzida pelo próprio Papa.

MARIA

Oh, assim no limiar mesmo da morte
Me estava reservada esta alegria
Celeste! Como um imortal baixando

Do céu em nuvens de ouro, — como outrora
O anjo livrou o apóstolo das grades
Da prisão — sem que o detivesse espada
De guardas, nem cadeados, e se adianta
Poderoso e sublime, atravessando
Portas fechadas, e ei-lo já esplendente
Junto a Pedro no cárcere, — destarte
Me surpreende também o mensageiro
Do céu, quando de humanos salvadores
Desenganada! E vós, que me servíeis
Antigamente, eis-vos agora servo
De Deus, e seu sagrado intermediário!
Como outrora aos meus pés vos ajoelháveis,
Aos vossos pés prosterno-me.

(Cai de joelhos diante dele.)

MELVIL

(Fazendo sobre ela o sinal da cruz.)
Em nome
Do Padre, do Filho e do Santo Espírito!
Maria, Rainha, escrutastes vosso
Coração? Jurais dizer a verdade
Ao Deus da verdade?

MARIA

O meu coração
Está aberto para ele e para vós...

MELVIL

Dizei: de que pecados vos acusa
A consciência, desde a última vez
Que vos reconciliastes com ele?

MARIA

Encheu-se-me a alma de invejoso ódio.
Fervia-me o peito, ideando vinganças.
E eu, que esperava o divino perdão,
Não queria perdoar minha inimiga.

MELVIL

Estais arrependida dessa culpa,
E firmemente decidida agora
A perdoá-la?

MARIA

                       Tanto quanto espero
Que Deus me perdoará.

MELVIL

                             Que outro pecado
Confessais?

MARIA

                  Ai de mim! Não foi somente
Pelo ódio que ofendi a suma Bondade,
Mas pelo amor culpado; o meu vaidoso
Coração se deixou levar pelo homem
Que me enganou e me abandonou!

MELVIL

                                 Rainha,
Arrependeis-vos igualmente deste
Pecado, e abandonais o falso ídolo
Pelo Deus verdadeiro?

MARIA

                      Foi decerto
A luta mais difícil, mas agora
Sinto roto esse laço derradeiro
Que às delícias do mundo me prendia.

MELVIL

De que outra culpa vos acusa ainda
A consciência?

MARIA

                    Ai, um sangrento crime
Há muito confessado, mas que volta
Com renovada força neste instante
Supremo, e se retorce pavoroso
Ante as portas do céu. A meu marido
Mandei assassinar, e a meu amante
Dei meu amor e minha mão! Com todos
Os castigos da Igreja expiei meu crime,
Mas em minh'alma o verme do remorso
Não quer dormir.

MELVIL

                    Não vos acusa ainda
O coração de alguma culpa mais
Não confessada e expiada?

MARIA

                              Já sabeis
Tudo o que pesa dentro de meu peito.

MELVIL

Pensai que estais bem perto de quem tudo
Sabe. Pensai nas penas infinitas
Que a Santa Igreja inflige às confissões
Incompletas, mortal pecado, pois
Contra o Espírito Santo praticado.

MARIA

Dê-me então a vitória a eterna Graça
Nesta última luta, pois conscientemente nada calei.

MELVIL

                                        Como, Rainha?
Ao vosso Deus ocultareis o crime
Pelo qual sois punida pelos homens?
Nada dizeis da parte que tomastes
Na alta traição de Babington e Parry?
De morte temporal morreis por isso:
Quereis morrer também de morte eterna?

MARIA

Pronta estou para entrar a Eternidade.
Antes que no quadrante ao mesmo ponto
Volte o ponteiro dos minutos, diante
De meu juiz estarei. Pois bem, repito:
A minha confissão está completa.

MELVIL

Refleti bem! O coração ilude.
Tendes, talvez, por um sutil equívoco,
Evitado a palavra que vos culpa,
Se no crime influiu vossa vontade.
E nenhum subterfúgio prevalece
Contra o olho de chama que penetra
O íntimo das consciências!

MARIA

                              Fiz apelo
Aos reis da terra por que me livrassem
De cadeias indignas. Entretanto
Nem mesmo em intenção atentei contra
A vida da Rainha.

MELVIL

                               Então mentiram
Os vossos secretários?

MARIA

                                    O que eu disse
É a verdade. Julgue Deus do que eles
Testemunharam.

MELVIL

                             Assim que, inocente
Sois de tal crime?

MARIA

                            Deus me julga digna
De expiar por um suplício imerecido
O pecado de minha mocidade.

MELVIL

          (Abençoando-a.)
Pois bem, Rainha, ide e morrendo expiai-o!
Caí diante do altar como uma vítima
Insonte e resignada. Resgatais
Com sangue o vosso crime. Por fraqueza
Feminina pecastes, e as fraquezas
Da mortal condição não acompanham
O eleito no caminho para a Glória.
E eu, em virtude do poder que tenho
De atar e desatar, dou-vos, Rainha,
A santa absolvição! Seja-vos feito
Segundo a vossa fé!
          (Estende-lhe a hóstia.)
                         Tomai o corpo,
Que por vós se imolou.
          *(Pega da copa sobre a mesa, benze-a em muda oração, e em
          seguida apresenta-a à Rainha. Esta hesita em recebê-la e afasta-
          -a com a mão.)*
                       Tomai o sangue,
Derramado por vós! Tomai-o! O Papa
Vos concede esta graça! Até na morte
Podereis exercer esse direito
Sacerdotal dos reis!
          (Ela recebe a copa.)
                       E como agora
Misteriosamente em vosso corpo
Terreno vos unistes ao Senhor,

Assim no paraíso, onde nem culpas
Nem lágrimas existem, para sempre
Vos unireis, belo anjo luminoso,
Ao vosso Deus!

(Depõe a copa sobre a mesa. Ouvindo-se um ruído, cobre-se e vai até a porta. Enquanto isso, MARIA permanece ajoelhada, em profundo recolhimento.)

MELVIL

(Voltando.)
Ainda vos resta um rude
Combate por travar. Sentis-vos forte
Para vencerdes toda veleidade
De rancor e amargura?

MARIA

Não receio
Nenhuma recaída. Ao meu Senhor
Sacrifiquei meu ódio e meu amor.

MELVIL

Bem, então preparai-vos para agora
Receberdes Lord Leicester e Lord Burleigh.
Ei-los que chegam.

CENA 7
(Os mesmos. BURLEIGH, LEICESTER e PAULET. Leicester permanece no fundo da cena, sem levantar os olhos. BURLEIGH, que lhe observa os movimentos, adianta-se entre ele e a Rainha.)

BURLEIGH

Venho, Lady Stuart,
Para ouvir vossas últimas vontades.

MARIA

Obrigado, Milord.

BURLEIGH

Quer a Rainha
Não se vos negue nada do que é justo.

MARIA

Meu testamento exprime as minhas últimas
Vontades. Entreguei-o ao cavaleiro
Paulet e rogo seja fielmente
Cumprido.

PAULET

Assim será.

MARIA

Rogo que possam
Meus servidores para Escócia ou França
Livremente partir, conforme queiram.

BURLEIGH

Será cumprido como desejais.

MARIA

Já que meu corpo repousar não pode
Em chão sagrado, seja permitido
Que meu servo fiel, aqui presente,
Leve o meu coração de volta à França
— Ah, sempre esteve ali! — para entregá-lo
Aos meus.

BURLEIGH

Está entendido. Alguma coisa
Além disso?

MARIA

À Rainha de Inglaterra
Transmiti meus fraternos cumprimentos.
Dizei que lhe perdoo a minha morte
De todo o coração, e com sincero
Remorso me arrependo dos agravos
De ontem... Que Deus a guarde e lhe conceda
Feliz reinado.

BURLEIGH

Persistis nos mesmos
Sentimentos, negando-vos a terdes
A assistência do deão?

MARIA

Reconciliada
Estou com o meu Deus. — Sir Paulet! Fiz-vos,
Sem querer, muito mal, roubando o amparo
De vossos velhos dias... Oh, deixai-me
Esperar que não pensareis em mim
Com ódio.

PAULET

(Dando-lhe a mão.)
Ide com Deus!

CENA 9
(Os mesmos. ANA KENNEDY e as outras servidoras da Rainha entram
precipitadamente, demonstrando o pavor de que estão tomadas.
Segue-as o xerife, tendo na mão um bastão branco; atrás dele,
pela porta, que fica aberta, veem-se homens armados.)

MARIA

Que tens, minh'Ana?
Sim, é chegada a hora! Eis o xerife
Que vai levar-me para a morte... Adeus!
Adeus! É o instante da separação!

(As mulheres agarram-se a ela, presas de violenta dor.)

MARIA

(Dirigindo-se a MELVIL.)
Vós, Melvil, e tu, Ana, ides comigo
A esse transe supremo. Concedei-me,
Lord, esta caridade.

BURLEIGH

Não me é lícito
Fazê-la.

MARIA

Como? Pois me recusais
Tão pequena mercê, tal deferência,
Sir, para com o meu sexo? Quem acaso
Me prestará esse último serviço?
Não pode ser vontade da Rainha
Que em mim seja o meu sexo desonrado
Quando rudes mãos de homens me tocarem!

BURLEIGH

Não deverá mulher subir convosco
Os degraus do patíbulo... Seus gritos,
Seus lamentos...

MARIA

Nem gritos nem lamentos
Dela ouvireis: respondo por minha Ana.
Sede bondoso, Lord! Não me aparteis,

Na hora de morrer, dessa que sempre
Foi minh'ama fiel: entrei na vida
Nos braços dela; assim, nos braços dela
Deixai-me entrar na morte!

PAULET

  (a BURLEIGH.)
           Consenti-o!

BURLEIGH

  Seja!

MARIA

    Nada mais tenho neste mundo...
   (Toma o crucifixo e beija-o.)
Meu Salvador! Meu Redentor, que abristes
Vossos braços na cruz, abri-vos hoje
Para me receber.
   (Volta-se para sair. Nisto os seus olhos caem no Conde LEICESTER,
   que num sobressalto involuntário levanta a vista para ela.
   MARIA estremece, está a ponto de desmaiar; LEICESTER socorre-a,
   recebendo-a em seus braços. Ela olha-o um instante gravemente,
   sem dizer palavra: ele não tem forças para sustentar-lhe o olhar.
   Por fim ela fala.)
      Cumpristes, Conde
Leicester, vossa palavra: prometestes
Levar-me deste cárcere no vosso
Braço, e de fato mo estendeis agora!
   (LEICESTER parece aniquilado. Ela continua, com voz mais branda.)
Sim, Leicester, e não era
Somente a liberdade que eu queria
Ficar devendo ao vosso braço: nele
Apoiada e feliz, em vosso afeto
Eu pensava gozar as alegrias
De nova vida. Agora, que estou prestes
A apartar-me do mundo e converter-me
Em puro espírito, a quem já não tenta
Nenhuma inclinação terrena, agora
Poderei, sem que core, confessar-vos
A fraqueza vencida... Se o puderdes,
Vivei feliz! Adeus! Duas Rainhas
Pretendestes. Traístes, desprezastes
Um coração amante por vencer
O duro coração de uma orgulhosa!
Pois ajoelhai aos pés de Elizabeth!
Que a vossa recompensa não se mude

Em vossa punição! Adeus! Já nada
Me resta sobre a terra!

(Sai, precedida pelo xerife. MELVIL e KENNEDY caminham ao lado dela. Atrás saem BURLEIGH e PAULET. Os demais seguem-na com os olhos, manifestando o seu profundo pesar, até ela desaparecer; depois saem pelas duas outras portas.)

CENA 10
(LEICESTER só.)

E vivo ainda!
E suporto ainda a vida! Ah, que não caia
Sobre o meu peito o peso deste teto!
Que não se abra um abismo neste instante
Onde afunde o misérrimo dos entes!
Ah, o que eu perdi! Que pérola pus fora!
Que celeste ventura eu mesmo pude
Inconsciente afastar do meu caminho!
— Ela se vai, já luminoso espírito,
Eu, permaneço aqui, no desespero
Dos condenados... Onde o meu intento
De abafar para sempre a voz sensível
Do coração e ver com frios olhos
Cair sua cabeça? A sua vista
Terá acordado em mim o pudor já morto?
E ela em laços de amor irá cingir-me
Na morte? — Réprobo, não te abandones
Afeminadamente às languidezas
Da compaixão! Não cabe em teu destino
A ventura amorosa. Que o teu peito
Se recubra de bronze! Que tua fronte
Seja uma rocha! Se perder não queres
O fruto de teu ato vergonhoso,
Persevera até o fim! Piedade, cala-te!
Olhos, tornai-vos pedra! Quero vê-la
Morrer, quero também ser testemunha!
    (Dirige-se resolutamente em direção à porta pela qual saiu MARIA, mas para a meio caminho.)
Embalde! Embalde! Que um tremor do inferno
Me toma todo. Não! não poderei
Ver o quadro fatal... Ver-lhe a cabeça
Rolar sem vida... Escuta! Que ruído
É este? Já estão lá embaixo... Já preparam
Sob os meus pés a obra terrível... Ouço
Vozes... Longe daqui! Longe! Fujamos
Desta casa de espantos e de morte!
    (Quer fugir por outra porta, mas encontra-a fechada e volta.)

Como? Prende-me um Deus a este maldito
Solo? Terei de ouvir o que me aterra
Ver? A voz do deão... Exorta-a... Ela
Interrompeu-o... Reza com voz forte...
Calaram-se... Silêncio... Ouvem-se apenas
Os soluços e prantos das mulheres...
Despem-na agora... Avançam o escabelo...
Já se ajoelha... Já estende a cabeça...

(Pronunciou as últimas palavras com angústia cada vez maior, detém-se por um instante e de repente, tem um sobressalto e cai sem sentidos. Ao mesmo tempo vem de baixo um ruído confuso de vozes, que se prolonga por alguns minutos.)

CENA 11
A segunda sala do quarto ato.

ELIZABETH

(Entra por uma porta lateral; seu andar e seus gestos exprimem a mais viva inquietação.)
Como? Ninguém aqui? Não terá vindo
Notícia alguma? O dia não termina?
Parou o sol em seu curso? Este tormento
Da expectativa vai durar ainda?
Está tudo acabado? Ou não? As duas
Alternativas ambas me horrorizam!
Não ouso interrogar. Não aparecem
Leicester, nem Burleigh, os encarregados
De cumprir a sentença. Se deixaram
Londres, então está feito, foi a seta
Lançada e voa e fere e já feriu
O alvo. Nem mesmo a preço de meu reino
Posso detê-la. Quem está aí?

CENA 12
(ELIZABETH. Um PAJEM.)

ELIZABETH

Voltaste
Só? Onde estão os Lords?

PAJEM

Sabei, Rainha,
Que Lord Leicester e o Grande-Tesoureiro...

ELIZABETH

(Na maior inquietação.)
Sim, onde estão?

PAJEM

Não estão em Londres.

ELIZABETH

Como?
Não estão? Que é feito deles?

PAJEM

Ninguém sabe
Dizê-lo. O que se diz é que em segredo
E às pressas, antes que raiasse o dia,
Deixaram a cidade.

ELIZABETH

(Num rompante impetuoso.)
Sou Rainha
De Inglaterra!
(Indo e vindo, presa da maior agitação.)
Vai! Chama... Não! não vás!
Ei-la enfim morta! Agora finalmente
Poderei respirar desafogada!
Mas por que tremo assim? Por que me aperta
Esta angústia, se a pedra de um sepulcro
Cobre o meu medo? Sim, ninguém no mundo
Pode dizer que o fiz! Para chorá-la
Não me faltarão lágrimas!
(Ao PAJEM.)
Que fazes
Aí? Que venha aqui no mesmo instante
Meu secretário Davison. E chamem
O conde Shrewsbury. Ei-lo que chega!

CENA 13
(ELIZABETH. O CONDE SHREWSBURY.)

ELIZABETH

Sede bem-vindo, nobre Lord! Que novas
Me anunciais? Não devem ser pequenas,
Pois tardastes bastante!

SHREWSBURY

Majestade,
Meu coração, inquieto pela vossa

Glória, levou-me à Torre, onde estão presos
Kurl e Nau, secretários de Maria.
Mais uma vez queria pôr à prova
A verdade do que testemunharam.
Perplexo, o comandante do presídio
Recusou-se a mostrar-me os prisioneiros.
Ameacei-o e só assim me deu entrada.
Deus, que vejo! O cabelo em desalinho,
Olhos de louco, como um perseguido
Pelas Fúrias, estava em sua cama
O escocês Kurl. E mal me reconhece,
Atira-se a meus pés, abraça aos gritos
Os meus joelhos... Parecia um verme
A retorcer-se... Implora-me lhe diga
A sorte da Rainha, pois o boato
De sua morte iminente penetrara
Até os muros da Torre. Confirmei-o.
E quando acrescentei que ela morria
Em virtude do falso testemunho
Dele, saltou furioso sobre o corpo
Do secretário Nau, lançando-o ao solo
Com a força gigantesca da demência.
Tentando estrangulá-lo. Mal pudemos
Arrancar-lhe o infeliz das duras garras.
Voltou-se então contra si próprio, o peito
Esmorraçando em golpes repetidos,
A maldizer-se a si e ao companheiro.
Dizia ter testemunhado em falso:
Que as tais cartas a Babington, forjara-as
Ele, alterando as expressões ditadas
Pela Rainha, e isto instigado pelo
Malvado Nau. Aí corre até a janela,
Abre-a violentamente e para baixo
Grita, atraindo o povo, a confessar-lhe
A sua infâmia como secretário
De Maria, o seu falso testemunho
Contra a inocente.

Elizabeth

      Mas Milord, vós mesmo
Acabais de dizer que estava louco:
As palavras de um louco nada provam.

Shrewsbury
Prova tanto mais forte é essa demência
Mesma. Ouvi, ó Rainha, o meu conselho:

Não precipiteis nada. Ordenai, antes,
Que se proceda a novo inquérito.

ELIZABETH

Isso,
Conde, posso fazer porque o pedistes:
Não por achar que tenham os meus pares
Decidido precipitadamente.
Retome-se, para tranquilizar-vos,
O inquérito. Ainda bem que é tempo ainda!
Não paire sobre a honra da Coroa
Nem sombra de uma dúvida.

CENA 14
(Os mesmos. DAVISON.)

ELIZABETH

(A DAVISON, que entra.)
A sentença
Que pus em vossas mãos, onde está ela?

DAVISON

(Tomado do maior espanto.)
A sentença?

ELIZABETH

A sentença que vos dei
Ontem para guardar?

DAVISON

Para guardá-la?

ELIZABETH

O povo me exigia que a assinasse,
Tive de consentir. Fi-lo forçada.
Pu-la nas vossas mãos por ganhar tempo.
Sabeis o que vos disse. Dai-ma agora!

SHREWSBURY

Vamos, Sir, entregai-a. As circunstâncias
Mudaram. Vai fazer-se novo inquérito.

DAVISON

Novo inquérito?
(À parte.)
Céus, misericórdia!

ELIZABETH

Em que tanto pensais? Que é da sentença?

DAVISON

(Em desespero, à parte.)
Sou um homem morto!

ELIZABETH

Espero, Sir, que não...

DAVISON

(À parte.)
Estou perdido!
(A ELIZABETH.)
Já não está comigo!

ELIZABETH

Como? O quê?

SHREWSBURY

Deus do céu!

DAVISON

Está desde ontem
Nas mãos de Burleigh.

ELIZABETH

Foi dessa maneira,
Sir, que me obedecestes? Não vos disse
Que a guardásseis?

DAVISON

Rainha, não o dissestes
Em palavras precisas.

ELIZABETH

Miserável!
Pretendeis desmentir-me? Quando? Como
Ordenei que a entregásseis a Lord Burleigh?

DAVISON

Não mo ordenastes terminantemente,
É certo, mas...

ELIZABETH

Forte insolente, ousaste

Interpretar minhas palavras? Nelas
Introduzir teu criminoso intento?
Ai de ti, se deste ato de tua própria
Iniciativa resultar alguma
Desgraça! Com tua vida hás de pagar-ma!
Conde Shrewsbury, vede como abusam
Do meu nome!

SHREWSBURY

        Vejo... Oh, meu Deus!

ELIZABETH

                Perdão,
Que dissestes?

SHREWSBURY

        Se o escudeiro, digo,
Agiu por conta própria e à revelia
Do que ordenastes, seja então levado
Ao tribunal dos Pares e responda
Pelo crime de haver enodoado
Irremissivelmente e para sempre
O vosso nome!

CENA 15
(Os mesmos. BURLEIGH e depois KENT.)

BURLEIGH

        (Dobrando o joelho diante da Rainha.)
        Longos anos viva
Minha real Senhora! E possam todos
Os inimigos desta ilha um dia
Acabar como a Stuart!

        (SHREWSBURY cobre o rosto com as mãos. DAVISON torce as suas,
desesperado.)

ELIZABETH

        Lord, dizei-me:
Recebestes de minhas mãos a ordem
De execução?

BURLEIGH

        Não, minha soberana!
Recebia-a de Davison.

ELIZABETH

                        E Davison
Entregou-a em meu nome?

BURLEIGH

        Não, Rainha.

ELIZABETH

        E a executastes imediatamente,
Sem indagar primeiro se era mesmo
Minha vontade? A sentença era justa:
Não no-la pode censurar o mundo.
Mas não devíeis nunca ousar cumpri-la
Sem consultardes antes a clemência
De vossa soberana. Por a terdes
Dispensado, Milord, sereis banido
De minha vista!
           (A Davison.)
                   A vós, mais rigoroso
Castigo espera, pois extrapassastes
Vossos poderes. Criminosamente
Traístes um depósito sagrado!
           (Aos outros.)
Levem-no à Torre! Julguem-no por crime
Capital!
           (A Shrewsbury.)
              Nobre Talbot, sois o único,
Entre os meus conselheiros, que merece
Minha inteira confiança. De hoje em diante
Ser-me-eis um guia, um amigo...

SHREWSBURY

                       Rainha,
Não desterreis assim vossos amigos
Mais fiéis, não jogueis ao calabouço
Os que agiram por vós e hoje igualmente
Por vós calaram... Quanto a mim, Rainha,
Permiti-me depor em vossas mãos
O sinete confiado à minha guarda
Por doze longos anos.

ELIZABETH

                Ah, não, Shrewsbury!
Não me abandonareis neste momento.
Agora que...

SHREWSBURY

Perdoai, estou muito idoso.
Sinto esta mão leal muito emperrada
Para selar os vossos novos atos.

ELIZABETH

Quererá abandonar-me aquele mesmo
Que me salvou a vida?

SHREWSBURY

Fiz bem pouco:
Não consegui salvar a melhor parte
De vós. Vivei, reinai feliz, Rainha!
Vossa rival é morta. Já não tendes
Nada a temer, nada a levar em conta.

(Sai.)

ELIZABETH

(Ao CONDE KENT, que vem entrando.)
Chamai Leicester!

KENT

O Lord deixou a cidade
A caminho de França, Majestade.

(ELIZABETH domina-se, mostrando no semblante grande firmeza.
Cai o pano.)

DOM JOÃO TENÓRIO

DRAMA RELIGIOSO FANTÁSTICO
EM DUAS PARTES

José Zorrilla

Lista de personagens

Dona Inês de Ulloa
Brígida
Abadessa das Calatravas
Luzia
Dona Ana de Pantojas
A Irmã Rodeira
Dom João Tenório
Dom Gonçalo de Ulloa
Dom Diogo Tenório
Dom Luís Mejia
Capitão Centelhas
Dom Rafael de Avellaneda
O Escultor
Gastão
Ciutti
Buttarelli
Miguel
1º Aguazil
2º Aguazil
As parcas

Primeira parte
LIBERTINAGENS E ESCÂNDALO

ATO 1

(Hospedaria de Cristófano Buttarelli. Ao fundo, porta que dá para a rua; mesas, jarros e demais utensílios próprios de tal lugar.)

CENA 1
(Dom João, de máscara, sentado a uma mesa, escrevendo; Ciutti e Buttarelli a um lado, esperando. Ao levantar-se o pano se vê passarem pela porta do fundo máscaras, estudantes e povo com tochas, músicas etc.)

DOM JOÃO

Como gritam os malditos!
Porém mau raio me parta
Se, terminada esta carta,
Não pagam caro os seus gritos!

(Continua escrevendo.)

BUTTARELLI

(A Ciutti.)
Bom Carnaval!

CIUTTI

(A Buttarelli.)
Que de povo!
Bom tempo para hoteleiro.

BUTTARELLI

Qual nada, que há, companheiro,
Muita galinha e pouco ovo.
Não caem aqui bons peixes,
Que são coisas mal olhadas
Por gentes acomodadas.

CIUTTI

Não vejo por que te queixes
Hoje.

BUTTARELLI

        Hoje foi exceção,
Ciutti; hoje a féria foi boa.

CIUTTI

        Psiu! Fala baixo, que à toa
Se impacienta o meu patrão.

BUTTARELLI

        Teu patrão?

CIUTTI

                É o que te digo,
Vai para um ano.

BUTTARELLI

                  E que tal?

CIUTTI

        Nem prior tem vida igual
À que vou levando, amigo:
Tempo livre, bolsa cheia,
Bons vinhos, boas mulheres...

BUTTARELLI

        Que sorte! Tudo o que queres!

CIUTTI

        E tudo isso à custa alheia.

BUTTARELLI

        Rico, hem?

CIUTTI

                Não lhe falta a prata.

BUTTARELLI

        Franco?

CIUTTI

                Como um estudante.

BUTTARELLI

        E nobre?

CIUTTI

                Como um infante.

BUTTARELLI

E bravo?

CIUTTI

Como um pirata.

BUTTARELLI

Espanhol?

CIUTTI

Creio que sim.

BUTTARELLI

Seu nome?

CIUTTI

Não sei ao certo.

BUTTARELLI

Para onde vai?

CIUTTI

Para perto.

BUTTARELLI

Como escreve!

CIUTTI

É sempre assim.

BUTTARELLI

Nossa mãe! E a quem mil demos
Escreve tão cuidadoso?

CIUTTI

Ao pai.

BUTTARELLI

Ah, filho extremoso!

CIUTTI

Para o tempo em que vivemos
É homem que vale o que pesa.
Mas... bico.

DOM JOÃO

Ciutti?

CIUTTI

Senhor?

DOM JOÃO

Esta carta irás depor
Dentro do livro em que reza
Dona Inês.

CIUTTI

Há que esperar
Resposta?

DOM JOÃO

Um diabo de saia,
Que a assiste, isso é, a sua aia,
De meus intentos ao par,
Alcofa de ar muito grave,
Virá ver-te e, sem demora,
Dir-te-á qual a senha, a hora
De eu entrar, dar-te-á uma chave,
E mais ligeiro que o vento
Torna aqui

CIUTTI

Tornarei já.

(Sai.)

CENA 2
(DOM JOÃO e BUTTARELLI.)

DOM JOÃO

Cristófano, vieni quà.

BUTTARELLI

Eccelenza!

DOM JOÃO

Senti.

BUTTARELLI

Sento.
Me ho imparatto il castigliano,
Se è più facile al signor
La sua lingua...

DOM JOÃO

        É, sim, melhor;
Deixa pois o teu toscano
E diz-me: Dom Luís Mexia
Veio hoje aqui?

BUTTARELLI

        Excelência,
Não está em Sevilha.

DOM JOÃO

        Sua ausência
Dura assim até este dia?

BUTTARELLI

Pois é.

DOM JOÃO

        E nenhuma notícia
Tens dele?

BUTTARELLI

        Ah, tenho! Uma história
Me vem agora à memória
Que vos pode dar...

DOM JOÃO

        Propicia
Luz sobre o caso?

BUTTARELLI

        Talvez.

DOM JOÃO

Fala então.

BUTTARELLI

    (Falando consigo.)
        Não, não me engano;
Já o tinha esquecido; um ano
Há esta noite que ele fez...

DOM JOÃO

Onde tens o pensamento?

BUTTARELLI

Perdoai-me, senhor; eu estava
Vendo se me recordava...

DOM JOÃO

Vamos, que já me impaciento!

BUTTARELLI

Pois é o caso, meu senhor,
Que ao cavaleiro Mexia,
Por quem perguntais, um dia
Aconteceu-lhe o pior
Que acontecer-lhe podia.

DOM JOÃO

Já sei e do caso me ufano;
Que apostaram me é notório
Quem faria num só ano,
Com mais fortuna mais dano,
Luís Mexia e João Tenório.

BUTTARELLI

Sabeis da história?

DOM JOÃO

Pudera!
Por isso te perguntei
Por Mexia.

BUTTARELLI

Oh, quem me dera
Que este encontro se fizera,
Pois que muito ganharei!

DOM JOÃO

Não tens acaso confiança
Que venham? Pois me palpita
Que ambos virão.

BUTTARELLI

Que esperança!
O fim do prazo se avança,
E estou certo que a maldita
Da memória de nenhum
Vai lembrar-se.

DOM JOÃO

Basta já.
Toma.

(Dá-lhe uma moeda.)

BUTTARELLI

Excelência! E de algum
Deles dois sabeis?

DOM JOÃO

Quiçá.

BUTTARELLI

Virão pois?

DOM JOÃO

Ao menos um
Há de aqui comparecer.
Mas se por fortuna os tais
Vierem ambos, vão beber
O melhor vinho que houver
Cá.

BUTTARELLI

Mas...

DOM JOÃO

Caluda! Até mais.

CENA 3

(BUTTARELLI.)

BUTTARELLI

Madona mia! De tornada
Mexia e Tenório estão
Sem dúvida... e manterão
Ambos a palavra dada.
Este homem conhece a traça
Dos dois, oh sim, por inteiro.

(Ruído lá fora.)

Que é isto?

(Chega à porta.)

Arre! O forasteiro
Está brigando na praça.
Valha-me Deus! Que bulício!
Como em redor o acomete
A chusma... e ele, só, arremete
Contra ela! Puff! Que estropício!
Debanda a turba em tropel!
Os dois estão certamente
Em Sevilha e toda a gente
Já anda em tumulto! Miguel!

CENA 4
(BUTTARELLI e MIGUEL.)

MIGUEL

Che comanda?

BUTTARELLI

Presto, qui,
Servi una tavola, amico;
E del Lacryma più antico
Porta due buttiglie.

MIGUEL

Sì,
Signor padrone.

BUTTARELLI

Micheletto,
Apparechia in carità
Lo più rico che si fà,
Afrettati!

MIGUEL

Già mi afretto,
Signor padrone.

(Sai.)

CENA 5
(BUTTARELLI e DOM GONÇALO.)

DOM GONÇALO

(Aparecendo à porta.)
Eh! Ó aquele!

BUTTARELLI

Que deseja o cavaleiro?

DOM GONÇALO

Falar ao estalajadeiro.

BUTTARELLI

Estais falando com ele.

DOM GONÇALO

Sois vós?

BUTTARELLI

    Sim, mas despachai
Que estou com pressa.

DOM GONÇALO

       Pois não!
Toma cá este dobrão,
E se é bastante falai.

BUTTARELLI

Oh, Excelência!

DOM GONÇALO

     Conheceis
Dom João Tenório?

BUTTARELLI

      Já o vi,
Sim.

DOM GONÇALO

   E é certo que hoje aqui
Tem um encontro?

BUTTARELLI

      Oh, sereis
Vós o outro?

DOM GONÇALO

    Quem?

BUTTARELLI

     Dom Luís.

DOM GONÇALO

Não, mas tenho a mente presa
No que dirão.

BUTTARELLI

Esta mesa
Lhes ponho; se vos servis
De nestoutra colocar-vos,
Podeis assistir à ceia
Que lhes darei... De mão-cheia
Será e que há de admirar-vos.

DOM GONÇALO

Creio-o bem.

BUTTARELLI

São, sem disputa,
Os dois jovens mais gentis
De Espanha.

DOM GONÇALO

É fato, e os mais vis
Também.

BUTTARELLI

Sei que lhes imputa
Quanta maldade há hoje em dia
A malícia sempre pronta;
Mas ninguém paga sua conta
Como Tenório e Mexia.

DOM GONÇALO

Ahn!

BUTTARELLI

Vezo de murmurar:
Porque comigo, senhor,
Ninguém procede melhor,
E bem o posso jurar.

DOM GONÇALO

Não é preciso; mas...

BUTTARELLI

Que é?

DOM GONÇALO

Eu quisera ocultamente
Vê-los, sem que toda a gente
Me reconhecesse.

BUTTARELLI

À fé
Que isso é bem fácil, senhor.
As festas do Carnaval
Ao homem mais principal
Permitem, sem desprimor
Para o seu nome, servir-se
De uma máscara apropriada
Até vir a descobrir-se
O recheio que há na empada!

DOM GONÇALO

Melhor fora em aposento
Contíguo...

BUTTARELLI

Aqui não virá
Ninguém.

DOM GONÇALO

Então dá-me cá
A máscara.

BUTTARELLI

Num momento.

CENA 6

(DOM GONÇALO.)

DOM GONÇALO

Não cabe em meu coração
Que tal homem possa haver,
E não quero cometer
Com ele uma sem-razão:
Se é certa a aposta, apurada
Por mim a verdade crua,
Antes ver quero enterrada
Inês do que esposa sua.
Enlace que a sua vida
Dane não admitirei:
Primeiro bom pai serei;

Bom cavaleiro em seguida.
Vantagem não há que valha
Para mim se João Tenório
No véu mesmo do esposório
Lhe cortar uma mortalha.

CENA 7
(Dom Gonçalo e Buttarelli, que traz na mão uma máscara.)

BUTTARELLI

Aqui a tem.

DOM GONÇALO

Demorarão?

BUTTARELLI

Se vêm, não devem tardar;
Pois quase oito horas já são.

DOM GONÇALO

Oito era a hora combinada?

BUTTARELLI

Era, e a aposta perderia
O que não estivesse aqui
À primeira badalada.

DOM GONÇALO

Queira Deus diga a tardança
Ser falso o que se murmura.

BUTTARELLI

Já não tenho por segura
De que venham a esperança;
Mas se tanto vos importa
O encontro que se vai dar,
Pois que oito horas vão soar
Não devem tardar à porta.

DOM GONÇALO

Cubro-me então e me sento.

(Senta-se a uma mesa à direita e coloca a máscara no rosto.)

BUTTARELLI

(À parte.)

Que quer ele? O caso é sério.
Curioso estou do mistério;
Não sossego o pensamento
Antes de saber quem seja.

DOM GONÇALO
        (À parte.)
Que um homem como eu sou tenha
Que agir assim, e aqui venha
E neste papel esteja!
Mas o importante é o meu lar
E o seu sossego, e a ventura
De uma filha amante e pura,
O que não devo arriscar.

CENA 8
(DOM GONÇALO, BUTTARELLI e DOM DIOGO, este à porta do fundo.)

DOM DIOGO
        Esta é a senha. Chego pois.
        Fui, vejo, bem informado.
        Entremos.

BUTTARELLI
                Outro embuçado?

DOM DIOGO
        Com licença.

BUTTARELLI
                Por quem sois!

DOM DIOGO
        É a casa de Buttarelli?

BUTTARELLI
        Como dizeis, cavaleiro.

DOM DIOGO
        Quem aqui é o hoteleiro?

BUTTARELLI
        Estais falando com ele.

DOM DIOGO
        É verdade que Dom João
        Tem encontro aqui hoje?

BUTTARELLI

Tem.

DOM DIOGO

Achais que vem mesmo?

BUTTARELLI

Vem.

DOM DIOGO

Já terá chegado?

BUTTARELLI

Não.

DOM DIOGO

A que horas virá?

BUTTARELLI

Não sei.

DOM DIOGO

E o esperais?

BUTTARELLI

Se, por acaso,
Bem lhe aprouver.

DOM DIOGO

Neste caso
Também eu o esperarei.

BUTTARELLI

Quereis algum alimento?
Algum vinho?

DOM DIOGO

Não. Tomai.

(Dá-lhe uma moeda.)

BUTTARELLI

Excelência!

DOM DIOGO

E me poupai
Qualquer oferecimento.

BUTTARELLI

    Perdoai-me.

DOM DIOGO

              Estais perdoado.
    Deixai-me só.

BUTTARELLI

      (À parte.)
           Jesus Cristo!
    Não me lembro de ter visto
    Homem mais mal-humorado.

DOM DIOGO

      (À parte.)
    Que homem da minha linhagem
    Venha aqui! Que humilhação!
    Sou pai. E um pai de que não
    Terá no mundo coragem
    Por um filho? Quero ver
    Por meus olhos a verdade,
    E o monstro de leviandade
    A quem pude dar o ser.

      (BUTTARELLI, que se põe a arranjar os móveis, olha do fundo para DOM GONÇALO e DOM DIOGO, que permanecem embuçados e em silêncio.)

BUTTARELLI

    São como estátuas de pedra,
    Não como figuras de homem.
    Mas pagam o que não comem,
    E assim o negócio me medra.

CENA 9

(DOM GONÇALO, DOM DIOGO, BUTTARELLI, O CAPITÃO CENTELHAS, AVELLANEDA e dois CAVALEIROS.)

AVELLANEDA

    Vieram, e farão, aposto,
    Os dois como prometeram.

CENTELHAS

    Entremos pois. Buttarelli?

BUTTARELLI

Senhor capitão Centelhas,
Vós por aqui?

CENTELHAS

Sim, Cristófano.
Quando, sem minha presença,
Já teve lugar aqui
Orgia em que eu não estivesse?

BUTTARELLI

Como há tanto tempo já
Que o não tenho visto...

CENTELHAS

As guerras
Do imperador me levaram
A Túnis; meus interesses,
Porém, chamam-me a Sevilha;
E, segundo o que referem,
Chego cá muito a propósito
Para reatar umas velhas
Amizades. Com que, apronta-nos
Logo umas quantas botelhas
De vinho; e enquanto molhamos
A garganta, verdadeira
Relação faz-nos de um lance
Sobre o qual há controvérsia.

BUTTARELLI

Tudo contarei, mas antes
Deixai-me descer à adega.

VÁRIOS

Sim, sim.

CENA 10
(Os mesmos, menos BUTTARELLI.)

CENTELHAS

Sentai-vos, senhores.
E prossiga Avellaneda
A história de Dom Luís.

AVELLANEDA

Não há mais que dizer dela

Senão que julgo impossível
Que a de João Tenório seja
Mais endiabrada, e que aposto
Por Mexia.

CENTELHAS

              Talvez percas.
Pois de Tenório se sabe
Que é a mais perversa cabeça
Que já houve, e homem nenhum
Levar-lhe a melhor pudera,
Sem que ele força empregasse;
Que não fará se se empenha?

AVELLANEDA

Pois eu sei bem que Mexia
Fez tais e tantas, que às cegas
Se pode apostar por ele.

CENTELHAS

Pois o Capitão Centelhas
Aposta em Dom João Tenório
Quanto possui.

AVELLANEDA

              Pois se aceita.

CENTELHAS

Por Dom Luís, que é meu amigo.
Tudo arrisco, pois na terra
Ninguém há como Tenório
Que tenha tamanha estrela;
E é proverbial sua audácia
E insignes suas empresas.

CENA 11
(Os mesmos e BUTTARELLI com as garrafas.)

BUTTARELLI

Aqui há Falerno, Borgonha,
Sorrento.

CENTELHAS

              Do que quiseres
Serve, Cristófano, e diz-nos;
Que há de verdade na aposta

Por Dom João Tenório há um ano
Feita com Dom Luís Mexia?

BUTTARELLI

Senhor Capitão, não sei
A matéria tão a fundo
Para tirar-vos de dúvidas.
Mas dir-vos-ei quanto saiba.

VÁRIOS

Fala, fala.

BUTTARELLI

   Eu, na verdade,
Embora a questão entre ambos
Fosse em minha casa, como
Tão largo prazo puseram
Ao encontro, julguei sempre
Que jamais se realizasse.
Assim que, nem me lembrava
A esta hora de tal coisa.
Mas hoje à tarde, seria
Ao anoitecer apenas,
Entrou aqui um cavaleiro
Pedindo-me que lhe desse
Caneta, papel e tinta
Para escrever uma carta;
E todo nela absorvido,
Deu-me azo a puxar conversa
Com um pajem que o acompanhava,
Um meu patrício de Gênova.
Não pesquei nada do pajem,
Que é, por Deus, mui brava pesca;
Mas depois de escrita a carta,
O amo o despachou com ela
A quem ia dirigida;
Em seguida em minha língua
Falou-me e pediu notícias
De Dom Luís; disse que inteira
Sabia de ambos a história,
E tinha toda a certeza
De que ao menos um dos dois
Compareceria à aposta.
Quis sacar-lhe outros informes,
Mas ele pôs-me nas mãos
Dois dobrões de ouro, dizendo-me:

"E se por ventura os dois
Vierem no prazo marcado,
Servir-lhes-ás a ambos duas
Garrafas do melhor vinho".
Partiu sem dizer mais nada;
Eu, as moedas embolsadas,
Preparei, no mesmo sítio
Em que apostaram, a mesa.
Lá está, com duas cadeiras.
Dois copos, duas garrafas.

AVELLANEDA
Pois não há que duvidar;
Era Dom Luís.

CENTELHAS
   Dom João era.

AVELLANEDA
Não lhe distinguiste a cara?

BUTTARELLI
Não, que a trazia coberta
Com uma máscara.

CENTELHAS
    Mas, homem,
Não te recordas dos dois?
Ou não sabes distinguir
As pessoas pelos gestos
Tanto quanto pelas caras?

BUTTARELLI
Minha estupidez confesso;
Não soube reconhecê-lo.
Bem que me esforcei no entanto.
Mas silêncio!

AVELLANEDA
    Que se passa?
Neste momento o relógio
Bate os quartos para as oito.

  (Soa o relógio.)

CENTELHAS

Vede quanta gente entrando.

AVELLANEDA

Parece que está do lance
Curiosa toda Sevilha.

(Ouvem-se dar as oito; várias pessoas entram e se dividem pela
cena, silenciosas; ao soar a última pancada do relógio, DOM JOÃO,
de máscara, chega-se à mesa que lhe havia preparado BUTTARELLI
no centro do palco e dispõe-se a ocupar uma das duas cadeiras
que estão diante dela. Logo depois dele entra DOM LUÍS, também
de máscara, e se dirige a outra cadeira. Todos os olhares se voltam
para eles.)

CENA 12
(DOM DIOGO, DOM GONÇALO, DOM JOÃO, DOM LUÍS, BUTTARELLI, CENTELHAS,
AVELLANEDA, CAVALEIROS, CURIOSOS e MASCARADOS.)

AVELLANEDA

(A CENTELHAS, apontando para DOM JOÃO.)
Aquele, se eles vierem,
Verás em que se meteu.

CENTELHAS

(A AVELLANEDA apontando para DOM LUÍS.)
Ali vai outro a ocupar
A outra cadeira; uf! é agora.

DOM JOÃO

(A DOM LUÍS.)
A cadeira está tomada,
Fidalgo.

DOM LUÍS

(A DOM JOÃO.)
     O mesmo vos digo,
Fidalgo. Para um amigo
Tenho estoutra reservada.

DOM JOÃO

Que é minha farei notório.

DOM LUÍS

Minha é, como eu dizia.

DOM JOÃO
Logo sois Dom Luís Mexia.

DOM LUÍS
Sereis pois Dom João Tenório.

DOM JOÃO
Talvez.

DOM LUÍS
Sois vós quem o diz.

DOM JOÃO
Insistis?

DOM LUÍS
Claro que insisto.

DOM JOÃO
Pois acabemos com isto:
Sou Dom João.

(Tira a máscara.)

DOM LUÍS
(Idem.)
E eu, Dom Luís.

(Descobrem-se e sentam-se. O CAPITÃO CENTELHAS, AVELLANEDA e alguns outros aproximam-se deles e os saúdam, abraçam e estendem--lhes a mão e fazem outras demonstrações de carinho e amizade. DOM JOÃO e DOM LUÍS aceitam-nas cortesmente.)

CENTELHAS
Dom João!

AVELLANEDA
Dom Luís!

DOM JOÃO
Cavaleiros!
Dom Luís!
Que surpresa a de aqui ter-vos!

AVELLANEDA
Soubemos da aposta e a ver-vos
Quisemos ser os primeiros.

DOM LUÍS

    Dom João e eu tal gentileza
    Muito vos agradecemos.

DOM JOÃO

    O tempo não malgastemos,
    Dom Luís. *(Aos outros.)* Sentai-vos à mesa.
        (Aos que estão longe.)
    Cavaleiros, eu suponho
    Que aqui vos traz a entrevista,
    E que toda a gente assista
    A ela é o a que não me oponho.

DOM LUÍS

    Nem eu; bem que só a nós dois
    Interesse este desfecho,
    De meus atos não me vexo
    Nem antes e nem depois.

DOM JOÃO

    Ouvis? O mesmo vos digo,
    Pois hipócrita não sou,
    E por onde quer que vou,
    Levo o escândalo comigo.

DOM LUÍS

    E aqueles dois não se chegam
    Para escutar? Eh!

        (Para DOM DIOGO e DOM GONÇALO.)

DOM DIOGO

        Estou bem.

DOM LUÍS

    E vós?

DOM GONÇALO

    Daqui ouço também.

DOM LUÍS

    Razão terão, se se negam.

    *(Sentam-se todos ao redor da mesa em que estão DOM LUÍS MEXIA e
    DOM JOÃO TENÓRIO.)*

DOM JOÃO
>Estamos prontos?

DOM LUÍS
>>Estamos.

DOM JOÃO
>Como quem somos, viemos.
>Vejamos, pois, que fizemos.

DOM JOÃO
>Bebamos antes.

DOM LUÍS
>>Bebamos.

>*(Bebem.)*

DOM JOÃO
>A aposta foi...

DOM LUÍS
>>Foi que um dia
>Disse eu que nestas Espanhas
>Homem não há que em façanhas
>Supere a Dom Luís Mexia.

DOM JOÃO
>E sendo contraditório,
>Ao vosso o meu parecer,
>"Ninguém poderá fazer
>O que faz Dom João Tenório",
>Disse eu.

DOM LUÍS
>>É a verdade pura.
>E apostamos a seguir
>Qual dos dois viria a agir
>Pior com maior ventura
>Dentro do prazo de um ano;
>E hoje, pontual como sou,
>Para prová-lo aqui estou.

DOM JOÃO
>E eu também.

DOM JOÃO TENÓRIO

CENTELHAS

       Estranho plano,
Por vida minha!

DOM JOÃO

       Falai.

DOM LUÍS

Não. Cabe a vós começar.

DOM JOÃO

Como queirais. Pois lá vai,
Que não me faço rogar.
Buscando espaço maior
Para façanhas, daqui
À Itália me dirigi,
Onde o prazer tem melhor
Palácio — clássica terra
Da guerra como do amor.
Nela estava o Imperador,
Com ela e com França em guerra.
Pensei: "Que melhor lugar?
Onde há soldados há jogo,
Aventuras, sangue e fogo,
Rixas, gente por matar."
Em Roma, à aposta fiel,
Preguei, hostil e amatório,
À minha porta o cartel:
"Aqui está Dom João Tenório,
Por intrepidez notório".
Daqueles dias a história
Desisto de repetir;
Reporto-me à só memória
Que ali deixei: minha glória
Nunca parou de subir.
As romanas caprichosas,
As usanças licenciosas,
Eu bravo e desabusado,
Quem reduzira a contado
Minhas proezas amorosas?
Saí de Roma por fim
Como podeis figurar,
Num disfarce muito ruim,
Montado num mau rocim,
Pois queriam me enforcar.
Ao exército de Espanha

Passei, mas eram patrícios,
Soldados e em terra estranha;
Abandonei a campanha
Depois de uns seis estropícios.
Nápoles, rico vergel
De amor, de prazer empório,
Viu meu segundo cartel;
"Aqui está Dom João Tenório,
Galhardo, bravo, infiel.
Desde a princesa orgulhosa
À que pesca em pobre barca,
Todas reduz, pois tudo ousa;
E qualquer empresa abarca,
Se em ouro ou valor repousa.
Busquem-no os altercadores,
Rodeiem-no os jogadores,
Quem se preze aqui apareça,
A ver quem mais que ele cresça
Em jogo, lides, amores."
Assim escrevi; em meio ano,
Que rápido decorreu,
Não houve aleivoso plano,
Ou escândalo ou engano,
Em que não figurasse eu.
Em tudo em que me envolvi
Eu a justiça burlei,
A razão atropelei,
A virtude escarneci,
E as mulheres trafiquei.
Tanto em choupanas andei
Como em palácios, assim
Como claustros escalei;
E em toda parte deixei
Memória amarga de mim.
Sagrado não respeitava,
Nem conveniência ou lugar;
Tão pouco diferençava
Clérigo de secular.
A quem bem quis provoquei,
Com quem o quis me bati,
E jamais considerei
Que matar-me poderia
Aquele a quem eu matei.
A tudo isso se arrojou,
Destemeroso, Dom João;
Neste papel o arrolou,

E quanto nele exarou
Sustenta de armas na mão.

DOM LUÍS

Lede-o pois.

DOM JOÃO

Ouçamos antes
Vossos bizarros extremos,
E se trazeis terminantes
Vossas notas comprovantes,
O escrito cotejaremos.

DOM LUÍS

Ótimo! e coisa é que está
Segundo manda a razão;
Bem que, a meu ver, pouco irá
De uma a outra relação.

DOM JOÃO

Daí começo.

DOM LUÍS

Pois vá lá!
Como buscássemos nós
Ambos aventuras grandes,
Onde achar, dizei-me vós,
Melhor lugar do que Flandes?
"Ali", pensei, "há cerradas
Refregas, e a meus anseios
Haverá centuplicadas
Ocasiões extremadas
De rixas e galanteios".
Sem mais delonga parti;
Mas, ó negra decepção!
Um mês depois vi-me ali
Sem cabedal, que o perdi
Todo, dobrão a dobrão.
Em tão total carestia
Me encontrando de dinheiros,
Toda a gente me fugia;
Mas eu busquei companhia
E me uni a uns bandoleiros.
Ainda bem! Pior cada qual,
Avançamos tão adiante
Que, fortuna colossal,

Pusemos a saque em Gante
O palácio episcopal.
Que noite! Para decoro
Maior da Páscoa, o bom bispo
Saía a presidir o coro.
Ainda de prazer me crispo
Ao recordar seu tesouro.
Que de joias e dinheiro!
Mas meu capitão, avaro,
Quis burlar o companheiro:
Lutamos, fui mais ligeiro,
Traspassei-o sem reparo.
Aclamou-me aquela gente
Capitão, por mais valente;
Jurei-lhes afeição franca;
Mas de noite, ocultamente,
Parti, deixei-os sem branca.
Lembrando-me do ditado
Que instrui: "Quem rouba a ladrão
Tem cem anos de perdão",
Me considerei perdoado
Por cem anos, da traição.
Passei-me a Bona, opulento:
Mas um provincial jerônimo,
Homem de muito talento,
Viu-me, e num papel anônimo,
Me delatou. Num momento
Comprei, força a do dinheiro!
Minha liberdade e aquele
Papel, e ao frade traiçoeiro
Meti-lhe dentro, certeiro,
Uma bala envolta nele.
A França é um lindo país:
À França saltei depois.
E pus cartaz em Paris,
Dizendo: "Está aqui um Dom Luís,
Que vale ao menos por dois.
Aqui ficará alguns meses,
Não visando a outras empresas
Do que adorar as francesas
E se bater com os franceses".
Isto escrevi, e em meio ano
Que Paris me conheceu,
Não houve desmando humano,
Não houve escândalo ou dano
Em que não figurasse eu.

Mas também Dom Luís sua história
Desiste de trombetear:
Basta-lhe, por toda glória,
A magnífica memória
Que de si deixou por lá.
Como vós, onde assisti
Eu, a justiça burlei,
A razão atropelei,
A virtude escarneci
E as mulheres trafiquei.
Tive a fortuna perdida
Três vezes, mas se me antoja
Reavê-la, ao que me convida
Minha boda prometida
A Don'Ana de Pantoja.
Mui rica mulher me dão,
E amanhã há que cumprir
O ajustado e dar-lhe a mão.
Do ato aviso-vos, Dom João,
Se a ele quereis assistir.
A tudo isto se arrojou
Dom Luís sem hesitação:
Neste papel o arrolou,
E quanto nele exarou
Sustenta de armas na mão.

DOM JOÃO

A história é tão semelhante,
Que põe no fiel a balança;
Mas vamos ao importante,
Que é o algarismo a que alcança
O papel. Por isso, adiante.

DOM LUÍS

Razão tendes na verdade;
Por uma linha apartados
Trago os nomes assentados
Com a maior fidelidade.

DOM JOÃO

Igualmente trago as minhas
Contas aqui declaradas;
Tudo posto em duas linhas;
Numa as mortes praticadas,
Noutra as mulheres burladas.

Dom Luís

        Contai.

Dom João

            Vinte e três se lê.

Dom Luís

De mortos. Por Santo André,
Aqui somos trinta e um!

Dom João

Se não me escapou nenhum.

Dom Luís

Isso é que é matar!

Dom João

           Não é?

Dom Luís

Confesso que me venceis.
Vamos agora às conquistas.

Dom João

Somo aqui cinquenta e seis.

Dom Luís

E eu conto nas vossas listas
Setenta.

Dom João

       Logo, perdeis.

Dom Luís

Parece incrível, Dom João!

Dom João

Se duvidais, referidas
As testemunhas estão,
Que se forem inquiridas,
Vo-lo certificarão.

Dom Luís

Oh! E vossa lista é cabal.

Dom João

Desde uma princesa real
À filha de um pescador.
Oh, percorreu meu amor
Toda a escala social.
Tendes algo a criticar?

Dom Luís

Só falta, em boa justiça,
Uma vítima a nomear.

Dom João

Dizei qual.

Dom Luís

Uma noviça
Que esteja por professar.

Dom João

Pois eu vos satisfarei
Em dobro, porque vos digo
Que à noviça ajuntarei
A noiva de certo amigo,
A quem eu a raptarei.

Dom Luís

Por Deus, que sois atrevido!

Dom João

Apostarei, se o quereis.

Dom Luís

Digo que aceito o partido.
Para dá-lo por perdido
Quereis vinte dias?

Dom João

Seis.

Dom Luís

Seis? Proeza tal nunca vi!
Quantos dias empregais
Em cada mulher que amais?

Dom João

Os dias do ano parti
Entre as que aí encontrais.

Um dia para aliciá-las,
Outro para consegui-las,
Outro para abandoná-las,
Mais dois para substituí-las,
E uma hora para olvidá-las!
Mas para franco falar-vos,
Eis a que a audácia me arroja:
Pois que estais para casar-vos,
Amanhã penso roubar-vos...

Dom Luís

Quê?

Dom João

... Don'Ana de Pantoja.

Dom Luís

Ouvi bem o que dizeis?

Dom João

Digo, Dom Luís, o que ouvis.

Dom Luís

Dom João, vede o que empreendeis!

Dom João

E o que lograrei, Dom Luís.

Dom Luís

Gastão!

Gastão

Senhor.

Dom Luís

Ouve cá.

(Fala-lhe em segredo e ele sai precipitadamente.)

Dom João

Ciutti!

Ciutti

Senhor.

DOM JOÃO

Ouve aqui.

(DOM JOÃO idem com CIUTTI, que faz o mesmo.)

DOM LUÍS

Guardais o dito?

DOM JOÃO

Ora se!

DOM LUÍS

Vai nisto a vida!

DOM JOÃO

Pois vá!

(DOM GONÇALO, erguendo-se da mesa em que permanecera imóvel durante a cena anterior, defronta-se com DOM JOÃO e DOM LUÍS.)

DOM GONÇALO

Alto! Insensatos que sois!
Não me tremessem as mãos,
E eu a pau, como a vilãos,
Vos matara a todos dois.

DOM JOÃO E DOM LUÍS

A ver!

(Desembainhando ambos a espada.)

DOM GONÇALO

Mas tal não farei,
Pois que já vivi bastante
Para não ser arrogante
Onde não posso.

DOM JOÃO

Gostei.
Ide-vos pois.

DOM GONÇALO

Antes de ir
De onde escutar-me possais,
Mister é, Dom João, que ouçais
O que vos tenho a advertir.

Vosso pai, o bom Dom Diogo,
Homem de alto sentimento,
Vos ajustou casamento
A efetuar-se para logo.
Mas eu, prudente, que sou,
O que éreis querendo ver,
Cá vim ao anoitecer,
E o ver-vos me envergonhou.

Dom João

Por Satanás, velho tonto,
Não sei como tive calma
Para ouvir-te até este ponto
Sem a máscara com a alma,
Se a tens, arrancar-te!

Dom Gonçalo

(Tirando a máscara.)
Pronto!
Arrancai-a de uma vez.

Dom João

Dom Gonçalo!

Dom Gonçalo

Adeus agora.

Mas, sabei-o, desde esta hora
Não penseis em Dona Inês.
Porque antes que consentir
Em vê-la tão mal casada,
Prefiro tê-la enterrada
Em cova que eu mesmo abrir!

Dom João

Isso, Dom Gonçalo, é para
Rir, pois virdes provocar-me
É como alguém ameaçar
A um leão com uma vara.
E pois que há tempo, advertir
Vos quero por minha vez
Que ou vós me dais Dona Inês
Ou tirar-vo-la hei de vir.

Dom Gonçalo

Infame!

DOM JOÃO

       E esta não está má;
Pois só uma mulher assim
Faltava à aposta por mim
Feita, e apostada ora está.

*(DOM DIOGO, levantando-se da mesa em que permanecera
encoberto durante a cena anterior, desce ao centro do palco,
encarando DOM JOÃO.)*

DOM DIOGO

Não posso mais escutar-te,
Vil Dom João, porque apreendo
Que dos céus venha descendo
O raio que há de matar-te.
Ah, que não podendo crer
No que de ti me diziam,
E confiando que mentiam,
Vim esta noite te ver,
Mas, por Deus juro, malvado,
Pesa-me ter assistido
Ao que me pôs convencido
Do que era para ignorado.
Segue, portanto, Dom João,
Em teu torpe frenesim,
Mas nunca tornes a mim,
Que não te conheço não!

DOM JOÃO

Que importa?

DOM DIOGO

       Mas não esqueças
Que existe um Deus justiceiro.

(Faz menção de sair.)

DOM JOÃO

(Detendo-o.)
Não! Quero ver-te primeiro.

DOM DIOGO

Nunca; por mais que mo peças.

DOM JOÃO

Nunca?

Dom Diogo

Jamais!

Dom João

Pois lá vai

(Arranca-lhe a máscara.)

Dom Diogo

Ah miserável!

Todos

Dom João!

Dom Diogo

Levaste ao meu rosto a mão!

Dom João

Valha-me Cristo, é meu pai!

Dom Diogo

Mentes quando assim te dás
Por meu filho: os como tu,
De natural torpe e cru,
Filhos são de Satanás.
Comendador, nulo seja
O trato.

Dom Gonçalo

Já o decidi.
Vamos.

Dom Diogo

Sim, vamos daqui
Aonde tal monstro não veja.
Dom João, ao teu mau destino
Corre em teu intento cego.
Matas-me; mas eu te entrego
Ao santo juízo divino.

(Saem devagar Dom Diogo e Dom Gonçalo.)

Dom João

Longo prazo concedeis!
Mas eu vos quero advertir
Que jamais vos fui pedir,

Nem irei, que me perdoeis.
Nem tenhais preocupação
De agora em diante por mim;
Pois como viveu, assim
Viverá sempre Dom João!

CENA 13
(Dom João, Dom Luís, Centelhas, Avellaneda, Buttarelli, Curiosos e Máscaras.)

Dom João

Uf! Acabou-se a maçada.
Não há que estranhar a homília;
São práticas de família,
Com que não me importo nada.
Em jogo estão Dona Inês
E Don'Ana, e não vos peço
Mais que seis dias.

Dom Luís

                E o preço
É a vida.

Dom João

       Como dizeis.

Dom Luís
Vamos.

Dom João

       Vamos.

(Ao saírem apresenta-se uma ronda, que os detém.)

CENA 14
(Os mesmos e uma ronda Aguazis.)

Aguazil

       Alto lá!
É Dom João Tenório?

Dom João

            Sou.

Aguazil
Está preso.

DOM JOÃO

        Sonhando estou.
Por quê?

AGUAZIL

       Depois saberá.

DOM LUÍS

(Aproximando-se de DOM JOÃO *e rindo-se.)*
Tenório, não o estranheis;
Pois, visto o que se apostou,
Meu pajem vos delatou
A fim de que não ganheis.

DOM JOÃO

Ai que suposto não tinha
Em vós tal desfaçatez!

DOM LUÍS

Ide pois, que desta vez,
Dom João, a partida é minha.

DOM JOÃO

Vamos então.

(Ao saírem são detidos por outra ronda que entra em cena.)

AGUAZIL

(Entrando.)
       Alto lá!
É Dom Luís Mexia?

DOM LUÍS

       Sou.

AGUAZIL

Está preso.

DOM LUÍS

       Sonhando estou.
Preso eu?

DOM JOÃO

(Soltando uma gargalhada.)
Ha, ha, ha, ha, ha!
Mexia, não o estranheis;

Pois, visto o que se apostou,
Meu pajem vos delatou
Para que não me estorveis:

DOM LUÍS

Fique adiado o encontro até
Que deste passo saiamos.

DOM JOÃO

Com que, ambos nós concordamos
Que a aposta quede de pé!

(As rondas levam DOM JOÃO *e* DOM LUÍS*; muitos os seguem. O* CAPITÃO CENTELHAS*,* AVELLANEDA *e seus amigos permanecem em cena, olhando uns para os outros.)*

CENA 15
*(*CENTELHAS*,* AVELLANEDA *e* CURIOSOS*.)*

AVELLANEDA

Parece um jogo ilusório!

CENTELHAS

Se o não visse, não creria!

AVELLANEDA

Pois jogo em Dom Luís Mexia.

CENTELHAS

E eu jogo em Dom João Tenório.

Destreza

ATO 2

(Exterior da casa de DON'ANA, vista por uma esquina. As duas paredes que formam o ângulo prolongam-se igualmente por ambos os lados, deixando ver à direita uma janela de rótulas e à esquerda outra janela de rótulas e uma porta.)

CENA 1

(DOM LUÍS embuçado.)

DOM LUÍS

Eis-me defronte do lar
De Don'Ana. É-me preciso
Que eu lhe dê esta noite aviso
Do que aqui se vai passar.
Por isso farei por vê-la.
Grande é a minha inquietação.
E agora, senhor Dom João,
Cada qual com sua estrela.
Não há viv'alma, ainda bem!
Por minha honra, vida e amor,
Minha destreza e valor
Bater-se-ão... Mas chega alguém.

CENA 2

(DOM LUÍS e PASCOAL.)

PASCOAL

Presos! Que escândalo! Tal
Lance nunca eu suporia!
Os miolos estouraria.

DOM LUÍS

Que vejo? É Pascoal?

(Chamando-o.)

PASCOAL

Quem chama com tanta pressa?

DOM LUÍS

Sou eu, Dom Luís.

PASCOAL

Deus louvado!

DOM LUÍS

Por que esse grito assombrado?

PASCOAL

Sois vós?

DOM LUÍS

Minha sorte é essa.
Que a não ser Dom Luís Mexia,
E a não dar contigo agora,
A honra de minha senhora
Don'Ana hoje morreria.

PASCOAL

Contai-me o que há, por quem sois!

DOM LUÍS

Conheces Dom João Tenório?

PASCOAL

Conheço. Mas é notório
Que estáveis presos os dois:
É o que diz toda a cidade.
Meu Deus, como o povo mente!

DOM LUÍS

Agora, acertadamente,
O povo falou verdade.
Por pouco, a não ser meu primo,
O tesoureiro real,
Que quis fiar por mim, Pascoal,
Não perco o que mais estimo.

PASCOAL

Como assim?

DOM LUÍS

Servir-me vais?

PASCOAL

Até a morte.

DOM LUÍS

Pois escuta.
Eu e Dom João numa luta
Arriscada por demais
Empenhados nós achamos;
Mas querendo tu ajudar-me,
Mais do que a vida salvar-me
Podes.

PASCOAL

Que há a fazer? Saibamos.

DOM LUÍS

Em rematada loucura
Caímos, — de competir
Em quem saberia agir
Pior com maior ventura.
Nossas façanhas supor,
Pascoal, mal tu poderás;
Mas Dom João é um Satanás:
Por fim levou-me a melhor.
Por não sei quê, um argueiro,
Coisa de cutiliquê,
Dissemo-nos não sei quê,
E ele me disse, altaneiro:
"Se isto não vos basta, então,
Se ides Don'Ana esposar
Amanhã, quero apostar
Que antes vo-la roubo".

PASCOAL

Não!
Tal atreveu-se a dizer?

DOM LUÍS

O pior não é que o diga,
Pascoal, senão que o consiga.

PASCOAL

Consiga? Enquanto eu viver,
Não será, Dom Luís, assim!
Podeis descansar.

DOM LUÍS

Te juro
Que se o lance não seguro,
Não sei que será de mim.

PASCOAL

    Pela Virgem do Pilar,
    Temeis?

DOM LUÍS

           Não; por Deus o digo!
    Mas traz esse homem consigo
    Algum demo familiar.

PASCOAL

    Tende-o por assegurado.

DOM LUÍS

    Oh, o futuro é tão sombrio,
    Que nem de mim próprio fio
    Com um homem tão ousado.

PASCOAL

    Juro-vos, por S. Ginês,
    Que com toda essa ousadia
    Irá receber um dia
    Lição de um aragonês.

DOM LUÍS

    Ai tu não sabes, Pascoal,
    A que passo te aventuras!

PASCOAL

    Em mais graves aperturas
    Já me vi e não saí mal.

DOM LUÍS

    Assusta-me o peremptório
    Do prazo e quanto já fez.

PASCOAL

    Mais que um bom aragonês
    Não valerá um Tenório.
    Todos esses linguarazes,
    Esgrimidores de ofício,
    Não são mais que frontispício,
    De pouco ânimo capazes.
    Têm língua para infamar
    Mulheres, e só têm mãos
    Para acometer anciãos
    Ou mercadores surrar.

Mas quando uma boa espada,
Por um bom braço esgrimida,
Sai-lhes e à morte os convida,
O valor deles é nada.
E suas empresas e bulhas
Se reduzem todas elas
A enganarem as donzelas
E a fugirem das patrulhas.

DOM LUÍS
Pascoal!

PASCOAL
      Mas isto não diz
Convosco. Embora transviada,
Tendes alma bem formada,
E com primor esgrimis.

DOM LUÍS
Pois se em mim é tão notório
O valor, olha, Pascoal,
Que ele é também proverbial
Na família de Tenório.
E porque conheço bem
O seu denodo, que é extremo,
Suas ardilezas temo
Que por terra a honra me deem.

PASCOAL
Se solto estais, Dom Luís,
Não temais sua fidúcia
Nem ardis, que com a astúcia
Sua astúcia prevenis.
Que receais dele?

DOM LUÍS
      O quê?
Que esta noite, assim suspeito,
Há de procurar o feito
Consumar.

PASCOAL
      Sonhais.

DOM LUÍS
      Por quê?

PASCOAL

Não está preso?

DOM LUÍS

Sei que está;
Mas preso estive e aqui estou,
Que um fidalgo me soltou.

PASCOAL

Quem a ele o soltará?

DOM LUÍS

Enfim, só encontro um meio
De tranquilizar-me.

PASCOAL

Qual?

DOM LUÍS

Eu nesta casa, Pascoal,
Pernoitar hoje.

PASCOAL

Receio
De Don'Ana o pundonor
Fique com isso ofendido.

DOM LUÍS

Com mil raios! Seu marido
Serei amanhã!

PASCOAL

Senhor,
Não vos fiei com a existência?

DOM LUÍS

Sim; sair de uma pendência,
Não do ardil do sedutor.
Assim, ou com a ajuda tua
Eu pernoitarei lá dentro,
Ou se te opões e eu não entro,
Ponho em polvorosa a rua!

PASCOAL

Senhor Dom Luís, vos concito...

DOM LUÍS

Para com esse discurso!

PASCOAL

É indecoroso recurso...

DOM LUÍS

Pascoal!

PASCOAL

Dom Luís!

DOM LUÍS

Está dito!

PASCOAL

Deus do céu! Que obstinação!

DOM LUÍS

Tu dirás o que quiseres,
Mas me fio nas mulheres
Muito menos que em Dom João.
E já que é lance extremado
Por dois loucos empreendido,
Bem será um louco atrevido
Para um louco desalmado.

PASCOAL

Senhor, grande é o meu afã.
Pensai que sirvo a Don'Ana;
Dessa perfeição humana
Sereis esposo amanhã.

DOM LUÍS

Pascoal, essa hora chegada
E esse direito adquirido,
Saberei ser seu marido
E a farei ser bem casada.
Por ora...

PASCOAL

Não faleis mais.
Vi-vos desde menininhos,
E sei o que são carinhos,
Por vida de Barrabás!
Ouvi: de espaço folgado

Disponho em meu aposento;
Ficai lá — sob juramento
De vos manterdes calado.

DOM LUÍS

Prometido.

PASCOAL

Quedaremos
Os dois juntos em vigília
Pela honra da família.

DOM LUÍS

E salvaremos Don'Ana.

PASCOAL

Seja.

DOM LUÍS

Vamos pois.

PASCOAL

Não já.

DOM LUÍS

Por que não? Grande é o despejo
De Dom João, e já antevejo
A astúcia que empregará.
Vamos!

PASCOAL

Já, não pode ser.
Só entraremos os dois
Feito o silêncio, e depois
Que Dom Gil se recolher.

DOM LUÍS

Com a breca!

PASCOAL

Eh, dai uma vez
Breves tréguas ao amor.

DOM LUÍS

E quando esse bom senhor
Costuma voltar?

PASCOAL

          Às dez.
Olhai: aqui deste lado
Há uma rótula; chamai
Por mim às dez, e confiai
Que abrirei.

DOM LUÍS

          Está combinado.

PASCOAL

Dom Luís, até logo então.

DOM LUÍS

Adeus, em tuas mãos me entrego.

CENA 3

(DOM LUÍS.)

DOM LUÍS

Nunca tal desassossego
Oprimiu meu coração.
Esta noite é hora minguada
Para mim... Não sei que vago
Pressentimento ou estrago
Pesa em minh'alma alarmada.
Por Deus, que nunca pensei
Que a Don'Ana amasse assim,
Nem que outra houvesse de mim
A estima que já lhe dei.
O que em Dom João medo faz
Não é o valor, é a ventura.
Parece que o assegura
Contra tudo Satanás.
Não, não; homem é infernal,
E tenho a impressão que se
Me afasto um pouco daqui,
Vence, apesar de Pascoal.
E ainda que não fique bem,
Quero entrar; que com Dom João
As precauções não serão
Para olhar-se com desdém.

(Chama à janela.)

CENA 4
(Dom Luís e Don'Ana.)

Don'Ana

Quem bate?

Dom Luís

É Pascoal?

Don'Ana

Dom Luís!

Dom Luís

Don'Ana!

Don'Ana

Chamas agora
Pela grade?

Dom Luís

Em boa hora
Te vejo. Ai que sou feliz!

Don'Ana

Que há contigo?

Dom Luís

Uma questão
Com alguém que te tem em vista
E eu temo.

Don'Ana

E o que te contrista,
Se teu é o meu coração?

Dom Luís

Don'Ana, sem do malvado
Nome e sorte conhecer,
Não poderás compreender
Quanto o meu susto é fundado.

Don'Ana

Não terá sorte comigo,
Que só umas horas nos faltam
Para as bodas, e te assaltam
Vãos temores, meu amigo.

DOM LUÍS

Deus me é testemunha aqui
De que enquanto espada eu tenha,
Lutarei contra quem venha
Cara a cara contra ti.
Porém, como o leão audaz
E cauteloso e prudente,
Como a astuciosa serpente...

DON'ANA

Qual! Dorme, Dom Luís, em paz;
Toda a sua audácia e prudência
Não lhe valerá aqui;
Pois tenho cifrada em ti
A glória da minha existência.

DOM LUÍS

Pois bem; pelo teu amor,
E para que me não tomem
Vãos temores de tal homem,
Quero pedir-te um favor.

DON'ANA

Dize-o baixo; que não te ouça
Acaso alguém que ande perto.

CENA 5

(DON'ANA e DOM LUÍS à janela da direita; DOM JOÃO e CIUTTI na rua à esquerda.)

CIUTTI

Sim, boa e muita de certo
É senhor, a sorte vossa.

DOM JOÃO

Ah, Ciutti, ninguém como eu!
Viste como facilmente
O bom do alcaide prudente
A liberdade me deu.
Mas quero-te perguntar:
Cumpriste o que te ordenei?

CIUTTI

Tudo! E tudo executei
Melhor que era de esperar.

DOM JOÃO

E a beata?

CIUTTI

Deu-me esta chave;
É a da porta do jardim,
Que escalar tendes por fim;
Nisto está o único entrave,
Pois nos muros do convento
Não existe entrada alguma.

DOM JOÃO

Veio resposta?

CIUTTI

Nenhuma;
Disse-me que no momento
Ia de visita a alguém;
Que ao convento voltaria
E convosco falaria.

DOM JOÃO

Melhor.

CIUTTI

É o que acho também.

DOM JOÃO

Quanto aos cavalos?

CIUTTI

Com silha,
Freio e tudo os tenho já.

DOM JOÃO

E a gente?

CIUTTI

Aqui perto está.

DOM JOÃO

Bem, Ciutti, enquanto Sevilha
Tranquila seu sono goza,
Julgando-me na cadeia,
Mais dois nomes de mão-cheia
Junto à lista numerosa.
Ha, ha!

CIUTTI

        Senhor.

DOM JOÃO

            Que é?

CIUTTI

              Alguém!

DOM JOÃO

    Fala.

CIUTTI

       Ao dobrar a ruela,
Vi um homem junto à janela.

DOM JOÃO

    Também eu. Pareceu...

CIUTTI

            Quem?

DOM JOÃO

    Dom Luís.

CIUTTI

       Impossível!

DOM JOÃO

           E eu
Não estou aqui?

CIUTTI

       É diferente:
Vós sois quem sois.

DOM JOÃO

          Evidente,
Mas... Na grade apareceu,
Viste? o vulto de uma dama.

CIUTTI

    Talvez alguma criada.

DOM JOÃO

    Cautela, que em tal parada

Comprometo vida e fama.
Ouve, Ciutti: junto ao muro
Por este lado te esgueira;
Em volta da casa inteira
Dispõe nossos homens.

CIUTTI

                    Juro
Que não nos escapa!

DOM JOÃO

                    É certo.

CIUTTI

E se ela entrar?

DOM JOÃO

                Nesse instante
Cais sobre ele. Ela, ignorante,
Preso ele, o triunfo está perto!

CIUTTI

Mas se o truão, como creio,
Resistir?

DOM JOÃO

            Prova que existe
Valor em ti. Se resiste,
Racha-o de um só golpe ao meio.

CENA 6
(*DOM JOÃO, DON'ANA e DOM LUÍS.*)

DOM LUÍS

Consentes, Ana? Não minto.

DON'ANA

Consinto.

DOM LUÍS

De alma inteira? Não me iludo?

DON'ANA

Em tudo.

Dom Luís
Fico até que seja dia?

Don'Ana
Sim, Mexia.

Dom Luís
Este gozo, esta alegria
Deus te pague, Ana querida.

Don'Ana
Por provar que és minha vida,
Consinto em tudo, Mexia.

Dom Luís
Voltarei, pois, outra vez.

Don'Ana
Sim, às dez.

Dom Luís
Me esperarás?

Don'Ana
Prometi.

Dom Luís
Aqui?

Don'Ana
Pontual estareis, bem sei.

Dom Luís
Estarei.

Don'Ana
A chave então te darei.

Dom Luís
Assim, eu dentro da praça,
Venha Tenório!

Don'Ana
Alguém passa.

Dom Luís
Às dez aqui estarei.

CENA 7

(Dom João e Dom Luís.)

Dom Luís
Alguém. Quem vem lá? Falai!

Dom João
Quem vai.

Dom Luís
Do que assim vai, que entender?

Dom João
Que quer.

Dom Luís
Ver se eu a língua lhe arranco?

Dom João
O passo franco.

Dom Luís
Guardado está.

Dom João
E eu sou manco?

Dom Luís
Pedi então com cortesia.

Dom João
E a quem?

Dom Luís
A Dom Luís Mexia.

Dom João
Quem vai quer o passo franco.

Dom Luís
Sabeis quem sou, e eu quem sois?

Dom João
Todos dois.
Certos que nenhum recua
Na rua

De que donos nos julgamos.
Estamos.

DOM LUÍS
Dois, não mais, necessitamos
Dela na mesma ocasião.

DOM JOÃO
Isso!

DOM LUÍS
Com que, sois Dom João!

DOM JOÃO
Todos dois na rua estamos.

DOM LUÍS
Pois não estáveis preso vós?

DOM JOÃO
Ambos nós.

DOM LUÍS
Fostes solto?

DOM JOÃO
Presos fomos,
Soltos somos.

DOM LUÍS
Em guarda, com mãos e dentes!
Dois valentes!

DOM JOÃO
Não cabem dois pretendentes
Aqui.

DOM LUÍS
Com todos os demos
Vo-lo provarei!

DOM JOÃO
Veremos.

DOM LUÍS
Ambos nós somos valentes!

(Dom Luís saca da espada; mas Ciutti, que se aproximou cautelosamente com os seus homens até colocar-se atrás dele, subjuga-o.)

Dom João

Vedes? Foi fácil até.

Dom Luís

Traição é!
Vilão!

Dom João

Gritai, se vos praz.
Mas
Ainda uma vez fui feliz.
(A Ciutti.)
Levem-no. Adeus, Dom Luís.
Na luta, como no amor,
Vence o que mais fino for:
Traição é, mas fui feliz!

CENA 8

(Dom João.)

Dom João

Bom lance! e os como este belos
São os que nos dão mais fama.
Enquanto eu lhe roubo a dama,
Ele arrancará os cabelos
Trancado na minha adega.
E ela?... Quando crer achar-se
Com ele... Ha, ha! e queixar-se
Não pode; é fatal a entrega.
Levei-o à prisão, saiu;
Levou-me a mim, e eu saí.
Força era achar-nos aqui
Todos dois, como se viu.
Sua parte nesta festa
Defendia cada qual.
Mas com a fortuna está mal
Dom Luís, e também perde esta.
Mas convém assegurar-se
De Luzia: não sou louco
Para deixar por tão pouco
Tão fino caldo entornar-se.
Eis por ali um vulto negro

Se aproxima... e a meu ver
É o vulto de uma mulher.
Outra aventura? Me alegro!

CENA 9

(Dom João e Brígida.)

Brígida

Cavaleiro?

Dom João

Quem vem lá?

Brígida

Sois Dom João Tenório?

Dom João

É
A beata! Ora viva! À fé,
Que a tinha esquecido já!
Sou eu, não tenha receio.

Brígida

Estais só?

Dom João

Com o diabo.

Brígida

O quê?
Jesus!

Dom João

O diabo é você,
Como firmemente creio.

Brígida

Que coisas que me dizeis!
E logo vós — um diabinho.

Dom João

Que há de lhe encher o bolsinho
Se o serve bem.

Brígida

Vê-lo-eis.

DOM JOÃO

Descarregue logo o peito.
Que fez já?

BRÍGIDA

O que me foi dito
Pelo pajem. Que maldito
Esse Ciutti!

DOM JOÃO

Algum malfeito?

BRÍGIDA

Grande biltre!

DOM JOÃO

Lhe entregou
Uma bolsinha e um papel?

BRÍGIDA

Lendo-o está vossa fiel
Dona Inês.

DOM JOÃO

Já a conversou?

BRÍGIDA

Ora! Conversei-a sim.
Com tal manha e de maneira
Que virá como cordeira
A vós.

DOM JOÃO

Foi fácil assim?

BRÍGIDA

Pobre garça engaiolada
E na gaiola nascida,
Que sabe ela se há mais vida
Nem mais ar aonde voar?
Se nunca viu suas penas
Luzir do sol aos fulgores,
De que se pode ufanar?
Não tem a pobre menina
Dezessete primaveras;
Virgem ainda às primeiras

Fortes impressões do amor,
Jamais concebeu ventura
Para além de sua estância,
Tratada que é desde a infância
Com cauteloso rigor.
E tantos anos monótonos
De solidão e convento
Traziam-lhe o pensamento
Cingido a ponto tão ruim,
A tão reduzido espaço
E a círculo tão mofino,
Que era o claustro o seu destino
E nele o altar o seu fim.
"Aqui está Deus", lhe disseram;
E ela disse: "Aqui o adoro".
"Aqui tens o claustro e o coro".
Ela: "Nada mais há além".
E sem outras ilusões
Que seus sonhos infantis,
Passou dezesseis abris
Não conhecendo outro bem.

DOM JOÃO

E está bonita?

BRÍGIDA

Oh, é um anjo!

DOM JOÃO

Que disse a ela?

BRÍGIDA

Menti!
Quanta coisa lhe meti
Na cabecinha, Dom João!
Falei-lhe do amor, do mundo,
E da corte e dos prazeres;
De como para as mulheres
Sois todo afeto e atenção.
Disse-lhe que éreis um homem
Por seu pai e pelo fado
Para ela destinado.
Pintei-vos morto de amor,
Desesperado por ela,
E por ela perseguido,
E honra e vida decidido

A lhe imolar sem temor.
Enfim, minhas doces frases,
Em seus ouvidos pousando,
Seus desejos acordando,
Avassalaram-lhe o ser;
E no mais dentro do peito
Lhe acenderam uma chama
Tal, que a pobre já vos ama
E só de vós quer saber.

DOM JOÃO

Tão incentiva pintura
Os sentidos já me alheia,
Deixa-me toda a alma cheia
De sua cega paixão.
Começou por uma aposta,
Seguiu por um devaneio,
Gerou logo um terno anseio,
Queima-me hoje o coração.
Pouco me é o centro de um claustro!
Ao mesmo inferno eu baixara
E a estocadas a arrancara
Até aos braços de Satã!
Formosa flor cujo cálix
Ainda não conhece o orvalho,
Vais ser levada ao serralho
De João Tenório amanhã!
Brígida?

BRÍGIDA

Estou-vos ouvindo.
Fazeis-me perder o tino;
Julguei-vos um libertino
Sem alma e sem coração.

DOM JOÃO

E estranha-o? Pois não compreende
Que por objeto tão nobre
Nosso amor dobre, redobre,
Tresdobre?

BRÍGIDA

Tendes razão.

DOM JOÃO

Diga, a que horas se recolhem
As madres?

BRÍGIDA

           Já recolhidas
Estarão. Bem prevenidas
Todas as coisas haveis?

DOM JOÃO

Todas.

BRÍGIDA

          Pois logo que dobrem
Pelas almas, vós com tento
Saltando o muro, ao convento
Fácil acesso tereis
Com a chave que recebestes.
É a de um claustro escuro e estreito;
Segui por ele direito
E ao céu de vossa paixão
Chegareis.

DOM JOÃO

          Podendo eu, Brígida,
Roubar tamanho tesouro,
Dar-lhe-ei o seu peso em ouro.

BRÍGIDA

Por mim roubá-lo-eis, Dom João.

DOM JOÃO

Vá e aguarde-me.

BRÍGIDA

          Vou pois
Entrar pela portaria
E vendar Soror Maria,
A rodeira. Até depois.

(Sai BRÍGIDA e um pouco antes de concluir-se esta cena entra CIUTTI, que para ao fundo, esperando.)

CENA 10

(DOM JOÃO e CIUTTI.)

DOM JOÃO

Pois, senhor, soberbo envite!
Muitas fiz até esta hora.
Por Deus, porém, que a de agora

Será a que mais me acredite.
Mas já vejo que me espera
Ciutti. Meu galgo!

(Chamando-o.)

CIUTTI

                Eis-me aqui.

DOM JOÃO

E Dom Luís?

CIUTTI

              Onde o prendi
Não estorva.

DOM JOÃO

           Agora quisera
Ver a Luzia.

CIUTTI

          Chegar
Podeis aqui. *(Na janela da direita.)* Eu a chamo,
E ela vindo ao meu reclamo,
Podê-la-eis abordar.

DOM JOÃO

Chama-a, pois.

CIUTTI

            Ao sinal pronta,
De que duvidar não pode,
Acudirá.

DOM JOÃO

         Pois se acode,
O resto é por minha conta.

    (CIUTTI chama à janela com uma senha que pareça combinada.
    LUZIA assoma à janela e ao ver DOM JOÃO detem-se um momento.)

CENA 11
(DOM JOÃO, LUZIA e CIUTTI.)

LUZIA

Não espereis entrar.

DOM JOÃO

                              Espero
E quero.

LUZIA

Que quereis? Vamos a ver.

DOM JOÃO

Quero ver.

LUZIA

Ver? Que quereis a esta hora?

DOM JOÃO

Tua senhora.

LUZIA

Ide, fidalgo, em má hora;
Quem pensais que mora aqui?

DOM JOÃO

Don'Ana Pantoja e
Quero ver tua senhora.

LUZIA

Sabeis que casa Don'Ana?

DOM JOÃO

Amanhã.

LUZIA

E há de ser infiel tão já?

DOM JOÃO

Se será!

LUZIA

Não é de Dom Luís Mexia?

DOM JOÃO

Noutro dia!
Hoje é a véspera, Luzia;
Hoje hei de estar com Don'Ana.
E se se casa amanhã,
Amanhã será outro dia.

LUZIA

    Querer-vos-á receber?

DOM JOÃO

    Vai poder.

LUZIA

    Que farei por vos servir?

DOM JOÃO

    Abrir.

LUZIA

    Quem dá acesso a este tesouro?

DOM JOÃO

    Este ouro.

LUZIA

    Ouro!

DOM JOÃO

        É muito! Um desadoro
    De ouro!

LUZIA

        E quanto! Belo, belo!
    Jesus!

DOM JOÃO

        Dize: este castelo
    Vai poder abrir este ouro?

LUZIA

    Oh, se é quem me doura o bico

DOM JOÃO

        (Interrompendo-a.)
    Tão rico!

LUZIA

    Dizei vosso nome então.

DOM JOÃO

    Dom João.

LUZIA

Sem apelido notório?

DOM JOÃO

Tenório.

LUZIA

Oh, almas do Purgatório!
Vós, Dom João?

DOM JOÃO

Que te amedronta
Se a teus olhos se defronta,
Tão rico, Dom João Tenório?

LUZIA

Dai-me algum tempo e talvez...

DOM JOÃO

Às dez?

LUZIA

Onde vos encontro? Aqui?

DOM JOÃO

Aqui.

LUZIA

Cá estareis pontual? Dizei.

DOM JOÃO

Estarei.

LUZIA

Pois a chave vos trarei.

DOM JOÃO

E eu de ouro igual quantidade.

LUZIA

Não falteis.

DOM JOÃO

Sim, de verdade:
Às dez aqui estarei.
Em minha bolsa confia.

LUZIA

Vós, na minha intercessão.

DOM JOÃO

Adeus, pois, franca Luzia.

LUZIA

Adeus, pois, rico Dom João.

(LUZIA fecha a janela e CIUTTI aproxima-se de DOM JOÃO a um sinal deste.)

CENA 12

(DOM JOÃO e CIUTTI.)

DOM JOÃO

(Rindo-se.)
Quem tem ouro, a terra é sua!
Ciutti, sabes meu intento;
Às nove, lá no convento;
E às dez, aqui nesta rua.

(Saem.)

CAI O PANO

Profanação

ATO 3

(Cela de Dona Inês. Uma porta ao fundo e outra à esquerda.)

CENA 1

(Dona Inês e a Abadessa.)

ABADESSA

    Entendestes, minha filha?

DONA INÊS

    Sim, Madre.

ABADESSA

        Está muito bem.
A vontade decisiva
De vosso pai assim é.
Sois moça, cândida e boa;
No claustro vivido tendes
Quase desde que nascestes;
E para ficardes nele
Atada com santos votos
Para sempre, não tereis,
Como outras, provas difíceis,
Penitências que fazer.
Ditosa mil vezes sois,
Ditosa, sim, Dona Inês,
Que, não conhecendo o mundo,
Não precisais de o temer.
Ditosa vós que do claustro
Ao passar sob o dintel,
Não olhareis para trás
A ver o que deixareis,
E as recordações mundanas
Do bulício e do prazer
Não turbarão vosso espírito
Do altar santíssimo aos pés.
Pois, ignorando o que existe
Atrás das santas paredes,
O que atrás delas se passa
Jamais apetecereis.
Mansa pombinha, que fostes

Acostumada a comer
Na mão do dono, criada
Em doméstico vergel,
Nunca ansiareis vossas asas
Pelos ares estender.
Lírio gentil, cujo talo
Afagaram só tal vez
As embalsamadas auras
Do mais florescido mês,
Aqui, aos beijos da brisa,
Vosso cálix abrireis,
E aqui virão vossas folhas
Tranquilamente morrer.
E no pedaço de terra
Que abarca nossa estreiteza,
E no pedaço de céu
Que pelas grades se vê,
Não vereis mais do que um leito
Onde sonhando jazer,
E um véu azul suspendido
Às portas do Éden... Invejo-vos,
Ah em verdade vos invejo,
Venturosa Dona Inês,
Vossa inocente virtude,
Virtude do não saber.
Mas por que estais cabisbaixa?
Por que não me respondeis,
Como outras vezes alegre,
Quando nisto vos falei?
Suspirais? Oh! Compreendo:
Inquieta estais por não ver
De volta aqui vossa aia.
Porém nada receeis:
À casa de vosso pai
Foi quase ao anoitecer,
E embaixo, na portaria,
Deve estar; vo-la enviarei,
Que estou de guarda esta noite.
Com que, vamos, Dona Inês,
Recolhei-vos, que é já hora;
Mau exemplo não me deis
Às noviças, que já tempo
Há que dormem. Até sempre,
Filha.

DONA INÊS
      Adeus, Madre Abadessa.

CENA 2

(Dona Inês.)

Dona Inês

Foi-se a Madre — felizmente!
Não sei que tenho, aì de mim!
Que em tumultuoso tropel
Mil encontradas ideias
Me acodem ao mesmo tempo.
Noutras noites, comprazida,
As palavras lhe escutei
E desses quadros tranquilos,
Que sabe pintar tão bem;
Desses prazeres domésticos
A ditosa singeleza
E a calma tão venturosa
Fizeram-me apetecer
A soledade dos claustros,
Sua santa rigidez.
Mas hoje a ouvi distraída
E nas práticas lhe achei
Senão coisas enfadonhas,
Pelo menos aridez.
E não sei por que, ao dizer-me
Que bem poderia ser
Que se acelerasse o dia
De eu professar, me assustei,
E senti do coração
Se me apressar o vaivém,
E tingir-se-me o semblante
De amarela palidez.
Ai de mim! Mas a minh'aia
Onde andará?... Essa mulher,
Ao cabo, com suas práticas,
Muitas vezes me entretém.
E hoje me faz falta... Acaso
Porque estou para a perder;
Porque em professando, cumpre
Renunciar a quanto amei,
Mas ouço passos no pátio;
Oh, já reconheço bem
Suas pisadas... É ela.

CENA 3

(Dona Inês e Brígida.)

Brígida

Boas noites, Dona Inês.

Dona Inês

Por que demoraste tanto?

Brígida

Vou fechar a porta...

Dona Inês

Não!
Bem sabes da proibição.

Brígida

Isso é bom, é muito santo
Para as outras, as que um dia
A Deus se irão consagrar;
A vós não se há de aplicar.

Dona Inês

Não vês que isso desafia
As regras do monastério,
Que não permitem...

Brígida

Bah! Bah!
Mais seguro assim se está
E se fala sem mistério
Ou estorvo. E o livro? Já o lestes?

Dona Inês

Ai, que me tinha esquecido!

Brígida

Não compreendo, anjo querido,
Um esquecimento destes!

Dona Inês

Foi porque a Madre abadessa
Entrou aqui imediatamente
Depois.

BRÍGIDA

Velha impertinente!

DONA INÊS

Pois tanto o livro interessa?

BRÍGIDA

Se interessa? Nem discuto!
Imaginai a aflição
Do que o mandou!

DONA INÊS

Quem?

BRÍGIDA

Dom João.

DONA INÊS

Valham-me os céus! O que escuto?
É Dom João o que mo envia?

BRÍGIDA

É sim.

DONA INÊS

Oh! então não posso
Aceitá-lo.

BRÍGIDA

Pobre moço!
Desfeiteá-lo assim seria
Matá-lo.

DONA INÊS

Que estás dizendo?

BRÍGIDA

Se o livro lhe devolveis,
Tal mágoa lhe causareis,
Que adoecerá, já estou vendo.

DONA INÊS

Não, não; isso não, coitado.
Que amor de livro!

BRÍGIDA

                    Pudera!
Quem quer agradar se esmera,
Põe nisso todo o cuidado.

DONA INÊS

Olha estes filetes de ouro
Luzindo no couro preto...
Vamos a ver se completo
Contém o ofício do coro.
        (Abre o livro de horas e das folhas cai uma carta.)
Que caiu?

BRÍGIDA

            Um papelzinho.

DONA INÊS

Uma carta!

BRÍGIDA

                Claro está.
E nessa carta estará
Remetendo um presentinho.

DONA INÊS

Quê? É dele a carta que vem
No livro?

BRÍGIDA

                Oh, minha inocente!
Se vem no livro, é evidente
Que é dele a carta também.

DONA INÊS

Ai, Jesus!

BRÍGIDA

                Que tendes?

DONA INÊS

                            Ah!
Não é nada, não é nada.

BRÍGIDA

Nada e estais tão demudada?
        (À parte.)

Presa na rede já está.
Já passou?

DONA INÊS

Sim.

BRÍGIDA

Terá sido
Um enjoozinho leve.

DONA INÊS

Sinto em fogo a mão que teve
Esse livrinho sentido.

BRÍGIDA

Santo Deus, que palidez!
Jamais vos vi eu assim.
Estais trêmula.

DONA INÊS

Ai de mim!

BRÍGIDA

Que é que sentis, Dona Inês?

DONA INÊS

O campo de minha mente
Sinto que cruzam perdidas
Mil sombras desconhecidas
Que me inquietam vagamente,
E há tempos à alma me dão
Com seu tumulto tortura.

BRÍGIDA

Tem alguma, por ventura,
O semblante de Dom João?

DONA INÊS

Não sei... Mas desde que o vi,
Brígida minha, e disseste
O seu nome, a imagem deste
Homem não me sai daqui.
        (Leva a mão à cabeça.)
Dia e noite me distraio
Pensando nele, e se cesso
E por um segundo o esqueço,

Logo em meu sonhar recaio.
Não sei que fascinação
Exerce nos meus sentidos,
Que sempre nele atraídos
Trago a mente e o coração;
E aqui como no oratório,
Ou onde quer que esteja, advirto
Que o pensamento divirto
Com a imagem de Tenório:
Em tudo minh'alma o vê.

BRÍGIDA

Segundo estais explicando,
Tentações já me vão dando
De crer que amor isso é.

DONA INÊS

Amor dizes?

BRÍGIDA

Sim, amor.

DONA INÊS

Não, de nenhuma maneira.

BRÍGIDA

Pois por amor o entendera
O menos entendedor.
Mas à carta! Vamos ver
O que diz.

DONA INÊS

Ai!

BRÍGIDA

Um suspiro?

DONA INÊS

Quanto mais, Brígida, a miro,
Menos me atrevo de a ler.
    (Lê.)
"Inês do meu coração"...
Que princípio, Virgem Santa!

BRÍGIDA

Virá em verso, é a introdução

Da poesia em que vos canta.
Vamos, prossegui a leitura!

DONA INÊS

    (Lê.)
"Ser que do alto empíreo tombas,
Ó a mais formosa das pombas
Privada da luz do céu!
Se te dignas nestas letras
Pôr esses olhos que adoro,
Lê até o fim, rogo, imploro,
O que esta mão te escreveu."

BRÍGIDA

Que humildade e que finura!
Como é gracioso e distinto!

DONA INÊS

Brígida, não sei que sinto.

BRÍGIDA

Mas continuai na leitura.

DONA INÊS

    (Lê.)
"Nossos pais, de mútuo acordo,
Nossas bodas contrataram,
Inês, porque os céus juntaram
Os destinos de nós dois.
E desde então afagada
Por tão risonha esperança,
Minh'alma, Inês, não alcança
Outro porvir ao depois.
De amor com ela em meu peito
Brotou uma chispa ligeira,
Que mudaram em fogueira
Tempo e afeição tenaz.
E esta chama, que em mim mesmo
Se alimenta, inextinguível,
Cada dia mais terrível
Vai crescendo e mais voraz."

BRÍGIDA

Claro; esperar lhe fizeram
Em vosso amor, quando, um dia,
As raízes estendia

Fundo, arrancar-lho quiseram.
Segui.

DONA INÊS

    (Lê.)

     "Em vão a apagá-la
Concorreram tempo e ausência,
Que é já, com incrível violência,
Vulcão aberto a meus pés.
E eu, que à beira da cratera
Me agarro, peno e pelejo,
Desamparado me vejo
Entre a campa e minha Inês!"

BRÍGIDA

Boa Inês, se ao pobre amante
Não acudis — Deus lhe valha!
Cortai-lhe logo a mortalha.

DONA INÊS

Ai que desfaleço!

BRÍGIDA

         Adiante.

DONA INÊS

    (Lê.)

"Inês, alma de minh'alma.
Doce imã de minha vida,
Solta pérola escondida
Entre os sargaços do mar;
Mimosa, cândida garça,
Que nunca até aqui deixou o
Ninho para alçar o voo
No azul transparente do ar:
O mundo afligida miras,
E pelo mundo suspiras
E tua libertação,
Lembra-te de que ao pé mesmo
Desses muros que te guardam,
Para salvar-te te aguardam
Os braços de teu Dom João."
Valei-me, Senhora minha,
Que me sinto desmaiar!

BRÍGIDA

(À parte.)
Mordeu no anzol a bobinha.
Adiante, que está a acabar.

DONA INÊS

(Lê.)
"Lembra-te tu de quem chora
Junto à tua gelosia;
Ali o surpreende o dia,
E a noite o depara ali;
Lembra-te, Inês, de quem vive
Só por ti, minha alegria,
E que a teus pés correria
Caso o chamasses a ti."

BRÍGIDA

Vedes? Viria.

DONA INÊS

Viria?

BRÍGIDA

Prosternar-se aos vossos pés.

DONA INÊS

Pode?

BRÍGIDA

Oh sim!

DONA INÊS

Virgem Maria!

BRÍGIDA

Mas acabai, Dona Inês.

DONA INÊS

(Lê.)
"Adeus, ó luz de meus olhos!
Adeus, Inês de minh'alma;
Medita por Deus com calma
Nas palavras que aqui vão,
E se odeias a clausura
Que ser teu sepulcro deve,
Manda, que a tudo se atreve

DOM JOÃO TENÓRIO

1087

Por teus encantos Dom João."
Ai que filtro envenenado
Pôs ele no que escreveu,
Que assim me bate turbado
O coração todo seu?
Que instintos adormecidos
São os que revela em mim?
Que impulsos jamais sentidos,
Que luz que nunca vi assim?
O que é que engendra em minh'alma
Tão nova e funda emoção?
Quem me rouba a doce calma
Do coração?

BRÍGIDA

Quem? Dom João!

DONA INÊS

Dom João! Que funesto azar
Não mo consente esquecer?
Só seu nome hei de escutar,
Só sua sombra hei de ver?
Bem que ele disse que os céus
Por seus vínculos divinos
Juntaram nossos destinos...

BRÍGIDA

Psiu!

DONA INÊS

Que é?

BRÍGIDA

Silêncio, por Deus!

(Ouve-se o sino tocar pelas almas.)

DONA INÊS

Mas...

BRÍGIDA

Calai; não percebeis
Rumor?

DONA INÊS

Nada de assustar;

É o sino que está a tocar
Pelas almas.

BRÍGIDA

                    Não faleis
Dele, Dona Inês!

DONA INÊS

                        Céu santo!
De quem?

BRÍGIDA

                    De quem há de ser?
Desse Dom João que amais tanto,
Porque pode aparecer.

DONA INÊS

Me dás medo. Pode aquele
Homem entrar até cá?

BRÍGIDA

Pode, o eco do nome dele
Talvez chegue aonde ele está.

DONA INÊS

E poderá...?

BRÍGIDA

                Talvez.

DONA INÊS

                        Ave
Maria! É espírito pois?

BRÍGIDA

Não; mas se tem uma chave...

DONA INÊS

Deus!

BRÍGIDA

            Silêncio, por quem sois!
Não ouvis passos?

DONA INÊS

                    Agora
Nada ouço.

BRÍGIDA

As nove dão.
Sobem... Vêm perto... Senhora...
Já estão aqui...

DONA INÊS

Quem?

BRÍGIDA

Dom João!

CENA 4
(DONA INÊS, DOM JOÃO e BRÍGIDA.)

DONA INÊS

Que é isto? Sonho...? Deliro...?

DOM JOÃO

Inês do meu coração!

DONA INÊS

É realidade o que miro,
Ou é alucinação...?
Amparai-me... Mal respiro...
Sombra... vai, por compaixão!
Céus, ai de mim!

(Desmaia DONA INÊS e DOM JOÃO ampara-a. A carta de DOM JOÃO fica
caída no chão, largada por DONA INÊS ao desmaiar.)

BRÍGIDA

Fascinou-a
Vossa repentina entrada,
E o pavor a transtornou.

DOM JOÃO

Melhor; assim nos poupou
A metade da jornada.
Eia! Não desperdicemos
O tempo aqui em contemplá-la,
Se perder-nos não queremos.
Em meus braços carregá-la
Vou, e quanto antes ganhemos
Esse claustro solitário.

BRÍGIDA

Oh! Ides levá-la? E se...

DOM JOÃO

Néscia! Pensas que rompi
A clausura, temerário,
Para abandoná-la aqui?
Ciutti lá embaixo me espera.
Segue-me.

BRÍGIDA

Sem alma estou.
Ai! Este homem é uma fera:
Nada o atalha nem o altera...
Sim, sim; à sua sombra vou.

CENA 5

(A Abadessa.)

ABADESSA

Juraria ter ouvido
Por estes claustros andar;
Hoje a Dona Inês velar
Algo mais foi permitido,
E apreendo... Mas não estão
Cá. Que pôde sobrevir
Às duas para sair
Da cela agora? Aonde irão?
Deixe estar que as insubmissas
Haverão de expiar e bem
Esta, para que não deem
Maus exemplos às noviças.
Mas ouço passos lá fora.
Serão... Quem vai?

CENA 6

(A Abadessa e a Torneira.)

TORNEIRA

Eu, senhora.

ABADESSA

No claustro vós, a esta hora?
Que se passa, irmã rodeira?

RODEIRA

Madre abadessa, eu buscava-a.

ABADESSA

Que há? Dizei.

RODEIRA

Um nobre ancião
Que quer falar-vos.

ABADESSA

Ah, não.

RODEIRA

Disse que é de Calatrava
Cavaleiro, e o tempo escasso
Para tomar providência
Num caso que pede urgência,
Autoriza-o a este passo.

ABADESSA

Disse o seu nome?

RODEIRA

O senhor
Dom Gonçalo Ulhôa.

ABADESSA

Que
Pode querer? Pois abri,
Irmã, que é Comendador
Da Ordem, e tem direito,
Neste convento, de entrada.

CENA 7

(A ABADESSA e DOM GONÇALO depois.)

ABADESSA

A hora tão avançada
Vir ele aqui? Não suspeito
Que possa ser... Mas me apraz
Por Inês; vai repreendê-la
Por esta ausência, e assim ela
De outra vez verá o que faz.

CENA 8

(A Abadessa, Dom Gonçalo e a Rodeira, está à porta.)

DOM GONÇALO

Desculpai, Madre abadessa,
Que eu a esta hora vos moleste;
Mas para mim caso é este
Que honra e vida me interessa.

ABADESSA

Jesus!

DOM GONÇALO

Ouvi.

ABADESSA

Falai.

DOM GONÇALO

Brilha
Com mais quilates que o ouro
Esse adorado tesouro
Que vos confiei — minha filha.

ABADESSA

A propósito...

DOM GONÇALO

Escutai:
Acabam de me contar
Que viram sua aia a andar
Na cidade com um tratante,
Pajem de um Dom João Tenório,
Que por malvado e atrevido
Mais do que nenhum é tido,
E tem renome notório.
Tempos atrás se pensou
Em com ele Inês casar,
E hoje, que lha fui negar,
Roubar-ma o biltre jurou.
Isto é o que me causa alarme,
Pois que dúvida não há
Que a aia peitada já está
E preciso acautelar-me.
E um dia, uma hora aliás,
Que sei? talvez lhe bastasse

Ao filho de Satanás
Para que a honra me manchasse.
Vede o que n'alma me vai!
Pela aia, em conclusão,
Venho; vós a profissão
De Dona Inês abreviai.

ABADESSA

Sois pai; compreendo, e em consciência
Vos perdoo, Comendador;
Mas a vossa interferência
Ofende o meu pundonor.

DOM GONÇALO

Não conheceis o inimigo.

ABADESSA

Ainda que o pintais tão feio,
Podeis ficar sem receio,
Inês estando comigo.

DOM GONÇALO

Creio bem, mas as razões
Abreviemos; entregai-me
Esta aia, Madre, e perdoai-me
As mundanas opiniões.
Se vós de vossa virtude
Me respondeis, eu me fundo
Em que conheço do mundo
A insensata juventude.

ABADESSA

Far-se-á conforme quereis,
Senhor. *(À IRMÃ RODEIRA.)* Irmã, conduzi
Dona Inês e sua aia aqui
Sem demora.

DOM GONÇALO

                    Que dizeis?
Ou traição me terá feito
Minha memória, ou sei bem
Que esta é hora em que se têm
Por deitadas em seu leito.

ABADESSA

Quando, faz pouco, aqui entrei,
Tinham saído.

DOM GONÇALO

Meu Deus!
Ai, por que tremo não sei!
Mas que é isto, justos Céus?
Um papel... *(Apanha a carta.)* O que eu temia!
Uma carta! E é de Dom João!

(Lendo.)

"Inês do meu coração..."
Bem que o instinto mo advertia!
Lede! O peito se me estala!
Vede... Oh, enquanto vós rezais
E por ela a Deus rogais,
Vem o demônio roubá-la.

CENA 9
(A Abadessa, Dom Gonçalo e a Rodeira.)

RODEIRA

Madre...

ABADESSA

Falai.

RODEIRA

Venho morta...
Nem acerto... a respirar...
Eu vi... vi um homem... saltar
Por sobre o muro da horta.

DOM GONÇALO

Ai, corramos! Acudi!

ABADESSA

Aonde ides, senhor, agora?

DOM GONÇALO

Trás minha honra, senhora,
Que vos roubaram daqui!

CAI O PANO

O diabo às portas do céu

ATO 4

(Quinta de Dom João nos arredores de Sevilha e sobre o Guadalquivir. Balcão ao fundo. Duas portas de cada lado.)

CENA 1

(BRÍGIDA e CIUTTI.)

BRÍGIDA

Que noite, valha-me Deus!
Noutra não me há de pegar,
Que jamais quero servir
A tão fogoso galã.
Ai, Ciutti! Moída estou,
E mal me posso menear.

CIUTTI

E o que vos dói?

BRÍGIDA

Dói-me tudo!
Dói-me o corpo e dói-me a alma.

CIUTTI

É que não estais habituada
Ao cavalo, é natural.

BRÍGIDA

Mil vezes pensei cair.
Uf! que afã, que mal-estar!
Via umas atrás das outras
Ante os meus olhos passar
As árvores como em alas
Levadas num furacão,
Tão depressa e produzindo-me
Ilusão tão infernal,
Que perderia os sentidos
Se tardamos em parar.

CIUTTI

Pois destas coisas vereis,

Se nesta casa ficais,
Ao menos seis por semana.

BRÍGIDA

Jesus!

CIUTTI

E a menina está
Ainda desfalecida?

BRÍGIDA

Para que se há de a acordar?

CIUTTI

Sim; é melhor que abra os olhos
Entre os braços de Dom João.

BRÍGIDA

O teu amo dever ter
Algum demo familiar.

CIUTTI

Acredito que ele mesmo
É um demo em carne mortal,
Porque ao que afoito se arroja,
Só se arroja Satanás!

BRÍGIDA

Oh, o lance foi extremado!

CIUTTI

Mas o fim logrado está.

BRÍGIDA

Sair assim de um convento,
Meu Deus, numa Capital
Como Sevilha!

CIUTTI

É aventura
Somente para homem tal;
Mas, que diabo! se a seu lado
A fortuna sempre vai,
E sempre a seus pés submisso
Dorme agrilhoado o azar!

BRÍGIDA

Dizeis bem.

CIUTTI

      Nunca vi homem
De coração mais audaz;
Não há risco que o assuste,
Nem encontra oposição
Que, ao empenhar-se em vencer,
Lhe faça um instante hesitar.
A tudo ousado arremete,
De tudo se vê capaz,
Não atenta aonde se mete,
Nem o pergunta jamais.
"Ali há risco", lhe dizem;
"Pois para lá vai Dom João?"
Responde. Mas já é tarde.

BRÍGIDA

Já deram na catedral
As doze há tempo.

CIUTTI

       E de volta
Devia às doze de estar.

BRÍGIDA

Mas por que é que ele não veio
Conosco?

CIUTTI

     Disse que lá
Na cidade tinha ainda
Quatro coisas que ajustar.

BRÍGIDA

Para a viagem?

CIUTTI

      Sim, decerto;
Ainda que fácil será
Que esta noite para o inferno
O façam a ele viajar.

BRÍGIDA

Jesus, que ideias!

CIUTTI

                    Pois digo:
São obras de se louvar
As em que nos empregamos,
Para outra coisa esperar?
Como quer que seja, é certo
Que ele volta para cá.

BRÍGIDA

Deveras, Ciutti?

CIUTTI

                    Deveras.
Vinde a este balcão e olhai;
Que vedes?

BRÍGIDA

               Um bergantim
No rio ancorado está.

CIUTTI

Pois o arrais aguarda apenas
Que as ordens lhe dê Dom João,
E salvos em todo caso
À Itália nos levará.

BRÍGIDA

Verdade?

CIUTTI

              E nada receeis
Pelo nosso bem-estar,
Que esse barco é o mais veleiro
Que já vogou sobre o mar.

BRÍGIDA

Psiu! Já ouço a Dona Inês...

CIUTTI

Pois vou indo, que Dom João
Determinou que só vós
Podeis com ela falar.

BRÍGIDA

Andou bem, porque eu entendo
Disto.

CIUTTI

        Adeus pois.

BRÍGIDA

                Ide em paz.

CENA 2
(DONA INÊS e BRÍGIDA.)

DONA INÊS

        Deus do céu, como sonhei!
        Louca estou! Que hora será?
        Mas o que é isto, ai de mim?
        Não me lembra que jamais
        Tenha visto este aposento.
        Quem me trouxe aqui?

BRÍGIDA

                Dom João.

DONA INÊS

        Sempre Dom João... Mas também
        Estás aqui? Dize cá,
        Brígida.

BRÍGIDA

        Sim, Dona Inês.

DONA INÊS

        Sabes acaso informar
        Onde estamos? Este quarto
        É do convento?

BRÍGIDA

              Ah que não!
        Aquilo era uma pocilga,
        Onde não havia mais
        Que miséria.

DONA INÊS

            Mas, enfim,
        Onde é que estamos?

BRÍGIDA

              Olhai,
        Olhai por este balcão,

E alcançareis o que vai
De uma habitação de freiras
A uma quinta de Dom João.

DONA INÊS

É de João esta quinta?

BRÍGIDA

E creio que vossa é já.

DONA INÊS

Mas não compreendo, Brígida,
O que dizes.

BRÍGIDA

Escutai!
Estáveis lá no convento
Lendo com muita atenção
Uma carta de Dom João,
Quando estalou num momento
Um incêndio formidável.

DONA INÊS

Jesus!

BRÍGIDA

Espantoso, imenso;
O fumo era já tão denso,
Que o ar se tornou palpável.

DONA INÊS

Não estou me recordando...

BRÍGIDA

Ambas na carta entretidas,
Esquecemos nossas vidas,
Eu lendo, vós escutando.
E em verdade era tão terna,
Tanto, que à sua leitura
Atribuímos a tortura
Que sentíamos interna.
Afinal mal respirar
Podíamos; eis que as chamas
Já envolviam nossas camas;
Estávamos a asfixiar,
Quando Dom João, que vos ama,

E que rondava o convento,
Ao ver aumentar com o vento
A devastadora chama,
Com inaudito valor,
Vendo que íeis abrasar-vos
Meteu-se para salvar-vos
Por onde pôde melhor.
Vós, vendo-o assim assaltar
A cela tão de repente,
Esmaiastes... naturalmente,
A coisa era de esperar.
Vendo-vos caída ali,
Em seus braços vos tomou
E safou-se; eu o segui,
E do fogo nos salvou.
Para onde ir àquela hora?
Continuáveis desmaiada;
Eu, já quase sufocada.
Disse-me ele pois: "De agora
Nesta minha casa, até
Vir o sol, fica hospedada."

DONA INÊS

Esta é a casa dele?

BRÍGIDA

É.

DONA INÊS

Pois não me lembro de nada.
Mas... em casa dele! Oh, vamos
Embora daqui! Eu tenho
A de meu pai.

BRÍGIDA

Sim, convenho
Convosco; mas não estamos
Em condições de partir.

DONA INÊS

O quê?

BRÍGIDA

Ouvi, minha filha,
Aparta-nos de Sevilha...

DONA INÊS

Quem?

BRÍGIDA

Vede, o Guadalquivir.

DONA INÊS

Pois não estamos na cidade?

BRÍGIDA

A uma légua nós achamos
De seus muros.

DONA INÊS

Céus! Estamos
Perdidas!

BRÍGIDA

Por quê? Em verdade
Não sei.

DONA INÊS

Estais-me enganando,
Brígida... e não sei que redes
São as que entre estas paredes
Temo que me estás lançando.
Nunca o claustro abandonei,
A par dos usos não estou
Do mundo, mas nobre sou,
Tenho honra, Brígida, e sei
Que a morada de Dom João
Não é lugar para mim;
Está dizendo-me assim
Não sei que vaga intuição.
Vem, fujamos.

BRÍGIDA

Não façais
Isso: a vida vos salvou.

DONA INÊS

Sim, porém me envenenou o
Coração.

BRÍGIDA

Então o amais?...

DONA INÊS

> Não sei... mas, por compaixão,
> Vamos desse homem fugir,
> Pois só de o nome lhe ouvir
> Se me escapa o coração.
> Ah, tu me trouxeste aquele
> Bilhete por ele escrito,
> E algum encanto maldito
> Me deste encerrado nele.
> Somente uma vez o vi
> Por entre umas gelosias,
> E que estava me dizias
> Por minha pessoa ali.
> Tu sempre, a todas as horas,
> Me vinhas dele falar,
> Fazendo-me recordar
> Suas graças fascinadoras.
> Tu disseste que me estava
> Para esposo destinado
> Por meu pai, e me hás jurado
> Em seu nome que me amava.
> Dizes que o amo?... Pois bem:
> Se isto é amar, sim, eu o amo;
> Porém eu sei que me infamo
> Com essa paixão também.
> Se a fraqueza de meu ser
> Me leva para Dom João,
> Tirando-me dele estão
> Minha honra e meu dever.
> Vamos pois; vamos daqui
> Primeiro que esse homem venha,
> Pois talvez força eu não tenha
> Se o vejo chegar.

BRÍGIDA

> Ouvi!...

DONA INÊS

Não ouço nada.

BRÍGIDA

> Escutai.

DONA INÊS

O que é?

BRÍGIDA

        Um ruído de remos.

DONA INÊS

        Sim, tens razão; voltaremos
        Num bote à cidade.

BRÍGIDA

                    Olhai,
        Olhai, Dona Inês, aquele...

DONA INÊS

        Acaba, por Deus; partamos.

BRÍGIDA

        Não vejo como saiamos.

DONA INÊS

        Por que razão?

BRÍGIDA

                Porque é ele
        Que nesse bote desliza
        Pelo rio para cá.

DONA INÊS

        Ai, Deus! quem me salvará?

BRÍGIDA

        Já chegou; já em terra pisa.
        Seus homens nos levarão
        À casa; mas antes de ir-nos,
        É preciso despedir-nos
        Pelo menos de Dom João.

DONA INÊS

        Saiamos já, neste instante.
        Não o quero voltar a ver.

BRÍGIDA

        Far-vos-á os olhos volver
        Quando lhe estiverdes diante.
        Vamos.

DONA INÊS

            Vamos.

CIUTTI

(Lá dentro.)
Aqui estão.

DONA INÊS

Minha Virgem das Mercês!

CENA 3
(As mesmas e DOM JOÃO.)

DOM JOÃO

Aonde ides, Dona Inês?

DOM INÊS

Deixai-me sair, Dom João.

DOM JOÃO

Deixar-vos sair?

BRÍGIDA

Senhor,
Sabendo já do acidente
Do incêndio, estará impaciente
Por ela o Comendador.

DOM JOÃO

Ah! Mas não tenhais cuidado
Por Dom Gonçalo, que já
Dormir tranquilo o fará,
Dona Inês, o meu recado.

DONA INÊS

Dissestes...?

DOM JOÃO

Que vos acháveis
Em meu amparo segura,
E do campo a aragem pura
Livre por fim respiráveis.

(Sai BRÍGIDA.)

DOM JOÃO

Acalma-te, vida minha;
Repousa aqui, e um momento
Esquece do teu convento

A triste cela mesquinha.
Não é certo, anjo de amor,
Que neste quieto recanto
Tem o luar mais encanto,
E se respira melhor?
A errante brisa, que plena
Vem dos singelos olores
Que das campesinas flores
Sobem nesta riba amena;
Esta aura pura e serena
Que atravessa sem temor
Do noturno pescador
A solitária barquinha,
Não é certo, pomba minha,
Que estão respirando amor?
Esta harmonia que o vento
Recolhe entre essas fileiras
De milhares de oliveiras,
Que agita com manso alento;
O dulcíssimo lamento,
De acento enternecedor,
Do rouxinol trinador,
Que nessas copas se aninha,
Pois não é, gazela minha,
Que estão respirando amor?
E estas palavras que estão
Filtrando insensivelmente
Em teu coração, pendente
Já dos lábios de Dom João,
E cujas ideias vão
Ateando em seu interior
Um fogo germinador
Em que incendido já vinha,
Não é certo, estrela minha,
Que estão respirando amor?
E essas pérolas tão belas
Que se desprendem tranquilas
De tuas claras pupilas,
Convidando-me a bebê-las
Para sumidas não vê-las
De si mesmas ao calor,
E essa alvorecida cor
Que o teu semblante não tinha,
Pois não é, formosa minha,
Que estão respirando amor?
Oh sim! belíssima Inês,

Luz de meus olhos em chamas!
Se me ouves sem altivez
Nem enfado, é que tu me amas.
Olha aqui posto a teus pés
Todo o orgulhoso rigor
Deste coração traidor,
Que por isento se tinha,
Adorando, vida minha,
Os grilhões do teu amor.

DONA INÊS

Calai, por Deus, oh! Dom João,
Que não poderei sofrer
Muito tempo, sem morrer,
Tão grande e nova emoção.
Ah calai, por compaixão;
Que, ouvindo-vos, me parece
Que minha mente enlouquece,
Se abrasa o meu coração.
Ah! destes-me de beber
Uma infernal medicina
Que vos ajuda a vencer
A virtude feminina.
Talvez possuais, Dom João,
Um misterioso amuleto
Que é como um ímã secreto
Que vos dá tanta atração.
Talvez tenha colocado
Satã seu olhar em vós,
Sua sedutora voz,
Seu amor a Deus negado.
E que posso fazer, se
O coração em pedaços
Me ides roubando daqui,
Senão vos cair nos braços?
Já não tenho o poderio
Para resistir-te, ai!
E vou a ti como vai,
Sorvido, ao mar esse rio.
Tua presença me alheia,
Tuas frases me alucinam,
Teus olhares me fascinam,
Teu hálito me incendeia.
Dom João! Dom João! Eu te imploro
Da fidalga compaixão:
Ou arranca-me o coração,
Ou ama-me, porque eu te adoro.

DOM JOÃO

Alma minha, o que disseste
Muda em tal modo o meu ser,
Que entendo possa fazer
Se me abra o Éden celeste.
Não é Satã que me impele
Para ti e pôs em mim
Este amor: foi Deus, que assim
Me quis ganhar para Ele.
O amor que hoje se entesoura
Em meu coração mortal,
Não é um amor terrenal
Como o que senti até agora;
Não é essa chispa fugaz
Que qualquer rajada apaga:
É, sim, o incêndio que traga
Quanto vê, imenso e voraz.
Bane, pois, toda inquietude,
Belíssima Dona Inês,
Porque me sinto a teus pés
Capaz até de virtude.
Meu orgulho irei prostrar
Ante o bom Comendador,
E ou me dará teu amor,
Ou terá que me matar.

DONA INÊS

Dom João do meu coração!

DOM JOÃO

Silêncio!

DONA INÊS

Que houve?

DOM JOÃO

Atracou
Lá embaixo uma embarcação
E um embuçado saltou
Em terra.
          (Entra BRÍGIDA.)
                    Neste momento,
Brígida, passai, tu e ela,
Para aquele outro aposento,
E me perdoai, Inês bela,
Se só me importa ficar.

DONA INÊS

    Tardarás?

DOM JOÃO

        Pouco há de ser.

DONA INÊS

    A meu pai temos que ver.

DOM JOÃO

    Sim, quando o dia clarear.
    Adeus.

CENA 4

(DOM JOÃO e CIUTTI.)

CIUTTI

     Senhor.

DOM JOÃO

       Que sucede,
    Ciutti?

CIUTTI

     Aí está um embuçado,
    Que para falar-vos pede.

DOM JOÃO

    Quem é?

CIUTTI

      Não sei. Perguntado,
    Não quis dizer para nós
    Seu nome. O assunto interessa,
    Diz, à vida de ambos vós
    E é coisa de muita pressa.

DOM JOÃO

    E nesse desconhecido
    Não viste sinal algum
    Que nos oriente?

CIUTTI

      Nenhum;
    Mas a ver-nos decidido
    Vem.

DOM JOÃO

>Jogamos ao acaso
>A vida... Ciutti, e traz gente?

CIUTTI

Os remadores somente.

DOM JOÃO

Então fá-lo entrar.

CENA 5
(DOM JOÃO e depois CIUTTI e DOM LUÍS embuçado.)

DOM JOÃO

>Se o caso
>É de um traidor que a esta quinta
>Me tiver acompanhado,
>Há de me encontrar armado
>De espada e pistola à cinta.

(Cinge a espada e suspende ao cinto um par de pistolas, que terá colocado sobre a mesa à sua saída na cena III. Nesse instante entra CIUTTI, introduzindo DOM LUÍS, que, embuçado até os olhos, espera que ele e DOM JOÃO fiquem a sós. DOM JOÃO faz a CIUTTI um sinal para que se retire e CIUTTI sai.)

CENA 6
(DOM JOÃO e DOM LUÍS.)

DOM JOÃO

>*(À parte.)*
>Guapo. Bem-vindo sejais,
>Meu Cavalheiro.

DOM LUÍS

>Obrigado,
>Meu fidalgo.

DOM JOÃO

>Sem cuidado
>Falai.

DOM LUÍS

>Não o tive jamais.

DOM JOÃO

>Dizei: que vos arrastou
>Aqui às horas que são?

Dom Luís

Venho matar-vos, Dom João.

Dom João

Dom Luís?

Dom Luís

Não vos enganou
O pressago coração.
O tempo não malgastemos,
Dom João; os dois não cabemos
Já na terra.

Dom João

Em conclusão,
Dom Luís, quereis vós dizer
Que, porque vos ganhei esta,
Há de se acabar a festa
Indo agora nos bater?

Dom Luís

Fala por vós a razão:
A vida apostada temos,
E é força que nos paguemos.

Dom João

Sou da mesma opinião.
Devo porém advertir:
Por vós é que foi perdida
A aposta.

Dom Luís

Por isso a vida
Vos trago; porém morrer
Não deve — fora desdouro —
Quem traz no cinto uma espada,
Como uma rês destinada
Por seu dono ao matadouro.

Dom João

Nem eu creio que resquício
Tereis jamais encontrado
Para me haverdes tomado
Por magarefe de ofício.

DOM LUÍS

De nenhum modo; e tereis
Visto, pois vos vim buscar,
Quanto em vós devo fiar.

DOM JOÃO

Não mais do que o que podeis.
Para minha fidalguia
Mostrar-vos, dizei então
Se ainda e como poderia
Eu dar-vos satisfação.
Leal aposta vos ganhei;
Mas se ficastes sentido,
Vede se achais conhecido
Remédio, e o aplicarei.

DOM LUÍS

Não há melhor que o proposto,
Dom João. Se me manietastes,
Se só em minha casa entrastes
Me usurpando o nome e posto;
Se em verdade só por manha
Sobre Don'Ana triunfastes,
Não sois vós, Dom João, quem ganha,
Pois por mão de outrem jogastes.

DOM JOÃO

Isso ardis de jogo são.

DOM LUÍS

Não vo-los quero perdoar,
E agora vamos jogar
Por eles o coração.

DOM JOÃO

E o arriscais por amor
De Don'Ana de Pantoja?

DOM LUÍS

Sim; e o que tardo me enoja
Em lavar tal desprimor.
Dom João, eu a amava, sim;
Todavia, com o que ousastes
Impossível a deixastes
Para vós e para mim.

DOM JOÃO

Por que a apostastes pois?

DOM LUÍS

Porque não pude pensar
Que a poderíeis lograr.
E... vamos, em guarda os dois,
Que, por Deus! já me impaciento.

DOM JOÃO

Aqui? Vamos à ribeira.

DOM LUÍS

Aqui mesmo.

DOM JOÃO

Grossa asneira
Seria; neste aposento
Vão prender o vencedor.
Não está ao vosso dispor este
Bote? A Sevilha ao que reste
Leve ele.

DOM LUÍS

Assim é melhor;
Saiamos pois.

DOM JOÃO

Esperai.

DOM LUÍS

Que há?

DOM JOÃO

Ouvi rumor de gente.

DOM LUÍS

Vamos imediatamente.

CENA 7
(*DOM JOÃO, DOM LUÍS e CIUTTI.*)

CIUTTI

Senhor, a vida salvai.

DOM JOÃO

Que foi?

CIUTTI

   O Comendador,
Que chega com gente armada.

DOM JOÃO

   Que tenha aqui livre entrada,
Mas ele só.

CIUTTI

     Mas senhor...

DOM JOÃO

Obedece-me.

           (Sai CIUTTI.)

CENA 8
(DOM JOÃO e DOM LUÍS.)

DOM JOÃO

     Se em mim,
Dom Luís, tendes vós confiado,
Como deixais demonstrado
Vindo a minha casa assim,
Em rogar-vos não duvido,
Pois meu valor conheceis,
Que um instante me aguardeis.

DOM LUÍS

   Duvidar seria indevido
Em valor que é tão notório;
Mas não me fio de vós.

DOM JOÃO

   Duas coisas pusemos nós
Em aposta e por Tenório
Ambas ganhadas estão.

DOM LUÍS

   Vencestes ambas...?

DOM JOÃO

     Venci;
A do convento está aqui;
E pois por ela a Dom João
Alguém que pode intercede

Quando me podeis matar,
Não devo assunto deixar
Trás mim que pendente quede.

DOM LUÍS

Olhai, porém, que meter
Quem pode o duelo atalhar.
Entre nós poderá ser...

DOM JOÃO

Quê?

DOM LUÍS

Escusar-vos a lutar.

DOM JOÃO

Miserável! De Dom João
Só vós duvidar podeis.
Porém pouco esperareis
A terdes satisfação.
Entrai aqui e escutai
Por esta porta entreaberta;
Se me achais conduta incerta,
Como entenderdes obrai.

DOM LUÍS

Mas não tardeis, pois que me arde
O desejo de lutarmos.

DOM JOÃO

Para contas ajustarmos,
Dom Luís, nunca será tarde.

(Entra DOM LUÍS no quarto que DOM JOÃO lhe aponta. Sobem... DOM JOÃO presta ouvido.)

CENA 9
(DOM JOÃO e DOM GONÇALO.)

DOM GONÇALO

(Entrando precipitadamente.)
Ei-lo!

DOM JOÃO

(Pondo-se de joelhos.)
Por quem és,
Ouve-me, comendador.

DOM GONÇALO

De joelho está o traidor?

DOM JOÃO

De joelhos, sim, aos teus pés.

DOM GONÇALO

És vil até nos teus crimes.

DOM JOÃO

Ancião, a língua retém,
E escuta-me um só minuto.

DOM GONÇALO

Que me poderás dizer
Que apague o que a tua mão
Escreveu neste papel?
Ires surpreender, infame!
A cândida timidez
De quem não pôde o veneno
Destas letras precaver!
Derramar-lhe na alma virgem
Traiçoeiramente o fel
De que regorgita a tua,
Seca de virtude e fé!
Propor-se assim enlodar
De meus timbres o alto prez,
Como se fora um farrapo
Do qual alguém se desfez!
Esse é o valor, Tenório,
De que brasonas? Essa é
A proverbial ousadia
Com que te fazes temer?
Com velhos e com donzelas
A exibes? E para quê?
Deus louvado! Para vires
Os meus pés assim lamber,
Mostrando-te a um tempo alheio
De valor e de honradez.

DOM JOÃO

Comendador!

DOM GONÇALO

Miserável!
Tu roubaste minha Inês

Do seu convento, e aqui eu venho
Por tua vida ou por meu bem.

DOM JOÃO

Jamais ante homem nenhum
Minha cerviz inclinei;
Nem nada supliquei nunca
Nem a meu pai nem ao rei.
E pois guardo às tuas plantas
A atitude em que me vês,
Considera, Dom Gonçalo,
Que razão devo de ter.

DOM GONÇALO

Pavor da minha justiça,
Vil Tenório, é o que tu tens.

DOM JOÃO

Ouve, por Deus, Dom Gonçalo,
Ou não mais me conterei
E volto a ser o que fui,
Não o querendo agora ser.

DOM GONÇALO

Ao diabo!

DOM JOÃO

Comendador,
Eu adoro a Dona Inês,
Persuadido de que os céus
Ma quiseram conceder
Para endereçar meus passos
Pela vereda do bem.
Não lhe amei a formosura
Nem as graças lhe adorei;
O que idolatro é a virtude,
Dom Gonçalo, em Dona Inês.
O que nem juízes nem bispos
Puderam de mim obter
Com cárceres e sermões,
Pôde-o a sua candidez.
Seu amor tornou-me outro homem,
Regenerando o meu ser,
E do demônio que eu era
Um anjo logrou fazer.
Ouve o que a ti, Dom Gonçalo,

Pode, pois, oferecer
O ousado Dom João Tenório
De joelhos aqui a teus pés.
Escravo de tua filha,
Eu em teu lar viverei,
Tu meus bens governaras
Dizendo-me *isto há de ser*.
O tempo que assinalares,
Em reclusão ficarei;
Quantas provas exigires
De meu denodo ou altivez,
Do modo por que ordenares,
Com submissão te darei.
E quando estime teu juízo
Que eu a possa merecer,
Dar-lhe-ei eu um bom esposo,
E ela me dará o céu.

DOM GONÇALO

Basta, Dom João! Não sei como
Me pude até aqui conter,
Ouvindo tão torpes provas
De tua infame sordidez.
És um covarde, Dom João,
Quando em apuros te vês,
E não desprezas baixeza
A que possas recorrer.

DOM JOÃO

Dom Gonçalo!

DOM GONÇALO

Eu me envergonho
De o ver assim aos meus pés,
O que apostavas por força
Suplicando por mercê.

DOM JOÃO

Tudo assim se satisfaz,
Dom Gonçalo, de uma vez.

DOM GONÇALO

Nunca! Nunca! Seu esposo
Tu? Primeiro a matarei!
Entregai-ma incontinenti,
Ou, sem ninguém te valer,

Nessa ignóbil atitude
O peito te vararei.

DOM JOÃO

Pesa bem, Comendador;
Que me vais fazer perder
Com ela até a esperança
De salvação, pois não vês?

DOM GONÇALO

E com tua salvação
Que tenho, Dom João, que ver?

DOM JOÃO

Dom Gonçalo, ai que me perdes!

DOM GONÇALO

Minha filha!

DOM JOÃO

Considera
Que por quantos meios pude
Te quis eu satisfazer;
E que com armas à cinta
Teus ultrajes tolerei,
Oferecendo-te a paz
De joelhos a teus pés.

CENA 10
(Os mesmos e DOM LUÍS, soltando uma gargalhada de escárnio.)

DOM LUÍS

Bravo, Dom João!

DOM GONÇALO

Quem é este?

DOM LUÍS

Sou, Dom Gonçalo, um amigo
Vosso e que a bravura ateste
De Dom João quando em perigo.

DOM JOÃO

Dom Luís!

DOM LUÍS

Já aqui vi o bastante,
Dom João, para conhecer
O uso que podes fazer
De teu valor arrogante;
E quem fere por detrás
E se humilha na ocasião,
É tão vil como o ladrão
Que rouba e foge.

DOM JOÃO

Que mais?

DOM LUÍS

E pois a ira soberana
De Deus junta, como vês,
Ao bom pai de Dona Inês
E ao vingador de Don'Ana,
Olha o fim que aqui te aguarda
Quando a igual tempo te alcança
Aqui e lá fora a vingança
Com a justiça, que não tarda.

DOM GONÇALO

Oh agora compreendo... Céus!
Sois quem...

DOM LUÍS

Sou Dom Luís Mexia
Que a tempo aqui vos envia
Por vossa vingança Deus.

DOM JOÃO

Basta pois de tal suplício!
Se, mau grado quanto ouvistes,
Valor nem honra não vistes
Em meu franco sacrifício;
Se a leal solicitude
Com que vos repararia
Me tomais por covardia,
Chasqueando a minha virtude:
Aceito já o peremptório,
Breve prazo que me dais
Para mostrar-me o Tenório
De que tanto duvidais.

DOM LUÍS

Seja, e a nossos pés cai, pois,
Digno ao menos dessa fama
Que por tão bravo te aclama...

DOM JOÃO

E venha o inferno depois!
Ulhoa, pois vais assim
Privar-me do paraíso,
Quando Deus me chame a juízo,
Tu responderás por mim.

(Saca da pistola e atira.)

DOM GONÇALO

(Caindo.)
Assassino!

DOM JOÃO

(A DOM LUÍS.)
E tu, insensato,
Pois me chamaste poltrão,
Provo que não tens razão
E cara a cara te mato!

(Esgrimam e dá-lhe uma estocada.)

DOM LUÍS

(Caindo.)
Jesus!

DOM JOÃO

Tarde tua fé cega.
Aos céus recorre, Dom Luís;
E não fui eu que assim quis.
Porém a justiça chega,
E à fé que há de ver quem sou.

CIUTTI

(Dentro.)
Dom João!

DOM JOÃO

(Assomando ao balcão.)
Quem chama?

CIUTTI

                    Fugi!

DOM JOÃO

Há passagem?

CIUTTI

                Por aqui.
Atirai-vos.

DOM JOÃO

                Pois lá vou.
Quis o céu, não me atendeu:
Pois suas portas me cerra,
De meus passos sobre a terra
O céu responda e não eu.

> *(Atira-se pelo balcão e ouve-se o ruído da queda dele no rio, ao mesmo tempo que o rumor dos remos mostra a rapidez do bote em que parte; ouvem-se pancadas às portas da casa; pouco depois entra a justiça, soldados etc.)*

CENA 11
> *(AGUAZIS, soldados. Depois DONA INÊS e BRÍGIDA.)*

AG. 1º

O tiro foi dado aqui.

AG. 2º

Ainda há fumaça.

AG. 1º

                Céus!
Um morto!

AG. 2º

                Dois, santo Deus!
E o matador?

AG. 1º

                Por ali.

> *(Abrem a porta do quarto em que está DONA INÊS e BRÍGIDA e fazem--nas entrar em cena; DONA INÊS reconhece o cadáver do pai.)*

AG. 1º

Duas mulheres!

DONA INÊS

               Que horror!
Meu pai!

AG. 1º

           É sua filha!

BRÍGIDA

              Sim.

DONA INÊS

Onde estás, Dom João, que assim
Me abandonas em tal dor?

AG. 1º

Matou-o.

DONA INÊS

          Senhor divino,
Valei-me nesta aflição!

AG. 2º

Decerto ao rio o assassino
Se lançou deste balcão.

AG. 1º

Olhai-os... A bordo estão
Do bergantim calabrês.

TODOS

Justiça por Dona Inês!

DONA INÊS

Porém não contra Dom João.

(Esta cena pode suprimir-se na representação, terminando o ato com o último verso da anterior.)

CAI O PANO

Segunda parte
A sombra de Dona Inês

ATO 1

(Panteon da família de Tenório. O teatro representa um magnífico cemitério, aformoseado à maneira de jardim. No primeiro plano, isolados, os sepulcros de Dom Gonçalo de Ulhoa, de Dona Inês e de Dom Luís Mexia, sobre os quais se veem suas estátuas de pedra. O sepulcro de Dom Gonçalo à direita e sua estátua de joelhos; o de Dom Luís à esquerda e sua estátua também de joelhos; o de Dona Inês no centro e sua estátua de pé. Em segundo plano outros dois sepulcros na forma que melhor convenha; e em terceiro plano, em posto elevado, o sepulcro e estátua do fundador Dom Diogo Tenório, em cuja figura se remata a perspectiva dos sepulcros. Uma parede cheia de nichos e lápides circunda o quadro até o horizonte. Dois salgueiros de cada lado do túmulo de Dona Inês, dispostos a servir da maneira que a seu tempo exige o jogo cênico. Ciprestes e flores de toda sorte ornamentam a decoração, que não deve ter nada de horrível. Supõe-se que a ação se passa numa tranquila noite de verão, com luar claríssimo.)

CENA 1
(O Escultor dispondo-se a retirar-se.)

Escultor

> Senhor, está a coisa feita.
> De Dom Diogo a boa alma,
> A meu ver, pode com calma
> Repousar bem satisfeita.
> A obra está terminada
> Com quanta suntuosidade
> Sua última vontade
> Deixou ao mundo encomendada.
> Se se cumprisse tão logo
> O voto de um falecido
> Como agora foi cumprido
> O que queria Dom Diogo!
> Mas já é tempo de ir-me embora;
> Tudo deixo à maravilha,
> E partirei de Sevilha
> Assim que desponte a aurora.

Ah! Mármores italianos,
Que poli com tanto afã,
Mirar-vos-ão amanhã
Os absortos sevilhanos;
E ao olhar as proporções
Gigantes deste panteon
Hão de a nossa admirar, com
Grande pasmo, as gerações.
E enquanto ano se ia e vinha,
Um trás outro esvanecido,
Tu terás permanecido,
Póstuma memória minha!
Frutos de minhas fadigas,
Ó penhas que eu animei
E pelas quais arrostei
Intempéries inimigas:
Quem formas e ser vos deu
Vai já perder-vos de vista;
Velai-me a glória de artista,
Pois vivereis mais do que eu.
Mas quem chega?

CENA 2

(O Escultor e Dom João, que vem embuçado.)

Escultor

Cavaleiro...

Dom João

Deus vos guarde.

Escultor

Perdoai.
Mas é tarde, e...

Dom João

Aguardai
Um pouco ainda, e primeiro
Explicai-me...

Escultor

Com certeza
Sois de fora?

Dom João

Há anos já

Que andava ausente de cá;
E tive agora a surpresa,
Quando a estas grades cheguei,
De encontrar este recinto
Inteiramente distinto
De quando outrora o deixei.

ESCULTOR

Creio bem; pois em lugar
Da mansão que outrora vistes
Soberba, somente tristes
Campas vindes encontrar.

DOM JOÃO

Era tão bela mansão!

ESCULTOR

Tal foi do dono a vontade,
O que a toda esta cidade
Causou grande admiração.

DOM JOÃO

E, por Deus, que é de admirar!

ESCULTOR

Essa é uma famosa história,
À qual devo a minha glória.

DOM JOÃO

E ma podeis relatar?

ESCULTOR

Pois não, mas sucintamente,
Porque me esperam; direi
Puras verdades.

DOM JOÃO

Dizei,
Que me pondes impaciente.

ESCULTOR

Habitou nesta cidade
E neste palácio, herdado,
Um varão muito estimado
Por sua alta qualidade.

DOM JOÃO

Dom Diogo Tenório.

ESCULTOR

Exato.
Teve um filho esse Dom Diogo
Pior mil vezes do que o fogo,
O mais perfeito retrato
Do demo. Jovem ousado,
Com o mundo e com os céus em guerra,
Dizem que nada na terra
Foi por ele respeitado.
Mau, sedutor, homicida,
E jogador com ventura,
Ninguém contra ele segura
Tinha honra, fortuna e vida.
Assim é que o pinta a história;
E se tal era esse aborto,
Acertadamente o morto
Andou por ganhar a glória.

DOM JOÃO

E que fez?

ESCULTOR

Legou todo o ouro
E bens ao que despendesse
Parte num panteon que enchesse
De assombro o povo vindouro.
Mas sob a condição, disse,
De que se enterrasse nele
Todo o que por mão daquele
Seu mau filho sucumbisse.
Assim se fez, meu senhor:
Cada qual aqui em seu leito
Último jaz...

DOM JOÃO

Pelo jeito,
Sois o porteiro?

ESCULTOR

O escultor
Das obras.

DOM JOÃO

Ah! Já acabadas?

ESCULTOR

Sim, mas ainda vou ficar
Até ver em seu lugar
Estas grades colocadas,
Protegendo o campo santo:
Assim quero prevenir
Não possa o vulgo aqui vir
Profanar este recanto.

DOM JOÃO

(Observando.)
Deu bom emprego à riqueza
O morto.

ESCULTOR

Olhai esta aqui.

DOM JOÃO

Perfeita.

ESCULTOR

E aqueloutra ali.

DOM JOÃO

Está tudo uma beleza.

ESCULTOR

Creio que estão parecidas,
Segundo o que ouvi e sei;
Com consciência as trabalhei.
São-vos todas conhecidas
As pessoas?

DOM JOÃO

Todas elas.

ESCULTOR

Parecem-se?

DOM JOÃO

De iludir,
Ao que posso distinguir
Pelo fulgor das estrelas.

ESCULTOR

Oh! veem-se como de dia

Com esta lua tão clara.
Esta é mármore de Carrara.

(*Apontando a de* Dom Luís.)

Dom João

Bom busto este de Mexia.
Olá! E o Comendador,
Ei-lo aqui, está muito bem.

Escultor

Eu quis pôr aqui também
A estátua do matador
Entre as suas vítimas.

Dom João

                              Não
Pôs por quê?

Escultor

                    Não pude obter
Seu retrato. Ouvi dizer
Que era um Lúcifer Dom João.

Dom João

Não o pretendo desculpar,
Mas se pudesse falar,
Algo lhe podia abonar
A estátua de Dom Gonçalo.

Escultor

Também a ele o conhecestes?

Dom João

Muito, ora se!

Escultor

                    Pois Dom Diogo
O abandonou desde logo,
Deserdando-o.

Dom João

                    Um golpe destes
Não lhe causa grande dano,
Porque a sorte lhe tem sido
Propícia desde nascido.

ESCULTOR

Dizem que morreu.

DOM JOÃO

É engano,
Vive.

ESCULTOR

E onde?

DOM JOÃO

Aqui na cidade.

ESCULTOR

E não receia o furor
Popular...?

DOM JOÃO

O seu valor
Vai até a temeridade.

ESCULTOR

Mas quando vir o lugar
Em que hoje se converteu
O solar que já foi seu,
Ousará em Sevilha estar?

DOM JOÃO

Decerto, e gostará bem
De em sua casa reunidas
Ver pessoas conhecidas,
Pois não odeia a ninguém.

ESCULTOR

Credes que ouse aparecer
Aqui?

DOM JOÃO

Claro! Em meu pensar,
Justo é que venha a expirar
Aonde veio a nascer.
E uma vez que o deserdaram
Para enterrar a estes bem,
Justo é que o enterrem também
Como aos outros enterraram.

ESCULTOR

Só a ele ficou proibida
Neste cemitério entrada.

DOM JOÃO

Não lhe custará à sua espada
Tornar a ordem abolida.

ESCULTOR

Jesus!

DOM JOÃO

E se julgar bom,
Será capaz, se quiser,
De o palácio refazer
Em cima do panteon.

ESCULTOR

Que dizeis? Tão audaz ou
Ímpio é, que aos mortos se atreve?

DOM JOÃO

Que respeitos gastar deve
Com os que ele a seus pés prostrou?

ESCULTOR

Mas então não tem consciência,
Não tem alma?

DOM JOÃO

Talvez não,
Que ao céu chamou uma ocasião
Com vozes de penitência,
E o céu, em transe tão forte,
Num tal aperto o meteu,
Que a dois inocentes deu
Dom João, por salvar-se, a morte.

ESCULTOR

Deus tenha-o longe de nós,
Ao réprobo!

DOM JOÃO

Ao infeliz,
Pois que foi Deus que o não quis.

ESCULTOR

Se é um monstro!

DOM JOÃO

Melhor que vós.

ESCULTOR

(À parte.)
E quem será o que a Dom João
Não se peja de louvar?
Cavaleiro, a meu pesar,
Como aguardando-me estão...

DOM JOÃO

Ide, pois, que fico ainda.

ESCULTOR

Vou fechar...

DOM JOÃO

Pois não fecheis
E parti.

ESCULTOR

Não entendeis...

DOM JOÃO

Entendo que a noite é linda,
E o sítio uma maravilha
Para gozar a frescura
Da hora, da aragem pura...
Malgrado toda Sevilha.

ESCULTOR

(À parte.)
Acaso padecerá
De loucura? É o que vou
Ver...

DOM JOÃO

(Dirigindo-se às estátuas.)
Amigos, aqui estou.

ESCULTOR

(À parte.)
Bem que o disse! Louco está.

DOM JOÃO

Mas, céus! Que se me depara
Ali? É ilusão da vista?
Ou a Dona Inês o artista
Talhou com verdade rara?

ESCULTOR

É ela sim.

DOM JOÃO

Também morreu?

ESCULTOR

Dizem que de sentimento,
Quando de novo ao convento
Abandonada volveu
A pobre.

DOM JOÃO

E ela jaz aqui?

ESCULTOR

Sim.

DOM JOÃO

Viste-la quando morta?

ESCULTOR

Tão serena, tão absorta,
Como adormecida, a vi...
Foi a morte tão piedosa
Para a sua formosura,
Que lhe deu toda a frescura,
Todas as tintas da rosa.

DOM JOÃO

Ah! Mal a morte podia
Desfazer com mão profana
A beleza soberana
Que até um anjo invejaria.
Ah que bela e parecida
Neste mármore tu és!
Quem pudera, Dona Inês,
Volver a te dar a vida!
É obra do vosso cinzel?

ESCULTOR

Como todas as demais.

DOM JOÃO

Pois bem merece algo mais
Um retrato tão fiel.
Tomai.

ESCULTOR

Que me dais assim?

DOM JOÃO

Não vedes?

ESCULTOR

Vejo; não vejo
É por que...

DOM JOÃO

Porque desejo
Que vos recordeis de mim.

ESCULTOR

Mas já estão remuneradas.

DOM JOÃO

Assim o estarão melhor.

ESCULTOR

Vamos então, meu senhor,
Que ainda as chaves entregadas
Não estão, e ao romper da aurora
Terei eu partido já.

DOM JOÃO

Se é assim, entregai-mas cá
E podeis ir-vos embora.

ESCULTOR

A vós?

DOM JOÃO

A mim. Hesitais?

ESCULTOR

Não tenho a honra, senhor...

DOM JOÃO

Eia, acabai, escultor.

ESCULTOR

Se o nome ao menos que usais
Eu soubesse...

DOM JOÃO

Mas, por Deus!
Não se consente a Dom João
Que vele o sagrado chão
Em que repousam os seus?

ESCULTOR

Quê! Sois Dom João?

DOM JOÃO

Acertastes.
Se não me satisfazeis.
Companhia hoje fareis
Às estátuas que talhastes.

ESCULTOR

Tomai-as.

(À parte.)

Não quero a pele
Aqui em suas mãos deixar.
E venham conta ajustar
Os sevilhanos com ele.

(Sai.)

CENA 3

(DOM JOÃO.)

DOM JOÃO

Meu bom pai andou avisado
No que fez; se o não fazia,
Jogara eu no outro dia
Tudo quanto houvesse herdado.
Vós todos a quem matei,
De mim não podeis queixar-vos,
Uma vez que, com matar-vos,
Boa sepultura vos dei.

Grande ideia, na verdade,
A deste panteon, pois não!
E... sinto que o coração
Me afaga esta soledade.
Linda noite!... Outras assim,
Quantas! como esta tão puras,
Em infames aventuras
Esperdicei, ai de mim!
Quantas ao mesmo fulgor
Desta lua transparente
Arranquei a algum inocente
A vida, ou a honra, ou o amor!
Sim; depois de anos tão cheios
De desvarios que espantam,
Sinto que aqui se levantam
          (Apontando a fronte.)
Remorsos a mim alheios.
Oh! Porventura os inspira
De lá do céu, onde mora,
Essa sombra protetora
Que, por meu mal, não respira.
          (Dirige-se à estátua de DONA INÊS, falando-lhe com respeito.)
Mármore em que Dona Inês
Em corpo sem alma existe,
Deixa que a alma de um triste
Chore um momento aos teus pés.
De azares mil através,
Guardei tua imagem pura.
Oh! Um dia a má ventura
Te assassinou de Dom João;
Mas olha com que aflição
Vem hoje à tua sepultura!
Em ti, e em nada mais, pensou
Desde que se foi de ti;
Desde que fugiu de aqui,
Só em voltar ele pensou.
Ai! Dom João tão só esperou
De Dona Inês sua ventura;
E hoje que trás tua candura
Torna aqui o infeliz Dom João,
Repara em sua compunção
Ao dar com tua sepultura.
Inocente Dona Inês,
Cuja linda juventude
Encerrou num ataúde
Quem chorando está a teus pés:

Se dessa pedra através
Podes olhar a amargura
Da alma que tua formosura
Amou com tanta paixão,
Abre um lugar a Dom João
Nesta mesma sepultura.
Criou-te Deus por meu bem,
Por ti pensei na virtude,
Amei sua excelsitude,
E a paz anelei do Além.
Sim; ainda hoje em ti também
Ponho esperança segura,
E ouço uma voz que murmura
Em derredor de Dom João
Coisas com que sua aflição
Se acalma em tua sepultura.
Dona Inês de minha vida!
Se essa voz com que deliro
É o derradeiro suspiro
De tua eterna despedida;
Se é que, de ti desprendida,
Pode ela chegar à altura,
E há um Deus nessa azul planura
Por onde os astros se vão:
Dize-lhe que olhe Dom João
Chorando em tua sepultura.

> (*Apoia-se no sepulcro, ocultando o rosto; e enquanto se mantém nessa atitude, um vapor que se levanta do sepulcro esconde a estátua de* Dona Inês. *Quando ele se desvanece, a estátua terá desaparecido.* Dom João *sai de seu alheamento.*)

Este mármor sepulcral
Adormece-me o vigor,
E sentir creio em redor
Um ser sobrenatural.
Mas... Céus! Em seu pedestal
Não vejo mais a escultura!
Que é isto? Aquela figura
Era apenas ilusão?

CENA 4

*(Dom João e A Sombra de Dona Inês. O salgueiro e as flores da esquerda do
sepulcro de Dona Inês se transformaram numa aparência, deixando
ver dentro dela e entre resplendores a sombra de Dona Inês.)*

SOMBRA

Não; meu espírito, Dom João,
Te vê em minha sepultura.

DOM JOÃO

(Ajoelhando-se.)
Dona Inês, sombra querida,
Alma de meu coração,
Não me tires a razão,
Se me hás de tirar a vida!
Se és uma imagem fingida,
Fruto de minha loucura,
Poupa a minha desventura,
Não me aumentes a aflição.

SOMBRA

Sou Dona Inês, sim, Dom João,
Que te ouve em sua sepultura.

DOM JOÃO

Vives então?

SOMBRA

Para ti.
Mas tenho o meu purgatório
Neste sepulcro marmóreo
Que me lavraram aqui.
A Deus a alma ofereci
Em preço de tua alma impura,
E Deus, ao ver a ternura
Que pus na minha paixão,
Me disse: "Espera a Dom João
Em tua mesma sepultura.
Pois que amas a essa revel
Criatura de Satanás,
Com Dom João te salvarás
Ou te perderás fiel.
Protege-o; mas se, cruel,
Desprezar tua ternura,
E em sua torpe loucura
Seguir com obstinação,

Leve-te a alma Dom João
De tua mesma sepultura.

DOM JOÃO

(Fascinado.)
Que vejo? O Éden em que estás?...
Ou isto é um sonho que me tem?

SOMBRA

Não; e vê que se andas bem,
A teu lado me terás;
Mas se andas mal, causarás
Nossa eterna desventura.
E medita com cordura,
Pois esta noite, Dom João,
Será o tempo que nos dão
Para buscar sepultura.
Adeus, pois; e na árdua luta
Em que entrará tua existência,
De tua embotada consciência
A voz que se erguerá, escuta;
Pois importante é a disputa
Que irás travar; toma tento
Na eleição desse momento,
Que, sem poder evadir-nos,
Ao bem ou ao mal vai abrir-nos
A lousa do monumento.

*(Desfaz-se a aparição; desaparece DONA INÊS e tudo volta a ser o
que era no princípio do ato, menos a estátua de DONA INÊS, que não
torna ao seu lugar. DOM JOÃO queda atônito.)*

CENA 5

(DOM JOÃO.)

DOM JOÃO

Céus! O que foi que escutei?
Pois até os mortos assim
Deixam as campas por mim?!
Mas... foi sombra... delirei...
Em minha mente a forjei;
Foi ela que a afeiçoou
Na forma em que se mostrou,
E eu, cego, cheguei a crer
Na realidade de um ser
Que a fantasia criou.

Mas nunca de modo tal
A louca imaginação
Me desvairou a razão
Com o seu poder ideal.
Algo sobrenatural
Vi naquela Dona Inês
Tão vaporosa, através
Mesmo da enramada espessa;
Mas quê? Circunstância é essa
Natural na sombra que é.
Que mais diáfano e sutil
Do que as quimeras de um sonho?
Onde há nada mais risonho,
Mais flexível, mais sutil?
Não sucede vezes mil
Que em candente exaltação
Vê a nossa imaginação
Como ser e realidade
A vazia inanidade
De uma anelada ilusão?
Sim, por Deus que delirei!
Mas a estátua estava aqui;
Eu a vi, eu a toquei,
E até ao escultor dei
Uns dobrões depois que a vi.
E agora só o pedestal
Vejo na urna funeral!
Meu Deus, a razão me falta?
Ou de improviso me assalta
Uma abusão infernal?
Que disse aquela visão?
Oh! ouvi-a distintamente,
E sua voz triste e dolente
Ressoou no meu coração.
Oh! e breves as horas são
Do prazo que nos augura!
Não, não! Da minha loucura
É delírio e insensatez!
Foi ela que a Dona Inês
Abriu esta sepultura.
Sumi-vos esvanecidos,
Sumi, sinistros vapores
De meus perdidos amores,
De meus desejos falidos!
Sumi, sonhos abolidos
De um amor morto ao nascer;

Não me volvais a trazer,
Na febre em que me alucino,
Esse fantasma divino
Que recorda uma mulher!
Ah! Esses sonhos me aniquilam;
O meu cérebro endoidece...
E estes mármores parece
Que estremecidos vacilam!
        (*As estátuas se movem lentamente e voltam a cabeça para ele.*)
Sim, sim! Seus bustos oscilam,
Vago seu contorno queda...
Dom João, porém, não se arreda;
Erguei-vos, fantasmas vãos,
E volvereis por suas mãos
Ao panteon que vos hospeda!
Não! não me causam pavor
Vossos semblantes esquivos;
Jamais, nem mortos nem vivos,
Humilhareis meu valor!
Eu sou vosso matador,
Como ao mundo é bem notório;
Se em vosso alcançar marmóreo
Me aprestais vingança fera,
Vinde, que aqui vos espera
Outra vez Dom João Tenório.

CENA 6
(*Dom João, o Capitão Centelhas e Avellaneda.*)

CENTELHAS

        (*Dentro.*)
Dom João Tenório!

DOM JOÃO

        (*Voltando a si.*)
                        Que é isto?
Quem diz o meu nome? Quem
Me chama?

AVELLANEDA

        (*Entrando.*)
                Vedes alguém?

        (*A Centelhas.*)

CENTELHAS

Um homem.

AVELLANEDA

É ele, está visto!

DOM JOÃO

Quem vem?

CENTELHAS

É a sua voz. Dom João!

AVELLANEDA

Senhor Tenório!

DOM JOÃO

Afastai-vos,
Vãos fantasmas!

CENTELHAS

Recobrai-vos,
Senhor Dom João... Os que estão
Em vossa presença agora,
Não são sombras, homens são,
E homens cujo coração
Vossa amizade penhora.
Neste sítio, ao luar, parado,
Vosso vulto distinguimos
De longe e abraçar-vos vimos.

DOM JOÃO

Amigos, muito obrigado.

CENTELHAS

Que tendes? Por minha vida,
Treme-vos o braço e está
Vossa face esmaecida.

DOM JOÃO

(Recobrando o domínio de si.)
Efeito do luar será.

AVELLANEDA

Mas que fazeis aqui assim?
Este sítio conheceis?

DOM JOÃO
Não é um panteon?

CENTELHAS
E sabeis
De quem?

DOM JOÃO
Sei: pertence a mim.
Olhai aqui em derredor,
Não vereis senão amigos
De minha infância, ou inimigos
Vítimas do meu valor.

CENTELHAS
Com quem estáveis a falar?

DOM JOÃO
Com quem havia de ser?
Com eles.

CENTELHAS
A os escarnecer?

DOM JOÃO
Não; vim para os visitar.
Mas um desvairo que dantes
Nunca a mente me assaltou,
Um momento me turbou,
E passei uns maus instantes.
Estas pedras, arremedo
De fantasmas, me ameaçavam
Tão feros, que até me davam
Frio...

CENTELHAS
Ha, ha! Tendes medo,
Como sucede aos vilãos,
De aparições de defuntos?

DOM JOÃO
Eu? Contra eles todos juntos
Tenho peito e tenho mãos!
Se voltarem a sair
Dos sepulcros em que estão,
Por mãos mesmas de Dom João

Tornariam a morrer.
E desde agora por diante
Sabei, senhor capitão,
Que serei sempre Dom João,
E que nada há que me espante.
Um vapor febricitante
Súbito me fascinou,
Centelhas, mas já passou:
Quem não vacila um instante?

CENTELHAS
AVELLANEDA
 É certo.

DOM JOÃO
   Vamos então.

CENTELHAS
 Vamos, e nos contareis
Como a Sevilha volveis
A terceira vez.

DOM JOÃO
    Pois não.
E mais do que uma surpresa
Tereis que ouvida merece.
Melhor, porém, me parece
Que me ouçais à sobremesa.
Que opinais?

CENTELHAS
AVELLANEDA
   Como gosteis.

DOM JOÃO
 Pois bem, ceareis comigo,
E em minha casa.

CENTELHAS
   Mas digo:
Não suceda que deixeis
Por nós outro convidado.

DOM JOÃO
 Meus convidados são dois
Para esta noite, e eles sois,
Pois apenas sou chegado.

DOM JOÃO TENÓRIO

CENTELHAS

   Seremos três.

DOM JOÃO

                    A não ser
   Que algum destes vá...

      (Indica as estátuas.)

CENTELHAS

                Dom João,
   Deixai tranquilos jazer
   Os que já com Deus estão
   Na santa glória.

DOM JOÃO

            Ora adeus!
   Sois vós que agora temeis
   E má cara me fazeis
   Aos defuntos? Mas, por Deus,
   Já que de mim vos burlastes
   Quando me vistes assim,
   No que dependa de mim
   O quanto ainda há pouco errastes
   Gostarei de vos mostrar;
   E, a poder ser, combinemos
   Que com os mortos cearemos;
   Para o quê, os vou convidar.

AVELLANEDA

   Deixai essas brincadeiras.

DOM JOÃO

   Do meu valor duvidar,
   Quando homem sou para usar
   Como pratos suas caveiras?...
   De nada tenho pavor:
     (Dirigindo-se à estátua de DOM GONÇALO, *que é a que lhe está mais perto.)*
   Tu foste o mais ofendido;
   Mas, se o queres, te convido
   À ceia, Comendador.
   Que não possas aceder
   Creio bem, e é o que me pesa;
   Por minha parte, na mesa
   Mandarei pôr teu talher.

Muito me obrigas se vais,
Pois posso saber de ti
Se há mais mundo que o daqui
E outra vida em que jamais,
Para ser sincero, cri.

CENTELHAS

Isso passa de valor:
É loucura, por quem sois!

DOM JOÃO

Será assim. Vamo-nos pois.
Até já, Comendador!

CAI O PANO

A ESTÁTUA DE DOM GONÇALO

ATO 2

(Aposento de DOM JOÃO TENÓRIO. Duas portas no fundo, à direita e à esquerda, preparadas para o jogo cênico do ato. Outra porta no bastidor que fecha a decoração pela esquerda. Ao se levantar o pano estão sentados à mesa DOM JOÃO, CENTELHAS e AVELLANEDA. A mesa, ricamente servida; toalha arrepanhada com grinaldas de flores etc. Em frente do espectador, DOM JOÃO, e à sua esquerda AVELLANEDA; no lado esquerdo da mesa, CENTELHAS, e defronte deste uma cadeira e um talher desocupados.)

CENA 1
(DOM JOÃO, o CAPITÃO CENTELHAS, AVELLANEDA, CIUTTI e um PAJEM.)

DOM JOÃO

Tal minha história, senhores;
Contente com o meu valor,
Quis o próprio imperador
Dispensar-me os seus favores.
E ouvindo-me a história inteira,
Disse: "Homem de prez tão raro
Merece bem meu amparo;
Volte à Espanha quando queira".
E eis-me aqui em Sevilha já.

CENTELHAS

E com que luxo e riqueza!

DOM JOÃO

Sempre vive com grandeza
Quem para ela feito está.
Fazer despacho de todo
O espólio, e cuja cobiça
Eu saciava com dinheiro,
Cedeu-me tudo por junto;
E aos credores do defunto
Enganou por derradeiro.

CENTELHAS

E a mulher, que é feito dela?

DOM JOÃO

O escrivão foi-lhe na cola.
Mas ela não era tola:
Logrou fugir.

CENTELHAS

Moça?

DOM JOÃO

E bela.

CENTELHAS

Por que não vos veio à mão,
No rol dos móveis incluída?

DOM JOÃO

Porque de moeda perdida
Não se utiliza Dom João.
Em casa própria instalado,
Com adega bem provida,
Que eu viverei quem duvida
Sempre bem acompanhado?
Coisa que está a demonstrar
Vossa agradável presença,
A qual, se me dais licença,
Quero sempre desfrutar.

CENTELHAS

E nos fareis honra imensa.

CENTELHAS

À vossa volta.

DOM JOÃO

Bebamos.

CENTELHAS

Custa ser acreditado
Que, tendo ontem regressado,
Já instalado vos achamos.

DOM JOÃO

Consegui comprar, senhores,
Casa com tanto aparato
Porque a venderam barato
Para pagar os credores.

E porque quando aqui vim,
Deserdado me encontrei,
Tal como ela está a comprei.

CENTELHAS

Com móveis e tudo?

DOM JOÃO

          Sim.
Um tolo, que se arruinou
Por uma sécia, a vendeu.

CENTELHAS

E vendeu a casa só?

DOM JOÃO

E a alma ao diabo.

CENTELHAS

          Morreu?

DOM JOÃO

Sim, de repente; e a justiça,
Querendo de qualquer modo.

DOM JOÃO

E a mim vós. Ciutti!

CIUTTI

       Senhor.

DOM JOÃO

    (Apontando o copo do lugar vazio à mesa.)
Sirva aqui ao Comendador.

CENTELHAS

Dom João, ainda nisto pensa
Vossa insânia?

DOM JOÃO

       Certamente:
Que se ele não puder vir,
Não me podereis arguir
De não ter honrado o ausente.

CENTELHAS

Ha, ha, ha! Dom João Tenório,
Creio que vossa cabeça
De novo a variar começa.

DOM JOÃO

Fora em mim contraditório
Com a sabida fidalguia
A um amigo convidar
Sem lhe fazer o lugar
Que, ele vindo, ocuparia.
E essa cadeira vazia
À fé que me dá pesar.
Porque se o Comendador
For, defunto, tão tenaz
Como era em vida, é capaz
De acompanhar-nos o humor.

CENTELHAS

Brindemos à sua memória
E nele não mais pensemos.

DOM JOÃO

Seja.

CENTELHAS

Brindemos.

AVELLANEDA
DOM JOÃO

Brindemos.

CENTELHAS

Deus o tenha em sua glória.

DOM JOÃO

Mas eu que não creio haver
Mais glória que esta mortal,
Pouco ligo a brinde tal;
Mas vá, por vos comprazer;
E brindo a que Deus te dê
A glória, Comendador.
        *(Enquanto isso, ouve-se ao longe uma aldrabada, que se supõe
        dada à porta da rua.)*
Mas chamaram?

CIUTTI

Sim, senhor.

DOM JOÃO

Vê quem é.

CIUTTI

(Olhando pela janela.)
Ninguém se vê.
(Grita para fora.)
Quem está aí? Ninguém responde.

CENTELHAS

Gracinha.

AVELLANEDA

Um desocupado,
Que ao passar terá chamado,
Sem saber sequer aonde.

DOM JOÃO

(A CIUTTI.)
Pois fecha e serve o licor.
(Batem de novo, mais fortemente.)
Mas tornaram a bater.

CIUTTI

É.

DOM JOÃO

Vai novamente ver.

CIUTTI

Não vejo ninguém, senhor.

DOM JOÃO

Pois, por Deus, que da graçola
Quem é não se há de gabar.
Ciutti, se torna a chamar,
Dá-lhe um tiro de pistola.
(Batem de novo, e agora de mais perto.)
Outra vez?

CIUTTI

Jesus!

CENTELHAS
AVELLANEDA

    Que é isto?

CIUTTI

 A derradeira aldrabada
 Soou lá embaixo, na escada,
 Não à porta.

CENTELHAS
AVELLANEDA

      Jesus Cristo!
 Que dizes?

CIUTTI

    Que este chamado
 Agora foi no interior.

DOM JOÃO

 Por que todo esse pavor?
 Pensais que seja o finado?
 Pois o esperarei a bala!

   (Tornam a bater, mais perto.)

CENTELHAS
AVELLANEDA
 Céus!

DOM JOÃO

   Ciutti, vai ver quem é.
 Depressa.

CIUTTI

    Por Santo André,
 Que isto já foi na antessala.

DOM JOÃO

 Ah, entendo: é farsa que os dois
 Preparastes para assim
 Divertir-vos e de mim
 Rir à vontade depois.

AVELLANEDA
 Juro, Dom João...

CENTELHAS

           Também eu.

DOM JOÃO

    Quem o não teria visto?
    Ora! E os meios para isto
    Eu mesmo fui quem vos deu.

AVELLANEDA

    Senhor Dom João, escondido
    Haverá um mistério aqui.

      (Voltam a bater mais perto.)

CENTELHAS

    Bateram outra vez!

CIUTTI

               E
    No salão deve ter sido.

DOM JOÃO

    Façanha é que não me pasma
    Se ele chegar a esta mesa:
    É que destes com certeza
    Minhas chaves ao fantasma.
    Não me impedirão de cear
    Vossas lúgubres caçoadas.
      (Levanta-se e vai correr os ferrolhos da porta do fundo, voltando
      depois ao seu lugar.)
    As portas estão fechadas;
    E para o maroto entrar,
    Terá antes que dar cabo
    Delas; e logo que o intente,
    Será morto incontinenti.
    Depois vá queixar-se ao diabo!

CENTELHAS

    Muito bem! Tendes razão.

DOM JOÃO

    Pois não tremíeis?

CENTELHAS

            Tremi.
    Mas depois que o entendi,
    Não tive mais apreensão.

DOM JOÃO

Confessais, pois, vosso enredo?

AVELLANEDA

Quanto a mim, de nada sei.

CENTELHAS

Nem eu.

DOM JOÃO

Pois eu voltarei
Contra o inventor o medo.
Aliás, e o digo com pena,
Não há perigo nenhum.
Ao seu lugar cada um!

AVELLANEDA

Tendes razão.

DOM JOÃO

(Servindo CENTELHAS.)
Cariñena;
Sei que gostais, capitão.

CENTELHAS

Se somos comprovincianos!

DOM JOÃO

(A AVELLANEDA, servindo-se de outra garrafa.)
Xerez para os sevilhanos,
Dom Rafael.

AVELLANEDA

Sim, Dom João,
Obrigado. A cada qual
Seu gosto. Servido sois
Com quê?

DOM JOÃO

Beberei dos dois,
E farei justiça igual.

CENTELHAS

Bravo!

DOM JOÃO

Bebamos!

AVELLANEDA
CENTELHAS

Bebamos!

(Batem, agora à porta da sala, no fundo, à direita.)

DOM JOÃO

Já me está irritando a broma;
Mas veremos quem assoma
Enquanto aqui à mesa estamos.
(A CIUTTI, que quedara assombrado.)
Que fazes aí, bargante?
Corre e traz outro manjar.
Mas me acode neste instante
Que bem podemos zombar
Dos de fora, os convidando
A provar sua esperteza
Penetrando até esta mesa,
E as portas não lhes franqueando.

AVELLANEDA

Bem-dito.

CENTELHAS

Ideia brilhante.

(Batem com força, no fundo à direita.)

DOM JOÃO

Senhores! Por que chamar?
Os mortos se hão de filtrar
Paredes a dentro; adiante!

(A estátua do Comendador passa pela porta sem abri-la e sem fazer ruído.)

CENA 2

(Dom João, Centelhas, Avellaneda e A Estátua de Dom Gonçalo.)

CENTELHAS

Jesus!

AVELLANEDA

Céus!

DOM JOÃO

Que aparição!

AVELLANEDA

Ai, que desmaio!

(Cai desfalecido.)

CENTELHAS

Ai, que expiro!

(Cai igualmente.)

DOM JOÃO

É realidade, ou delírio?
São seus traços... sua expressão...

ESTÁTUA

Por que te causa pavor
Quem convidado a esta festa
Foi por ti mesmo?

DOM JOÃO

Céus! Esta
É a voz do Comendador!

ESTÁTUA

Sempre imaginei que aqui
Não me havias de esperar.

DOM JOÃO

Mentes, pois fiz colocar
Este talher para ti.
Chega-te, para que vejas
Que se hesitei num extremo
De surpresa, não te temo,
Nem que o próprio Ulhoa sejas.

ESTÁTUA

E duvidas?

DOM JOÃO

Não me fio
Da aparência.

ESTÁTUA

Homem sem fé,
Põe a mão no mármor frio
Do meu vulto.

DOM JOÃO

Para quê?
Basta-me ouvi-lo de ti.
Ceemos pois, e eu te ajunto
Que se não és o defunto,
Defunto sairás daqui.
(A CENTELHAS e AVELLANEDA.)
Eh! Erguei-vos!

ESTÁTUA

Não, não esperes
Que se levantem, Dom João,
Pois a si não voltarão
Enquanto aqui me tiveres.
Porque a divina clemência
Que ora aqui por ti intercede,
Mais testemunha não pede,
Dom João, que a tua consciência.
Ao sacrílego convite
Por ti feito, Deus, Dom João,
Para a tua salvação
Satisfazer me permite.
E eis que em seu nome aqui me acho
Para ensinar-te a verdade;
E é: que há uma eternidade
Depois da vida aqui embaixo.
Que já contadas estão
As horas que hás de viver,
E que terás que morrer
Amanhã mesmo, Dom João.
Mas como isto que a teus olhos
Está ocorrendo, supões
Serem da alma aberrações
E da inteligência antolhos,

Deus, em sua alta clemência,
Te concede todavia
Um prazo até o novo dia
Para ordenar a consciência.
E sua justiça divina,
Por que a conheças melhor,
Espero de teu valor
Que me pagues a visita.
Irás, Dom João?

DOM JOÃO

                    Irei, sim;
Mas quero me convencer
Da vagueza de teu ser
Antes que te vás de mim.

ESTÁTUA

Oh! Basta de duvidar,
Dom João; os ferros mais duros
— Vê! — e os mais espessos muros
Abrem-se para eu passar.

(Desaparece a estátua na parede.)

CENA 3
(DOM JOÃO, CENTELHAS e AVELLANEDA.)

DOM JOÃO

Céus! Troca-se a sua essência
Até o muro penetrando,
Como água que vai secando
A canicular ardência!
Não me disse: "O mármor toca
De meu vulto"? Como então
Se desvanece uma roca?
Impossível! É ilusão.
Será que o ex-proprietário
As cubas me envenenou,
E o vinho o sonho nefário
Em minha mente insuflou?
Mas se estas que sombras creio
Reais espíritos são,
Que por angélico meio
Chamam o meu coração,
Então, a fim de que iguale
Sua penitência Dom João

Com seus delitos, que vale
O prazo ruim que lhe dão?
Deus dá-me apenas um dia!
Se fosse Deus em verdade,
A mais distância poria
Meu acesso à eternidade.
Disse-me a sombra de Inês:
"Pensa bem, que ao lado teu
Me terás". Sonhei talvez,
Pois aqui não a vejo eu.

(Transparece na parede a sombra de DONA INÊS.)

CENA 4

(DOM JOÃO, a sombra de DONA INÊS, AVELLANEDA e CENTELHAS desacordados.)

SOMBRA

Aqui me tens.

DOM JOÃO

   Céus!

SOMBRA

      Medita
No que ao bom Comendador
Escutaste; tem valor,
E vai pagar-lhe a visita.
Um instante se necessita
Para morrer com ventura,
E a recompensa é segura,
Porquanto amanhã, Dom João,
Nossos corpos dormirão
Numa mesma sepultura.

(Desaparece a sombra.)

CENA 5

(DOM JOÃO, CENTELHAS e AVELLANEDA.)

DOM JOÃO

Tem-te, Dona Inês, espera!
E se me amas de verdade,
Faz-me ao cabo a realidade
Diferençar da quimera.
Baixa da celeste esfera

E dá-me prova segura
De não ser isto loucura
Da minha imaginação,
Para que desça Dom João
Em sossego à sepultura.
Mas já irritado me traz
Ver-me por todos burlado,
Correndo desatinado
Sempre de sombras atrás.
Farsa talvez tenha sido
Por estes dois preparada,
E enquanto era executada
Foi o desmaio fingido.
Mas, por Deus, que se assim é,
Se hão de lembrar de Dom João.
Dom Rafael! Capitão!
Basta: ponde-vos de pé!

(Dom João sacode Centelhas e Avellaneda, que se erguem como despertados de um sono profundo.)

CENTELHAS

Eh!

DOM JOÃO

Erguei-vos.

AVELLANEDA

Olá! Sois
Vós, Dom João?

CENTELHAS

Onde estamos?

DOM JOÃO

Chega de comédia, vamos!
Aqui vos trouxe eu aos dois,
E desconfio que, ao virdes,
Com artifício apostado,
Havíeis já combinado
De à minha custa vos rirdes.
Cesse a mistificação,
Que ou é isto ou eu estou louco!

CENTELHAS

Não vos entendo.

AVELLANEDA

Eu tampouco.
Explicai.

DOM JOÃO

Em conclusão:
Nada foi visto ou ouvido
Por vós?

CENTELHAS
AVELLANEDA

De quê?

DOM JOÃO

Não finjais!

CENTELHAS

Fingir? Não fingi jamais,
Senhor Dom João.

DOM JOÃO

Terá sido
Mesmo real? Contra Tenório
Estas pedras se animaram
E sua morte juraram
Com prazo tão peremptório?
Falai pois, por compaixão.

CENTELHAS

Com os demônios! Já compreendo
O que pretendeis!

DOM JOÃO

Pretendo
Me deis uma explicação
Do que acaba de passar;
Que senão — ouvi-me bem —
Provarei não haver quem
Se possa de mim burlar.

CENTELHAS

Pois que vos formalizais,
Afirmo que somos nós
Os burlados, e por vós,
Dom João.

DOM JOÃO

Ainda me insultais!?

CENTELHAS

Não, por Deus; mas se a afirmar
Prosseguis que tenhais visto
Fantasmas neste lugar,
Dir-vos-eis como explico isto,
Dom João. Perdi aqui de todo
Os sentidos, sem excesso
De espécie alguma, sucesso
Que entendo por este modo.

DOM JOÃO

Eia então; dizei-mo pois.

CENTELHAS

Segundo bem adivinho,
Pusestes droga no vinho
Para empulhar-nos depois.

DOM JOÃO

Centelhas!

CENTELHAS

Vosso valor
Para em seu auge mostrar,
Convidastes a cear
Convosco o Comendador.
E a fim de poder dizer
Que ao vosso convite exótico
Anuiu, a nós com um narcótico
Fizestes adormecer.
Se é graça, pode passar;
Mas a este extremo levada,
Não pode provar-nos nada,
Nem a hemos de tolerar.

AVELLANEDA

Sou da mesma opinião.

DOM JOÃO

Mentis!

CENTELHAS

Vós.

DOM JOÃO

Vós, capitão.

CENTELHAS

Essa palavra, Dom João...

DOM JOÃO

Eu disse-a de coração.
Mentis ambos; meu valor
Dispensa falsos portentos,
Pois em meus cometimentos
Tem sua prova melhor.

CENTELHAS
AVELLANEDA

Batamo-nos!

(Sacam das espadas.)

DOM JOÃO

Ponde um freio
À fúria que vos abrasa,
Pois que se diga receio
Que os matei na minha casa.
Saiamos.

CENTELHAS

Já que um depois
Do outro havereis de enfrentar,
Rogamo-vos indicar
O primeiro.

DOM JOÃO

A um tempo os dois!

CAI O PANO

Misericórdia de Deus e apoteose do amor

ATO 3

(Panteon da família Tenório, como no primeiro ato da segunda parte, menos as estátuas de Dona Inês e de Dom Gonçalo, que não estão em seus lugares.)

CENA 1
(Dom João, embuçado e alheado, entra em cena lentamente.)

Dom João

Culpa minha não foi; delírio insano
Me tresvariou a mente escandecida.
Necessitava, em seu furor vesano,
Vítimas minha fé entenebrecida
Sempre que as vi surgirem-me na estrada,
Sacrifiquei-as ao meu desatino.
Não fui eu não, meu Deus! Foi seu destino
Que as colocou diante de minha espada.
Oh! Arrebatado em vórtice violento
Sinto o meu coração, e a alma perdida
Vai cruzando os desertos desta vida
Qual folha seca no raivar do vento.
Temo... Duvido... Hesito... Em mim fervilha
Um vulcão de contínuo... Movo a planta
Sem direção... Minha grandeza humilha
Um não sei quê de grande que me espanta.
　　　(Um momento de pausa.)
Jamais o meu orgulho algo mais forte
Que o valor concebeu! Que se aniquila
A alma com o corpo quando chega a morte,
Cri... porém hoje o coração vacila.
Jamais cri nos espectros! Mas daquele,
Por onde eu vá, mau grado o ânimo firme.
Ouço as surdas passadas a seguir-me...
E onde quer que eu esteja, ali está ele.
Oh! E me traz a este sítio irresistível,
Misterioso poder...
　　　(Levanta a cabeça e vê que não está em seu pedestal a estátua de Dom Gonçalo.)
　　　　　　Mas que estou vendo?
Falta ali sua estátua! Sonho incrível,

Deixa-me de uma vez, fantasma horrendo!
Vai-te de minha mente fascinada,
Fatídica ilusão! Não, não me enganas
Com teus pueris assombros, empenhada
Em me abater as forças sobre-humanas.
E se tudo é ilusão, sonho e mentiras,
Rir-se-á Dom João da farsa, alheio a medos;
Se realidade, em vão são tais enredos
Para aplacar dos céus as justas iras.
Mas seja sonho ou realidade, anelo
Vencê-lo ou ser vencido; e se, piedoso,
Me quer chamar a si o divino zelo,
Que venha a mim mais franco e generoso.
Pela efígie da tumba convidado,
Vim a buscar aqui prova mais certa
Do que neguei, incrédulo obstinado.
Eis-me aqui pois. Comendador, desperta.

(Chama ao sepulcro do Comendador. O sepulcro se transforma numa mesa que parodia horrivelmente aquela em que comeram no ato anterior Dom João, Centelhas e Avellaneda. Em vez das grinaldas da toalha, das flores e do serviço luxuoso, se veem cobras, ossos e fogo etc., a gosto do pintor. Em cima dessa mesa aparece um prato de cinza, uma copa de fogo e um relógio de areia. Ao se transformar esse sepulcro, abrem-se os demais e dão passagem aos esqueletos das pessoas que se supõe enterradas neles, envoltos em seus sudários. Sombras, espectros e espíritos enchem o fundo da cena. O sepulcro de Dona Inês permanece fechado.)

CENA 2
(Dom João, A Estátua de Dom Gonçalo e as Sombras.)

ESTÁTUA

Eis-me aqui me tens, Dom João,
E também os que comigo
O teu eterno castigo
A Deus reclamando estão.

DOM JOÃO

Céus!

ESTÁTUA

Por que dessa maneira

Te pões, se no teu dizer,
És homem para fazer
Prato de minha caveira?

DOM JOÃO

Ai de mim!

ESTÁTUA

Quê? Descorais?
Que é do teu valor?

DOM JOÃO

Não sei;
Percebo que me enganei;
Não são sonhos, são reais!
(De olhos fixos nos espectros.)
Pavor jamais conhecido
A alma de golpe me assalta,
E se valor não me falta,
Me vai faltando o sentido.

ESTÁTUA

É que já se vai concluindo,
Dom João, a tua existência;
E o prazo, pela clemência
Divina dado, está findo.

DOM JOÃO

Que dizes?

ESTÁTUA

O que faz pouco
Que Dona Inês advertiu
A Dom João; o que ele ouviu
De mim e esqueceu-se, o louco!
Pois teu convite aceitei,
Quero retribuí-lo; assim,
Vem, Dom João, ao meu festim,
Que um talher te preparei.

DOM JOÃO

E o que é que lá me darás?

ESTÁTUA

Fogo! Fogo, e cinza logo.

DOM JOÃO

Já sinto a cabeça em fogo.

ESTÁTUA

Dar-te-ei o que tu serás.

DOM JOÃO

Fogo e cinzas hei de ser?

ESTÁTUA

Como os que vês em redor:
É no que acaba o valor,
A juventude e o poder.

DOM JOÃO

Cinza, sim; fogo, renego!

ESTÁTUA

Fogo da ira onipotente
Por teu desenfreio cego.

DOM JOÃO

Assim, há outra vida mais,
E eterna, e outro mundo? Assim,
É bem verdade, ai de mim!
O no qual não cri jamais?
Fatal verdade que gela
O sangue em meu coração,
E que a minha perdição,
Ela só, enfim me revela!
E essa ampulheta?

ESTÁTUA

                    É a medida
De teu tempo.

DOM JOÃO

              E escoada vai?

ESTÁTUA

Sim; a cada grão se esvai
Um instante de tua vida.

DOM JOÃO

Só esses me restam? Não mais?

ESTÁTUA

Sim.

DOM JOÃO

Meu Deus, vosso poder
Venho agora a conhecer,
Quanto tempo não me dais
De me arrepender.

ESTÁTUA

Dom João,
Um instante de penitência
Basta à divina clemência,
E esse instante ainda to dão.

DOM JOÃO

Impossível num momento
Remir trint'anos malditos
De crimes e de delitos!

ESTÁTUA

É aproveitá-lo com tento.
(Dobram pelas almas.)
Porque o prazo está a expirar,
E os sinos estão dobrando
Por ti, e já estão cavando
A fossa a que vais baixar.

(Ouve-se ao longe o ofício dos mortos.)

DOM JOÃO

Assim, por mim dobram?

ESTÁTUA

Sim.

DOM JOÃO

E estes cantos funerais?

ESTÁTUA

São salmos penitenciais
Que por ti cantam assim.

(Veem-se passar pela esquerda luzes de tochas e lá dentro rezam.)

DOM JOÃO

E aquele enterro a passar?

ESTÁTUA

É o teu.

DOM JOÃO

O meu? Morto sou?

ESTÁTUA

O capitão te matou
À porta de teu solar.

DOM JOÃO

Muito tarde a luz da fé
Penetra em meu coração,
E a essa luz minha razão
Só crimes lá dentro vê.
Vê-os, e o vê tão ruim,
Tão vão, tão fero, tão rude,
Que a Deus vê na plenitude
De sua ira contra mim.
Ah! Por onde quer que andei,
A virtude escarneci,
A razão atropelei
E da justiça me ri.
Empeçonhei quanto vi;
Não só às choupanas baixei
Como aos palácios subi.
Até claustros escalei!
E pois tal vida levei,
Perdão não espero aqui.
(Dirigindo-se aos fantasmas.)
Ainda aí estais nessa fria

Quietude tão pertinaz?
Deixai-me morrer em paz,
A sós com minha agonia.
Mas com essa horrenda calma,
Com esses sinistros ares,
O que aguardais?

ESTÁTUA

                          Expirares
Para levarmos tua alma.
E adeus, Dom João; tua vida
Toca ao fim; e pois em vão
Tudo foi, dá-me tua mão
Em sinal de despedida.

DOM JOÃO

Mostras-me agora amizade?

ESTÁTUA

Sim; que injusto fui contigo;
Manda-me Deus teu amigo
Voltar para a eternidade.

DOM JOÃO

      (Estendendo a mão à estátua.)
Aperta-a.

ESTÁTUA

                 Agora, Dom João,
Pois desperdiças também
O momento que te dão,
Comigo ao inferno vem.

DOM JOÃO

Para trás, pedra fingida!
Solta, solta-me esta mão,
Que ainda resta o último grão
Na ampulheta desta vida.
Ai, solta-a, que se é verdade
Que um instante de penitência
Basta à divina clemência,
Eu, santo Deus, creio em ti!
Se é minha culpa inaudita,

Tua piedade é infinita...
Piedade!

ESTÁTUA

Tarde!

(DOM JOÃO cai de joelhos, estendendo para o céu a mão que lhe deixa livre a ESTÁTUA. Os espectros, esqueletos etc. vão precipitar-se sobre ele, senão quando abre-se o sepulcro de DONA INÊS e esta aparece. Toma a mão que DOM JOÃO levantara para o céu.)

CENA 3
(DOM JOÃO, a ESTÁTUA DE DOM GONÇALO, DONA INÊS, FANTASMAS etc.)

DOM INÊS

Eis-me aqui,
Dom João; minha mão segura
Essa mão que para a altura
Ergueu a tua aflição;
E Deus perdoa a Dom João
Junto à minha sepultura.

DOM JOÃO

Tu?

DONA INÊS

Venho te socorrer.
Fantasmas, desvanecei-vos;
Sua fé nos salva... volvei-vos
Às campas: assim o quer
De Deus o sumo poder.
De minha alma com a amargura
Purifiquei-lhe a alma impura,
E Deus, em minha aflição,
Deu-me salvar a Dom João
Junto à minha sepultura.

DOM JOÃO

Inês do meu coração!

DONA INÊS

Por ti a minh'alma dei;
Deus deu-me o que lhe implorei:
Tua final salvação.

Mistério é que a compreensão
Passa de toda criatura,
E só em vida mais pura
Os justos compreenderão
Que o amor salvou a Dom João
À beira da sepultura.
Cessai, cantos funerais;
    (Cessam música e salmodia.)
Calai-vos, mortuários sinos;
    (Cessam os dobres pelas almas.)
Tornai, espectros mofinos,
Às urnas em que morais;
    (Voltam os esqueletos aos seus sepulcros.)
Quedai-vos nos pedestais,
Animadas esculturas;
    (Tornam as estátuas aos seus lugares.)
E que as celestes venturas
Em que os eleitos estão,
Comecem para Dom João
Nestas mesmas sepulturas.

(Abrem as flores e dão passagem a anjinhos, que rodeiam Dona Inês *e* Dom João, *derramando sobre eles flores e perfumes, e ao som de uma música suave e longínqua se ilumina o teatro com luz de aurora.* Dona Inês *cai sobre um leito de flores, que ficará à vista, em lugar do sepulcro, que desaparece.)*

CENA ÚLTIMA

*(*Dom João, Dona Inês *e os* Anjos.*)*

Dom João
Deus clemente, glória a ti!
Amanhã aterrar-se-ão
Os homens ao crer que à mão
Dos que assassinei caí.
Mas é justo e fique aqui
Ao universo notório:
Pois que me abre o purgatório
Um instante de penitência,
Sabei que é o Deus da clemência
O Deus de Dom João Tenório.

*(Cai Dom João aos pés de Dona Inês e morrem ambos. De suas bocas
saem as suas almas, representadas por duas brilhantes chamas,
que se perdem no espaço ao som da música)*

CAI O PANO

O CÍRCULO DE GIZ CAUCASIANO

BERTOLT BRECHT

APRESENTAÇÃO POR MANUEL BANDEIRA

Quando fui convidado por Edmundo Moniz a traduzir a peça *Der kaukasische Kreidekreis* de Bertolt Brecht, aceitei o convite mais para comprazer ao amigo. Não imaginava que ia ter um dos maiores gozos intelectuais que já me proporcionou a minha atividade de tradutor. O mesmo gozo que tive traduzindo o *Macbeth* de Shakespeare, porque *O círculo de giz* é coisa verdadeiramente shakespeariana. Disse-o a um amigo letrado, que vira a peça em Paris, e ele corrigiu-me: "Não é shakespeariana, é brechtiana". De fato: *O círculo de giz* tem, pela profundeza de pensamento, pela solidez da estrutura, pela beleza formal, pela extraordinária vida insuflada às personagens, a grandeza shakespeariana, mas sem prejuízo da originalidade, e por esta é eminentemente brechtiana.

Uma lenda chinesa, a mesma história do juízo de Salomão, inspirou a Brecht esta peça, cujo peso maior repousa em Grucha, a pobre moça que com sobre-humanos sacrifícios, inclusive o do seu amor ao soldado Chachava, salva, por ocasião de uma revolta política, a vida do filhinho do Governador assassinado, e em Azdak, o "juiz dos pobres", pobre-diabo beberrão e corrupto, que no entanto cria em pleno caos uma curta idade de ouro na justiça caucasiana.

Grucha, a mãe de criação, e a viúva do Governador, a mãe de sangue, disputam o pequeno Miguel. A mãe de sangue abandonara o petiz no "fuja quem puder" da revolta, mas restabelecida a ordem social reivindica-o. Azdak resolve o caso mandando traçar no chão um círculo de giz e colocando no centro o menino, que as duas mães, cada uma segurando-o por uma das mãos, devem puxar para fora do círculo e para o seu lado. Grucha perde, porque não queria machucar a criança empregando toda sua força. Mas Azdak, o juiz dos pobres, o cínico, o beberrão, o corrupto, compreende que quem merece ficar com o menino é Grucha, das duas mulheres a verdadeiramente maternal. A moral da peça é que as coisas devem caber àqueles que são bons para elas:

> As crianças, às maternais, para que sejam bem-cuidadas;
> Os carros, aos bons cocheiros, para que sejam bem conduzidos;
> E os vales, aos que possam trazer água para eles; a fim de que se tornem produtivos.

Ao longo de toda a peça, há um recitante e um coro, que ora cantando, ora declamando, comentam a ação ou exprimem os sentimentos que agitam a alma das personagens nos momentos em que estas não estão falando. Nestas passagens, mais formalmente, se revela o grande poeta que foi Bertolt Brecht.

O círculo de giz é realmente uma obra-prima do teatro moderno.

LISTA DE PERSONAGENS

Do colcós Galinsk:
UM VELHO CAMPONÊS
UMA CAMPONESA
UM JOVEM OPERÁRIO

Do colcós Luxemburgo:
UMA MOÇA TRATORISTA
UM SOLDADO FERIDO
UM VELHO CAMPONÊS

CATARINA WACHTANG, agrônoma
O PERITO DA COMISSÃO DE ESTADO PARA A RECONSTRUÇÃO
ARKADI TSCHEIDZE, cantor recitante
MÚSICOS
GEORGI ABASCHVÍLI, Governador
NATELLA ABASCHVÍLI, sua mulher
MIGUEL ABASCHVÍLI, seu filho
CHALVA, oficial de ordenança
ARSEN KAZBEKI, Príncipe Gordo
NIKO MIKADZE e MIKHA LOLADZE, médicos
SIMÃO CHACHAVA, soldado
GRUCHA VACHNADZE, ajudante de cozinheira
TRÊS ARQUITETOS
ASSJA, SULIKA, a GORDA NINA, camareiras
MACHA, governanta do filho do Governador
COZINHEIRA
COZINHEIRO
MOÇO DA ESTREBARIA
COURACEIROS e SOLDADOS do Governador e do Príncipe Gordo
VELHO, camponês leiteiro
HOTELEIRO
DUAS SENHORAS DE DISTINÇÃO
CHOTA, brigadeiro dos couraceiros
CAPORAL
UM CAMPONÊS E SUA MULHER
LAURENTI VACHNADZE, irmão de Grucha
ANIKO VACHNADZE, cunhada de Grucha
IUSSUP, camponês casado com Grucha
A MÃE DE IUSSUP, sogra de Grucha
FRADE
AZDAK, escrivão público
SCHAUVA, polícia

O grão-duque
Bierzegan Kazbeki, sobrinho do Príncipe Gordo
Médico
Inválido
Coxo
Mestre cantor
Estalajadeiro
Chantagista
Ludovica
Cavalariço
Três ricos camponeses, proprietários
Uma velha camponesa
Irakli, bandido
Uma cozinheira
Illo Schuboladze e Sandro Oboladze, advogados
Um casal muito idoso

Mendigos
Solicitantes
Soldados
Couraceiros
Servidores
Crianças

Prólogo

O vale em litígio

(Entre as ruínas de uma aldeia bombardeada do Cáucaso estão sentados em círculo, bebendo vinho e fumando, os habitantes de duas aldeias colcosianas. São na maioria mulheres e homens de certa idade; misturados com eles, alguns soldados e um Perito da Comissão de Estado para Reconstrução, vindo da capital.)

CAMPONESA

(À esquerda, apontando a paisagem.)
Ali em cima dos morros nós aprisionamos três tanques de Hitler, mas a plantação de macieiras estava já destruída.

VELHO CAMPONÊS

(À direita.)
Nossa granja tão bonita! Agora só ruínas!

MOÇA TRATORISTA

(À esquerda.)
Fui eu que ateei fogo, camarada.

(Um silêncio.)

PERITO

Ouçam agora a leitura do processo verbal: "Uma delegação do colcós Galinsk, colcós de criadores de cabras, chegou a Nukha. Por ordem das autoridades, esse colcós tinha, por ocasião do avanço do exército hitleriano, levado os seus rebanhos para mais longe, a leste. Projeta ele presentemente reinstalar-se neste vale. Os delegados examinaram a aldeia e o terreno, e constataram uma porcentagem elevada de destruições. *(Os delegados, à direita, aprovam com a cabeça).* Seu vizinho, o colcós de culturas frutíferas Rosa Luxemburgo *(designando o grupo à sua direita)* propõe que sejam as antigas pastagens do colcós Galinsk, um vale de erva escassa, destinadas, quando restauradas, à cultura da vinha e das árvores frutíferas. Na minha qualidade de Perito delegado pela Comissão de Reconstrução, peço às duas aldeias colcosianas que entrem em acordo e decidam elas próprias se o colcós Galinsk deve voltar ou não para cá."

VELHO CAMPONÊS

(À direita.)
Eu desejava, para começar, renovar o meu protesto contra a limitação do prazo de palavra. Nós, os do colcós Galinsk, levamos três dias e três noites para chegar aqui, e agora só nos querem metade de um dia para a discussão.

SOLDADO FERIDO

(À esquerda.)
Camarada, nós temos menos aldeias do que dantes, menos braços
para o trabalho, e menos tempo.

MOÇA TRATORISTA

Todas as distrações devem ser racionadas, o fumo está racionado e a
discussão também.

VELHO CAMPONÊS

(À direita, suspirando.)
Ao diabo os fascistas! Mas já que é assim vou direto ao assunto e vou
explicar por que desejamos recuperar o nosso vale. Há uma porção
de motivos, mas quero começar por um dos mais simples. Makine
Abakidze, desembrulhe o queijo. Podem se servir.

*(Uma camponesa tira de uma grande cesta um enorme queijo
envolvido num pano. Aplausos e risos.)*

VELHO CAMPONÊS

(À esquerda, suspicaz.)
Estão querendo nos influenciar?

VELHO

(À direita.)
Tudo o que eu quero é uma resposta franca: você acha bom o queijo?

VELHO

(À esquerda.)
Acho.

VELHO

(À direita.)
Ah, você acha bom? *(Amargamente.)* Eu já devia ter desconfiado que
não entende nada de queijo.

VELHO

(À esquerda.)
Por quê?

VELHO

(À direita.)
Porque é impossível que você ache ele bom. Por que ele não é mais
o mesmo? Porque as minhas cabras não encontram na erva de agora
um gosto tão bom como o de antigamente. Há queijo e queijo, porque
há erva e erva, a verdade é esta. Façam o favor de pôr isto no processo
verbal.

VELHO

(À esquerda.)
Mas o seu queijo está perfeito.

VELHO

(À direita.)
Não está perfeito, está apenas passável. O novo pasto não vale nada, por mais que digam os moços. Sou eu que lhes digo, não se pode viver lá. Lá até a madrugada não é verdadeiramente madrugada.

(Alguns riem.)

PERITO

Não te zangues se eles riem, no fundo te compreendem muito bem. Camaradas, por que se gosta da terra? A razão é esta: nela o pão tem melhor sabor, o céu é mais alto, o ar mais vivo e perfumado, nela a voz soa melhor, <o chão facilita> a marcha. Não é fato?

VELHO

(À direita.)
O vale nos pertence desde sempre.

SOLDADO

(À esquerda.)
Que quer dizer isto: "desde sempre"? Nada pertence a ninguém desde sempre. Tu mesmo, quando eras moço, não te pertencias, pertencias aos príncipes Kazbeki.

VELHO

(À direita.)
Pela lei, o vale é nosso.

MOÇA TRATORISTA

Em todo caso, deve-se rever as leis e verificar se elas permanecem válidas.

VELHO

(À direita.)
Claro, então não é importante ter esta ou aquela árvore junto à casa em que nascemos? E os vizinhos, não é importante? Queremos voltar pra cá, mesmo se for pra ter vocês junto do nosso colcós, vocês, meus ladrões de vales. É isso mesmo, podem rir.

VELHO

(À esquerda, rindo.)
Então, por que não ouvir calmamente o que a tua "vizinha" Catarina Wachtang, nossa agrônoma, tem a dizer a propósito do vale?

UMA CAMPONESA

(À direita.)
Estamos muito longe de ter dito tudo o que tínhamos a dizer a respeito do nosso vale. Nem todas as casas foram destruídas, e da quinta restam pelo menos os alicerces.

PERITO

Aqui ou lá vocês têm direito ao auxílio do Estado, e sabem disto muito bem.

CAMPONESA

(À direita.)
Camarada perito, não estamos aqui no mercado. Não posso tomar-te a casquete e oferecer-te outra dizendo: "Esta é melhor". Por melhor que a outra seja é a tua que achas melhor.

MOÇA TRATORISTA

Um terreno, camarada, não é o mesmo que uma casquete, pelo menos em nossa terra.

PERITO

Não se exalte. É exato: um terreno, devemos antes considerá-lo como uma ferramenta, com a qual se produz qualquer coisa de útil. Mas também é exato que devemos respeitar o amor das pessoas a este ou aquele sítio. Antes de prosseguir na discussão, proponho que vocês expliquem aos camaradas do colcós Galinsk o que contam fazer do vale em litígio.

VELHO

(À direita.)
De acordo.

VELHO

(À esquerda.)
Deixem Catarina falar!

PERITO

Camarada agrônoma, tenha a palavra.

AGRÔNOMA

(<À esquerda> levanta-se. Traja uniforme militar.)
Camaradas, no inverno passado, quando éramos guerrilheiros e nos batíamos por aqui nos morros, discutíamos a maneira pela qual po-

---

1 Utilizamos aqui a edição preparada por Christine Röhrig e Samuel Titan Jr. (Cosac Naify, 2010) que, baseados no original alemão, optaram por manter entre chaves ao longo da peça "os poucos e pequenos trechos omitidos por Bandeira". (Nota do organizador)

deríamos, depois de expulsos os alemães, reconstituir em proporções dez vezes maiores as nossas plantações de árvores frutíferas. Aprontei então o projeto dos trabalhos de irrigação. Graças a uma barragem instalada em nosso lago de montanha, trezentos hectares de terra baldia poderiam ser irrigados. O nosso colcós poderia então, além dos frutos, plantar vinhedos. Mas o projeto só será bastante produtivo se se englobar nele o vale em litígio pertencente ao colcós Galinsk. Aqui estão os cálculos. *(Estende um maço de papel ao perito.)*

VELHO

(À direita.)
Inscrevam no processo verbal que o nosso colcós tem intenção de instalar também uma criação de cavalos.

MOÇA TRATORISTA

Camaradas, o projeto foi concebido durante os dias e as noites em que dormíamos ao relento nas montanhas, e às vezes não tínhamos munição, senão para três ou quatro fuzis. Até achar um lápis era difícil.

(Aprovação geral.)

VELHO

(À direita.)
Agradecemos aos nossos camaradas do colcós Rosa Luxemburgo e a todos aqueles que defenderam o país.

(Apertam-se as mãos e abraçam-se.)

CAMPONESA

(À esquerda.)
Nossa ideia então era que os nossos soldados, os nossos maridos e os de vocês, pudessem voltar a um país ainda mais fértil do que antes.

MOÇA TRATORISTA

Como disse o poeta Maiakóvski: "O país do povo soviético deve ser também o país da razão".

(Os delegados do lado direito levantam-se, com exceção do velho, e examinam com o PERITO os desenhos da AGRÔNOMA. Ouvem-se exclamações: "Onde foram vocês buscar os 22 metros da altura de queda?" — "Vai-se fazer explodir o rochedo que há lá." — "No fundo, eles só têm necessidade de cimento e dinamite." — "Eles forçam a água a descer pra cá, é engenhoso!")

OPERÁRIO JOVEM

(<À direita>. Ao VELHO à direita.)
Vão irrigar todos os campos entre os morros, olha aqui, Aleko.

VELHO

> *(À direita.)*
> Não quero olhar. Eu sabia que o projeto seria bom. Mas não deixo que me encostem a pistola no peito.

SOLDADO

> *(À esquerda.)*
> Eles querem encostar só o lápis.

> *(Hilaridade.)*

VELHO

> *(À direita, levanta-se, mal-humorado, e vai olhar os desenhos.)*
> Estes ladrões de vales sabem muito bem que os projetos e as máquinas neste país são irresistíveis.

CAMPONESA

> *(À direita.)*
> Aleko Berechvili, para os projetos novos, você é o mais terrível, toda a gente sabe.

PERITO

> E o meu processo verbal? Posso inscrever que vocês, no seu colcós, intervirão para que ele ceda o antigo vale com vistas ao projeto?

CAMPONESA

> *(À direita.)*
> Eu intervirei. E tu, Aleko?

VELHO

> *(À direita, inclinado sobre os desenhos.)*
> Eu peço que nos deixem levar cópia destes desenhos.

CAMPONESA

> *(À direita.)*
> Então podemos sentar-nos à mesa. Uma vez que ele tenha os desenhos e possa discutir sobre eles, a coisa está resolvida. Eu conheço ele. E os outros no nosso colcós são todos assim.

> *(Os delegados abraçam-se novamente, rindo.)*

VELHO

> *(À esquerda.)*
> Viva o colcós Galinsk e boa fortuna ao novo haras!

CAMPONESA

(À esquerda.)
Camaradas, em honra dos nossos visitantes, os delegados do colcós Galinsk e o perito, preparamos a representação, com o concurso do cantor Arkadi Tscheidze, de uma pecinha de teatro que tem um pouco relação com o nosso problema.

(Aplausos. Moça tratorista sai à procura do cantor.)

CAMPONESA

(À direita.)
Camaradas, é preciso que a peça seja boa. Ela vai custar-nos um vale.

CAMPONESA

(À esquerda.)
Arkadi Tscheidze sabe de cor 21 mil versos.

VELHO

(À esquerda.)
Já ensaiamos sob a direção dele. A verdade é que tivemos grande dificuldade para ele vir. O senhor, camarada, na comissão do plano, devia arranjar que ele pudesse vir mais frequentemente ao norte.

PERITO

É, nós nos preocupamos de preferência com as questões econômicas.

VELHO

(À esquerda, sorrindo.)
Os senhores põem ordem na nova distribuição das vinhas e dos tratores. Por que não na das canções?

(Guiado pela Moça tratorista, o Cantor Arkadi Tscheidze faz a sua entrada no círculo: é um homem robusto, de maneiras simples. Acompanham-no uns Músicos, trazendo os seus instrumentos. Os artistas são recebidos com aplausos.)

MOÇA TRATORISTA

O camarada perito, Arkadi.

(O Cantor saúda os assistentes.)

CAMPONESA

(À direita.)
É uma grande honra para mim conhecer o senhor. Ouvi falar dos seus cantos quando eu estava ainda nos bancos da escola.

RECITANTE

Desta vez é uma peça com cantos; cada qual tem o seu papel, ou quase. Trouxemos as máscaras antigas.

VELHO

(À direita.)
Será uma das lendas velhas?

RECITANTE

Chama-se *O círculo de giz,* vem-nos dos chineses. Naturalmente nós a representamos em forma modificada. Yura, mostra as máscaras. Camaradas, é uma honra para nós diverti-los depois de um debate difícil. Esperamos que sejam da opinião que a voz do velho poeta ressoa igualmente bem à sombra dos tratores soviéticos. É um erro misturar vinhos diferentes, mas a antiga sabedoria e a nova casam admiravelmente. Agora, espero que vão dar-nos a todos alguma coisa para comer, antes de começarmos. Isso dá forças.

VOZES

Certamente. Venham todos à sala das festas.

(Vão todos alegremente almoçar. O PERITO se volta para o RECITANTE.)

PERITO

Quanto tempo dura a história? Tenho que estar à noite em Tíflis.

RECITANTE

(Com ar distraído.)
Na verdade são duas histórias. Algumas horas.

PERITO

(Discretamente.)
Não poderiam abreviar?

RECITANTE

Não.

Primeiro quadro

A AUGUSTA CRIANÇA

(O Recitante senta-se no chão, diante dos Músicos, com os ombros cobertos por uma pele de carneiro preta. Folheia um livro gasto pelo uso, de páginas marcadas por fitinhas.)

RECITANTE

Outrora, na época sangrenta,
Reinava nesta cidade, apelidada a Réproba,
Um governador de nome Georgi Abaschvíli.
Era rico, um verdadeiro Creso.
Tinha uma mulher muito bonita,
Tinha um filho robusto.
Governador nenhum na Geórgia
Tinha tantos cavalos na manjedoura,
Tantos mendigos à sua porta,
Tantos soldados a seu serviço
Nem tantos solicitantes no seu pátio.
Um homem como Georgi Abaschvíli, de que maneira descrevê-lo?
Ele saboreava a sua vida.
Por uma bela manhã de Páscoa,
O senhor Governador foi com todos os seus à igreja.

(Da porta principal do palácio sai uma onda de mendigos e de solicitantes, carregando crianças macilentas, muletas, petições. Atrás deles, dois Couraceiros, depois, em trajes suntuosos, a família do Governador.)

MENDIGOS E SOLICITANTES

Por Deus, Excelência, os impostos são exorbitantes. Perdi minha perna na guerra contra a Pérsia, onde posso obter...? Meu irmão está inocente, Excelência. Um simples mal-entendido. Está morrendo de fome. Para isentar nosso último filho do serviço militar... Por favor, Excelência, o inspetor das águas se deixa subornar.

(Um servidor recolhe as petições, outro tira moedas de uma bolsa e as distribui, os soldados rechaçam a multidão, espancando-a com grossos chicotes de couro.)

SOLDADO

Abram caminho para a entrada da igreja.

(Atrás do Governador e de sua Esposa, acompanhados por um Oficial de ordenança, vem o Filho do governador em rico carrinho. A multidão se comprime e avança de novo para ver.)

RECITANTE

(Enquanto ela é enxotada a chicotadas.)
Pela primeira vez neste Domingo de Páscoa, via o povo o Herdeiro.
Dois médicos não se afastavam um passo da augusta criança,
A menina dos olhos do Governador.
(Gritos da multidão.)
"O filho! Não consigo ver, não empurre assim!"
"Deus o abençoe, Excelência!"

RECITANTE

Até o poderoso príncipe Kazbeki
Lhe faz reverência à entrada da igreja.

(Um gordo príncipe se adianta e cumprimenta a família.)

PRÍNCIPE GORDO

Felizes Páscoas, Natella Abaschvíli.

(Ouve-se uma ordem de comando, chega um Cavaleiro a galope e entrega ao Governador uma pasta cheia de documentos. A um sinal do Governador, o Oficial de ordenança, belo rapaz, aproxima--se do Cavaleiro e o retém. Breve silêncio, durante o qual o Príncipe gordo examina o Cavaleiro com ar desconfiado.)

PRÍNCIPE GORDO

Que belo dia! Esta noite, quando choveu, eu disse comigo: triste tempo de Páscoa! Mas pela manhã, céu sem nuvens. Gosto do céu sem nuvens, Natella Abaschvíli, sou um coração muito simples. E o Miguelzinho, que já tem tudo de um governador, guíli, guíli. *(Faz cócegas no menino.)* Felizes Páscoas, Miguelzinho, guíli, guíli.

MULHER DO GOVERNADOR

Que me diz, Arsênio? Georgi acabou por se decidir a começar a construção da ala prevista do lado do nascente. Todo o subúrbio, com os seus abarracamentos piolhentos, vai ser demolido para dar lugar ao jardim.

PRÍNCIPE GORDO

Boa notícia, depois de tantas más. Que dizem da guerra, mano Georgi? *(Gesto evasivo do Governador.)* Retirada estratégica, ao que me disseram? Ora, pequenos reveses, como os de sempre. Um dia bem, um dia pior. Azares da guerra. Sem grande importância, não?

Mulher do Governador

Ele tossiu! Ouviste, Georgi? *(Agressiva, aos dois médicos, dois homens muito dignos, em pé atrás do carrinho da criança.)* Ele tossiu.

Primeiro médico

(Ao segundo.)
Posso lembrar-lhe, Niko Mikadze, que eu fui contra o banho morno? Um pequeno erro, Excelência, quando se dosou a água do banho.

Segundo médico

(Igualmente muito cortês.)
Não posso absolutamente partilhar o seu ponto de vista, Mikha Loladze, a temperatura da água do banho era a indicada pelo nosso caro, pelo nosso grande Michiko Oboladze. Antes quero crer que foi alguma corrente de ar durante a noite, Excelência.

Mulher do Governador

Mas vejam pois o que ele tem. Parece que está com febre, Georgi.

Primeiro médico

(Inclinado sobre a criança.)
Não há motivo para Vossa Excelência inquietar-se. A água do banho um pouco mais quente e isso não acontecerá mais.

Segundo médico

(Lançando-lhe um olhar envenenado.)
Não esquecerei, meu caro Mikha Loladze. Não há motivo para inquietação, Excelência.

Príncipe Gordo

Ora, ora, ora! É como eu digo sempre: estou sentindo umas pontadazinhas no fígado, cinquenta palmatoadas na planta dos pés do médico. E isso porque vivemos numa época abastardada. Dantes se dizia simplesmente: cortar a cachola.

Mulher do Governador

Entremos na igreja. Provavelmente é porque há aqui uma corrente de ar.

(O cortejo, família e criados, se dirige para a porta da igreja. O Príncipe gordo segue o movimento. O Oficial de ordenança sai do cortejo e mostra o Cavaleiro.)

Governador

Antes do ofício, não, Chalva.

OFICIAL DE ORDENANÇA

(Ao CAVALEIRO.)

O Governador não quer ser incomodado, antes do ofício, pelos relatórios, sobretudo se, como presumo, eles são de natureza que o possam deprimir. Vai pedir que te deem comida na cozinha, meu rapaz.

(O OFICIAL DE ORDENANÇA volta ao cortejo, enquanto o CAVALEIRO entra no palácio, soltando uma praga. Um SOLDADO sai do palácio e para debaixo do pórtico.)

RECITANTE

A cidade está silenciosa.
No adro os pombos saracoteiam.
Um guarda do palácio graceja
Com uma moça da cozinha
Que vem do rio com um pacote pesado.

(Uma CRIADA quer entrar pelo pórtico, trazendo debaixo do braço um molho de grandes folhas verdes.)

SOLDADO

Então, a menina não está na igreja, e passeia em lugar de ir à missa?

GRUCHA

Eu já estava vestida, mas faltava um pato para o banquete de Páscoa, e me pediram para ir buscar, porque de patos eu entendo um pouco.

SOLDADO

Um pato? *(Fingindo desconfiança.)* Gostaria de ver esse pato. *(GRUCHA não compreende.)* Com as mulheres é preciso ter cautela. Elas dizem: "Fui só buscar um pato" e no fim era outra coisa.

GRUCHA

(Caminha para ele despachada e lhe exibe o pato.)
Veja! Se não pesar quinze libras e não tiver sido cevado com milho, estou pronta a engolir as penas.

SOLDADO

Que pato! Um verdadeiro príncipe! Este é o próprio Governador que se banqueteará com ele... Então a menina voltou à beira do rio?

GRUCHA

Voltei, perto do galinheiro grande.

SOLDADO

Ah, sim, o galinheiro grande, lá embaixo, perto do rio? Não seria um pouco mais em cima, perto dos salgueiros que sabemos?

GRUCHA

Do lado dos salgueiros? Quando vou até lá é só pra lavar a roupa.

SOLDADO

(Com ar de sabido.)
É isso, é isso.

GRUCHA

É isso o quê?

SOLDADO

(Piscando o olho.)
Isso exatamente.

GRUCHA

Por que não tenho o direito de lavar a roupa perto do salgueiro?

SOLDADO

(Com um riso demasiadamente ruidoso.)
"Por que não tenho o direito de lavar a roupa perto dos salgueiros?" É boa! É excelente!

GRUCHA

Não compreendo o senhor Soldado. Que é que há nisso de excelente?

SOLDADO

(Malicioso.)
Uma que soubesse o que certa pessoa <sabe>, ficaria toda sem jeito.

GRUCHA

Não vejo o que se possa saber a respeito desses famosos salgueiros.

SOLDADO

E se houvesse defronte das moitas outras moitas de onde se pudesse ver tudo? Tudo o que pode acontecer quando a moça que sabemos "vai lavar roupa!"

GRUCHA

E que é que pode acontecer? O senhor Soldado quererá explicar o que quer dizer, e vamos acabar com isto?

SOLDADO

Podem acontecer coisas que podem fazer ver as coisas.

GRUCHA

O senhor Soldado quererá dizer que uma vez, num dia quente, eu molhei na água a ponta dos pés? Fora disso, não vejo mais nada.

SOLDADO

Mais que isso. A ponta dos pés e mais que isso.

GRUCHA

Que mais? O pé todo, talvez.

SOLDADO

Sim, o pé. E um pouco mais. *(Ri muito.)*

GRUCHA

(Irritada.)
Simão Chachava, devias ter vergonha. Ficar nas moitas e esperar que uma certa pessoa, num dia quente, molhe as pernas no rio. E mesmo provavelmente com outro soldado! *(Foge.)*

SOLDADO

(Gritando para ela.)
Não, com outro não. *(Quando o* CANTOR *retorna à sua narrativa, o* SOLDADO *sai perseguindo* GRUCHA.)

RECITANTE

Toda a cidade está silenciosa, mas por que os soldados armados?
No palácio do Governador, tudo está em paz,
Mas então por que trincheiras?

(Da porta da esquerda sai precipitadamente o PRÍNCIPE GORDO. *Detém-se para lançar uma olhadela em volta. Diante da porta direita, esperam dois* COURACEIROS. *O* PRÍNCIPE *os vê e passa lentamente diante deles. Faz-lhes um sinal e desaparece rapidamente. Um dos homens entra no palácio, o outro permanece montando guarda; nos bastidores ouvem-se gritos abafados: "A seus postos!" O palácio está cercado. Ao longe soam sinos. Da porta da igreja saem o cortejo e a família do* GOVERNADOR, *voltando do ofício.)*

RECITANTE

O Governador voltou ao seu palácio;
E a trincheira era uma cilada,
E o pato estava depenado, assado
E o pato nunca foi comido,
E meio-dia não era mais a hora do banquete,
Meio-dia era a hora da morte.

MULHER DO GOVERNADOR

(Passando.)
Francamente, não é possível viver neste cochicholo, mas Georgi naturalmente não constrói senão para o seu Miguelzinho, nunca para mim. É só Miguel, tudo para Miguel!

GOVERNADOR

Ouviste o "Felizes Páscoas!" de meu bom mano Kazbeki? Muito bonito, mas, que eu saiba, não choveu em Nukha durante a noite. Onde se encontrava meu bom mano Kazbeki choveu. Onde andava meu bom mano Kazbeki?

OFICIAL DE ORDENANÇA

É preciso fazer um inquérito.

GOVERNADOR

Sim, Ordenança. Amanhã.

(O cortejo se dirige para a porta principal. O CAVALEIRO, saído do palácio, aproxima-se do GOVERNADOR.)

OFICIAL DE ORDENANÇA

Excelência, não quer, apesar de tudo, ouvir o cavaleiro enviado da capital? Ele chegou hoje de manhã com papéis confidenciais.

GOVERNADOR

(Sem se deter.)
Antes de comer, não, Chalva.

(O cortejo desaparece no interior do palácio, não ficam diante da porta senão dois COURACEIROS e a guarda do GOVERNADOR.)

OFICIAL DE ORDENANÇA

(Ao CAVALEIRO.)
O Governador não deseja ser importunado antes do banquete com relatórios militares, e à tarde Sua Excelência consagrará a conversa com eminentes arquitetos, que estão igualmente convidados para o banquete. Ei-los. *(Três personagens chegam, enquanto o CAVALEIRO se retira. O OFICIAL DE ORDENANÇA saúda os ARQUITETOS.)* Senhores, Sua Excelência espera-os à mesa. Todo o seu tempo é para os senhores, para os seus novos projetos grandiosos. Venham depressa!

UM ARQUITETO

Estamos admirados! Apesar de todos os boatos inquietantes, que falam do rumo desagradável que tomou a campanha da Pérsia, Sua Excelência não pensa senão em construir.

OFICIAL DE ORDENANÇA

Digamos antes: por causa deles! Não é nada. A Pérsia está longe! A guarnição daqui se deixaria espostejar pelo seu governador. *(Alarido no palácio. Os gritos agudos das mulheres, dos comandos. O OFICIAL DE ORDENANÇA, petrificado, quer encaminhar-se para a porta. Um COURACEIRO sai, apontando a lança contra ele.)* Que quer dizer isto? Baixe a lança, seu canalha. Fora de si, voltando-se para a guarda. Desarmem-no. Não estão vendo que é um atentado contra o Governador?

> *(Os* Couraceiros *não o ouvem. Olham frios e indiferentes, e permanecem igualmente impassíveis durante as cenas seguintes. O* Oficial de ordenança *força a entrada do palácio.)*

Um arquiteto

Os príncipes! Esta noite na capital houve uma reunião dos príncipes que estavam contra o Grão-Duque e os seus governadores. Senhores, o melhor é se precatar.

> *(Saem precipitadamente.)*

Recitante

Oh, a cegueira dos grandes! Vão como se fossem eternos,
Levados sobre os dorsos que se curvam, e
Seguros dos punhos que pagam, confiando
Na força, cujo reino durou tanto tempo.
Muito tempo não é sempre.
Oh, mudança dos tempos, tu, esperança do povo.

> *(Pela porta principal sai o* Governador *acorrentado, o rosto lívido, entre dois soldados armados até os dentes.)*

Até sempre o poderoso senhor! Dá-nos a honra de erguer o busto.
Das janelas do palácio o olho de mil inimigos te observa.
Já não tens necessidade de arquiteto, basta um marceneiro.
Não vais para nenhum novo palácio, mas para um pequeno buraco
[de terra.
Olha ainda um pouco, em redor, ó cego!

> *(O prisioneiro olha em volta.)*

Gostavas do que possuías. Entre a missa da Páscoa e o banquete,
Vais para o país donde ninguém volta.

> *(Levam-no. A guarda do palácio fecha a marcha. Um olifante soa o alarme. Alarido atrás da porta principal.)*

Quando a casa de um grande desmorona,
Muitos pequeninos são esmagados.
Os que não haviam participado da boa fortuna de um poderoso,
Participam muitas vezes da desgraça dele. O carro que tomba
Arrasta consigo ao abismo

A parelha suada.

(Pela porta principal do palácio saem os Criados como loucos.)

CRIADOS

(Numa gritaria confusa.)
As cestas grandes! Tudo no terceiro pátio! Cinco dias de víveres. A senhora sentiu-se mal de novo. É preciso trazê-la para baixo, é preciso que ela vá-se embora. E nós? A nós eles vão matar como frangos, já se sabe. Jesus, Maria, que irá acontecer? Parece que na cidade o sangue já começou a correr. Absurdo, o que houve é que o Governador foi convidado, muito amavelmente, a tomar parte numa reunião dos príncipes; tudo vai se arranjar em paz, sei de boa fonte.

(Os dois médicos se precipitam no pátio.)

PRIMEIRO MÉDICO

(Tentando reter o outro.)
Niko Mikadze, é do seu dever de médico assistir Natella Abaschvíli em sua provação.

SEGUNDO MÉDICO

Do meu dever? Não, do seu!

PRIMEIRO MÉDICO

Quem se ocupa hoje do menino, você ou eu?

SEGUNDO MÉDICO

Você acredita mesmo, Mikha Loladze, que por causa deste fedelho eu vá ficar mais um segundo numa casa pesteada? *(Engalfinham-se pelos cabelos.)*

VOZES

"Os senhores estão faltando ao seu dever." "O dever! O dever!"

(Depois o Segundo médico prostra o Primeiro.)

SEGUNDO MÉDICO

Vá pro inferno!

Sai.

CRIADOS

Temos tempo até de tarde, os soldados não estarão bêbados daqui até lá. Sabe-se se eles já fizeram o levante? A guarda fugiu a cavalo. Ainda não se sabe o que se passou?

GRUCHA

Meliva, o pescador, disse que no céu da capital se viu um cometa com uma cauda toda vermelha. Isso anunciava desgraça.

CRIADOS

Parece que ontem na capital se soube que a guerra da Pérsia estava definitivamente perdida. Os príncipes organizaram uma grande revolta. Dizem que o Grão-Duque já fugiu. Vão executar todos os Governadores. À arraia-miúda não farão nada. Tenho um irmão que é couraceiro. *(Entra o soldado* SIMÃO CHACHAVA, *procurando* GRUCHA *na multidão.)*

OFICIAL DE ORDENANÇA

(Aparecendo à porta principal.)
Todo mundo no terceiro pátio. Às bagagens, todo mundo!

(Passam criados, SIMÃO *encontra enfim* GRUCHA.)*

SIMÃO

Afinal te encontro. Que vais fazer?

GRUCHA

Nada. Em caso de necessidade, tenho um irmão que é caseiro na montanha. E tu?

SIMÃO

Sei lá *(Retomando tom cerimonioso.), Grucha Vachnadze, tua pergunta relativamente aos meus projetos me enche de satisfação. Tenho ordem de acompanhar, como guarda do corpo, Natella Abaschvíli.*

GRUCHA

Mas o guarda não o sublevou?

SIMÃO

(Gravemente.)
Justamente.

GRUCHA

Não é perigoso acompanhá-la?

SIMÃO

Em Tíflis se diz: "Um bom pontaço nunca fez mal a uma faca".

GRUCHA

Mas tu não és uma faca, tu és um homem, Simão Chachava. Que tens a ver com essa mulher?

SIMÃO

Não tenho nada a ver com essa mulher. Recebi a ordem e vou montar.

GRUCHA

Senhor Soldado tem a cabeça dura. Expõe-se ao perigo à toa, inteira-mente à toa. *(Ouvindo que a chamam do interior do palácio.)* Tenho que ir para o terceiro pátio. Estou com pressa.

SIMÃO

Se há pressa, então não briguemos. Uma boa briga pede tempo. Pode--se perguntar se a senhorita tem ainda seus pais vivos?

GRUCHA

Não. Só o irmão.

SIMÃO

Já que o tempo é pouco, a segunda pergunta seria: a senhorita está sã como um pero na árvore?

GRUCHA

Talvez uma cãibra no ombro direito de vez em quando, mas à par-te isso, aguento qualquer trabalho, nunca dei a ninguém motivo de queixa.

SIMÃO

Toda a gente sabe. Quando se trata num Domingo de Páscoa de ir bus-car um pato, é ela que vai. Pergunta número três: a senhora tem pro-pensões à impaciência? Pede maçãs no inverno?

GRUCHA

Impaciente não, não sou, mas se se vai para a guerra sem motivo e não vem notícia nenhuma, é ruim.

SIMÃO

Hão de vir notícias. *(Do interior do palácio chamam de novo GRUCHA.)* Para concluir, a principal pergunta...

GRUCHA

Simão Chachava, como eu tenho que ir para o terceiro pátio e há mui-ta pressa, a sua resposta de antemão é sim.

SIMÃO

> *(Embaraçado.)*

Há um provérbio que diz "Muita pressa é o nome do vento que põe abaixo o andaime". Mas dizem também: "Os ricos nunca têm pressa". Eu sou de...

GRUCHA

Kutsk...

SIMÃO

Ah! A senhorita já está informada? Saúde boa, nenhum encargo de família, dez piastras mensais, vinte quando for sargento-pagador, peço sua mão de todo coração.

GRUCHA

Simão Chachava, estou de acordo.

SIMÃO

(Retira do pescoço uma corrente de onde pende uma cruzinha.)
A cruz foi de minha mãe, Grucha Vachnadze, a corrente é de prata, se a quiseres usar...

GRUCHA

Muito obrigada, Simão.

(Ele passa-lhe a corrente em torno do pescoço.)

SIMÃO

Tenho que ir atrelar os cavalos, a senhorita compreenderá. É melhor que vá para o terceiro pátio, para não haver histórias.

GRUCHA

Sim, Simão.

(Permanecem no lugar, sem saber o que fazer.)

SIMÃO

Vou só acompanhar essa senhora até as tropas que ficaram fiéis. Quando a guerra acabar, voltarei. Duas semanas ou três. Espero que a minha noiva não ache o tempo muito comprido durante a minha ausência.

GRUCHA

Simão Chachava, esperarei por ti.
Vai tranquilo para a batalha, soldado,
Para a sangrenta batalha, a amarga batalha,
Da qual nem todos voltam:
Quando voltares, estarei aqui.
Te esperarei embaixo do olmeiro verde,
Te esperarei embaixo do olmeiro fresco,
Te esperarei até que o último tenha voltado
E mais ainda.
Quando voltares da batalha

Não verás nenhuma bota à soleira de minha porta,
O travesseiro ao lado do meu estará vazio,
E minha boca não terá sido beijada.
Quando voltares, quando voltares,
Poderás dizer: tudo está como dantes.

SIMÃO

Obrigado, Grucha Vachnadze. E até a volta.

> *(Inclina-se profundamente diante dela. Ela faz o mesmo, em
> seguida ela sai correndo, sem olhar para trás. O OFICIAL DE ORDENANÇA
> aparece à porta.)*

OFICIAL DE ORDENANÇA

> *(Rudemente.)*
Atrela os cavalos na carruagem grande, não fiques aí como um palerma, seu vagabundo!

> *(SIMÃO perfila-se e sai. Da porta principal vêm dois servidores
> profundamente curvados sob enormes arcas. Atrás deles,
> sustentada por suas mulheres, caminha NATELLA ABASCHVÍLI. Atrás
> dela, uma mulher traz a criança.)*

MULHER DO GOVERNADOR

Ninguém se ocupa de nada. Não sei onde tenho a cabeça. Onde está
Miguel? Não o segures tão desajeitadamente. As arcas em cima do
carro! Tem-se alguma notícia do Governador, Chalva?

OFICIAL DE ORDENANÇA

> *(Sacudindo a cabeça.)*
É preciso partir imediatamente.

MULHER DO GOVERNADOR

Sabe-se alguma notícia da cidade?

OFICIAL DE ORDENANÇA

Não. No momento tudo está em calma, mas não há um instante a
perder. Não tem lugar no carro para as arcas. Escolha as coisas de que
vais precisar. *(Sai a passo rápido.)*

MULHER DO GOVERNADOR

Só o estritamente necessário! Depressa, abram as arcas, eu direi o que
é preciso levar. *(Tiram as arcas do carro e abrem-nas. A MULHER DO GO-
VERNADOR, mostrando vários vestidos de brocado.)* O verde, e depois naturalmente aquele com a peliçazinha! Onde estão os médicos? Estou
de novo com a maldita enxaqueca, começa sempre pelas têmporas.

Aquele com os botõezinhos de pérolas... *(Entra Grucha.)* Até que enfim apareceste! Vai depressa buscar as bouillotes. *(Grucha sai correndo e volta com as bouillotes. A Mulher do governador dá-lhes diversas ordens por gestos. Observa uma Camareira moça.)* Não rasgues a manga.

Camareira
Juro, madame, o vestido está perfeito.

Mulher do Governador
Porque eu te apanhei. Há muito tempo que eu tinha o olho em ti. Não pensas senão em namorar o Oficial de Ordenança! <Te mato, cachorra!>. *(Bate nela.)*

Oficial de Ordenança
(Volta.)
Por favor, Natella Abaschvíli. Já se combate na cidade. *(Torna a sair.)*

Mulher do Governador
(Soltando a Camareira.)
Meu Deus, meu Deus! Vocês acreditam que eles levantariam a mão contra mim? Que razão teriam para isso? *(Todos se calam. Ela põe-se a remexer ela própria nas arcas.)* Vai buscar o casaquinho de brocado. Ajuda-a! Como está Miguel? Está dormindo?

Governanta
Está sim, madame.

Mulher do Governador
Então larga-o um instante e vai buscar-me as botinas de marroquim no quarto de dormir, preciso delas para o vestido verde. *(A Governanta sai. À Camareira.)* Não fiques aí sem fazer nada! *(A Camareira foge.)* Fica aqui, senão mando te dar uma surra! *(Um silêncio.)* Como tudo está mal-arrumado, sem amor, sem gosto! É preciso a gente mostrar tudo a elas... É em momentos como estes que se vê que espécie de criados que se tem... Macha! Para comer está sempre pronta, mas gratidão, nem um pingo! Vou tomar nota.

Oficial de Ordenança
(Muito impaciente.)
Natella, venha imediatamente. Orbeliani, o juiz da Corte Suprema, acaba de ser enforcado pelos revoltosos da fábrica de tapetes.

Mulher do Governador
Por quê? O de lamê prateado, faço questão, custou mil piastras. E aquele ali também e todas as peles, e cadê o vestido cor de vinho?

OFICIAL DE ORDENANÇA
(Tentando levá-la.)
Houve rebeliões nos subúrbios. Temos que partir imediatamente.
(Um criado foge.) Onde está a criança?

MULHER DO GOVERNADOR
(Chamando a GOVERNANTA.)
Maro, prepara o menino! Onde te meteste?

OFICIAL DE ORDENANÇA

(Saindo.)

Teremos sem dúvida de desistir do carro e ir a cavalo.

(A MULHER DO GOVERNADOR remexe nos vestidos, joga uns poucos ao monte que ela pretende levar. Apanha-os novamente. Começa-se a ouvir barulho, rufos de tambor. O céu fica vermelho.)

MULHER DO GOVERNADOR
(Remexendo desesperadamente nos vestidos.)
Não há meio de encontrar o vestido cor de vinho. *(À SEGUNDA CAMAREIRA, erguendo os ombros.)* Agarra o embrulho e leva-o para o carro. E por que Maro não volta? Ficaram todos doidos? Bem que eu disse que ele estava embaixo de tudo.

OFICIAL DE ORDENANÇA
(Voltando.)
Depressa, depressa!

MULHER DO GOVERNADOR
(À SEGUNDA camareira.)
Corre! Joga tudo no carro!

OFICIAL DE ORDENANÇA
Não vamos de carro. Venha ou eu parto sozinho.

MULHER DO GOVERNADOR
Maro, traga o menino! *(À SEGUNDA CAMAREIRA.)* Procura Macha! Não, leva primeiro os vestidos pro carro. É uma insensatez, nem penso nisso, partir a cavalo! *(Voltando-se, vê a vermelhidão do incêndio e fica estarrecida.)* Incêndio!

(Foge. O OFICIAL DE ORDENANÇA precipita-se após ela. A SEGUNDA CAMAREIRA segue-a, abanando a cabeça, carregando o embrulho de vestidos. Pela porta principal entram os criados.)

COZINHEIRA

É provavelmente a porta leste que está em chamas.

COZINHEIRO

Foram-se embora! E sem o carro de provisões, como vamos sair daqui?

MOÇO DA ESTREBARIA

É. A casa está inabitável por algum tempo. *(À TERCEIRA CAMAREIRA.)* Sulika, vou apanhar uns cobertores e depois nos safamos.

GOVERNANTA

E o menino? *(Corre para o menino e toma-o nos braços.)* Abandonaram o pobrezinho, aqueles animais! *(Passa-o a GRUCHA.)* Segura ele um instante. *(Mentindo.)* Vou ver onde está o carro. *(Foge atrás da MULHER DO GOVERNADOR.)*

GRUCHA

Que fizeram do patrão?

MOÇO DA ESTREBARIA

(Fazendo gesto de cortar o pescoço.)
Fft!

MULHER GORDA

(Vendo o gesto, numa crise de nervos.)
Virgemaria! Virgemaria! O nosso patrão Georgi Abaschvíli! Fresco e corado na hora da missa, e agora... Me levem daqui! Estamos todos perdidos, vamos morrer em pecado. Como nosso patrão Georgi Abaschvíli.

TERCEIRA CAMAREIRA

(Acalmando-a.)
Acalme-se, Nina. Vão levá-la já. Você não fez mal a ninguém.

MULHER GORDA

(Ao ser levada.)
Virgemaria! Virgemara! Depressa, depressa, me levem antes que eles cheguem!

TERCEIRA CAMAREIRA

Nina toma isto mais a sério do que a patroa. Mesmo chorar é coisa que eles mandam fazer por outros. *(Dá com os olhos no menino, sempre nos braços de GRUCHA.)* O menino! Que fazes aqui com ele?

GRUCHA

Ficou aqui.

TERCEIRA CAMAREIRA

Ela deixou ele aqui? O Miguelzinho que não podia ficar numa corrente de ar!

(Os CRIADOS se reúnem em torno do menino.)

GRUCHA

Ele acordou.

MOÇO DA ESTREBARIA

Melhor é deixar ele aí. Prefiro não pensar no que pode acontecer a quem for encontrado com o menino. Vou buscar nossos troços, me espere aqui. *(Entra no palácio.)*

COZINHEIRA

Ele tem razão. Quando eles começam, matam famílias inteiras. Vou buscar minhas coisas.

(Saem todas, só ficam duas mulheres e GRUCHA, que tem o menino nos braços.)

TERCEIRA CAMAREIRA

Não ouviste? Deves deixar ele aqui.

GRUCHA

A governanta disse para eu segurar ele um instante.

COZINHEIRA

Ela não volta mais, sua boba!

TERCEIRA CAMAREIRA

Larga ele, Grucha.

COZINHEIRA

Eles têm mais interesse em apanhar o menino do que a mãe. É o herdeiro. Grucha, tu és uma boa alma, mas não tens muita cabeça. Ouve o que te digo, se ele estivesse com lepra, não seria mais perigoso. Livra-te dele.

(O MOÇO DA ESTREBARIA volta com embrulhos, que distribui entre as mulheres. Todas, exceto GRUCHA, se preparam para ir-se embora.)

GRUCHA

(Obstinada.)

Ele não tem lepra nenhuma. Olha pra gente como uma criatura humana.

COZINHEIRA

Então tu não olhes pra ele. Tu és sempre a bobinha de que os outros se aproveitam. Quando te dizem: "Corre, vai buscar a salada, tens pernas mais compridas", lá sais tu correndo. Vamos tomar o carro de bois, podes vir conosco, se andares depressa. Jesus! A esta hora o quarteirão todo deve estar pegando fogo.

CAMAREIRA

Não empacotaste nada ainda? Olha, daqui a pouco vão chegar os couraceiros das casernas.

(As duas mulheres e o MOÇO DA ESTREBARIA vão-se embora.)

GRUCHA

Já vou. *(Põe o menino no chão, olha-o durante alguns instantes, apanha nas malas que estão espalhadas em torno algumas peças de vestuário, com que cobre o menino, que continua dormindo. Depois entra no palácio para ir buscar as suas coisas. Ouvem-se passos dos cavalos e a gritaria das mulheres. O PRÍNCIPE GORDO entra com COURACEIROS bêbados. Um deles traz na ponta da lança a cabeça do GOVERNADOR.)*

PRÍNCIPE GORDO

Aqui, bem no meio. *(Um SOLDADO trepa nas costas de outro, segura a cabeça do GOVERNADOR, suspende-a acima da porta principal e considera o efeito produzido.)* Não está no meio! Mais à direita! Está bem! Meus amigos, quando mando fazer alguma coisa, quero que ela seja bem-feita. *(Enquanto o SOLDADO, com um prego e martelo, pendura a cabeça pelos cabelos.)* Hoje de manhã, à porta da igreja, eu dizia a Georgi Abaschvíli: "Gosto dos céus sem nuvens". Mas gosto sobretudo é de um raio caindo do céu, sem nuvens. Ah, sim! Pena que eles tenham levado o garoto. Preciso dele absolutamente. Procurem-no em toda a Geórgia. Mil piastras!

(Enquanto GRUCHA, olhando cautelosamente em redor, chega pela porta principal, o PRÍNCIPE GORDO sai com os COURACEIROS. Ouve-se novamente o passo dos cavalos. GRUCHA carrega um embrulho e se dirige para a porta. Ao chegar perto dela, volta-se para ver se o menino ainda está lá. O CANTOR principia a cantar. Ela para, imóvel.)

RECITANTE

Estando ela entre uma porta e outra, ouviu
Ou julgou ouvir um fraco apelo: o menino
Chamava-a, não choramingava, chamava-a inteligentemente,

Pelo menos assim lhe parecia. "Mulher", dizia ele, "socorre-me".
E prosseguiu, não choramingava, falava inteligentemente:
"Sabe, mulher, quem ouve um grito de socorro
E faz ouvidos moucos e passa: nunca mais
Ouvirá o doce apelo de seu amado,
Nem o canto de melro na madrugada, nem o delicado
Suspiro dos vindimadores exaustos às Ave-Marias".

(GRUCHA dá alguns passos, aproxima-se do menino e inclina-se para ele.)

Ouvindo essas palavras, ela volta para
Olhar o menino mais uma vez. Só para durante alguns instantes
Ficar junto dele, até que venha alguém
A mãe talvez ou outra pessoa qualquer

(GRUCHA senta-se em frente do menino, apoiando-se na mala.)

Antes de ela ir-se embora, pois demasiado é o perigo
E a cidade inteira
Se enche de chamas e gemidos.

(A luz diminuindo como se caísse o crepúsculo e a noite. GRUCHA entra no palácio e volta trazendo uma lâmpada e leite, e dá de beber ao menino.)

RECITANTE

(Em tom alto e forte.)
Terrível é a tentação do bem!

(GRUCHA está agora sentada e manifestamente velará ao pé do menino durante toda a noite. Em dado momento acende uma lampadazinha para alumiá-lo, ou o envolve num manto de brocado para aquecê-lo mais. De vez em quando apura os ouvidos e olha em torno para ver se vem alguém.)

RECITANTE

Por muito tempo permaneceu ela sentada ao pé do menino.
E veio a tarde e veio a noite,
E veio a madrugada. Demasiadamente se demorou ali sentada
Demasiadamente olhou-o.
A respiração tranquila
As mãos pequeninas...
Até que ao romper da manhã,
A tentação tornou-se forte demais,

E ela se levantou, inclinou-se, tomou-o nos braços, suspirando,
E saiu com ele.

(*Ela executa o que o Recitante diz, com os gestos que ele descreve.*)

Como o despojo levou-o
Como uma ladra desapareceu.

SEGUNDO QUADRO

A FUGA PARA AS MONTANHAS DO NORTE

RECITANTE

Grucha Vachnadze saiu da cidade
Pela estrada georgiana,
A caminho das montanhas do norte,
E cantava, e comprava leite.

MÚSICOS

Como escapará a compadecida
Aos cães farejadores de sangue, aos armadores de emboscadas?
Ela ia para as montanhas onde não há homens,
Ela ia pela estrada georgiana,
E cantava, e comprava leite.

(GRUCHA VACHNADZE, levando às costas o menino metido num saco, e trazendo na mão esquerda um embrulho e na outra um bastão comprido.)

GRUCHA

(Cantando.)
Quatro generais
Foram para o Irão
O primeiro não combateu,
O segundo não venceu,
O terceiro sempre achava
Péssimo o tempo, e para o quarto
Nenhum soldado prestava.

Sosso Robakidze
Marchou para o Irão
Duramente combateu,
Em pouco tempo venceu.
Sempre bom o tempo ele achava,
Sempre os seus soldados gabava.
Sosso Robakidze
É o nosso campeão.

(Aparece uma cabana de camponeses.)

GRUCHA

(Para o menino.)

Meio-dia, todo mundo vai comer. Então vamos ficar sentados na grama, esperando que a boa Grucha arranque deles uma canequinha de leite. *(Senta o menino no chão e bate à porta da cabana. Um Velho campônes abre a porta.)* Quer ter a bondade de me arranjar uma canequinha de leite e se possível uma broazinha de milho?

Velho

Leite? Não temos leite. Os senhores soldados vindos das cidades levaram nossas cabras: vá procurar os senhores soldados, se quiser leite.

Grucha

Mas um meio litro de leite para uma criança o senhor talvez tenha, avozinho?

Velho

Por um "Deus lhe pague!", pois não?

Grucha

Quem está falando em "Deus lhe pague!?" *(Tira a carteira.)* Aqui se paga como em casa de príncipes. A cabeça nas nuvens e o traseiro n'água! *(O Campônes vai buscar o leite resmungando.)* E quanto custa meio litro?

Velho

Três piastras. O leite encareceu.

Grucha

Três piastras? Por uma gotinha? *(O Velho bate-lhe com a porta na cara.)* Ouviste, Miguel? Três piastras! Isso está além das nossas posses. *(Volta para trás, senta-se e dá o seio ao menino.)* Vamos experimentar mais uma vez assim. Suga bem, pensa nas três piastras! Não tem nada lá dentro, mas tu te imaginas que estás bebendo, e isso já é alguma coisa. *(Abana a cabeça ao ver que a criança não suga mais. Levanta-se, volta à porta, bate novamente.)* Abre, avozinho, nós pagamos! *(Em voz baixa.)* Velho de uma figa! *(Quando o velho abre a porta.)* Eu pensava que o leite custaria uma meia piastra, mas a criancinha precisa comer. Que tal uma piastra?

Velho

Duas.

Grucha

Não bata a porta de novo. *(Remexe longamente na carteira.)* Uma, duas, aqui está. Mas o leite precisa aproveitar a criança. Temos ainda que fazer uma longa caminhada. Isto é uma esfola, é um pecado.

Velho

Bata nos soldados se quer leite.

Grucha

(Dando de beber ao menino.)
Um prazer que custa caro! Bebe, Miguel, é o salário de meia semana. Esta gente aqui pensa que nós ganhamos o nosso dinheiro com
a bunda. Miguel, Miguel, arranjei contigo uma boa carga! *(Olhando o
manto de brocado que envolve a criança.)* Um manto de brocado que
vale mil piastras e nem uma piastra para o leite. *(Olha para trás.)* Um
carro com refugiados ricos! Vamos pedir carona.

*(Em frente de um caravançará vê-se Grucha, envolvida no manto
de brocado, abordar duas senhoras distintas. Ela traz a criança
nos braços.)*

Grucha

Ah, as senhoras desejam também pernoitar aqui? Que horror! Tudo
está repleto, não se acha uma condução! Meu cocheiro me largou na
mão e voltou para trás sem mais aquela. Fizemos a última meia légua
a pé. De pés descalços! Meus sapatos persas — sabem o que é salto
alto. Mas não aparece ninguém?

Senhora mais velha

O hoteleiro se faz esperar. Depois do que se passou na capital, não há
mais boas maneiras em todo o país.

*(O Hoteleiro, um velho muito digno de barba comprida, sai
seguido de um criado.)*

Hoteleiro

Queiram desculpar um velho, se as fiz esperar, minhas senhoras. Meu
netinho estava me mostrando um pessegueiro em flor na encosta, lá
do outro lado do milharal. Temos lá umas árvores frutíferas, umas
duas cerejeiras. Para o lado oeste *(Mostra.)* o terreno é pedregoso, os
camponeses levam os carneiros para pastarem lá. As senhoras preci-
savam ver as flores dos pessegueiros. A cor da rosa é linda.

Senhora mais velha

A região aqui é fértil?

Hoteleiro

É uma terra abençoada. E que tal no sul, Excelência? Vem sem dúvida
do sul?

SENHORA MAIS MOÇA

Devo confessar que não prestei atenção à paisagem.

HOTELEIRO

(Polidamente.)
Compreendo a poeira... Em nossa estrada militar é recomendável ir devagar, a menos que se tenha pressa.

SENHORA MAIS VELHA

Põe o véu em volta do pescoço, querida. A viração da tarde parece fria aqui.

HOTELEIRO

Vem das geleiras do Janga-Tau, minhas senhoras.

GRUCHA

É, receio que seu filhinho se resfrie.

SENHORA MAIS VELHA

É um caravançará imenso! Talvez possamos ficar aqui.

HOTELEIRO

Oh, as senhoras querem quartos? Mas o caravançará está superlotado, minhas senhoras, e os criados foram embora. Sinto imensamente, mas não posso aceitar mais ninguém, mesmo com referências...

SENHORA MAIS MOÇA

Mas nós não podemos pernoitar na estrada.

SENHORA MAIS VELHA

(Secamente.)
Quanto quer?

HOTELEIRO

As senhoras compreendem que uma casa, nestes tempos, com tantos refugiados, muito respeitáveis, certamente, porém malvistos pelas autoridades e que procuram um asilo, precisam tomar cautelas especiais. Por isso...

SENHORA MAIS VELHA

Meu caro senhor, nós não somos refugiadas. Estamos a caminho de nossa residência nas montanhas, eis tudo. Não nos ocorreria a ideia de pedir hospedagem, se não tivéssemos tão... urgente necessidade.

HOTELEIRO

(Assentindo com a cabeça.)
Sem dúvida. Não creio, porém, que a única peça disponível possa convir às senhoras. São sessenta piastras por pessoa. As senhoras estão juntas?

GRUCHA

Em certo sentido, eu também preciso de um cantinho.

SENHORA MAIS MOÇA
Sessenta piastras! É escorchante.

HOTELEIRO

(Friamente.)
Minhas senhoras, não tenho a menor vontade de escorchar ninguém, por isso...

(Dá as costas para retirar-se.)

SENHORA MAIS VELHA
Que necessidade havia de falar de escorcha? Vem.

(Entra seguida do criado.)

SENHORA MAIS MOÇA
(Em tom de desespero.)
Cento e oitenta piastras por um quarto? *(Voltando-se e olhando para* GRUCHA.*)* Mas é impossível com a criança. Se ela começar a gritar?

HOTELEIRO
O quarto custa cento e oitenta piastras, para duas ou três pessoas.

SENHORA MAIS MOÇA
(Mudando de tom, a GRUCHA.*)*
Por outro lado, não me é possível, meu bem, imaginá-la largada lá fora na estrada. Venha conosco.

(Entram no caravançará. Do outro lado do palco aparece o CRIADO *carregando algumas bagagens. Atrás dele a* SENHORA MAIS VELHA, *depois a* SEGUNDA *e* GRUCHA *com a criança.)*

SENHORA MAIS MOÇA
Cento e oitenta piastras! Nunca me senti tão abalada, desde que trouxemos para casa o nosso querido Igor.

SENHORA MAIS VELHA

Para que falar de Igor?

SENHORA MAIS MOÇA

Na verdade somos quatro, a criança também conta, não? *(A GRUCHA.)* Não pode concorrer pelo menos com a metade da despesa?

GRUCHA

Impossível. Não vê que tive de partir às carreiras e o Oficial de Orde-nança se esqueceu de pôr bastante dinheiro na minha carteira?

SENHORA MAIS VELHA

Não tens nem as sessenta piastras?

GRUCHA

Sessenta eu pago.

SENHORA MAIS MOÇA

Onde estão as camas?

CRIADO

Cama não tem. Só tem cobertores e colchões de palha. As senhoras mesmas é que têm de fazer tudo e se considerem muito felizes de não serem atiradas à vala comum... como tantos outros. *(Sai.)*

SENHORA MAIS MOÇA

Ouviste o que ele disse? Vou me queixar ao hoteleiro. Este malcriado precisa de um bom castigo.

SENHORA MAIS VELHA

Como teu marido?

SENHORA MAIS MOÇA

Como você é dura!

SENHORA MAIS VELHA

Precisamos arranjar alguma coisa que pareça uma cama.

GRUCHA

Isso é comigo. *(Senta a criança.)* Quando se é mais de uma, as coisas ficam facilitadas. As senhoras têm ainda a carruagem. *(Varrendo o assoalho.)* Fui apanhada completamente de imprevisto, "Minha cara Anastácia Katarinowska", me dizia meu marido antes do almoço, "vai te deitar um instante, sabes com que facilidade te vem logo tua enxa-queca". *(Traz os colchões arrastando-os, faz as camas; as duas senho-ras, observando o trabalho dela, entreolham-se.)* "Georgi", disse eu ao

Governador, "não posso me deitar quando temos sessenta convidados para o almoço, bem sabes que não se pode confiar nos criados, e Miguel Georgiewitch não come nada sem mim". *(A Miguel.)* Estás vendo, Miguel, eu não te dizia que tudo acabaria bem? *(De repente vê que as duas senhoras a observam atentamente e cochicham.)* Bem, assim, pelo menos, não nos deitamos no assoalho duro. Pus os cobertores dobrados.

Senhora mais velha

> *(Em tom de mando.)*
> Vejo que sabes fazer bem uma cama, meu bem. Mostre as suas mãos!

Grucha

> *(Assustada.)*
> Que quer dizer com isso?

Senhora mais moça

> Que mostre as suas mãos.

> *(Grucha mostra as suas mãos às senhoras.)*

Senhora mais moça

> *(Triunfante.)*
> Gretadas! Uma criada!

Senhora mais velha

> *(Indo até a porta e gritando para fora.)*
> Ô de casa!

Senhora mais moça

> Foste apanhada, velhaca. Confessa, o que estavas tramando?

Grucha

> *(Desorientada.)*
> Não estava tramando nada. Pensei que talvez as senhoras me deixassem viajar no seu carro. Eu vou-me embora agora mesmo.

Senhora mais moça

> *(Enquanto a outra continua a chamar.)*
> Vais sim, mas com a polícia! Por enquanto fica aí e não te mexas!

Grucha

> Mas eu queria mesmo pagar as sessenta piastras, estão aqui. *(Mostra a carteira.)* Veja a senhora mesma: quatro moedas de dez, uma de cinco, não, é também de dez, são sessenta. Quero só um lugar no carro para o menino, é a verdade!

SENHORA MAIS MOÇA

Ah! Era isso! Querias um lugar no carro!

GRUCHA

Minha boa senhora, eu confesso, sou de origem humilde; por favor, não chame a polícia. A criança é de família importante, vejam a camisolinha de linho, ela está fugindo como as senhoras.

SENHORA MAIS MOÇA

De família importante, hein? O pai é um príncipe, não?

GRUCHA

(Fora de si, à SENHORA MAIS VELHA.)
Não grite assim! A senhora não tem coração?

SENHORA MAIS MOÇA

(À SENHORA MAIS VELHA.)
Cuidado, ela vai te agredir, é perigosa! Socorro! Assassina!

CRIADO

(Acorrendo.)
O que é que há?

SENHORA MAIS VELHA

Esta criatura se introduziu aqui, fazendo-se passar por uma senhora. Provavelmente é uma ladra.

SENHORA MAIS MOÇA

E perigosa. Queria fazer-nos vítimas. É um caso de polícia. Já estou sentindo a minha enxaqueca, ah meu Deus!

CRIADO

Polícia não existe neste momento. *(A GRUCHA.)* Apanha tuas coisas, minha filha, e some, como a salsicha no guarda-comida.

GRUCHA

(Tomando a criança nos braços.)
Monstros! Mas virá o dia em que eles hão de espetar a cabeça de vocês no alto do muro!

CRIADO

(Empurrando-a para fora.)
Cala a boca. Senão vem o velho e ele não é de brincadeira.

SENHORA MAIS VELHA

(À SENHORA MAIS MOÇA.)
Verifica se ela não roubou alguma coisa!

(Enquanto as senhoras revistam febrilmente as suas coisas para ver se algo não tinha sido roubado o CRIADO *sai à esquerda com* GRUCHA.*)*

CRIADO

Não te fies de aparências, é o que eu digo sempre. Daqui por diante, olha bem para as pessoas antes de te meteres com elas.

GRUCHA

Eu imaginei que uma pessoa do mesmo nível elas tratariam melhor.

CRIADO

Qual o quê? Acredita, não há nada mais difícil do que imitar criaturas vadias e inúteis. Se elas vêm a suspeitar que limpas teu cu tu mesma ou alguma vez na vida já trabalhastes com tuas mãos, estás perdida. Uma dama da sociedade tem uma criada para cada coisa. Espera um instante, vou te trazer um pão de milho e umas duas maças.

GRUCHA

Melhor não. Prefiro ir-me embora logo, antes que o patrão chegue. E se eu caminhar toda a noite ficarei fora de perigo, imagino.

(Vai embora.)

CRIADO

(A meia-voz enquanto ela se afasta.)
Toma a esquerda na primeira encruzilhada.

(Ela desaparece.)

RECITANTE

Quando Grucha Vachnadze se dirigia para o norte,
No seu encalço iam os couraceiros do Príncipe Kazbeki.

MÚSICOS

Como podiam os pés descalços escapar aos couraceiros
<aos cachorros, às armadilhas?>
Mesmo de noite caçavam-na. Os perseguidores
Não conhecem fadiga. Os matadores dormem pouco.

(Dois COURACEIROS *marcham a pé pela estrada real.)*

BRIGADEIRO

Cabeça de pau, nunca serás coisa alguma. Por quê? Porque não pões o coração no que fazes. O chefe percebe isso em ninhariazinhas. Quando anteontem eu agarrei aquela mulher, você ficou segurando o marido, como eu tinha ordenado, e lhe aplicaste um pontapé na barriga, fizeste-o com prazer, como um bom soldado, ou simplesmente por obrigação? Eu estava te observando, Cabeça de Pau. És como a palha oca ou a campainha que retine, nunca serás promovido. *(Caminham algum tempo em silêncio.)* Não penses que não percebo que não perdes ocasião de ser recalcitrante. Proíbo-te andar mancando. Estás fazendo isso só porque vendi os cavalos, pois não poderia obter o mesmo preço noutra ocasião. Mancando gostas de insinuar que não gostas de andar a pé, eu te conheço. Mas não adianta, ao contrário. Vamos cantar alguma coisa.

OS DOIS COURACEIROS

<*(Cantam.)*>
Triste marcho pro canto de luta,
Meu amor vai em casa ficar.
Meus amigos tomai conta dela
Até o dia que eu possa voltar.

CAPORAL

Mais alto!

OS DOIS COURACEIROS

Quando eu morrer, jogando-me a pá
De terra à cova, meu amor dirá:
"Estes os pés que me procuravam,
Estes os braços que me estreitavam".

(Marcham novamente em silêncio.)

CAPORAL

Um bom soldado põe corpo e alma no que faz. Se deixa retalhar pelo seu superior. Com os olhos que vai fechar para sempre, sorri para o seu Caporal, que lhe acena aprovando. Essa recompensa lhe basta, e é tudo o que ele deseja. Mas tu não terás esse olhar de aprovação, e esticarás a canela da mesma maneira. Jesus crucificado, como poderei com tal subordinado descobrir o garoto do Governador, é o que eu queria saber.

(Prosseguem a marcha.)

RECITANTE

Quando Grucha Vachnadze chegou ao rio,
Cansada estava da fuga, pesado demais o pobrezinho.

MÚSICOS

Nos trigais a madrugada cor-de-rosa

É, para quem passou a noite em claro, só frio. O tinido alegre
Dos baldes de leite que se entrechocam nas granjas, de onde sobe o
[fumo,
Soa ameaçador aos ouvidos do fugitivo. A que leva nos braços a
[criancinha.
Sente o fardo pesado...

GRUCHA

(Em frente de uma granja.)
Estás de novo molhado, e sabes que eu não tenho fraldas para ti, Miguel, agora temos que nos separar. Estamos ainda muito longe da cidade. Eles não estarão tão encarniçados atrás de ti, meu mijãozinho,
pra te perseguirem até cá. A mulher tem um ar simpático e repara
como aqui cheira a leite! Então felicidades, Miguel, procurarei esquecer os pontapés que me davas nas costas a noite inteira pra que eu
andasse mais depressa, e tu esquece a pobreza da comida que eu te
servia, a intenção era boa. Eu gostaria de ficar contigo mais tempo,
porque teu nariz é tão pequenininho, mas não é possível. Gostaria de
te mostrar a primeira lebre, de te ensinar a não mijar na fralda, mas
tenho que voltar pra casa, pois meu noivo, que é soldado, pode voltar
também, e se ele não me encontrar? Não hás de querer isso, Miguel!

*(Entra na granja uma CAMPONESA gorda levando um balde de
leite. GRUCHA espera que ela tenha entrado, depois se aproxima
com cautela da casa. Esgueira-se até a porta e depõe na soleira a
criança. Em seguida vai aguardar atrás de uma árvore, até que a
mulher aparece de novo à porta e depara com o embrulho.)*

CAMPONESA

Jesus Cristo! Que é isto que está aqui? Marido, vem cá!

CAMPONÊS

(Vem.)
Que é? Me deixa tomar minha sopa.

CAMPONESA

(Para a criança.)
Quem é tua mãe? Não tens mãe? É menino. E a camisinha é de linho
puro, é uma criança fina. Abandonaram ele aqui na porta, um sinal
dos tempos!

CAMPONÊS

Se pensaram que vamos criá-lo pra eles, se enganaram. Vai à aldeia,
entrega ao cura e acabou-se.

CAMPONESA

Que pode fazer o cura? O que o bebê precisa é de uma mamãe. Olha, ele está acordando. Não achas que podemos ficar com ele?

CAMPONÊS

(Gritando.)
Não!

CAMPONESA

Se eu acomodá-lo no canto perto da cadeira de braço, basta uma cesta, e quando eu for pro campo, levo ele comigo. Olha como ri! Meu bem, temos um teto e podemos perfeitamente fazer isso, não digas mais nada.

(Leva o menino para dentro, o CAMPONÊS acompanha-a protestando, GRUCHA sai de trás da árvore, ri e afasta-se precipitadamente na direção oposta.)

RECITANTE

Por que vais serena, tu que tornas a tua casa?

MÚSICOS

Porque o pobrezinho,
Com o seu sorriso arranjou novos pais, sinto-me sossegada.
Porque me vejo livre dele, do meu queridinho, me alegro.

RECITANTE

E por que triste?

MÚSICOS

Porque vou livre e desimpedida, estou triste
Como quem foi roubado,
Como quem perdeu tudo.

(Caminhara ela uma curta distância, quando encontra os dois COURACEIROS que apontam suas lanças.)

CAPORAL

Menina, caíste em poder da autoridade militar. Donde vens tu? Tens relações não permitidas com o inimigo? Onde está ele? Que movimentos executa a tua retaguarda? Que tal as colinas, que tal os vales, como estão prendidas as meias?

GRUCHA

(Parando aterrada.)
Estão muito bem prendidas, o melhor é bater em retirada.

CAPORAL

Bato sempre em retirada, pra isso podem contar comigo. Por que olhas tanto pra minha lança? "O soldado em campanha não larga a lança um só instante." É a instrução, decora isso, Cabeça de Pau. Então, menina, pra onde vais?

GRUCHA

Vou encontrar-me com meu noivo, seu soldado, um certo Simão Chachava, e guarda no palácio em Nukha. E se eu escrever a ele contando isto, ele quebrará os ossos de vocês todos.

CAPORAL

Simão Chachava? Conheço muito. Ele me deu a chave para que eu fosse te ver de vez em quando. Cabeça de Pau, estamos ficando malquistos. Precisamos declarar que as nossas intenções são boas. Moça, sou de natureza séria, que se esconde atrás de aparências brincalhonas, e por isso te digo oficialmente: Quero que me dês um garotinho. (GRUCHA *solta um grito fraco.*) Cabeça de Pau, ela entendeu. Um sustinho doce, não? "Primeiro tenho que tirar o macarrão do forno, meu capitão, primeiro tenho que mudar a camisa rasgada, meu coronel." Brincadeira à parte, moça, estamos à procura de um certo menino que veio da cidade para aqui. Uma criança fina, vestida de camisinha de linho fino. Não ouviste falar dela?

GRUCHA

Não, não ouvi falar não.

RECITANTE

Foge amorável, aí vêm os matadores!
Ampara o desamparado, desamparada! E ela foge.

> (GRUCHA *vira-se de repente e corre num terror pânico. Os* COURACEIROS *se entreolham e saem-lhe no encalço praguejando.*)

MÚSICOS

Nos tempos mais sanguinários
Vivem seres humanos de bom coração.

> (Na granja a CAMPONESA *gorda se curva sobre a cesta em que o menino dorme, quando* GRUCHA *entra de chofre.*)

GRUCHA

Esconda ele depressa! Os couraceiros vêm aí! Fui eu que pus ele na porta, mas não é meu, é de família importante.

CAMPONESA

Quem está aí? Que couraceiros?

GRUCHA

Não faças perguntas. Os couraceiros que andam procurando ele.

CAMPONESA

Eles não têm nada que procurar aqui. Mas eu preciso ter uma conversa contigo.

GRUCHA

Tire a camisinha dele, é de linho fino, isso nos trairia.

CAMPONESA

É só linho pra'qui, linho pra'li. Em minha casa mando eu e não venhas vomitar na minha cozinha. Por que te descartaste dele? É um pecado.

GRUCHA

(Espiando para fora.)
E vêm eles! Atrás daquelas árvores. Eu não devia ter fugido, isso irritou eles. Que fazer agora?

CAMPONESA

(Olhando também para fora e soltando de repente um grito rouco.)
Jesus, Maria, couraceiros!

GRUCHA

Estão à procura do menino.

CAMPONESA

Mas se entrarem aqui?

GRUCHA

Não entregue ele. Diga que é seu filho.

CAMPONESA

Sim.

GRUCHA

Se entregar vão estrafegar o pobrezinho.

CAMPONESA

Mas se eles exigirem? Tenho em casa o dinheiro para a colheita.

GRUCHA

Diga que é seu filho.

CAMPONESA

Sim, mas se não acreditarem?

GRUCHA

Fale firme.

CAMPONESA

Eles vão atear fogo na casa.

GRUCHA

Por isso mesmo é que é preciso dizer que é a mãe dele. Chama-se Miguel. Eu não devia lhe ter dito isto. *(A CAMPONESA concorda com a cabeça.)* Não bula assim a cabeça. E não trema, senão eles vão desconfiar.

CAMPONESA

Sim.

GRUCHA

Pare com tanto "sim", não aturo mais. *(Sacode-a.)* Não tem nenhum filho?

CAMPONESA

(Murmurando.)
Foi pra guerra.

GRUCHA

Então, a estas horas, talvez seja também couraceiro. Matará crianças? Não, que ele ouviria boas: "Para de traçar com tua lança na minha cozinha, foi pra isto que te criei? Vai lavar o focinho antes de falares com tua mãe."

CAMPONESA

É verdade, ele não faria isso.

GRUCHA

Me prometa dizer que é seu filho.

CAMPONESA

Prometo.

GRUCHA

Estão chegando.

(Batem à porta. As mulheres não respondem. Entram os COURACEIROS. A CAMPONESA inclina-se profundamente.)

CAPORAL

Lá está a pequena. Não te disse? Tenho faro pra elas. Moça, quero te fazer uma pergunta: por que fugiste de mim? Imaginaste que eu queria de ti o quê? Alguma imoralidade, aposto. Confessa!

GRUCHA

(Enquanto a CAMPONESA continua as reverências.)
Eu tinha deixado o leite no fogo e de repente me lembrei.

CAPORAL

Julguei que fosse porque pensasses que eu tinha olhado de maneira desonesta. Como se eu tivesse imaginado alguma coisa entre nós dois. Um olhar esquisito, me entende?

GRUCHA

Não pensei nisso não.

CAPORAL

Mas teria sido possível, não? Deves reconhecer. Eu podia ser um devasso. Pra ser inteiramente franco contigo. Posso muito bem imaginar nós dois sozinhos. *(À CAMPONESA.)* Não tens nada a fazer lá fora? Dar milho às galinhas?...

CAMPONESA

(Caindo subitamente de joelhos.)
Seu soldado, eu não sabia de nada. Não toque fogo na minha casa!

CAPORAL

De que é que está falando?

CAMPONESA

Não tenho nada com isto, seu soldado. Foi ela que pôs o menino na minha porta, juro.

CAPORAL

(Avistando a criança, assobia.)
Ah, tem qualquer coisa bulindo dentro da cesta, Cabeça de Pau. Acho que vou ganhar mil piastras! Leva a velha para fora e toma conta dela. Tenho que fazer um interrogatório, ao que parece.

(A CAMPONESA se deixa conduzir pelo soldado raso, sem uma palavra.)

CAPORAL

Está aí o garoto que eu queria de ti! *(Aproxima-se da cesta.)*

GRUCHA

Seu oficial, esse menino é meu filho. Não é aquele que o senhor procura.

CAPORAL

Isso é o que eu vou ver. *(Debruça-se sobre a cesta,* GRUCHA *olha em torno desesperada.)*

GRUCHA

É meu filho. É meu filho.

CAPORAL

Linho fino!

*(*GRUCHA *lança-se sobre ele, no intuito de afastá-lo. Ele a repele e volta a inclinar-se sobre a cesta. Ela olha em torno, desesperada, vê uma grossa racha de lenha, empurra-a, no seu desespero, e desfecha um golpe na nuca do* CAPORAL. *A este cai. Ela agarra depressa a criança e corre para fora.)*

RECITANTE

E fugindo dos couraceiros.
Após 22 dias de caminhada,
Ao pé das geleiras do Janga-Tau
Grucha Vachnadze adotou a criança como filho.

MÚSICOS

A pobrezinha adotou como filho o pobrezinho.

*(*GRUCHA VACHNADZE, *agachada à beira do rio meio gelado, colhe água nas mãos para levá-la ao menino.)*

GRUCHA

<(Canta.)>
Já que em ninguém encontraste
Coração amigo,
Tens que, à falta de outro amparo,
Te arranjar comigo.

Porque, ao peito carregando-te,
Dias e dias, nas pedras
Da estrada os pés me feri,
Porque o leito era tão caro,
Fiquei gostando de ti,
Não posso passar sem ti.
Tira a camisinha fina,

Veste este trapo, lavar
Te vou e te batizar
Na água gelada do rio,
Meu lindo! Tens que aguentar.

(Retira a camisinha de linho e envolve-o num trapo.)

RECITANTE

Quando a Grucha Vachnadze, perseguida pelos couraceiros,
Chegou à pinguela da geleira, que dá passagem para as aldeias da
[vertente leste,
Entoou a canção da pinguela apodrecida, arriscou as duas vidas.

*(Vento. Surge na penumbra a pinguela da geleira. Como um cabo
se partiu, ela está meio pensa sobre o abismo. Uns criadores,
dois homens e uma mulher, permanecem indecisos diante da
pinguela. Quando a moça chega com a criança, um dos homens
tenta pegar com uma vara o cabo pendente.)*

PRIMEIRO HOMEM

Calma, não te apresses, moça. Não é possível passar na pinguela no
estado em que ela está.

GRUCHA

Mas eu preciso ir com a criança pra casa de meu irmão, do outro lado.

MULHER

Precisa! Precisa! Eu também preciso, porque tenho que ir comprar
dois tapetes em Atum, e é preciso também que outra mulher os venda, porque ela perdeu o marido. Mas posso fazer o que preciso? E ela
pode? Andrei está remando há duas horas para pescar o cabo, e ainda
que consiga, como é que vai prendê-lo?

PRIMEIRO HOMEM

(Apurando o ouvido.)
Cala-te, parece que estou ouvindo qualquer coisa.

GRUCHA

(Alto.)
A pinguela não apodreceu completamente. Acho que posso tentar
atravessar.

MULHER

Eu não tentaria, mesmo que estivesse fugindo do demônio em pessoa. É um suicídio!

PRIMEIRO HOMEM

    (Gritando.)
Olá!

GRUCHA

Não chame! *(À MULHER.)* Diga a ele pra não chamar ninguém!

PRIMEIRO HOMEM

Mas há gente lá embaixo. Talvez alguém que se perdeu.

MULHER

E por que não queres que ele chame? És culpada de alguma coisa? Vais fugindo?

GRUCHA

Bem, tenho que lhes dizer. Estou fugindo dos couraceiros. Derrubei um com uma pancada na cabeça.

SEGUNDO HOMEM

Esconde as mercadorias!

    (A MULHER esconde um saco atrás de uma pedra.)

PRIMEIRO HOMEM

Por que não disseste logo isto?*(Aos outros.)* Se eles põem a mão nela, vão fazê-la em pedaços!

GRUCHA

Me deixem passar.

SEGUNDO HOMEM

Impossível: são dois mil pés de profundidade.

PRIMEIRO HOMEM

Mesmo que pudéssemos agarrar o cabo, não adiantava. Podíamos segurá-lo com as mãos, mas depois os couraceiros atravessariam da mesma maneira.

GRUCHA

Saiam da frente!

    (Apelos a alguma distância "Por ali, subindo!")

MULHER

Eles vêm perto. Mas tu não podes passar a pinguela com a criança. É quase certo que ela vai desabar. Olha só pra baixo.

(Grucha olha para baixo. Ouvem-se novamente as vozes dos Couraceiros embaixo.)

SEGUNDO HOMEM

Dois mil pés.

GRUCHA

Pior que isso são aqueles homens.

PRIMEIRO HOMEM

Não deves fazê-lo, mesmo que fosse por causa da criança. Tens o direito de arriscar a tua vida, mas não a da criança.

SEGUNDO HOMEM

E depois, com ela ainda é mais peso.

MULHER

Talvez seja bom que ela passe mesmo. Dá-me o menino, eu o escondo e tu passas a pinguela sozinha.

GRUCHA

Isso não. Somos unha e carne. *(Para o menino.)* Para a vida e para a morte. *(<Canta.>)*

Fundo é o abismo, filhinho,
Frágil a pinguela, mas
Não somos nós que escolhemos,
Meu lindo, o nosso caminho.
Tens que ir por aquele
Que eu achei pra ti,
Comer a comida
Que tenho pra ti.

Quatro porções temos,
Uma eu comerei,
Mas se três te bastam,
Isso é o que eu não sei.

Vou tentar.

MULHER

Isso se chama tentar o senhor.

(Vozes embaixo.)

GRUCHA

Por favor joguem fora a vara, senão eles agarram o cabo e passarão também.

(Pisa na pinguela, que vacila. A MULHER solta um grito receando que a pinguela desabe. Mas GRUCHA prossegue e chega à outra margem.)

PRIMEIRO HOMEM

<Ela passou!>

MULHER

(Que se tinha ajoelhado e rezado quando GRUCHA atravessa a pinguela, em tom mau.)
Mas foi um pecado contra o senhor.

(Chegam os COURACEIROS. A cabeça do CAPORAL envolta em panos.)

CAPORAL

Viram passar uma moça com uma criancinha?

PRIMEIRO HOMEM

(Enquanto o segundo atira a vara no abismo.)
Vimos sim, passou para o outro lado e a pinguela não aguenta os senhores.

CAPORAL

Cabeça de Pau, vais me pagar esta.

(GRUCHA, da outra margem, ri e mostra a criancinha aos COURACEIROS. Em seguida, prossegue o caminho. Venta.)

GRUCHA

(Olhando para MIGUEL.)
Não tenhas medo do vento, ele também é um pobre-diabo. Seu trabalho é empurrar as nuvens, e quase sempre tem frio.

(Começa a nevar.)

GRUCHA

E a neve, Miguel, também não é o que há de pior. Seu trabalho é cobrir os pinheiros para que não morram no inverno. E agora vou cantar-te uma cantiga que fala de ti, escuta!

(Canta.)

Teu pai é um bandido;
Tua mãe, uma puta:
Verás a teus pés
O homem mais honrado.

O filho do tigre
Dará aveia às potrinhas;
O filho da cobra,
Leite pras mãezinhas.

Terceiro quadro

<Nas montanhas do norte>

RECITANTE

A irmã caminhou sete dias.
Atravessou a geleira, desceu as escarpas, sempre caminhando
"Quando eu entrar em casa de meu irmão", dizia consigo,
"Ele vai levantar-se, abraçar-me."
Dirá: "És tu, mana? Há muito te esperava.
Esta é a minha mulher querida. E esta propriedade
Que ela trouxe como dote, com onze cavalos e 31 vacas. Senta-te!
Senta-te a nossa mesa com teu filhinho e come."
A casa do irmão ficava num vale ameno.
Quando a irmã chegou à casa do irmão, vinha doente de tanto
[caminhar.
O irmão ergueu-se da mesa.

> (*Dois camponeses corpulentos se haviam sentado à mesa.* LAURENTÍ
> VACHNADZE *já tem o guardanapo atado ao pescoço.* GRUCHA, *muito
> pálida, entra com o menino, amparada por um* CRIADO.)

LAURENTI

Donde estás chegando, Grucha?

GRUCHA

> (*Fraca.*)
Atravessei a garganta do Janga-Tau, Laurenti.

CRIADO

Encontrei ela perto do moinho de feno, com a criancinha no colo.

CUNHADA

Vai escovar a potrinha ruça.

> (CRIADO *sai.*)

LAURENTI

Esta é minha mulher, Aniko.

CUNHADA

Nós pensávamos que estavas empregada em Nukha.

GRUCHA

(Que mal se pode ter em pé.)
Sim, era lá que eu estava.

CUNHADA

Não era um bom emprego? Ouvimos dizer que era ótimo.

GRUCHA

O Governador foi assassinado.

LAURENTI

É, parece que houve perturbações de ordem lá. Tua tia já nos tinha contado, lembra-te, Aniko?

CUNHADA

Aqui está tudo em paz. Nas cidades está sempre acontecendo alguma coisa. *(Vai à horta e chama.)* Sosso, Sosso, não tires a torta do forno ainda não, ouviste? Onde te meteste? *(Sai continuando a chamar.)*

LAURENTI

(Em voz baixa, rapidamente.) Ele tem pai? *(Ela fez sinal que não.)* Eu já tinha desconfiado. Precisamos inventar qualquer coisa, ela é muito devota.

CUNHADA

(Voltando.)
Estes criados! *(A GRUCHA.)* Tens um filho?

GRUCHA

É meu, sim.

(Desmaia. LAURENTI a levanta.)

CUNHADA

Jesus, Maria! Ela está doente. Que vamos fazer?

(LAURENTI quer levar GRUCHA para o banco do fogão. ANIKO, assustada, faz sinal que não o faça e indica-lhe o saco encostado na parede.)

LAURENTI

(Querendo levar GRUCHA para o banco do fogão.)
Senta-te. Senta-te. É só fraqueza.

CUNHADA

Se não for escarlatina!

LAURENTI

Se fosse, haveria manchas. É fraqueza, podes ficar tranquila, Aniko. *(A GRUCHA.)* Te sentes melhor sentada?

CUNHADA

A criança é dela?

GRUCHA

É minha, sim.

LAURENTI

Ela vai encontrar-se com o marido.

CUNHADA

Ah, sim. Tua carne está esfriando. *(LAURENTI senta-se e começa a comer.)* A comida fria não te faz bem, não se deve deixar esfriar a gordura. És fraco do estômago, sabes disso. *(A GRUCHA.)* Teu marido não está na cidade, onde está ele então?

LAURENTI

Ela é casada do outro lado da montanha, diz ela.

CUNHADA

Ah, do outro lado.

(Senta-se à mesa para comer.)

GRUCHA

Acho que preciso me deitar em algum lugar, Laurenti.

CUNHADA

(Continua a interrogar.)
Se for tuberculose, vamos todos pegar. Teu marido tem propriedade?

GRUCHA

Ele é soldado.

LAURENTI

Mas herdou uma granjazinha do pai.

CUNHADA

Ele não foi pra guerra? Por quê?

GRUCHA

(Com dificuldade.)
Foi pra guerra, sim.

CUNHADA

Então por que queres ir pra granja?

LAURENTI

Quando ele voltar da guerra, irá para a granja.

CUNHADA

Mas queres ir já pra lá?

LAURENTI

Sim, para esperá-lo.

CUNHADA

(Gritando.)
Sosso, a torta!

GRUCHA

(Murmurando na febre.)
Uma granja. Soldado. Esperar. Senta-te, come.

CUNHADA

É escarlatina.

GRUCHA

(Num sobressalto.)
Sim, ele tem uma granja.

LAURENTI

Acho que é fraqueza, Aniko. Não queres ir ver o que há com a torta, meu bem?

CUNHADA

Mas quando é que ele vai voltar, se a guerra, dizem, recomeçou? *(Sai gritando e arrastando os pés.)* Sosso, onde te meteste? Sosso!

LAURENTI

(Levantando-se rápido e indo ter com GRUCHA.)
Terás já uma cama no quarto. Ela é uma boa alma, mas só depois de comer.

GRUCHA

(Estendendo-lhe a criança.)
Toma.

(Ele recebe a criança, relanceando os olhos em torno.)

LAURENTI

Mas não poderão ficar aqui muito tempo. Ela é muito devota, sabes?

(GRUCHA desmaia. O irmão ampara-a nos braços.)

RECITANTE

A irmã estava muito doente.
O pulha do irmão teve que hospedá-la.
O outono passou, veio o inverno.
O inverno foi longo.
O inverno foi curto.
Era preciso que os vizinhos não soubessem.
Era preciso que os ratos não mordessem.
Era preciso que a primavera não chegasse.

(GRUCHA na cocheira, tecendo, ela e o menino, que está sentado no chão, envoltos em cobertores.)

GRUCHA

(Cantando.)
O noivo ia partir
E a noiva o seguia
Suplicantemente
Rogava e chorava,
Chorava e advertia:
Meu bem, meu amor,
Pois marcha pra guerra,
Pois vais combater
Contra os inimigos
Não vás na dianteira
Nem fiques pra trás.
Na frente há fogo vermelho,
E há fumo vermelho atrás.
Combate no ventre,
Junto ao porta-bandeira.
Os primeiros morreram sempre.
Os últimos caem também
Só os do meio voltam pra casa.

Miguel, temos que ser espertos. Se nos fizermos pequenos como as baratas, a cunhada esquecerá que estamos em casa dela. E podemos ficar aqui até que as neves se derretam. E não chores por causa do frio. Ser pobre e ainda por cima sentir frio é coisa que torna a gente antipática.

(Entra LAURENTI e senta-se perto da irmã.)

LAURENTI

Por que ficam vocês aí enrolados em cobertores como os cocheiros? Faz frio demais no quarto?

GRUCHA

(Despojando-se precipitadamente do xale.)
Não, Laurenti.

LAURENTI

Se o frio fosse demais, não deverias ficar aqui com o menino. Aniko se sentiria culpada. *(Pausa.)* Espero que o Pope não te tenha feito perguntas sobre a criança.

GRUCHA

Fez sim, mas eu não disse nada.

LAURENTI

Fizeste bem. Quero te falar a respeito de Aniko. É uma boa alma, só que muito, muito sensível. Não é preciso falar-lhe especialmente da granja para ela ficar logo angustiada. É que ela sente tudo tão profundamente, sabes? Um dia, na igreja, a vaqueira tinha um buraco na meia, e desde então minha querida Aniko leva sempre dois pares de meia para a missa. Parece incrível, mas nas velhas famílias é assim. *(Apura os ouvidos.)* Tens certeza que não há ratos aqui? Porque do contrário, vocês não poderiam continuar aqui. *(Ouve-se um ruído como gotas pingando no teto.)* Que é que está pingando?

GRUCHA

Há de ser alguma pipa que está vazando.

LAURENTI

É, deve ser alguma pipa. Faz agora seis meses que estão aqui, não? Voltando a Aniko, não contei a ela o caso do couraceiro e ela é fraca do coração. É por isso que ela não sabe que tu não podes procurar um emprego, e é por isso que te fez ontem aquelas observações. *(Ficam de novo ouvindo pingar.)* Não imaginas como ela se preocupa por causa do teu soldado. "Se ele volta e não a encontra." Diz-me ela durante a noite e perde o sono. "Antes da primavera ele não pode voltar", lhe respondo. Tão boazinha. *(Os pingos caem mais amiudados.)* Quando achas que ele estará de volta? Qual o teu palpite? *(GRUCHA permanece calada.)* Mas quando vier a primavera e começar o degelo aqui e nos passos das montanhas, não deves ficar mais aqui, pois os que te procuram podem chegar, e depois uma criança sem pai dá sempre ocasião a falatórios.

(O ruído dos pingos tornou-se mais forte e ininterrupto.)

LAURENTI

Grucha, a neve do telhado está se derretendo. É a primavera.

GRUCHA

É.

LAURENTI

(Pressuroso.)
Sabes o que devemos fazer? Precisas ir para algum lugar, e como tens um filho, *(suspira)* é necessário que tenhas um marido, para evitar fuxicos. Por isso tratei de me informar, com as devidas cautelas, sobre o meio de arranjar um marido. E encontrei um, Grucha. Conversei com uma mulher que tem um filho, no outro lado da montanha, com uma pequena granja, ela está de acordo.

GRUCHA

Mas eu não quero me casar com ninguém, tenho que esperar Simão Chachava.

LAURENTI

Claro. Pensei em tudo. Não se trata de um marido para a cama, trata-se de um marido no papel. Foi justamente o que achei. O filho da mulher com quem acertei a coisa está pra morrer. Não é magnífico? Está nas últimas. É como disse: "Um homem do outro lado da montanha"! Quando chegares lá, ele terá dado o último suspiro, e tu estarás viúva. Que dizes a isso?

GRUCHA

Um papel carimbado será útil para o Miguel.

LAURENTI

Um carimbo é tudo. Sem um carimbo nem mesmo o Xá da Pérsia podia dizer que é o Xá. E terás um teto.

GRUCHA

E que é que ela pede em troca?

LAURENTI

Quatrocentas piastras.

GRUCHA

E aonde vais buscar esse dinheiro?

LAURENTI

(Com ar de culpado.)
O dinheiro do leite de Aniko.

GRUCHA

Lá ninguém nos conhece. Se é assim, eu aceito.

LAURENTI

(Levantando-se.)
Então vou logo comunicar à mulher.

(Sai às pressas.)

GRUCHA

Miguel, tu me pões num ror de dificuldades. Eu te calhei a ti como a pereira aos pardais. E a criatura de Cristo tem que se abaixar e apanhar a crostinha de pão, pra que nada se perca. Miguel, eu teria feito melhor, se naquele Domingo de Páscoa em Nukha tivesse ido embora o mais depressa possível. Agora sou eu que pago o pato.

RECITANTE

O noivo estava à morte quando a noiva chegou.
A mãe do noivo esperava-a à porta e instou para que ela andasse
[depressa.
A noiva trazia consigo um filho, o padrinho escondeu-o durante a
[cerimônia do casamento.

(Um aposento separado em dois por um tabique. De um lado uma cama, e atrás do mosquiteiro, um homem muito doente, hirto. Pelo outro lado entra correndo a SOGRA de GRUCHA, arrastando-a pela mão. Atrás vem LAURENTI com o menino.)

SOGRA

Depressa, depressa, senão ele vai-se antes da bênção. *(A LAURENTI.)* Mas que ela já tinha um filho não me foi dito.

LAURENTI

Que importância tem isto? No estado em que se acha, é indiferente pra ele.

SOGRA

Pra ele, não pra mim, que não sobreviverei a essa vergonha! Somos gente de respeito. *(Começa a chorar.)* O meu Iussup não merecia isto: casar-se com uma moça que já tem um filho.

LAURENTI

Bem, darei duzentas piastras a mais. A granja ficará pra ti, por escrito, mas ela terá o direito de ficar morando aqui durante dois anos.

SOGRA

(Enxugando os olhos.)
Isso mal dá para as despesas do enterro. Espero que ela me dê uma mão na minha labuta. Mas cadê o frade? Deve ter escapulido pela janela da cozinha. Agora toda a aldeia vai nos cair em cima, se espalhar que Iussup está à morte. Ah, meu Deus! Vou procurar o frade mas ele não deve ver o menino.

LAURENTI

Tomarei cuidado pra que ele não veja, mas por que um frade e não um padre?

SOGRA

É a mesma coisa. Só que eu cometi a imprudência de pagar adiantado a ele a metade dos honorários, e com certeza ele já foi pra taverna beber. Espero... *(Sai a passos rápidos.)*

LAURENTI

Fez economia com o padre, a miserável. Tratou um frade barato.

GRUCHA

Se Simão Chachava chegar, diz a ele que venha me ver.

LAURENTI

Sim. *(Apontando o doente.)* Não queres dar uma espiada nele? *(GRUCHA, que segurou MIGUEL, faz sinal que não.)* Não faz um movimento. Queira Deus não tenha chegado tarde demais.

(Prestam ouvido. No outro aposento entram vizinhos. Lançam um olhar em volta e se instalam ao longo da parede. Começam a murmurar umas preces em voz baixa. Entra a SOGRA com o FRADE.)

SOGRA

(Com irritado espanto ao FRADE.)
Eu não dizia. *(Cumprimenta os convidados.)* Queiram ter paciência alguns instantes. A noiva de meu filho acaba de chegar da cidade e vai-se fazer um casamento de urgência. *(Entra com o FRADE no quarto de dormir.)* Eu sabia que irias dar com a língua nos dentes. *(A GRUCHA.)* A cerimônia pode se realizar imediatamente. Aqui está a ata do casamento. Eu e o irmão da noiva... *(LAURENTI procura dissimular-se no fundo, depois de ter recebido de GRUCHA rapidamente o menino.)* Eu e o irmão da noiva somos os padrinhos.

(GRUCHA inclinou-se diante do FRADE. Encaminham-se todos para a alcova. A SOGRA afasta o mosquiteiro. O FRADE começa a murmurar em latim o texto litúrgico. Enquanto isso a SOGRA faz

constantemente sinais a Laurenti, *que, para evitar que o menino chore, quer mostrar-lhe a cerimônia. Em dado momento* Grucha *se vira para olhar* Miguel *e* Laurenti *lhe acena agitando a mãozinha da criança.)*

Frade

Estás disposta a ser para teu marido uma esposa fiel e obediente, e ficar com ele até que a morte vos separe?

(Como o moribundo não responde, o Frade *repete a pergunta e relanceia os olhos em torno.)*

Sogra

Naturalmente que está. Não lhe ouviste "sim"?

Frade

Muito bem, está o matrimônio concluído. Mas devo dar a extrema- -unção?

Sogra

Nada de extrema-unção. O casamento já me custou muito dinheiro. Agora tenho que me ocupar dos convidados. *(A* Laurenti.*)* A combina- ção foram setecentas piastras, não?

Laurenti

Seiscentas. *(Paga.)* E eu não quero sentar-me com os convidados nem fazer conhecimento com ninguém. Então, adeus, Grucha, e se minha irmã, depois de viúva, me vier visitar, será acolhida por minha mu- lher com um "seja bem-vinda", porque senão, ouvirá boas de mim. *(Sai. Ao passar, os presentes o olham com indiferença.)*

Frade

E pode-se saber que criança é esta?

Sogra

Criança? Não vejo criança nenhuma, nem tu tampouco. Entendeste? Senão, eu também posso ter visto o que fizeste na taverna. E agora venham todos.

(Passam à outra peça, depois de Grucha *ter posto no chão o menino, fazendo-lhe sinal para ficar sozinho e quietinho.* Grucha *é apresentada aos parentes.)*

Sogra

Minha nora. Chegou justo a tempo para ver o meu querido Iussup ainda em vida.

UMA MULHER

Faz um ano que ele está de cama, não é? Quando meu Vassili foi recrutado, ele ainda esteve lá em casa para as despedidas.

OUTRA MULHER

(Confidencialmente.)
E nós, que a princípio pensamos que ele tinha ido pra cama por causa do recrutamento! Agora está morrendo.

SOGRA

Tenham bondade, sentem-se e comam alguma coisa. *(Faz um sinal a GRUCHA e as duas mulheres entram no quarto de dormir e apanham no chão bandejas de forno cheias de bolinhos. O FRADE e convidados sentam-se no chão e começam a conversar em voz baixa.)*

UM CAMPONÊS

(Muito idoso a quem o FRADE passa uma garrafa que sacou do hábito.)
Um garoto, onde o teria arranjado Iussup?

TERCEIRA MULHER

Em todo caso, ela teve a sorte de chegar ainda a tempo de se casar, senão ficava na mão.

SOGRA

Agora estão mexericando e comendo todos os bolos. Se ele não morrer hoje, lá tenho eu que fazer mais bolinhos amanhã.

GRUCHA

Deixe comigo, que eu faço.

SOGRA

Ontem de noite, quando os soldados da cavalaria passaram, saí pra ver o que era e, quando voltei, ele estava que parecia um defunto. Foi por isso que mandei chamar-te. Isto não pode durar muito.

(Apura o ouvido.)

FRADE

Caros presentes a estas bodas e a este velório, estamos aqui emocionados, em torno deste leito a um tempo nupcial e fúnebre, pois a esposa vem debaixo do véu de flores de laranjeiras, e o esposo debaixo da cova. O noivo já está de toilette feita, e a noiva a ponto. Pois no leito nupcial há um testamento, coisa muito atraente. Que diversidade, meus caros irmãos, nos destinos humanos! Um morre para ter um teto, outro se casa para que a sua carne volte ao pó de que foi feita, amém.

SOGRA

(Que ouviu.)
Está se vingando. Eu não podia encontrar um mais barato, ele tinha que ser isso mesmo. Um padre caro sabe se comportar. Em Sura existe um que está até em cheiro de santidade, mas naturalmente pede uma fortuna. Um fradeco de cinquenta piastras não tem nenhuma dignidade, e a devoção dele só chega a cinquenta piastras, nem um vintém mais. Quando fui buscá-lo na taverna, ele fazia um discurso aos gritos: "Acabou a guerra". Irmãos, temei a paz! Temos que ir para a sala.

GRUCHA

(Dando um doce a MIGUEL.)
Coma um doce e sente quietinho, Miguel. Agora somos pessoas de respeito. *(Vão as duas para a sala e levam aos convidados as bandejas de doces. O moribundo, atrás dos mosquiteiros, senta-se na cama e passa a cabeça pela abertura, seguindo com os olhos as duas mulheres. Depois torna a deitar-se. O FRADE saca duas garrafas do hábito e estende-as aos camponeses que estão ao seu lado. Entram três MÚSICOS que o FRADE saúda com a mão, sorrindo escarninho.)*

SOGRA

(Aos MÚSICOS.)
Que vêm fazer aqui com esses instrumentos?

MÚSICO

O irmão Anastácio *(Aponta o FRADE.)* nos disse que haveria um casamento aqui.

SOGRA

(Ao FRADE.)
O quê? Ainda me arranja mais esses três? *(Aos MÚSICOS.)* Os senhores não sabem que tem um moribundo ali no quarto?

FRADE

É uma ocasião estupenda para o artista. Para uma marcha triunfal em surdina ou uma dança fúnebre movimentada.

SOGRA

Toquem ao menos; de comer ninguém os impedirá.

(Os MÚSICOS executam um pot-pourri. *As mulheres servem doces.)*

FRADE

A trombeta soa como uma gritaria de crianças no berço. E tu, tamborilzinho do demo, por que tamborila com tamanha gana?

(CAMPONÊS junto ao FRADE.)

CAMPONÊS

Que tal se a noiva desse um pouco a perna?

FRADE

A perna ou as coxas?

CAMPONÊS

(Canta.)
A moça novinha casou-se com um velho
"O velho que importa? Importa é casar!"
Diz ela, querendo desenfadar-se,
Brinca com o contrato de seu casamento
Pensando nas tochas a arder,
Quando o dia do velho chegar.

(A Sogra expulsa o bêbado de casa. Cessa a música de súbito. Embaraço dos convidados. Pausa.)

CONVIDADOS

(Falando alto.)
Já souberam? O Grão-Duque voltou. Mas os príncipes estão ainda contra ele. Oh, dizem que o Xá da Pérsia pôs à disposição dele um grande exército pra que ele possa restabelecer a ordem aqui. Não é possível! O Xá da Pérsia é inimigo do Grão-Duque! Mas é inimigo também da desordem. Em todo caso, a guerra acabou. Os soldados já estão voltando.

(Grucha deixa cair a bandeja.)

UMA MULHER

(A Grucha.)
Estás sentindo alguma coisa? É da emoção por causa do teu Iussup. Senta-te e descansa um pouco, minha filha.

(Grucha permanece de pé, malsegura.)

CONVIDADOS

Agora tudo voltará a ser como dantes. Só que os impostos vão aumentar, pois temos que pagar a guerra.

GRUCHA

(Enfraquecida.)
Alguém disse que os soldados estão de volta?

HOMEM

Fui eu.

GRUCHA

Mas não pode ser.

HOMEM

(A uma mulher.)
Mostra o xale! Compramos de um soldado. É da Pérsia.

GRUCHA

(Olhando o xale longamente.)
Voltaram, sim.

(Longo silêncio. GRUCHA ajoelha-se como se fosse apanhar os doces, mas o que faz é tirar da blusa a cruz de prata suspensa na corrente. Beija-a e começa a rezar.)

SOGRA

(Enquanto os convidados olham para GRUCHA calados.)
Que tens? Não queres te ocupar dos nossos convidados? Que bem nos importa as asneiras que fazem na cidade?

CONVIDADOS

(Retomando a conversa em voz alta, enquanto GRUCHA permanece ajoelhada à frente no chão.)
Arreios persas, que os soldados vendem ou trocam por muletas, às vezes. Os figurões podem ganhar uma guerra, mas os soldados sempre perdem, dos dois lados. Ao menos agora a guerra acabou. Já é alguma coisa eles não nos agarrarem mais para o serviço do exército. *(IUSSUP senta-se de novo na cama e espia pela abertura do mosquiteiro, escutando.)* Precisávamos é de mais umas duas semanas de bom tempo. As nossas pereiras não darão quase nada este ano.

SOGRA

(Oferecendo doces.)
Comam mais um, não façam cerimônia. Ainda tem mais.

(A SOGRA entra no quarto com a bandeja vazia. Não vê o doente e se abaixa para apanhar no chão outra bandeja carregada de doces. Nisso o doente começa a falar com voz rouca.)

IUSSUP

Até quando vais continuar a entupi-los de bolos? Pensas que eu possuo a galinha dos ovos de ouro? *(A SOGRA vai e volta em frente dele, olhando-o estarrecida. Vê-se ele levantar-se da cama atrás do mosquiteiro.)* Eles não estão dizendo que a guerra acabou?

PRIMEIRA MULHER

(Na sala, a GRUCHA amigavelmente.)
Tem algum parente na guerra?

HOMEM

Boa notícia que eles estão de volta, hein?

IUSSUP

(À SOGRA.)
Deixa de arregalar os olhos. Onde está a criatura que me pegaste como mulher? *(Não recebendo resposta, sai da alcova em camisa e com passos mal seguros, passa diante da SOGRA e penetra na sala. Ela o segue tremendo, com a bandeja.)*

CONVIDADOS

(Avistando-o, exclamam com espanto.)
Jesus, Maria, José, Iussup!

(Todos se levantam aterrados. As mulheres correm em massa para a porta. GRUCHA, sempre ajoelhada, vira a cabeça e olha Iussup com estupor.)

IUSSUP

Um pródigo enterro, é o que vocês me desejariam. Rua! Antes que eu os ponha daqui pra fora a pau!

(Os convidados abandonam a casa precipitadamente.)

IUSSUP

(Com ar sinistro a GRUCHA.)
Transtornei-te os cálculos, hein?

(Como GRUCHA não lhe responde, ele se vira e tira um bolinho de milho da bandeja que a SOGRA segura.)

RECITANTE

Oh, a lição! A esposa descobre que tem um marido!
O dia, a criança, de noite, o marido.
O homem amado está a caminho dia e noite.
Os esposos se encaram. O quarto é acanhado.

(IUSSUP está nu, sentado numa cuba de banho, e a SOGRA despeja água nela. Na peça contígua está GRUCHA agachada junto de MIGUEL, que se distrai consertando uma esteirinha de palha.)

IUSSUP

Isso é trabalho dela, não teu, onde é que ela se meteu?

SOGRA

(Chamando.)
Grucha, Iussup está te chamando.

GRUCHA

(A MIGUEL.)
Ainda restam dois buracos para tapares.

IUSSUP

(Quando GRUCHA entra.)
Esfrega as minhas costas!

GRUCHA

Outra pessoa é que tem que fazer isso?

IUSSUP

"Outra pessoa é que tem que fazer isso?" Pegue a escova, com mil demônios. És minha mulher, ou és uma estranha? *(À SOGRA.)* Frio demais!

SOGRA

Vou correndo buscar água quente.

GRUCHA

Deixe que eu vou.

IUSSUP

Fica aqui! *(A SOGRA sai correndo.)* Esfrega com mais força! E não tomes esse ar, já vistes muitas vezes um homem nu. Teu garoto não foi feito por obra e graça do Espírito Santo.

GRUCHA

O menino não é fruto do prazer, como está pensando.

IUSSUP

(Voltando-se para olhá-la, com escárnio.) Aliás, tua cara não é de quem tem jeito pra coisa. *(GRUCHA cessa de esfregar e recua. A SOGRA entra.)* Boa prenda me arranjaste pra mulher: um bacalhau seco!

SOGRA

O que falta a ela é boa vontade.

IUSSUP

Despeja, mas com precaução. Ai! Eu te disse com precaução! *(A Grucha.)* Não me admiraria se viesse a saber que alguma coisa houve contigo na cidade. Senão, por que estarias aqui? Mas não falo disso, nem digo nada também do bastardo que trouxeste pra minha casa, mas contigo minha paciência está chegando ao fim. Isto é contra a natureza. *(À Sogra.)* Mais! *(A Grucha.)* Mesmo que o teu soldado volte, estás casada.

GRUCHA

Sim.

IUSSUP

Mas teu soldado não volta mais, precisas tirar isso da cabeça.

GRUCHA

Não.

IUSSUP

Tu estás me tapeando. És minha mulher sem seres minha mulher. Na cama em que te deitas não há nada deitado, e no entanto outra mulher não pode se deitar nela. De manhã, quando vou pro campo, estou morto de cansaço; mas de noite, quando vou deitar, estou espiritando como o demônio. Deus te deu um sexo, e tu, que fazes dele? Minha lavoura não me rende o bastante para eu pagar uma mulher na cidade, sem contar a caminhada. Mulher é pra mondar o campo e abrir as pernas, como diz o nosso almanaque. Estás ouvindo?

GRUCHA

(Em voz baixa.)
Sinto muito estar causando aborrecimentos.

IUSSUP

Ela sente muito! *(À Sogra.)* Despeja mais. *(Despejando.)* Ai!

RECITANTE

Quando ela se sentava à beira do regato para lavar a roupa,
Via a sua imagem na água e seu semblante se tornava mais pálido
Com as luas que passavam.
Quando se erguia para torcer a roupa,
Ouvia sua voz no sussurro do bordo, e uma voz soava mais fraca
Com as luas que passavam.
Efúgios e suspiros eram mais frequentes,
Lágrimas e suor mais abundantes,
E com as luas que passavam o menino ia crescendo.

(À beira de um regato, Grucha, agachada, molha a roupa na água. A alguma distância brincam algumas crianças.)

GRUCHA

> (A MIGUEL.)

Podes brincar com eles, Miguel, mas não deixes que mandem em ti por seres menor.

> (MIGUEL *diz sim com a cabeça e junta-se aos outros meninos. Uma brincadeira principia.*)

MENINO MAIOR

Hoje vamos brincar de cortar cabeça. *(A um menino muito gordo.)* Você é o príncipe e ri. *(A MIGUEL.)* Você é o Governador. *(A uma menina.)* Você é a mulher do Governador e chora quando a cabeça cai. Sou eu quem corta a cabeça *(mostra um sabre de madeira)* com isto. Primeiro o Governador é levado para o pátio. Na frente vai o Príncipe e, em último lugar, vai a mulher do Governador.

> (*Forma-se o séquito. À frente vai o* MENINO GORDO, *rindo. Atrás seguem* MIGUEL *e o* MENINO MAIOR. *Depois a* MENINA *chorando.*)

MIGUEL

> (*Detendo-se.*)

Eu também quero cortar a cabeça.

O MAIOR

Isso sou eu que faço. Você é pequeno. Governador é mais fácil. Só tem que se ajoelhar e deixar que lhe cortem a cabeça. Não tem dificuldade.

MIGUEL

Eu também quero a espada.

O MAIOR

A espada é minha.

> (*Dá um pontapé.*)

MENINA

> (*Gritando para* GRUCHA.)

Ele está atrapalhando o brinquedo.

GRUCHA

> (*Rindo.*)

Na minha terra se diz que filho de peixe sabe nadar.

O MAIOR

Você pode se fazer de Príncipe se souber rir.

MIGUEL

> *(Abana a cabeça.)*

MENINO GORDO

Quem sabe rir melhor sou eu. Deixe ele cortar uma vez a cabeça, depois corta você, depois eu.

> *(O MAIOR dá de má vontade a espada a MIGUEL e põe-se de joelhos. O GORDO, sentado, bate na coxa e ri a bandeiras despregadas. A MENINA chora muito alto. MIGUEL volteia sobre o sabre, dá o golpe e cai para trás.)*

O MAIOR

Au! Vou te ensinar como se degola!

> *(MIGUEL foge, e os outros atrás dele. GRUCHA ri seguindo-os com o olhar. Quando se volta, avista o soldado SIMÃO CHACHAVA na outra margem do regato. Este veste um uniforme rasgado.)*

GRUCHA

Simão!

SIMÃO

Grucha Vachnadze?

GRUCHA

Simão!

SIMÃO

> *(Formalizado.)*
Deus abençoe a senhorita e lhe dê saúde.

GRUCHA

> *(Erguendo-se alegremente e inclinando-se profundamente.)*
Deus abençoe o senhor Soldado. E louvado seja, porque vejo que o Soldado volta são e salvo.

SIMÃO

Eles encontraram peixes melhores do que eu e por isso não me comeram, dizia a cavala.

GRUCHA

O moço de cozinha fala de sua bravura; o herói de sua sorte.

SIMÃO

E como vai isto por aqui? O inverno foi suportável, o vizinho atencioso?

GRUCHA

O inverno foi sofrível, e o vizinho, como de costume, Simão.

SIMÃO

Pode-se fazer uma pergunta? Certa pessoa minha conhecida ainda tem o hábito de mergulhar a perna na água quando lava a roupa?

GRUCHA

A resposta é não, por causa dos curiosos escondidos nas moitas.

SIMÃO

A senhorita falou de soldado. Mas ela tem diante de si um sargento pagador.

GRUCHA

O que significa vinte piastras, não?

SIMÃO

E casa.

GRUCHA

(Com lágrimas nos olhos.)
Atrás da caserna. À sombra das tamareiras.

SIMÃO

Exatamente. Pelo que vejo, já deu uma espiada por lá.

GRUCHA

Já.

SIMÃO

E nada está esquecido. *(GRUCHA faz sinal que não.)* Então, como se costuma dizer, tudo como dantes no quartel de Abrantes? *(GRUCHA fita-o calada e abana de novo a cabeça.)* Que há? Aconteceu alguma coisa?

GRUCHA

Simão Chachava, não posso voltar para Nukha.

SIMÃO

Por quê? Que sucedeu?

GRUCHA

Sucedeu que eu parti a cabeça de um couraceiro.

SIMÃO

Grucha Vachnadze deve ter tido suas razões.

GRUCHA

Simão Chachava, eu não me chamo mais como me chamava.

SIMÃO

(Depois de uma pausa.)
Não entendo.

GRUCHA

Quando é que as mulheres mudam de nome, Simão? Deixa-me explicar. Nada mudou entre nós, tudo está como dantes, podes acreditar.

SIMÃO

Como assim? Tudo como dantes, no entanto já não é a mesma coisa?

GRUCHA

Como posso explicar em tão pouco tempo e com o riacho entre nós dois? Não podes passar pro lado de cá?

SIMÃO

Talvez não seja mais necessário.

GRUCHA

É muito necessário, sim. Venha, Simão, depressa!

SIMÃO

Quer dizer que cheguei tarde?

(GRUCHA olha para ele desesperada, o rosto inundado de lágrimas. SIMÃO queda absorto, apanha um graveto no chão e põe-se a cortá-lo.)

RECITANTE

Tantas palavras foram pronunciadas, tantas ficam por dizer.
O soldado voltou. De onde voltou não diz.
Ouvi o que ele estava pensando e não disse:

A batalha começou ao amanhecer e tornou-se sangrenta ao meio-dia.
O primeiro caiu em frente de mim, o segundo caiu atrás de mim, o
                                        [terceiro perto de mim.
Passei por cima do primeiro, abandonei o segundo, e o terceiro foi
                        [traspassado pelo sabre do capitão.
Um irmão meu foi ferido por arma branca, outro por bala de canhão.
As balas assobiavam em torno de minha cabeça, minhas mãos gelavam
        [dentro das luvas; os dedos de meus pés dentro das meias.
Comia broto de álamo, bebia suco de bordo, dormia nas pedras, na água.

SIMÃO

Estou vendo um gorro na grama. Algum garoto já?

GRUCHA

Sim, Simão, como poderia ocultar? Mas não te preocupes, não é meu.

SIMÃO

Há um provérbio que diz: "Quando o vento sopra, entra por todas as frestas". Não precisa acrescentar mais nada.

(GRUCHA baixa os olhos e permanece silenciosa.)

RECITANTE

A saudade era grande, todavia a moça não esperou até que ele voltasse.
O juramento foi quebrado. Por quê? A razão não foi revelada.
Ouvi o que ela estava pensando e não disse:

Quando estavas combatendo, soldado,
Na batalha sangrenta, na batalha amarga,
Encontrei uma criança que estava desamparada.
Não me consentiu o coração descartar-me dela.
Tive que me sacrificar pelo que sem mim estaria perdido,
Abaixar-me para apanhar no chão as migalhas de pão,
Fazer-me em pedaços pelo que não era meu,
Pelo estranho.
Mas alguém tem que dar socorro.
Pois o arbustozinho precisa de sua água.
O bezerrinho se perde quando o pastor dormita,
E o seu balido não é ouvido.

SIMÃO

Restitui-me o crucifixo que te dei. Ou melhor, atira-o n'água. *(Dá-lhe as costas para ir embora.)*

GRUCHA

(Levantando-se.)
Simão Chachava, não vá embora, ele não é meu. *(Ouvindo as crianças chamarem.)* Que foi que houve?

VOZES

Soldados! Eles levaram Miguel!

(GRUCHA olha perplexa. Dois COURACEIROS caminham para ela, conduzindo MIGUEL.)

COURACEIRO

És Grucha? *(Ela faz sinal que sim.)* Este menino é teu filho?

GRUCHA

É. *(SIMÃO vai-se embora.)* Simão!

COURACEIROS

Temos ordens do Tribunal pra levar este menino que está sob a tua guarda, pois há suspeita de que se trata de Miguel Abaschvíli, o filho do Governador Georgi Abaschvíli e de sua mulher Natella Abaschvíli. Aqui tem o papel do selo.

(Levam o menino.)

GRUCHA

(Correndo atrás e gritando.)
Larguem ele, por favor, ele é meu!

RECITANTE

Os couraceiros levam o menino, o querido menino que tantos
[sacrifícios lhe custou.
A infeliz segue-o rumo à cidade — a cidade perigosa.
A mãe de sangue reclama a criança.
A mãe de criação comparece perante o Tribunal.
Quem vai decidir o caso? A quem será entregue a criança?
Quem será o juiz? Será bom? Será mau?
A cidade arde em chamas.
Na cadeira de juiz, quem está sentado? Azdak.

Quarto quadro

A HISTÓRIA DO JUIZ

RECITANTE

E agora ouvi a história do juiz:
Como ele se tornou juiz, como julgava, que espécie de juiz era.
Naquele Domingo de Páscoa do grande levante, quando deposto foi
[o Grão-Duque
E degolado o seu Governador Abaschvíli, pai do nosso Miguel,
Azdak, o escrivão da aldeia, encontrou no bosque um foragido e
[escondeu-o em sua cabana.

(AZDAK, maltrapilho e bêbado, dá asilo em sua casa a um FUGITIVO disfarçado de mendigo.)

AZDAK

Para de bufar, não és nenhum cavalo. E não te adianta com a polícia estares correndo como um resfriado em abril. Fica quieto, rapaz. *(Alcança novamente o FUGITIVO que continua a andar como se quisesse atravessar a parede em frente.)* Senta-te e come, vou te dar um pedaço de queijo. *(De uma arca cheia de trapos saca um queijo e o FUGITIVO começa a comer com avidez.)* Há muito que não comias, hein? *(O FUGITIVO murmura qualquer coisa.)* Por que corrias tão afobado? O polícia não te teria visto.

FUGITIVO

Era preciso.

AZDAK

Cagaço? *(O VELHO olha sem compreender.)* Medo? Não faças esse barulho comendo, como se fosses um Grão-Duque ou uma leitoa! Não suporto isso. Um porco da aristocracia a gente tem que aturar como Deus fez. Mas tu, não. Ouvi falar de um juiz do Supremo, que comendo no Bazar soltava traques para mostrar que era um homem livre. Vendo-te comer, tenho pensamentos horríveis. Por que não pronuncias uma palavra? *(Ríspido.)* Mostra a tua mão! Não ouves? Vamos, mostra a tua mão! *(O FUGITIVO estende-lhe a mão hesitante.)* Branca. Com que então, não és um mendigo mas uma falsificação, uma impostura ambulante! E eu te dei asilo como se fosses um sujeito decente! Afinal de contas, por que andas foragido, se és um proprietário? Não negues o que és! *(Levanta-se.)* Rua! *(O FUGITIVO olha para ele apreensivo.)* Que estás esperando, seu espancador de camponeses?

FUGITIVO

Venho sendo perseguido. Rogo a tua atenção para uma proposta.

AZDAK

Para quê? Para uma proposta? É o cúmulo do cinismo! Ele faz uma proposta. O coitado que foi mordido pela sanguessuga fica com as unhas tintas de sangue de tanto se coçar, e ele faz uma proposta! Rua, repito!

FUGITIVO

Compreendo seu ponto de vista. Muito respeitável. Pago cem mil piastras por uma noite. Concorda?

AZDAK

O quê? Pensas que podes comprar-me? Por cem mil piastras, o preço de uma propriedadezinha miserável... Digamos cento e cinquenta mil. Onde estão elas?

FUGITIVO

Naturalmente não as trago comigo, mas ser-lhe-ão enviadas, espero, não tenhas dúvida.

AZDAK

Tenho muitas dúvidas. Rua!

(O Fugitivo levanta-se e caminha para a porta. Ouve-se uma voz lá fora.)

VOZ

Azdak!

(O Fugitivo faz meia-volta, corre para o canto oposto e fica imóvel.)

AZDAK

(Gritando.)
Não posso atender. *(Caminha para a porta.)* Vens de novo meter o bedelho onde não és chamado, Schauva?

POLÍCIA SCHAUVA

(Lá fora em tom de censura.)
Apanhaste de novo uma lebre, Azdak. E me tinhas prometido que isso não aconteceria mais.

AZDAK

(Severo.)
Não fales de coisa que não entendes, Schauva. A lebre é um animal perigoso e nocivo, que come as plantas, particularmente as chamadas ervas daninhas, e, portanto, deve ser exterminada.

SCHAUVA

Azdak, não sejas cruel comigo. Perderei o meu emprego se não providenciar contra ti. Eu sei que tens bom coração.

AZDAK

Não tenho bom coração coisa nenhuma. Quantas vezes já te disse que sou um intelectual?

SCHAUVA

(Astuto.)
Eu sei, Azdak. És um homem superior, tu mesmo o dizes; por conseguinte, eu, pobre de Cristo, te pergunto: se roubam uma lebre ao Príncipe, e eu sou da polícia, que devo fazer com o criminoso?

AZDAK

Schauva, Schauva, devias ter vergonha! Tu te plantas na minha frente e me fazes uma pergunta, e não há nada que possa ser mais capcioso do que uma pergunta. Como se fosses uma mulher, uma Nunowna, por exemplo, uma perdida, e como Nunowna me mostraste a tua coxa, perguntando-me: "Que devo fazer com a minha coxa? Está me comichando." Ela é tão inocente quanto parece? Não. Eu apanho uma lebre, mas tu apanhas um homem. Um homem é uma criatura feita à imagem de Deus; uma lebre não, sabes disso. Eu sou um comedor de lebre, mas tu és um comedor de homem, Schauva, e Deus nos julgará. Schauva vai pra casa e penitencia-te. Não, espera aí, tenho talvez alguma coisa pra ti. (Lança um olhar ao Fugitivo que se mantém imóvel e trêmulo.) Neca, não há nada. Vai pra casa e penitencia-te. (Bate-lhe com a porta na cara.) Estás admirado de eu não ter te entregue, hein? Mas àquele animal da polícia, eu não entregaria nem um percevejo, me repugnaria. Não tremas de um polícia tão idoso e tão poltrão! Acaba de comer o teu queijo, mas come como um pobre, senão eles ainda te agarram. Será preciso que eu te ensine como procede um pobre? (Fá-lo sentar-se e põe na mão o pedaço de queijo.) A arca representa a mesa. Põe os cotovelos na mesa e agarra o queijo com as duas mãos. Sobre o prato, como se te quisessem a todo momento arrebatá-lo, quem te assegura do contrário? Segura a faca como se ela fosse uma foicezinha, e não olhes pro queijo com tanta gula, olha antes preocupado, porque ele já está desaparecendo, como tudo que é belo. (Olha para ele.) Andam no teu encalço, o que depõe a teu favor, mas como posso saber se estão enganados a teu respeito? Em Tíflis, uma vez, enforcaram um ricaço, um turco. Ele conseguiu provar à polícia que tinha cortado os seus camponeses em quatro pedaços e não em dois, como é de costume, que os tinha feito suar os impostos duas vezes mais do que os outros proprietários; o seu selo estava acima de toda suspeita e no entanto ele foi enforcado como um criminoso, só porque era turco, coisa de que não tinha culpa. Uma injustiça. Foi para a forca como Pilatos para o Credo. Numa palavra: tu não me inspiras confiança.

RECITANTE

Assim que o nosso Azdak deu hospedagem por uma noite ao velho
[mendigo.
Quando ele veio a saber que era o Grão-Duque em pessoa o "vampiro",
Ficou envergonhado, acusou-se, deu ordem à polícia de o levar a
[Nukha para ser julgado perante o Tribunal.

(No pátio do Tribunal, três COURACEIROS *bebem sentados sobre os
calcanhares. De uma pilastra pende um homem com a toga de
juiz. Entra* AZDAK, *acorrentado e arrastando* SCHAUVA.)*

AZDAK

(Gritando.)
Ajudei o Grão-Duque a fugir, o Grão-ladrão, o Grão-vampiro! Reclamo severa condenação para mim, em audiência pública, em nome
da justiça!

PRIMEIRO COURACEIRO

Quem é esse bicho careta?

SCHAUVA

É Azdak, o nosso escrivão.

AZDAK

Sou eu, o abjeto, o traidor, o marcado. Eu hospedei inadvertidamente o Grão-Duque, ou melhor, o Grão-sacripanta, como só depois vim
a descobrir por este documento encontrado em minha cabana. *(Os
COURACEIROS examinam o documento,* AZDAK *e* SCHAUVA.*)* Eles não sabem
ler. Olhem o marcado se acusa ele próprio! Conta como eu te obriguei
a galopar comigo a metade da noite até aqui, pra que tudo fique esclarecido.

SCHAUVA

E debaixo de ameaças, o que não foi bonito de sua parte, Azdak.

AZDAK

Cala a boca, Schauva, tu não podes compreender. Novos tempos chegaram, vais ser varrido pela tempestade, estás frito, os tiras serão li-
quidados, pfft! Tudo será escutado, posto a descoberto. Então é melhor que cada um se acuse, porque ninguém pode escapar à vigilância
do povo. Conta como eu gritei rua dos Sapateiros abaixo. *(Representa
a cena com grandes gestos, olhando de esguelha os* COURACEIROS.*)* "Deixei escapar o Grão-sacripanta por mera ignorância, me cortem em
pedaços, irmãos!" Pra que eu antecipe tudo o que virá depois.

PRIMEIRO COURACEIRO

E que é que responderam?

SCHAUVA

Na rua dos Couraceiros o consolaram, na rua dos Sapateiros, riram às gargalhadas, foi tudo.

AZDAK

Mas com vocês a coisa é outra! Sei que vocês são homens de ferro. Onde está o juiz? Preciso ser interrogado.

PRIMEIRO COURACEIRO

(Apontando o corpo enforcado.)
Está ali o juiz. E para de nos chamar de irmãos, esta noite a palavra soa mal aos nossos ouvidos.

AZDAK

"Está aí o juiz!" Eis uma palavra jamais ouvida na Geórgia. Cidadãos, onde está Sua Excelência, o senhor Governador? *(Aponta a forca.)* Está ali! Onde está o preceptor geral dos impostos? E o Preboste? E o Arcebispo? E o Chefe de Polícia? Ali, ali, ali, todos ali. Irmãos, isto é o que eu esperava de vocês.

SEGUNDO COURACEIRO

Um instante, o que é que esperavas?

AZDAK

O que se viu na Pérsia, irmãos, o que se viu na Pérsia.

SEGUNDO COURACEIRO

O que se viu na Pérsia?

AZDAK

Faz quarenta anos. Todos enforcados. Vizires, preceptores. Meu avô, um tipo estranho, era um deles. Durante três dias, por toda parte.

SEGUNDO COURACEIRO

E quem governou depois que o Vizir foi enforcado?

AZDAK

Um camponês.

SEGUNDO COURACEIRO

E quem passou a comandar o Exército?

AZDAK

Um soldado, Soldado.

SEGUNDO COURACEIRO

E quem pagava o soldo?

AZDAK

Um tintureiro.

SEGUNDO COURACEIRO

Não era um tecelão de tapetes?

PRIMEIRO COURACEIRO

E por que tudo isso aconteceu, meu persa?

AZDAK

Por que aconteceu? Haverá necessidade de uma razão particular? Por que razão a gente se coça, meu irmão? A guerra, guerra demasiado prolongada! E nenhuma justiça! Meu avô sabia a canção que narrava as coisas que se passaram. Eu e meu amigo polícia vamos cantá-la pra vocês. *(A SCHAUVA.)* Segura bem a corda, isso faz parte da encenação. *(Canta e SCHAUVA segura a corda o tempo todo.)*

Por que não sangram mais nossos filhos?
Por que não choram mais as nossas filhas?
Por que não se vê outro sangue senão dos novilhos nos matadouros?
Nem pela madrugada outros prantos senão os dos salgueiros do lago
[Urmi?
O nosso Imperador precisa de uma nova província, o camponês tem
[que dar o dinheiro do leite.
Para que todo mundo seja conquistado, os tetos das cabanas têm
[que ser arrancados.
Nossos homens são lançados aos quatro ventos para que os grandes
[possam banquetear-se em casa.
Os soldados se matam entre si, os generais se atracam,
Os alimentos são mordidos para o fisco averiguar se são bons,
As espadas, porém, essas partem-se logo.
Perdeu-se a batalha, mas os capacetes foram pagos.
Não é assim? Não é assim?

SCHAUVA

Sim, sim, sim, sim, é assim!

AZDAK

Querem ouvir até o fim?

(O PRIMEIRO COURACEIRO faz sinal que sim.)

SEGUNDO COURACEIRO

(A Schauva.)
Ele te ensinou a canção?

SCHAUVA

Ensinou, mas não tenho boa voz.

SEGUNDO COURACEIRO

É. *(A Azdak.)* Continua.

AZDAK

A segunda estrofe trata da paz. *(Canta.)*

As repartições estão superlotadas. Há funcionários sentados até a rua.
Os rios transbordam e devastam os campos.
Homens que não sabem nem abaixar as calças governam impérios.
Não sabem contar até quatro e devoram oito pratos de enfiadas.
Os cultivadores de milho procuram fregueses e só veem gente que
[morreu de fome.
Os tecelões voltam dos teares em farrapos.
Não é assim? Não é assim?

SCHAUVA

Sim, sim, sim, sim, sim, é assim!

AZDAK

Eis por que não sangram mais os nossos filhos e não choram mais as
[nossas filhas.
Porque não se vê outro sangue senão os dos novilhos nos matadouros.
Nem pela madrugada outro pranto senão o dos salgueiros no lago Urmi.

PRIMEIRO COURACEIRO

(Depois de um silêncio.)
E queres cantar esta canção aqui na cidade?

AZDAK

Que inconveniência há nisso?

PRIMEIRO COURACEIRO

Está vendo como o céu está vermelho ali? *(Azdak olha em volta e vê o clarão vermelho ao longo do céu.)* É o incêndio nos subúrbios. Hoje de manhã, quando o Príncipe Kazbeki mandou degolar o Governador Abaschvíli, os nossos tecelões-tapeceiros também apanharam a "moléstia da Pérsia" e foram perguntar ao Príncipe se também não comia pratos demais. Mas nós reduzimos eles a papa, a duas piastras por tecelão. Estás compreendendo?

AZDAK

(Depois de um silêncio.) Estou. (Olha os Couraceiros amedrontado, esgueira-se para o lado, senta-se no chão com a cabeça entre as mãos.)

PRIMEIRO COURACEIRO

(Ao terceiro, depois de terem bebido.)
Presta atenção ao que vai se passar agora.

(O PRIMEIRO e o SEGUNDO COURACEIROS avançam para AZDAK e lhe barram a saída.)

SCHAUVA

Meus senhores, acredito que no fundo ele não é má pessoa. Uns furtozinhos de galinha e de vez em quando uma lebre, talvez.

SEGUNDO COURACEIRO

(Avançando para AZDAK.)
Vieste para cá pra ver se podias pescar em águas turvas, hein?

AZDAK

(Erguendo os olhos para ele.)
Nem sei mais por que vim.

SEGUNDO COURACEIRO

Não és um dos filiados ao partido dos tecelões? (AZDAK abana a cabeça.) E de onde vem essa canção?

AZDAK

De meu avô. Um homem estúpido, ignorante.

SEGUNDO COURACEIRO

Bem. E a história do tintureiro que pagava com soldo?

AZDAK

Isso foi na Pérsia.

PRIMEIRO COURACEIRO

E quanto à acusação contra ti mesmo, por não teres forçado o Grão-Duque com tuas próprias mãos?

AZDAK

Não lhes disse que tinha deixado ele fugir?

SCHAUVA

Dou testemunho. De fato ele deixou o Grão-Duque fugir. (Os Cou-

RACEIROS arrastam à força AZDAK, que vai gritando, depois o soltam e caem em gargalhadas enormes. AZDAK faz coro e é quem ri mais alto. Desamarram-no. Bebem todos. Entra o PRÍNCIPE GORDO com um rapaz.)

PRIMEIRO COURACEIRO

> *(A AZDAK.)*
> Aí estão os teus novos tempos!

> *(Nova gargalhada.)*

PRÍNCIPE GORDO

> Que há aqui de tão engraçado, meus amigos? Permitam-me uma palavra séria. Ontem de manhã os príncipes da Geórgia derrubaram o governo bolicista do Grão-Duque e depuseram os governadores. Infelizmente o Grão-Duque conseguiu escapar. Nesta hora marcada pelo destino os tecelões de nossas tapeçarias, esses eternos descontentes, tiveram uma audácia de promover uma revolta ao nosso caro Illo Oberliani, juiz da cidade, homem que gozava de estima geral. Ts, ts, ts. Meus amigos, precisamos de paz na Geórgia, paz, paz, paz, paz e justiça! Tenho o prazer de apresentar-lhes meu querido sobrinho. Bizergan Kazbeki, rapaz talentoso, que será o novo juiz. Ao povo cabe a decisão.

PRIMEIRO COURACEIRO

> Quer dizer que nós é que vamos escolher o juiz?

PRÍNCIPE GORDO

> Exatamente. O povo propõe um rapaz de talento. Deliberem, pois, meus amigos. *(Enquanto os COURACEIROS confabulam.)* Fica tranquilo, rapaz, o lugar será teu. E quando tivermos posto a mão no Grão--Duque, não precisaremos mais estar agradando esta canalha.

COURACEIROS

> *(Entre si.)*
> Eles estão se borrando porque ainda não conseguiram pegar o Grão--Duque, isso devemos a esse escrivão da aldeia, que deixou ele fugir. Não se sentem ainda seguros, e então querem nos engabelar dizendo "meus amigos" e "ao povo cabe a decisão". Agora até quer justiça da Geórgia. Em todo caso, a coisa vai ser divertida. Consultamos o escrivão, ele sabe tudo em matéria de direito. He, mariola, gostarias de ter o sobrinho como juiz?

AZDAK

> Perguntam a mim? A mim?

SEGUNDO COURACEIRO

Por que não? Tudo por uma piada!

AZDAK

Compreendo. Pra saber que tal é ele. Acertei? Haverá aqui algum criminoso de reserva, pra que o candidato possa mostrar o que sabe? Um criminoso bem chapado?

TERCEIRO COURACEIRO

Vejamos, temos lá embaixo os dois médicos da zinha do Governador. Vamos nos servir deles.

AZDAK

Um minuto, é impossível. Não podemos utilizar criminosos de verdade antes de ser empossado o juiz. Pode ser um asno, mas é preciso que esteja em exercício, senão lesa o direito, que é coisa muito sensível, como por exemplo o baço, no qual nunca se pode dar um soco porque seria a morte imediata. Os dois tipos podem ser enforcados, o direito não seria ferido com isso, pois não haveria juiz presente. O direito deve sempre ser proferido com perfeita seriedade. Ele é tão idiota. Assim, quando um juiz condena uma mulher por ter roubado um pão de milho para o filhinho, se ele não estiver de toga ou se coçar ao pronunciar a sentença, de modo que mais de uma terça parte de sua pessoa esteja a descoberto, porque afinal de contas ele precisa coçar a coxa, então a sentença é um escândalo e o direito será ferido. A rigor, uma toga e um barrete de juiz têm mais autoridade para proferir uma sentença do que um homem sem essas duas coisas. O direito some como se nada fosse, quando não se lhe dá a atenção devida. Não se prova um cântaro de vinho dando de beber a um cachorro, pois não? O vinho sumirá num instante.

PRIMEIRO COURACEIRO

Então, o que é que tu propões, chicaneiro de uma figa?

AZDAK

Eu tomarei sobre mim o papel de acusado. E já sei qual será. Diz-lhe qualquer coisa ao ouvido.

PRIMEIRO COURACEIRO

Tu? *(Riem ruidosamente.)*

PRÍNCIPE GORDO

Decidiram?

COURACEIROS

Decidimos e vamos fazer um ensaio. Aqui o nosso bom amigo fará o papel de acusado, e aqui está a cadeira do juiz para o candidato.

PRÍNCIPE GORDO

É contra o costume, mas por que não? *(Para o Sobrinho.)* Simples formalidade, rapaz. O que foi que aprendeste? Quem chega mais depressa? Quem marcha a passo ou quem galopa?

SOBRINHO

Quem se insinua, tio Arsen.

> *(O Sobrinho senta-se na cadeira, o Príncipe Gordo porta-se atrás dele. Os Couraceiros sentam-se nos degraus. Entra Azdak com os demais característicos do Grão-duque.)*

AZDAK

Alguém aqui me conhece? Eu sou o Grão-Duque.

PRÍNCIPE GORDO

Quem é ele?

SEGUNDO COURACEIRO

O Grão-Duque. Ele conhece o homem realmente.

PRÍNCIPE GORDO

Está bem.

PRIMEIRO COURACEIRO

Vamos começar o julgamento.

AZDAK

Ouço dizer que sou acusado de ter desencadeado a guerra. Ridículo, digo ridículo. Não basta? Se não basta, tenho advogados, creio que uns quinhentos. *(Aponta para trás como se de fato houvesse em torno dele numerosos advogados.)* Necessito de todas as cadeiras disponíveis para os meus advogados.

> *(Os Couraceiros riem, o Príncipe Gordo também.)*

SOBRINHO

> *(Aos Couraceiros.)*

Desejam que eu julgue o caso? Devo dizer que ele me parece fora do comum, do ponto de vista do bom gosto. Entenda-se.

PRIMEIRO COURACEIRO

Adiante.

PRÍNCIPE GORDO

> *(Sorrindo.)*

Casca-lhe a pena máxima, rapaz!

SOBRINHO

Muito bem. Povo da Geórgia contra o Grão-Duque. Tens a dizer alguma coisa, Grão-Duque?

AZDAK

Muitas coisas. Li, naturalmente, que perdemos a guerra. Declarei a guerra a conselhos de patriotas como o tio Kazbeki. Requeiro que tio Kazbeki seja ouvido como testemunha.

(Os COURACEIROS *riem.)*

PRÍNCIPE GORDO

(Bonachão aos COURACEIROS.*)*
Um tipo gozado, não?

SOBRINHO

Rejeitado o pedido. Evidentemente o senhor não pode ser acusado de ter declarado a guerra, coisa que todo homem de estado deve fazer de vez em quando. Mas de tê-la dirigido mal.

AZDAK

Absurdo. Não a dirigi de todo. Deixei que outros a dirigissem. Deixei que os príncipes a dirigissem. Naturalmente sabotaram tudo.

SOBRINHO

Negará o acusado porventura que tinha a seu cargo o comando supremo?

AZDAK

Absolutamente. Sempre exerci o comando supremo. Logo ao nascer assobiei chamando a ama. Ensinado a fazer cocô na privada. Habituado a mandar funcionários roubar o meu tesouro. Oficiais baterem nos soldados se com ordem minha; proprietários dormirem com as mulheres dos camponeses só com ordem escrita. Se tio Kazbeki ficou barrigudo foi por ordem minha.

COURACEIROS

(Aplaudindo.)
Bravo! Viva o Grão-Duque!

PRÍNCIPE GORDO

Responde-lhe, rapaz! Eu te apoio.

SOBRINHO

Vou responder e no tom que convém à dignidade do Tribunal.

AZDAK

De acordo. Ordeno-lhe prosseguir no interrogatório.

SOBRINHO

Não tem nada que ordenar. Afirma o acusado que os príncipes o forçaram a declarar a guerra. Como poderia justificar-se do fracasso?

AZDAK

Não enviaram tropas bastantes, desviaram os dinheiros públicos, ‹trouxeram cavalos doentes,› embriagavam-se nos bordéis durante o ataque. Peço que seja ouvido tio Kaz a respeito.

> *(Os* COURACEIROS *riem.)*

SOBRINHO

É monstruoso. Ousa o acusado sustentar que os príncipes não se batem?

AZDAK

Sim, sustento que eles não se batem. Ou melhor, bateram-se mas foi por contratos de fornecimentos.

PRÍNCIPE GORDO

> *(Saltando.)*
Isto é demais! Este sujeito fala como operário.

AZDAK

Achas? Estou dizendo a verdade pura e simples.

PRÍNCIPE GORDO

Enforquem-no! Enforquem-no!

PRIMEIRO COURACEIRO

Calma. Prossiga, Alteza.

SOBRINHO

Calma. Vou agora proferir a sentença. O réu será pendurado pelo pescoço. Perdeu a guerra. Está dada a sentença. Irrevogável.

PRÍNCIPE GORDO

> *(Histérico.)*
Levem-no, levem-no, levem-no!

AZDAK

Mancebo, aconselho-lhe não se entregar em público a esse modo de falar reiterativo e frenético. Uivando assim como lobo não poderá receber o emprego de cão de guarda. Morou?

PRÍNCIPE GORDO
Enforquem-no!

AZDAK
Se o povo notar que os príncipes falam a mesma língua que o Grão--Duque, acabará enforcando o Grão-Duque e os príncipes. De resto, eu revogo a sentença. Fundamento: a guerra foi perdida mas não para os príncipes. Os príncipes ganharam a sua guerra. Receberam três milhões, 863 mil piastras por cavalos que não forneceram.

PRÍNCIPE GORDO
Enforquem-no!

AZDAK
Oito milhões e duzentos e quarenta mil piastras por víveres para o Exército que não foram entregues.

PRÍNCIPE GORDO
Enforquem-no!

AZDAK
Venceram, portanto. Derrotada foi a Geórgia, que não está representada neste Tribunal.

PRÍNCIPE GORDO
Creio que é o bastante, meus amigos. *(A AZDAK.)* Podes te retirar, celerado. *(Aos COURACEIROS.)* Creio que agora, meus caros, podem confirmar a nomeação do novo juiz.

PRIMEIRO COURACEIRO
Sim, podemos. Tragam a toga do juiz. *(Um homem trepa no ombro do outro e tira a toga do enforcado.)* E agora *(Ao SOBRINHO.)*, vá embora daqui, pra que o competente tome assento na cadeira que lhe compete. *(A AZDAK.)* Aproxima-te e senta-te na cadeira de juiz. *(AZDAK hesita.)* Senta-te, homem. *(Os COURACEIROS empurram-no para a cadeira.)* O juiz foi sempre um tratante, agora é um tratante que vai ser o juiz. *(Vestem-lhe a toga e põem-lhe à cabeça um cesto de garrafas.)* Olhem só o juiz.

RECITANTE
E entrou o país em guerra civil,
E o chefe do governo se achava inseguro.
E Azdak foi nomeado juiz pelos couraceiros,
E Azdak foi juiz durante dois anos.

RECITANTE E OS MÚSICOS
Quando na cidade lavrava

O incêndio, e em sangue o reino inteiro
Banhava-se, entregue à bebedeira e ao saque,
No altar um justo oficiava,
Guardava o paço um açougueiro,
E togado de juiz quem sentenciava? Azdak!

(Sentado na cadeira de juiz, Azdak, descascando uma maçã. Schauva varre a sala. De um lado, um Inválido numa cadeira de rodas, o Médico acusado e um Coxo. Do outro lado, um rapaz acusado de extorsão. Um Couraceiro monta guarda, empunhando o estandarte dos Couraceiros.)

AZDAK

Devido à abundância dos processos, o Tribunal julgará hoje dois de cada vez. Antes de começarmos, uma breve comunicação: as custas. *(Estende as mãos. Só o Chantagista tira dinheiro do bolso e dá-lhe.)* Reserva-me o direito de aplicar as sanções devidas contra uma parte aqui presente *(olha para o Inválido)* por desconsideração ao Tribunal. *(Ao Médico.)* Tu és um médico, e tu *(para o Inválido)* quem o acusa. O médico é culpado de teu estado?

INVÁLIDO

É sim, tive congestão cerebral por causa dele.

AZDAK

Uma negligência no exercício da profissão?

INVÁLIDO

Mais do que negligência. Emprestei dinheiro a esse homem para os seus estudos. Ele nunca me pagou, e quando eu soube que ele tratava os seus clientes de graça, tive a congestão.

AZDAK

Com razão. *(Voltando-se para o Coxo.)* E tu, a que vens aqui?

COXO

Eu sou o paciente, Excelência.

AZDAK

Ele tratou bem de tua perna?

COXO

Não da que precisava de tratamento. Eu tinha reumatismo na perna esquerda, fui operado da direita, por isso só estou coxeando agora.

AZDAK

E a operação foi gratuita?

INVÁLIDO

Uma operação de quinhentas piastras grátis! Por nada. Por um "Deus lhe pague". E eu que custeei os estudos desse indivíduo. *(Ao Médico.)* Na escola ensinaram a operar de graça?

MÉDICO

Excelência, efetivamente é costume receber os honorários antes da operação, visto que o paciente está mais disposto a pagar antes do que depois, e que é psicologicamente muito compreensível. No presente caso eu julguei, ao proceder a operação, que o meu assistente já tinha recebido os honorários. Enganei-me nesse ponto.

INVÁLIDO

Enganou-se! Um bom médico não se deve enganar. Investiga antes de operar.

AZDAK

Tem razão. *(A Schauva.)* Senhor Promotor Público, qual é a matéria do outro processo?

SCHAUVA

(Varrendo com energia.)
Chantagem.

CHANTAGISTA

Eminente Tribunal, eu sou inocente. Quis tão somente saber do proprietário em questão se ele de fato tinha violentado a sobrinha. Ele explicou-me que não, e me deu apenas algum dinheiro para que eu pudesse pagar os estudos musicais do meu tio.

AZDAK

Ah, bem... *(Ao Médico.)* E tu, doutor, não podes alegar nenhuma circunstância atenuante da culpa!

MÉDICO

Excelência, o erro é humano.

AZDAK

E não sabes que o bom médico deve ter o bom senso da responsabilidade em questões de dinheiro? Ouvi contar que um médico tinha ganhado mil piastras tratando da distensão de um dedo, porque descobriu que o caso tinha relação com a circulação, coisa que um médico ruim talvez nunca tivesse percebido; e de outra feita, graças a um tratamento metódico, conseguiu fazer jorrar ouro de um fígado normal. O vendedor de trigo Uxu mandou o filho estudar medicina para que ele aprendesse a ser comerciante, tão boas são as nossas escolas de medicina. *(Ao Chantagista.)* Como se chama o proprietário?

SCHAUVA

Ele deseja que o seu nome não seja mencionado.

AZDAK

Então vou pronunciar as sentenças. O Tribunal considera provada a extorsão, e tu *(Ao INVÁLIDO)* ficas condenado à multa de mil piastras. Se tiveres outra congestão cerebral, o médico deverá te tratar de graça e eventualmente amputar. *(Ao COXO.)* Quanto a ti, receberás como indenização uma garrafa de aguardente francesa. *(Ao CHANTAGISTA.)* Tu terás que dar ao Promotor Público a metade de teus honorários por ter o Tribunal calado o nome do proprietário, e além disso te é dado o conselho de estudares medicina, visto que mostras vocação para a profissão. Finalmente tu, médico, por erro profissional imperdoável, ficas absolvido. Passemos aos outros processos!

RECITANTE

O que é caro não convém!
E o que convém custa caro!
É o direito gato em saco? Pois o ensaque
Quem da coisa entende bem,
Quem tem olho, quem tem faro,
E por uma tuta e meia tudo arranja o velho Azdak.

> *(De um caravançará à beira da estrada sai AZDAK, acompanhado do velho ESTALAJADEIRO barbudo. Atrás vêm o CRIADO e SCHAUVA carregando a cadeira de juiz. Um COURACEIRO monta guarda, empunhando o estandarte dos COURACEIROS.)*

AZDAK

Coloquem-na aqui. Assim, ao menos se tem um pouco de ar e a brisa do bosquezinho de limoeiro. É bom para a justiça funcionar ao ar livre. O vento lhe levanta a saia e pode-se ver o que está por baixo. Schauva, comemos demais. Estas viagens de inspeção são exaustivas. *(Ao ESTALAJADEIRO.)* Trata-se da tua nora?

ESTALAJADEIRO

Excelência, trata-se da honra da família. Eu apresento a queixa em lugar e em nome de meu filho, que anda a negócios de outro lado da montanha. Este é o criado que lhe faltou com respeito, e esta é minha pobre nora. *(À NORA, moça de físico opulento, aproxima-se; traz um véu.)*

AZDAK

> *(Sentando-se.)*
As custas. *(O ESTALAJADEIRO dá-lhe o dinheiro, suspirando.)* Cumpridas as formalidades *(ao ESTALAJADEIRO)*, diga-me: trata-se de um caso de estupro?

ESTALAJADEIRO

Excelência, eu surpreendi o rapaz em flagrante na estrebaria, deitado com a nossa Ludovica na palha.

AZDAK

Bonita estrebaria. Cavalos admiráveis. Gostei particularmente do potrinho Isabel.

ESTALAJADEIRO

Naturalmente, na ausência de meu filho, interroguei Ludovica.

AZDAK

(Gravemente.)
Eu dizia: agradou-me o potrinho.

ESTALAJADEIRO

(Glacial.)
Realmente? Ludovica me confessou que o rapaz agira contra a vontade dela.

AZDAK

Tira o véu, Ludovica. *(Ela o tira.)* Ludovica, tu agradas ao Tribunal. Conta como o fato se passou.

LUDOVICA

(Como se recitasse uma lição estudada.)
Fui à estrebaria para ver o novo potrinho, e o cavalariço me disse sem que eu tivesse perguntado nada: "Está quente hoje", e pôs a mão no meu seio esquerdo. Eu disse: "Tira a mão daí", mas ele continuou a me apalpar de modo inconveniente, o que provocou a minha indignação. E antes que eu pudesse perceber sua má intenção, a coisa estava feita. Foi quando entrou meu sogro e, por engano, me cobriu de pontapés.

ESTALAJADEIRO

(Justificando-se.)
No lugar de meu filho.

AZDAK

(Ao Cavalariço.)
Confirma que foste tu que começaste?

CAVALARIÇO

Confirmo.

AZDAK

Ludovica, gostas de doces?

LUDOVICA

Sim, gosto de sementes de girassol.

AZDAK

Quando tomas banho, gostas de te demorar sentada na cuba?

LUDOVICA

Uma meia hora, mais ou menos.

AZDAK

Senhor Promotor Público, coloque uma faca ali no chão. *(SCHAUVA obedece.)* Ludovica, vai apanhar a faca do Promotor. *(LUDOVICA vai, rebolando as ancas, apanhar a faca. AZDAK aponta-a com o dedo.)* Estão vendo como ela rebola? A parte culpada está desmascarada. O estupro é manifesto. Pelo abuso de comida, especialmente de doces, pela longa permanência na água morna do banho, pela indolência, pela maciez da pele, violentaste o pobre rapaz. Pensas que podes andar por aí com tal traseiro e que isso impressione o Tribunal? É uma agressão premeditada e com arma perigosa. Estás condenada a entregar ao Tribunal o potro Isabel que teu sogro costuma montar na ausência do filho, e agora, Ludovica, vais comigo à granja para que o Tribunal possa examinar o local do crime.

> *(Na estrada real georgiana, AZDAK, sentado em sua cadeira, é transportado de um lugar para outro pelos seus COURACEIROS. Atrás dele vêm SCHAUVA, arrastando a forca, e o CAVALARIÇO, conduzindo o potro Isabel.)*

RECITANTE E OS MÚSICOS

Quando os grandes se comiam,
Os da arraia-miúda riam,
Ah, que refrigério! Ah, que tranquilidade!
Ah, que gozo! Das ruas no ruído,
De seus falsos pesos munido,
Andava o juiz das gentes pobres, nosso Azdak.
O que aos abastados tomava,
Aos de sua igualha ele dava.
Como uma lágrima de cera em bom destaque,
Guardado pelos de seu bando,
Ia, boa bisca, passando
Da mãe-pátria georgiana o juiz Azdak.

> *(O pequeno cortejo se afasta.)*

Se te avieres com o semelhante,
Afia tua foice bastante.

Deixa a Bíblia que isso é leitura pra basbaque.
Nada de pródiga suntuosa.
As foices, assim, são milagrosas,
E crê às vezes no milagre o velho Azdak.

*(Numa taverna está a cadeira de A*ZDAK*. Em pé diante dele, três gordos* P*ROPRIETÁRIOS*, *para os quais* S*CHAUVA* *traz vinho. No canto, em pé, uma* V*ELHA* C*AMPONESA*. *Pelo vão da porta aberta se veem lá fora alguns aldeões que olham o espetáculo. Um* C*OURACEIRO* *monta guarda com o estandarte dos* C*OURACEIROS*.)*

AZDAK

Tenha a palavra, Senhor Promotor Público.

SCHAUVA

Trata-se de uma vaca. A acusada detém, há cinco semanas em seu está-bulo, uma vaca pertencente ao grande proprietário Suru. Encontrou-se, além disso, em seu poder, um presunto roubado, e umas vacas do rico proprietário Schuteff foram mortas quando ele reclamou da acusada a paga do arrendamento de um campo.

PROPRIETÁRIOS

Trata-se de meu presunto, Excelência. Trata-se de minha vaca, Exce-lência. Trata-se de meu campo, Excelência.

AZDAK

Que dizes a isto, minha velha?

VELHA

Excelência, faz umas cinco semanas bateram à minha porta de ma-drugada. Fui ver e era um homem, barbado com uma vaca, e ele me falou assim: "Minha cara senhora, eu sou o milagroso São Banditus, sabendo que seu filho perdeu a vida na guerra, lhe trago esta vaca como lembrança. Cuide dela."

PROPRIETÁRIOS

O bandido Irakli, Excelência! O cunhado dela, Excelência, o ladrão de gado, o incendiário, Excelência! É preciso cotar-lhe a cabeça.

(Ouve-se lá fora um grito de mulher. A multidão agita-se e abre passagem ao B*ANDIDO* I*RAKLI*, *que entra empunhando um machado enorme.)*

PROPRIETÁRIOS

Irakli!

(Fazem o sinal da cruz.)

BANDIDO

Muito boas noites, meus caros! Um copo de vinho!

AZDAK

Senhor Promotor Público, um copo e vinho aqui para o visitante. E quem és tu?

BANDIDO

Um ermitão errante. Excelência, obrigado pela caridade. *(Vira o copo trazido por SCHAUVA.)* Outro!

AZDAK

Eu sou Azdak. *(Levanta-se e inclina-se. O BANDIDO faz o mesmo.)* O Tribunal deseja boas-vindas ao ermitão forasteiro. Continua, minha velha.

VELHA

Excelência, na primeira noite eu não sabia ainda que o Santo Banditus podia fazer milagres, havia somente a vaca. Mas alguns dias depois, os criados dos proprietários vieram durante a noite e quiseram tomar-me a vaca. Mas chegando à minha porta, foram-se embora sem a vaca e na cabeça deles nasceram umas bolas de tamanho de uma mão fechada. Então eu compreendi que São Banditus tinha transformado o coração deles em homens de bem.

(O BANDIDO ri alto.)

PRIMEIRO PROPRIETÁRIO

Eu sei quem os transformou.

AZDAK

Muito bem. Contarás isso depois. *(À VELHA.)* Continua.

VELHA

Excelência, o primeiro a se tornar homem de bem foi o proprietário Schuteff, um demônio, como toda gente sabe. Mas São Banditus conseguiu que ele abrisse mão do arrendamento do meu lote de terra.

SEGUNDO PROPRIETÁRIO

Porque as minhas vacas eram degoladas no pasto.

(O BANDIDO ri.)

VELHA

(A um sinal de AZDAK.)
Depois um presunto, um belo dia, entrou de repente pela janela e veio me bater nos quartos, até que ainda estou manquejando, veja

Vossa Excelência. (*Dá alguns passos. O Bandido ri.*) Pergunto a Vossa Excelência quando já se viu um presunto cair na casa de uma pobre velha senão por milagre?

> (*O Bandido começou a soluçar.*)

Azdak

> (*Levantando-se da cadeira.*)

Minha boa velha, eis cá uma pergunta que atinge em cheio o coração do Tribunal. Tem a bondade de sentar-se.

> (*A Velha senta-se hesitante na cadeira do juiz. Azdak senta-se no chão, empunhando um copo de vinho.*)

Azdak

Boa velha, por pouco não te chamo mãe Geórgia, a dolorosa,
A esbulhada, cujos filhos estão na guerra,
A esmurrada, a que, cheia de esperanças,
Chora se ganha uma vaca,
Se admira se não é batida.
Boa velha, te imploramos, os danados,
Que nos julgue com clemência!

> (*Urrando aos Proprietários.*)

Ímpios! Confessem, confessem que não acreditam em milagres! Pois terá cada um de pagar quinhentas piastras de multa por impiedade. E rua! (*Os Proprietários se vão.*) E tu, boa Velha, e tu, santo homem, bebei um copo de vinho com o Promotor Público e com nosso amigo Azdak.

Recitante e os músicos

E partia a lei como um pão
Levando assim a salvação
Sobre os destroços dela o povo — esse basbaque.
Os pobres de Cristo, os sem-nada
Tinham achado um camarada
Que a mão vazia subornava — o antigo Azdak.
Setecentos e vinte dias
Pesou com balanças prestadias
As razões da defesa, os libelos do ataque.
Da forca sob a grossa trave,
Assim, sentado, o gesto grave,
Distribuía a justiça a seu talento Azdak.

Recitante

O tempo da desordem passou, o Grão-Duque reassumiu o governo,

Voltou a mulher do Governador, houve julgamento,
Muitos morreram, o fogo devastou de novo os subúrbios,
O medo apoderou-se de Azdak.

> *(A cadeira do juiz de Azdak se achava novamente no Tribunal. Azdak está sentado no chão e, consertando o sapato, conversa com Schauva. Algazarra lá fora. Atrás do muro, a cabeça do Príncipe Gordo é levada na ponta de um chuço.)*

AZDAK

Schauva, os dias de teu cativeiro estão contados, talvez mesmo os minutos. Por longo tempo te mantive sob o freio de ferro da razão, que te pôs a boca em sangue, te espanquei a golpes de princípios racionais, te maltratei, com a lógica. És de natureza um fraco, e quando te lançam insidiosamente um argumento, logo os engoles avidamente, não te podes conter. Obedecendo à tua natureza, não resistes ao desejo de lamber a mão de um superior, mas os teus seres superiores podem ser de toda sorte, e agora te chegou a hora da libertação — e breve poderá seguir tuas inclinações, que são baixas, e o teu infalível instinto, que te ensina a calcares as solas de teus sapatos na cara das criaturas humanas. Pois o tempo da confusão e da desordem acabou, sem que tenham vindo os grandes tempos que encontrei descritos na canção do caos, canção que iremos cantar mais uma vez como lembrança desta época maravilhosa; senta-te e não massacres a música. Não receies que a ouçam, o refrão agrada sempre. *(Canta.)*

Irmã, cobre a tua cabeça; irmão vai buscar tua faca, é tempo de
[destrambelhar.
Os grandes estão cheios de queixas; os pequenos cheios de alegria.
A cidade diz: "Expulsemos de nosso meio os poderosos".
As repartições públicas foram destruídas, as listas de servidão rasgadas.
Os senhores foram atrelados às mós. Os que não viam a luz do dia
[saíram à rua.
Os hostiários de ébano foram despedaçados; o sândalo magnífico,
[serrado em tábuas para camas.
O que não tinha pão, hoje tem granjas; o que vivia de donativos de
[trigo, hoje distribui trigo aos necessitados.

SCHAUVA

Oh! Oh! Oh! Oh!

AZDAK

Por que tardas, General? Por favor, por favor, vem pôr as coisas em boa ordem.

O filho do homem respeitável não é mais reconhecido; o filho da
[senhora torna-se o filho de sua escrava.
Os conselheiros municipais buscam asilos sob os escombros; o homem a quem mal se permitia dormir à noite no alto dos
[muros se refestela hoje numa boa cama.
O que outrora remava num bote, hoje possui navios, olha-os o seu
[proprietário, mas eles já não lhe pertencem.
Cinco homens foram despachados pelo seu senhor e disseram, "Vai
[tu, nós já chegamos aonde queríamos".

SCHAUVA

Oh! Oh! Oh! Oh!

AZDAK

Por que tardas, General? Por favor, por favor, vem pôr as coisas em
boa ordem.

Sim, isso é o que teria acontecido entre nós se a ordem tivesse sido
descurada por mais algum tempo. Mas agora o Grão-Duque, a quem
eu, asno que sou, salvei a vida, voltou à sua capital, e os persas lhe
prometeram ajudá-lo, fornecendo um exército para que ele restabe-
leça a ordem no país. Os subúrbios já estão em chamas. Vai me buscar
o livro grosso em que sempre me sento. (SCHAUVA *apanha o livro na*
cadeira, AZDAK *o abre.*) Isto é o código, podem dar testemunho de que
sempre me utilizei dele.

SCHAUVA

Sim, pra sentar-se em cima.

AZDAK

Agora é melhor consultá-lo pra ver o que eles me podem chimpar. Pois
eu costumava fazer vista grossa aos que nada tinham, isto vai me cus-
tar caro. Ajudei a pobreza a se sustentar nas magras pernas, e eles me
levarão isso à conta de bebedeira; meti o nariz nos bolsos dos ricos, o
que é considerado uma obscenidade. E não posso me esconder em parte alguma, porque todos me conhecem, pois a todos tenho ajudado.

SCHAUVA

Está chegando alguém.

AZDAK

(Levantando-se agitado e caminhando trêmulo para a cadeira.)
É o fim. Mas eu não darei a ninguém o prazer de mostrar grandeza da
alma. Peço-te de joelhos que tenha dó de mim, não te vás embora, a
saliva me corre da boca, tenho medo de morte.

(Entram NATELLA ABASCHVÍLI, a mulher do Governador, com o OFICIAL DE ORDENANÇA e um COURACEIRO.)

MULHER DO GOVERNADOR

Quem é essa criatura, Schauva?

AZDAK

Uma pessoa dócil, Excelência, e que está pronta a servi-la.

OFICIAL DE ORDENANÇA

Natella Abaschvíli, mulher do falecido Governador, acaba de voltar a esta cidade e anda à procura de seu filho Miguel, de dois anos de idade. Ela soube que o menino foi levado para as montanhas por uma antiga criada.

AZDAK

Ele vai ser procurado, Excelência. Às ordens de Vossa Excelência.

OFICIAL DE ORDENANÇA

A mulher faz passar o menino por filho dela.

AZDAK

Ela será decapitada, Excelência. Às ordens de Vossa Excelência.

OFICIAL DE ORDENANÇA

É tudo.

MULHER DO GOVERNADOR

(Saindo.)

Não gostei nada dessa cara.

AZDAK

(Acompanhando-a até a porta com profundas reverências.)
Tomarei todas as providências, Excelência. Às ordens de Vossa Excelência.

Quinto quadro

O CÍRCULO DE GIZ

RECITANTE

Ouvi agora a história do processo relativo ao filho do Governador
[Abaschvíli.
Com a identificação da mãe verdadeira
Mediante a famosa prova do círculo de giz.

(No Tribunal de Nukha. COURACEIROS trazem MIGUEL, atravessando o recinto saem com ele pela porta dos fundos. Um COURACEIRO detém GRUCHA com a lança à porta de entrada até que o menino tenha sido levado. Em seguida deixa-a entrar. Com ela vem a COZINHEIRA que trabalhava na casa do falecido GOVERNADOR ABASCHVÍLI. Algazarra longínqua e clarões de incêndio no céu.)

GRUCHA

É esperto, já sabe se lavar sozinho.

COZINHEIRA

Tens muita sorte, não é um juiz como os outros, é o Azdak. É um odre de vinho e não entende nada de ofício. Os maiores ladrões foram absolvidos por ele. Como troca tudo e os ricos nunca lhe dão dinheiro bastante, os pobres como nós muitas vezes se saem bem com ele.

GRUCHA

Hoje estou bem precisada de sorte.

COZINHEIRA

Não fales dela. *(Persigna-se.)* Acho melhor eu rezar outro rosário pra que o juiz esteja bêbado. *(Reza movendo os lábios sem ruído, enquanto GRUCHA se esforça em vão para ver o menino.)* Uma coisa eu não compreendo: é por que fazes tanta força pra ficar com ele, nestes tempos, se não é teu filho.

GRUCHA

É meu: criei ele.

COZINHEIRA

E nunca pensaste no que havia de acontecer se a outra voltasse?

GRUCHA

Em princípio pensei que entregaria ele, depois julguei que ela não voltasse mais.

COZINHEIRA

E um casaco emprestado sempre agasalha, não é? *(GRUCHA acena com a cabeça.)* Eu jurarei o que quiseres porque és uma rapariga direita. *(Repetindo a lição.)* Cuidei dele pela quantia de cinco piastras e Grucha veio buscar ele no Domingo de Páscoa, à tarde, quando as desordens começaram. *(Avista SIMÃO, que se aproxima.)* Mas com o Simão não procedeste bem, falei com ele, ele não pode compreender.

GRUCHA

(Que não o vê.)
Se Simão não me compreende, neste momento não posso me amofinar por causa dele.

COZINHEIRA

Ele compreendeu que o menino não era teu, mas que tu vivas em estado de matrimônio e não sejas mais livre até que a morte te separe é o que ele não pode compreender. *(GRUCHA avista SIMÃO e cumprimenta-o.)*

SIMÃO

(Sombrio.)
Eu queria comunicar à senhora que estou pronto a testemunhar que o pai do menino sou eu.

GRUCHA

(Com doçura.)
Está bem, Simão.

SIMÃO

Queria ao mesmo tempo comunicar que isto não implicará nenhum compromisso de minha parte nem da parte da senhora.

COZINHEIRA

É desnecessário. Ela é casada, tu sabes.

SIMÃO

Isso é com ela e não há necessidade de me ser esfregado na cara.

(Entram dois COURACEIROS.)

COURACEIROS

Onde está o juiz? Alguém viu o juiz?

GRUCHA

(Se virou, ocultando o rosto.)
Coloca-te na minha frente. Eu nunca devia ter vindo a Nukha. Contanto que eu não me encontre cara a cara com o brigadeiro que feri na cabeça...

COURACEIRO

(Que trouxera o menino adianta-se.)
O juiz não está aqui.

(Os dois Couraceiros continuam a procurar.)

COZINHEIRA

Esperamos que nada tenha acontecido a ele. Com outro juiz qualquer as tuas probabilidades seriam mais escassas do que os dentes na boca de uma galinha.

(Entra um terceiro Couraceiro.)

COURACEIRO

(Que havia perguntado ao juiz.)
Só estão aqui duas mulheres e um menino. O juiz não foi encontrado.

OUTRO COURACEIRO

Continue a procurar.

(Os dois primeiros Couraceiros saem às pressas, o terceiro não se move. Grucha solta um grito, o Couraceiro volta-se: é o Caporal, e tem na cara uma grande cicatriz.)

COURACEIRO

(À porta.)
Que há, Schotta? Conheces ela?

CAPORAL

(Depois de olhar muito espantado para Grucha.)
Não.

COURACEIRO

(À porta.)
Parece que foi ela quem roubou o garoto do Governador. Se sabes alguma coisa a respeito, podes fazer um bom dinheiro com isso.

(O Caporal afasta-se praguejando.)

COZINHEIRA

É ele? *(Grucha faz sinal que sim.)* Acho que ele vai moitar. Do contrário, tinha que confessar que perseguiu a criança.

GRUCHA

(Aliviada.)
Eu já tinha quase esquecido que salvei o menino da perseguição deles...

(Entra a Mulher do Governador com o Oficial de Ordenança e dois Advogados.)

Mulher do Governador

Louvado seja Deus, aqui pelo menos não há gente do povo. Não posso suportar o cheiro, me dá logo a enxaqueca.

Primeiro advogado

Minha cara senhora, por favor, fale com a maior moderação que possa, até que obtenhamos um novo juiz.

Mulher do Governador

Mas eu não disse nada Illo Schuboladze. Gosto do povo com o seu espírito simples e reto, só o cheiro é que me dá enxaqueca.

Segundo advogado

Os espectadores são poucos. A maior parte da população está em casa, de portas trancadas por causa dos motins nos subúrbios.

Mulher do Governador

Aquela é a mulher?

Primeiro advogado

Cara Natella Abaschvíli, abstenha-se de toda investida, até que haja a certeza de que o Grão-Duque nomeou novo juiz e que estamos livres do juiz presentemente em exercício, certamente o mais sórdido que já se viu vestir a toga de magistrado. E a coisa parece que vai começar, olhe.

(Os Couraceiros entram na sala do Tribunal.)

Cozinheira

A madama te arrancaria os cabelos se não soubesse que o velho Azdak é pelos humildes. Ele julga pela cara.

(Dois Couraceiros começaram a amarrar na pilastra uma corda com um nó corredio. Em seguida entra Azdak acorrentado; atrás dele vem Schauva, também acorrentado; atrás de Schauva, os três Proprietários.)

Couraceiro

Quiseste tentar fugir, hein?

(Bate em Azdak.)

Um proprietário

Tirem-lhe a toga antes de ele ser içado.

(Couraceiros e Proprietário tiram-lhe a toga. Aparecem as duas roupas de baixo, em farrapos. Dão-lhe um empurrão.)

COURACEIRO

(Atirando-o para outro.)
Tens sede de justiça, não? Pois aí a tens!

(Aos gritos de "Toma ele" e "Pra que quero isso?" etc., atiram AZDAK de um lado para o outro até que a vítima acaba caindo. Então levantam-no e levam-no para a corda.)

MULHER DO GOVERNADOR

(Batendo palmas histericamente durante o futebol.)
Antipatizei com o homem desde o primeiro momento.

AZDAK

(Banhado de sangue, ofegante.)
Não estou vendo direito.

OUTRO COURACEIRO

E o que é que queres ver?

AZDAK

Vocês, seus cachorros. *(Limpa o sangue dos olhos na camisa.)* Deus os abençoe, cachorros! Como vão vocês, cachorros? E este mundo cachorro continua fedendo muito. Acharam alguma nova bota para lamber? Para se estraçalharem, cachorros, uns aos outros?

(Entra um CAVALEIRO coberto de pó acompanhado por um CAPORAL. Tira de um saco de couro uns papéis e corre a vista por eles. Em seguida fala.)

CAVALEIRO

Atenção! Aqui está o decreto relativo às novas nomeações.

CAPORAL

(Berrando.)
Silêncio!

(Todos ficam imóveis, silenciosos.)

CAVALEIRO

A respeito do novo juiz, ordena: "Nomeamos um homem a quem se deve a salvação de uma vida particularmente preciosa para o país, um certo Azdak, de Nukha". Quem é?

SCHAUVA

(*Apontando* AZDAK.)
Aquele que está na forca, Excelência!

CAPORAL

(*Berrando.*)
Mas o que é que está se passando aqui?

COURACEIRO

Devo dizer que Sua Excelência já era Sua Excelência antes e foi denun-
ciado como inimigo do Grão-Duque pelos proprietários aqui presentes.

CAPORAL

(*Indicando os* PROPRIETÁRIOS.)
Que sejam levados daqui! (*Os* PROPRIETÁRIOS *são levados e saem fazendo
muitas reverências.*) Tomem providências para que Sua Excelência
não seja mais incomodado.

(*Sai com o* CAVALEIRO.)

COZINHEIRA

(*A* SCHAUVA.)
Ela bateu palmas. Espero que ele tenha visto.

PRIMEIRO ADVOGADO

É uma catástrofe.

(AZDAK *está desmaiado. Tiram-no da forca, ele volta a si, vestem-
-lhe novamente a toga e ele se aparta cambaleando do grupo dos
COURACEIROS.)

COURACEIRO

Não leve a mal, Excelência. Que deseja Vossa Excelência?

AZDAK

Nada, meus concachorros. Uma bota para lamber de vez em quando.
(*A* SCHAUVA.) Perdoo-te. (*Soltam* SCHAUVA.) Vai buscar-me um pouco de vinho, do tinto doce. (SCHAUVA *sai.*) Sumam, tenho um processo a julgar.
(*Os* COURACEIROS *saem.* SCHAUVA *volta com um cântaro de vinho, Azdak
bebe a longos tragos.*) Alguma coisa para meu cóccix. (*Schauva vai
buscar o Código e coloca-o na cadeira.*) As custas.

(*As fisionomias dos querelantes, entre os quais se trava uma
discussão inquieta, mostram um sorriso de alívio.*)

COZINHEIRA

Ai, ai!

SIMÃO

Como diz o provérbio: "O poço não enche com o orvalho da noite".

ADVOGADO

(Aproximando-se de AZDAK, que se levanta em grande expectativa.) Um caso inteiramente ridículo, Excelência. A parte contrária raptou a criança e se recusa a restituí-la.

AZDAK

(De mão estendida para eles e olhando de lado GRUCHA.) Uma pessoa muito atraente. *(Os ADVOGADOS dão-lhe mais dinheiro.)* Declaro abertos os debates e exijo franqueza absoluta. *(A GRUCHA.)* Especialmente de ti.

PRIMEIRO ADVOGADO

Colendo Tribunal! O sangue, no dizer do povo, é mais espesso do que a água. Essa velha sabedoria...

AZDAK

O Tribunal deseja saber quais são os honorários do advogado.

PRIMEIRO ADVOGADO

(Admirado.) Como disse? *(AZDAK, com ar amável, esfrega o polegar no indicador.)* Ah, sim, quinhentas piastras, Excelência, para responder à pergunta insólita do Tribunal.

AZDAK

Ouviram? A pergunta é insólita. Faço-a porque ouço de maneira inteiramente diversa, sabendo que o senhor está bem de fortuna.

PRIMEIRO ADVOGADO

(Inclinando-se.)
Obrigado, Excelência. Colendo Tribunal! Os laços do sangue são os mais fortes de todos os laços. Mãe e filho, haverá união mais estreita? Pode-se arrancar a uma mãe o seu filho? Colendo Tribunal! Ela concebeu nos sagrados êxtases do amor, carregou-o no seu corpo, alimentou-o com o seu sangue, deu à luz com dores. Colendo Tribunal! Já se viu a própria fêmea do tigre, quando despojada de seus filhotes, errar sem descanso pelas montanhas, e reduzida a uma sombra do que era, de tão magra. A natureza mesma...

AZDAK

(Interrompendo-o, a GRUCHA.)
Que tens a opor ao que disse e ainda dirá o Advogado?

GRUCHA

O menino é meu.

AZDAK

É tudo? Espero que o possas provar. Em todo caso, aconselho-te a explicar-me por que razão entendes que eu te deva adjudicar a criança.

GRUCHA

Criei ele da melhor maneira possível, sempre arranjei algo de comer pra ele. A maior parte do tempo teve abrigo de um teto, e eu tomei sobre mim toda a sorte de dificuldades e todas as despesas. Não olhei para a minha tranquilidade. Habituei o menino a se comportar bem com todo mundo, e a trabalhar tanto quanto lhe permitia a idade, ele é ainda tão pequenino.

PRIMEIRO ADVOGADO

Excelência, é significativo que ela mesma não invoque nenhum laço de sangue com a criança.

AZDAK

O Tribunal toma conhecimento.

PRIMEIRO ADVOGADO

Obrigado, Excelência. Permita Vossa Excelência que uma mulher profundamente acabrunhada, que já perdeu o esposo e agora receia perder o filho, dirija algumas palavras a Vossa Excelência. Cara senhora Natella Abaschvíli...

MULHER DO GOVERNADOR

(Em voz sumida.)
Um destino bem cruel, Senhor Juiz, me obriga a pedir-lhe que me seja restituído o meu filho querido. Não cabe a mim descrever o suplício moral de uma mãe esbulhada, os transes, as noites passadas em claro, as...

SEGUNDO ADVOGADO

(Explodindo.)
É inaudito o procedimento que tiveram para com esta mulher. Impediram-lhe a entrada no palácio de seu marido, privaram-na dos rendimentos de seus bens, disseram-lhe friamente que eles estavam vinculados à pessoa de seu herdeiro, ela nada podia fazer sem ele, não podia pagar seus advogados! *(Ao PRIMEIRO ADVOGADO, que desesperado com a explosão do colega lhe faz sinais frenéticos para que ele se cale.)* Caro Illo Schuboladze, por que não declarar, em alto e bom tom, que se trata afinal de contas da herança dos bens de Abaschvíli?

PRIMEIRO ADVOGADO

Por favor, meu caro Sandro Oboladze! Nós havíamos combinado... *(A Azdak.)* Evidentemente, é fato que o resultado do processo irá também decidir se a nossa nobre cliente poderá dispor dos vultosíssimos bens da sucessão Abaschvíli, mas muito intencionalmente digo. Também, porque, como declarou Natella Abaschvíli no começo do seu tocante depoimento, em primeiro lugar está a tragédia humana de uma mãe. Ainda que Miguel Abaschvíli não fosse o herdeiro dos bens, seria sempre o filho adorado da minha cliente!

AZDAK

Um momento! O Tribunal sabe ver na alusão à herança um testemunho de humanidade.

SEGUNDO ADVOGADO

Obrigado, Excelência. Meu caro Illo Schuboladze, em todo caso podemos provar que a pessoa que se apossou do menino não é a mãe dele. Permita-se-me expor ao Tribunal os fatos em toda a sua nudez. Por ocasião da fuga de sua mãe o menino Miguel Abaschvíli, por um infeliz encadeamento de circunstâncias, ficou no palácio. A tal Grucha, que trabalhava lá como ajudante de cozinheira, estava presente naquele Domingo de Páscoa e foi vista rondando ali, de olho no menino...

COZINHEIRA

A madama só pensava nos vestidos que ia levar!

SEGUNDO ADVOGADO

(Imperturbável.)
Cerca de um ano depois, a tal Grucha apareceu numa aldeia das montanhas com um menino e contraído o matrimônio com...

AZDAK

Como foi que chegaste a essa aldeia?

GRUCHA

A pé, Excelência, e o menino é meu.

SIMÃO

Eu sou o pai, Excelência.

COZINHEIRA

O menino ficou a meu cuidado por cinco piastras, Excelência.

SEGUNDO ADVOGADO

Este homem, Colendo Tribunal, é o noivo da Grucha, e suas declarações não merecem nenhum crédito.

AZDAK

Foste tu que a desposaste na aldeia?

SIMÃO

Não, Excelência. Ela se casou com um camponês.

AZDAK

(Fazendo sinal a GRUCHA.) Por quê? *(Apontando SIMÃO.)* Ele não vale nada na cama? Fala a verdade.

GRUCHA

Não chegamos até lá, Excelência. Me casei por causa do menino, pra dar a ele um teto. *(Apontando SIMÃO.)* Ele estava na guerra, Excelência.

AZDAK

E agora ele ainda quer saber de ti?

GRUCHA

(Com raiva.)
Agora eu não sou mais livre, Excelência.

SIMÃO

Desejo que conste no processo que...

AZDAK

E o menino, ao que afirmas, é um filho das ervas. *(GRUCHA não responde.)* Responde à minha pergunta: que espécie de menino é ele? Um bastardo da rua, maltrapilho ou criança de família rica?

GRUCHA

(De mau humor.)
Um menino como os outros.

AZDAK

Compreendo. Manifestou ele precocemente algum sinal de refinamento?

GRUCHA

Um nariz no meio da cara.

AZDAK

Um nariz no meio da cara. Eis uma resposta que considero importante. Contam a meu respeito que um dia, antes de pronunciar a sentença, eu saí para respirar o cheiro de uma roseira. São expedientezinhos de ofício e que neste momento se fazem necessários. Vou acabar com isto, não quero mais ouvir mentiras. *(A GRUCHA.)* Particularmente as tuas. Posso muito bem imaginar *(ao grupo das partes)* as tramoias que vocês me arranjaram, conheço-os. Vocês são uns tratantes.

GRUCHA

(Bruscamente.)
Acredito que tenha pressa de acabar depois que recebeu o dinheiro.

AZDAK

Cala-te! Acaso recebi alguma coisa de ti?

GRUCHA

(Não obstante a COZINHEIRA tenha querido contê-la.)
Não recebeu porque eu não tenho nada.

AZDAK

Isso! De vocês que vivem com a barriga no espinhaço não me vem nada, e eu podia morrer de fome. Vocês querem a justiça, mas querem pagar? Quando vocês vão ao açougue sabem que têm que pagar, mas ao Tribunal vão como se fossem a uma comezaina de enterro.

SIMÃO

(Alto.)
"Quando se vai ferrar o cavalo, o escaravelho do cavalo estende logo as pernas."

AZDAK

(Aceitando gostosamente o desafio.)
"Mais vale achar um tesouro no esgoto do que um seixo na fonte."

SIMÃO

"Bonito dia para uma pesca! Vamos pescar? Diz o pescador para a minhoca."

AZDAK

"Sou senhor de mim mesmo, diz o servo, e corta fora o pé."

SIMÃO

"Gosto de vocês como um pai, diz o czar aos camponeses, e manda decapitar os czareviches."

AZDAK

"O pior inimigo do louco é ele próprio."

SIMÃO

Mas "o peido não tem narinas"!

AZDAK

Dez piastras de multa por linguagem inconveniente perante o Tribunal, para que aprendas o que é justiça.

GRUCHA

Bonita justiça! A nós pune porque não sabemos falar difícil como ela *(Apontando a MULHER DO GOVERNADOR.)* e os seus advogados.

AZDAK

É isso mesmo. Vocês são estúpidos demais. Merecem levar na cabeça.

GRUCHA

É porque queres entregar àquela ali o menino, mas ela é tão fina, tão delicada que com certeza nunca soube como se muda a fralda de um bebê! De justiça tu entendes tanto quanto eu, esta que é a verdade.

AZDAK

De fato há um pouco de verdade no que estás dizendo. Sou um homem sem instrução, visto calça furada debaixo da toga, olha só tu mesma. Comigo tudo se vai em comida e bebida, fui educado numa escola de convento. Aliás, te multo também em dez piastras por ofensa ao Tribunal. E além do mais, é preciso que sejas uma imbecil completa para te indispores assim contra ti, em vez de te requebrar os olhos pra mim, de mexeres um pouco os quadris a fim de me pôr uma disposição favorável. Vinte piastras.

GRUCHA

E que fossem trinta, eu havia de dizer o que penso de tua justiça, esponja borracha. Como ousas tomar ares para cima de mim como se fosses o profeta Isaías, saído de uma janela de igreja? Quando te tiraram do corpo de tua mãe, foi pra passares carão nela se acontecesse ela estar bebendo uma xicarazinha de chá? E não tens vergonha quando me vês tremendo diante de ti? Mas tu te fizeste criado deles pra que não lhes tomem as casas, porque elas foram roubadas desde quando as casas pertencem aos percevejos? Mas tu vives de espionar, sem o que eles não podiam pegar homens para guerra, seu vendido! *(AZDAK levanta-se. Começa a ficar radiante. Com o seu martelinho bate de manso, como para restabelecer o silêncio, mas as injúrias de GRUCHA continuam. E ele se limita finalmente a marcar o compasso.)* Não me metes medo mais que um ladrão ou um bandido com a sua faca, ele faz o que quiser. Podes me tomar o menino, as probabilidades são cem contra uma, mas uma coisa te digo: pra ocupações como a tua deviam escolher só violadores de crianças e agiotas como punição, para que eles sejam forçados a se fazer de respeitáveis aos olhos de seus semelhantes, o que é pior pra eles do que espernear na corda de uma forca.

AZDAK

(Sentando-se.)

Agora são trinta, e não continuarei a discutir contigo como se estivéssemos numa taverna. Que seria da minha dignidade de juiz? De qualquer forma, teu caso não me interessa mais. Onde estão os dois pleiteantes de divórcio? *(A SCHAUVA.)* Conduza-os até aqui. Este julgamento será adiado por um quarto de hora.

PRIMEIRO ADVOGADO

(Enquanto SCHAUVA sai.)

Se não acrescentarmos mais nada, temos a sentença no bolso, minha senhora.

COZINHEIRA

(A GRUCHA.)

Puseste ele contra ti. Agora vai tirar o menino.

MULHER DO GOVERNADOR

Schauva, os meus sais.

(Entra um velho casal.)

AZDAK

As Custas *(Os VELHOS não compreendem.)* Ao que me disseram, querem se separar, não é verdade? Estão juntos há quanto tempo?

VELHO

Há quarenta anos, Excelência.

AZDAK

E por que querem se separar?

VELHO

Não simpatizamos um com o outro, Excelência.

AZDAK

Desde quando?

VELHO

Desde sempre.

AZDAK

Vou refletir sobre o requerimento e darei a sentença quando tiver terminado o outro julgamento. *(SCHAUVA leva-os para o fundo da sala.)* Preciso do menino. *(Faz sinal a GRUCHA para que ela se aproxime e inclina-se para ela sem severidade.)* Verifiquei que tens um certo senso da justiça. Não acredito em tua palavra quando dizes que ele é teu filho. Mas se ele fosse teu, mulher, não gostaria que fosse rico? Para isso, bastaria dizeres que não é teu. E imediatamente teria ele um palácio, uma porção de cavalos em suas cavalariças, numerosos mendigos à sua porta, e muitos soldados a seu serviço, e muitos solicitantes na sua antessala, não é verdade?

(GRUCHA *não responde.*)

RECITANTE

Ouvi o que ela, furiosa, pensava e não disse (*<Canta.>*):

De sapatos dourados ele
Sobre os fracos pisara firme.
Pudera ser um malvado
E ao mesmo tempo sorrir-me.

Certo, um coração de pedra
É fardo muito pesado:
E é por demais fatigante
Ser senhor e ser malvado.

Da fome, não dos famintos
Tenha medo, assim como há de
Ter medo da escuridão,
Não porém da claridade.

AZDAK

Creio que te compreendo, mulher.

GRUCHA

Não entrego mais ele. Foi criado por mim e me conhece.

(SCHAUVA *entra com o menino.*)

MULHER DO GOVERNADOR

Todo esfarrapado!

GRUCHA

Não é verdade. Não me deram tempo pra vestir ele com a camisinha boa.

MULHER DO GOVERNADOR

Ele vivia num chiqueiro!

GRUCHA

(*Zangando-se.*)
Não sou porco, mas conheço uma certa porca! Onde deixaste o teu filho?

MULHER DO GOVERNADOR

Vais me pagar, sua ordinária! *(Quer atirar-se contra* GRUCHA*, mas os seus* ADVOGADOS *a contêm.)* É uma criminosa, precisa morrer de pancada!

SEGUNDO ADVOGADO

(Tapando-lhe a boca.)
Cara Natella Abaschvíli, a senhora prometeu... Excelência, os nervos da querelante...

AZDAK

Querelante e querelada: o Tribunal ouviu-as e não chegou a nenhuma convicção sobre quem é a verdadeira mãe deste menino. A mim, como juiz, incumbe o dever de escolher uma mãe para o menino. Farei uma prova. Schauva, traz-me um pedaço de giz. Traça um círculo no chão. *(*SCHAUVA *traça um círculo com giz no chão.)* Coloca o menino dentro. *(*SCHAUVA *obedece e o menino sorri para* GRUCHA*.)* Querelante e querelada, coloquem-se as duas junto ao círculo! *(As duas mulheres vão para junto do círculo.)* Agarre cada qual uma mão do menino. Cada uma puxe para seu lado e a verdadeira mãe será a que tirar o menino para fora do círculo.

SEGUNDO ADVOGADO

(Vivamente.)
Colendo Tribunal, oponho-me a que o destino da vultosa sucessão Abaschvíli, que está ligada à pessoa do herdeiro, dependa de um duelo tão aleatório. E mais: minha cliente não dispõe de tanta força quanto esta mulher que está habituada a executar trabalhos físicos.

AZDAK

Ela me parece bem-alimentada. Puxem!

(A MULHER DO GOVERNADOR *puxa o menino para fora do círculo e* GRUCHA*, que o soltou, olha petrificada.)*

PRIMEIRO ADVOGADO

(Felicitando a sua cliente.)
Eu não dizia, os laços de sangue...

AZDAK

(A GRUCHA*.)*
Que tens que não puxaste?

GRUCHA

Eu não lhe tinha segurado bem. *(Corre para* AZDAK*.)* Excelência eu retiro tudo que disse do senhor, peço-lhe perdão. Se eu pudesse ficar com ele ao menos até que ele conheça todas as palavras. Ele só sabe umas poucas.

AZDAK

Não tente influenciar o Tribunal! Aposto que tu mesma não conheces senão umas vinte. Bem, repitamos a prova, mas desta vez definitivamente. Puxem!

(As duas mulheres retomam posição. Grucha novamente larga a mão da criança.)

GRUCHA

(Desesperada.)
Criei ele! Não quero fazer ele sofrer, não posso!

AZDAK

(Levantando-se.)
E com isto averiguou o Tribunal quem é a verdadeira mãe. *(A Grucha.)* Toma teu filho e vai-te embora com ele. *(À Mulher do Governador.)* E tu, desaparece antes que eu te condene por impostura. Os bens serão adjudicados à cidade a fim de se construir um parque infantil, coisa de que as crianças estão precisando muito, e determino que ele se chame, em minha memória, "O Jardim de Azdak".

(A Mulher do Governador, que desmaiou, é levada para fora pelo Oficial de Ordenança. Os Advogados já haviam saído antes. Grucha permanece imóvel. Schauva entrega-lhe o menino.)

AZDAK

Pois eu dispo a toga, que já começa a me queimar a pele. Não aspiro a ser herói. Primeiro, porém, convido-vos para uma dançazinha no gramado lá fora, como despedida. Ah, e com tudo isto ia-me esquecendo de uma coisa: o processo do divórcio.

(Servindo-se da cadeira como mesa, escreve algumas coisas num papel e prepara-se para sair. Lá fora já principiou a música para a dança.)

SCHAUVA

(Depois de ter lido o papel.)
Mas não está certo. O senhor não desquitou os dois velhos e sim Grucha e o marido.

AZDAK

Desquitei os que não devia desquitar? Lamento muito, mas fica como está, não voltarei atrás, seria contra a boa ordem. Para compensá-los, convido-os para minha festa, venham dançar, fará bem a ambos. *(A Grucha e Simão.)* E vocês dois. E vocês dois passem pra cá quarenta piastras.

SIMÃO

(Sacando a carteira.)
É barato, Excelência, e muito obrigado.

AZDAK

(Embolsando o dinheiro.)
Vai-me ser útil.

GRUCHA

O melhor é deixarmos a cidade antes de anoitecer, hein Miguel? (Quer tomar o menino às costas. A SIMÃO.) Gostas dele?

SIMÃO

(Tomando o menino às costas.)
Tenho a honra de participar que gosto.

GRUCHA

E agora vou te dizer uma coisa. Tomei conta dele porque naquele Domingo de Páscoa fiquei noiva de ti. De maneira que ele é um filho do amor. Miguel, Miguel vamos dançar.

(Dança com MIGUEL. SIMÃO agarra a COZINHEIRA e dança com ela. Os dois VELHOS dançam também. AZDAK, pensativo, não se move. Com pouco, os pares aumentando, ele é visto só de raro em raro.)

RECITANTE

E depois dessa tarde Azdak desapareceu e nunca mais foi visto.
Mas o povo da Geórgia não o esqueceu e por muito tempo ainda
[relembrou
Os dias em que ele foi juiz como uma curta idade de ouro para a justiça.

(Os pares deixam a cena dançando. AZDAK desapareceu.)

Vós, porém, que ouvistes a história do Círculo de Giz,
Segui o conselho dos velhos:
As coisas devem caber aos que as sabem fazer melhor.
As crianças, às mulheres de coração maternal, para que sejam bem criadas.
Os carros, aos bons condutores, para que a viagem seja boa,
E o vale, aos que o abasteçam de água, para que as colheitas sejam
[abundantes.

APÊNDICE

Aos que vierem depois de nós por Bertolt Brecht

I
Realmente, vivemos tempos sombrios!
A inocência é loucura. Uma fronte sem rugas
denota insensibilidade. Aquele que ri
ainda não recebeu a terrível notícia
que está para chegar.

Que tempos são estes, em que
é quase um delito
falar de coisas inocentes.
Pois implica silenciar tantos horrores!
Esse que cruza tranquilamente a rua
não poderá jamais ser encontrado
pelos amigos que precisam de ajuda?

É certo: ganho o meu pão ainda.
Mas acreditai-me: é pura casualidade.
Nada do que faço justifica
que eu possa comer até fartar-me.
Por enquanto as coisas me correm bem (se a sorte me abandonar,
                                        [estou perdido).

E dizem-me: "Bebe, come! Alegra-te pois tens o quê!"
Mas como posso comer e beber,
se ao faminto arrebato o que como,
se o copo de água falta ao sedento?
E todavia continuo comendo e bebendo.

Também gostaria de ser um sábio.
Os livros antigos nos falam da sabedoria:
é quedar-se afastado das lutas do mundo
e, sem temores,
deixar correr o breve tempo. Mas
evitar a violência,
retribuir o mal com o bem,
não satisfazer os desejos, antes esquecê-los
é o que chamam sabedoria.
E eu não posso fazê-lo. Realmente,
vivemos tempos sombrios.

II
Para as cidades vim em tempos de desordem,
quando reinava a fome.
Misturei-me aos homens em tempos turbulentos
e indignei-me com eles.
Assim passou o tempo
que me foi concedido na terra.

Comi o meu pão em meio às batalhas.
Deitei-me para dormir entre os assassinos.
Do amor me ocupei descuidadamente
e não tive paciência com a Natureza.
Assim passou o tempo
que me foi concedido na terra.

No meu tempo, as ruas conduziam aos atoleiros.
A palavra traiu-me ante o verdugo.
Era muito pouco o que eu podia. Mas os governantes
se sentiam, sem mim, mais seguros — espero.
Assim passou o tempo
que me foi concedido na terra.

As forças eram escassas. E a meta
achava-se muito distante.
Pude divisá-la claramente,
ainda quando parecia, para mim, inatingível.
Assim passou o tempo
que me foi concedido na terra.

III
Vós, que surgireis da maré
em que perecemos,
lembrai-vos também,
quando falardes das nossas fraquezas,
lembrai-vos dos tempos sombrios
de que pudestes escapar.

Íamos, com efeito,
mudando mais frequentemente de país
do que de sapatos,
através das lutas de classes,
desesperados,
quando havia só injustiça e nenhuma indignação.

E, contudo, sabemos
que também o ódio contra a baixeza
endurece as feições;
que também a cólera contra a injustiça
enrouquece a voz. Ah, os que quisemos
preparar terreno para a bondade
não pudemos ser bons.

Vós, porém, quando chegar o momento
em que o homem seja bom para o homem,
lembrai-vos de nós
com indulgência.

MIREIA

FRÉDÉRIC MISTRAL

A Lamartine

Te consagro Mireia: é ela a flor dos meus anos;
    A minha alma e o meu coração;
— Uva da Crau, com as folhas todas, que te envia,
    Humildemente, um aldeão.

Mistral
Maillane (Bouches du Rhône), 8 de setembro de 1859.

Canto primeiro

A granja das almezas

Exposição. — Invocação ao Cristo, nascido entre os pastores. — Um velho cesteiro, Mestre Ambrósio, e seu filho, Vicente, vão pedir hospitalidade na Granja das Almezas. — Mireia, filha de Mestre Ramon, o dono da granja, dá-lhes as boas-vindas. — Os lavradores, depois da ceia, convidam Mestre Ambrósio a cantar. — O velho, que é um ex-marinheiro, canta um combate naval do Bailio de Suffren. — Mireia interroga Vicente. — Narrativa de Vicente: a caça das cantáridas, a pesca das sanguessugas, o milagre das Santas Marias, a corrida dos homens em Nîmes. — Enlevo de Mireia, nascimento de seu amor.

Canto uma moça da Provença.
Em seus amores juvenis,
Nas ribeiras da Crau, até o mar, nos trigais,
Discípulo do grande Homero,
Quero segui-la. Camponesa
Simples como era, não admira
Que só na Crau corresse a fama do seu nome.

Bem que sua fronte brilhasse
De juventude apenas, sem
Jamais diadema de ouro ou manto de Damasco,
Quero vê-la glorificada
Como rainha, e acariciada
Por nossa língua desdenhada,
Pois só cantamos para vós, ó provençais!

Tu, Senhor Deus de minha pátria,
Tu, que nasceste entre pastores,
Dá alento à minha voz, fogo às minhas palavras.
Tu o sabes: em meio à verdura,
Aos raios do sol, à orvalhada,
Quando os figos amadurecem
Vem o homem como um lobo e pilha a árvore toda.

Mas na árvore que ele destroça,
Tu preservas sempre algum ramo
A que não chega a mão insaciável dos homens,
Belo rebento prematuro,
E redolente e virginal,
Belo fruto madalenense,
Onde o pássaro do ar vem aplacar a fome.

Eu, vejo-o bem, esse raminho,
E sua frescura me atrai!
Vejo, bulindo no ar, ao perpassar do vento,
Suas folhas e imortais frutos...
Belo Deus, Deus meu, sobre as asas
De nossa língua provençal,
Dá-me possa eu colher o alto galho dos pássaros!

Ao pé do Ródano, entre os choupos
E os salgueiros de suas margens,
Em pobre choça carcomida pelas águas,
Morava com o filho um cesteiro,
E ganhavam os dois a vida
De granja em granja reparando
Cestas rompidas e canastras estouradas.

Um dia que iam campo afora
Com seus longos feixes de vime:
— "Pai", exclamou Vicente, "olhe só para o sol!
Está vendo, na Magalona,
As nuvens como o envolvem todo?
Se aquele muro se acumula,
Seremos, antes de chegarmos, ensopados."

— "Oh, o vento do mar bole as folhas...
Não!..., a chuva não vem", tornou
O velho... "Ah, se soprasse o Rau, é diferente!..."
— "Quantas charruas em serviço,
Pai, há na Granja das Almezas?"
— "Seis", lhe respondeu o cesteiro.
"É das mais ricas propriedades que há na Crau.

"Olha, vês os seus olivais?
No meio deles há umas faixas",
O velho continuou, "de vinhas e oliveiras.
Mas o belo, e não há na costa
Dois, o belo é que as alamedas
São tantas como os dias do ano,
E em cada uma as árvores também são tantas!"

"Puxa, Pai!" exclamou Vicente.
"Quantas moças não são precisas
Para colher tanta azeitona!" — "Oh, isso é o menos!
Venha dezembro, e as raparigas
Encherão sacos e lençóis

De azeitonas vermelhas, pardas!...
E mais que houvesse, elas cantando as colheriam!"

E Mestre Ambrósio prosseguia
Falando... O sol já descambava,
De variado matiz tingindo as nuvenzinhas;
Os homens, sobre os animais,
Voltavam para a consoada,
De aguilhões em riste... Nos pântanos
A noite começava a adensar suas sombras.

— "Olhe! já se avista na eira
O topo da meda de palha",
Disse Vicente ao pai. "Estamos a bom recato!..."
— "Aqui vivem bem as ovelhas!
Ah, no verão, entre os pinheiros;
No inverno, nas secas chanuras",
O velho comentou... "Oh, aqui há de tudo!

"E todos esses arvoredos,
Que sobre os telhados dão sombra!
E essa bonita fonte a correr num viveiro!
E todos esses colmeais,
Despojados a cada outono,
E que penduram, vindo maio,
Mil enxames nas grandes franças dos almezes!

— "Oh! depois, em toda esta terra,
Pai, o que ainda mais me agrada",
Interrompe Vicente, "é a mocinha da granja...
Não está lembrado, meu pai?
No último verão lhe tecemos
Dois cabazes para colheita,
E lhe pusemos alças novas num cestinho."

Desta sorte os dois, conversando,
Dirigiram-se para a porta.
Dera a moça comida aos seus bichos-da-seda;
Depois do que, em pé na soleira,
Ficou torcendo uma meada.
— "Boa tarde a todos!" o cesteiro
Saudou, depondo em terra os seus feixes de vime.

— "Boa tarde, Mestre Ambrósio", disse
A moça, "estou prendendo o fio

Na ponta do meu fuso! E vocês? De onde vêm
    Tão tarde assim? De Valabregue?"
    — "Justamente! e chegando à Granja
    Das Almezas, pernoitaremos
Aqui, dissemos, o palheiro é boa cama!"

    E o velho cesteiro e seu filho
    Foram sentar-se sobre um rolo,
Sem dizer mais palavra: a tecer todos dois
    Uma canastra começada
    Aplicaram-se alguns instantes,
    E sacando do feixe os vimes
Cruzavam com perícia as varetas flexíveis.

    Tinha o filho dezesseis anos,
    Mas de corpo como de cara
Era um belo rapaz, dos de melhor estampa;
    Faces bastante amorenadas,
    Lá isso eram, porém a terra
    Negra sempre produz bom trigo,
E o vinho de uva escura é o que mais faz dançar!

    De tudo o que de seu ofício
    Deve conhecer um cesteiro
Ele sabia a fundo, ainda que de ordinário
    Não trabalhasse em obra fina:
    Mas canastras para cangalhas,
    Tudo o que é preciso nas granjas,
Balaios cômodos, cabazes, açafates,

    Cestos de caniço talhado,
    Tudo objetos de pronta venda,
Canistréis para o milho, e muitas coisas mais,
    Ele os fabricava com mão
    De mestre, fortes e polidos...
    Mas já da labuta campestre
Haviam regressado a casa os lavradores.

    Já lá fora a linda Mireia
    Havia posto sobre a mesa
De cedro a habitual salada de legumes;
    E da travessa transbordante
    Cada homem já se servia
    Sua colherada de fava...
E Ambrósio e o filho sempre a trançar... — "Eh, amigos!

"Então? Não vêm comer conosco?"
Com seu ar meio desabrido
Interpelou Mestre Ramon, dono da granja.
"Vamos, basta de trabalhar!
Não veem nascer as estrelas?
Mireia, traze uma escudela.
À mesa, que vocês devem de estar cansados!"

— "Com prazer!" disse-lhe o cesteiro.
E a um canto da mesa de pedra
Assenta-se com o filho e cortaram seu pão.
Mireia, lépida e graciosa,
Temperou para eles com
Azeite um prato de favinhas,
Que em seguida veio trazer-lhes ela mesma.

Mireia andava em seus quinze anos...
Costas azuis de Fonte Velha,
Vós, colinas de Baux, vós, planícies da Crau,
Nunca vistes nada mais belo:
Botão desabrochado ao sol!
Em suas faces frescas e ingênuas,
Duas covinhas vinha abrir cada sorriso.

E seu olhar era um orvalho
Que dissipava toda pena...
Menos doce luz uma estrela e menos pura;
Os cabelos lhe negrejavam,
Anelando-se até as pontas;
E seus peitos arredondados
Eram dois pêssegos ainda não maduros.

E buliçosa, brincalhona,
Seu tanto selvagem também,
Ah, se vísseis num copo de água aquela graça,
Num trago a teríeis bebido!
Depois que cada qual, conforme
O uso, falou de seu trabalho
(Como na granja de meu pai, bom tempo, ai, ai!),

— "Então, Mestre Ambrósio, esta noite
Não nos vai cantar qualquer coisa?"
Reclamaram. "Vai-se dormir, matada a fome?"
— Psiu! meus bons amigos, quem zomba",
O velho respondeu, "Deus sopra,

Fá-lo girar como um pião!...
Cantem vocês, que são rapazes e são fortes!"

— "Mestre Ambrósio", lhe responderam,
"Não, não! não estamos zombando!
Olhe, o vinho da Crau vai com pouco entornar-se
Do seu copo... Eia pois! Bebamos!"
— "Ah, no meu tempo fui cantor,
Bom cantor!" retrucou o cesteiro.
"Mas agora sou uma cigarra que estourou!"

— "Cante, Mestre Ambrósio, é tão bom!
Cante um pouco!" pediu Mireia.
— "Minha bela menina", Ambrósio respondeu,
"Minha voz é espiga sem grão,
Mas vou te fazer a vontade."
E sem mais começou destarte,
Após virar de uma só vez seu vinho todo:

I

Bailio Suffren, que no mar comanda,
Deu-nos sinal no porto de Toulon...
Lá embarcamos, quinhentos provençais.

De vencer o inglês a gana era grande:
Nenhum quisera tornar ao seu lar
Sem antes ver o inglês desbaratado.

II

Mas o primeiro mês que navegamos,
Não vimos ninguém, senão nas antenas
O voo das gaivotas voando às centenas...

Mas no segundo mês que navegamos,
Uma tormenta acometeu-nos! Noite
E dia, era na bomba, a esgotar a água.

III

Mas no terceiro mês, enraivecidos,
Fervia-nos o sangue, de não ver
Alma viva contra quem pelejar.

Mas então Suffren: — "Ao cesto da gávea!"
Disse; e lá no alto, curvado, o gajeiro
Escrutou ao longe o litoral árabe.

IV

— "Com trezentos diabos!" gritou o gajeiro.
"Três grandes navios vêm sobre nós!"
— "Alerta, meninos! Sus, aos canhões!"

Gritou o grande marinheiro. "Que eles
Apalpem primeiro uns figos de Antibes!
Servir-lhes-emos depois outras frutas!"

V

Mal tinha falado, o fogo rompeu.
Quarenta bombas vão como raios
Furar do inglês os navios reais.

De um não restou senão a alma. Durante
Muito tempo só se ouviam estrondos,
Estrépitos e o mar que rebramava!

VI

Do inimigo entanto apenas um passo
Nos separava. Que felicidade!
O Bailio Suffren, pálido, intrépido,

Firme em seu posto: — "Meninos!" bradava
Enfim: "Cessar fogo! Vamos untá-los,
E bem untá-los com azeite de Aix!"

VII

Mal ele acabou e toda a equipagem
Corre às alabardas, lanças, machados,
E brandindo o arpéu o audaz provençal

Rompe num grito unânime: — "À abordagem!"
A coberta inglesa galgamos num salto,
E então principiou a grande carnagem!

VIII

Oh, que de golpes! Oh, a grita! a estralada!
Que fragor que faz o mastro partido!
A ponte ruída sob a marujada!

Mais de um inglês ali o mar tragou;
Mais de um provençal, ao inglês cingido,
Com fúria homicida ali se afogou.

— "Parece incrível, não parece?"
Aqui interrompeu-se o bom velho.
"Tudo entanto ocorreu como diz a canção.
Podemos falar sem receio,
Eu é que manobrava o leme!
Ah, também mil anos que eu viva,
Mil anos guardarei a lembrança daquilo!"

"O quê? Participou da luta?
Como a foice sob o martelo,
Sendo três contra um, tê-lo-iam esmagado!"
— "Quem? Os ingleses?" retrucou
O velho, tomado de cólera...
Mas voltando ao bom humor de antes,
Prosseguiu orgulhoso o canto começado:

IX

Pés no sangue, durou aquela guerra
Desde as duas da tarde até de noite.
Desfeito o fumo da pólvora, havia

Cem homens de menos em nosso barco;
Mas três navios foram afundados,
Três belos barcos do rei da Inglaterra!...

X

Depois, de volta ao país tão querido,
Com cem balas cravadas no costado,
Velas rasgadas, vergas em pedaços,

Gracejou, afável, o nosso Bailio:
— "Contai comigo, contai, camaradas!
Ao rei de Paris falarei de vós."

XI

— "Ó nosso almirante!" dissemos, "tua
Palavra é franca, e o rei te ouvirá...
Mas, pobres marujos, de que nos serve?

"Tudo deixamos, a casa, a enseada,
Para acorrer à guerra e defendê-lo.
No entanto, bem vês que estamos sem pão.

XII

"Mas se fores à Corte, não te esqueças,
Quando se inclinarem à tua passagem:
Ninguém te quer mais que a tua equipagem.

"Pois, ó bom Suffren, se o poder tivéssemos,
Antes de tornarmos à nossa aldeia,
Como nosso rei te carregaríamos!"

XIII

De um martiguense, pescador, poeta
Nos serões de inverno, é a canção que ouviram.
O Bailio Suffren foi-se a Paris.

Contam que invejosos de sua glória
Se mostravam os grandes do país.
Seus marinheiros nunca mais o viram!

A tempo o cesteiro pôs termo
À sua canção marinheira,
Que a sua voz já descambava para o pranto.
Cedo porém para os rapazes,
Que, sem falar, boca entreaberta,
Olhos fitos, por muito tempo
Depois do canto, ainda o estavam escutando!

— "Eis no tempo em que Marta fiava,
Rapazes, as canções que ouvíamos:
Eram belas", falou o cesteiro, "e prolongavam-se...
Velha é a toada, mas que importa?
As que hoje cantam são mais novas
E em língua francesa, onde se acham
Mais finas expressões... Quem porém as entende?"

Calou-se o velho. E os lavradores,
Levantando-se então da mesa,
Foram levar os animais a abeberar-se
Na fresca fonte cristalina;
E aguardando sob a latada
Que eles a sede saciassem,
Cantarolavam a canção de Mestre Ambrósio.

Mas Mireia havia ficado,
Havia ficado sozinha
Sentada com Vicente, o filho do cesteiro;
E todos dois falavam juntos,
E suas cabeças pendiam
Uma para a outra, à maneira
De tasneirinhas impelidas pelo vento.

— "Ah, Vicente", a moça dizia,
"Quando tu vais, de feixe ao ombro,
A este lugar e àquele, a consertar os cestos,

Deves ver em tuas viagens
Castelos e sítios agrestes
E festejos e romarias!...
Nós, do nosso pombal nunca arredamos pé!"

— "Disse muito bem a menina!
Das groselhas o travo forte
Estanca a sede tanto quanto a água do pote.
E se para arranjar trabalho
É preciso enfrentar o tempo,
Também têm seu prazer as viagens,
E a sombra do caminho atenua o calor.

"Quando, dentro em pouco, o verão
For chegado, e de suas flores
Se cobrirem as oliveiras totalmente,
Nos pomares embranquecidos,
Sobre os freixos, vamos, de faro
Alerta, à caça da cantárida,
Quando verde reluz na força do mormaço.

"Depois compram-nas nas boticas...
Ora colhemos nas charnecas
O quermes vermelho ou, nos lagos, apanhamos
As sanguessugas. Boa pesca!
Nada de linha nem anzol:
Basta bater sobre a água fresca
E a sanguessuga vem colar-se às nossas pernas.

"Nunca foi às Santas Marias?
Pois olhe, ali é que se canta!
Ali chegam, de toda parte, os aleijados!
Passei por lá dia de festa...
Decerto a igreja é pequenina,
Mas quantos gritos e promessas!
— Ó grandes Santas, tende dó de todos nós!

"Foi no ano do grande milagre...
Meu Deus! meu Deus! oh que espetáculo!
Um infeliz menino, um menininho cego,
Lindo como São João Batista,
Suplicava com voz chorosa:
— Ó Santas, dai-me ver! Em paga
Eu vos trarei um cordeirinho já com chifres.

"Corria o pranto em torno dele.
No entanto, do alto os relicários
Baixavam devagar sobre o povo ajoelhado;
E logo que o cabo afrouxou
Um pouco, a multidão inteira,
Como um grande vento na mata,
— "Grandes Santas", bradou, "grandes Santas, valei-nos!"

"Nos braços de sua madrinha,
Quando com a sua mãozinha
Delicada pode o petiz tocar os santos
Ossos das três beatas Marias,
Abraçou-se, com vigorosa
Pressão do peito, aos relicários,
Como à tábua que o mar lhe trouxe, faz o náufrago!

"Mal porém sua mão tocara,
Com amor, os ossos das Santas
(Eu vi!), subitamente o menino gritou,
Com sua fé maravilhosa:
— "Estou enxergando os relicários!
Estou vendo minha avozinha!
Vovó, vamos buscar já já meu cordeirinho!"

"E a menina também, que Deus
A conserve bela e feliz!
Mas se um dia um lagarto, um lobo, uma serpente
Ou qualquer outro bicho errante
Lhe ferrar o dente sanhudo,
Se o infortúnio a acabrunhar,
Corra às Santas, depressa, e elas dar-lhe-ão alívio."

Assim decorria o serão.
Das grandes rodas da carroça
Desatrelada as sombras iam-se alongando.
De tempos a tempos no brejo
Tilintava uma campainha...
E uma coruja melancólica
À voz dos rouxinóis juntava a sua queixa.

— "Mas já que nos brejos, nas árvores
Bate a lua em cheio esta noite,
Quer que lhe conte uma corrida em que pensei
Ganhar o prêmio?" — "Conte! conte!"
A adolescente interessada

Respondeu, mais do que feliz,
E o rosto aproximou do rosto de Vicente.

— "Pois ouça: em Nîmes, na Esplanada,
Se disputava essa corrida.
Em Nîmes, ó Mireia!... A grande praça estava
Dura de gente, que acorrera
De toda parte para a festa.
Descalços, sem chapéu, sem véstia,
Muitos eram os disputantes já presentes.

"De repente eis que entra na liça
Lagalante, o rei das corridas,
O forte marselhês, cujo nome decerto
Terá chegado aos seus ouvidos,
Lagalante, que, competindo
Com corredores da Provença,
E da Itália, já pôs sem fôlego os mais duros.

"Tinha ele pernas, tinha coxas
Como o Senescal João de Cossa!
Pratos de estanho enchiam todo um seu armário,
Nos quais seus feitos se gravaram;
E tantas faixas possuía,
Que, Mireia, era de jurar
Que das traves estava o arco-íris pendurado!

"Mas logo, baixando a cabeça,
Os outros enfiaram a véstia...
Ninguém queria competir com Lagalante.
O Cri, rapaz de esbelta raça,
(Mas que não tinha a perna mole!)
Trouxera aquele dia a Nîmes
Duas vacas: só ele ousou desafiá-lo.

"Eu, que por acaso ali estava,
— "Um homem é um homem!" disse.
"Nós também somos corredores!" Imprudente!
Rodearam-me: — "Isso! isso! Bravo!"
Avalie: até aquela data
Eu não tinha corrido ainda
Senão a perseguir as perdizes nos morros!

"Tive que ir mesmo. Lagalante
Ao me ver, assim me deteve:
— "Será melhor, rapaz, laçares teus sapatos!"

E dizendo-o, cingia os músculos
Das coxas robustas e tesas
Num bonito calção de seda
Enfeitado de guizos de ouro a tilintarem!

"Pusemos na boca um brotinho
De salgueiro, bom para o fôlego;
Como amigos, a mão apertamos um do outro;
Saltitando os dois sobre a raia,
Estremecendo de impaciência,
O sangue a ferver-nos nas veias,
Aguardamos dar-se a partida!... Ela foi dada!

"Como relâmpagos os três
Largamos! e na disparada
Uma nuvem de pó envolvia os nossos saltos,
E o ar nos levanta e o suor escorre...
Oh que afã! que louca porfia!
O nosso ardor era tamanho,
Que se contou por muito tempo com o empate!

"Afinal tomei a dianteira:
Foi a minha infelicidade!
Pois quando, como um fogo-fátuo, me lançando
Para a ponta, perdidamente,
De súbito, lívido, exânime,
No instante em que os ultrapassava,
Rolo, sem força, e vou no chão morder a poeira!

"Os dois, como quando em Aix dançam
Os Cavalos-frus, avançavam
Sempre ritmadamente. O marselhês famoso
Ia seguro da vitória!...
Diziam que não tinha baço:
Pois olhe, o fato é que encontrou
Quem o ia derrotar no Cri de Muriés!

"Entre as alas da multidão
Já quase tocavam a meta...
Era de ver o Cri! Não corria, voava!
Nem nos montes nem nas tapadas
Houve nunca lebre ou veado
Com tanto nervo na carreira.
Lagalante arremete uivando como um lobo...

"E o Cri, coroado de glória,
       Abraçou-se ao poste dos prêmios!
Para ele se precipitam os nimenses,
       Querem todos saber donde é;
       Brilha o prato de estanho ao sol;
       Tinem claros os cimbaletes,
Canta o oboé... O Cri ganha o prato de estanho."

       — "E Lagalante?" diz Mireia.
       — "Agachado na onda de poeira
Que o tropel da assistência erguia em torno dele,
       Apertava com as mãos ambas
       Os dois joelhos! e sucumbido
       Do revés, que tanto o manchava,
As gotas do suor misturava as do pranto.

       "O Cri aborda-o e saúda-o:
       — "Sob a latada de um boteco,
Irmão", disse-lhe o Cri, "venha beber comigo!
       Haja agora prazer! deixemos
       As tristezas para amanhã!
       Ah, atrás das grandes Arenas
Existe ainda muito sol para nós ambos!"

       "Então, erguendo o rosto lívido,
       E da carne, ainda palpitante,
Arrancando o calção de cascavéis dourados:
       — "Pois que a idade me quebra as forças,
       Toma, é teu", diz-lhe Lagalante.
       "Cri, a juventude te exorna:
Podes com honra usar as bragas do mais forte!"

       "Estas foram suas palavras.
       Na multidão, que se espremia,
Triste como o alto, anoso freixo descopado,
       Sumiu o grande corredor.
       Em parte alguma mais foi visto
       Dia de São João ou São Pedro
A correr ou saltar por sobre os odres cheios."

       Assim, na Granja das Almezas,
       Fazia Vicente aparato
Das coisas que sabia. As cores lhe assomavam
       Às faces, luziam-lhe os olhos,
       Gesticulava o que dizia,
       Fluía-lhe a frase abundante
Como pancada de água em restolho de maio.

Os grilos calaram nas moitas
Mais de uma vez para escutá-lo;
Também os rouxinóis e pássaros noturnos
No bosque guardaram silêncio;
Comovida até o fundo da alma,
Mireia, sentada na relva,
Deixar-se-ia ficar, ouvindo-o, a noite inteira!

— "Me parece", dizia à mãe,
"Que para filho de cesteiro
Ele fala na perfeição! Mãe, é um prazer
Dormir no inverno, mas a noite
Para isso está muito clara:
Ouçamo-lo, ouçamo-lo ainda...
Meus serões, minha vida eu passaria a ouvi-lo!"

Canto segundo

A colheita

Mireia colhe folhas de amoreira para os seus bichos-da-seda. — Por acaso Vicente vem a passar no carreiro vizinho. — A moça chama-o. — Vicente acorre e, para ajudá--la, sobe com ela à árvore. — Conversação dos dois jovens. — Vicente faz o paralelo de sua irmã Vicencinha e de Mireia. — O ninho de melharucos azuis. — O galho partido. — Vicente e Mireia caem da árvore. — A moça declara o seu amor. — O rapaz, apaixonado, abre o seu coração. — A Cabra de ouro, a figueira de Vaucluse. — Mireia é chamada pela mãe. — Alarme e separação dos dois amantes.

Cantai, cantai, ó raparigas!
Pois a colheita é cantadeira.
Dormem o seu terceiro sono os belos sirgos.
Sobre as amoreiras as moças,
Que o bom tempo alvoroça e alegra,
São como um enxame de loucas
Abelhas a roubar o mel aos rosmaninhos.

Despojai das folhas os ramos!
Cantai, cantai, ó raparigas!
Mireia está entre vós nesta manhã de maio.
Nesta manhã colocou ela
Por brincos em suas orelhas,
A faceira! duas cerejas...
Nesta manhã Vicente outra vez passou lá.

Ao seu gorro escarlate, à moda
Das gentes dos mares latinos,
Trazia airosamente uma pena de galo.
Pisando firme o chão da estrada,
Pondo em fuga as serpes vadias,
A golpes de bastão tangia
Para longe as sonoras pedras do caminho!

— "Ó Vicente", lhe diz Mireia
Do meio dos verdes carreiros,
"Muito apressado vais!" O rapaz, prestemente,
Vira-se para donde viera
A voz, e lá, numa amoreira
Pousada como uma calhandra,
Descobriu a menina e abordou-a contente.

— "Mireia! Então? Boa colheita?"
— "Eh, vai indo, vai indo aos poucos."
— "Quer que a ajude?" — "Pois sim." E enquanto ela
Trepava na amoreira, e ria, aos gritinhos,
Vicente, pisando nos trevos,
Subiu à árvore como um rato.
— "Mestre Ramon só tem uma filha, Mireia!

"Fique nos galhos baixos, deixe
Os altos para mim." Ligeira,
Correndo a mão no ramo: — "Assim, em companhia,
O trabalho não aborrece!
Sozinha, dá uma preguiça!"
Disse. — "Eu também, o que me amola",
Secundou o rapaz, "é justamente isso.

"Lá em casa, em nossa cabana,
Onde só se escuta o sussurro
Do Ródano impetuoso a comer os cascalhos,
Oh que tédio às vezes me dá!
Não tanto no verão, que é de hábito
Sairmos nós dois, meu pai e eu,
À procura de ocupação, de granja em granja.

"Mas quando o azevinho enrubesce,
Quando os serões, chegado o inverno,
Vão-se alongando, junto à brasa meio extinta,
Enquanto que, nas fechaduras,
Mia ou sibila algum duende,
E sem luz, sem muitas palavras,
Há que esperar que venha o sono, eu só com ele!..."

A moça perguntou de pronto:
— "Mas, e tua mãe, onde está ela?"
— "Morreu..." disse o rapaz e calou-se um momento.
Depois: — "Enquanto Vicencinha
Esteve conosco e tomava
Conta da casa, a vida era
Um prazer sem interrupção!" — "Como, Vicente?

"Tu tens uma irmã?" — "Tenho, e moça
Ajuizada, habilidosa..."
Disse o cesteiro, "... até demais, pois indo ela
À Fonte-do-Rei, em Beaucaire,
Atrás dos segadores, tanto

Se agradaram de suas prendas,
Que ficaram com ela, e até hoje lá está."

— "E tu te pareces com ela?"
— "Quem? Eu? Nada! Ela é lourinha;
E eu, trigueiro como um gorgulho... Sabe com
Quem se parece? Com você!
Pela viveza das cabeças,
Que são como as folhas da murta.
Pelo farto cabelo, até parecem gêmeas.

"Mas você sabe bem melhor
Do que ela, Mireia, ajustar
O toucado sobre os cabelos!... Minha irmã
Não é feia, nem é parada;
Mas você é bem mais bonita!"
Aqui, surpreendida, Mireia,
Largando o galho, exclamou rindo: — "Este Vicente!..."

Cantai, cantai, ó raparigas!
Pois a colheita é cantadeira.
Dormem o seu terceiro sono os belos sirgos.
Sobre as amoreiras as moças,
Que o bom tempo alvoroça e alegra,
São como um enxame de loucas
Abelhas a roubar o mel aos rosmaninhos.

— "Então", disse a moça, "tu me achas
Mais bonita que tua irmã?"
— "Muito mais!" respondeu Vicente. — "E que é que
Eu tenho a mais?" — "Mãe do céu! E o que a mais
Tem o mimoso pintassilgo,
Comparado à pobre carriça,
Senão a formosura mesma, e o canto e a graça?!"

— "Que mais ainda?" — "Triste mana!
Não levas nenhuma vantagem!
São os olhos de Vicencinha, como as águas
Do mar, azulados e límpidos...
Os seus são negros azeviches;
Quando sobre mim eles brilham,
Me parece que estou a beber vinho cozido!

"Com sua voz fluente e clara,
Quando cantava a Peironela

Minha irmã, tinha eu grande prazer de ouvi-la;
  Mas você, a menor palavra
  Que a ouço dizer, ó Mireia!
  Melhor do que qualquer canção
Encanta meu ouvido e transporta minha alma.

  "Minha irmã, de correr nos pastos,
  Tem hoje as faces e o pescoço
Queimados pelo sol como um ramo de tâmaras;
  Você, Mireia, acho que é feita
  Como são as flores do asfódelo;
  E do estio a mão mormacenta
Nunca ousou afogar-lhe a fronte branca e lisa!

  "Como libélula de arroio,
  Minha irmã é ainda delgada;
Cresceu toda num ano só, a pobrezinha!
  Você, dos ombros às cadeiras,
  Ó Mireia! nada lhe falta!"
  A moça soltou novamente
O galho e disse corando: — "Ah, este Vicente!"

  Desfolhando as vossas vergônteas,
  Cantai, cantai, ó raparigas!
Assim o belo par, da árvore folhuda
  Escondido sob a ramagem,
  Na inocência de sua idade,
  Ensaiava-se para o amor.
Entrementes a névoa abandonava os picos.

  Lá no alto, sobre as rochas nuas
  E as torres, onde à noite erravam
Os fantasmas dos velhos príncipes de Baux,
  Sacres de imaculada alvura
  Na amplidão dos céus espalmavam
  Suas asas resplandecentes
Ao sol, que já esquentava os carvalhos nanicos.

  — "Nada fizemos! que vergonha!
  Oh!" disse ela como agastada.
"Este vadio aqui diz que vem me ajudar,
  Mas ele só me faz é rir...
  Vamos! Mãos à obra! Depressa!
  Senão, minha mãe vai dizer
Que sou chucra demais para poder casar!

"Olhem só ele! o gabarolas!
Pobrezinho! se te empregasses
Para ser pago por quintal de folhas, creio
Que não ganharias bastante
Senão para comer com os olhos!"
— "Julga-me assim tão imprestável?"
Respondeu o rapaz um tanto encafifado.

"Pois bem, vamos a ver agora
Quem colhe mais, minha beleza!"
E ei-los ambos, com as duas mãos, em competência,
A torcer e desfolhar ramos!
Nada de pausa nem conversa!
(Bale a ovelha, perde o bocado.)
Logo a amoreira que os sustenta é desfolhada.

Breve, porém, fizeram pausa.
Bela coisa que é a mocidade!
Como juntos os dois ensacassem as folhas,
Os dedos afilados da moça
Encontraram-se de uma feita
No arco do saco entrelaçados
Com os dedos fortes de Vicente, esse Vicente!...

Estremeceram ele e ela;
De amor lhes floriram as faces
E de um fogo desconhecido arderam ambos...
Mas quando Mireia, assustada,
Retirava da folharia
As mãos trêmulas, o rapaz,
Ainda todo perturbado pelo gesto:

— "Que foi? Alguma vespa oculta
Lhe picou o dedo?" — "Não sei!"
Em voz baixa, inclinando a fronte, respondeu
A moça, e, sem mais, cada um
Se pôs a esfolhar um raminho,
E de soslaio se observavam,
Maliciosos, a ver quem riria primeiro.

Batia-lhes o peito!... As folhas
Como chuva agora caíam.
E vindo o instante de as meter dentro do saco,
As duas mãos, a alva e a morena,
Fosse por acaso ou propósito,

Vinham sempre uma para a outra,
Com o que eles que prazer achavam no trabalho!

Cantai, cantai, ó raparigas,
Na desfolha dos vossos ramos!
— "Olhe aqui! Olhe aqui!" gritou ela de súbito.
— "Que é?" O dedo posto sobre a boca,
Esperta como um gafanhoto,
A moça indicava com o braço
Um galho próximo do seu: — "Um ninho! Um ninho!"

— "Espere!..." E ele, retendo o fôlego,
Como um pardal por sobre as telhas
Foi saltando de galho em galho, olhos no ninho.
Pela abertura de um buraco
Que se tinha naturalmente
Escavado na dura casca,
Viu os filhotes, já emplumados e bulindo!

Vicente, que ao retorto galho
Travara as pernas vigorosas
Suspenso de uma mão, no cavernoso tronco
Mexia com a outra. Mais alto,
Mireia, as faces muito acesas,
— "Que é?" perguntou-lhe cautelosa.
— "Melharucos azuis!" — "Melharucos?" — "E lindos!"

Mireia desatou a rir:
— "Olha, nunca ouviste dizer?
Quando no alto de uma amoreira ou de outra árvore
Semelhante acham dois um ninho,
Não acaba o ano sem que antes
Os una a Santa Madre Igreja...
Todo provérbio, diz meu pai, é verdadeiro."

— "É sim, mas cumpre acrescentar-se
Que a esperança malograria
Se a ninhada fugisse antes de engaiolada."
— "Jesus, meu Deus! toma cuidado!"
Gritou a moça. "E sem demora
Segura-os bem, que isso me toca!"
— "Na verdade", o rapaz replicou, "na verdade

"Acho que o lugar mais seguro
Será dentro do seu corpete..."

— "Ah, é mesmo! tu tens razão!" Logo Vicente
        Meteu a mão na cavidade
        E de lá retirou-a cheia
        De quatro filhotes. — "Oh, quantos!"
Disse, estendendo a mão, Mireia, deslumbrada.

        — "Que bonita ninhada! São
        Uns amores... Pobres bichinhos!
Toma um beijo... Mais outro..." E, louca de alegria,
        Os comia a todos de beijos.
        Depois com amor ajeitou-os
        No corpete, que intumesceu...
— "Tem mais! Estenda a mão!" acenou-lhe Vicente.

        — "Oh, que lindos! as cabecinhas
        Azuis... Os olhos como agulhas..."
E rápida, na branca e virginal prisão
        Esconde mais três melharucos;
        E no seio quente da moça
        A ninhadazinha se encolhe,
        Julga-se devolvida ao fundo do seu ninho.

        — "Deveras, Vicente, tem mais?"
        — "Tem sim!" — "Virgem santa! Parece
Que tu tens mão de fada!" — "Às vezes estas aves,
        Perto da festa de São Jorge,
        Põem dez, doze, quatorze ovos!...
        Tome mais estes, são os últimos
Saídos do ovo!... E agora, adeus, buraco lindo!"

        Mal o rapaz desce do galho,
        E, muito delicadamente,
Mireia os acomoda em seu xale florido:
        — "Ai! ai! ai!" com voz cosquilhenta
        Subitamente grita a moça
        E, pudica, levando ao seio
As duas mãos: — "Ai, ai, ai, que vou morrer!"

        "Ui!" choramingava, "me arranham!
        Me arranham, me bicam! Depressa,
Acode-me, Vicente!" É que nesse momento
        No amorável esconderijo
        Reinava grande agitação!
        ...ue no bandozinho alado
        ...s tinham semeado o sobressalto!

E no apertado valezinho
Onde a turmazinha bulhenta
Já não podia livremente acomodar-se,
Unhas e asas movimentaram-se,
Nas ondulações praticando
Cambalhotas inconcebíveis,
Nos formosos botões cabriolas sem iguais.

— "Ai, ai! Tira-os daqui!" pedia
A moça aos gritos. Como o pâmpano
Que o vento faz estremecer, como a novilha,
Se picada pelos moscardos,
Assim gemia e se dobrava
A adolescente das Almezas.
E ele, preste, acudiu-lhe. Ei, cantai na desfolha,

Na desfolha dos vossos ramos,
Cantai, cantai, ó raparigas!
Ao galho onde ela chora ei-lo que voa. — "Tudo
Isso por causa de umas cócegas?"
Caçoou ele. "Que não seria,
Se andasse, como eu muitas vezes
Tenho que andar, de pés descalços, nas urtigas?

"O que faria?" E para pôr
As aves que ela tem no seio,
Oferece-lhe, a rir, seu gorro marinheiro.
Logo Mireia sob o pano
Que a ninhada entufava, mete
A mão e após depõe no gorro
De Vicente, um por um, todos os melharucos.

Já a moça, de cabeça baixa,
E virada um pouco de banda,
Misturava um sorrisozinho às suas lágrimas:
Semelhantemente ao orvalho
Que, pela manhã, das campânulas
Molha o cálice e rola em pérolas
Para, às primeiras claridades, esvaecer-se...

Súbito o galho que os sustenta
Catrapus! estala e se quebra!
stada, Mireia grita, estende os braços,
Cinge o pescoço de Vicente,
Que cai com ela, e da grande árvore,

Numa rápida viravolta,
Se despenham os dois sobre o joio macio!...

Brisas, do largo ou do nordeste,
Que agitais o pálio dos bosques,
Sobre o par juvenil vosso alegre sussurro
Por um momento amaine e cale!
Zéfiros, respirai de manso!
Dai-lhes o tempo em que se sonha,
Em que ao menos podem sonhar de ser felizes!...

Tu que gorjeias em teu leito,
Desliza devagar, riachinho!
Não faças tanta bulha entre os seixos sonoros!
Não faças, que duas almas
Enlevadas no mesmo fogo
Alçam voo como um enxame...
Deixai-os divagar nos céus cheios de estrelas!

Mas ao cabo de alguns instantes
Desvencilhou-se ela do abraço...
Mais pálidas não são as flores do marmelo.
Depois do que, foram sentar-se
No barranco, um ao lado do outro;
Olharam-se por um momento,
Em seguida falou o rapaz desta maneira:

— "Machucou-se muito, Mireia?
Árvore do diabo, vergonha
Do amoreiral, plantada certo em sexta-feira,
Caia o marasmo sobre ti,
O caruncho te roa toda,
O teu dono te tome nojo!"
Ela, porém, trêmula ainda de temor:

— "Não me machuquei não, mas como
A criança que, nos seus cueiros,
Às vezes choraminga e não sabe por que...
Sinto uma coisa que me aflige,
Que me estorva a vista e o ouvido;
Ferve-me o sangue, cismo, cismo,
meu coração não encontro sossego."

", diz o cesteiro, "é medo
ão de sua mãe

Por se ter demorado tanto na desfolha?
　　　　Como eu quando chegava tarde,
　　　　Rasgado e sujo como um mouro,
　　　　Por andar em busca de amoras..."
— "Oh, não!" disse Mireia, "é outra coisa o que sinto."

　　　　— "Também é possível que seja
　　　　Um ataque de insolação.
Sei de uma velha lá nas montanhas de Baux,
　　　　Uma tal de Taven, que aplica
　　　　Contra a testa do escandecido
　　　　Um copo cheio de água e logo
Esguicham no cristal os raios conjurados."

　　　　— "Não, não!" respondeu a crauense.
　　　　"Não são as soalheiras de maio
Que podem meter medo a nós, moças da Crau!
　　　　Mas de que me serve enganar-te?
　　　　Já não cabe mais em meu seio!
　　　　Ah, Vicente, Vicente, sabes?
Me enamorei de ti!..." À margem do ribeiro,

　　　　O ar límpido, o relvado, os velhos
　　　　Salgueiros de corte ficaram
Claramente maravilhados de prazer!...
　　　　— "Ah, que tão bonita princesa
　　　　Tenha língua de tal maldade",
　　　　Retrucou de pronto o cesteiro,
"É de me derrubar no chão estupefato!

　　　　"Você, enamorada de mim?
　　　　Com minha vida, ainda feliz,
Mireia, pelo amor de Deus, não brinque não!
　　　　Não me faça imaginar coisas
　　　　Que, uma vez metidas cá dentro,
　　　　Acabariam me matando!
Mireia, por favor, não zombe mais de mim!"

　　　　— "Deus me feche as portas do céu
　　　　Se há mentira em minhas palavras!
Sabes que te amo, e isso não te fará morrer,
　　　　Vicente!... Se, por crueldade,
　　　　Não me quiseres para amante,
　　　　Eu é que, de pura tristeza,
Eu é que um dia me verás morta aos teus pés!"

— "Não diga semelhante coisa,
  Mireia! Existe um labirinto
Entre nós!" balbuciou o filho de Mestre Ambrósio.
  "Você é rainha soberana
  Da Granja das Almezas... E eu,
  O cesteiro de Valabregue,
Mireia, um joão-ninguém, palmilhador de estradas!

— "E que me importa que o meu lindo
  Seja um barão ou um cesteiro?
Basta ele ser do meu agrado!" a moça disse,
  Rubra como uma enfeixadora.
  "Se me queres ver definhando,
  Sê indiferente em teus andrajos.
Por que será que me pareces tão bonito?"

  Diante da encantadora virgem
  Ficou ele como a avezinha
Que lentamente cai dos ares fascinada.
  — "Serás acaso feiticeira?
  Pois só com me olhar me dominas,
  E tua voz me sobe à cabeça,
Põe-me insensato como alguém embebedado!

  "Não percebes que o teu abraço
  Ateou fogo aos meus pensamentos?
Fica sabendo, pois, ainda que não pretendas
  Outra coisa senão, cruel,
  Zombar de mim, pobre cesteiro,
  Também te amo, te amo, Mireia,
Te amo com tanto amor que te devoraria!

  "Te amo tanto que, se dissesses:
  — 'Eu quero a Cabra de ouro, a cabra
Que nenhum dos mortais ordenha ou pastoreia,
  Que nos montes de Baux-Manière
  Lambe o musgo das penedias',
  Ou eu rolaria no abismo
Ou havias de me ver trazer-te a cabra ruiva!

  "Te amo tanto que, se teus lábios
  Pedissem: — 'Quero aquela estrela!',
Não haveria mata virgem nem torrente,
  Nem algoz nem fogo nem ferro
  Que me detivesse! Nos picos

Tocando os céus iria buscá-la
E domingo a pendurarias no pescoço!...

"Mas quanto mais te olho, ó beleza,
Mais fico, ai de mim, deslumbrado!
Um dia vi uma figueira em meu caminho
Agarrada, coitada, à penha
Nua da gruta de Vaucluse,
E tão magra, que às lagartixas
Melhor sombra daria um pé de jasmineiro.

"Uma vez por ano lhe lambe
As raízes a onda vizinha;
E o arbusto árido na fonte generosa
Que sobe e vem dessedentá-lo,
Põe-se a beber, bebe o que pode...
É toda a água que tem num ano.
Isto se aplica a mim como a pedra ao anel.

"Porque eu sou, Mireia, a figueira
E tu, a fonte e o refrigério!
E me basta, ai de mim, basta uma vez por ano
Que eu possa, como hoje, de joelhos
Aquecer-me à luz do teu rosto,
E sobretudo possa ainda
Acariciar num beijo trêmulo os teus dedos!"

Palpitante de amor, Mireia
Escutava-o... Mas ele aperta,
Aperta com paixão contra o seu peito forte
A enlevada amante... — "Mireia!"
Ressoa súbito uma voz
De velha. "Então, minha filha,
Os bichinhos vão ficar hoje sem comida?"

Num pinheiro, em grande bulício,
Um bando de pardais que brincam
Enche de chilros muitas vezes a doçura
Do crepúsculo... Mas se de súbito
Um respigador que os observa
Lhes atira acaso uma pedra,
Fogem todos em debandada para o bosque.

Assim, pela emoção turbado,
Também foge o par amoroso.

Corre, charneca afora, a moça para a granja,
    Transportando sobre a cabeça
    A carga de folhas, enquanto,
    Como alguém perdido em quimeras,
Queda o rapaz vendo-a alongar-se na distância.

Canto terceiro

O descasulamento

As colheitas provençais. — Na Granja das Almezas, um grupo alegre de moças desta-
ca dos ramos os casulos dos bichos-da-seda. — Joana Maria, mãe de Mireia. — Taven,
a feiticeira de Baux. — O mau-olhado. — As descasuladoras fazem, para passar o
tempo, castelos em Provença. — A altiva Laura, rainha de Pamparigusta. — Clemên-
cia, rainha de Baux. — O Ventour, o Ródano, o Durance. — Adelaide e Violante. — A
Corte de amor. — Os amores de Mireia e Vicente são divulgados por Norada. — Zom-
barias das moças. — A feiticeira Taven impõe silêncio às moças: o ermitão de Lube-
ron e o santo pastor. — Nora canta Magali.

> Quando opimas são as colheitas,
> E os olivais, às barricadas,
> Despejam nas jarras de argila o ruivo azeite;
> Quando, por campos e caminhos,
> Dos carreteiros a pesada
> Carroça geme, aos solavancos,
> Esbarrando com a frente altiva em toda parte;
>
> Nu e galhardo como um atleta,
> Quando Baco vem e a farândola
> Dos pisadores guia às vindimas da Crau;
> E quando do cheio lagar,
> Sob as pernas tintas de mosto,
> Escorre a abençoada bebida,
> Em grossos borbotões, para a cuba escumosa;
>
> E diáfanos quando às giestas
> Vão subindo os bichos-da-seda
> Para fiar sua prisão loura; e lestamente
> Essas lagartas habilíssimas
> Se encerram de todo, aos milhares,
> Em seus berços tão delicados
> Que de um raio de sol mais parecem tecidos:
>
> Então, na terra da Provença,
> Mais que nunca reina a alegria!
> O bom Férigoulet e o moscatel de Baumes
> Bebem-se então à regalada;
> Então se passa bem, se canta,
> E rapazes e raparigas,
> Ao som do tamboril formam as suas rondas.

— "Sou, na verdade, uma mulher
Feliz! Na minha caniçada
Quanto casulo! Uma ramada mais sedosa,
Colheita assim tão abundante
Nunca vi na granja, vizinhas,
Desde quando eu era mocinha,
Desde o ano do Senhor em que nós nos casamos."

Ocupada com os seus casulos,
Falava assim Joana Maria,
Do bom velho Mestre Ramon esposa honrada,
De Mireia mãe orgulhosa;
Suas vizinhas e comadres,
Assentadas em volta, riam,
Ao mesmo tempo que a ajudavam na tarefa.

A todo momento Mireia
Vinha apresentar às mulheres
Ramos de carvalho nanico ou rosmaninho,
Onde, atraída pelo aroma
Da montanha, a nobre lagarta
Vai alojar-se, de tal sorte
Que, cheios delas, eram como palmas de ouro.

— "Ao altar da Virgem Santíssima",
Dizia, pois, Joana Maria,
"Fui levar ontem o mais rico dos meus ramos,
O meu dízimo, como faço
Todos os anos, que afinal
É ela quem, quando lhe apraz,
Ordena que às árvores subam as lagartas."

— "Eu", diz Iseu da Granja do Hóspede,
"Sempre receio qualquer coisa!
Não se lembram daquele dia em que soprava
Com tanta fúria o vento leste?
Por distração tinha eu deixado
Aberta a janela de casa...
Logo contei no chão vinte lagartas brancas!"

Taven, para dar sua ajuda,
Tinha vindo também a Baux.
A Iseu disse Taven: — "Sempre em tudo vocês
Julgam saber mais do que os velhos!
Mas é preciso que, com a idade,

A gente sofra e gema e chore...
Então, tarde demais! é que se vê e aprende!

"Vocês, mulheres avoadas,
Se lhes parece promissora
A colheita, saem gritando pelas ruas:
— 'Os meus bichos-da-seda é incrível
Como são belos! Venham ver!'
Mas a Inveja não fica atrás:
Sobe atrás de vocês a escada, resmungando.

— 'Que lindos!' te dirá a vizinha.
'Você nasceu empelicada!'
"Mas apenas lhe dês as costas, a invejosa
Lhes lança um olhar venenoso,
Que os queima todos e entorpece...
Tu, porém, não percebes nada,
E depois vens dizer que foi o vento leste!"

— "Pode ter sido mau-olhado",
Disse Iseu. "Como quer que fosse,
Antes naquele dia eu fechasse a janela!"
— "Dos malefícios que o olho lança
Quando na testa gira e brilha",
Diz Taven, "acaso duvidas?"
Enquanto isso lançava a Iseu olhos sinistros.

"Oh, insensatos, que escalpelando
A morte, julgam penetrar
A virtude da abelha e o segredo do mel!
Quem te diz que um olhar aceso
E firme não pode torcer
O embrião no ventre materno
Ou estancar nos pejados ubres o alvo leite?

"É bastante o aspecto do mocho
Para embruxar os passarinhos;
Sob o olhar da serpente os patos se despenham
Das alturas. E o olhar de um homem
Não pode dar quebranto a um verme?
Mas contra o olhar de um rapaz,
Quando respira o amor, a fama, o entusiasmo,

"Onde a virgem que se defenda,
Por mais cauta?" Quatro das moças,

Deixando escapar das mãos os seus casulos:
— "Quer seja abril, quer seja outubro",
Exclamaram, "teu aguilhão
Não descansa, ó velha serpente!?
Os rapazes?... Deixá-los vir, eles verão!"

— "Não queremos", gritavam todas,
"Saber deles! Não é, Mireia?"
E Mireia: — "Nem todo dia é de colheita:
Sei de uma garrafa na adega,
De que vocês hão de gostar..."
Mireia, muito despachada,
Disse e saiu para esconder o seu rubor.

— "Bem", começou a altiva Laura,
"Sou bem pobre, minhas amigas,
Mas se eu me decidir a não ouvir ninguém,
Viesse o rei de Pamparigusta
Oferecer-me a sua mão,
Meu deleite seria vê-lo
Sete anos a meus pés agonizar de amor!"

— "Eu não!" aqui falou Clemência.
"Se algum príncipe, por ventura,
Se embeiçasse por mim, podia acontecer,
Sobretudo se fosse moço
E o mais bonito do seu reino,
Que eu, sem tanta fantastiquice,
Me deixasse levar por ele ao seu palácio.

"Uma vez, porém, que eu me visse
Imperatriz e soberana,
Com o manto ufano, recamado a fio de ouro,
Tendo sobre a cabeça ardente
Uma coroa rebrilhante
Só de pérolas e esmeraldas,
Ao meu pobre rincão, rainha, voltaria!

"De Baux faria a capital!
Sobre a roca, onde hoje rasteja,
Restauraria então nosso velho castelo:
Acrescer-lhe-ia um torreão,
Que com seu pináculo branco
Roçasse as estrelas! E quando
prouvesse gozar um pouco de sossego,

"Subiria ao ponto mais alto,
Sem coroa nem manto, só,
Subiria, só com o meu príncipe, lá acima,
E seria delicioso,
Apoiados ao parapeito
Nós ambos, um ao lado do outro,
Deixar espairecer os olhos longamente!

"De assim ver", continuou Clemência,
"Meu ledo reino de Provença
Estender-se como um pomar de laranjeiras;
E o seu mar azul, acamado
Junto às colinas e planuras,
E, ao pé do Castelo d'If, grandes
Barcos singrando a toda a vela, embandeirados;

"E Ventour, que o raio trabalha,
Que, venerável, até os astros,
Sobre os montes aconchegados aos seus flancos
Ergue a fina cabeça branca,
Semelhante a um velho pastor,
Que entre faias, pinhos selvagens,
Apoiado ao bastão, contempla o seu rebanho;

"E o Ródano, onde, enfileiradas
Para beber, tantas cidades
Quedam rindo e cantando ao longo do seu curso;
O Ródano, tão ufanoso
Em suas ribas, mas chegando
A Avinhão, consente em curvar-se
Para vir saudar Nossa Senhora de Dom;

"E o Durance, cuja corrente,
— Cabra ardente, voraz, selvagem,
Vai roendo os zimbros e os salgueiros espinhosos;
Rapariga provocadora,
Que vem do poço com o seu cântaro.
Aqui e ali despejando água,
A brincar com todo rapaz pelo caminho...".

Estas coisas dizendo, a moça,
Gentil rainha da Provença,
Deixou sua cadeira e foi até à canastra
Esvaziar o avental cheio.
Adelaide, uma moreninha,

E Violante, sua irmã gêmea
(Seus pais cuidavam do castelo de Estoublon),

Adelaide, uma moreninha,
E Violante, sua irmã gêmea,
Vinham frequentemente à Granja das Almezas.
O Amor, o terrível menino,
Que às almas ternas e inocentes
Gosta de armar suas partidas,
Inflamou-as de ardor pelo mesmo rapaz.

Adelaide ergueu a cabeça:
— "Já que estamos em festa, amigas,
Admitamos que também eu seja rainha!
E que Marselha, com seus barcos,
E a Ciotat, que se ri com ela,
E Salon, com suas amêndoas,
Beaucaire e o Prado, que tudo isso fosse meu!

"Senhoritas e camponesas,
— De Arles, de Baux, de Barbentana",
Eu diria, "venham voando ao meu palácio!
Escolherei sete, as mais belas,
E elas pesarão na balança
O amor que engana e o amor que abrasa...
Venham as sete alegremente decidir!

"Não é para desanimar
Que, se um par se agrada, a metade
Do tempo não se pode unir? Pois eu, rainha
Adelaide, em meu reino — atesto-o! —
Se por injusto, odioso estorvo
Em sua terna inclinação
Se sentir impedido um par enamorado,

"No tribunal das sete moças
Encontrará lei que o ampare!
Por ouro ou joia aquela que seu véu de noiva
Mercadejar, e o que traição
Fizer ou insulto à sua amante,
No tribunal das sete juízas
Dura lei acharão e vingança de amor!

"Quando para uma existem
Dois amantes, ou se, ao contrário,

Pelo mesmo duas estão apaixonadas,
    Quero que o conselho designe
    Quem melhor ama e melhor mima,
    Quem de ser amado é mais digno.
Quero, enfim, para companheiros das beldades,

    "Sete poetas, que, com palavras
    Escolhidas e bem compostas
As enalteçam; quero que eles em cortiças
    Ou folhas de vinha selvagem
    Gravem com nobre diligência
    As leis do amor; tal das colmeias
Flui o bom mel, fluam também suas estrofes."

    Outrora, à sombra dos pinheiros,
    Assim Fanette de Gantelme
Devia de falar (e sua fronte estrelada
    As colinas iluminava
    De Romanin e dos Alpilhos);
    Assim devia de falar
Em sua corte de amor a Condessa de Die.

    Mas, trazendo na mão um jarro,
    Bela como um dia de Páscoa,
Ao aposento onde as mulheres trabalhavam
    Já tornava Mireia, e: — "Vamos!"
    Diz, "não é tempo de beber?
    O vinho suaviza a tarefa:
As copas estendei, antes de prosseguir."

    E do jarro envolto em esparto
    O líquido reconfortante
Escoava como um fio de ouro em cada copa.
    — "Preparei-o eu mesma", disse
    Mireia; "é necessário expô-lo
    Quarenta dias à janela,
Para que o sol, com o seu calor, lhe abrande o pico.

    "Pus nele três ervas dos montes,
    Que ao sobremosto comunicam
Um aroma, que para o peito é como um bálsamo."
    — "Olha aqui, Mireia", disse uma,
    "Cada qual confiou a nós todas
    O que ela mais teria amado,
Se um golpe de fortuna a fizesse rainha;

Do santo velho, olhos em lágrimas banhados:
— 'Eu dar-vos, eu? a absolvição?
Ah, de meus olhos corra o pranto,
Sobre mim vossa mão se mova,
Pois sois um grande santo, e eu um pobre pecador!'

Terminou Taven seu relato.
As moças já não riam mais.
— "Isso mostra", Loreta então acrescentou,
"Isso mostra, e não o contesto,
Que o hábito não faz o monge,
Não devemos rir da aparência...
Mas, amigas, voltando à vaca fria, a nossa

"Patroazinha (bem que o vi!)
Ficou rubra como uma uva,
Tão logo de Vicente o doce nome ouviu...
Aqui há coisa!... Explique-se, ó bela!
Quanto tempo durou a colheita?
Quando se é dois, a hora se esquece:
Quando se está com o namorado, não há pressa!..."

— "Basta de zombarias! Vamos,
Trabalhem!" respondeu Mireia.
"Vocês são de tirar paciência até a um santo!
Pois fiquem vosmecês sabendo
Que a ter de me unir a um marido,
Antes prefiro num convento
De freiras professar, na flor da minha idade!"

— "Tra-la-lá, tra-la-la-la-lá!"
Trautearam em coro as moças.
"Será a repetição da bela Magali:
Magali, cujo santo horror
Ao rapto amoroso era tal,
Que no convento de São Brás,
Em Arles, preferiu ir enterrar-se viva!

"Nora, tu, que cantas tão bem,
Tu, maravilha dos ouvidos,
Canta a história de Magali, a que ao amor
Escapava em mil subterfúgios,
Fazendo-se flor, nuvem, lua,
Raio que brilha, ave que voa,
E que por último acabou apaixonada!"

— "*Magali, minha bem-amada!...*"
Começou Nora, e as moças todas
Puseram mãos, com redobrado ardor, à obra;
E como, quando uma cigarra
Entoa a canção estival,
Todas as outras a acompanham,
Assim juntavam suas vozes no estribilho.

MAGALI

— *Magali, minha bem-amada,*
Mostra à janela o teu perfil!
Escuta um pouco esta toada
De violino e tamboril.

Cintila o céu... A aura sutil
   Dorme, parada...
Mas as estrelas vão morrer,
   Só de te ver!

— *Que se me dá? Do teu cantar*
Por mais meigo, não faço caso!
Antes quero peixe do mar
Virar, — qualquer peixe, ao acaso.

— *Ah, se virares por acaso*
   Peixe do mar,
Então pescador me farei,
   Te pescarei!

— *Oh, mas se me fores pescar,*
Quando a rede tu me lançares,
Virarei pássaro do ar,
Sairei voando pelos ares!

— *Ó Magali, se tu virares*
   Pássaro do ar,
Caçador então me farei,
   Te caçarei!

— *Se eu vir tua armadilha erguida*
Para as avezinhas prender,
Me tornarei erva florida,
Ir-me-ei aos bosques me esconder!

— Oh, se te fores converter
   Em margarida,
Agua límpida me farei,
   Te regarei!

— Se virares água lasciva,
Virarei eu nuvem errante,
Virarei nuvem fugitiva,
Ir-me-ei à América distante!

— Se virares nuvem errante
   E fugitiva,
Em vento do mar me farei,
   Te levarei!

— Se vento marinho virares,
Me voltarei para outros lados!
Far-me-ei em ardores solares,
Que fundem os lagos gelados!

— Ó Magali, se em abrasados
   Raios brilhares,
Verde lagarto virarei,
   Te beberei!

— Se salamandra que coleia
Nas moitas fores, tu verás!
Serei então a lua cheia,
Que ilumina à noite os sabás!

— Mesmo assim não me fugirás,
   Lua que enleia!
Que em névoa me converterei,
   Te envolverei!

— Se fores névoa vaporosa,
Não conseguirás me envolver!
Pois, mudada em virginal rosa,
Ir-me-ei num canteiro esconder!

— Ó Magali, se acontecer
   Virares rosa,
Borboleta me tornarei,
   Te beijarei!

— Debalde me perseguirás!
Que então da floresta me valho,
E dentro dela me verás
Transformada em velho carvalho!

— Se virares velho carvalho,
   Não fugirás!
Galho de hera me tornarei,
   Te abraçarei!

— Inútil! Com tuas gavinhas
Só a um tronco te agarrarás!
Que irei ser uma das freirinhas
No monastério de São Brás!

— Nem assim tu me escaparás!
   Mesmo freirinha!
Que então capelão me farei,
   Confessar-te-ei!

Aqui as moças estremecem...
Caem-lhe das mãos os casulos,
E elas gritam a Nora: — "Oh diga, diga logo
O que fez, sendo uma freirinha,
Magali, que já se tornara,
Coitada, carvalho, florinha,
Nuvem, a lua, o sol, erva, pássaro e peixe!"

— "Da canção", retrucou-lhes Nora,
"Vou cantar agora o que falta.
Estávamos, se bem me lembro, no lugar
Em que ela diz que iria entrar
Para um convento, e ele responde
Que ali será seu confessor...
Verão agora que empecilho ela lhe opõe:

— Se do convento entras a porta,
Todas as freiras, menos eu,
Verás em torno de uma morta:
Serei a freira que morreu!

— Se fores tu, ó amor meu,
   A pobre morta,
Em terra me converterei,
   Te possuirei!

— Até que enfim começo a crer
Que não te ris, falando assim:
Toma este anel para o trazer
Como recordação de mim!

— Ó Magali, amo-te! oh sim!
   Só de te ver,
As estrelas enfiarem vi,
   Ó Magali!

Calou-se Nora; houve um silêncio.
A Nora cantava tão bem,
Que as outras, ao ouvi-la, inclinavam a fronte,
Como assentindo ao que dizia:
Semelhando os tufos de junças
Que, pendidas sobre uma fonte,
Parecem docilmente escutar-lhe o sussurro.

— "Oh que lindo tempo lá fora!"
Exclamou Nora ao acabar....
"Já na água do viveiro os ceifadores lavam
Suas foices sujas de goma...
Traz-nos, Mireia, umas maçãs
De São João e queijo fresco:
Vamo-los saborear à sombra dos almezes."

Canto quarto

Os pretendentes

O tempo das violetas. — Os pescadores de Martigue. — Três pretendentes disputam a mão de Mireia: Alári, o pastor; Veran, o criador de cavalos; Elzear, o domador de touros. — Alári, suas riquezas em ovelhas. — A tosquia. — A transumância: descrição de um grande rebanho que desce dos Alpes. — Entrevista de Alári com Mireia. — O mausoléu de São Remi. — Oferenda do pastor, a copa de buxo esculpido. — Alári não é aceito. — Veran, o criador de cavalos. — As éguas brancas de Camarga. — Veran pede Mireia a Mestre Ramon. — Alegria e bom acolhimento do velho; recusa de Mireia. — Elzear, o domador de touros. — Os touros negros bravios. — A terra. — Elzear e Mireia na fonte. — O domador não é aceito.

O tempo venha em que as violetas
Desabrocham nos frescos prados,
E não faltam ali pares enamorados
Que as vão apanhar à sombra!
O tempo venha em que o oceano
Cala a sua voz formidanda
E respira feliz por suas mamas todas!

Nem faltem nele os barcos vários
Que de Martigue em belos bandos
Partem e vão lançar ao largo as grandes redes,
E vão nas asas dos seus remos
Espalhar-se no mar tranquilo.
Venha o tempo em que, entre as mulheres,
Floresce e surge o alegre enxame das mocinhas!

Onde zagalas ou condessas
Ganham renome de beleza,
Nas mansões e na Crau não faltam pretendentes;
E só à Granja das Almezas
Vieram três: um criador de éguas,
Um domador de touros e um
Pastor de ovelhas, todos três galhardos jovens.

Foi primeiro o pastor Alári.
Diziam possuir mil carneiros,
Presos no inverno nas salobras ribanceiras
Do lado de Entressen. Na quadra
Em que o trigo forma os seus nós,
Dizem que ele próprio os levava
Para os Alpes, mal no ar maio se adivinhava.

Dizem também que, findo o inverno,
Nove tosadores famosos
Levam três dias a tosar todo o rebanho!
Sem contar o homem que carrega
A lã branca e pesada, e aquele
Que está sempre a trazer aos outros
Um cântaro, que é prontamente esvaziado!

Depois, quando o calor abranda,
E nos altos cimos já a neve
Revoluteia nos países montanheses,
Da imensa planície da Crau
Para pascer a erva invernosa
Era de ver o rico armento
Vir baixando dos frios vales delfineses!

Era de ver aquela turba
Ondular na estrada pedrenta!
Encabeçando a tropa os anhos insofridos
Cabriolam em bandos álacres...
Há um ovelheiro que os dirige.
Os asnos portando chocalhos
Seguem-nos em tropel, e asnilhos e jumentas.

Escanchado em cima da albarda,
O burriqueiro cuida deles.
É este quem, na albarda, em canastras de vime,
Leva tudo o que é necessário:
Roupas e bebidas e víveres,
E do gado esfolado a pele
Ainda sangrenta, e o cordeirinho fatigado.

Atrás, capitães da brigada,
Com os cornos longos e retortos,
Vinham marchando a par, meneando os seus chocalhos,
E lançando olhares de esguelha,
Os robustos bodes barbudos;
Depois as fêmeas, e as travessas
Cabritas em seguida e os brancos cabritinhos.

Tropa gulosa e vagabunda,
É o cabreiro quem a comanda.
Os machos ovelhuns, seguros condutores,
Cujos focinhos se erguem no ar,
Aparecem então na estrada;

Reconhecem-se por seus cornos
Três vezes ao redor da orelha recurvados.

E ainda mais (honroso sinal
Que do rebanho são os cabos),
São frocados na ilharga e no dorso também.
À testa da coluna marcha
O pastor-chefe, de seu manto
Agasalhado nos dois ombros.
Mas agora o grosso da tropa vem chegando.

Numa densa nuvem de poeira,
A adiantarem-se, diligentes,
Vão balindo as ovelhas-mães, que assim respondem
Aos balidos de suas crias;
A nuca ornada de vermelho,
Alvejam os anhos de um ano,
Enquanto vão mais lento os carneiros lanzudos;

De vez em quando grita aos cães
Um pastor ajudante: *Em volta!*
E marcada de pez a plebe inumerável:
Novas adultas, e as que parem
Duas vezes no ano, e as de três
Anos, e as privadas das crias,
E as gemíparas mal portando o ventre enorme...

Esquadrão roto, entre as estéreis
Ovelhas, os velhos carneiros,
Os que, nos combates do amor, foram vencidos,
Entre as mancas e as desdentadas,
Formam enfim a retaguarda,
Tristes machos, pobres destroços,
Que perderam, ao mesmo tempo, chifres e honra.

E tudo isso, ovelhas e cabras,
Quantas havia ali na estrada,
Eram de Alári, novas, velhas, belas, feias...
E quando às centenas desciam
E diante dele desfilavam,
Que deleite no olhar de Alári!
Trazia como um cetro um cajado de bordo.

Com seus grandes molossos brancos,
Que sempre o seguiam nos pastos,

E em polainas de couro abotoados os joelhos,
    Sereno o olhar, sisuda a fronte,
    Dir-se-ia o belo rei Davi,
    Quando moço, ao cair da tarde,
Ao poço dos avós conduzia os rebanhos.

    — "Lá está ela, Mireia, andando
    Diante da Granja das Almezas.
Meu Deus!" diz o pastor, "falaram-me a verdade!
    Nem no plaino, nem na montanha,
    Nem no real, nem na pintura,
    Nunca ninguém vi, que aos pés dela
Chegasse, pela graça e beleza e maneiras!"

    E só para a avistar Alári
    Se apartara de seus rebanhos.
Todavia, ao aproximar-se: — "Moça", disse
    Com voz trêmula, "poderias
    Dizer-me se há uma vereda
    Para atravessar as colinas?
De outro modo, não sei como sair daqui!"

    — "Siga pelo caminho em frente",
    Respondeu Mireia. "Está vendo?
Chegado a Peyre-Male, entre pelo deserto,
    Prossiga no vale tortuoso
    Até avistar um grande pórtico
    Com um túmulo que suporta
Dois generais de pedra em pé lá nas alturas.

    "É o que o povo chama os Antigos".
    — "Muito obrigado!" disse o jovem.
"Mil animais de lã, levando a minha marca,
    Sobem hoje para as montanhas;
    E eu vou precedendo a coluna
    Para determinar nos campos
Os sítios de pousada e de pasto e o caminho.

    "E tudo animais finos. Quando
    Me casar, a minha pastora
Ouvirá todo o dia o rouxinol cantar...
    Se eu tivesse a sorte, menina,
    De aceitares a minha mão,
    Te ofereceria não joias,
Mas um vaso esculpido em buxo e novo em folha."

Tendo acabado de falar,
Da véstia, como uma relíquia,
Saca uma copa que ele próprio trabalhara;
Pois em suas horas de folga,
Sentado numa pedra, Alári
Distraía-se com tais coisas;
E talhava, só com uma faca, obras de Deus!

E com mão inventiva e vária
Cortava ele castanholas
Para guiar no campo, à noite, o seu rebanho;
E sobre o colar dos chocalhos
E no badalo de osso destes
Fazia entalhes, entretalhes,
Flores e pássaros e tudo o que queria.

Mas o vaso que ele mostrava,
Terias negado, asseguro,
Que o tivesse esculpido a faca de um pastor:
Um pé de esteve bem florido
Ao redor o cingia todo;
E em suas rosas langorosas
Duas cabras pascendo eram as suas asas.

Viam-se mais embaixo três moças,
Três maravilhas certo! E perto
Um pastorzinho adormecido sob um zimbro.
As travessas rapariguinhas
Chegavam-se a ele de manso
E lhe introduziam na boca
Um cacho de uvas que traziam no seu cesto.

E o rapazinho, que dormia,
Abria os olhos, sorridente;
Uma das moças parecia comovida...
Se não fosse a cor da raiz,
Jurarias que as personagens
Daquela copa tinham vida...
Via-se que era nova e não servira nunca.

— "Na verdade", disse Mireia,
"Sua libré, pastor, é bonita..."
E examinava-o. Em seguida, de imprevisto:
"A do meu querido ainda é mais:
Seu amor, pastor! Quando me olha,

Tenho que baixar as pálpebras,
Ou sinto em mim correr um estranho arrepio..."

E Mireia, como um diabrete,
Desapareceu... O pastor
Guardou a copa no casaco e foi-se embora,
Ao crepúsculo, lentamente,
Turbado pelo pensamento
De que uma moça tão bonita
Tivesse tanto amor por outro que não ele!

À mesma Granja das Almezas
Veio um dia um criador de éguas,
Veran. Esse Veran chegava do Sambuc.
Em Sambuc, nas vastas campinas,
Onde floresce a tasneirinha,
Possuía cem éguas brancas
Espontando os caniços altos dos brejais.

Cem éguas brancas! A crineira,
Como a masseta dos pauis,
Ondulante, cerrada e virgem de tesoura.
Em seus ardentes arremessos,
Quando, após, partiam frenéticas,
Flutuava-lhes sobre o pescoço,
Como charpa de fada agitada no céu!

Opróbrio sobre ti, ó raça
Humana! As éguas camarguenses
Às esporas cruéis que lhes rasgam os flancos,
Como à mão que as acaricia,
Jamais ninguém as viu submissas.
Traiçoeiramente encabrestadas,
Muitas vi das rechãs salinas desterradas;

E um dia, num salto imprevisto,
Alijar quem quer que as cavalgue,
De um galope engolir vinte léguas de pântanos,
Aspirando o vento! E de volta
Ao Vacarés, onde nasceram,
Após anos de cativeiro
Sorver a salsa e livre emanação do mar!

Pois àquela raça selvagem,
O seu elemento é o marinho:

Do carro de Netuno escapada sem dúvida,
         Está ainda tinta de espuma;
         E quando o mar bufa e escurece,
         Quando os barcos rompem os cabos,
Rincham felizes os garanhões da Camarga!

         Fazem estalar a comprida
         Cauda como um látego, escarvam
O chão; sentem em suas carnes o tridente
         Do deus terrível, que em horrível
         Agitação move e sacode
         As tempestades e os dilúvios,
E até o fundo subverte os abismos do mar!

         Veran guardava-os nas pastagens.
         Um dia, atravessando a Crau,
Aproximou-se, ao que se diz, de onde morava
         Mireia. Porquanto em Camarga,
         E mais longe, nas largas bocas
         Pelas quais deságua o Ródano,
Diziam que era bela, e ainda muito o dirão!

         Veio ovante, trajando véstia
         À arlesiana, longa e loura,
Lançada sobre o ombro, à guisa de mantéu,
         Com cinturão de várias cores
         Como a lombada de um lagarto,
         E chapéu de pano encerado,
Onde se refletia o reluzir do sol.

         Ao abordar Mestre Ramon:
         — "Bons dias, e saúde!" disse-lhe.
"Sou do Ródano camarguense ribeirinho;
         O neto do criador Pedro.
         Aliás, deve lembrar-se dele,
         Pois durante ao menos vinte anos
Meu avô por aqui campeou com os seus cavalos!

         "No tempo dele eram apenas
         Umas três dúzias de cabeças.
Está lembrado? Mas depois a criação
         Desenvolveu-se de tal sorte,
         Que hoje o número de animais
         Orça por mais de uma centena!"
— "Filho, por longo tempo", assim falou o velho,

"Por longo tempo possas vê-los
Multiplicarem-se em teus campos!
Sim, conheci teu bom avô, e houve entre nós
Amizade de velha data!
Mas quando a idade nos achaca,
É força, à luz de nossa lâmpada,
Observar o repouso, e os amigos, adeus!"

— "Não é tudo", ajuntou o rapaz.
"Ainda não lhe disse ao que venho.
Mais de uma vez, quando ao Sambuc vinham crauenses
Buscar palha, nós, ajudando-os
A apertar as cordas da carga
Nos seus carros, acontecia
A conversa cair sobre as moças da Crau.

"E eles pintaram-me Mireia
Tão do meu sonho, que, se fosse
Do seu gosto, bem a quisera por esposa..."
— "Veran, quem me dera ver isso!"
Gritou Ramon. "De seu avô,
Do bom Pedro, meu velho amigo,
Só me podia honrar o rebento florido!"

E como um homem que dá graças
Ao Senhor Deus, levantou ele
Ambas as mãos ao céu, exclamando: — "Contanto
Que tu sejas do seu agrado
(Pois, filha única, é mimada!).
Como primícia do meu dote,
Te lanço a bênção, e que os santos te protejam!"

Logo em seguida chama a filha
E lhe conta do que se trata.
Pálida de repente, o olhar embaraçado,
E trêmula de apreensão:
— "Pai, sua santa inteligência
Em que pensou para querer
Ver-me, tão moça, separar-me de meus pais?

"Seu conselho foi que essas coisas
Se fazem devagar... Preciso
É conhecerem-se um ao outro... Mesmo assim..."
Assim falou a esperta moça,
E na bruma do seu semblante,

De súbito, apareceu claro
Um doce pensamento... Em manhã que choveu,

Tais se veem as flores submersas
Através da água turvejada.
A mãe da jovem aprovou suas razões.
Veran compreendeu e, sorrindo:
— "Mestre Ramon, eu me retiro!
Pois um criador camarguense
Do mosquito conhece bem a ferroada."

À granja, no mesmo verão
Veio dos pastos do Selvagem,
Para ver a crauense, Elzear, o domador.
Do Selvagem negros e maus
E afamados são os seus touros.
Ao sol ardente ou sob a geada,
Ou à bátega dos aguaceiros diluviais,

Lá, sozinho, com suas vacas,
O ano inteiro as apascentava.
Nascido na manada, e criado entre os bois,
Tinha dos bois a compleição,
O olho selvagem, a negrura,
O ar insubmisso, a dura alma.
De cajado na mão, lançada a roupa ao solo,

Rude desmamador, dos úberes
Das vacas quantos bezerrinhos
Não arrancara! E quantas vezes sobre o dorso
Das mães o bruto não quebrara
Uma braçada de porretes,
Até que elas fugissem, tontas,
Urrando e olhando para trás, entre os pinheiros!

Quantos garraios e novilhas,
Durante as ferras camarguenses,
Já não havia derrubado! Natural
Se lhe visse entre as sobrancelhas
Uma cicatriz, como em nuvem
Um raio, e outrora de seu sangue
Anserinas e sempre-noivas se tingissem.

Era um belo dia de grande
Ferra. Para reunir o gado,

As Santas, Faraman, Aigues-Mortes, Albaron
        Tinham despachado aos baldios
        Cem cavaleiros dos mais firmes.
        Entremente, em local fixado,
Onde uma turba delirante se espremia,

        Despertados na chã salgada,
        Perseguidos pelo tridente
Com que, a galope, os pica o ativo tocador,
        Em doida carreira os bovinos
        Vêm, como um rugido do vento,
        Tifas esmagando e centáureas,
Vêm — uns trezentos são — para serem marcados.

        A multidão cornuda estaca,
        Espavorida e silenciosa.
Todavia, à força de espora, e de arma à ilharga,
        Três vezes a fazem correr
        O circuito do anfiteatro,
        Como o cão no encalço da marta,
Como atrás dos gaviões a águia do Luberon.

        Quem o crera? Da sua égua,
        Contra o costume, Elzear apeia.
Os bois, à porta do anfiteatro aglomerados,
        Súbito abalam feramente,
        E furando o céu com a soberba
        Cabeça, seis garrotes partem
Em furibunda disparada arena afora!

        Como o vento, Elzear arremete:
        Como o vento acossando as nuvens.
Persegue-os de corrida, e de corrida os pica,
        E ora os ultrapassa, ora os topa
        Com a sua lança, ou diante deles
        Dança, como que a desafiá-los,
Ou lhes desfere uma punhada vigorosa.

        Ai! Todo o povo bate palmas:
        Elzear, branco de poeira olímpica,
Pega-se enfim aos cornos de um, cabeça contra
        Focinho, força contra força!
        Quer desprender as guampas fortes,
        O negro monstro! e a anca retorce,
E muge de furor, e funga sangue e fumo.

Inúteis saltos! Vão furor!
Num golpe sutil o vaqueiro
Escora-o no ombro, retorcendo-lhe o pescoço,
A horrível cabeça do bruto;
Rudemente e em senso contrário
Empuxando a massa do boi
Como um bastião, cristão e boi rolam no chão.

Uma gritaria medonha
Estremeceu as tamargueiras:
— "Bravo, Elzear!" E cinco espadaúdos jovens
Agarram-se ao touro. Do triunfo
Para marcar o batistério,
O próprio Elzear pega do ferro,
E imprime-lhe o metal ardente na garupa.

Uma revoada de arlesianas,
Seios fortemente agitados,
Rubras ao galopar de suas éguas brancas,
Lhe vêm trazer uma guampada
De vinho e, alerta! na planície
De novo o turbilhão se some...
Uma revoada de ginetes vai trás elas.

Elzear não vê senão garrotes
A derrubar... Sobravam quatro;
Mas como o ceifeiro é, na segada do feno,
Tanto mais diligente quanto
Mais feno resta, assim Elzear
Cada vez mais se superava,
E assim descadeirou quatro animais por terra.

Malhas brancas, aspas soberbas,
Tosava o derradeiro a grama...
— "Basta, basta, Elzear!" gritaram, vã barragem!
Os velhos vaqueiros presentes.
Sobre o touro de malhas brancas,
Elzear, de tridente à ilharga,
Molhado de suor, peito nu, já investia.

Zás! Golpeando-o em pleno focinho,
O tridente voa em pedaços;
A fisgada brutal torna o touro possesso;
Elzear agarra-o pelos chifres;
Partem os dois planície afora,

Talando à uma as anserinas...
Apoiados em suas longas aguilhadas,

A cavalo, os vaqueiros de Arles
E Aigues-Mortes os observavam:
Pela vitória todos dois encarniçados,
O homem domando o boi bramante,
O boi rojando o domador,
E com língua espessa, escumosa,
Lambia na corrida o focinho sanguento.

Misericórdia! o touro ganha!
Semelhante a um vil rebotalho,
O homem rolou no chão, levado pelo impulso...
— "Finja que está morto!" O cornúpeto
Levanta-o do solo nas pontas,
Sacode a cabeça e nos ares
A três metros de altura o atira para trás!

Uma gritaria medonha
Estremeceu as tamargueiras...
Ao longe o pobre vai cair estatelado
De borco. Desde então trazia
O gilvaz que o desfigurava.
Montado numa égua, armado
Do chuço, veio um dia à casa de Mireia.

Nessa manhã a donzelinha
Tinha ido sozinha à fonte;
Ali, de mangas e de saia arregaçadas,
Se ocupava em limpar uns cinchos
Com a cavalinha polidora.
Santo Deus! como estava bela,
Chapinhando, de pés desnudos, na água clara!

Elzear falou: — "Bom dia, ó bela!
Então? asseando os teus cinchos?
Nesta nascente clara, e com tua licença,
Posso dar de beber à égua?"
— "Oh, água aqui é o que não falta",
Respondeu ela. "Na represa
Teu animal pode beber água à vontade."

— "Bela", diz-lhe o bronco rapaz,
"Se, como esposa ou peregrina,

Viesses a Silvareal, onde marulha o mar,
    Não passavas tantos trabalhos;
    Pois a vaca de raça negra
    Anda livre, nunca ordenhada.
E ali é a vida das mulheres boa vida."

    — "Moço, na terra dos vaqueiros
    As mulheres morrem de enfado."
— "Bela, quando se é dois, o enfado não existe."
    — "Moço, quem por lá se aventura
    Dizem que bebe uma água amarga
    E o sol lhe queima o rosto." — "Bela,
Ficaremos os dois à sombra dos pinheiros."

    — "Moço, ouvi dizer que aos pinheiros
    Sobem serpentes esverdeadas."
— "Bela, temos garças reais, temos flamingos
    Que, desdobrando o róseo manto,
    Lhes dão caça ao longo do Ródano."
    — "Moço, perdão se te interrompo:
Distam demais de teus pinheiros meus almezes."

    — "Bela, sacerdotes e moças
    Não podem saber em que pátria,
Diz o provérbio, irão comer seu pão um dia."
    — "Coma-o eu com aquele que amo,
    Moço, e não reclamo mais nada
    Para me desleitar de meu ninho."
— "Bela, dá-me, uma vez que é assim, o teu amor."

    — "Moço, tê-lo-ás", disse Mireia.
    "Mas estas plantas de ninfeia
Darão uvas ainda antes disso! Antes disso
    O teu cajado há de se abrir
    Em flores; todos estes montes
    Amolecerem como cera,
Chegar alguém por água à cidade de Baux!"

Canto quinto

O combate

O vaqueiro vai-se embora, furioso com a recusa de Mireia. — O namoro de Vicente e Mireia. — A valisnéria. — Elzear encontra-se com Vicente e brutalmente o provoca. — Os desaforos: João do Urso. — Luta de morte entre os dois rivais na Crau deserta. — Vitória e generosidade de Vicente. — Traição do vaqueiro. — Elzear traspassa Vicente com um golpe de tridente e foge a galope em sua égua. — Chega ao Ródano. — Os três barqueiros fantásticos. — A barca revolta-se sob o peso do assassino. — A noite de São Medardo: procissão dos afogados à margem do rio. — Elzear é tragado. — Dança dos Duendes na ponte de Trinquetaille.

A sombra dos choupos crescia;
A brisa do Ventour soprava;
Disporia ainda o sol de duas horas de altura;
E os lavradores para o sol
Se viravam de vez em quando,
Desejando, na sua faina,
A volta do sereno e as esposas à porta.

O domador ia-se embora:
Ia ruminando na mente
A desfeita que recebera ao pé da fonte.
Tinha o espírito perturbado,
E de vez em quando os impulsos
De sua raiva concentrada
Faziam-lhe subir sangue e vergonha à cara.

E galopando pelas terras,
Resmuninhava a sua cólera;
Remordido em seu coração pelo despeito,
Haveria achado pretexto
Para bater-se até com as pedras
De que a nossa Crau está cheia:
Teria traspassado o sol com o seu tridente!

Um porco-espinho que, acossado
Em suas brenhas, corre pelas
Ermas lombas do monte Olimpo tenebroso,
Antes de investir contra os cães
Que o perseguem, eriça as cerdas
Do espinhaço, amolando as suas
Rudes presas no duro tronco dos carvalhos.

Em sentido oposto ao vaqueiro,
Que o ressentimento espicaça
E mortifica, vinha o garrido Vicente;
E sonhava em sua alma fagueira
Com as doces palavras ouvidas
Da boca da amorosa virgem
Crauense uma manhã, debaixo da amoreira.

Ereto como um caniçal
Do Durance, as suas feições
Respiravam felicidade e paz e amor;
A brisa macia lhe entrava
Pela camisa aberta ao peito;
Sobre as pedrinhas caminhava
Descalço, lépido e feliz como um lagarto.

Muitas vezes, nas frescas horas
Em que as sombras velam a terra,
Quando na pradaria as folhinhas de trevo
Se encolhem todas friorentas,
Nas imediações da quinta
Onde morava a bem-querida,
Ele vinha borboletear, enamorado.

E às escondidas, habilmente,
Do pardal e do tentilhão
Imitava de longe os chilridos agudos:
E a apaixonada rapariga,
Adivinhando quem chamava,
Corria à sebe de espinheiro,
Furtivamente, o coração alvoroçado...

E o luar que bate nos narcisos,
E a branda aragem do verão,
Que, delicadamente, ao declinar do dia
Esflora as barbas das espigas,
Quando, sob a doce carícia,
Em mil e mil ondulações
Elas vibram de amor, como um seio que treme;

E o inefável contentamento
Do cabrito montês que viu
No seu encalço o dia inteiro os caçadores
Pelos penhascos do Queirás,
E finalmente sobre um pico

Escarpado como uma torre,
Se encontra só, entre lariços e geleiras,

Eram nada em comparação
Com os momentinhos de ventura
Que passavam então Mireia com Vicente.
Mas falemos baixo, meus lábios,
Pois estas moitas têm ouvidos!
Ocultos na sombra propícia,
A pouco e pouco as suas mãos se misturavam.

Depois calavam a intervalos
Longos, brincando os pés com os seixos;
E era o rapaz, noviço amante, não sabendo
O que dizer, contava a ela
Incidentes de sua vida
De todos os dias, e as suas
Desditas, e as noites dormidas ao relento.

E as dentadas dos cães de granja,
Ainda impressas em suas coxas.
Ora Mireia é que contava os seus trabalhos
Da véspera ou daquele dia,
E as conversações que tivera
Sua mãe com seu pai, e a cabra
Que devastara toda uma latada em flor.

Um dia ele não se conteve:
Deitado na erva da charneca,
Veio, como um gato selvagem, rastejando,
Até os pés de sua amiguinha...
Mas falemos baixo, meus lábios,
Pois estas moitas têm ouvidos!...
— "Ó Mireia, concede-me te dar um beijo!

"Mireia, eu não como nem bebo,
Tão grande é o meu amor por ti!
Eu quisera prender em meu sangue o teu hálito,
Que o vento me furta, ó Mireia!
Consente, meu amor, consente
Que, ao menos, eu, de uma alva a outra,
Cubra de beijos o debrum do teu vestido!"

— "Não, Vicente, que isso é pecado!
Depois as toutinegras vão

Revelar o nosso segredo a todo o mundo!"
 — "Não tenhas receio: amanhã
 Acabarei com as toutinegras
 Todas, desde a Crau até Arles!
Mireia, em ti eu vejo o próprio paraíso!

 "Ouve, Mireia, há lá no Ródano",
 Diz o filho de Mestre Ambrósio,
"Uma erva chamada ervinha-de-cachinhos;
 Tem duas flores separadas
 Em duas plantas escondidas
 Bem no fundo das frescas águas.
Chegada para ela a quadra dos amores,

 "Eis que uma das flores, sozinha,
 Sobe, fagueira, à tona da água,
Deixa aos raios do sol abrir-se o seu botão;
 Mas de a ver assim tão bonita,
 Logo a outra flor estremece
 E, possuída de amor por ela,
Nada o mais que puder para lhe dar um beijo.

 "E enquanto pode, desenrola
 Os seus anéis da alga que a prende,
Até romper, a pobrezinha, o seu pedúnculo!
 E livre enfim, mas moribunda,
 Com os lábios empalidecidos
 Roça de leve a branca irmã...
Mireia, um beijo e venha a morte!... Estamos sós!"

 Ela estava pálida; ele,
 Que delicadamente a olhava,
Lesto como um gato-do-mato se levanta...
 A mocinha espavorecida,
 De seu quadril arredondado
 Quer afastar a ávida mão
Que lhe envolve a cintura; ele cinge-a de novo...

 Mas falemos baixo, meus lábios,
 Pois estas moitas têm ouvidos!...
— "Deixa-me!" gemeu ela e torcia-se toda.
 Mas já numa quente carícia,
 Face contra face, a enlaçava
 O rapaz, senão quando a moça
O belisca, se curva, escapa e foge rindo.

Espera um pouco!" Num relance pula em terra...
Logo voam longe os jalecos;
Batem as mãos, os ares tremem;
Sob os seus pés rolam as pedras;
São dois touros a arremeter um contra o outro.

Dois touros quando, nas savanas,
O sol dardeja com mais força
Veem o pelo luzidio e a ampla garupa
De uma vaca trigueira e nova
Mugindo de amor entre as tifas...
Súbito o raio cai sobre eles,
Súbito o amor os endoidece, o amor os cega.

Escarvam a terra, se encaram,
Tomam impulso, se entrechocam...
Tomam de novo impulso e baixando o focinho
Trocam retumbantes marradas.
Longo e encarniçado é o combate,
Pois é o Amor que os embriaga,
É o poderoso Amor que os impele e aguilhoa.

Assim os dois homens se batiam,
Assim, furiosos, se esmurravam.
Elzear recebeu o primeiro tabefe;
Mas como o rival intentasse
Novo golpe, sua mão enorme
Ergueu-se no ar como uma clava,
Desfechando-lhe uma estrondosa bofetada.

— "Toma, frouxo! apara este golpe!"
— "Apalpa, vê se tenho a cãibra!"
Insultavam-se os dois. — "Conta, bastardo, conta
As contusões onde se cravam
As minhas falanges pontudas!"
— "E tu, ó monstro, conta as onças
De sangue, do sangue a escorrer de tuas carnes!"

Então se agarram, e se arranham,
E se agacham, e se distendem,
Ombro colado no ombro, e artelho contra artelho:
Os braços se torcem, se esfregam
Como serpentes que se enroscam;
Sob a pele fervem as veias,
A contenção enrija os músculos das pernas.

Longo tempo quedam imóveis,
Retesos; batem-lhes os flancos,
Como bate de uma abetarda a asa pesada;
Inabaláveis, muda a língua,
A escorarem-se em seu empuxo,
Como os grandes, brutos pilares
Da ponte colossal que transpõe o Gardon.

E de repente se separam,
E de novo os punhos se fecham,
E de novo o pilão pisa no almofariz:
No furor com que eles se pegam,
Lutam com os dentes e com as unhas...
Deus! que murros vibra Vicente!
Que enormes bofetões lhe revida o vaqueiro!

Arrasantes eram os socos
Que este, a toda a força dos braços,
Despedia, mas o rapaz de Valabregue,
Numa saraivada de golpes,
Saltarilhava em torno dele
Como fronde revoluteante.
— "Toma, gabola, o muxicão que vai escachar-te!"

Mas como se virasse um pouco,
Por melhor ferir o agressor,
O robusto vaqueiro agarra-o pela ilharga,
À maneira dos provençais,
Arremessa-o por sobre os ombros,
Como com a pá se faz com o trigo,
E Vicente vai cair longe na planície.

— "Junta, junta a geira de terra
Lavrada pelo teu focinho,
E se gostas da poeira, ó verme, come e bebe!"
— "Basta de conversa, alimária,
Só os três golpes põem termo à luta!"
Responde o moço, em quem raiveja
O ódio amargo, e o sangue lhe sobe até os cabelos.

Ergue-se do chão o cesteiro,
Como um dragão. Bom lutador,
Disposto a perecer ou vingar o seu nome,
Avança sobre o camarguense,
E com uma força e uma coragem

Maravilhosas para a idade,
Lhe aplica em pleno peito um soco de matar.

O camarguense cambaleia,
Tenta amparar o torso enorme...
Mas aos seus olhos, que mal veem, parece logo
Que tudo em volta turbilhona;
Sobe-lhe à testa um suor gelado;
E com fragor, como uma torre,
Tomba o grande Elzear no meio da charneca!...

A Crau estava tranquila e muda.
Nos longes a sua extensão
Se perdia no oceano, e o oceano no ar azul:
Os cisnes, as nédias marrecas,
Os flamingos de asas de fogo
Vinham da luz crepuscular
Saudar à beira da água os últimos lampejos.

A égua do vaqueiro tosava
Os ramos dos carvalhos-quermes;
E, vazios, contra o seu ventre balançavam
Os grandes estribos de ferro.
— "Mexe ainda e eu te amasso! Agora,
Celerado, podes sentir
Que não se há de julgar ninguém pelo tamanho!"

No silêncio do ermo Vicente
Calca com o pé vitorioso
O peito largo do vaqueiro derreado.
Sob a forte perna que o preme,
O domador lutava ainda,
E pela boca e pelas ventas
Vomitava grandes porções de sangue negro.

Três vezes tentou sacudir
O pé que firme o sujeitava;
Três vezes o derruba o valente cesteiro,
Usando a mão como uma faca.
E o seu adversário escumava,
Lívido, os olhos esgazeados,
Ofegando, bestial, como um diabo-marinho.

— "Aprende, bandido, que os homens
Não foi tua mãe que os fez a todos!"

Gritava-lhe Vicente. "Aos bois de Silvareal
        Vai contar que tal é o meu punho!
        Vai esconder os teus inchaços,
        Tua audácia, tua vergonha
No fundo de tua Camarga, entre os teus touros!"

        Disse, e largou de mão a fera:
        Tal um tosador que, no aprisco,
Entre as pernas retém um carneiro chifrudo,
        Mal de sua tosão o despoja,
        Dá-lhe um tapa na anca e solta-o.
        Somente então, todo empoeirado
E impando de rancor, Elzear ergue-se e parte.

        Um só maldito pensamento
        O precipita campo afora;
Lançava imprecações; fremindo de ódio, aos urros,
        Nas giestas, nos carvalhos-quermes
        Que procuras? Ai! ai! ele estaca...
        Ai! ai! sobre a cabeça brande
O terrível tridente e cai sobre o adversário!

        Vendo-se em tamanho perigo,
        Sem defesa nem esperança,
O cesteiro empalideceu, certo da morte.
        Não que morrer lhe fosse duro;
        O que, porém, mais o acabrunha
        É de se ver assim a presa
De um traidor tornado mais forte pela astúcia.

        — "Ousá-lo-ás, traidor?" balbucia.
        E resoluto como um mártir,
Detém-se... Ao longe, ao longe, escondida entre as árvores,
        Lá estava a Granja das Almezas...
        Para lá, com grande ternura,
        Volta-se ele, como a dizer:
— "Mireia, olha-me bem, que vou morrer por ti!"

        Oh, belo Vicente! naquela
        Que ele ama ainda pensa sua alma...
— "Faz a tua oração!" troveja Elzear de súbito,
        Com voz implacável e rouca.
        Depois traspassa-o com o seu ferro.
        Num alto gemido, entre as ervas
O cesteiro infeliz rola a fio comprido.

Tingem-se as plantas de seu sangue;
E de suas pernas terrosas
Já fazem seu caminho as formigas dos campos.
Mas o domador galopava.
— "À luz da lua, sobre as pedras",
Rosnava ele em sua fuga,
"Hoje os lobos da Crau vão rir com tal festim!"

A Crau estava tranquila e muda.
Nos longes a sua extensão
Se perdia no oceano, e o oceano no ar azul:
Os cisnes, as nédias marrecas,
Os flamingos de asas de fogo
Vinham da luz crepuscular
Saudar à beira da água os últimos lampejos.

Galopa, vaqueiro, galopa!
Galopa sem trégua! — "Upa! Upa!"
Gritavam à beira da estrada os airões verdes
À égua que toda se hirtava,
Olhos, narinas e orelhas.
Já se via, à distância, o Ródano
Dormitando ao luar no leito descoberto:

Tal um peregrino do Santo
Bálsamo, estafado, afrontado,
Deita-se e nu adormece ao fundo de um barranco.
— "Ó da barca!" Não estão ouvindo-o?
"Eh! Na coberta ou no porão,
Quer levar-nos a mim e à égua?"
Desde longe brada o cobarde a três barqueiros.

— "Vem depressa, vem, ó maroto!"
Responde-lhe voz chocarreira.
"Para ver, quando içada, a lanterna noturna,
Entre os remos e o croque o peixe
Irrequietamente circula...
É a hora da pesca, meu bravo!
Não percamos tempo. A bordo, a bordo, depressa!"

À popa o assassino se senta.
Seguia, atrás da barca, a égua,
Nadando, atada à argola a corda do cabresto.
E os grandes peixes escamosos,
Abandonando as fundas grotas,

Moviam a calma do rio,
Adiantavam-se à proa em saltos reluzentes.

  — "Mestre piloto, tem cautela!
  O barco está coxeando, parece!"
E o que falou, fincando os pés no banco, ao remo
  Agarrou-se como um sarmento.
  — "Percebi-o já... E a razão,
  Creio, é que má carga levamos",
Respondeu o piloto, e em seguida calou-se.

  A velha barca vacilava,
  Cambaleava à direita, à esquerda,
Tal qual um bêbado na sua caminhada.
  A barca estava em mau estado,
  As tábuas meio apodrecidas.
  — "Com mil diabos!" grita o vaqueiro...
E segura-se ao leme, e se ergue apavorado.

  Mas, sob uma invisível força,
  Cada vez mais ela se torce,
Como uma cobra a que um pastor com uma pedrada
  Quebrou a espinha. — "Companheiros,
  Por que tantas sacudidelas?
  Estão querendo que eu me afogue?"
Apostrofou Elzear, mais branco que caliça.

  — "Já não tenho mão neste barco!"
  Disse o piloto. "Ela se empina,
Pula como uma carpa: Ah, miserável,
  Mataste alguém?" — "Eu?... Quem to disse?...
  Que o demônio, se isso é verdade,
  Com o seu esborralhador,
Me venha, agora mesmo, atirar-me às profundas!"

  — "Ah!" o piloto prosseguiu lívido,
  "Eu é que me enganei. Esqueceu-me
Que hoje é a noite de São Medardo. Das sombrias
  Águas e turbilhões medonhos,
  Por mais fundo que neles jaza,
  Esta noite todo afogado
Volta à terra. Já a procissão vem a caminho.

  "Ei-los! Pobres almas chorosas!
  Sobem à margem pedregosa...

Vêm descalços. De suas vestes lamacentas,
　　De seus pelos colados corre,
　　Em grossas gotas, a água turva.
　　Debaixo dos choupos caminham
Em fila, trazendo na mão um círio aceso.

　　— "Como contemplam as estrelas!
　　Do monte de areia que os cobre
Arrancando, ai! as suas pernas contraídas,
　　São eles, com os braços azuis
　　E as cabeças sujas de vasa,
　　Que, a modo de uma tempestade,
Jogam o barco nesta rude oscilação!

　　"Sempre chega mais um e galga
　　Cheio de ardor a ribanceira.
Como bebem o ar fino, e a vista das planícies,
　　E o cheiro que vem das colheitas!
　　Como lhes praz o movimento,
　　Vendo pingarem suas vestes!
Sempre sobe mais um da vasa tenebrosa.

　　"São velhos, jovens e mulheres",
　　O homem do leme ia dizendo.
"Como arrojam o horror e a lama do viveiro!
　　Formas descarnadas, sem dentes,
　　Pescadores que procuravam
　　Apanhar lampreias e percas,
E pasto foram ser de percas e lampreias.

　　"Olha este enxame que desliza
　　Inconsolável pela riba...
São vítimas do amor, formosas raparigas,
　　Que, ao se verem separadas
　　Do homem amado, em desespero
　　Pediram hospitalidade
À água, para afogar a sua imensa dor.

　　"Olhai-as! Míseras donzelas!
　　Na transparente obscuridade
Palpitam-lhes os seios nus com tal violência
　　Sob as algas que os enxovalham,
　　Que o que escorre dos seus cabelos
　　Velando o rosto, não se sabe
Se acaso é água ou se são lágrimas amargas."

O piloto não falou mais.
As almas, de círio na mão,
Passavam lentas, silenciosas... Poder-se-ia
Ouvir o voo de uma mosca...
— "Mestre piloto, não parece
Que eles buscam alguma coisa?"
Indaga o domador, presa de horror e espanto.

— "Buscam, sim... Vês? Ah, infelizes!
Olham para todos os lados!
Buscam o quê? Os atos de fé, as boas obras
Que neste mundo semearam,
Numerosos ou raros. Quando enxergam
O objeto de sua esperança,
Tais como ao fresco joio as ovelhas se atiram,

"Ao objeto se precipitam.
Em suas mãos as belas obras
Tornam-se flores. Quando as têm que deem um ramo,
A Deus com alegria o mostram,
E para as portas de São Pedro
A flor leva a quem a colheu.
Caídos de cabeça abaixo nos abismos,

"Assim aos afogados Deus mesmo
Dá ocasião de resgatarem-se.
Mas sob a escura massa líquida do rio,
Antes que a aurora se levante,
Ei-los de novo sepultados:
Assassinos, ladrões de pobres,
Negadores de Deus, rebanho verminado.

"Buscam obra de salvação,
E não pisam na ribanceira
Senão calhaus — grandes pecados, grandes crimes –
Onde os pés desnudos tropeçam.
Fim de burro, fim de pancadas!
Mas estes, na vaga que ruge,
Cobiçarão sem termo o divino perdão!"

Como um salteador numa estrada,
Elzear segura-o pelo braço:
— "Água na barca!" — "Há o vertedouro", lhe responde
Calmo o piloto. Aflitamente,
Elzear pôs-se a esvaziar a barca...

        Naquela noite, em Trinquetaille,
Havia dança dos Duendes sobre a ponte.

        Coragem, Elzear! Esvazia,
        Esvazia, esvazia! A égua
Quer romper o cabresto. — "O que há contigo, Branca?
        Tens medo dos defuntos?" grita-lhe
        O dono, arrepiado de susto.
        Nisto uma onda súbito cresce,
Muralha sobre a embarcação de bordo a bordo!

        — "Capitão, eu não sei nadar!...
        Pode salvar a barca?" — "Não!
Mais uma piscadela e a barca vai ao fundo.
        Mas da margem, onde desfila
        A procissão que te apavora,
        Os mortos vão lançar um cabo."
Disse, e no mesmo instante a barca soçobrava.

        E, na longínqua obscuridade,
        Vem das descoradas lanternas
Que tremulam nas mãos dos afogados um
        Longo raio, que de uma margem
        À outra luz como um relâmpago.
        E do mesmo modo que ao sol
Uma aranha desliza ao longo do seu fio,

        Os pescadores (que eram Duendes!)
        Ao claro raio, que balança,
Estendem suas mãos, escorregam por ele...
        Braceando na água, que o afoga,
        Elzear também as mãos crispadas
        Tenta estender... Naquela noite
Dançaram Duendes sobre a ponte em Trinquetaille!

Canto sexto

A feiticeira

Pela madrugada três porqueiros deparam com Vicente estendido e banhado em sangue no derserto da Crau. — Levam-no em seus braços à Granja das Almezas. — Digressão: o poeta se recomenda aos seus amigos, poetas da Provença. — Dor de Mireia. — Carregam Vicente à Gruta das Fadas, cafurna dos Espíritos da noite e morada da feiticeira Taven, esconjuradora de todos os males. — As Fadas. — Mireia acompanha Vicente nas grotas da montanha. — A Mandrágora. — As aparições da caverna: os Fogos-fátuos, o Espírito Fantástico, a Lavandeira de Ventour. — Narrativas da feiticeira: a Missa dos mortos, o Sabá, a Garamauda, o Trasgo, a Bambarucha, o Pesadelo, os Escarinchos, os Dracos, o Cão de Cambal, o Barão Castillon. — O Cordeiro negro, a Cabra de ouro. — Taven esconjura a chaga de Vicente. — Exaltação e profecias da feiticeira.

Casa-se à clara madrugada
O gorjeio das toutinegras.
A terra, enamorada, espera pelo sol,
Vestida de frescura e de alva:
Assim a moça a ser raptada,
No seu vestido mais bonito,
Aguarda o moço que lhe diz: — "Partamos logo?"

Na Crau três homens caminhavam,
Três porqueiros que regressavam
De Saint-Chamas o rico, onde havia mercado.
Vinham de vender seus rebanhos,
E jornadeavam conversando.
Ao ombro, como era costume,
Traziam seu dinheiro embrulhado nas mantas.

Senão quando: — "Psiu, camaradas!"
Disse um deles. "Faz um momento
Me pareceu ouvir gemidos na charneca."
— "Qual!" dizem os outros. "É o sino
De São Martim ou de Maussane;
Ou bem a Tramontana, quando
As folhas faz bulir dos carvalhos-nanicos."

Mal se calaram, de entre as moitas
De giestas um lamento sai,
Tão triste, que era de partir o coração.
— "Jesus! Maria!" os três chamaram.

"Aqui há coisa!" e persignaram-se.
Em seguida, pé ante pé,
Foram investigar a origem dos gemidos.

Oh, que espetáculo! Nas ervas
Sobre as pedras, rosto voltado
Para o solo, jazia o cesteiro Vicente:
Pisada a terra em volta dele,
As varetas de vime esparsas,
A camisa feita em pedaços,
A erva ensanguentada, a arca do peito aberta!

Abandonado na campina,
As estrelas por companheiras,
Ali o pobre rapaz tinha passado a noite;
E a alva úmida e luminosa,
Vindo nas pálpebras bater-lhe,
Em suas veias moribundas
Ressuscitou-lhe a vida, e ele reabriu os olhos.

Decidiram os três bons homens
Interromper sua jornada,
E curvados os três um berço lhe fizeram,
Com suas mantas desdobradas;
Depois, juntos o carregaram
Em seus braços, e o conduziram
À habitação mais perto, — a Granja das Almezas.

Bons amigos de juventude,
Ó caros poetas da Provença,
Que atentos escutais minhas canções de outrora:
Tu, que sabes, ó Roumanille,
Mesclar em tuas harmonias
Aos aromas da primavera
As lágrimas do povo e o riso das donzelas!

Tu, que dos bosques e dos rios
Buscas as sombras e a frescura
Para o teu coração consumido de amor,
Bravo Albanel! Tu, Crousillat,
Que em Tulubre, por tuas obras,
Fazes mais nome que o deixado
Por Nostradamus, esse astrólogo sombrio;

E tu também, Mateus Anselmo,
Que, no recesso das latadas,

Contemplas pensativo as belas raparigas!
        E tu, Paulo, fino satírico;
        E tu, o campônio pobre, tu,
        Tavan, humilde cantador
Com os grilos pardos, de olho vivo em tua enxada!

        E tu, nas cheias do Durance,
        Banhando ainda as tuas ideias,
Tu que aqueces ao nosso sol o teu francês,
        Meu Adolfo Dumas: crescida,
        Quando depois partiu Mireia
        Para longe de sua granja,
Tu foste o que em Paris a levou pela mão!

        Tu, enfim, de quem um vento ardente
        Agita, arrebata e fustiga
A alma, Garcin, fogoso filho de ferreiro!...
        Para o fruto belo e maduro,
        Ó vós todos, à proporção
        Que eu escalar a minha altura,
Meu caminho arejai com vosso hálito santo!

        — "Mestre Ramon, bom dia!" saudaram
        Ao chegarem os três porqueiros.
"Demos com este pobre moço, coitadinho,
        Aos ais, de bruços na charneca;
        Tragam linho fino, pois ele
        Está bem ferido no peito!"
E na mesa de pedra estenderam Vicente.

        Ao ruído do triste sucesso,
        Mireia vem sobressaltada;
Chegava do jardim, trazendo no quadril
        Seu cesto cheio de legumes.
        Correm todos os lavradores...
        Mireia, erguendo no ar os braços:
— "Mãe de Deus!" exclamou e deixa cair o cesto.

        — "Ai, Vicente, que te fizeram,
        Para ficares neste estado!"
Soergue-lhe a cabeça e longa, ternamente
        Contempla-o muda, consternada,
        Petrificada pela dor.
        E grossas, abundantes lágrimas
Inundavam-lhe a leve eminência do seio.

Da sua terna bem-querida
Vicente reconhece a mão;
E com voz moribunda: — "Oh!" diz, "tende piedade!
Necessito que Ele me assista,
O bom Deus, mísero que sou!"
— "Deixa umedecer tua boca",
Diz-lhe Mestre Ramon "com licor de cereja"

— "Bebe-o depressa, isso reanima",
Secunda a moça e, com presteza,
Vai buscar a garrafa e gota a gota dá-lhe
A beber o cordial, falando-lhe,
Consolando-o. — "De tais desgraças
Deus os livre a todos", Vicente
Começou a falar, "e a todos recompense.

"Talhando um rebento de vime,
Eu o apertava contra o peito,
Quando o ferro me escapa e vem ferir-me em cheio".
Não quis referir que por ela
Se batera como um leão...
Mas a sua palavra mesma
Recaía no amor como a mosca no mel.

— "A dor", disse, "do seu semblante
Mais que a minha chaga me dói!
A linda cesta que por nós foi começada
Ficará, ai! por acabar...
O trançado será desfeito!...
Mas quanto a mim, Mireia, sei
Que a queria de seu amor cheia até a borda.

"Mas fique aqui!... Seus meigos olhos
Deixe que eu veja, e neles beba
O que me resta ainda de vida! É só o que peço...
Peço-lhe, se o pode fazer,
Uma coisa para o cesteiro:
E é olhar por meu velho pai,
Que a idade consumiu e o trabalho alquebrou."

Mireia se desconsolava...
No entanto lhe lava a ferida,
E um desmancha o veludo em fios, outros partem
Para os Alpilhos, à procura
De boas ervas salutíferas.

Logo, porém, Joana Maria:
— "Levem-no já, levem-no já à Gruta das Fadas!

"Quanto mais perigosa a chaga,
Mais poder tem a feiticeira!"
Logo ao vale do Inferno, à cafurna das bruxas
Quatro o conduzem... Nas montanhas
Que de Baux fazem a cadeia,
Em sítio caro às salamandras,
Pelos falcões, revoando em giro, assinalado,

Entre tufos de rosmaninhos,
Abre-se na rocha um buraco.
Lá dentro, desde quando o santo Ângelus bate
Em honra da Sagrada Virgem
O bronze claro das basílicas,
Bem lá dentro as Fadas antigas
Fugiram para sempre o resplendor do sol.

Espíritos misteriosos,
Entre a forma e a matéria, erravam
No transparente lusco-fusco da cafua.
Deus as criara semiterrestres
E femininas, como a serem
A alma visível dos campos,
E abrandarem o humor dos homens primitivos.

Mas as Fadas se apaixonaram
Pelos belos filhos dos homens;
E, insensatas! em vez de elevar os mortais
Para os celestes horizontes,
Inflamadas de nossos afetos,
Em nossa tenebrosa sina
Caíram do alto, como as aves fascinadas.

Na garganta estreita e escabrosa
Do antro sombrio os portadores
De Vicente o tinham deixado introduzir-se,
E com ele, na escura trilha,
Só Mireia se aventurou...
Aventurou-se corajosa,
Recomendando a Deus sua alma e a de Vicente.

Avançando no fundo poço,
Em uma grande, fria grota

Se acharam; e bem no meio, só, velada
    De uma como nuvem de sonhos,
    Taven, a bruxa, acocorada,
    Na mão uma espiga de bromo,
E tristonha profundamente remirando-a:

    — "Pobre plantinha prestimosa!
    Chamam-te trigo-do-demônio",
Murmurava, "e és no entanto um dos sinais de Deus!"
    Mireia saúda-a, e apenas
    Entrara a dizer comovida
    A razão de sua visita,
A bruxa, sem erguer o rosto: — "Eu já sabia!"

    Ao depois, com voz tremulante,
    Dirigiu-se de novo à espiga:
— "Pobre relvinha! tuas folhas e sementes
    Pascem o ano inteiro os rebanhos;
    E ai de ti! quanto mais te pisam,
    Mais te multiplicas, e vestes
O norte como o sul de um manto de verdura."

    Taven então fez uma pausa.
    Numa concha de caramujo
Tremelicava uma luzinha, avermelhando
    A parede úmida da rocha;
    Sobre a forquilha de um bastão
    Viam-se uma galinha branca,
Uma gralha, e, dependurada, uma peneira.

    — "Quem quer que sejais", disse a bruxa
    Subitamente e como bêbeda,
"Que me importa? Caminha a Fé de olhos fechados,
    A Caridade anda vendada,
    Sem se afastarem de seu trilho...
    Tu, cesteiro de Valabregue,
Tens a fé?" — "Tenho!" — "Então caminha atrás de mim!"

    Expedita como uma loba,
    Que com a cauda bate os seus flancos,
Por um buraco enfiou a bruxa. Estupefatos,
    O valabreguês e Mireia
    Vão-lhe atrás. Adiante da velha
    Ouvia-se, na bruma horrível,
A galinha cacarejar, voejar a gralha.

— "Depressa! que é chegada a hora
De nos coroarmos de mandrágora!"
E logo rastejando-a, arrastando-se, o par,
Sem nunca se apartar um do outro,
Avançam à voz que os comanda.
Numa gruta maior ainda
Vinha desembocar o infernal corredor.

— "Ei-la aí!" apontou Taven.
"A erva santa do meu senhor
Nostradamus! Bastão de São José e vara
Mágica de Moisés!" gritou;
E da planta de que falei
Coroou, timorata, os rebentos
Com o rosário que ela depôs sobre eles, ajoelhada.

Depois, erguendo-se: — "É a hora
De nos coroarmos de mandrágora!"
Da erva nascida numa fenda do rochedo
Corta três hastes, se coroa
Ela mesma, e o rapaz, e a moça...
— "Avante sempre!" E ardente mais
Que nunca, adianta-se nas torvas cavidades.

Levando luzes sobre o dorso,
Para alumiar a obscuridade,
À frente dela um bando vai de escaravelhos.
— "Jovens, toda estrada de glória
Tem seus trechos de purgatório...
Eia! Coragem! Do Sabá,
Agora, ai! ai! força é transpormos os pavores."

Mal calara a boca, um violento
Vento fustiga-lhes as faces,
Corta-lhes a respiração subitamente.
— "Prosternemo-nos! É o triunfo
Dos Fogos-fátuos!" Qual granizo,
Sob as criptas, inumerável,
Passa o vadio enxame, uivando, remoinhando.

E banhados em suor frio,
Os três mortais sentem as têmporas
Ventaneadas pelas asas dos fantasmas,
Nuas e frias como gelo.
— "Vão mais longe beber as trevas"

Gritou Taven, "vão, coisas ruins,
Devastadores de searas, ou comportem-se!

"Oh, os malvados! os fanfarrões!
No bem que podemos fazer,
Pensar que é necessário empregar essa laia!
Pois da mesma forma que o médico
Tira às vezes do pior o bom,
Assim, mercê dos sortilégios,
Forçamos nós o mal a produzir o bem;

"Pois somos bruxas; coisa alguma
Pode escapar à nossa vista;
E onde o vulgo só vê uma pedra, um chicote,
Uma doença ou uma vara,
Nós discernimos uma força,
Que adentro deles se trabalha,
Como na borra um vinho novo que referve.

"Perfura a cuba, e jorrará
Dela a bebida borbulhante;
Acha, se podes, a chave de Salomão!
Fala à pedra na sua língua,
E a montanha, à tua palavra,
Precipitar-se-á no vale!"
E os três sempre a descer nas furnas da montanha.

Uma vozinha maliciosa
Como um pio de pintassilgo,
Fala-lhes assim: — "Ôi! ôi! comadre Taven!
Roda a roca, tia Joana,
Roda a roca, e em seguida doba
Dia e noite o fio de lã:
Ela julga que fia lã, e fia é feno!

"Eh, vovó! Roda a roca, roda!"
E depois toca a rir, ri, ri!...
Tal qual relincha um potrozinho desmamado.
— "Que voz é esta, que ora fala,
E agora ri, e agora canta?"
Pergunta Mireia tremendo...
— "Ôi! ôi!" a repetir seu riso acostumado,

Indaga a vozinha infantil,
"Quem é esta linda menina?

Ah! deixa, belezinha, eu levantar teu xale...
        O que trazes debaixo dele,
        Hein? São avelãs? São romãs?"
        A pobre da camponesinha
Ia gritar um "ai!", senão quando Taven:

        — "Psiu! não tenhas medo, é um diabrete
        Bom só em burlas e malícias.
E esse desmiolado Espírito-Fantástico:
        Quando está nos seus bons momentos,
        Varre a tua cozinha, dobra
        Os ovos de tuas galinhas,
E reaviva o teu fogo, e vira o teu assado.

        "Mas se lhe dá uma veneta,
        Podes dizer adeus!... Que peste!
Deita em tua panela uma quarta de sal;
        Impede o fogo de pegar;
        Vais deitar-te? apaga-te a lâmpada;
        Queres ir à novena em Arles?
Some, amarrota a tua roupa dos domingos."

        — "Sai! Sai!, croque velho! Rebita
        Tuas pontas!" — "Olha a polé
Mal azeitada!" ele retruca. "Ó azeitona
        Seca, de noite, quando as moças
        Dormem, puxo-lhes o lençol,
        Fico a espiá-las, nuas, roliças,
E elas, loucas de medo, encolhem-se, rezando.

        "Vejo-lhes as duas copelas
        Subindo e descendo... Contemplo..."
E isso dizendo, ia o traquinas se afastando
        Com o seu riso... Sob as criptas
        As bruxarias deram trégua;
        E nas sombras e no silêncio
Ouvia-se pingar no solo cristalino,

        Pingar a filtração dos tetos,
        Mais nada, intervaladamente...
E eis que à distância, lá na imensidade negra,
        Eis que uma grande forma branca
        Sentada num banco da rocha
        Se ergue erecta, um braço na ilharga.
Vicente olhou, petrificado de terror,

E se naquele sítio houvesse
Algum precipício, Mireia
Ter-se-ia, de pavor, lançado de um só pulo.
— "Que queres", exclamou Taven,
"Balançando, ó lorpa, a cabeça,
Como um choupo?... Meus companheiros"
Diz em seguida ao par, que tem a morte na alma,

"Não conheceis a Lavandeira?
No monte Ventour, seu recesso,
Quando a veem de baixo, as pessoas a tomam
Por uma longa nuvem branca;
Mas, ó pastores, ao aprisco
Já, já! A Lavandeira sinistra
Ajunta à sua volta as nuvens erradias;

"Quando as há assaz para a lixívia,
As mangas arregaça e em fúria
Bate que bate sobre a pilha: às cantaradas
Despeja aguaceiros e chamas...
E no mar, que sobe e rebrame,
À guarda de Nossa Senhora
Recomendam a sua proa os nautas pálidos!

"E o boiadeiro para o estábulo
Toca..." Nisto um tumulto horrendo
Lhe interrompe outra vez a palavra entre os dentes:
Miadaria melíflua, sonsa,
E barulhada de ferrolhos,
Pios, gemidos e palavras
Sussurradas e que só o diabo mesmo entende.

Djin! djim! pum-pum!... Quem bate assim
Sobre caçarolões fantásticos?...
E risos, e dilaceramentos, e puxos
Como de mulheres gemendo
Nas dores do parto; depois
Bocejos, depois assuada,
E gritarias, e suspiros, e soluços!

— "Estende a mão! que eu a segure!
E cautela! que ao caminhares,
Não vás deixar cair tua coroa mágica!"
Eis nas pernas dos três se mete
Uma como vara de porcos:

Este grita, um bufa, outro grunhe...
Quando sob um lençol de neve a terra dorme,

Assim, numa noite ventosa
E clara, quando os caçadores
Sacodem os sarçais ao longo dos ribeiros,
Mochos e pardais, em seus ninhos,
Despertados em sobressalto,
Levantam voo, e com ruído
Barafustam, em confusão, dentro das redes.

Mas então a esconjuradora:
— "Uh! gafanhotas de má vida!
Fora daqui! Malditas sejam vocês todas!"
E enxotando a caterva impura,
Com a sua peneira nas trevas
Da cafurna lançava círculos.
Figuras, raias luminosas cor de quermes.

— "Metam-se em seus buracos! Quem
As incomoda? Pois não sentem
Pelas aguilhadas de fogo em suas carnes
Que o sol ainda luz nos Alpilhos?
Dependurem-se por aí
Nalguma ponta de rochedo!
A claridade ainda é demais para morcegos..."

Debandaram eles, e pouco
A pouco os rumores cessaram.
— "Sabei", Taven então informou aos dois jovens,
"Que aqui é a toca dos fantasmas
Enquanto nos baldios secos
Deixa o sol cair seu maná.
Mas quando a sombra estende o seu pano mortuário,

"No tempo em que a Velha irritada
Lança a Fevereiro o seu coice,
Guardai-vos de na igreja adormecer e lá
Ser esquecidas, ó mulheres!
Pois nos templos, quando desertos
E trancados a sete chaves,
Pode-se ver na treva as lajes levantarem-se,

E acenderem-se as luminárias,
E cosidos em seus sudários,

Um a um, irem os defuntos ajoelhar-se...
    Um padre, lívido como eles,
    Rezar a Missa e o Evangelho...
    E os sinos, espontaneamente,
Dobrarem em longos suspiros pelos mortos!

    "Falai, falai disso às corujas:
    Quando, para beber o azeite
Das lâmpadas, no inverno, elas descem das torres,
    Perguntai-lhes se acaso minto,
    E se o acólito do ofício,
    O que nos cálix verte o vinho,
Não é na cerimônia o único que vive!

    "No tempo em que a Velha irritada
    Lança a Fevereiro o seu coice,
Ó pastores! se não quereis ficar sete anos
    Encantados, de pernas duras,
    Onde estais com os vossos rebanhos,
    Voltai cedo aos vossos apriscos!
O antro das Fadas despachou todo o seu voo!

    "E para a Crau, a quatro patas,
    Ou em revoada, se dirige
Tudo o que fez o pacto; e nas sendas tortuosas
    Os Mágicos de Varigule,
    Os Bruxos de Fanfarigule,
    Vão chegar às moitas de timo
Para em farândola beber na copa de ouro.

    "Vede! Como os garrigues dançam!
    Vede! De umbigo palpitante,
Já a Garamauda está esperando pelo Trasgo...
    Ápage! rameira endiabrada!
    Trasgo, morde a carniça, arranca-lhe
    A unhadas os intestinos...
Vão-se... Voltam mais uma vez... Horror e orgia!

    "Aquela que lá ao longe corre
    Agachando-se nos titímalos,
Como faz o ladrão noturno quando foge,
    É a Bambarucha carrancuda!
    Entre as suas compridas garras
    E sobre a cabeça chifruda
Criancinhas, nuas e chorando, vai levando...

"E o Pesadelo? Não o vedes?
      Pelo cano das chaminés
Ele baixa furtivamente ao peito úmido
      Dos adormecidos e, mudo,
      Acocora-se ali, pesando
      Como uma torre, e lhes suscita
Sonhos horríficos e cismas dolorosas.

      "Não ouvis portas arrancadas?
      Os Escarinchos andam soltos!
E o Marmal! e o Barban! Formam como uma bruma
      Na charneca; até das Cevenas
      Os Dracos acorrem às dúzias
      Com seus ventres de salamandras...
Passam, e zás! vão pelos ares os telhados!

      "Oh, que algazarra! Ó Lua! Ó Lua!
      Que desaventura te assanha
Para desceres, rubra e larga, sobre Baux!...
      Toma tento com o cão que late,
      Ó Lua louca! Se te aboca,
      Engolir-te-á como um bolo,
Pois é o Cão de Cambal o mastim que te espreita!

      "Mas quem assim torce os chaparros,
      Ui! como se eles fossem fetos?
Dos fogos de Santelmo, em saltos e rodeios,
      Rompe a chama viravoltante,
      E de rinchos, campainhadas
      Retine toda a Crau estéril...
É o galope infernal do Barão Castillon!..."

      Rouca, ofegante, sufocada,
      A feiticeira interrompeu-se.
Mas súbito: — "Cobri as orelhas e os olhos!
      O Cordeiro negro nos chama!..."
      — "Quem?... Esse anhozinho que bale?"
      Retruca Vicente. Porém:
— "Ouvidos moucos!" diz a velha, "e alerta, alerta!

      "Pobre de quem aqui tropeça!
      Mais do que o Passo da Sambuca
O Passo do Cornudo negro é perigoso.
      Como agora acabais de ouvir,
      Tem o sonso um doce balido,

Que vos alicia a descer...
Aos que aos chamados seus se voltam imprudentes

"Faz luzir o império de Herodes,
O ouro de Judas, mostra o sítio
Onde foi pelos sarracenos enterrada
A Cabra de ouro. E até morrerem,
Mungem a Cabra quando queiram.
Mas peçam eles, da agonia
Nos estertores, o divino Sacramento!

"A resposta que têm é uma
Chuva de coices nas costelas.
E no entanto, e no entanto, hoje em dia, maus dias,
Marcados por todos os vícios,
Que de almas ávidas e secas
Caem, coitadas! na cilada,
E à Cabra de ouro vão queimar os seus incensos!"

Aqui o canto da galinha
Por três vezes rasgou a bruma.
— "À décima terceira gruta, ao fim dos fins,
Eis-nos chegados!" diz a velha.
E Vicente e Mireia viram
Sete gatos pretos debaixo
De uma grande lareira, aquecendo-se ao fogo.

Viram, no meio dos bichanos,
Uma caçarola de ferro
E dois dragões havia, em forma de tições,
Vomitando, de goela aberta,
Duas chamas azuis embaixo.
— "Para cozinhar sua papa
A avó se serve dessa lenha?" — "Sim, meu filho!

"Nenhuma achinha arde melhor:
São bacelos de vinha brava."
Mas Vicente, abanando a cabeça: — "Bacelos,
Bacelos, isto?" — "Mas andemos,
Que não é coisa para rir..."
Uma grande mesa de pórfiro
Expandia, ao centro da gruta, o seu contorno.

Em procissão, brancas e diáfanas
Como os carambanos que pendem

Das abóbadas, mil colunas dali partem
        Para irem correr, por debaixo
        Das raízes das carvalheiras
        E os fundamentos das colinas,
Passagens colossais abertas pelas Fadas:

        Nobres pórticos, envolvidos
        Numa luz nebulosa e vaga;
Maravilhosa confusão de paços, templos,
        Peristilos e labirintos,
        Como não os talharam nunca
        Nem Corinto nem Babilônia,
E que a um sopro, se apraz às Fadas, se dissipam.

        Ali as Fadas espairecem:
        Como raios de luz, que tremem,
Com os amantes, que elas outrora enfeitiçaram,
        Prosseguem a vida amorosa
        Nas penumbrosas alamedas
        Desta cartuxa sossegada...
Mas, psiu! paz aos casais que na sombra se escondem!...

        A esconjuradora, já pronta,
        Ora levantava para o alto,
Ora baixava para o chão os braços nus.
        Sobre a grande mesa de pórfiro,
        Como Lourenço, o santo mártir,
        Jazia em silêncio Vicente,
O cesteiro, com o seu ferimento no busto.

        Solene, e como engrandecida
        Pelo espírito que a trabalha,
Pelo vento de profecia a inchar-lhe o peito,
        Na marmita, que já transborda
        Em grossos borbulhes ferventes,
        Taven mergulha a escumadeira.
Em volta dela os gatos negros fazem roda.

        Venerável, com a mistura
        A bruxa, usando a mão esquerda,
Escalda o peito descoberto de Vicente;
        De olhos fixos, dele esconjura
        O doloroso ferimento,
        Murmurando em voz baixa: *"Cristo
Nasceu! Cristo morreu! Cristo ressuscitou!"*

"Cristo ressuscitará!..." Como
Nas florestas a grande tigre
Aplica, após a caça, uma patada à ilharga
De sua vítima tremente,
Sobre as vísceras palpitantes,
Assim a bruxa imprime então
Com o pé três vezes o sinal da santa cruz.

E em desordem, de sua boca
Jorra a palavra e vai bater
Aos remotos portais nevoentos do porvir:
— "Sim, ele ressuscitará!
Por entre as sarças da colina,
Pisando em pedras, vejo-o ao longe
Que sobe, sangrando-lhe a fronte em grossas gotas!

"E nas sarças, pisando em pedras,
Sobe ele só; pesa-lhe a cruz...
Onde, para ajudá-lo, a Verônica? Onde
O bom Cireneu para erguê-lo
Quando ele cair de cansaço?
Onde, com os seus cabelos soltos,
As Marias em pranto? Onde?... Não há ninguém!

"E os que embaixo, na escuridade
E na poeira, ricos e pobres,
Dizem, ao vê-lo subir sempre: — "Aonde vai
Levando seu madeiro ao ombro,
O que em sua ascensão não para?"
E esses Cains, almas carnais,
Não têm do portador da cruz mais compaixão

"Do que se vissem na charneca
Um cão surrado pelo dono...
Ah, raça de judeus, que mordes com furor
A mão que te alimenta, e lambes,
Curva, a que te mói de pancadas,
Na medula de tuas vértebras
(Tu o queres?...) correrão os calafrios do horror!

"E o que é pedra tornar-se-á pó...
E das espigas e das vagens
O amargoso carvão espantará tua fome...
Oh, que de lanças e de sabres!
Sobre que montões de cadáveres

Vejo saltar a água das grotas!
Tuas ondas pacifica, ó tempestuoso mar!

"Ai, a barca antiga de Pedro
Quebrou-se em pedaços nas ásperas
Rochas!... Oh, vede, o velho mestre pescador
Dominou as vagas rebeldes;
E numa barca bela e nova
Ganha o Ródano, singra por ele
Com a cruz divina, que plantou, firme, no leme!

"Ó arco-íris de Deus! Imensa,
Eterna, sublime clemência!
Vejo uma nova terra, um sol que dá alegria,
Raparigas em ronda, à volta
Das oliveiras carregadas,
E, sobre a cevada estendidos,
Os ceifeiros mamando o vinho no barril.

"Crido à luz de tantos exemplos,
Deus é adorado em seu santuário..."
E dito isto, a bruxa de Baux com o dedo aponta
Aos dois amantes um caminho,
Ao fim do qual filtra uma réstia
Tênue, tênue... Partem às pressas,
De semblante assustado e de cerviz curvada.

Por subterrâneos chega enfim
O casal à Gruta de Corda;
Tornam à luz do sol... Recobrindo o rochedo
Com sua velhice e ruínas
A abadia de Monte-Mor
Lhes aparece como em sonho...
Os dois abraçam-se e dirigem-se ao juncal.

Canto sétimo

Os velhos

O velho cesteiro e o filho, sentados à porta de sua cabana, trançam uma cesta. — A ribeira do Ródano. — Vicente diz ao pai que vá pedir a mão de Mireia. — Recusa e admoestação do velho. — Vicencinha, irmã de Vicente, junta-se ao irmão para convencer Mestre Ambrósio, e conta a história de Silvestre e Alice. — Partida de Mestre Ambrósio para a Granja das Almezas. — A chegada e a refeição dos ceifeiros. — Mestre Ramon. — A labuta. — Fala de Ambrósio, resposta de Ramon. — A mesa de Natal. — Mireia confessa o seu amor pelo filho do cesteiro. — Cólera, imprecações e recusa dos pais. — Indignação de Mestre Ambrósio. — Napoleão e as grandes guerras. — Exaltação de Mestre Ramon. — O soldado lavrador. — Farândola dos ceifeiros em volta da fogueira de São João.

> — "Pai, lhe digo e torno a dizer
> Que estou louco por ela, sério!..."
> Assim falou Vicente a Mestre Ambrósio, nele
> Fixando os olhos perturbados.
> O mistral, grande curvador
> Dos altos choupos da região,
> À fala do rapaz ajuntava os seus urros.

> Em frente de sua cabana,
> Uma casca de noz, o velho
> Assentado num toro de árvore, cortava
> Vencilhos para os seus balaios;
> O rapaz, agachado à porta,
> Entre as mãos hábeis e robustas
> Recurvava em forma de cesta as varas brancas.

> Irado pelo vento, o Ródano
> Tocava as suas ondas turvas
> Para o oceano, como uma manada de vacas;
> Mas aqui, entre os tufos de vime,
> Que faziam abrigo e sombra,
> A água de um pântano, azulada,
> Suavemente vinha espraiar longe das ondas.

> Ao longo das margens, roíam
> Os castores a casca amarga
> Dos salgueiros, além, através do cristal
> Das águas se podiam ver
> As escuras lontras errantes

Nas profundidades azuis,
Pescando peixes, belos peixes argentados.

Ao longo balanço da brisa,
Por toda a riba os melharucos
Haviam pendurado os seus ninhos; e os ninhos
Branquinhos, feitos da penugem
Que a ave tira dos choupos brancos
Quando estão em flor, agitavam-se
Nos ramos de álamo e nas hastes dos caniços.

Arruivada como uma torta,
Uma moça, esperta, estendia
As malhas de uma larga rede, ainda ensopada,
Sobre a copa de uma figueira.
Os animais da ribanceira
E os melharucos dos vimieiros
Não mostravam mais medo dela que dos juncos.

Pobrezinha! Era ela a filha
De Mestre Ambrósio, Vicencinha.
As orelhas ninguém lhes tinha ainda furado;
Os olhos, azuis, como ameixas;
Os seios, apenas alteados;
Espinhosa flor de alcaparra,
Que apraz ao Ródano amoroso salpicar.

Com sua barba branca e rude
Que lhe caía até o quadril,
Respondeu Mestre Ambrósio ao filho: — "Desmiolado
Deves estar seguramente,
Pois já não refreias a língua!"
— "Para o asno romper o cabresto,
Pai, é mister que o pasto seja uma beleza!

"Mas para que tantas palavras?
O pai sabe como ela é!...
Se fosse a Arles, todas as de sua idade
Esconder-se-iam chorando!...
Que dirá o pai, quando souber
Que ela me falou: "Eu te quero!"
— "A riqueza e a pobreza, insensato, o dirão."

— "Pai, parta já de Valabregue;
Parta, vá à Granja das Almezas,

E conte aos pais da moça as coisas como são!
    Diga-lhes que o que importa no homem
    É a virtude, e não a miséria!
    Diga-lhes mais que eu sei binar,
Podar vides, lavrar terrenos pedregosos.

    "Diga-lhes mais que as seis parelhas
    Comigo arrotearão o dobro;
E diga-lhes que sou respeitador dos velhos;
    E que se eles nos separarem,
    Perderão para sempre a filha,
    Pois a ambos nos enterrarão!"
— "Ah!" disse Mestre Ambrósio, "és moço, bem se vê!

    "É o ovo da galinha branca
    Isso! É o tentilhão no galho!
Ah! possuí-lo, que bom! Assim que, chamá-lo-ás,
    Lhe acenará com mil engodos,
    Gemerás até a sepultura,
    Mas o tentilhão nos teus dedos
Nunca virá pousar, pois és um pobretão!"

    — "Então é peste ser-se pobre?"
    Exclamou Vicente, coçando
A cabeça. "Mas o bom Deus que fez tais coisas,
    O bom Deus que me exclui assim,
    Do só bem que me reconforta,
    É justo? Por que somos pobres?
Por quê? Por que da bela vinha cheia de uvas

    "Uns recebem todos os frutos,
    E outros só têm a borra seca?"
Mas logo Ambrósio, levantando o braço no ar:
    — "Filho, trança os teus vimes, trança,
    E tira isso da cachola!
    Desde quando o feixe de espigas
Vitupera o ceifeiro? A lombriga ou a cobra

    "Pode pois dizer a Deus: "Pai,
    Por que não me fizeste estrela?"
E o boi: "Por que não me fizeste boiadeiro?
    O pão é dele; a palha, minha!..."
    Mas não, meu rapaz: boa ou má,
    Cada um de nós tem a sua
Sina... Os dedos da mão não são todos iguais.

"O Senhor te fez lagartixa?
Queda quieto em teu muro, bebe
O teu raio de sol e dá graças aos céus!"
— "Mas não lhe disse que eu a adoro,
Mais que a minha irmã, mais que a Deus?
Quero-a, pai, que senão, eu morro!"
Como para banir de si o atroz cuidado,

Ao longo do roncante rio
Exalava seus ais correndo.
Mas Vicencinha, a irmã, lhe acode, e ao velho pai
Dirige então estas palavras:
— "Antes de dissuadir Vicente,
Ouve-me, pai! Onde eu servia
Havia um lavrador, como ele apaixonado;

"Seu nome era Silvestre; Alice,
O dela, filha do patrão.
No trabalho (tanto lhe dava o amor coragem!)
Era um leão! hábil em tudo,
Matinal, dócil, econômico...
Os patrões dormiam tranquilos.
Uma manhã... Veja, meu pai, se não foi pena!

"Uma manhã ouviu a esposa
Do patrão Silvestre falando:
Contava a Alice, às escondidas, seu amor...
Ao jantar, chegados os homens
E abancados em torno à mesa,
Os olhos do patrão faiscaram:
— "Traidor!" disse, "aqui tens o que te devo, e vai-te!"

"Foi-se embora o bom servidor.
Nós nos olhávamos, perplexos,
Descontentes de o ver tratado desse modo.
Três semanas, nas arroteias,
Vimos vagar o pobre moço
Pelos arredores da quinta,
Merencóreo, lívido, aéreo, malvestido.

"Ora deitado, ora correndo.
De noite o ouvíamos uivar
Como um urso lá fora, a chamar por Alice...
Um dia um fogo vingador,
Que irrompia dos quatro cantos,

Consumia a meda de palha,
E a corda da cisterna içava um afogado!"

Aqui o velho ergueu-se: — "Filho
Pequeno", disse, resmungando,
"Pequena luta; filho grande, grande luta."
Subiu ao quarto, pôs polainas
Altas, que ele mesmo fizera
Outrora, sapatos brochados,
Grande gorro vermelho, e partiu para a Crau.

Era a estação em que nas terras
As searas amadurecem:
Precisamente a véspera de São João.
Pelas veredas, junto às sebes,
Trigueiros, cobertos de pó,
Vinham bandos de tarefeiros
Da montanha, para ceifar os nossos campos;

Com as foices a tiracolo
Em seus carcazes de figueira,
Dois a dois; cada par com a sua enfeixadora.
Um tamboril todo enfeitado
Com laços de fita, um flautim
Acompanhavam as carretas,
Em que jaziam os mais velhos, já cansados.

E olhando os trigos desbarbados,
Que, sob o vento que os batia,
Ondulavam ao sol: — "Meu Deus, que belos trigos!
Que bastos!" exclamavam juntos.
"Que prazer será de cortá-los!
Vejam como a nortada os dobra,
Mas também como eles depressa se levantam!"

Eis que Ambrósio se junta a eles.
— "Já estarão maduros como estes
Os vossos trigos da Provença, avô?" diz súbito
Um rapaz. — "O trigo vermelho
Ainda está um pouco atrasado;
Mas, durando o tempo ventoso,
Vereis que hão de faltar foices para o trabalho!

"Reparastes nas três candeias
De Natal? Eram como estrelas!

Será, rapazes, uma messe abençoada,
       Podeis contar!" — "Que Deus vos ouça,
       E em vosso celeiro o deponha,
       Bom avô!" Pelo salgueiral
Assim o velho Mestre Ambrósio e os ceifadores,

       Enquanto seguiam caminho,
       Conversavam tranquilamente.
Ora, coincidiu que à Granja das Almezas
       Vinham também aqueles homens.
       Entremente Mestre Ramon
       Vinha ver o que do mistral
Impetuoso e debulhador dizia o trigo.

       E da rechã toda espigada
       Percorria a flava extensão
De norte a sul, a grandes passos, quando os trigos:
       — "Mestre", murmuraram, "é tempo!
       Vê como a nortada nos dobra,
       E nos derruba, e nos desflora...
Vai pôr em tuas mãos os dedais de caniços!"

       Outros diziam: — "As formigas
       Já até as espigas nos sobem;
Mal o grão se avoluma, elas no-lo arrebatam...
       As foices ainda não vieram?"
       Para as bandas dos arvoredos
       Mestre Ramon volta a cabeça,
E seu olhar logo as descobre na distância.

       Logo que surgiu, todo o enxame
       Desembainhou as suas foices,
E as fazia resplandecer ao sol nos ares,
       E sobre a cabeça as brandia
       Para saudar e festejar
       O mestre; ao que este, satisfeito,
Assim lhes falou, quando ao alcance da voz:

       — "Sejam todos aqui bem-vindos!
       O bom Deus é que mos envia!"
E breve ronda numerosa se formava
       De mulheres em torno dele:
       — "A mão, patrão! Nunca lhe falte
       O bem-estar! O que haverá
De feixes no terreiro este ano, Santa Cruz!"

Vi muitas vezes atrelados à charrua
    Seis nédios animais nervosos:
    Era um portentoso espetáculo!
    Friável, a terra, em silêncio,
Lentamente se abria ao sol diante da relha.

    E as seis mulas, belas, sadias,
    Seguiam, sem cessar, o sulco:
Pareciam, até, compreender por que
    É preciso lavrar a terra:
    Sem remanchar nem apressar-se,
    Para o chão baixando o focinho,
Muito atentas, tenso o pescoço como um arco.

    O fino lavrador, os olhos
    No rego, a canção entre os lábios,
Ia a passo tranquilo e segurando apenas
    O cabo direito. Assim ia
    A quinta arrendada que Mestre
    Ramon semeava e dirigia,
Ufano, como um rei à testa do seu reino!

    No entanto o chefe, erguendo a face,
    Já dava graças ao Senhor
E fazia o sinal da cruz. O bando então
    Dos lavradores foi-se alegre
    Preparar a fogueira. Uns
    Vão apanhar ramos de junça,
Outros vão abater galhadas de pinheiro.

    Mas ficando à mesa os dois velhos,
    Mestre Ambrósio toma a palavra:
— "Venho aqui, ó Ramon, para pedir conselho.
    Num beco estou que antes de tempo
    Me levará aonde se chora;
    Pois não sei nem como nem quando
Poderei desatar esse nó de desgraça!

    "Sabe você que tenho um filho,
    Até aqui de raro juízo:
Tem dado provas disso, e eu andaria mal
    Se viesse afirmar o contrário.
    Mas não há pedra sem defeito,
    Até os anhos têm seus ataques,
E a onda mais traiçoeira é a onda que dorme.

"Sabe o que fez o quimerista?
Enamorou-se doidamente
De uma moça que viu, filha de gente rica.
E ele a quer, a quer, o insensato!
Tão violento é o seu desespero,
E o seu amor de tal espécie,
Que me dá medo! Em vão lhe mostrei que é loucura;

"Que sempre neste mundo o rico
Medra, e o pobre fica mais pobre...
— "Vá aos pais dela dizer que a quero a todo o preço!"
Respondeu. "Que o que importa no homem
É a virtude, não a miséria;
Explique-lhes que sei binar,
Podar as vides, lavrar terras pedregosas;

"Diga-lhes mais que as seis parelhas
Comigo arrotearão o dobro;
E diga-lhes que sou respeitador dos velhos;
E que se eles nos separarem,
Perderão para sempre a filha,
Pois a ambos nos enterrarão!"
Agora, pois, Ramon, que contei minha história,

"Diga-me se, nos meus andrajos,
Irei pedir a mão da moça,
Ou bem deixar morrer meu filho..." — "Devagar!
Não solte as velas com tal vento!"
Ramon lhe diz. "Nem um nem outro
Irá morrer por causa disso!
Sou eu, amigo, quem lho diz, não tenha medo.

"Se eu estivesse em seu lugar,
Não usaria panos quentes.
— "Olha, menino", lhe diria sem rodeios,
"Principia por ficar quieto,
Porque, enfim, se com os teus caprichos
Queres armar uma tormenta,
Juro por minha salvação, te ensino a pau!"

"Ambrósio então: — "Quando o asno zurra,
Não lhe vá levar mais capim:
Tome um bastão e sove-o". Ao que Ramon secunda:
— "Um pai é um pai, suas vontades
Devem ser cumpridas! Pastor

Por seu rebanho conduzido,
Cedo ou tarde o verá comido pelos lobos.

"Filho que se insubordinasse,
Em nosso tempo, contra o pai,
Este era capaz de matá-lo! Mas também
As famílias eram unidas,
Fortes, sadias, resistentes
Às tempestades como plátanos!
Tinham, é certo, seus dissídios, suas brigas,

"Mas quando a noite de Natal,
Sob a sua tenda estrelada,
Reunia o avô com toda a sua geração,
Diante da mesa abençoada,
A que ele presidia, o avô
Com a mão enrugada afogava
Todas aquelas dissensões na sua bênção!"

Aqui, apaixonada e lívida,
A moça falou a Ramon:
— "Então meu pai me matará? Pois é a mim
Que Vicente ama, ele é que eu amo!
E ante Deus e Nossa Senhora
Só a ele darei minha alma!..."
Um silêncio mortal cai sobre todos três.

Foi Joana Maria quem
Primeiro se ergueu da cadeira:
— "Minha filha, o que tu acabas de dizer",
Lhe falou a mãe, de mãos juntas,
"Foi um insulto que nos mancha,
Foi um espinho de abrunheiro
Que nos varou o coração por muito tempo!

"Recusaste o pastor Alári,
Que possuía mil animais!
Veran, o criador de cavalos; recusaste,
Pelos teus modos desdenhosos,
Elzear, rico criador de touros;
Por quê? Porque te seduziu
Um traste sem eira nem beira, um lagalhé!

"Pois bem! vai-te, de porta em porta,
Com o teu sem-vintém correr mundo!

Dona do teu nariz, parte, cigana, vai
         Juntar-te à Rucana, à Belun,
         A Rubicana, e com a Cadela
         Vai cozinhar sobre três pedras
Tua sopa e morar debaixo de uma ponte!"

         Mestre Ramon nada dizia;
         Mas o seu olho fuzilava,
O seu olho piscava e despedia chispas
         Sob as espessas sobrancelhas
         Brancas. Da cólera a comporta
         Por fim se rompe, e a água em cachões
Furibundos se precipita sobre o rio:

         — "Sim, tua mãe tem razão! Parte,
         E caia longe a tempestade!...
Mas não, tu ficarás, estás ouvindo? Mesmo
         Que eu tenha que pôr-te o travão
         E passar-te um ferro nas ventas,
         Como se faz com os onotauros!
Embora sobre mim venha o fogo de Deus!...

         "Ainda que eu visse, de desgosto,
         As tuas faces se fundirem
Como ao calor do sol as neves das colinas!
         Mireia! assim como esta laje
         Suporta a brasa da lareira;
         Como o Ródano, vindo a cheia,
Forçosamente transborda; como esta lâmpada

         "É uma lâmpada, nunca mais,
         Juro-te, hás de vê-lo!..." E da mesa
Numa punhada fez tremer toda a extensão.
         Como o orvalho cai sobre as flores,
         Como os cachos que, de maduros,
         Se esfazem, uva a uva, ao vento,
Mireia, no ínterim, se desmanchava em lágrimas.

         — "Quem me assegura, maldição!",
         Recomeça, gago de raiva,
Ramon, "quem me assegura, Ambrósio, que você,
         Você, Mestre Ambrósio, não foi
         Quem em casa, com o teu maroto,
         Maquinou este rapto infame?"
A indignação despertou neste a força antiga:

— "Deus louvado!" gritou de súbito.
"Se anda baixa a nossa fortuna,
Saiba você! trazemos alto o coração!
Saiba ainda que não é vício
A pobreza, nem é desonra.
Quarenta anos de bom serviço
Tenho na tropa, ao trom roufenho dos canhões!

"Mal que manejava um arpéu,
Deixei a minha Valabregue.
Grumete, lá fui eu sobre as vagas do oceano,
Do oceano tempestuoso ou límpido,
E vi o império de Melinde,
Andei na Índia com Suffren,
E tive dias mais amargos do que o mar!

"Soldado também fui das grandes
Guerras, percorri todo o mundo
Com aquele alto capitão, vindo do sul,
Que passou a mão destruidora,
Desde a Espanha às estepes russas,
E como uma pereira brava,
Ao som do seu tambor tremia a terra toda!

"E no terror das abordagens,
E nas angústias dos naufrágios
Nunca os ricos por mim fizeram nada! E eu,
Filho de pobre, que não tinha
Em minha pátria o menor canto
De terra onde plantar a relha,
Quarenta anos sofri por ela em minha carne!

"Dormíamos sob o granizo,
Comíamos pão de cachorro;
Ciumentos de morrer, corríamos à luta
Por defender teu nome, ó França!
Mas disto não resta memória!"
Acabada essa objurgatória,
Fez menção de apanhar seu capote de sarja.

— "Ora, está você a procurar
O Saint-Pilon no Mont-de-Vergue!"
Retruca o velho ralhador. "Olhe, eu também
Ouvi o horrendo trom das bombas
Encher o vale de Toulon;

Vi desabar a ponte de Árcole,
E as areias do Egito empapar-se de sangue!

"Mas de volta daquelas guerras,
A cavar, revolver o solo
Com pés e mãos nos atiramos! Um trabalho
De secar o tutano! O nosso
Dia principiava antes da alva,
E a lua do cair da tarde
Muitas vezes nos viu curvados sobre a enxada!

"Dizem: A terra é generosa!
Sim, mas, como uma avelaneira,
Aos que não a baterem bem, não dará nada;
E se medissem passo a passo
Os torrões de minha abastança,
Fruto do labor, contariam
As gotas de suor caídas do meu rosto!

"Sant'Ana d'Apt! e hei de calar-me!
Terei, pois, mourejado assim
Anos e anos, comendo o quê? as minhas granças,
Para em casa entrar a abundância,
Para sem cessar aumentá-la,
Para ter galardão no mundo,
E depois quê? dar minha filha a um troca-pernas!

"Ao diabo! Guarda tu teu cão,
Que eu fico com o meu cisne." Tais
Foram as últimas palavras de Ramon.
O outro velho então levantou-se,
Apanhou o capote, o bastão,
E despedindo-se falou:
— "Adeus! Pois seja! Mas depois não se arrependa!

"O mundo é grande... E corra o barco
Nas mãos de Deus e dos seus anjos!"
Disse e partiu. Caía a noite e nesse instante,
Sob o mistral, que remugia,
Subiu do monte de ramadas
Uma longa língua de chama...
Em volta, doidos de alegria, os segadores,

A cabeça orgulhosa e livre
Vergada para trás, e todos

Batendo a terra ao mesmo tempo, em salto igual,
    Farandolam... A grande chama,
    Crepitando sob as lufadas
    Da ventania que a sacode,
Ateia-lhes vivos reflexos nos semblantes.

    As fagulhas, em turbilhões,
    Sobem, furibundas, às nuvens.
Ao crebro estrépito dos troncos no braseiro
    Mescla-se e ri a musiquinha
    Do flautim fino e brincalhão
    Como um pardal ao sol... São João,
Quando passais, a terra grávida estremece!

    Crepitava, alegre, a fogueira:
    O tamboril rufava grave
E contínuo: dir-se-ia o murmúrio do mar,
    Do mar profundo quando bate
    Tranquilamente contra as rochas.
    As lâminas desembainhadas
E no ar brandidas, os trigueiros dançarinos

    Três vezes, em grandes impulsos,
    Pulavam sobre as labaredas;
E ao mesmo tempo que o faziam, atiravam
    Os dentes de uma réstia de alhos
    Sobre as brasas; e as mãos repletas
    De erva-de-são-joão e verbena,
Que punham a benzer no fogo purgador:

    — "São João! São João! São João!" gritavam.
    E luziam todos os morros,
Como sob uma chuva de estrelas na sombra!
    Enquanto isso, a rajada louca
    Levava o incenso das colinas
    E os clarões rubros da fogueira
Para o Santo a pairar no azul do anoitecer...

Canto oitavo

A Crau

Desespero de Mireia. — Trajo de arlesiana. — A moça, no meio da noite, foge da casa paterna. — Vai ao túmulo das Santas Marias, que são as padroeiras da Provença, suplicar-lhes que intercedam junto aos pais dela. — As constelações. — Correndo pela Crau afora, encontra os pastores do pai. — A Crau, a guerra dos Gigantes. — Os lagartos, os louva-a-deus, as borboletas advertem Mireia. — Mireia, ofegante de sede, não suportando mais o calor do dia, implora São Gens, que a socorre. — Encontro com Andrezinho, o apanhador de caracóis. — Elogio de Arles. — Narrativa de Andrezinho: lenda da Gruta de Capa, o apisoamento das gavelas, os apisoadores tragados. — Mireia pernoita na tenda da família de Andrezinho.

Quem conterá a forte leoa,
Quando, de volta ao seu covil,
O filhote não vê? Bramindo de repente,
Inquieta, ligeira e esgalgada,
Nas montanhas da Barbaria
Corre... Nas giestas espinhosas
Galopa o mouro caçador que lhe roubou.

Quem, ó moças enamoradas,
Vos conterá? No seu quartinho
Aonde a noite que brilha ainda filtra um seu raio,
Mireia, deitada em seu leito,
Apertando nas mãos a fronte,
Chora e suplica a noite inteira:
— "Minha Nossa Senhora do Amor, que farei?

"Ó sina cruel, que me acabas!
Ó duro pai, que me espezinhas,
Se visses o meu sofrimento, a minha angústia,
Lastimarias tua filha!
Eu, que chamavas tua linda,
Me curvas hoje sob o jugo
Como um potro domesticável para a lavra!

"Ah, por que o mar por sobre a Crau
Não arremessa as suas ondas!
Vê-lo-ia, alegre, eu, submergir estes bens,
Causa única do meu pranto!
Antes de uma pobre mulher
Tivesse eu nascido, em alguma
Toca de cobra!... Então, então, podia ser,

"Se um pobre rapaz me agradasse,
Se Vicente viesse pedir-me,
Me deixassem casar!... Ó meu belo Vicente,
Pudesse eu contigo viver,
Te abraçar como faz a hera,
E iria beber nos lameiros,
Satisfaria a minha fome com teus beijos!"

E enquanto assim em sua caminha
A linda criança se aflige,
Ardendo em febre o seio e estalando de amor,
Eis que dos bons dias felizes
Em que ela conheceu Vicente
E principiou a amá-lo, acode
De repente à lembrança aquele seu conselho:

— "Sim, um dia que vieste à granja",
Exclamou ela, "me disseste:
"Se algum dia um lagarto, um lobo, uma serpente,
Ou qualquer outro bicho errante
Lhe ferrar o dente sanhudo,
Se o infortúnio a acabrunhar,
Corra às Santas, depressa, e elas dar-lhe-ão alívio!"

"Hoje, na hora da desgraça,
Partamos! Voltarei contente."
Dito isto, de seu lençol branco salta lépida,
Abre com a chave reluzente
O guarda-roupa, que contém
Suas coisas, móvel soberbo
De nogueira, ornado de flores entalhadas.

Lá estão seus tesouros de moça:
A grinaldazinha do dia
Em que ela fez sua primeira comunhão;
Um ramo de alfazema seca:
Um ciriozinho bento, quase
Completamente gasto, para
Os raios dissipar na sombria distância.

Primeiro, com um cadarço branco,
Ela ata em torno da cintura
Uma anágua vermelha onde bordou ela mesma
Uma fina orladura em volta,
Obrinha-prima de costura;

Depois sobre essa enfia rápida
Uma segunda, mais bonita e trabalhada.

Em seguida, com um casaco
Preto, que um alfinete de ouro
Basta para prender, envolve o rico busto;
Em compridas tranças castanhas,
Pendem-lhe os cabelos, cobrindo,
Como um manto, as brancas espáduas.
Ela, porém, nas mãos toma as madeixas soltas,

Depressa as reúne, as enrola,
As envolve num largo lenço
De fina renda transparente; e uma vez presos
Os abundantes, belos cachos,
Três vezes cinge-os com uma fita
De cor azulada, diadema
Arlesiano de sua fronte fresca e moça.

Põe o avental; no seio cruza,
Em pequenas pregas, do leve
Xale de musselina o virginal tecido.
Mas seu chapéu de provençal,
Chapeuzinho de largas abas,
Por guardar do mortal calor,
Por desgraça esqueceu de se cobrir com ele.

Isto feito, a ardente menina
Toma nas mãos os seus sapatos;
E pela escada de madeira, sem ruído,
Desce às escondidas, retira
A pesada tranca da porta,
Recomenda-se às boas Santas,
Como o vento se vai na noite assustadora.

Era quando as constelações
Fazem aos nautas bom sinal.
Da Águia de São João, que acabara de içar-se
Aos pés do seu Evangelista,
Nos três astros onde ele mora,
Via-se reluzir o olhar.
O tempo era sereno, e claro, e relumeava.

E nas planuras estreladas,
Sobre suas rodas com asas,

E o menino, na mão morena,
Os tomava, um a um, aos pobres
Caracoizinhos e cantava-lhes de manso:
— *"Caracol, caracol, freirinha,*
Sai já, já de tua celinha,
Mostra teus bonitos chifrinhos,
Porque senão eu quebrarei teu mosteirinho!"

A bela, afrontada crauense,
Satisfeita que foi a sede,
Ergueu o rosto bonito e interpelou: — "Meu lindo,
Que estás fazendo?" — "Descansando."
— "E andas caçando caracóis
Nas plantinhas e no cascalho?"
— "Isso mesmo, acertou!" responde-lhe o menino.

"Veja quantos já tenho aqui
Na minha cesta!" — "E vais comê-los
Depois?" — "Ah, isso não! Não vê que minha mãe,
Minha mãe toda sexta-feira
Vai a Arles para vendê-los
E nos traz de lá pão fresquinho...
Já teve ocasião de ir a Arles?" — "Não, nunca."

— "O quê? Ainda não esteve em Arles?
Verdade? Pois olhe, eu já estive!
Ah, se soubesse que cidade grande que é
Arles! Ocupa tanto lugar,
Que do Ródano caudaloso
Abrange as sete embocaduras!...
Arles tem focas a pastar em suas praias;

"Arles tem cavalos de raça;
Arles colhe num só verão
Trigo que dá para nutrir-se, se quiser,
Sete anos a fio! A ela vêm
Pescadores de toda parte;
Tem navegadores intrépidos,
Enfrentadores de tufões em longes mares..."

E orgulhando-se, muito ufano
De sua pátria ensolarada,
O rapaz decantava em sua língua de ouro
Mont-Majour, que abastece as mós
De azeitonas em tanta cópia,

O mar azul, reverberante,
E a gritada do alcaravão nos pantanais.

Mas, ó cidade doce e bruna,
Tua maravilha suprema,
Esqueceu-se o rapaz de a mencionar: teu céu,
Ó fértil terra de Arles, dá
Beleza às tuas raparigas,
Como dá ao teu outono as uvas,
Às montanhas aroma e asas aos passarinhos.

Desatenta, a filha dos campos
Quedava-se em pé, pensativa:
— "Meu rapaz", disse, "se quiseres vir comigo,
Vem comigo! Sobre os salgueiros
Antes que a rã se faça ouvir,
É preciso que eu ponha o pé,
Sob a guarda de Deus, na outra margem do Ródano!"

O rapaz respondeu: — "Pois sim:
Calhou bem, somos pescadores.
Virá passar conosco a noite em nossa tenda,
Deitar-se-á ao pé dos choupos brancos,
E vestida ali dormirá;
Amanhã, ao romper da aurora,
Meu pai irá levá-la em nossa embarcação."

— "Oh, não! Ainda me sinto forte
Para caminhar toda a noite!"
— "Deus a livre! Quer ver então às horas mortas
Os mal-assombrados horrendos
Que saem da Gruta de Capa?
Pobre de você, se os encontra!
Com eles se soverteria nas profundas!"

— "E que Gruta de Capa é essa?"
— "Vamos andando, que eu lhe conto
De caminho toda essa história." E começou:
"Era uma vez uma grande eira
Regurgitante de gavelas.
Amanhã, na margem do rio,
Você verá o lugar onde isto se passou.

"Havia mais de um mês que ali
As espigas cheias de grãos

Eram pisadas por cavalos camarguenses.
　　Nem um minuto de descanso!
　　Sempre os cascos batendo o chão!
　　Na eira poeirenta e tortuosa
Sempre novo montão de espigas por pisar!

　　"Fazia um sol!... A eirada toda
　　Parecia, dizem, em chamas.
E os forcados de pau faziam, incessantes,
　　Saltar turbilhões de paveias;
　　E detritos — glumas, arestas —
　　Como flechas de besta às ventas
Dos cavalos a todo instante eram lançadas.

　　"Dia de São Pedro ou São Carlos,
　　Podíeis tocar, sinos de Arles!
Mas para os animais nem domingos nem festas:
　　Pobres! sempre a estafante pisa!
　　Sempre a aguilhada perfurante!
　　Sempre os gritos roucos do guarda,
Imóvel no meio do ardente rodopio!

　　"Além disso, o patrão avaro
　　Tinha feito açaimar os brancos
Pisoadores ... Eis que vem agosto... O dia
　　De Nossa Senhora da Glória...
　　Já sobre os feixes patejavam
　　Suadas as parelhas, baboso
O focinho, colado às costelas o fígado,

　　"Quando, de improviso, rebenta
　　A tempestade... Ai, o gelado
Mistral varria a eira em lufadas violentas.
　　Cavam-se ainda mais os olhos
　　Dos famintos, a renegarem
　　O dia de Deus, e eis que a eira
Treme e se entreabre como um negro caldeirão!

　　"O grande montão rodopia
　　Como enfurecido; do abismo
Ninguém se salva: patrão, guardas, ajudantes,
　　Manejadores de forcados,
　　Cabras, cavalos, toda a eira,
　　Tudo, tudo desaparece
Na voragem sem fim do boqueirão sem fundo!"

— "Me faz arrepiar!" diz Mireia.
— "Oh, e não é tudo! Amanhã,
Você dirá talvez que eu sou um maluquinho,
Você verá na água azulada
Brincarem as carpas e as tencas;
E os melros dos pauis em volta
Chilreando incessantemente nos caniços.

"No dia de Nossa Senhora,
À medida que o sol, coroado
De fogos, ascender ao seu pontificado,
Se você, de ouvido colado
Ao chão, ficar quietinha à espreita,
Verá o sorvedouro, antes límpido,
Pouco a pouco toldar a sombra do pecado.

"E das profundas da água turva,
Como das asas de uma mosca,
Ouvirá pouco a pouco elevar-se o sussurro:
Uns tinidos de campainhas...
Depois, aos poucos, entre os aipos,
Semelhante a vozes numa ânfora,
Um tumulto de dar pavor e calafrios!

"E um trote de cavalos magros,
Que na eira um áspero guarda
Insulta aos gritos ou incita praguejando.
Ah, é um penoso pateamento,
Numa terra desapiedada,
Dura, seca, sonora como
Uma eira onde se debulha no verão.

"Mas à proporção que declina
O santo sol, ruídos, blasfêmias
Do abismo vão esmorecendo, tosse a leva
Estropeada nas profundezas;
Sob os aipos cessam os claros
Retinidos de campainhas...
E de novo chilram os melros nos caniços."

Falando-lhe assim dessas coisas,
Caminhava o rapaz com a moça,
Levando a cesta dos bichinhos à cabeça.
Límpida, serena, tingida
Pelo ocaso, a colina árida

Já casa aos céus suas azuis,
Altas escarpas e seus louros promontórios;

E o sol, que lentamente os longos
Raios recolhe e se retira,
Deixa a paz do Senhor aos pauis, ao Grand-Clar,
Às oliveiras do Valongo,
Ao Ródano, estendido embaixo,
Aos segadores, que afinal
Podem-se erguer, beber a viração do largo.

E o rapazinho diz: — "Lá longe,
Está vendo um pano movendo-se
Ao vento? Pois é ali que fica a nossa tenda.
Olhe, no alto do choupo branco,
Aquele menino, é meu mano
Not, certo à caça das cigarras.
Ou então vendo se eu já estou de volta à casa.

"Ah, já nos viu! Minha irmã Zete,
Que o sustentava no ombro, vira-se...
Vira-se e corre em direção a minha mãe;
Sem dúvida para dizer
Que já pode aprontar a sopa
De peixe, e minha mãe se curva
Para apanhar dentro do barco os peixes frescos."

Quando os dois subiam a rampa,
Disse o pescador para a esposa:
— "Olhe! Veja, mulher, que bonito! Com pouco,
Venha o que vier, nosso Andrezinho
Dará um pescador de mão cheia,
Ao que parece! Lá vem ele,
E traz consigo, olhe! a rainha das enguias!"

Canto nono

A assembleia

Consternação de Mestre Ramon e Joana Maria quando não encontram mais Mireia. — O velho manda chamar e reúne na eira todos os trabalhadores da granja. — A sega do feno, os segadores, as moças que ajuntam o feno cortado. — Os carreteiros, o transporte do feno. — Os lavradores. — A colheita, os ceifadores, as respigadoras. — Os pastores. — Narrativa de Lourenço de Goult, chefe dos ceifadores: a foiçada. — Narrativa do segador João Bouquet: o ninho invadido pelas formigas. — Narrativa de Marrão, chefe dos aradores: o presságio de morte. — Narrativa de Antelmo, chefe dos pastores. — Antelmo viu Mireia a caminho das Santas Marias. — Exaltação e invectivas da mãe. — Partida da família em busca de Mireia.

> Os grandes almezes choraram;
> Aflitas, em suas colmeias
> Se recolheram as abelhas, esquecidas
> De segurelhas e titímalos.
> — "Viram Mireia?" perguntavam,
> Vendo-os chegar, aos maçaricos
> Azuis as bonitas ninfeias do viveiro.

> Mestre Ramon e sua esposa,
> Sentindo a morte dentro da alma,
> Os olhos úmidos de lágrimas, curtiam,
> Sentados juntos, sua dor.
> — "Certo, é preciso ter perdido
> A razão, ó desventurada!
> Oh queda horrível da insensata mocidade!

> "Nossa linda Mireia, oh pranto!
> Oh, infortúnio! fugir de casa,
> Fugir com o último dos homens, um cigano!...
> Quem nos dirá, ó ingrata filha!
> O lugar, a caverna oculta
> Aonde o ladrão te conduziu?"
> E abanavam os dois a fronte atormentada.

> Com a jumenta e os cestos de esparto
> Veio o rapaz que, como de hábito,
> Levava a refeição das dez aos segadores.
> — "Bom dia, patrão!" disse à porta.
> Mas o velho: — "Maldição! Volta,
> Que, como o carvalho-cortiça,
> Sou, sem Mireia, como a árvore sem casca!

"De uma só corrida refaz
O caminho por onde vieste!
Avia-te, homem! Parte, corre campo afora,
Corre, corre como um relâmpago!
Segadores e lavradores
Larguem as foices e as charruas!
Aos pastores dize que deixem seus rebanhos:

"Que venham todos aqui!" Logo,
Mais ligeiro do que os cabritos,
Parte o servo fiel; atravessa os moitedos
De sanfenos vermelhos; passa
Entre os chaparros dos taludes;
Transpõe de um salto as ribanceiras,
Já sente no ar o cheiro bom do feno fresco...

Por entre as luzernas espessas,
Altas, de azul todo floridas,
Ouve bater ao longe a foice; a passo igual,
Vê avançarem os segadores
Robustos, enquanto, dos lados,
Aos golpes do aço afiado cai
Em linhas que dão prazer a erva cortada.

Crianças e moças risonhas
Vinham atrás e com o ancinho
Juntavam o feno pronto em grandes montes.
Cantavam. Cantavam, e os grilos,
Que fugiam diante das foices,
Escutavam... Numa carroça
De freixo, a que estavam jungidos dois bois claros,

Via-se ao longe, larga e alta,
A erva ceifada acumular-se;
E lá em cima, meio afundado nela, o destro
Carreteiro, a grandes braçadas,
Lhe aumentava incessantemente
A altura, e o feno ia cobrindo
Toda a carroça — xalmas, rodas, lança, tudo!

Quando enfim, com o feno arrastando,
A carroça partiu, dir-se-ia
A massa de um navio avançando no mar.
Eis, porém, que o carreiro, súbito,
Como um lutador, se endireita,

E grita para os segadores:
— "Parem aí! parem, que temos novidade!"

Seus ajudantes, que atiravam
À carroça a erva foiçada,
Enxugaram na fronte o suor que escorria,
E no cinturão apoiando
Cada um as costas da foice,
Para a planície dardejante
Voltava os olhos, e entrementes a afiava.

— "Homens, ouçam o que o patrão
Lhes manda", diz o mensageiro:
— "Avia-te, homem! Parte, corre campo afora
Corre, corre como um relâmpago!
Segadores e lavradores
Larguem as foices e as charruas!
Aos pastores dize que deixem seus rebanhos!

"Que venham todos aqui!" Logo,
Mais ligeiro do que os cabritos,
Parte o servo fiel: traspõe os camalhões,
Onde vicejam as garanças,
Preciosa lembrança de Althen;
Vê em toda parte a Madureza,
Que aloura, doura a terra ao calor do seu fogo.

Nos campos, que estrelam centáureas,
Vê, caminhando atrás das mulas,
Inclinados sobre a charrua, os lavradores;
Vê do sono hibernal a terra
Levantar-se em torrões disformes,
E nos grandes sulcos abertos
As lavandiscas bicando o solo, buliçosas.

— "Homens, ouçam o que o patrão
Lhes manda", diz o mensageiro:
"Avia-te, homem! Parte, corre campo afora,
Corre, corre como um relâmpago!
Segadores e lavradores
Larguem as foices e as charruas!
Aos pastores dize que deixem seus rebanhos!

"Que venham todos aqui!" Logo,
Mais ligeiro do que os cabritos,

Parte o servo fiel: salta, rápido, os fossos
   Floridos de ervas da campina;
   Atravessa brancos aveais,
   E entre as altas espigas ruivas
Dos maduros trigais desaparece ao longe.

   Quarenta ceifeiros, quarenta,
   Como chamas devoradoras,
Do seu espesso manto odorante, gracioso,
   Despojam a terra; iam
   Sobre a seara que ceifavam
   Como lobos! Desvirginavam
De seu ouro, de sua flor a terra e o estio.

   Atrás deles, em longas filas,
   Quais ramos podados de vides,
Tombava em ordem a gavela; nos seus braços
   As ardentes enfeixadoras
   Apanhavam grandes pugilos,
   E apertando depressa o feixe,
O arremessavam para trás, de uma joelhada.

   No espaço, como as asas de um
   Enxame, as foices cintilavam;
Cintilavam como no mar a onda ridente,
   Onde, ao sol, se embalança a rede;
   E confundindo as duras barbas,
   Iam-se os feixes amontoando,
Em mós piramidais erguiam-se às centenas.

   Parecia aquilo, nos campos,
   As tendas de um campo de guerra:
Assim o de Beaucaire outrora, quando juntos
   Simon e a Cruzada francesa
   E o legado que os comandava
   Acometeram, impetuosos,
A Provença e o conde Raimundo, em feras hordas!

   No entretanto as respigaduras
   Andam aqui e ali, brinconas,
Nas mãos suas respigaduras; no entretanto,
   Nos caniçais, ou dos montões
   À sombra quente, muita moça
   Fascinada por um olhar,
Abandona-se: Amor também é segador.

— "Ouçam todos o que o patrão
 Lhes manda", diz o mensageiro:
— "Avia-te, homem! Parte, corre campo afora,
 Corre, corre como um relâmpago!
 Segadores e lavradores,
 Larguem as foices e as charruas;
Aos pastores dize que deixem os rebanhos.

 "Que venham todos aqui!" Logo,
 Mais ligeiro do que os cabritos,
Parte o servo fiel; nos olivais cinzentos
 Toma pelos atalhos; vai
 Como o relâmpago; das vinhas
 Torce o pâmpano, como o vento;
E ei-lo só, no lugar onde canta a perdiz.

 Na vasta extensão da Crau árida,
 Sob os carvalhinhos raquíticos,
Vê ao longe, quietos, os rebanhos que repousam;
 Os jovens pastores, com o chefe,
 Fazem a sesta nos marroios;
 E sobre o dorso das ovelhas,
Que ruminam, correm em paz as lavandiscas.

 Sobe lentamente do mar,
 Desenrolando-se, uma névoa
Diáfana, leve, esbranquiçada; por ventura,
 Nos páramos imateriais,
 Alguma das santas do Empíreo
 De seu véu de freira se havia
Aliviado, aproximando-se do sol.

 — "Ouçam todos o que o patrão
 Lhes manda", diz o mensageiro:
— "Avia-te, homem! Parte, corre campo afora,
 Corre, corre como o relâmpago!
 Segadores e lavradores
 Larguem as foices e as charruas!
Aos pastores dize que deixem seus rebanhos."

 Então cessaram de mover-se
 Foices e arados; os quarenta
Montanheses, abandonando os instrumentos,
 Acorreram, como um enxame
 Que, já de asas provido, parte

Da colmeia, e ao ruído dos címbalos
Estridentes, vai reunir-se num pinheiro.

As enfeixadoras vieram,
Vieram as ancinhadoras,
Veio o carreiro e seus ajudantes, vieram
Os pastores, respigadoras,
Os amedadores, vieram
Os amontoadores de feixes,
Deixando estes cair ao pé das grandes pilhas.

Merencóreos, silenciosos,
Na eira relvada o chefe e a esposa
Esperavam-nos; todos eles, comovidos
Pela interrupção da labuta,
Rodearam o patrão, dizendo-lhe
À medida que iam chegando:
— "O patrão nos chamou, aqui estamos, patrão!"

Mestre Ramon ergueu o rosto:
— "Escravos que somos do fado,
Pobres de nós! Por mais prudentes que sejamos,
Sempre nos surpreende a desgraça!
Oh!" disse-lhes, "sem mais palavras,
Suplico-lhes, meus bons amigos,
Que cada um diga o que viu, diga o que sabe."

Lourenço de Goult aqui avança:
Desde menino não faltara
Uma só vez, quando lourejam os trigais,
De demandar com sua foice
As planícies de Arles. Rochedo
Que em vão as ondas do mar batem,
Tinha queimada a tez como pedra de igreja.

Velho capitão da foice, era
Sempre, ardesse o sol ou mugisse
O mistral, o primeiro a pegar no trabalho!
Ajudavam-no os sete filhos,
Como ele queimados e fortes...
Os ceifeiros, a justo título,
Tinham-no, de comum acordo, como chefe.

— "Se é verdade que chove ou neva,
Se avermelhado rompe o dia",

Lourenço principiou, "certamente o que vi,
    Patrão, nos pressagia lágrimas.
    Deus, dissipai o terremoto!
    Foi de manhã: a aurora mesma
Afugentava para o poente a obscuridade.

    "Como sempre, úmidos de orvalho,
    Íamos iniciar a faina.
— 'Companheiros', disse eu, 'procedamos com método.
    E ânimo agora!... Sungo as mangas,
    Concentro-me em minha tarefa,
    E, ao primeiro golpe, me firo!
O que trinta anos faz que não me acontecia!'

    E dizendo isso, nas falanges
    Mostra um profundo ferimento.
Aumenta o pranto, cresce a dor dos pais da moça.
    E João Bouquet, um dos ceifeiros,
    Toma, por seu turno, a palavra:
    Tarasconês e tarasqueiro,
Belo pedaço de rapaz, e bom, e amigo.

    Quando corria *a velha bruxa,*
    Lagadigadéu! a Tarasca!
E de danças, e de alegria, e de algazarra
    Se ilumina a cidade triste,
    Ninguém havia em Condamine
    Que fizesse com melhor graça,
Mais destreza voltearem no ar pique e bandeira!

    Entre os mestres no uso da foice
    Teria o seu lugar nas ceifas,
Se nunca abandonasse a senda do trabalho.
    Mas, chegado o tempo das festas,
    Adeus, foice! Nos rega-bofes
    Nas tavernas abobadadas,
Nas corridas de touro e nas longas farândolas,

    Era um demônio! — "Mestre, enquanto
    Foiçávamos, a grandes golpes",
Principiou o rapaz, "sob um tufo de joio
    Acho um ninho de francolins,
    Que agitavam suas asinhas;
    E sobre a galhada pendente
Inclinei-me feliz, para ver quantos eram;

"Oh, tristeza! Pobres bichinhos!
Formigas vermelhas, horríveis,
Fervilhavam sobre a ninhada, devorando-a!
Três já estavam mortos, e o resto,
Atacado pela vermina,
Punha para fora a cabeça,
Parecendo dizer: — "Socorro! Defendei-nos!"

"Uma nuvem, porém, de insetos,
Mais venenosos do que urtigas,
Voraz, furiosa, encarniçada os remordia;
E eu, apoiado pensativo
Ao cabo do meu ferro, ouvia
Ressoar na charneca os pipilos
Da mãe chorosa, que de longe os lastimava."

Esse desgraçado relato
Foi um novo golpe de lança
No coração dos pais, cada vez mais pressagos.
E como na planície, em junho,
Ameaça a muda tempestade,
E de súbito a Tramontana
Rompe em relâmpagos e o ar todo escurece,

Adiantou-se o Marrão. Nas granjas
Era o seu nome famanado;
E de noite, quando os muares amarrados
À manjedoura o feno comem,
Muita vez, no inverno, os campônios
Esgotam o óleo das lanternas
Contando como foi que ele veio empregar-se.

Empregou-se para a semeada:
Em breve cada qual começa
A traçar o seu sulco; o Marrão, no entretanto,
Canhestramente atrás da relha,
Ora batia nas aivecas,
Ora no cepo, ou nos tirantes,
Como alguém que jamais tocara a ferramenta.

— "Vens te empregar de lavrador,
E não sabes montar o arado,
Desasado!" gritou-lhe o carreteiro-chefe.
Um varrasco, com o seu focinho,
Lavra melhor que tu, aposto!"

— "Aceito a aposta!" respondeu
O Marrão, "e aquele dos dois que errar a meta,

"Perderá três luíses de ouro!...
Soe o clarim!..." Dado o sinal,
Logo partiram os arados campo afora.
Os dois homens tomam dois velhos
Choupos longe como balizas.
Nunca os dois arados infletem!
Doura o raio do sol as arestas do trigo.

— "Eta-pau!" gritaram então
Todos quantos ali se achavam.
"Seu sulco, chefe, é de homem destro e valoroso,
De mão segura e experiente!
Mas, valha a verdade, o do outro
Vai tão direito, que uma flecha
O poderia percorrer de ponta a ponta!"

E o Marrão ganhou os três luíses.
No conselho desconcertante
Veio o Marrão também dizer sua palavra
Amarga: — "Inda há pouco, eu, lavrando,
Assobiava; a coisa era dura;
Resolvi não largar o arado
Senão depois de ter completado a tarefa.

"De repente vi os animais
Eriçarem o pelo, hirtarem
As orelhas; e vi o tremor e o sobressalto
Apossarem-se da parelha;
Via duas imagens de tudo;
Via as ervinhas do terreno
Inclinarem-se para o chão, perdendo a cor.

"Toco os meus animais: a Baia
Olha para mim com ar triste,
O Castanho fareja a terra, e não se mexem.
Chicoteio-lhes os jarretes...
Eles arrancam assustados;
A cama do arado rebenta,
Eles levam a relha e o jugo... Opresso, pálido,

"Sinto o meu corpo sacudido
De convulsões involuntárias;
Um calafrio me percorre, os dentes rangem;

Nas minhas carnes combalidas
E em minha cabeça eriçada
Como as dos cardos espinhosos,
Sinto a Morte passar como um sopro de vento!"

— "Santa Mãe de Deus, acoberta
Com teu manto a minha filhinha!"
Clamou a pobre mãe num grito desolado,
E caiu de joelhos, ainda
Para as nuvens abrindo a boca...
Eis que nisso, a grandes passadas,
O chefe Antelmo vem, pastor e ordenhador.

— "Que lhe deu nela para andar
Tão matinal pelos atalhos?"
O chefe Antelmo diz, entrando no conselho.
"Nós estávamos no cercado
Ordenhando as nossas ovelhas;
Acima das planícies vastas
As estrelas de Deus marchetavam o céu.

"Uma alma, uma sombra, um espectro
Passa junto à sebe; de susto
Quedam mudos os cães, comprime-se o rebanho...
— "Se por ventura és bom espírito,
Fala; se mau, volta ao inferno!"
Pensei, pois não havia tempo
Para rezar nesse momento a Ave-Maria.

— "Quem comigo às Santas Marias,
Ó pastores, deseja vir?"
Uma voz conhecida interroga, e em seguida
Tudo sumiu no lusco-fusco.
Era... Quem o crera, patrão?
Mireia!" — "Seria possível?"
Clamou surpresa toda a gente ao mesmo tempo.

— "Mireia", prosseguiu o pastor,
"Vi-a à claridade dos astros,
Vi-a, asseguro, deslizar diante de mim;
Vi-a, não como fora dantes,
Mas em sua triste figura
Se sentia que neste mundo
Uma pena, um pesar acerbo a impulsionava!"

Ao ouvir a fatal notícia,
Consternados aqueles homens

Estorciam as rudes mãos sujas de terra.
      — "Às Santas, depressa, levai-me,
      Rapazes!" grita a pobre mãe.
      "Onde quer que ela vá ou voe,
Eu quero acompanhar a minha perdizinha:

      "Se vierem sobre ela as formigas,
      Esmagá-las-ei até a última
Com minhas mãos e com meus dentes! E se a Morte,
      A avara Morte descarnada,
      Te quiser levar, eu sozinha
      Lhe quebrarei a foice gasta,
E enquanto isso tu fugirás entre os juncais!"

      Assim Joana Maria, presa
      De apreensão, desvairadamente
Lançava aos ares suas loucas invectivas.
      — "Carreiro, prepara a carreta,
      Azeita o eixo, molha os cubos,
      E atrela a Zaina", diz o mestre,
"Pois é tarde e o nosso trajeto será longo!"

      Toma assento Joana Maria
      No carro trepidante. O ar
Cada vez mais se enche de queixas e transportes:
      — "Minha linda!... Campos pedrentos,
      Ermos da Crau, vastas salinas,
      Sede, e tu também, grande sol,
Benevolentes para com minha menina!...

      "Mas a mulher abominável
      Que atraiu à sua cafurna
Minha filha, e lhe fez sem dúvida engolir
      Os seus filtros e os seus venenos,
      Taven! que todos os demônios
      Que espaventaram Santo Antônio,
Te venham arrastar sobre as rochas de Baux!..."

      "Nos solavancos da carreta
      Se perdia a voz da infeliz...
E os servidores, observando se ninguém
      Aparecia na distância,
      Retornavam ao seu trabalho...
      No entanto, ao ar fresco, felizes,
Revoluteavam os enxames de mosquitos!

Canto décimo

A Camarga

Mireia passa o Ródano no bote de Andrezinho e continua a sua corrida através da Camarga. — As margens do Ródano entre o mar e Arles. — Descrição da Camarga. — O calor. — A dança da Velha. — As dunas. — Os saleiros. — Mireia é atacada de insolação à margem da lagoa de Vacarés. — Os mosquitos fazem-na voltar a si. — A romeira de amor arrasta-se até à igreja das Santas. — A prece. — A visão. — Discurso das Santas Marias. — A inconsistência da felicidade deste mundo. — A necessidade e o mérito do sofrimento. — As Santas, para reanimar-lhe a coragem, contam a Mireia as suas provações terrestres.

Ó gentes da Provença, desde
Arles até Vence, escutai-me!
Se achais que faz calor, amigos, todos juntos
Nos arredores do Durance,
Espaireçamos, repousemos!
E de Marselha a Valensola
Mireia cante-se e lastime-se Vicente!

O barquinho cortava as águas
Sem mais ruído que um linguado.
O pequeno Andrezinho é que guiava o barco.
Pois a amante por mim cantada
Com ele se arriscara ao vasto
Ródano. Assentada à popa,
A moça contemplava as ondas, pensativa.

E o remadorzinho dizia:
— "Veja como é largo em seu leito
O Ródano!... Entre a Crau e a Camarga podia
Se fazer bonitas regatas!
Pois esta grande ilha é a Camarga:
Tem tal largura, que do rio
Arlesiano vê escancarar-se as sete bocas!"

Enquanto falava, no Ródano,
Luzente dos reflexos róseos
Que já espalhava nele a manhã, lentamente
Subiam tartanas; das velas
A aura do mar inchando o pano,
As impelia diante dela
Como pastora com um rebanho de anhos brancos.

Oh deleitosas sombras de árvores!
Freixos, choupos brancos enormes
Miravam na água a imagem longa dos seus troncos;
Vides bravas suas gavinhas
Enrolavam neles, e do alto
Dos fortes galhos sobranceiros
Deixavam pender no ar os seus ramos nodosos.

O Ródano, com as suas ondas
Cansadas e tranquilas, passava
Lento; e saudoso do Palácio de Avinhão,
Das farândolas, sinfonias,
Como um grande ancião que agoniza,
Melancólico parecia
De no oceano perder suas águas, seu nome.

Mas a amante por mim cantada
Havia já saltado em terra:
— "Siga em frente", gritou do bote o bom menino,
"Até achar o caminho! As Santas
À capela miraculosa
A conduzirão." Isso dito,
Tomou dos remos e rumou para a outra margem.

Sob os fogos que junho lança,
Mireia corre, e corre, e corre!
De norte a sul, de leste a oeste, avista ela
Uma planície imensa: campos
Sem fim, umas raras tamargas
Como única vegetação,
De longe em longe... e o mar na linha do horizonte...

Estatícias e cavalinhas,
Salicórnias, beldroegas, sodas,
Amargos prados das marítimas paragens,
Onde os touros negros e os brancos
Cavalos pastam livremente,
E podem, alegres, seguir
A aura do mar toda impregnada de salsugem.

A azul abóbada assoalhada
Se expandia funda, brilhante,
Coroando os pantanais com seu vasto circuito;
Na claridade da distância
Às vezes voa uma gaivota;

Às vezes passa a grande sombra
De um pernalta ermitão das lagoas de em torno.

É uma gambeta de pés rubros;
Ou uma garça, que olha arisca
E levanta orgulhosamente a nobre poupa
De três compridas plumas brancas...
Já no entanto o calor sufoca,
E para se aliviar a moça
Desata do quadril as pontas do seu xale.

E o calor, cada vez mais vivo,
Cada vez mais castiga; os raios
E requeime do sol no zênite do céu
Limpo caem como chuva grossa:
O grande sol é como um leão,
Que, atormentado pela fome,
Devora com o olhar o deserto abissínio!

Que bom dormir sob uma faia!
A loura irradiação simula
Enxames no ar, simula enxames enfuriados,
Enxames de vespas que voam,
Sobem e descem, tremelicam
Como lâminas que se afiam.
A romeira de amor, quebrada de cansaço,

Esbaforida de calor,
Do casaco redondo e cheio
Tira o alfinete, e os belos seios agitados,
Iguais a duas ondas gêmeas
Numa límpida fonte, lembram
Essas campânulas que à beira
Do mar ostentam no verão sua brancura.

Mas pouco a pouco ante os seus olhos
Perde a região sua tristeza;
E eis que, aos poucos, ao longe bole e tremeluz
Um grande lençol de água; em volta
Da massa líquida vicejam
As filíreas, as salgadeiras,
Formando cada qual como um chapéu de sombra.

Era uma paisagem celeste,
Uma Terra de Promissão!

Ao longo da água azul com pouco uma cidade
        Se ergue ao longe, com avenidas,
        E forte muralha que a cinge,
        Seus telhados, fontes e igrejas,
Seus campanários afilando-se no céu.

        Embarcações de toda sorte,
        Com as velas brancas desfraldadas,
Penetravam na enseada, e o vento, que era brando,
        Balançava no alto dos mastros
        Bandeirolas e galhardetes.
        Mireia enxugava no rosto
As gotas de suor, que abundantes corriam;

        E de ver aquele espetáculo,
        Pensou, meu Deus, que era milagre!
E corre, e corre mais, julgando ser ali
        O santo sepulcro das Santas.
        Mas quanto mais corre, mais muda
        A ilusão que a fascina, e mais
Se afasta o claro quadro e faz-se acompanhar.

        Fábrica vã, sutil, alada,
        O Fantástico o havia fiado
Com um raio de sol e tingido com as cores
        Das nuvens: sua trama fraca
        Acaba por tremer, turvar-se,
        Dissipar-se como uma névoa.
E Mireia queda ao calor, só e assombrada.

        E avante nos montes de areia
        Quentes, movediços, odiosos!
E avante através da grande salina, cuja
        Crosta de sal o sol empola
        E lustra, e que estala e encandeia!
        E avante entre os altos arbustos,
Canas e juncas, dos pauis, com os seus mosquitos!

        Com Vicente no pensamento,
        No entanto havia muito que ela
Vinha costeando o litoral do Vacarés;
        Já das grandes Santas Marias
        Avistava a dourada igreja
        Assomar do oceano longínquo
Como um navio que singrasse para a praia.

Súbito, do sol implacável
O escandescente requeimor
Lhe lança à fronte virginal seus mortais dardos.
E ei-la, infeliz! que desfalece
E que, à beira do mar sereno,
Cai desamparada na areia.
Crau, tombou tua flor!... Ó rapazes, chorai-a!

Sempre que o caçador do vale
Vê, à beira de um rio, pombas
Dessedentando-se e alisando as suas penas,
Depressa vem por entre as moitas
Com sua arma, e aquela que alveja
É sempre a mais bela do bando:
Do mesmo modo procedeu o duro sol.

Estava assim a pobrezinha
Desacordada, ali na duna.
Nisso um enxame de mosquitos que passava,
Vendo a moça naquele estado,
O branco seio palpitante,
Sem sequer um talo de zimbro
Para cobri-la contra a reverberação,

Lastimosamente os insetos
Faziam das asas violinos,
Sussurrando: — "Levanta depressa, levanta,
Linda, que é muito perigoso
O calor do paul salino!"
E picavam-lhe a fronte pálida.
O mar também, com suas finas gotazinhas,

Contra as chamas do rosto dela
Lançava o seu orvalho amargo.
Mireia ergueu-se. Dolorida, gemebunda:
— "Ai da minha cabeça!" E a passos
Trôpegos arrastou-se a moça;
E aos tropeços chegou às Santas
Do mar, cambaleando exausta e quase exânime.

E com prantos em suas pálpebras,
Contra os lajedos da capela,
Molhados pela infiltração da água marinha,
Bate com a cabeça, a pobre!
E eis como, nas asas da brisa,

A sua prece sobe aos céus,
A sua prece entrecortada de suspiros:

Ó Santas Marias,
Que podeis em flor
Mudar nosso pranto,
Inclinai o ouvido
Para a minha dor!

Quando virdes, ai!
A minha aflição,
Meus padecimentos,
Dar-me-eis, minhas Santas,
Vossa compaixão.

Gosto de um rapaz,
O belo Vicente,
De toda a minha alma;
Mais que tudo: gosto
Infinitamente.

Gosto como gosta
O rio de escoar;
Gosto, minhas Santas,
Como o passarinho
Gosta de voar.

Querem que eu extinga
A enorme fogueira
Que não quer morrer!
Que eu torça a viçosa,
Florida amendoeira!

Ó Santas Marias,
Que podeis em flor
Mudar nosso pranto,
Inclinai o ouvido
Para a minha dor!

De longe, de longe,
Muito longe vim.
Nem mãe vigilante,
Crau, rio empecilhos
Foram para mim!

Dos pregos e espinhos
Que o sol arremessa,
Ainda sinto agora
O ardente requeime
Pungir-me a cabeça.

Dai-me o meu Vicente
E, podeis-me crer!
Alegres, risonhos,
Ver-nos-eis vir juntos
Vos agradecer.

Então cessará
Todo o meu tormento;
Brilharão meus olhos
— Hoje tão molhados —
De contentamento.

Meu amor, meu pai
O tem por desdouro.
Tocai-lhe o juízo:
Para vós é nada,
Minhas Santas de ouro!

Por dura que seja
A azeitona, vem
O vento, que a torna
Madura, no ponto
Que melhor convém.

A nêspera, a sorva,
Ao irmos colhê-las
Tão acerbas, basta
Um pouquinho de erva
Para amolecê-las.

Ó Santas Marias,
Que podeis em flor
Mudar nosso pranto,
Inclinai o ouvido
Para a minha dor!

....
....

Acaso deliro?
Como a igreja é grande!
Vejo o Paraíso?
Que abismo de estrelas
Lá no alto se expande!

Ó felicidade!
Do espaço sem fim,
Nos ares sem nuvens
As Santas radiosas
Descem até mim!

Sereis vós realmente,
Trazendo o socorro?
Ó belas padroeiras,
Ocultai a auréola,
Que senão eu morro!

Vossa voz me chama?
Cansados demais
Tenho os olhos!... Onde
É a vossa capela?
Santas, me falais?

....
....

No arroubamento que a arrebata,
Arfando, ansiada, semimorta,
Braços erguidos e cabeça para trás,
Mireia ajoelhada nas lajes,
Fixa nas portas de São Pedro
Os olhos, que parecem ver
O outro mundo através do véu da carne fraca.

Silenciosos estão seus lábios;
Seu belo rosto transfigura-se.
E na contemplação a sua alma e o seu corpo
Nadam fascinados: na aurora,
Que doura a folhagem dos choupos,
Assim empalidece e morre
O lume que velava um ser em perdição.

Três mulheres divinamente
Belas, entre finas estrelas

Descem do céu, e como ao despontar do dia
    Se dispersa um rebanho inteiro,
    Os altos pilares do templo,
    Com o arco que sustenta a abóbada,
Saem do seu lugar para abrir-lhes caminho.

    E no ar límpido, muito brancas,
    As três Marias luminosas
Baixam do céu; uma trazia contra o seio
    Cingido um vaso de alabastro;
    E só o astro, em noites serenas,
    Que doce alumia os pastores,
Lhe poderia retratar a fronte elísia.

    Aos brincos do vento a segunda
    Entrega as suas tranças louras,
E caminha modesta, uma palma na mão;
    A terceira, mocinha ainda,
    Com a sua mantilha branca
    Cobria um pouco o rosto, e os olhos
Negros lhe reluziam mais do que diamantes.

    À dolente se dirigiram,
    Detiveram-se acima dela
Imóveis, e depois lhe falaram: tão meiga
    E tão clara era a sua fala,
    E o seu sorriso tão afável,
    Que os espinhos do sofrimento
Floriam em Mireia encantadoramente.

*

    — "Consola-te, pobre Mireia:
    Somos", diziam-lhe, "as Marias
De Judeia. Consola-te, somos as Santas
    De Baux! Consola-te, patronas
    Somos do barquinho que cercam
    Os bramidos do oceano irado,
E o mar, quando nos vê, logo torna à bonança.

    "Ergue os olhos, ó peregrina!
    Vês o caminho de São Tiago?
Há pouco estávamos lá e juntas contemplávamos,
    Daquela outra extremidade,
    As procissões fiéis que vão

Em romaria a Compostela
Orar ao nosso filho e sobrinho em seu túmulo.

"E ouvíamos as ladainhas...
E o doce murmúrio das fontes,
O declínio do dia, o bimbalhar dos sinos,
E os peregrinos pelos campos,
Tudo, de concerto, rendia
Glória ao apóstolo de Espanha,
Nosso filho e sobrinho, a São Tiago Maior.

"Bem-aventuradas da glória
Que se tributava ao seu nome,
Sobre a fronte dos peregrinos aspergíamos
O orvalho do sereno, e na alma
Lhes púnhamos paz e alegria.
Pungentes como labaredas,
Foi então que até nós subiram teus lamentos.

"Ó virgem, tua fé é das grandes!
Mas como nos pesa o que pedes!
Queres, louca, beber nas fontes do amor puro;
Insensata, inda antes da morte
Queres provar da forte vida
Que no próprio Deus nos transporta!
Desde quando, na terra, encontraste a ventura?

"Viste-a no homem rico? Balofo,
Refestelado em seu triunfo,
Nega a Deus em seu coração, junta e açambarca...
Mas quando cheia, a sanguessuga
Lá cai! e que fará do inchume
Quando se vir diante do Juiz
Que entrou em Jerusalém montado num burrinho?

"Viste no olhar da partejada,
Quando, pela primeira vez,
Ela dá, comovida, o seio ao seu filhinho?
Basta que se altere um pouco
O leite, e ei-la, desvairada,
Torcendo as mãos ao pé do berço,
E cobrindo de amargo pranto o filho morto!

"Viste acaso no olhar da noiva,
Quando, a passos lentos, na estrada

Seguia para a igreja ao lado de seu noivo?
              Para o casal que a vai pisando
              Essa estrada tem mais espinhos
              Que o abrunheiro da charneca,
Pois tudo nela são trabalho e provações!

              "Neste mundo a mais clara água
              É, depois de bebida, amarga;
Neste mundo, com o fruto novo nasce o verme,
              E tudo peca e se corrompe...
              Debalde escolherás no cesto:
              A laranja, doce que seja,
Correndo o tempo, acabará sabendo a fel.

              "Quantos, em vosso mundo, julgas
              Que respiram, mas não: suspiram!...
Mas aquele que desejar beber em fonte
              Incorruptível e perene,
              Compre-a à custa de sofrimento!
              A pedra tem que ser partida
Para se extrair dela a palheta de prata.

              "Feliz, pois, o que aceita as penas,
              E fazendo o bem se afadiga;
E quem chora vendo outros chorarem; e quem
              Tira o manto que o cobre e lança-o
              Sobre a pobreza nua e pálida;
              E quem com os humildes se abaixa,
E acende para o que tem frio o seu fogão!

              "E a grande palavra que os homens
              Esquecem, ei-la: A morte é a vida!
Bem-aventurados os bons e os simples! Estes,
              Ajudados de sutil vento,
              Subirão, brancos como lírios,
              Ao céu, deixando um mundo aonde
Os santos são continuamente apedrejados!

              "Também, oh! se visses, Mireia,
              Das alturas do Paraíso
Quão miserável nos parece este universo,
              E lamentável, insensato
              O vosso ardor pela matéria,
              Vosso medo do cemitério,
Implorarias, ai de ti, morte e perdão!

"Mas, antes de espigar, é força
Que na terra o trigo fermente!
Essa, a lei... Nós também antes de ter a auréola
Bebemos a amarga mistura;
E para que tua coragem
Recobres, de nossa jornada
Te queremos contar os medos e os trabalhos."

E se calaram as três Santas.
E para ouvirem afluíam
À praia as ondas cariciosas em rebanhos.
Os pinhais fizeram sinal
Aos amieiros, e as gaivotas
E as cercetas viram então
O imenso Vacarés sofrear as suas vagas.

E o sol, juntamente com a lua,
Nos longes dos brejais, penderam
As suas frontes escarlates, adorando...
A grande Camarga salina
Estremeceu!... Para dar forças
À amante, as Bem-aventuradas
Ao cabo de um momento assim principiaram:

*

Canto undécimo

As Santas

Contam as Santas Marias como, depois da morte do Cristo, foram, com outros discípulos, entregues à mercê do mar, e como abordaram na Provença e converteram o povo daquela região. — A navegação. — A tempestade. — Chegada dos santos proscritos a Arles. — Arles romana. — A festa de Vênus. — Sermão de São Trófimo. — Conversão dos arlesianos. — Os tarasconenses vêm implorar o socorro de Santa Marta. — A Tarasca. — São Marcial em Limoges; São Saturnino em Tolosa; Santo Eutrópio em Orange. — Santa Marta doma a Tarasca e depois converte Avinhão. — O papado em Avinhão. — São Lázaro em Marselha; Santa Madalena na gruta; São Maximino em Aix; as Santas Marias em Baux. — O rei Renato. — A Provença unida à França. — Mireia, virgem e mártir.

   — "A árvore da cruz, ó Mireia,
    Sobre a montanha da Judeia
Ainda estava plantada: ereta, no Calvário,
    Do sangue de Deus ainda úmida,
    Gritava à cidade do crime,
    No abismo, embaixo, adormecida:
— "Que fizeste do rei de Belém, que fizeste?"

    "Das ruas, agora tranquilas,
    Já não subiam os clamores.
Só, ao longe, o Cedron se lamentava ainda,
    E o Jordão, de melancolia,
    Ia no ermo esconder-se para
    Chorar suas queixas à sombra
Dos lentiscos e dos virentes terebintos.

    "E o pobre povo estava triste,
    Pois bem via que era o seu Cristo
Aquele que, soerguendo a pedra do sepulcro,
    Aos companheiros e discípulos
    Voltava a mostrar-se, e depois,
    Entregando as chaves a Pedro,
Se remontava, céu acima, como uma águia!

    "Ah, choravam-no na Judeia,
    O louro e belo carpinteiro
De Galileia, que amansava os corações
    Com o mel de suas parábolas,
    E com largueza alimentava

De pão ázimo as multidões,
E vista aos cegos restituía e vida aos mortos!

"Mas doutores, reis e rabinos,
A horda inteira dos vendilhões
Que do seu santo templo o Mestre havia expulso,
Entrediziam-se ao ouvido:
— "Quem poderá conter a turba,
Se em Sião não for e em Samaria
Extinta prontamente a luz desse madeiro?"

"Então irritaram-se as raivas,
E os mártires testemunharam;
Um Estêvão foi lapidado vivo; Tiago,
Morto a espada; outros esmagados
Debaixo de um bloco de pedra!...
Mas, sob o ferro ou sobre a brasa,
Gritavam de Jesus: "Jesus, filho de Deus!"

"E nós, suas irmãs e irmãos,
Que por toda parte o seguíamos,
Fomos jogados a um mau barco, abandonados
Ao furor dos mares, sem velas
Nem remos. Nós, as mulheres,
Chorávamos rios de lágrimas;
Os homens erguiam os olhos para o céu.

"Já víamos perder-se ao longe
Olivais, palácios e torres;
Víamos do Carmelo as cristas e quebradas
Corcovarem-se no horizonte.
De repente um grito nos chega...
Voltamo-nos: na praia vimos
Uma moça, que erguia os braços e chamava,

"Gritando-nos, toda afogueada:
— "Oh levai-me no vosso barco!
Levai-me, que eu também, patroas, por Jesus
Quero morrer de morte amarga!"
Era a nossa criada Sara;
E no céu podes vê-la agora,
De fronte a resplender como uma alva de abril.

"Para longe o Aquilão nos roja.
Mas Salomé, que Deus inspira,

Sobre as vagas do mar deixa cair seu véu.
    Oh força da fé! Sobre as ondas,
    Que saltam, douradas e azuis,
    A moça, sã e salva, vem
Da praia até a nossa fraca embarcação.

    "O Aquilão a impelia, e a vela
    A levava... Quando, contudo,
Píncaro a píncaro, na bruma da distância
    Sumiu a terra, e nos achamos
    Cercados de mar, — é preciso
    Prová-la para conhecê-la —
A indefinível nostalgia que sentimos!

    "Adeus, adeus, terra sagrada!
    Adeus, desgraçada Judeia,
Que persegues os bons, crucificas teu Deus!
    Agora tuas vinhas e tâmaras
    Serão pasto de leões ferozes;
    E tuas muralhas, covil
De horrendas cobras!... Adeus, pátria!... Adeus, adeus!

    "Uma lufada tempestuosa
    Por sobre o mar apavorante
Empurrava o batel: Marcial e Saturnino
    Iam ajoelhados à popa;
    Pensativo, envolto em seu manto,
    O velho Trófimo encolhia-se;
Ao pé dele, assentado, o bispo Maximino.

    "Junto do leme, aquele Lázaro,
    Que do túmulo e do sudário
Guardava no semblante a palidez mortal,
    Parecia afrontar o abismo;
    Com ele o nosso batel leva
    Sua irmã Marta e Madalena,
Estendida no chão, chorando a sua dor.

    "O batel, que os demos impelem,
    Leva mais Eutrópio, Sidônio,
José de Arimateia e Marcelo e Cleonte;
    Apoiados sobre os toletes,
    No silêncio do reino azul,
    Entoavam os Salmos, e em coro
Repetíamos nós o *Te Deum Laudamus!*

"Oh, sobre as águas cintilantes
Como o nosso batel corria!
Parece estarmos vendo ainda essas refegas,
Que em remoinhos levantavam
Do fundo abismo altas colunas
Espumejantes, e depois
Se esvaneciam na distância como espíritos.

"O sol despontava no mar,
E no mar desaparecia;
E sempre errantes sobre a oceânica planície
Íamos à mercê dos ventos;
Mas dos escolhos Deus nos salva,
Que em seus desígnios nos reserva
Para trazer à lei os povos provençais.

"Uma manhã, estava o tempo
Tranquilo, e víamos a noite
Fugir, de lâmpada na mão, como uma viúva
Madrugadora, que vai pôr
Seus pães para cozer no forno;
A onda, plana como uma eira,
Mal batia, tão mansa, o costado do barco.

"De muito longe, nasce, e incha,
E leva o horror à alma, e ronca
Um estranho rumor, um mugido soturno,
Que nos penetra até a medula,
E cada vez mais urra e geme.
Emudecemos! Só a vista,
Até onde podia ir, sondava os ares.

"E sobre o mar, dir-se-ia pávido,
A borrasca se aproximava,
Rápida, formidanda; as vagas, como mortas,
À nossa volta, negro augúrio!
Sustinham nosso barco imóvel.
Súbito ao longe se levanta
Uma montanha de água, espantosa de altura.

"De sombrias nuvens coroado,
O oceano, todo inteiro erguido,
E que bufava, e que berrava, ó Deus, correndo,
Vinha sobre nós: de repente
Uma refega precipita-nos

A um fundo pego, e após à crista
Dos vagalhões nos arremessa, moribundos!

"Ah, que subversão! Ah, que transes!
Incessantes, fendem relâmpagos
A escuridão, rolam trovões apavorantes,
O Inferno se desencadeia
Para engolir nossa carena.
O sudoeste sibila e brame,
Bate contra as bordas do barco as nossas frontes.

"Sobre o dorso de suas vagas,
Ora o mar nos levanta, ora
De seus abismos nos mais lôbregos recessos,
Onde vagam pavões-do-mar,
Focas e tubarões enormes,
Vamos ouvir a triste queixa
Dos afogados que a onda varre, pobrezinhos!

"Era o fim! Uma enorme vaga
Nos cobre. Senão quando Lázaro:
— "Meu Deus, sê o nosso timoneiro! De uma feita
Já me arrancaste do sepulcro...
Socorre-nos! o barco afunda!"
Como o surto de um pombo-bravo,
O seu grito fende a tormenta e vai aos céus.

"Do alto palácio onde triunfa,
Viu Jesus no mar empolado
O seu amigo; o seu amigo na iminência
De ser tragado pelas ondas.
Seus olhos, com funda piedade,
Nos contemplam: súbito rompe,
Longo, um raio de sol através da borrasca.

"Aleluia! Ainda subíamos
E baixávamos na água amarga,
E restituíamos ao mar o mar bebido.
Mas cessados eram os medos,
Dispersas as vagas imensas,
Dissipadas ao longe as nuvens;
E a terra verdejante exsurgia na estiada.

"Por muito tempo ainda, em rudes
Choques, nos sacodem as vagas.

Depois curvam-se enfim diante do frágil barco
    A um sopro que as sujeita e amansa.
    Como um colimbo o frágil barco
    Singra entre os escolhos, abrindo
No mar, com sua quilha, uma esteira de espumas.

    "Numa praia sem rocha o barco,
    Aleluia! aborda; na areia
Úmida ali nos prosternamos e gritamos:
    — "Nossas cabeças, que arrancaste
    À tormenta, até sob o gládio
    Ei-las prontas, ó Jesus Cristo,
A proclamar a tua lei! Nós o juramos!

    "Àquele nome, de alegria
    A nobre terra de Provença
Pareceu sacudida; àquele grito novo,
    Floresta e campo estremeceram
    Em todo o seu ser, como um cão
    Que, vendo aproximar-se o dono,
Corre ao encontro dele e vai fazer-lhe festa.

    "O mar lançara as suas conchas...
    Pater noster, qui es in coelis,
À nossa longa fome um festim nos mandaste;
    Para a nossa sede entre os zimbros
    Fizeste nascer uma fonte
    Límpida, sã, miraculosa,
Que ainda jorra na igreja onde estão nossos ossos.

    "Cheios da fé que nos inflama,
    Do Ródano a riba ocupamos;
De paul em paul marchamos ao acaso;
    Depois, alegres, encontramos
    Na gleba os sulcos da charrua;
    Depois vimos as torres de Arles,
Na distância, arvorando o estandarte imperial.

    "Hoje tu és ceifeira, ó Arles!
    E, deitada na tua eira,
Relembras com amor tuas glórias antigas;
    Eras então rainha e mãe
    De um povo de remeiros tal,
    Que, de teu porto, o vento urrante
Não conseguia atravessar a imensa frota.

"Roma, de novo, te vestira
De pedras brancas bem-talhadas:
Pusera em tua fronte as cento e vinte portas
De tuas preclaras Arenas;
Tinhas, ó princesa do Império,
Para distrair teus caprichos,
Circo, hipódromo, teatro e excelsos aquedutos.

"Entramos na cidade: a turba
Subia ao teatro em farândola.
Fomos com ela, zás! No meio dos palácios,
À sombra dos templos de mármore,
O povo, ávido, fervilhava,
Como quando, à sombra dos bordos,
Ruge no barrocal uma bátega de água.

"Oh maldição! Oh que vergonha!
Aos sons langorosos da lira,
Lá dentro do teatro uma ronda de moças,
Os seios nus, sobre um refrão
Que suas vozes estridulavam,
Torcia-se em danças lascivas
E ardentes ao redor de uma estátua de Vênus.

"A embriaguez pública lançava-lhes
Os seus clamores delirantes;
— "Cantemos", moças e rapazes repetiam,
"Cantemos Vênus, a deidade
Da qual provém toda alegria!
Cantemos Vênus soberana,
A grande mãe da terra e do povo arlesiano!"

"A fronte alta, a narina aberta,
O ídolo, coroado de mirto,
Parecia que impava entre as nuvens de incenso.
Indignado com tanta audácia,
Gritos e dança interrompendo,
O velho Trófimo arremete,
Erguendo os braços para a turba estupefata.

"E com voz forte: — "Povo de Arles,
Ouve, oh ouve as minhas palavras!
Ouve, em nome do Cristo!..." e não disse mais nada.
Ao franzir Trófimo o sobrolho,
Eis que o ídolo cambaleia,

Geme e tomba do pedestal.
Caem com ele as dançarinas assustadas.

"Berra a multidão, comprimindo-se
Às portas do teatro, e sai
Disseminando o espanto e o medo na cidade.
Descoroam-se os chefes; gritam
No entanto os moços, incitando
O povo contra nós... Num átimo
Somos cercados; mil punhais lampejam no ar.

"Contudo as nossas pobres vestes
Impregnadas de sal marinho,
A fronte calma e como aureolada de Trófimo;
E mais bela que a Vênus deles,
Madalena, de olhos velados
De santas e piedosas lágrimas,
Isso tudo por um momento os faz recuar.

"Mas então Trófimo: — "Arlesianos,
Ouvi, ouvi minhas palavras!"
Gritou de novo. "Ouvi, depois podeis picar-me!
Povo arlesiano, presenciaste
Teu deus quebrar-se como vidro
Ao nome do meu! Não imputes
À minha voz esse poder: não somos nada!

"O Deus que quebrou o teu ídolo
Não tem templo sobre a colina!
Mas lá em cima só ele a noite e o dia avistam;
Sua mão, severa para o crime,
É generosa para a prece.
Foi ele só que fez a terra,
E fez o céu, e fez o mar, e fez os montes.

"Um dia ele viu sua messe
Atacada pelas lagartas;
Viu o escravo beber seus prantos e seu ódio,
Sem nunca ninguém que o console!
Viu o Mal feito sacerdote
Abrir escola nos altares;
Tuas filhas correr à afronta dos devassos!

"Para lavar tais imundícies,
E pôr fim ao longo tormento

Da raça humana atada ao poste de suplício,
　　　Enviou seu Filho: pobre e nu,
　　　Sem raio nenhum que o dourasse,
　　　Desceu este e num seio virgem
Esperou de nascer, e nasceu sobre as palhas!

　　　"Ó povo de Arles, penitência!
　　　Companheiros de sua vida,
Podemos atestar seus milagres! Nas terras
　　　Longínquas onde flui o louro
　　　Jordão, no meio de uma turba
　　　Andrajosa e faminta o vimos
Resplandecente em sua túnica de linho!

　　　"E dizia-nos ser preciso
　　　Nos amássemos uns aos outros;
Falava-nos de Deus, todo bondade e força;
　　　Falava do reino do Pai,
　　　Que não seria para os falsos,
　　　Os soberbos, os fraudulentos,
Mas para os simples, os pequenos, os que choram.

　　　"E sua doutrina atestava
　　　Andando sobre o mar; os doentes,
Curando-os com um olhar, uma palavra; os mortos,
　　　Malgrado a sombria barreira,
　　　Voltavam: aqui tendes Lázaro,
　　　Que apodrecia no sudário...
Mas só por causa disso, assomados de inveja,

　　　"Os reis da judia nação
　　　Prenderam-no, a uma colina
O levaram, crucificaram-no, cuspiram
　　　Em seu santo rosto; depois
　　　O ergueram no espaço e zombaram
　　　Dele..." — "Perdão! Perdão!"
Todo o povo bradava, em soluços e lágrimas;

　　　"Perdão para nós! Que fazer
　　　Para a ira aplacar do Pai?
Fala, homem de Deus, se é sangue o que ele quer,
　　　Terá ele cem sacrifícios!"
　　　— "Imolai-lhe os vossos deleites,
　　　Imolai-lhe a fome do vício",
O santo respondeu, lançando-se por terra.

"Não, o que te agrada, Senhor,
Não é o cheiro de uma matança,
Nem os templos de pedra: agrada-lhe bem mais
O pão que se dá a um faminto,
Ou a virgem que vem a Deus
Oferecer, doce e medrosa,
Como uma flor de maio, a sua castidade."

"Dos lábios do inflamado Apóstolo
Assim corre como óleo santo
A palavra de Deus: e as lágrimas corriam,
E doentes e necessitados
Beijavam-lhe a fímbria do manto,
E os ídolos por toda parte
Rolavam nos degraus dos templos, em pedaços!

"Ao mesmo tempo, aos arlesianos
Atestava do Cego-nato
(Que era Sidônio) a visão limpa recobrada:
A outros Maximino fala
Da ressurreição do Senhor,
E que é mister arrepender-se...
Arles toda, naquele dia, batizou-se!

"Mas como a lufada de vento
Que varre um fogo de gravetos,
Sentimos que nos move o espírito de Deus.
E eis que estando nós de partida,
Uma embaixada se apresenta,
Cai aos nossos pés implorando:
— "Enviados do bom Deus, ouvi-nos um momento!

"Ao rumor dos vossos milagres
E dos vossos novos oráculos,
Nos manda a vossos pés nossa infeliz cidade...
Estamos mortos-vivos! Ávido
De sangue humano e de cadáveres,
Nossos campos e bosques tala
Um flagelo de Deus, um monstro... Socorrei-nos!

"Tem ele cauda de dragão,
Olhos mais rubros que cinábrio,
O dorso eriçado de escamas e de puas!
Focinho de leão, pés de homem
Para poder correr melhor;

À sua furna, que domina
O Ródano, carrega o monstro quanto pode.

"Cada dia rareiam mais,
Ai de nós! nossos pescadores..."
E isso dizendo, cai em pranto a pobre gente.
Sem hesitação nem demora,
Marta exclama então: — "Com Marcelo,
Vou eu! Ferve-me o coração
Por acudir àquele povo e libertá-lo."

"Pela última vez no mundo
Nos abraçamos, na esperança
De nos rever no céu, e assim nos separamos.
A Limoges tocou Marcial;
Coube a Tolosa Saturnino;
Enquanto na pomposa Orange
Foi Eutrópio o primeiro a semear o bom grão.

"Mas tu, aonde vais, meiga virgem?
Com uma cruz, com um hissope,
Marta ia, com ar sereno, em direitura
À medonha Tarasca: os Bárbaros,
Não podendo crer que ela escape,
Para ver o combate raro
Tinham todos trepado aos pinheiros do sítio.

"Estremunhado em suas palhas,
Era de ver saltar o monstro!
Mas é em vão que se estorce aos pingos da água santa;
É em vão que escabuja e regouga...
Marta em fina trela de musgo
O enlaça e arrasta-o... O monstro bufa,
E o povo inteiro concorreu para adorá-la!

— "Quem és tu? Diana caçadora?
Ou a casta e forte Minerva?"
Perguntavam à moça, e ela dizia: — "Não,
Não, de meu Deus sou a serva
Apenas!" E ela os instruiu.
E instruídos e convertidos,
Com a virgem perante Deus se prosternaram.

"Com sua virginal palavra
Fere ela a rocha avinhonense,

E a fé de tal maneira em ondas espadana,
  Que nela mais tarde os Clementes
  E os Gregórios virão encher
  A copa santa. Para glória
Dela, Roma tremeu durante setenta anos.

  "Mas já da Provença se erguia
  Um canto de renascimento,
Que fazia prazer a Deus: nunca notaste
  Como, quando a chuva cai, todas
  As árvores, toda a verdura
  Se reanimam? Pois assim todo
Ardido coração corria a refrescar-se.

  "Tu mesma, alterosa Marselha,
  Que para o mar abres teus cílios,
Sem nada ver do mar que te distraia a vista,
  E, malgrado os ventos contrários,
  Só pensas no ouro de teus muros,
  Ouvindo a palavra de Lázaro
Os olhos abaixaste e viste a tua noite!

  "E no Huveaune, que se alimenta
  Das lágrimas de Madalena,
Tu lavaste perante Deus tua imundície...
  Hoje alças de novo a cabeça...
  Antes que sopre a tempestade,
  Lembra-te que os teus olivais
Pelos prantos de Madalena são banhados!

  "Colinas de Aix, criptas abruptas
  Da Sambuca, velhos juníperos,
Grandes pinheiros das escarpas do Esterel,
  E vós, zimbros da Trovaresse,
  Contai-nos de novo que júbilo
  Vossos vales sentiram quando
Maximino passou, levando a cruz consigo!

  "Mas estás vendo, ao longe, aquela
  Que, os braços brancos sobre o peito,
Reza no fundo de uma gruta? Os seus joelhos
  Magoam-se na rocha dura.
  Ela não tem para cobri-la
  Senão a loura cabeleira,
E a lua vela-a com o seu pálido fanal.

"E para vê-la em sua gruta
O bosque se inclina e emudece;
Anjos, retendo o palpitar do coração
A espiam por um interstício;
E quando roreja na pedra
Um pranto seu, com grande pressa,
Eles vão recolhê-lo em um cálice de ouro.

"Basta de chorar, Madalena!
O vento que sopra no bosque,
Há trinta anos te traz o perdão do Senhor.
Os teus prantos a própria rocha
Chorará sempre, e as tuas lágrimas
Sobre todo amor de mulher
Lança, como um vento de neve, a sua alvura!

"Mas do desgosto que a consome,
Nada consola a pobrezinha:
Nem as aves que para ser abençoadas
Se aninhavam no Saint-Pilon;
Nem os anjos, que nos seus braços
A tomavam e sete vezes
Todos os dias a ninavam sobre os vales.

"A ti, Senhor, a ti reverte
Toda glória! A nós, contemplarmos
Para sempre o teu Ser de esplendor e verdade!
Pobres mulheres exiladas,
Ébrias porém do teu amor,
Despedimos também alguns raios
Do teu eterno, teu infinito fulgor.

"Morros de Baux, azuis Alpilhos,
Vossos picos, vossas agulhas
Em todo o tempo guardarão de nossa prédica
Impresso o vestígio na pedra.
Nas soledades paludiais,
No fundo da Camarga a morte
Nos aliviou dos nossos dias de trabalho.

"Como em tudo o que cai, o olvido
Depressa escondeu nossos túmulos.
A Provença cantava, os anos decorriam;
E como o Durance no Ródano
Perde finalmente o seu curso,

O gaio reino de Provença
Adormeceu por fim no regaço da França.

— "França, toma conta de tua
Irmã, que eu vou morrer!" seu último
Rei falou. "Juntas caminhai para o futuro,
A cumprir a grande tarefa...
Tu és forte; ela, a formosa.
Verás fugir a noite adversa
Ante o esplendor de vossas frontes reunidas."

"Uma tarde que dormitava
Renato em seu leito de plumas,
Nós lhe mostramos o lugar onde jazíamos:
Com onze bispos, com seus pajens,
Sua bela corte, seus carros,
O rei se dirigiu à praia.
E encontrou, sob as salicórnias, nossas covas.

"Adeus, Mireia!... A hora voa.
Vemos a vida bruxulear
Em teu corpo, como uma lâmpada a extinguir-se...
Antes que sua alma a abandone,
Partamos, ó irmãs, partamos
Para os belos cimos! É urgente
E indispensável que cheguemos antes dela.

"Rosas, um vestido de neve
Precisamos de preparar-lhe.
Virgem mártir do amor, a moça vai morrer!
Flori, celestes alamedas!
Santas claridades do Empíreo,
Derramai-vos ante Mireia!...
Glória ao Pai, e ao seu Filho e ao Espírito Santo!"

CANTO DUODÉCIMO

A MORTE

A terra das laranjas. — As Santas remontam ao céu. — Chegada do pai e da mãe. — Os santenses levam Mireia para a capela alta, onde estão depositadas as relíquias. — A igreja das Santas Marias. — As suplicações. — A praia camarguense. — Chega Vicente e sua dor explode. — O cântico dos santenses. — Última visão de Mireia: vê as Santas sobre as ondas do mar. — Derradeiras palavras e luminosa morte da moça. — As lamentações e o desespero.

> Na terra das laranjas, quando
> O dia de Deus se evapora,
> E os pescadores, preparadas suas nassas,
> Põem seus barcos ao abrigo,
> E as raparigas, ajudando-se,
> Sobre a cabeça ou nas ilhargas,
> Carregam para casa as suas cestas cheias;
>
> Das ribas onde o Argens serpeia,
> Das planícies, morros, estradas
> Se eleva, ao longe, um longo coro de canções.
> Porém os balidos das cabras,
> Cantos de amor, árias de avena
> A pouco e pouco nas montanhas
> Morrem... Hora de sombra e de melancolia.
>
> Assim, das Marias, que voavam,
> Calaram-se as vozes aos poucos:
> Calaram-se de nuvem de ouro em nuvem de ouro,
> A modo de um eco de cântico,
> De alguma música longínqua,
> Que, por cima da igreja antiga,
> Fosse embora com a brisa... Ela, dormir parece,
>
> Sonhar ajoelhada... Uma estranha
> Irradiação do sol coroava-lhe
> A fronte virginal de uma beleza nova.
> Mas nos juncais e nas charnecas
> Tanto os velhos pais a buscaram,
> Que finalmente a descobriram.
> Em pé, no pórtico, eles olham aturdidos.
>
> Na pia de água benta, entanto,
> Molham a mão, levam-na à testa.

E nave adentro, onde ressoam os seus passos,
 O casal se adianta... Assustada,
 Como um verdelhão que, de súbito,
 Vê o caçador: — "Meu Deus!" diz ela,
"Meu pai e minha mãe! Aonde vão?" E de vê-los,

 Mireia cai prostrada. A mãe,
 O semblante banhado em lágrimas,
Acorre, ampara-a nos seus braços e: — "Que tens?"
 Dizia-lhe. "Teu rosto escalda!
 Não, não é sonho o que estou vendo:
 É bem ela que a meus pés rola,
É ela, a minha filha!..." E soluçava e ria.

 — "Mireia, meu bem, minha linda,
 Sou eu que aperto a tua mão,
Eu, teu pai!..." E Ramon, que a dor abafa, aquece
 As mãos inanimadas dela.
 Já, entretanto, o vento transmite
 A grande nova: em multidão
Os saltenses enchem a igreja, comovidos.

 — "Levemos a enferma, levemo-la
 Sem demora à capela alta",
Diziam, "para que ela toque os santos ossos!
 Em seus sagrados relicários,
 Que ela beije as Santas Marias
 Com seus lábios agonizantes!"
E as mulheres, duas a duas, carregaram-na.

 Na parte alta da bela igreja
 Há três altares, três capelas
Superpostas, de rocha viva construídas:
 Na primeira, que é subterrânea,
 Jaz Santa Clara, venerada
 Dos boêmios trigueiros; mais alto
Fica a segunda, e nela está o altar de Deus.

 Sobre os pilares do santuário
 A estreita capela mortuária
Das Marias ergue no céu a sua abóbada,
 Com as relíquias, sagrada herança,
 Donde as mercês correm a flux...
 Quatro chaves fecham as tampas
Dos milagrosos relicários de cipreste.

De cem em cem anos os abrem.
Feliz, feliz, quando os destapam,
Quem pode vê-los e tocá-los! Tempo bom
Terá seu barco e boa estrela;
Os rebentos de suas árvores
Frutificarão às cestadas;
E sua alma desfrutará dos bens eternos.

Protege o recinto sagrado
Bela portada de carvalho,
Ricamente esculpida, e dom dos de Beaucaire.
Mas sobretudo o que o defende
Não é a portada que o fecha;
Não é a muralha que o cinge:
É o favor que lhe vem das paragens azuis.

À capelinha, pela escada
Em caracol, é conduzida
A enferma. O sacerdote, em sua alva, precede-a,
Empurra a porta. No chão, como
A cevada grossa de espigas,
Que o vento, súbito, sacode,
Todos se vão ajoelhar, gritando a um tempo:

— "Ó belas Santas, tão humanas!
Santas de Deus, Santas amigas!
Ai, tende compaixão desta pobre menina!"
— "Tende compaixão!" grita a mãe.
"Trar-vos-ei, se a curardes, minha
Cruz florida e meu anel de ouro;
E em toda parte cantarei vosso prodígio!"

— "Santas, ela é o meu tesouro!
Ó Santas, é a minha narceja!"
Lamentava-se o triste pai na obscuridade.
Implorando a divina graça.
"Santas, a ela que é bonita,
Que é criança, que é inocente,
É que convém viver, mas eu, velha carcaça,

"Eu, sim, que vá estrumar as malvas!"
De olhos fechados, sem palavra,
Jazia a moça ali. Vinha caindo a tarde.
Para que a aura das tamargueiras
A reanimasse, colocaram-na

Estendida sobre o lajedo
Do telhado, donde se via, ao longe, o mar.

Porquanto a portada (que é a pálpebra
Daquela capela bendita)
Olha para a igreja, e lá, além, no extremo além,
Se vê dali o limite branco
Que junta e ao mesmo tempo aparta
O céu redondo e a água amarga;
Se vê do grande mar o eterno turbilhão.

De um lado as ondas insensatas,
Que se acavalam, sem jamais
Se cansarem de rebentar nas dunas brancas;
Do outro, uma planície sem fim,
Sem uma elevação fechando
O seu horizonte; e por cima
Todo o infinito céu sobre as landes imensas.

Tamargueiras de clara frança,
Que se movem ao menor vento,
Longos tratos de salicórnias, e por vezes
Um bando de cisnes banhando-se;
Ou então, na salina estéril,
Um rebanho de bois que pasta
Ou que atravessa a nado a água do Vacarés...

Mireia, ao cabo, com voz fraca,
Murmura umas vagas palavras:
— "Do lado do mar", diz, "e do lado da terra
Sinto chegarem-me dois hálitos;
Um deles é fresco e sereno
Como a viração das manhãs;
Mas o outro... O outro é ofegante, e ardente, e sabe a Amargo".

Mireia calou-se... Os santenses
Olhavam, em expectativa,
Para as bandas do mar, para as bandas da terra:
E veem alguém que levanta
Turbilhões de poeira na frente
De seus passos; as tamargueiras
Pareciam fugir e minguar diante dele.

É Vicente, o pobre cesteiro!...
Oh, tão digno de compaixão!

No instante em que seu pai, Mestre Ambrósio, lhe disse:
    — "Não é para o teu bico o bonito
    Brotinho de almeza, meu filho!",
    Logo de Valabregue para
Vê-la mais uma vez partiu como um bandido.

    Disseram-lhe em Crau: — "Ela foi
    Às Santas." Ródano, pauis,
Crau pedrenta, nada o deteve em sua marcha.
    Mas, uma vez chegado à igreja,
    Quando ele viu a multidão,
    Alçou-se sobre os pés e, pálido:
— "Onde está ela, digam-me, onde está ela?"

    — "Está lá em cima, na capela,
    Agonizando." Como alguém
Que se sente perdido, ele galga os degraus
    Da escada, e quando vê Mireia,
    Levanta aos céus as mãos e o rosto:
    — "Para sofrer tamanhos golpes,
O que fiz eu a Deus?" pergunta. "O que fiz eu?"

    "Acaso estrangulei aquela
    Que me deu a vida e o seu leite?
Meu cachimbo terei, sacrílego, acendido
    Na lâmpada de alguma igreja?
    Ou viram-me arrastar nos cardos,
    Como os judeus, o Crucifixo?...
Que fiz, meu santo Deus, para ter tantos males?

    "Não lhes foi bastante negarem-ma:
    Martirizaram-na além disso!"
E ele beijou a sua amiga. Ao ver Vicente
    Lamentar-se com tanta força,
    A multidão que o envolvia
    Sentia o coração saltar-lhe,
Compartia-lhe a dor e com ele chorava.

    E como na escarpa de um vale
    Vai o ruído de uma torrente
Comover o pastor que lá de cima o escuta:
    Subia do fundo da igreja
    A voz do povo que cantava,
    E todo o templo estremecia
Ao belo canto tão sabido dos santenses:

— "Ó Santas, belas marinheiras
Que os nossos brejos escolhestes
Para elevar no espaço a torre e as barbacãs
Da vossa igreja, o que fará
Em sua barca o marinheiro
Quando o mar ameaça tragá-lo,
Se prontamente não lhe enviais a boa brisa?

"O que fará a pobre ceguinha?
Ah, não há salva nem ajuga
Que possam remediar-lhe a desgraçada sorte;
E o dia inteiro queda, muda,
Pensando em sua triste vida...
Ó Santas, restituí-lhe a vista,
Que a treva, sempre a treva é bem pior do que a morte!

"Ó Rainhas do Paraíso,
Senhoras do vale de lágrimas,
Encheis, quando voz praz, de peixe as nossas redes,
Mas à multidão pecadora
Que à vossa porta se lamenta,
Ó brancas flores das salinas,
Se precisa de paz, de paz enchei sua alma!"

Assim os bons santenses com gritos
Enternecedores rezavam.
E eis que as Santas à pobre enferma ali prostrada
Influem um pouco de alento,
De sorte que no seu semblante
Floriu uma doce alegria,
Pois lhe foi ver Vicente um prazer inefável.

— "Meu belo amigo, donde vens?"
Diz-lhe ela. "Tu ainda te lembras
Daquela vez que conversávamos na granja,
Assentados sob a latada?
— "Se te acontecer algum mal,
Corre logo às Santas Marias",
Me aconselhaste então, "e terás pronto alívio".

"Ah, se em meu coração, Vicente,
Pudesses ver como num vidro!
Meu coração se enche de doces lenitivos
Como uma fonte que transborda:
Gozos, gozos de toda espécie,

Graças, delícias, que sei eu?...
Dos Anjos do Senhor já os coros entrevejo!..."

Então Mireia sossegava,
O olhar perdido na distância...
Parecia nas profundezas do ar azul
Ver imagens maravilhosas.
Depois de novo prosseguiu:
— "Felizes, felizes as almas
Não mais retidas neste mundo pela carne!

"Viste os flocos de luz, Vicente,
Que elas lançavam ao subirem?
Que belo livro se teria, se as palavras
Que disseram fossem escritas!"
Vicente, porém, que a vontade
De chorar vinha reprimindo,
Deu larga à sua dor, em soluços pungentes:

— "Ah, tivesse-as eu visto! Aos seus
Vestidos, como um carrapato,
Me teria agarrado, e chorando, e berrando:
— "Ó Rainhas do céu", diria,
"Único asilo que nos resta,
Oh arrancai-me os dentes todos,
Os dez dedos das mãos, os dois olhos da cara!

"Mas dai-me incólume de volta
A fadazinha dos meus sonhos!"
— "Ei-las que vêm nas suas túnicas de linho!"
Súbito pôs-se ela a dizer.
E esforçando-se por sair
Do regaço de sua mãe,
Acenava com a mão para as bandas do mar.

Logo todos o olhar volveram
Para onde a moça apontava.
E diziam, levando a mão à testa: — "Nada
Enxergamos ali por ora,
Senão a linha do horizonte
Confinando o céu e a água amarga..."
— "Não se vê nada ali...." — "Vê-se, sim! Olhe bem!"

— "Elas vêm num barco sem vela",
Gritou Mireia. "Não estão vendo

Como as ondas ficam serenas diante delas?
       Oh, são elas! O ar está claro,
       E a brisa suave que as bafeja
       Se move o mais leve que pode...
Os pássaros do mar saúdam-na em revoadas."

       — "A pobre criança delira...
       Sobre as vagas avermelhadas
O que se vê é o sol, prestes a mergulhar."
       — "Sim, sim, são elas!" diz a enferma.
       "Não é ilusão não de meus olhos,
       E o barco, subindo e descendo,
Oh milagre de Deus! vem vindo para cá!"

       Mas já ela se descorava
       Como uma margarida branca
Que, mal desabrochada, os dardos do sol queimam;
       E ao pé daquela a quem ele ama,
       Vicente, o pavor dentro da alma,
       Recomenda-a a Nossa Senhora
E a quantos Santos, quantas Santas há no céu.

       Círios haviam sido acesos...
       Cingido em sua estola roxa,
O capelão chegou, trazendo o pão angélico,
       Refrigério da boca ardente;
       Depois lhe deu a extrema-unção,
       Aplicando-lhe os santos óleos
Em sete partes de seu corpo, como é de uso.

       Tudo nesse instante era calmo;
       Não se ouvia senão o *oremus*
Do sacerdote ali. No flanco da parede
       O dia morrente apagava
       A sua loura claridade,
       E a água do mar, em belas ondas,
Vinha quebrar-se num sussurro prolongado.

       Ajoelhados, seu terno amante,
       Seu pai, sua mãe suspiravam
De vez em quando num soluço rouco e surdo.
       — "Vamos!" disse Mireia ainda.
       "A separação se prepara.
       É tempo de nos despedirmos,
Porque na fronte das Marias cresce a auréola.

"Já do Ródano, para vê-las,
Vêm chegando os róseos flamingos;
Tamargueiras em flor começam a adorar...
Boas Santas! Elas me chamam
Para ir com elas. Nada temo,
Pois, sendo entendidas nos astros,
Seu barco seguirá direto ao Paraíso."

Mestre Ramon lhe diz: — "Amiga,
De que me serve ter lavrado
Tanta charneca, se te vais de nossa casa?
Pois o fervor que me sustinha,
Vinha de ti! O calor queimava,
Me ardia de sede a garganta...
Mas a sede e o calor passavam se eu te via."

— "Toda vez que na sua lâmpada,
Meu bom pai, alguma falena
Vier arder, serei eu... À proa as boas Santas
Em pé, me esperam... Sim, já vou!
Esperai mais um momentinho...
Vou devagar, porque estou doente..."
Então a mãe: — "Oh não! Oh não! Isto é demais!

"Não quero, não quero que morras!
Quero que tu fiques comigo!
Depois, minha Mireiazinha melhorando,
Iremos ver Titia Aurana,
Levar-lhe um cesto de romãs:
Maillane não é tão distante;
Pode-se ir até lá e voltar no mesmo dia."

— "Não, não é distante, mãezinha!
Mas mamãe fará só a viagem!...
Agora vá buscar minha mantilha branca!...
Está vendo as belas mantilhas
Que trazem ao ombro as Marias?
Quando neva sobre as colinas,
Menos brilhante é a neve, a brancura da neve!"

Então o moreno cesteiro
Grita-lhe: — "Ó tu, meu bem, meu tudo!
Abriste para mim teu palácio de amor,
Teu amor, esmola florida!
Tu, cuja afeição o meu lodo

Tornou claro como um espelho,
E sem temer jamais o mau juízo dos outros;

"Tu, a pérola da Provença,
Tu, o sol da minha mocidade,
Será dito que assim da gelidez da morte
Te vi tão cedo transudante?
Será dito, ó vós, grandes Santas,
Que a vistes em sua agonia
Beijar debalde o chão sagrado desta igreja?"

Mas a isso, muito de manso,
Lhe responde Mireia: — "Ó meu
Pobre Vicente, que vês tu ante os teus olhos?
A morte, palavra que ilude,
O que é? Névoa que se dissipa
Quando cessa o dobrar dos sinos,
Um sonho que se acaba ao acabar-se a noite!

"Não, eu não morro! Com ligeiro
Pé já salto para o barquinho!...
Adeus, adeus!... que já ganhamos o mar largo!
O mar, bela planície móvel,
É a avenida do Paraíso,
Pois a abóbada azul do céu
Toca por toda parte em volta o abismo amargo.

"Ai!... Como a água nos embalança!...
Entre tantos astros suspensos,
Hei de achar um no qual duas almas amigas
Possam amar-se livremente!...
Santas, é um órgão que canta
Ao longe?..." E a moça suspirou,
Pendendo a fronte, como para adormecer...

Pelo ar de seu rosto risonho,
Dir-se-ia que falava ainda...
Mas já os santenses que rodeavam a menina,
Um após outro se adiantavam,
E com um círio, um após outro,
Faziam-lhe o sinal da cruz...
Aterrados olham os pais o que eles fazem.

Estes a veem, não dá cor
Que os mortos têm, mas luminosa.

É em vão que a sentem fria: ao golpe inconsolável,
    Não querem crer, não podem crer.
    Mas Vicente, quando ele a vê,
    Pendida a fronte para trás,
Braços hirtos, e os olhos como que velados:

    — "Morta!... Não veem que está morta?..."
    E como se torcem vencilhos
De vime, torcia os punhos, desesperado,
    E com os braços fora das mangas,
    Prorrompeu em lamentações:
    — "Ah ninguém mais que tu chorada!...
Contigo o tronco desabou de minha vida!

    "Morta!... Morta?... Não é possível!
    Será mentira de um Demônio...
Boas gentes, que estais aqui, já vistes mortas,
    Em nome de Deus respondei-me:
    Dizei-me se, na hora extrema,
    Terá alguma sorrido assim!...
Sua expressão é quase alegre, pois não é?

    "Mas que vejo? Voltam o rosto
    Banhado em pranto... É bem verdade!
Nunca mais ouvirei tua voz, tua doce
    Fala!..." Aí o coração de todos
    Estala, um dilúvio de lágrimas
    Rebenta, e aos lamentos das ondas
Ajunta de repente um guaiar de soluços.

    Assim, se num grande rebanho
    Uma novilha sucumbiu,
Em derredor do corpo, imóvel para sempre,
    Nove tardes consecutivas
    Touros e vitelas vêm
    Chorar a morte da infeliz...
E ondas, ventos, pauis retumbam de mugidos!

    — "Chora, Mestre Ambrósio, teu filho.
    Ai de mim!" diz Vicente. "Quero,
Ó santenses, que me leveis com ela à cova...
    Ali, meu bem, ao meu ouvido,
    Falar-me-ás de tuas Marias...
    E de conchas, ó tempestades
Do belo mar, vinde cobrir os nossos corpos!

"Confio em vós, ó bons santenses...
Fazei por mim o que vos digo!
Para um luto como este as lágrimas não bastam!
Cavai, cavai na areia mole
Para nós ambos um só berço!
Ponde em cima um monte de pedras,
Para que nunca as ondas possam separar-nos!

"E enquanto eles, nos sítios onde ela
Vivia, sentirão o dente
Do remorso, ela e eu, envolvidos no azul
Sereno das trêmulas águas,
Sim, eu e tu, minha tão linda!
Em abraços intermináveis
Misturaremos para sempre os nossos beijos!..."

E, fora de si, o cesteiro
Vem lançar-se perdidamente
Sobre o cadáver de Mireia, e o desgraçado,
Em seus frenéticos abraços,
Aperta-o contra si... Lá embaixo,
O cântico, na velha igreja,
De novo assim se faz ouvir, implorativo:

"Ó belas Santas, soberanas
Desta planície de amargura,
Encheis, quando vos praz, de peixe as nossas redes!
Mas à multidão pecadora,
Que à vossa porta se lamenta,
Ó brancas flores das salinas,
Se precisa de paz, de paz enchei sua alma!"

MAILLANE (BOCAS-DO-RÓDANO),
NO BELO DIA DA CANDELÁRIA DO ANO DE 1859.

ÍNDICES

ÍNDICE DE TÍTULOS E PRIMEIROS VERSOS
ÍNDICE GERAL

CH = A cinza das horas; C = Carnaval; RD = O ritmo dissoluto; L = Libertinagem;
EM = Estrela da manhã; LC = Lira dos cinquent'anos; BB = Belo belo; OP = Opus 10;
ET = Estrela da tarde; MM = Mafuá do malungo; PT = Poemas traduzidos; R = Rubayat.

ÍNDICE DE TÍTULOS E PRIMEIROS VERSOS

1. *Doces de açúcar e gemas* MM   475

A. PT   527

A Academia anda triste, MM   483

A Afonso MM   480

A Alphonsus de Guimaraens Filho LC   336

A Antenor Nascentes MM   476

A Antônio Nobre CH   199

A anunciação OP   380

A aranha morde. A graça arranha MM   428

A aranha CH   205

A Arnaldo Vasconcelos, respondendo à pergunta: "Quanto mede e quanto pesa o seu coração?" MM   439

A aurora! Ventura e pureza! R   631

A ausente PT   579

À beira d'água CH   211

A Camões CH   199

A canção das lágrimas de Pierrot C   236

A canção de Maria CH   205

A casa era por aqui... LC   336

A castigada C   577

A ceia C   249

A chuva cai. O ar fica mole... CH   222

A cor da papoula provém R   610

A criança olha BB   350

A Cristo crucificado PT   512

A Dama Branca que eu encontrei, C   248

A Dama Branca C   248

A doce tarde morre. E tão mansa RD   261

À dona de seu encanto, C   251

A espada de ouro MM   486

A estrada RD   268

A estrela e o anjo EM   313

A estrela LC   323

A Eternidade está longe BB   345

A filha do rei EM   301

A fina, a doce ferida C   242

A fina, a doce ferida... C   242

A Guimarães Rosa MM   492

A janela estava aberta. Para o quê, não sei, mas o que entrava era o vento dos lupanares, de mistura com o eco que se partia nas curvas cicloidais,

e fragmentos do hino da bandeira. L   292

A Jorge Medauar MM   465

A Lourdes ET   421

A lua ainda não nasceu. C   248

A lua do Ramazan   621

A lua   385

A luz da tua poesia é triste mas pura. LC   316

A luz do sol bate na lua... C   253

À mão que o dispensa deve MM   481

A Maria da Glória no seu primeiro aniversário MM   428

A Mário de Andrade ausente BB   346

A mata agita-se, revoluteia, contorce-se toda e sacode-se! RD   271

A mata RD   271

A menina Idílio PT   574

A minha irmã CH   218

A moita buliu. Bentinho Jararaca levou a arma à cara: o que saiu do mato foi o Veado Branco! Bentinho ficou pregado no chão. Quis puxar o gatilho e não pôde. L   287

A morte absoluta LC   323

A morte de Pã C   250

A Moussy MM   469

A nação elegeu-o seu Presidente MM   488

A névoa em torno desta rosa... R   631

A ninfa ET   381

A noite PT   580

A onda ET   417

A paz PT   577

A poesia é o teu voo ET   390

À porta de Deus PT   567

A primeira vez que vi Teresa L   287

A proa reta abre no oceano ET   385

À quarante et un an (c'est mon âge)! MM   466

A realidade e a imagem BB   349

A Roda gira, descuidosa R   607

A rosa C   240

A rosa PT   593

A sala em espelhos brilha C   236

A sereia de Lenau C   241

A silhueta C   242

À sombra das araucárias CH   208

A sombra imensa, a noite infinita enche o vale... CH   200

A tarde agoniza BB   345

A tarde cai, por demais CH   207
A Thiago e Pomona ofereço MM   478
A thing of beauty is a joy MM   433
A tristeza e a alegria, o bem e o mal
     R   636
A tua boca ingênua e triste RD   263
A um pescador PT   513
A única rosa PT   581
A uremia não o deixava dormir. A filha
     deu uma injeção de sedol. EM   309
A vez primeira que te vi, CH   217
A viagem definitiva PT   575
A vida assim nos afeiçoa CH   210
A vida é um milagre. ET   418
A vida escoa-se... Que é feito R   612
A vida ia tomando forma e cor, rompia...
     OP   363
A vida passa, caravana rápida! R   615
A vida ET   400
A vigília de Hero RD   264
A viração da primavera R   602
A Virgem Maria L   288
A vista incerta, C   240
Abençoado seja o camelô dos brinquedos
     de tostão: RD   278
Abóbada do céu R   624
Abre-te, meu irmão, a todos os perfumes,
     R   620
Acaba a Alegria MM   477
Acalanto de John Talbot LC   330
Acalanto para Deus-Menino PT   558
Acalanto PT   533
Aceitar o castigo imerecido, LC   321
Ad instar Delphini ET   382
Adalardo MM   438
Adalardo! Nome assim MM   438
Adalgisa MM   443
Adeus, Amor ET   399
Adivinha MM   465
Admitamos que tenhas R   604
Ady Marinho, MM   475
Aeromoças, aeromoças, OP   364
Agradecendo doces a Stella Leonardos
     MM   475
Agradecendo uns maracujás MM   458
Agridoce PT   584
Água-forte LC   322
Ah, não procures a felicidade! R   613
Alaúdes, perfumes, copas, R   641
...Alberto de Oliveira MM   494

Alcorão, o livro supremo, R   599
Alegrias de Nossa Senhora (Texto de
     oratório extraído do poema de uma
     monja carmelita.) OP   372
Além da Terra e do Infinito R   601
Allinges MM   476
– Alô, cotovia! OP   360
Alphonsus de Guimaraens Filho MM   427
Alumbramento C   254
Álvaro Augusto MM   431
Amanhã que é dia dos mortos L   296
Amei Antônia de maneira insensata.
     ET   383
Amigo houve aqui que excomungo:
     MM   441
Amigo, bebe vinho. Dormirás R   609
Amigo, não faças plano R   619
Amor – chama, e, depois, fumaça...
     CH   202
Ana – Sant'Ana – principia. MM   426
Ana Margarida Maria MM   426
Ana Margarida MM   437
Analianeliana ET   416
Ando sem inspiração... MM   440
Andorinha lá fora está dizendo: L   290
Andorinha L   290
André MM   447
André, André, André, MM   447
Anélitos PT   530
Anelo PT   512
Anteontem, minha gente, ET   404
Antes de tu poderes afagar R   626
Anthony Robert MM   442
Anthony Robert, MM   442
Antologia ET   400
Antônia ET   383
Anunciação MM   440
Anunciaram que você morreu. BB   346
Ao cambaleares sob o peso R   635
Ao crepúsculo CH   223
Ao deitar-me para a dormida, ET   394
Apreendes o que amanhã R   626
Aprendi muito, esqueci muito R   636
Aquela cor de cabelos EM   301
Aquele cacto lembrava os gestos
     desesperados da estatuária: L   278
Aquele pequenino anel que tu me deste,
     CH   229
Aqui é tudo o que olhamos ET   392
Aqui, sob esta pedra, onde o orvalho
     roreja, CH   202

Ardo em desejo na tarde que arde!
  RD   260
Ariesphinx ET   397
Arlequinada C   243
Arte de amar BB   355
As chuvas de verão ameaçaram derruir
  Ouro Preto. OP   366
As estrelas tremem no ar frio, no céu frio...
  RD   225
As estrelas, no céu muito límpido,
  brilhavam, divinamente distantes.
  RD   269
As ilusões PT   579
As Parcas PT   560
As raízes deste narciso R   610
As rodas rangem na curva dos trilhos
  LC   316
As três Marias BB   355
As três mulheres do sabonete Araxá
  me invocam, me bouleversam, me
  EM   299
Aspiração PT   571
Aspirares à paz na terra: uma loucura.
  R   620
Assim eu quereria o meu último poema
  L   296
Astéria MM   457
Atirei um céu aberto EM   300
Atirei um limão-doce MM   467
Atrás de minha fronte esquálida, C   241
Atrás destas moitas, BB   355
Atravessei a deserta R   632
Augusto Frederico Schmidt MM   432
...Augusto Frederico Schmidt MM   495
Ausência PT   588
Autorretrato MM   454
Autossoneto PT   594
Azulejo ET   412
Bacanal C   234
Balada da linda menina do Brasil
  PT   545
Balada da pracinha PT   547
Balada das três mulheres do sabonete
  Araxá EM   299
Balada de Santa Maria Egipcíaca RD   259
Balada do rei das sereias LC   333
Balada para Isabel ET   409
Baladilha arcaica C   251
Balanço de março de 1959 MM   484
Balõezinhos RD   273

Bão balalão, LC   327
Bateram à minha porta, BB   351
Bebe vinho! Receberás R   609
Bebedor, urna imensa, ignoro R   602
Bebo vinho como as raízes do salgueiro
  R   629
Beco que cantei num dístico LC   328
Beijo pouco, falo menos ainda. BB   349
Bela MM   429
Bela, Bela, ritornelo MM   429
Belém do Pará BB   283
Beleza e verdade PT   567
Bélgica dos canais de labor perseverante,
  RD   264
Bélgica RD   264
Belo belo belo, LC   329
Belo belo minha bela BB   348
Belo belo LC   329
Belo belo BB   348
Bem como os pássaros feridos R   635
Bem que filho do Norte, ET   419
Bembelelém L   283
Berimbau RD   273
Boca de forno EM   302
Boda espiritual CH   222
Bodas de ouro MM   475
Boi morto OP   360
Bondade é coisa que na vida MM   475
Bonheur lyrique L   281
Branco PT   583
Brigadeiro praticante MM   452
Brisa BB   340
Buscou no amor o bálsamo da vida,
  BB   347
Cabedelo L   293
Café com pão EM   307
Cai cai balão RD   272
Cairemos na estrada do Amor R   613
Calefrio aquerôntico PT   531
Camelôs L   278
Canção da Parada do Lucas LC   324
Canção das duas Índias EM   299
Canção de canções PT   584
Canção de muitas Marias LC   325
Canção do suicida ET   399
Canção do vento e da minha vida LC   325
Canção para a minha morte ET   419
Canção LC   318
Canção PT   522
Canção PT   566

Canções do jardineiro PT   538
Cantadores do Nordeste ET   404
Cantar de amor LC   319
Cantei Maria da Glória MM   477
Cântico dos cânticos OP   371
Cantiga de amor MM   479
Cantiga EM   301
Cantilena CH   225
Canto de Natal BB   341
Canto do destino de Hiperíon PT   561
Cara de cobra, EM   302
Carinho triste RD   263
Carla MM   476
Carla, és bonita. Pudera! MM   476
Carlos Chagas Filho MM   425
Carlos Drummond de Andrade ET   406
Carlos Drummond de Andrade MM   429
Carta de brasão LC   337
Cartão-postal MM   476
Carta-poema MM   463
Cartas de meu avô CH   207
"Casa-Grande & Senzala" MM   457
Casa-Grande & Senzala, MM   457
Cavaleiro que vejo ao longe na neblina
      R   638
Cecília, és libérrima e exata BB   343
Célia MM   429
Celina Ferreira MM   437
Cemitério PT   568
Céu BB   350
Chama e fumo CH   202
Chambre vide L   280
Chanson des petits esclaves EM   305
Chartres PT   571
Chegada é a estação inefável, R   601
Chora de manso e no íntimo... Procura
      CH   231
Chorava o menino. BB   353
Cinco poemas de Emily Dickinson
      PT   567
Clama uma voz amiga: – "Aí tem o Ceará."
      C   239
Clara de Andrade MM   426
Clara Ramos MM   428
Cloc cloc cloc... OP   362
Cœur de phtisique L   281
Comentário musical L   279
Como as mulheres são lindas! L   277
Como chega às de ouro agora, MM   476
Como da copa verde uma folha caída
      CH   211

Como é leve a alma do vinho! R   633
Como em turvas águas de enchente,
      OP   360
Como foi que temperaste, MM   479
Como melhor precisar MM   430
Como o homem é fraco! E inelutável
      R   630
Como tenho pensado em ti na solidão das
      noites úmidas, RD   260
Confidência C   253
Confissão CH   203
Consoada OP   370
Constellations EM   305
Contenta-te em saber que tudo R   634
Contigo, comigo PT   581
Conto cruel EM   309
Contrição EM   304
Convence-te disto: R   605
Convicção e dúvida, R   620
Corrida de ciclistas. BB   357
Cossante LC   319
Cotovia OP   360
Craveiro, dá-me uma rosa MM   487
Craveiro, dá-me uma rosa! MM   487
Crepúsculo de outono CH   204
Cresça em beleza, em simpatia e graças
      cresça MM   442
Cristina Isabel MM   446
Cunhantã L   289
D. Janaína EM   306
D. Janaína EM   306
D. Juan CH   206
D'água o fluido lençol, onde em áscuas
      cintila CH   211
Da América infeliz porção mais doente,
      ET   386
Da outra vida, BB   352
Dantes a tua pele sem rugas, BB   356
Daqui a trezentos anos MM   495
Das Rimas PT   541
De Alvim e Melo Franco (Minas), MM   445
De Colombina o infantil borzeguim
      C   247
De Ely e Lorita, brandos, nasce a branda
      MM   439
De John o agrado mais terno, MM   469
De O profeta PT   540
De onde me veio esse tremor de ninho
      ET   382
De volta PT   576

Debussy c   245
Declaração de amor em   312
Dédalo pt   525
Dedica às chamas da aurora r   617
Dedicatória de Opus 10 a Thiago e
    Pomona mm   478
Dedicatória lc   326
Dedicatórias da primeira edição mm   470
Delírio ch   226
Dentro da noite a vida canta ch   213
Dentro da noite ch   213
Depois de morto, quando eu chegar ao
    outro mundo, et   420
Depois de tamanhas dores, mm   451
Depois que a dor, depois que a desventura
    ch   218
Derviche, despoja-te dessas r   637
Desafio lc   318
Desalento ch   227
Desencanto ch   198
Deserto e mar pt   580
Desesperança ch   230
Despertar sem passado pt   550
Deus dê a este novo Isaías mm   446
Deus do amor pt   576
"Deus é grande!" Esse grito do muezim
    r   638
Dinah Silveira de Queiroz.) op   363
Discurso em louvor da aeromoça op   364
Disputam o bem e o mal r   611
Disse um poeta de renome mm   438
Dizem os lábios mm   429
Dizem: "Não bebas mais, Khayyam!"
    r   618
Dizes: "Só existe um bálsamo no mundo!"
    r   633
Do que dissestes, alma fria, c   244
Do que dissestes... c   244
Dois anúncios mm   467
Dois poemas de Adelaide Crapsey
    pt   569
Dois poemas de Archibald Mcleish
    pt   570
Dois poemas de Christina Rossetti
    pt   566
Dois poemas de García Lorca pt   547
Dois poemas de Paul Éluard pt   550
Dois poemas de Rafael Alberti pt   592
Dois poemas de Rubén Darío pt   545
Dois sonetos de Gabriela Mistral pt   569

Donzela, deixa tua aia, ch   214
Dor pt   520
Dorme, dorme, dorme... et   378
Dorme, meu filhinho, lc   330
Duas Marias mm   432
Duas Marias: Cristina mm   432
Duas vezes se morre: op   369
...e.e. cummings mm   496
E de súbito n'alma incompreendida
    lc   328
É inútil, Khayyam, penares r   603
É noite. A Lua, ardente e terna, ch   213
É um crucifixo de marfim et   420
Ébrio ou sedento, não procuro r   637
Edmée mm   490
Eduarda mm   438
Eis a única verdade: r   624
Elegia a Jacques Roumain no céu de Haiti
    pt   533
Elegia a uma rua pt   591
Elegia de agosto mm   488
Elegia de Londres et   385
Elegia de verão op   362
Elegia inútil mm   490
Elegia para minha mãe ch   219
Elegia para Rui Ribeiro Couto et   391
Elisa mm   429
Em brigas não tomo parte, mm   482
Em Josefina mm   425
Em Laura Constância mm   443
Em memória de Nusch Éluard pt   531
Em que meditas, meu amigo? r   618
Em seu lugar pt   550
Em voz baixa dizia a argila r   609
Embalo et   385
Embolada do Brigadeiro mm   453
En el día 10 de Enero mm   436
Encheu de rosas a aurora r   619
Eneida mm   441
Enfim te vejo. Enfim no teu ch   209
Enfunando os papos, c   235
Enquanto a chuva cai... ch   222
Enquanto morrem as rosas... ch   221
Enquanto nesta atroz demora, ch   221
Entre a turba grosseira e fútil c   256
Entre estas Índias de leste em   299
Entrevista et   389
Epígrafe ch   198
Epígrafe c   234
Epílogo c   256

Epílogo PT   542
Epitáfio PT   540
Epitalâmio para Maria da Glória e
    Rodolfo MM   477
És como um lírio alvo e franzino, CH   210
És grande e bela, como as deusas e as
    esfinges MM   476
És infeliz? Pois não penses R   639
És na minha vida como um luminoso
    C   253
És uma lanterna mágica, R   627
Escalada ao céu PT   531
Escudo vermelho nele uma Bandeira
    LC   337
Escusa BB   340
Escuta o gazal que fiz, LC   331
Escuta o que a Sabedoria R   612
Escuta, eu não quero contar-te o meu
    desejo L   296
Espanha no coração: BB   345
Esparsa triste BB   348
Espelho, amigo verdadeiro,   320
Esse José Bittencourt   441
Esse que em moço ao Velho
    Continente   494
Esta é Glória, esta é Maria;   424
Esta estrada onde moro, entre duas voltas
    do caminho, RD   268
Esta manhã tem a tristeza de um
    crepúsculo. CH   230
Esta minha estatuazinha de gesso,
    quando nova RD   270
Estás em tudo que penso, LC   332
Estavas bem mudado. ET   379
Este fundo de hotel é um fim de mundo!
    OP   368
Este menino, que só MM   445
Estes não são de gaveta. MM   458
Estou farto do lirismo comedido L   279
Estou sentindo que hoje R   600
Estou triste estou triste LC   326
Estou velho. Minha paixão R   615
Estranha volta ao lar naquele dia! ET   381
Estrela da manhã EM   298
Estudei muito quando moço. R   636
Eu estava com sono, quando R   607
Eu estava contigo. Os nossos dominós
    eram negros, e negras eram as C   255
Eu faço versos como quem chora CH   198
Eu quero a estrela da manhã EM   298

Eu quis um dia, como Schumann, compor
    C   256
"Eu sou a maravilha R   627
Eu te sabia assim também, assim olhando
    a mesma cousa RD   260
Eu vi os céus! Eu vi os céus! C   254
Eu vi uma rosa LC   335
Eu vi uma rosa LC   335
Eunice meiga, MM   434
Eunice Veiga MM   434
Eurico Alves, poeta baiano, BB   340
Evocação do Recife L   285
Excelentíssimo General MM   486
Excelentíssimo Prefeito MM   463
Falam da estrada do Conhecimento...
    R   617
Falam de um Criador... Terá formado
    R   617
Fantasia do crepúsculo PT   560
Fatigado de interrogar R   632
Febre, hemoptise, dispneia e suores
    noturnos. L   279
Fecha o teu Corão. Pensa livremente,
    R   630
Felicidade RD   261
Felicidade PT   551
Fidelino de Figueiredo MM   448
Figueiredo Fidelino, MM   448
Fim de inverno PT   583
Fim de tarde. ET   378
Fiz tantos versos a Teresinha... EM   303
Flabela ET   416
Flor de todos os tempos BB   356
Flores do céu deixam cair as suas pétalas.
    R   629
Flores murchas EM   312
Foi para vós que ontem colhi, senhora,
    CH   216
Fosse eu Rubén Darío e mil MM   437
Francisca MM   433
Francisca MM   439
Francisca, Chica, Chiquita, MM   439
Francisca, Francisca, MM   433
Francisca, Francisca, MM   434
Francisca, me dá MM   433
Frescura das sereias e do orvalho, LC   320
Fui procurar-te à última morada, OP   368
Fui sempre um homem alegre. MM   474
G.S. de Clerq Júnior MM   447
Gazal em louvor de Hafiz LC   331

Gesso RD   270

Glória aos poetas de Portugal. MM   486

Glória baixa PT   584

– Glória, Maria da Glória. MM   425

Gota de água PT   529

Governador desta cidade, MM   468

– Grilo, toca aí um solo de flauta. OP   362

Grácil PT   580

Guilherme de Almeida ET   406

Há milhares de séculos R   610

Há muito tempo a minha juventude
     R   619

Há que tempo que não te vejo! ET   396

Há trinta anos (tanto corre MM   465

Haicai tirado de uma falsa lira de
     Gonzaga LC   317

Helena Maria MM   489

Helena Maria: MM   489

Hiato C   253

Hilda Moscoso MM   432

Hoje à noite, amanhã, R   628

Hoje, afilhado, és pirralho. MM   431

Homem ignaro, que te crês um sábio,
     R   633

Homenagem a Constant Tonegaru
     ET   414

Homenagem a Niomar ET   413

Homero Icaza MM   436

Honra ao holandês exemplar MM   447

Honra ao que, bom português, MM   432

Horóscopo PT   540

Houve na Grécia antiga uma beleza rara
     MM   440

Idílio na praia MM   460

Imagem CH   210

Imagens de Juiz de Fora MM   491

Improviso BB   343

Improviso ET   395

Improviso MM   486

Infância BB   357

Ingênuo enleio de surpresa, CH   220

Ingênuo enleio CH   220

Inscrição CH   202

Irene no céu L   293

Irene preta L   293

Irmã – que outra expressão, por mais que
     a tente ET   397

Irmã ET   397

Isá MM   442

Isabel querida MM   493

Isadora MM   435

Isaías MM   446

Itaperuna MM   462

Já cantei Clara de Andrade; MM   428

Já que a nossa sorte no mundo R   637

Jacqueline morreu menina. EM   306

Jacqueline EM   306

Jaculatória ao rio PT   593

Jaime Cortesão MM   432

Jayme Ovalle, poeta, homem triste,
     BB   348

Jantando uma vez em casa de Odylo,
     MM   478

Jardim da pensãozinha burguesa. L   277

Joanita MM   431

João Condé MM   445

João Gostoso era carregador de feira
     livre e morava no morro da Babilônia
     L   287

Joaquim, a vontade do Senhor é às vezes
     difícil de aceitar. ET   383

Jogo PT   579

John Talbot MM   431

John Talbot, John Talbot, MM   431

José Cláudio BB   352

Josefina MM   425

Juan Ramón Jiménez PT   574

Juiz de Fora! Juiz de Fora! EM   312

Junto à púrpura os tons mais ricos
     esmaecem. C   249

— Juriti-pepena, ET   381

Keats MM   433

Khayyam, que cosia as tendas R   603

Lágrimas, duas a duas, MM   490

Lâmpadas que se apagam, esperanças
     R   640

Laura Constância MM   443

Leda Letícia MM   436

Leda Letícia, delícia MM   436

Lêdo Ivo MM   446

Lembrança PT   563

Lembrava-se, como se fosse ontem, isto é,
     há quarenta séculos, que um exército
     de pirâmides o contemplava. Mas não
     saberia precisar onde, a que luz ou em
     que sol de que extinta constelação.
     Não obstante preferia que fosse na
     estrela mais branca do cinturão de
     Órion. EM   300

Lenda brasileira L   287

Letra para Heitor dos Prazeres ET 381
Letra para uma valsa romântica BB 345
Liliana MM 430
Louvação de Adalardo ET 407
Louvado do centenário de Iracema
    ET 411
Louvado e prece MM 493
Louvado para Daniel ET 411
Louvado ET 402
Louvo o Padre, louvo o Filho ET 407
Louvo o Padre, louvo o Filho ET 410
Louvo o Padre, louvo o Filho ET 411
Louvo o Padre, louvo o Filho ET 411
Louvo o Padre, louvo o Filho, ET 402
Louvo o Padre, louvo o Filho, ET 403
Louvo o Padre, louvo o Filho, ET 408
Louvo o Padre, louvo o Filho, ET 406
Lua de março PT 572
Lua nova OP 370
Luís Jardim ET 408
Luísa, Marina e Lúcia MM 441
Maçã LC 317
Macumba de Pai Zusé L 292
Madrigal do pé para a mão MM 461
Madrigal epitalâmico MM 475
Madrigal melancólico RD 266
Madrigal muito fácil MM 466
Madrigal para as debutantes de 1946
    MM 456
Madrigal tão engraçadinho L 291
Madrigal C 253
Madrugada CH 225
Maduras estão PT 562
Mag MM 442
Magu MM 426
Magu, Magu, maga magra, MM 426
Mais do que tu de mim MM 438
Mais rápidos que a água do rio, R 603
Mais te amo, ó poesia, quando MM 435
Mais uma aurora! Como todas R 633
Maísa ET 405
Mal sem mudança ET 386
Malungo, malungulungo, MM 470
Mancha CH 206
Mandaste a sombra de um beijo LC 318
*Mangue mais Veneza americana do que o
    Recife* L 282
Mangue L 282
Manuel Bandeira MM 439
Manuel Bandeira MM 439

Mar bravo RD 262
Mar que ouvi sempre cantar murmúrios
    RD 262
Márcia dos Anjos MM 440
Márcia MM 435
Março. Visita da princesa inglesa.
    MM 484
Maria Cândida MM 438
Maria dá glória à menina, MM 428
Maria da Glória Chagas MM 424
Maria da Glória MM 425
Maria Helena MM 431
Maria Isabel MM 442
Maria Teresa MM 437
MarieiClaude MM 446
Marinha PT 532
Marinheiro triste EM 301
Marinheiro triste EM 301
Mário MM 448
Marisa MM 438
Mas para quê BB 341
Mascarada ET 387
Meditação ante um poema antigo PT 593
Meninos carvoeiros RD 269
Menipo C 250
Menipo, o zombeteiro, o Cínico vadio,
    C 250
Mensagem do além ET 392
Metade da vida PT 562
Meu caro Rui Ribeiro Couto, a mocidade
    ET 391
Meu humilde amigo PT 528
Meu novo quarto OP 370
*– Meu pai, ah que me esmaga a sensação
    do nada!* EM 311
Meu sítio PT 578
Meu tudo, minha amada e minha amiga,
    ET 393
Meus amigos, meus inimigos, ET 394
Meus caros primos, na data MM 446
Mha senhor, com'oje dia son, LC 319
Miguelzinho e Isabel MM 444
Mil armadilhas colocaste, R 636
Minh'alma estava naquele instante
    BB 355
Minha cabra PT 582
Minha gente, salvemos Ouro Preto
    OP 366
Minha grande ternura ET 398
Minha grande ternura ET 398

Minha terra BB 350
Minha vida acabou duas vezes PT 568
*Misael, funcionário da Fazenda, com 63
anos de idade,* EM 309
*Molha em teu pranto de aurora as
minhas mãos pálidas.* C 254
Momento num café EM 304
Mônica Maria MM 447
Montanha e chão. Neve e lava. ET 397
Morada terrestre PT 542
Morrer. LC 323
Mote e glosas MM 485
Mozart no céu LC 324
Muda e sem trégua CH 201
Muitas vezes a beira-mar MM 438
Muitas vezes, de repente, MM 427
Mulheres neste mundo de meu Deus
MM 479
Mulheres L 277
Murilo Mendes MM 435
Murmúrio d'água RD 261
*Murmúrio d'água, és tão suave a meus
ouvidos...* RD 261
Na boca L 292
Na calada ET 391
Na feira livre do arrabaldezinho RD 273
Na macumba do Encantado L 292
Na primavera vou, às vezes, R 604
Na Rua do Sabão RD 272
Na sala obscura, onde branqueja C 242
Na solidão das noites úmidas RD 260
Na sombra cúmplice do quarto, RD 258
Na Terra multicolorida R 625
Na toalha de mesa de R.C. MM 464
Na velha torre quadrangular C 251
Nada mais me interessa. Ergue-te, R 601
Namorados L 294
Não anda firme em seu caminho R 601
Não aprofundes o teu tédio. CH 208
Não degenera quem sai MM 425
Não deixes de colher os frutos R 622
Não é Joe, não é Joana, MM 431
Não é que não me fales aos sentidos,
ET 419
Não é ruim, não é do Couto, MM 427
Não me matarei, meus amigos. ET 399
Não me preocupa saber onde eu poderia
R 622
Não me tocou levemente: MM 437
Não pairas mais aqui. Sei que distante
ET 387

Não pedi para nascer. R 621
Não permita Deus que eu morra MM 492
Não posso crer que se conceba C 238
Não posso divisar o céu: R 607
Não posso evocar o dia R 603
*– Não voto no militar; voto no homem
escandaloso.* MM 453
Não sairás da noite que nos cerca, R 628
*Não se pode incendiar o mar, nem
convencer* R 638
Não sei dançar L 276
Não só no nome que brilha MM 430
Não sou barqueiro de vela, LC 318
*Não te afastes de mim, temendo a minha
sanha* CH 205
Não te doas do meu silêncio: LC 322
*Não te posso dar flor nem fruto. Folha ou
galho,* MM 428
Não temo a morte. Prefiro, R 614
Não vês mais que as aparências R 639
Nas ondas da praia EM 301
Natal 64 ET 394
Natal sem sinos OP 367
Natal CH 229
Nenhum poder sobre o destino R 600
*Nenhum proveito trouxe ao Universo o
meu* R 613
Neologismo BB 349
Nesta estrada tão áspera que trilho
ET 421
Nesta feira que tu atravessas R 606
*Nesta quebrada de montanha, donde o
mar* CH 219
Nieta Nava MM 441
Nietzschiana EM 311
Ninguém pode compreender R 606
Nininha Nabuco MM 445
No aniversário de Maria da Glória
MM 474
*No dia 5 de dezembro de 1791 Wolfgang
Amadeus Mozart entrou no céu,*
LC 324
*No ermo da mata o som da trompa
ecoa* 572
No hall do Palace o pintor EM 311
No Hotel D. Pedro MM 443
No Itinerário de Pasárgada OP 363
No meio da campina verde a sombra
R 634
No pátio a noite é sem silêncio. OP 367

No silêncio da noite, como o imóvel
   R   623
No turbilhão da existência R   618
No vale do Tribobó MM   459
No vosso e em meu coração BB   345
Noite morta RD   271
Noite morta. ET   271
Nos conventos, nas sinagogas R   603
Nos teus poemas de cadências bíblicas
   LC   327
Nossa Senhora da Ternura PT   545
Nossa Senhora de Nazareth MM   478
Nossa Senhora me dê paciência L   288
Nosso mundo é um caramanchel R   634
Nosso tesouro? O vinho. R   599
Noturno da Mosela RD   270
Noturno da Parada Amorim L   291
Noturno da Rua da Lapa L   292
Noturno do Morro do Encanto OP   368
Noturno PT   514
Nova poética BB   354
Nove poemas de Hölderin PT   559
Nu ET   390
Nudez anatômica MM   460
Nunca lhe falte a esta toalha MM   464
Nunca rezei numa mesquita, R   625
Nunca vi um campo de urzes PT   568
O amor disse--me adeus, e eu disse:
   "Adeus, ET   399
O amor que não devasta R   628
O amor, a poesia, as viagens   300
O anel de vidro CH   229
O animal deu nome às ilhas: MM   465
O anjo da guarda L   277
O Anjo traz a mensagem, OP   372
O anjo, embuçado MM   440
O apelo PT   526
O aplauso dos homens PT   559
O arranha-céu sobe no ar puro lavado
   pela chuva BB   349
O beijo ET   399
O bicho BB   351
O Brigadeiro é católico: MM   452
O Brigadeiro MM   451
O cacto L   278
O céu parece de algodão. CH   225
O córrego é o mesmo, LC   335
O crepúsculo cai, manso como uma
   bênção. CH   204
O crepúsculo cai, tão manso e benfazejo
   CH   223

O Criador do Universo e das estrelas
   R   607
O crucifixo ET   420
O descante de Arlequim C   248
O desmemoriado de Vigário Geral
   EM   300
O espelho RD   260
O estudante PT   581
O exemplo das rosas LC   317
O fatal PT   546
O fauno ET   391
O grilo OP   362
O homem e a morte BB   343
O homem já estava deitado BB   343
O impossível carinho L   296
O inútil luar CH   213
O lutador BB   347
O major morreu. L   288
O major L   288
O martelo LC   316
O menino doente RD   258
O menino dorme. RD   258
O Mestre me ensinou: MM   457
O meu quarto de dormir a cavaleiro da
   entrada da barra. L   279
O nome em si ET   415
O nosso menino BB   341
O obelisco MM   489
O oficial do registro civil, o coletor de
   impostos, o mordomo da Santa Casa
   e L   288
O paço de Bahram R   613
O Palacete dos Amores MM   482
O pardalzinho nasceu LC   334
O Pensador de Rodin PT   569
O perigo PT   582
"Ó Poesia! Ó mãe moribunda!" ET   406
O poeta Augusto Frederico MM   432
O poeta Pedro Nava quando MM   441
O poeta te deseja, Hilda, o favor divino
   MM   432
[o porquinho-da-índia que me deram
   quando eu tinha seis anos. L   291
O preto no branco, LC   322
O que é melhor? Sentarmo-nos R   598
O que eu adoro em ti, RD   266
O que não tenho e desejo LC   331
O rapaz chegou-se para junto da moça e
   disse: L   294
Ó reciário dos corações, R   619

O rei atirou LC   333
O relento hiperestesia C   246
O rio BB   352
O sentimento do mundo MM   429
O silêncio RD   258
O sol é grande. Ó coisas OP   362
O sorriso escasso, OP   367
O suave milagre CH   227
O súcubo C   247
O suplicante – Padre Nosso, que estás
   no céu, santificado seja o teu nome.
   MM   455
O tesouro PT   575
O teu seio que em minha mão ET   389
O touro da morte PT   592
O último poema L   296
O único amigo PT   584
O vasto mundo: apenas R   604
O vento repousa PT   529
O vento sul veio fanar a rosa R   608
O vento varria as folhas, LC   325
O vinho proporciona aos sábios R   630
O vinho te dará calor; das neves R   625
O vinho tem a cor das rosas. R   629
O violoncelista estava a meio do Concerto
   de Schumann L   291
Oceano CH   220
Ode à pátria PT   515
Odylo-Nazareth MM   426
Oitava camoniana para Fernanda
   MM   439
Olha com indulgência os homens R   598
Olha em torno de ti. Verás somente
   R   638
Olha o arroio brilhante no jardim. R   639
Olha! Escuta! Na brisa uma rosa
   estremece. R   627
Olhei pra ela com toda a força, MM   467
Olho a praia. A treva é densa. CH   220
...Olegário Mariano MM   494
Olhos de ontem PT   575
Omoussi MM   428
Omoussi, quero ver neste MM   428
Ondas da praia onde vos vi, LC   319
Onde os nossos amigos? Terá a Morte
   R   623
Ontem devias ser recompensado e não o
   foste. R   608
Oração a Nossa Senhora da Boa Morte
   EM   303

Oração a Santa Teresa MM   454
Oração a Teresinha do Menino Jesus
   L   289
Oração no Saco de Mangaratiba L   288
Oração para aviadores OP   371
Oração PT   520
Os aguapés dos aguaçais RD   273
Os cavalinhos correndo, EM   311
Os doutores e os sábios mais ilustres
   R   605
Os homens estreitos ou orgulhosos R   614
Os meninos carvoeiros RD   269
Os nomes OP   369
Os poucos versos que aí vão, CH   202
Os sábios não te ensinam nada, R   625
Os sapos C   235
Os sinos RD   265
Os voluntários do Norte EM   310
Otávio Tarquínio de Sousa MM   430
Ouço dizer que os amantes R   615
Ouro branco! Ouro preto! Ouro podre! De
   cada LC   316
Ouro Preto LC   316
Outono PT   550
Outra trova MM   467
Outro, não eu, ó debutantes! MM   456
Outrora e hoje PT   561
Outrora era este vaso um pobre R   600
Ouve este grande segredo, R   621
Ovalle ET   379
Ovalle, irmãozinho, diz, du sein de Dieu
   où tu reposes, ET   385
Paisagem noturna CH   200
Paisagens da minha terra, BB   342
Pálidas crianças EM   312
Palinódia L   293
Palmeiras PT   550
Para a filha (Feliciana? MM   430
Para cá, para lá... C   245
Para que não falem as más MM   436
Para reproduzir o donaire sem-par
   CH   206
Parada do Lucas EM   324
Paráfrase de Ronsard CH   216
Pardalzinho LC   334
Paris encanta. Londres mete medo.
   MM   476
Passado, presente e futuro ET   389
Pássaros ao sol PT   530
Passeio em São Paulo ET   384

Pátio PT   518
Paulo Gomide ET   390
Pavilhão PT   574
Paz PT   519
Pedi numa taverna a um velho sábio
   R   627
Pediu-me o coração: "Quero saber, R   606
Pensão familiar L   277
Penso em Natal. No teu Natal. Para a
   bondade CH   229
Perdi o jeito de sofrer. L   289
Peregrinação LC   335
Peregrinação ET   388
Petição ao prefeito MM   468
Petit chat blanc et gris L   280
Pierrette C   246
Pierrot branco C   241
Pierrot místico C   244
Piscina LC   333
Plenitude CH   216
Pneumotórax L   279
Pobre homem, nunca saberás R   639
Podes perseguir-me incessante, R   615
Poema de duas Magdas MM   450
Poema de finados L   296
Poema de uma quarta-feira de cinzas
   C   256
Poema desentranhado de um estudo do
   dr. Júlio Novais MM   457
Poema desentranhado de uma prosa de
   Augusto Frederico Schmidt LC   316
Poema do beco EM   299
Poema do mais triste maio ET   394
Poema encontrado por Thiago de Mello
   OP   363
Poema para Santa Rosa BB   349
Poema para Tuquinha MM   477
Poema só para Jayme Ovalle BB   340
Poema tirado de uma notícia de jornal
   L   287
Poema PT   571
Poemas de Pablo Antonio Cuadra PT   593
Poemeto erótico CH   215
Poemeto irônico CH   212
Poeta do Forrobodó, MM   450
Poeta sou; pai, pouco; irmão, mais.
   BB   350
Poética L   279
Pois que és Isadora, MM   435
Pôr de sol PT   559

Por Maria Teresa, MM   437
Por quanto tempo ainda encherás R   602
Por que tanta delícia e afagos R   616
Por ser quem era e filho de quem era,
   ET   395
Por um lado te vejo como um seio murcho
   LC   317
Porquinho-da-índia L   281
Portugal, meu avozinho MM   479
Pousa a mão na minha testa LC   322
Pousa na minha a tua mão, protonotária.
   BB   349
Prece MM   460
Prendei o rio EM   307
Preparação para a morte ET   418
Presepe BB   353
Presságio PT   569
Primavera PT   583
Primeira canção do beco ET   401
Primeira elegia PT   585
Primeiro houve entradas para pegar índio
   MM   462
Primeiro soneto da morte PT   570
Procede sempre de maneira R   598
Profundamente RD   290
Programa para depois de minha morte
   ET   420
Pronuncie-se, não no exato MM   446
Provinciano que nunca soube MM   454
Prudente de Morais Neto MM   424
Quando a brisa pela manhã R   626
Quando a Indesejada das gentes chegar
   OP   370
Quando a moça lhe estendeu a boca
   ET   399
Quando a morte cerrar meus olhos duros
   LC   321
Quando a sombra da Morte me alcançar
   R   623
Quando aquele que o beijo infiel traíra no
   Horto, C   250
Quando cheguei, a tua casa sossegada,
   CH   227
Quando de longe te vi, MM   466
Quando em silêncio a casa adormecia e
   vinha C   247
Quando em torno de nós raiva o funesto
   ET   395
Quando estás vestida, ET   390
Quando eu deixar de existir, R   624

*Quando eu ouço falar em bem-
   aventuranças* R   609
Quando eu tinha seis anos L   281
Quando hoje acordei, ainda fazia escuro
   BB   340
Quando já a luz do dia MM   472
Quando minha alma pura e a tua R   616
Quando minha irmã morreu, L   277
Quando n'alma pesar de tua raça CH   199
Quando na grave solidão do Atlântico
   C   241
Quando o enterro passou EM   304
Quando o menino de engenho EM   310
Quando o poeta aparece, EM   305
Quando olhada de face, era um abril.
   ET   388
Quando ontem adormeci L   290
*Quando perderes o gosto humilde da
   tristeza,* RD   267
*Quando perderes o gosto humilde da
   tristeza...* RD   267
Quanto mede e quanto pesa, MM   439
Quatro haicais de Bashô PT   559
Quatro poemas de Araldo Sassone
   PT   550
Quatro poemas de Natal PT   552
Quatro sonetos de Elizabeth Barrett
   Browning PT   564
Que a Murilo e Saudade vás MM   478
Que delícia na mata o fio d'água MM   490
Que devo fazer hoje? Ir à taverna? R   634
Que é de ti, melancolia?... CH   205
*Que enigma estes astros que giram no
   espaço!* R   614
Que idade risonha e bela, MM   429
Que idade tens, Colombina? C   243
*Que importa a paisagem, a Glória, a baía,
   a linha do horizonte?* EM   299
– Que menino inteligente MM   444
Que possuo em verdade? R   620
*Que será que desperta em mim neste
   momento* CH   226
Que silêncio enorme! LC   333
"Queixem-se outros de gota, reumatismo",
   MM   483
Quelque chose de doux, très doux,
   MM   446
– Quem me busca a esta hora tardia?
   OP   371
Quem te chamara prima L   293

Querem outros muito dinheiro; ET   409
Quero banhar-me nas águas límpidas
   EM   304
Quero beber! cantar asneiras C   234
Quis gravar "Amor" LC   317
Quisera poder molhar MM   442
Rachel de Queiroz ET   403
Raquel MM   489
Raquel, angélica flor MM   489
Recebi o golpe que esperava: R   640
Recebi o seu telegrama, MM   480
Recife L   285
Recife ET   396
Redondilhas PT   555
Refrão de glória, eis vem no trilho
   MM   427
Remember PT   567
Renúncia CH   231
Renúncia PT   517
Respondo a Guimarães Rosa MM   492
Resposta a Alberto de Serpa MM   476
Resposta a Carlos Drummond de
   Andrade MM   481
Resposta a Vinicius BB   350
Retóricos e sábios R   612
Retrato OP   367
Retruque a Guimarães Rosa MM   492
Ria, Rosa, Ria! MM   477
Ribeiro Couto MM   427
Rimancete C   251
Rio de Janeiro RT   410
Riquezas do Khorassan, R   621
Rodrigo M.F. de Andrade MM   430
Rondó de Colombina C   247
Rondó do atribulado do Tribobó MM   459
Rondó do capitão LC   327
Rondó do Palace Hotel EM   311
Rondó dos cavalinhos EM   311
Rosa D'Alva PT   516
Rosa Francisca Adelaide MM   434
Rosa Francisca MM   433
Rosa tumultuada ET   413
Rosalina MM   435
Rosalina. MM   435
Ruço CH   201
Saber comigo como é Poesia?... MM   476
Sacha e o poeta EM   305
Sacha muchacha, MM   432
Sacha MM   432
Saí menino de minha terra. BB   350

Santa Clara, clareai OP 371
Santa Maria Egipcíaca seguia RD 259
Santa Maria PT 551
Santa Teresa olhai por nós MM 454
Sapo-cururu MM 456
Sapo-cururu MM 456
Sara de olhar meigo e bom, MM 429
Sara MM 429
Satélite ET 378
Satisfaze-te neste mundo R 600
Saudação a Murilo Mendes OP 365
Saudação a Vinicius de Moraes Marcus
   Vinicius MM 480
Saudades do Rio antigo MM 485
Saudemos Murilo Medina Celi Monteiro
   Mendes que menino invadiu o céu
   OP 365
Scorn not the sonnet, disse o inglês.
   Ouviste LC 336
Se as cores perder o João MM 445
Se em teu coração R 611
Se és perspicaz, oleiro, evita machucar
   R 609
Se este mundo é uma miragem, R 631
Sê feliz, quando ébrio, Khayyam. R 632
Se fosse dor tudo na vida, CH 210
Se não a vejo e o espírito a afigura,
   CH 203
Se queres sentir a felicidade de amar,
   esquece a tua alma. BB 355
Se queres ter a solidão magnífica R 629
Se soubesses quão pouco me interesso
   R 622
'e tomares como Norma MM 435
'gunda canção do beco ET 401
io ET 389
is meses passados sobre ET 380
npre tristíssimas estas cantigas de
   carnaval L 292
hor Bom Jesus do Calvário e da Via-
   acra MM 460
or, me destruíste a alegria! R 640
or, ó Senhor, responde-nos! R 626
-te e bebe: uma ventura R 614
mo o rio que deflui BB 352
e eleição em cujo olhar a natureza
   H 206
Servidores, não tragam lâmpadas: R 635
Settembre. Andiamo. È tempo di migrare.
   ET 384

Seu avô me disse: MM 447
Sextilhas românticas BB 342
Silêncio, ó minha dor! R 641
Sílvia Amélia MM 430
Sílvia Maria MM 427
Sino de Belém, RD 265
Só conhecemos da ventura o nome. R 613
Só mesmo um santo MM 442
Só o passado verdadeiramente nos
   pertence. ET 389
Só o vinho pode te livrar dos teus
   cuidados; R 629
Sob o céu todo estrelado RD 269
Solange MM 436
Solau do desamado CH 214
Sombra da nuvem no monte, MM 467
Sombras da violência PT 524
Soneto em louvor de Augusto Frederico
   Schmidt LC 327
Soneto inglês nº 1 LC 321
Soneto inglês nº 2 LC 321
Soneto italiano LC 320
Soneto para Sacha PT 519
Soneto parnasiano e acróstico em louvor
   de Helena Oliveira MM 440
Soneto plagiado de Augusto Frederico
   Schmidt LC 328
Soneto sonhado ET 393
Soneto PT 523
Sonhei ter sonhado OP 361
Sonho branco ET 387
Sonho de uma noite de coca MM 455
Sonho de uma terça-feira gorda C 255
Sônia Maria MM 447
Sônia, filha de Gilberto MM 447
Sono sobre a terra R 608
Sou a única bisneta MM 431
Sou bem-nascido. Menino, CH 198
Sua Santidade Paulo VI ET 395
Sultão, teu glorioso fado R 628
Susana de Melo Moraes MM 427
Susana nasceu MM 427
Tema e variações OP 361
Tema e voltas BB 341
Tema e voltas MM 481
Temístocles da Graça Aranha MM 428
Tempo-será BB 345
Teresa você é a coisa mais bonita que eu
   vi até hoje na minha vida, inclusive
   L 291

Teresa L 287

Terminou o Ramazan. Corpos exaustos, R 638

Ternura CH 221

Testamento LC 331

Teu corpo claro e perfeito, CH 215

Teu corpo dúbio, irresoluto ET 401

Teu corpo moreno ET 401

Teu nome MM 440

Teu nome, voz das sereias, MM 440

Teu pé... Será início ou é MM 461

Teus olhos 552

Teus pés são voluptuosos: é por isso ET 382

Thank you for the exquisite jam MM 496

Thiago de Mello MM 443

Thiago de Mello, cuidado! MM 443

Toada de negros em Cuba PT 547

Toada MM 474

Toante C 254

Toda manhã o orvalho pesa sobre as rosas, R 629

Todos os reinos por uma copa R 640

Toma a decisão de não mais R 631

Tomy MM 445

Torso arcaico de Apolo PT 524

Tragédia brasileira EM 309

Trago n'alma a devoção MM 426

Trem de ferro EM 307

Três idades CH 217

Três letras para melodias de Villa-Lobos MM 472

Três poemas de Arturo Torres Rioseco PT 585

Três poemas de Langston Hughes PT 571

Três poemas de Verlaine PT 572

Três poemas PT 543

Tríade PT 569

Trinta e duas canções de PT 574

Triste flor de milonga ao abandono, MM 494

Trôpego, reumático, surdo, MM 474

Trova MM 467

Trovas para Adelmar MM 483

Trucidaram o rio EM 307

Tu amarás outras mulheres RD 264

Tu não estás comigo em momentos escassos: CH 222

Tu que me deste o teu carinho CH 224

Tu que me deste o teu cuidado... CH 224

Tu que penaste tanto e em cujo canto CH 199

Tu PT 578

Tu, cuja face humilha R 612

Tua nudez PT 580

Tudo o que existe em mim de grave e carinhoso C 253

Tudo quanto é puro e cheira: MM 430

Ubiquidade LC 332

Última canção do beco LC 328

Último instante PT 513

Último poema de Stefan Zweig PT 521

Um dia destes a saudade MM 482

Um dia pensei um poema para Maísa ET 405

Um jardim, uma mulher, vinho, R 611

Um obelisco monolítico é a verdade nua em praça pública. MM 489

Um pedaço de pão, um pouco de água R 616

Um poema de Chagall PT 544

Um poema de Heine PT 521

Um poema de Marinero en tierra PT 592

Um pouco mais de vinho, bem-amada! R 634

Um sorriso CH 228

Um tal cheiro de vinho R 618

Uma é Magda Becker Soares; MM 450

Uma face na escuridão (Poema desentranhado de uma página em prosa de OP 363

Uma mulher queixava-se do silêncio do amante: LC 317

Uma pesada, rude canseira CH 227

Uma vez que se ignora o que é que nos reserva R 599

Uma, duas, três Marias, LC 325

Unidade BB 355

Universo PT 580

Uns tomam éter, outros cocaína. L 276

Urânia junto a Maria: MM 437

Urânia Maria MM 437

Vai a bênção que pediste. MM 426

Vai alto o dia. O sol a pino ofusca e vibra. CH 216

Vamos viver no Nordeste, Anarina. BB 340

Variações sérias em forma de soneto ET 383

Variações sobre o nome de Mário de Andrade MM 448

202	Chama e fumo
203	Confissão
205	A aranha
206	D. Juan
206	Mancha
207	Cartas de meu avô
208	À sombra das araucárias
210	Imagem
211	Voz de fora
211	À beira d'água
212	Poemeto irônico
213	Dentro da noite
213	O inútil luar
214	Solau do desamado
215	Poemeto erótico
216	Paráfrase de Ronsard
217	Três idades
218	A minha irmã
219	Elegia para minha mãe
220	Oceano
220	Ingênuo enleio
221	Enquanto morrem as rosas...
221	Ternura
222	Boda espiritual
222	Enquanto a chuva cai...
223	Ao crepúsculo
224	Tu que me deste o teu cuidado...
225	Madrugada
225	Cantilena
226	Delírio
227	Desalento
228	Um sorriso
229	Natal
229	O anel de vidro
230	Desesperança
231	Renúncia

CARNAVAL

234	Epígrafe
234	Bacanal
235	Os sapos
236	A canção das lágrimas de Pierrot
238	Vulgívaga
239	Verdes mares
240	A rosa
241	A sereia de Lenau
241	Pierrot branco
242	A fina, a doce ferida...

242	A silhueta
243	Arlequinada
244	Do que dissestes...
244	Pierrot místico
245	Debussy
246	Pierrette
247	O súcubo
247	Rondó de Colombina
248	O descante de Arlequim
248	A Dama Branca
249	A ceia
250	Menipo
250	A morte de Pã
251	Baladilha arcaica
251	Rimancete
253	Madrigal
253	Confidência
253	Hiato
254	Toante
254	Alumbramento
255	Sonho de uma terça-feira gorda
256	Poema de uma quarta-feira de cinzas
256	Epílogo

O RITMO DISSOLUTO

258	O silêncio
258	O menino doente
259	Balada de Santa Maria Egipcíaca
260	O espelho
260	Na solidão das noites úmidas
261	Felicidade
261	Murmúrio d'água
262	Mar bravo
263	Carinho triste
264	Bélgica
264	A vigília de Hero
265	Os sinos
266	Madrigal melancólico
267	Quando perderes o gosto humilde da tristeza...
268	A estrada
269	Meninos carvoeiros
269	Sob o céu todo estrelado
270	Gesso
271	A mata
271	Noite morta
272	Na Rua do Sabão

273	Berimbau
273	Balõezinhos

LIBERTINAGEM

276	Não sei dançar
277	O anjo da guarda
277	Mulheres
277	Pensão familiar
278	Camelôs
278	O cacto
279	Pneumotórax
279	Comentário musical
279	Poética
280	Chambre vide
281	Bonheur lyrique
281	Porquinho-da-índia
282	Mangue
283	Belém do Pará
285	Evocação do Recife
287	Poema tirado de uma notícia de jornal
287	Teresa
287	Lenda brasileira
288	A Virgem Maria
288	Oração no Saco de Mangaratiba
288	O major
289	Cunhantã
289	Oração a Teresinha do Menino Jesus
290	Andorinha
290	Profundamente
291	Madrigal tão engraçadinho
291	Noturno da Parada Amorim
292	Na boca
292	Macumba de Pai Zusé
292	Noturno da Rua da Lapa
293	Cabedelo
293	Irene no céu
293	Palinódia
294	Namorados
294	Vou-me embora pra Pasárgada
296	O impossível carinho
296	Poema de finados
296	O último poema

ESTRELA DA MANHÃ

298	Estrela da manhã

299	Canção das duas Índias
299	Poema do beco
299	Balada das três mulheres do sabonete Araxá
300	O amor, a poesia, as viagens
300	O desmemoriado de Vigário Geral
301	A filha do rei
301	Cantiga
301	Marinheiro triste
302	Boca de forno
303	Oração a Nossa Senhora da Boa Morte
304	Momento num café
304	Contrição
305	Chanson des petits esclaves
305	Sacha e o poeta
306	Jacqueline
306	D. Janaína
307	Trucidaram o rio
307	Trem de ferro
309	Tragédia brasileira
309	Conto cruel
310	Os voluntários do Norte
311	Rondó dos cavalinhos
311	Nietzschiana
311	Rondó do Palace Hotel
312	Declaração de amor
312	Flores murchas
313	A estrela e o anjo

LIRA DOS CINQUENT'ANOS

316	Ouro Preto
316	Poema desentranhado de uma prosa de Augusto Frederico Schmidt
316	O martelo
317	O exemplo das rosas
317	Haicai tirado de uma falsa lira de Gonzaga
317	Maçã
318	Desafio
318	Canção
319	Cossante
319	Cantar de amor
320	Versos de Natal
320	Soneto italiano
321	Soneto inglês nº 1
321	Soneto inglês nº 2

322	Pousa a mão na minha testa
322	Água-forte
323	A morte absoluta
323	A estrela
324	Mozart no céu
324	Canção da Parada do Lucas
325	Canção do vento e da minha vida
325	Canção de muitas Marias
326	Dedicatória
327	Rondó do capitão
327	Soneto em louvor de Augusto Frederico Schmidt
328	Soneto plagiado de Augusto Frederico Schmidt
328	Última canção do beco
329	Belo belo
330	Acalanto de John Talbot
331	Testamento
331	Gazal em louvor de Hafiz
332	Ubiquidade
333	Piscina
333	Balada do rei das sereias
334	Pardalzinho
335	Peregrinação
335	Eu vi uma rosa
336	A Alphonsus de Guimaraens Filho
336	Velha chácara
337	Carta de brasão

BELO BELO

340	Brisa
340	Poema só para Jayme Ovalle
340	Escusa
341	Tema e voltas
341	Canto de Natal
342	Sextilhas românticas
343	Improviso
343	O homem e a morte
345	Letra para uma valsa romântica
345	Tempo-será
345	No vosso e em meu coração
346	A Mário de Andrade ausente
347	O lutador
348	Esparsa triste
348	Belo belo
349	Neologismo
349	A realidade e a imagem

349	Poema para Santa Rosa
350	Céu
350	Resposta a Vinicius
350	Minha terra
351	O bicho
351	Visita noturna
352	José Cláudio
352	O rio
353	Presepe
354	Nova poética
355	Unidade
355	Arte de amar
355	As três Marias
356	Flor de todos os tempos
357	Infância

OPUS 10

360	Boi morto
360	Cotovia
361	Tema e variações
362	Elegia de verão
362	O grilo
362	Vozes na noite
363	Poema encontrado por Thiago de Mello no Itinerário de Pasárgada
363	Uma face na escuridão (Poema desentranhado de uma página em prosa de Dinah Silveira de Queiroz.)
364	Discurso em louvor da aeromoça
365	Saudação a Murilo Mendes
366	Minha gente, salvemos Ouro Preto
367	Natal sem sinos
367	Retrato
368	Visita
368	Noturno do Morro do Encanto
369	Os nomes
370	Consoada
370	Lua nova
371	Cântico dos cânticos
371	Oração para aviadores
372	Alegrias de Nossa Senhora (Texto de oratório extraído do poema de uma monja carmelita.)

ESTRELA DA TARDE

378 Satélite
379 Ovalle
380 A anunciação
381 Letra para Heitor dos Prazeres
381 A ninfa
382 Ad instar Delphini
382 Vita nuova
383 Versos para Joaquim
383 Variações sérias em forma de soneto
383 Antônia
384 Passeio em São Paulo
385 Embalo
385 A lua
385 Elegia de Londres
386 Mal sem mudança
387 Sonho branco
387 Mascarada
388 Peregrinação
389 Entrevista
389 Passado, presente e futuro
389 Seio
390 Paulo Gomide
390 Nu
391 Elegia para Rui Ribeiro Couto
391 O fauno
392 Mensagem do além
393 Soneto sonhado
394 Poema do mais triste maio
394 Natal 64
395 Improviso
395 Sua Santidade Paulo VI
396 Recife
397 Irmã
397 Ariesphinx
398 Minha grande ternura
399 Adeus, Amor
399 Canção do suicida
399 O beijo
400 Antologia
401 Duas canções do tempo do beco
401   Primeira canção do beco
401   Segunda canção do beco
402 Louvações
402   Louvado
403   Rachel de Queiroz
404   Cantadores do Nordeste
405   Maísa
406   Carlos Drummond de Andrade
406   Guilherme de Almeida
407   Louvação de Adalardo
408   Luís Jardim
409   Balada para Isabel
410   Rio de Janeiro
411   Louvado para Daniel
411   Louvado do centenário de Iracema
412 Composições
412   Azulejo
413   Rosa tumultuada
413   Homenagem a Niomar
414   Homenagem a Constant Tonegaru
415   O nome em si
416 Ponteios
416   Flabela
416   Analianeliana
417   A onda
418   Verde-negro
418   Preparação para a morte
419 VONTADE DE MORRER
420 Canção para a minha morte
420 Programa para depois de minha morte
420 O crucifixo
421 A Lourdes

MAFUÁ DO MALUNGO

424 Maria da Glória Chagas
424 Prudente de Morais Neto
425 Josefina
425 Maria da Glória
425 Carlos Chagas Filho
426 Clara de Andrade
426 Ana Margarida Maria
426 Magu
426 Odylo-Nazareth
427 Sílvia Maria
427 Susana de Melo Moraes
427 Alphonsus de Guimaraens Filho
427 Ribeiro Couto
428 Clara Ramos
428 Verlaine
428 A Maria da Glória no seu primeiro aniversário
428 Omoussi
428 Temístocles da Graça Aranha
429 Carlos Drummond de Andrade
429 Sara

429	Célia
429	Bela
429	Elisa
430	Sílvia Amélia
430	Liliana
430	Rodrigo M.F. de Andrade
430	Otávio Tarquínio de Sousa
431	Joanita
431	Maria Helena
431	Álvaro Augusto
431	John Talbot
432	Duas Marias
432	Hilda Moscoso
432	Augusto Frederico Schmidt
432	Jaime Cortesão
432	Sacha
433	Keats
433	Francisca
433	Rosa Francisca
434	Rosa Francisca Adelaide
434	Eunice Veiga
435	Rosalina
435	Murilo Mendes
435	Márcia
435	Isadora
436	Leda Letícia
436	Homero Icaza
436	Solange
436	Vera Marta
437	Urânia Maria
437	Celina Ferreira
437	Maria Teresa
437	Ana Margarida
438	Maria Cândida
438	Marisa
438	Adalardo
438	Eduarda
439	A Arnaldo Vasconcelos, respondendo à pergunta: "Quanto mede e quanto pesa o seu coração?"
439	Oitava camoniana para Fernanda
439	Francisca
439	Manuel Bandeira
440	Teu nome
440	Soneto parnasiano e acróstico em louvor de Helena Oliveira
440	Márcia dos Anjos
440	Anunciação

441	Luísa, Marina e Lúcia
441	Nieta Nava
441	Eneida
442	Anthony Robert
442	Isá
442	Mag
442	Maria Isabel
443	Thiago de Mello
443	Adalgisa
443	Laura Constância
444	Miguelzinho e Isabel
445	João Condé
445	Nininha Nabuco
445	Tomy
446	Marie-Claude
446	Cristina Isabel
446	Zezé-Arnaldo
446	Isaías
446	Lêdo Ivo
447	Mônica Maria
447	G.S. de Clerq Júnior
447	Sônia Maria
447	André
448	Fidelino de Figueiredo
448	Variações sobre o nome de Mário de Andrade
450	Vital Pacífico Passos
450	Poema de duas Magdas
451	Lira do Brigadeiro
451	O Brigadeiro
452	Brigadeiro praticante
453	Embolada do Brigadeiro
454	Outros poemas
454	Autorretrato
454	Oração a Santa Teresa
455	Sonho de uma noite de coca
456	Sapo-cururu
456	Madrigal para as debutantes de 1946
457	Astéria
457	POEMA DESENTRANHADO DE UM ESTUDO DO DR. JÚLIO NOVAIS
457	"Casa-Grande & Senzala"
458	Agradecendo uns maracujás
459	Rondó do atribulado do Tribobó
460	Prece
460	Idílio na praia
461	Madrigal do pé para a mão
462	Itaperuna
463	Carta-poema

464	Na toalha de mesa de R.C.	489	Raquel
465	A Jorge Medauar	489	Helena Maria
465	Adivinha	490	Edmée
466	41	490	Elegia inútil
466	Madrigal muito fácil	491	Imagens de Juiz de Fora
467	Trova	492	A Guimarães Rosa
467	Outra trova	492	Retruque a Guimarães Rosa
467	Dois anúncios	493	Louvado e prece
468	Petição ao prefeito	494	À maneira de...
469	A Moussy	494	...Alberto de Oliveira
470	Dedicatórias da primeira edição	494	...Olegário Mariano
472	Três letras para melodias	495	...Augusto Frederico Schmidt
	de Villa-Lobos	496	...e.e. cummings
474	No aniversário de Maria da Glória		
474	Toada		POEMAS MUSICADOS
475	Agradecendo doces a Stella		
	Leonardos	498	Modinha
475	Madrigal epitalâmico	501	Vai, azulão
475	Bodas de ouro	505	Modinha
476	Resposta a Alberto de Serpa	508	Azulão
476	Cartão-postal		
476	A Antenor Nascentes		POEMAS TRADUZIDOS
476	Allinges		
476	Carla	512	A Cristo crucificado (De autor
477	Poema para Tuquinha		espanhol não identificado)
477	Epitalâmio para Maria da	512	Anelo (Goethe)
	Glória e Rodolfo	513	A um pescador (Salvador Díaz
477	Ria, Rosa, Ria!		Mirón)
478	Votos de Ano-Bom a Murilo	513	Último instante (Manuel
	e Saudade		Gutiérrez Nájera)
478	Dedicatória de Opus 10 a	514	Noturno (José Asunción Silva)
	Thiago e Pomona	515	Ode à pátria (Eduardo Ritter
478	Nossa Senhora de Nazareth		Aislán)
479	Cantiga de amor	516	Rosa D'Alva (Pedro Juan
479	Portugal, meu avozinho		Vignale)
480	A Afonso	517	Renúncia (Patricia Morgan)
481	Resposta a Carlos Drummond	518	Pátio (Jorge Luis Borges)
	de Andrade	519	Paz (Dirk Rafaelsz Camphuysen)
481	Tema e voltas	519	Soneto para Sacha (Fredy Blank)
482	O Palacete dos Amores	520	Dor (Enrique González
483	Trovas para Adelmar		Martínez)
483	Viriato octogenário	520	Oração (São Francisco de Assis)
484	Balanço de março de 1959	521	Último poema de Stefan Zweig
485	Mote e glosas	521	Um poema de Heine
485	Saudades do Rio antigo	522	Canção (Antonio Machado)
486	Improviso	523	Soneto (e. e. cummings)
486	A espada de ouro	524	Torso arcaico de Apolo (Rainer
487	Craveiro, dá-me uma rosa		Maria Rilke)
488	Elegia de agosto		
489	O obelisco		

524	Sombras da violência (*Gerhardt Hauptmann*)	551	Santa Maria
525	Dédalo (*Jaime Torres Bodet*)	552	Quatro poemas de Natal
526	O apelo (*Jules Supervielle*)	552	I (*Rafael de la Fuente*)
527	A. (*Alfonso Reyes*)	553	II (*González Carballo*)
528	Meu humilde amigo (*Francis Jammes*)	553	III (*Victor Londoño*)
529	Gota de água (*Homero Icaza Sánchez*)	554	IV (*Pablo Rojas Guardia*)
		555	Versos de Juana Inés de la Cruz
529	O vento repousa (*Garibaldo Alessandrini*)	555	Redondilhas
		558	Acalanto para Deus-Menino
530	Anélitos (*Claudio Allori*)	559	Quatro haicais de Bashô
530	Pássaros ao sol (*Aldo Capasso*)	559	Nove poemas de Hölderlin
531	Escalada ao céu (*Luigi Fiorentino*)	559	Pôr de sol
		559	O aplauso dos homens
531	Calefrio aquerôntico (*Liliencron*)	560	As Parcas
		560	Fantasia do crepúsculo
531	Em memória de Nusch Éluard (*Vitezslav Nezval*)	561	Outrora e hoje
		561	Canto do destino de Hiperíon
532	Marinha (*Mariano Brull*)	562	Metade da vida
533	Acalanto (*Elizabeth Bishop*)	562	Maduras estão
533	Elegia a Jacques Roumain no céu de Haiti (*Nicolás Guillén*)	563	Lembrança
		564	Quatro sonetos de Elizabeth Barrett Browning
538	Canções do jardineiro (*Eugenio Florit*)	566	Dois poemas de Christina Rossetti
540	Epitáfio (*Rainer Maria Rilke*)	566	Canção
540	De *O profeta* (*Kahlil Gibran*)	567	*Remember*
540	Horóscopo (*André Gill*)	567	Cinco poemas de Emily Dickinson
541	Das *Rimas* (*Adolfo Bécquer*)	567	À porta de Deus
542	Morada terrestre (*Jorge Carrera Andrade*)	567	Beleza e verdade
		568	Nunca vi um campo de urzes
542	Epílogo (*Baudelaire*)	568	Cemitério
543	Três poemas (*Jayme Ovalle*)	568	Minha vida acabou duas vezes
544	Um poema de Chagall		
545	Nossa Senhora da Ternura (*K. H. de Josselin de Jong*)	569	Dois poemas de Adelaide Crapsey
		569	Presságio
545	Dois poemas de Rubén Darío	569	Tríade
545	Balada da linda menina do Brasil	569	Dois sonetos de Gabriela Mistral
546	O fatal	569	O Pensador de Rodin
547	Dois poemas de García Lorca	570	Primeiro soneto da morte
547	Toada de negros em Cuba	570	Dois poemas de Archibald Mcleish
547	Balada da pracinha	570	1892-19
550	Dois poemas de Paul Éluard	571	Chartres
550	Palmeiras	571	Três poemas de Langston Hughes
550	Em seu lugar	571	Aspiração
550	Quatro poemas de Araldo Sassone	571	Poemas
550	Despertar sem passado	572	Lua de março
550	Outono		
551	Felicidade		

572	Três poemas de Verlaine
572	I
572	II
573	III
574	Trinta e duas canções de Juan Ramón Jiménez
574	A menina Idílio
574	Pavilhão
575	O tesouro
575	Olhos de ontem
575	A viagem definitiva
576	Deus do amor
576	De volta
577	A castigada
577	A paz
578	Tu
578	Meu sítio
579	As ilusões
579	Jogo
579	A ausente
580	Grácil
580	A noite
580	Universo
580	Virtude
580	Deserto e mar
580	Tua nudez
581	O estudante
581	A única rosa
581	Contigo, comigo
582	O perigo
582	Minha cabra
583	Primavera
583	Fim de inverno
583	Branco
584	Agridoce
584	Glória baixa
584	O único amigo
584	Canção de canções
585	Três poemas de Arturo Torres Rioseco
585	Primeira elegia
588	Ausência
591	Elegia a uma rua
592	Dois poemas de Rafael Alberti
592	Um poema de Marinero en tierra
592	O touro da morte

592	Poemas de Pablo Antonio Cuadra
593	Meditação ante um poema antigo
593	A rosa
593	Jaculatória ao rio
594	Autossoneto

RUBAIYAT

597	1
598	2
598	3
598	4
599	5
599	6
599	7
599	8
600	9
600	10
600	11
600	12
601	13
601	14
601	15
601	16
602	17
602	18
602	19
603	20
603	21
603	22
603	23
603	24
604	25
604	26
604	27
605	28
605	29
605	30
606	31
606	32
606	33
607	34
607	35
607	36
607	37
608	38
608	39

608	40	620	91
608	41	621	92
609	42	621	93
609	43	621	94
609	44	621	95
609	45	622	96
609	46	622	97
610	47	622	98
610	48	623	99
610	49	623	100
610	50	623	101
611	51	624	102
611	52	624	103
611	53	624	104
611	54	625	105
612	55	625	106
612	56	625	107
612	57	625	108
612	58	626	109
613	59	626	110
613	60	626	111
613	61	626	112
613	62	627	113
613	63	627	114
614	64	627	115
614	65	627	116
614	66	628	117
614	67	628	118
615	68	628	119
615	69	628	120
615	70	629	121
615	71	629	122
616	72	629	123
616	73	629	124
616	74	629	125
616	75	629	126
617	76	630	127
617	77	630	128
617	78	630	129
617	79	631	130
618	80	631	131
618	81	631	132
618	82	631	133
618	83	632	134
619	84	632	135
619	85	632	136
619	86	633	137
619	87	633	138
620	88	633	139
620	89	633	140
620	90	634	141
		634	142

634	143
634	144
634	145
635	146
635	147
635	148
636	149
636	150
636	151
636	152
637	153
637	154
637	155
638	156
638	157
638	158
638	159
638	160
639	161
639	162
639	163
639	164
640	165
640	166
640	167
640	168
641	169
641	170

Teatro poético traduzido

645	Auto sacramental do Divino Narciso
741	Macbeth
847	Maria Stuart
1009	Dom João Tenório
1175	O círculo de giz caucasiano
1297	Mireia

© Condomínio dos Proprietários dos Direitos Intelectuais de Manuel Bandeira
Direitos cedidos por Solombra – Agência Literária (solombra@solombra.org)
1ª edição, São Paulo: Nova Aguilar, 2020

Jefferson L. Alves – diretor editorial
Gustavo Henrique Tuna – editor executivo
Sebastião Lacerda – consultoria
Solange Eschipio – gerente de produção
Jefferson Campos – assistentes de produção
Flavia Baggio – revisão
Homem de Melo & Troia Design – projeto de design
Tathiana A. Inocêncio e Evelyn Rodrigues do Prado – editoração eletrônica

Obra atualizada conforme o
NOVO ACORDO ORTOGRÁFICO DA LÍNGUA PORTUGUESA.

Dados Internacionais de Catalogação na Publicação (CIP)
(Câmara Brasileira do Livro, SP, Brasil)

Bandeira, Manuel, 1886-1968
Manuel Bandeira : poesia completa e prosa seleta, volume 1 / Manuel Bandeira ; organização André Seffrin. – São Paulo : Editora Nova Aguilar, 2020. – (Biblioteca luso-brasileira. Série Brasileira ; 1)

Conteúdo: Homenagens poéticas – Crônicas biográficas e depoimentos – Fortuna crítica da poesia – Poesia completa – Teatro poético traduzido.
Bibliografia.
ISBN 978-85-210-0130-0

1. Crônicas brasileiras 2. Poesia brasileira 3. Prosa brasileira 4. Teatro brasileiro I. Seffrin, André. II. Título. III. Série.

20-35043   CDD-869

Índices para catálogo sistemático:
1. Literatura brasileira   869

Cibele Maria Dias – Bibliotecária – CRB-8/9427

Editora
Nova
Aguilar
Direitos Reservados

editora nova aguilar.
Rua Pirapitingui, 111 – Liberdade
CEP 01508-020 – São Paulo – SP
Tel.: (11) 3277-7999
e-mail: global@globaleditora.com.br
www.novaaguilar.com.br

Colabore com a produção científica e cultural.
Proibida a reprodução total ou parcial desta obra
sem a autorização do editor.

Impresso na Índia

Nº de Catálogo: **10042**